中国白酒

风味物质高分辨

质谱图集

赵东
郑佳
等 编著

High-Resolution Mass Spectrometry Atlas of Flavor Compounds in Chinese Baijiu

化学工业出版社
·北京·

内容简介

本书由五粮液风味研究团队编制，以气相色谱－四极杆－飞行时间质谱联用技术为支撑，围绕467 种白酒挥发性风味化合物展开。团队针对化合物特性，在 70eV、50eV、30eV、15eV 四种电子轰击能量下获取质谱图，清晰标注特征碎片离子的质荷比与对应化学式，同时补充化合物在极性与非极性色谱柱的保留指数，搭配基础标识信息、香气特征描述等，为相关研究提供全面数据支撑。

本书可助力白酒企业科研人员开展风味调控与新品研发，辅助质检人员核验产品成分，为科研机构解析风味机制提供数据，也能作为高校食品科学、酿酒工程、风味化学分析等相关专业的教学参考资料。使用时，已知化合物名称、分子式或 CAS 号，可通过索引直接定位；比对图谱时，先结合色谱保留指数缩小检索范围，再依据碎片离子信息完成匹配，且该碎片离子数据能为物质定量分析提供参考。

图书在版编目（CIP）数据

中国白酒风味物质高分辨质谱图集 / 赵东等编著. 北京 : 化学工业出版社，2026. 2. -- ISBN 978-7-122-49439-9

Ⅰ. TS262. 3-64

中国国家版本馆CIP数据核字第20259YG796号

责任编辑：赵玉清　尉迟梦迪　　装帧设计：刘丽华

责任校对：田睿涵

出版发行：化学工业出版社

（北京市东城区青年湖南街 13 号　邮政编码 100011）

印　　装：河北京平诚乾印刷有限公司

880mm×1230mm　1/16　印张 32　字数 985 千字　　2026 年 2 月北京第 1 版第 1 次印刷

购书咨询：010-64518888　　售后服务：010-64518899

网　　址：http://www.cip.com.cn

凡购买本书，如有缺损质量问题，本社销售中心负责调换。

定　　价：199.00元

中国白酒风味物质高分辨质谱图集编写人员名单

赵　东　郑　佳　杨康卓
何张兰　王建力　刘志鹏
赵佳迪　梁慧敏　柴　瑶
冯子芸　陆佳玲　李倮珠
陈　荻　柏金和

序　言

中国白酒行业的风味研究正从传统经验探索向现代科学分析迈进，对风味物质的精准解析已成为行业突破的核心需求，技术工具的适配性则是关键。在食品、医药等领域，高分辨质谱技术早已凭借高灵敏度、高准确性成为复杂体系研究的核心手段，但在白酒领域，该技术应用仍有局限——行业虽有部分相关数据库，却缺乏基于该技术的系统性研究，现有数据难覆盖全维度需求，既制约国内对风味机制的深挖，也让国际学界难用标准化方法认知白酒风味，与白酒产业规模极不匹配。

作为长期深耕食品风味化学的研究者，我始终关注全球特色饮品的风味科学，也致力于推动中国白酒风味研究与国际技术接轨。过去与中外同行交流时，大家都认可白酒挥发性风味体系的研究价值，却常因缺乏全面、可靠的技术数据受阻，气相色谱高分辨质谱联用技术在白酒领域的应用，此前也一直缺少系统性成果支撑。

五粮液风味研究团队历经多年攻关完成的这部图集，恰为破解困境提供了关键支撑。团队以气相色谱 - 四极杆 - 飞行时间质谱联用技术为基础，系统梳理出 467 种白酒挥发性风味化合物的关键信息，既包含不同香型的共性物质，也涵盖特征标志物，覆盖了白酒风味研究的核心范畴。

图集构建的基础标识、色谱质谱、风味功能三大核心模块，数据兼具严谨性与实用性。两种极性色谱柱的实测保留指数、四种电子轰击能量下的高分辨质谱图，均经过反复验证，准确性与全面性远超现有同类资源，能为白酒企业风味调控、科研机构探索机制、高校专业教学提供扎实参考。

对中国白酒行业而言，这部图集是推动研究向科学型转变的重要工具；对全球风味研究领域来说，它完善了白酒高分辨质谱数据体系。

我由衷期待这部成果充分发挥价值，更盼望未来它能被翻译为英文版本，跨越语言壁垒，让全球研究者共享优质成果，助力中国白酒风味研究融入国际学术体系，在世界舞台展现科学魅力与产业价值。

美国化学学会会士

美国化学学会农业与食品化学分会执行委员

美国俄勒冈州立大学教授

2025 年 9 月

前　言

中国白酒是世界四大蒸馏酒之一，承载中华数千年酿造智慧，是我国特有传统发酵饮品，已融入国人生活与文化，在全球蒸馏酒市场地位特殊，是彰显饮食文化自信、连接传统技艺与现代产业的经济载体。其魅力源于多元复杂的风味体系，不同香型的风格差异，源于共性核心风味物质含量比例的细微变化，叠加少量独有特征物质的协同作用，即“物质同源、含量异质”；而挥发性风味物质是这一规律的关键所在，对白酒的香气、品质、香型区分及市场价值起决定性作用。

然而，白酒挥发性风味物质的复杂性远超其他蒸馏酒，给研究带来巨大挑战：一是成分种类极多，据报道，仅多粮浓香型白酒中已鉴定出的挥发性物质就超 3000 种，涵盖醇、酯、酸、醛、酮、芳香族化合物等十余类，且仍有大量物质未被完全识别；二是含量跨度大，从 mg/L 级主体物质到 μg/L、ng/L 级微量物质，浓度差达上万倍，微量物质检测易被掩盖；三是性质差异显著，物质极性、沸点等不同，部分易挥发分解，增加分离捕获难度。这些复杂性叠加，导致常规气相或质谱分析中，不仅物质共出峰现象频发，还存在离子抑制、碎片离子重叠等相互干扰问题，直接造成化合物定性鉴定时“误判”“漏判”，定量分析时结果偏差较大，既制约了白酒风味形成机制、关键香气成分挖掘等基础研究的深度与精度，也难以满足产业在风味调控、品质标准化、质量溯源等方面的精细化需求。

在此背景下，高分辨质谱技术（尤其是气相色谱 - 四极杆 - 高分辨质谱联用技术）凭借其不可替代的技术优势，成为突破白酒风味研究瓶颈的关键工具。相较于传统质谱，高分辨质谱具备极快的扫描速度，能够精准捕捉复杂体系中瞬间出峰的微量物质信号；其极低的检测限，可检出白酒中含量极微但对风味至关重要的“关键特征物质”；更重要的是，它能提供精确的质量数与同位素丰度数据，结合不同电子轰击能量（如 70eV 标准模式、50eV、30eV、15eV）的灵活调整，可根据化合物性质适配最优裂解条件，例如：对易裂解的热敏性物质采用低能量模式保留分子离子峰，对结构稳定的物质采用高能量模式获取丰富碎片离子，完整呈现化合物结构信息，最大化减少质谱图干扰，为复杂体系中化合物的准确识别与结构解析提供了可靠保障。遗憾的是，此前我国白酒领域缺少系统性采用高分辨质谱研究挥发性风味成分的文献，权威的高分辨质谱专业数据库更是处于空白状态，这与白酒产业的规模和文化地位极不匹配，也成为制约行业科学研究与技术创新的短板。

为填补空白，助力白酒风味研究的标准化、精准化发展，五粮液风味研究团队历经多年攻关，基于气相色谱 - 四极杆 - 飞行时间质谱联用技术，开展了中国白酒挥发性风味物质的系统性研究，并最终形成了本图集。在图集的编写过程中，我们以“覆盖共性与特征风味物质、提供全维度数据支撑”为目标，首先筛选出白酒中常见的467种挥发性风味化合物作为研究对象——这些化合物既包括在不同香型中普遍存在的共性物质（如己酸乙酯、乙酸乙酯、己酸、乙酸等），也涵盖部分香型的特征标志物（如酱香型中的川芎嗪、清香型中的乙酸异戊酯等）。

图集的核心内容围绕白酒挥发性风味物质的全维度信息展开，系统性整合为三大模块，为研究与应用提供清晰、实用的数据支撑。

第一模块为基础标识信息，是化合物身份识别的核心依据。内容涵盖化合物的标准名称、CAS号、精确分子量、分子式及化学结构式。在命名规范上，严格遵循“化学命名原则”，同时结合白酒行业实际应用习惯灵活调整——例如萜烯类物质采用行业常用名以贴合实践，缩醛类物质则使用规范化学名保证严谨性。精确分子量，多数是根据质谱图中分子离子测量出的数据进行填写；未能测到分子离子的物质，填写的是NIST库中的数据。将化合物按物质种类（如酸、芳香族、醇、醛、酯等）分类排序，以便于读者按类别检索；此外，特别编制“分子式索引”与“CAS登录号索引”，读者可通过索引快速定位目标化合物，大幅提升检索效率。

第二模块为色谱与质谱数据，是化合物检测与分析的关键技术支撑。色谱数据方面，明确标注每种化合物在两种不同极性的色谱柱（极性柱DB-WAX、非极性柱DB-1）上的保留指数，该数据为团队实际测定数据，按照Kratz和vanden Dool的保留指数计算方法进行计算。可帮助不同实验室根据自身色谱条件进行结果匹配，解决因仪器差异导致的定性偏差问题。质谱数据方面，收录化合物在70eV（标准模式）、50eV、30eV、15eV四个电子轰击能量下的高分辨质谱图。以辛酸乙酯为例，本图册不仅收录了其在4种能量下的完整质谱图，还清晰标注了不同能量下的特征碎片离子（如70eV标准模式下*m/z*为88.0522的$[C_4H_8O_2]^+$）以及低能量下的分子离子碎片（如50eV能量下*m/z*为172.1456的$[C_{10}H_{20}O_2]^+$）。通过与国际权威的NIST数据库比对，结合碎片离子化学式预测算法，每张图谱均清晰标注特征碎片离子的质荷比（*m/z*）与对应化学式，直观呈现不同能量下化合物的裂解规律，为结构解析与定性验证提供直接依据。

第三模块为风味功能信息，聚焦化合物与白酒风味的关联。内容以简洁的文字描述每种化合物的香气特征，如酸性物质的刺激性气味、酯类物质的果香或甜香等，帮助读者快速建立“化学物质 - 感官风味”的对应认知，尤其便于结合质谱与色谱数据，分析特定化合物对白酒香型、口感的贡献度，为风味调控与品质优化提供方向。

在使用本图集时，读者可根据研究需求灵活选择检索方式：已知化合物名称、分子式或CAS号，可通过目录或附录索引直接定位至对应页码，获取完整数据；若需比对质谱图，可结合目标化合物的色谱保留指数缩小检索范围，再通过质谱图中的碎片离子组成与标注信息进行匹配。本图集的应用场景覆盖多个领域，不仅可作为白酒生产企业开展风味调控、品质控制、新产品研发的实用工具，也可作为科研机构进行白酒风味化学、发酵工艺优化、食品安全检测等研究的基础数据手册，同时还可用于高等院校食品科学、酿酒工程等专业的教学实践，为行业培养专业人才提供数据支撑。

本图集的顺利完成，凝聚多方力量的支持与心血，在此谨致诚挚谢意。首先，衷心感谢宜宾五粮液股份有限公司，公司不仅提供国际领先的高端分析设备，更给予充足资金保障，有力支撑风味研究长期推进；正是依托这一坚实保障，五粮液风味研究团队得以持续深耕白酒风味领域，将长期研究成果总结凝练，最终形成本图集这一研究成果。其次，感谢四川省科研项目（2024JDHJ0022）与宜宾重点科技项目（2021GH001、24GJHZ0001）的资金支持，专项资助保障了标准品采购、实验耗材补给、数据检测分析等关键环节，是研究持续推进并形成系统性成果的重要支撑。同时，向行业内白酒风味研究专家致敬，在风味物质筛选、质谱数据采集等关键阶段，专家们凭深厚专业积淀提出宝贵建议，助力团队规避技术偏差、优化研究路径，确保图集数据科学严谨。

尤为值得敬佩的是五粮液风味团队的辛勤付出与卓越担当，他们是本图集的核心缔造者。团队负责人郑佳统筹项目整体推进，杨康卓负责质谱图数据采集与分析，何张兰、王建力、刘志鹏等青年科研人员深耕图谱绘制与标注，将海量复杂原始数据转化为清晰直观、易于解读的专业图谱，为图集核心内容奠定坚实基础。出版之际，谨向全体团队成员致以最衷心的感谢，感谢他们以专业坚守与协同奋斗，促成本图集顺利出版。

最后，感谢参与图集校对审核的同行，他们以严谨的学术态度细致核查内容，从数据准确性到表述规范性提出优化意见，为图集质量把关，确保成果可靠实用。

中国白酒风味研究是一项长期且不断深化的课题，本图集仅为阶段性探索成果。未来，我们期待能继续结合行业发展需求与技术进步，持续完善数据体系。希望本图集能为白酒风味研究领域提供有益参考，欢迎广大读者在使用中提出宝贵意见，共同助力中国白酒产业的科学创新与高质量发展。

于宜宾五粮液股份有限公司

2025 年 6 月

色谱－质谱条件

一、气相色谱条件

（1）色谱柱：极性柱 DB-WAX UI，60m × 0.25mm(i.d.) × 0.25μm。

非极性柱 DB-1MS UI，60m × 0.25mm(i.d.) × 0.25μm。

（2）色谱柱升温程序：程序升温；40℃保持 5min，然后以 4℃ /min 升温至 230℃，保持 10min。

（3）载气：氦气，纯度≥ 99.999%。

（4）载气流速：1mL/min。

（5）进样口温度：230℃。

（6）进样量：1μL。

（7）进样方式：分流进样，分流比为 5∶1。

二、质谱条件

（1）离子源：HES 源。

（2）电子能量：15eV，30eV，50eV，70eV。

（3）离子源温度：230℃。

（4）GC-MS 接口温度：250℃

（5）溶剂延迟时间：2min。

（6）质量扫描范围（m/z）：35 ～ 350

（7）采集速率：5 谱 /s。

（8）扫描方式：全扫描。

目　录

羧酸类

芳香族类

醇类

酯类

醛类

缩醛类

酮类

含硫化合物

含氮化合物

酚类

呋喃类

内酯类

萜烯类

参考文献

索引

羧酸类

1 乙酸

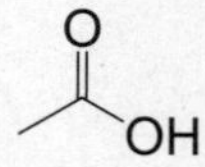

基本信息

CAS 登录号	64-19-7	分子式	$C_2H_4O_2$	分子量	60.0195
保留指数（极性）	1454	保留指数（非极性）	617	香气描述	酸味，刺激性味道，醋味

质谱图

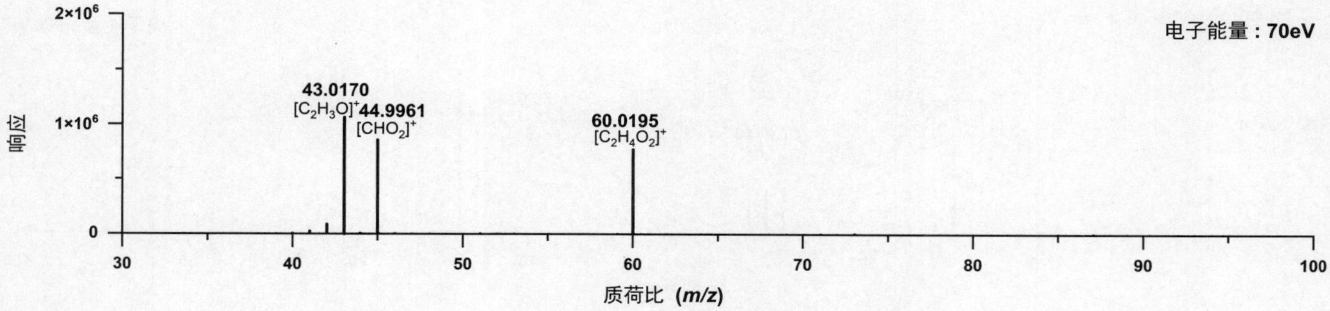

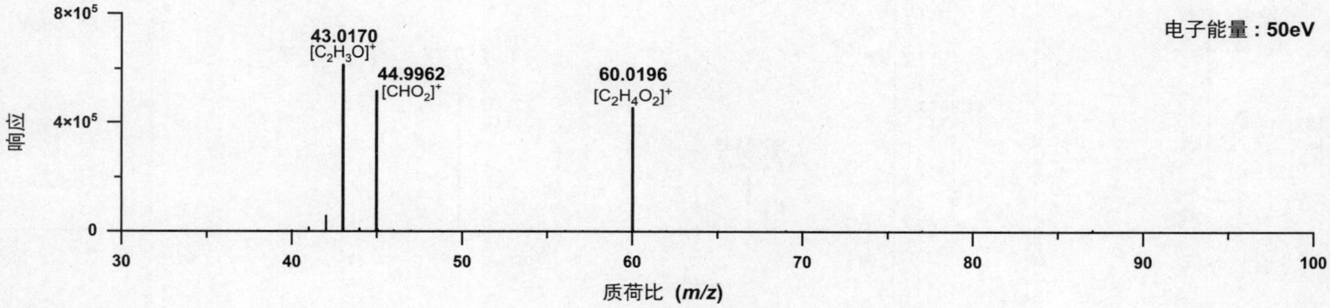

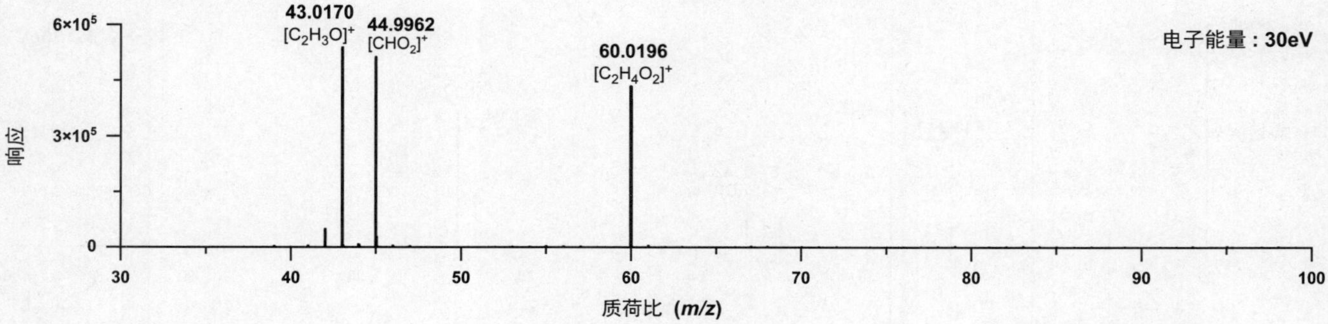

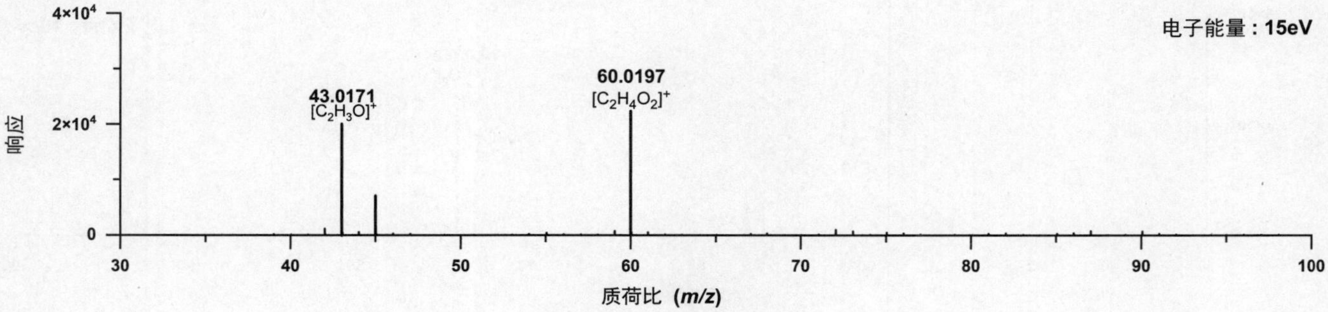

2 丙酸

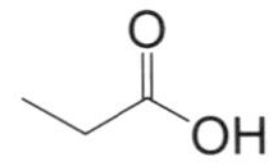

基本信息

CAS 登录号	79-09-4	分子式	$C_3H_6O_2$	分子量	74.0362
保留指数（极性）	1542	保留指数（非极性）	696	香气描述	刺激性气味，变质的气味

质谱图

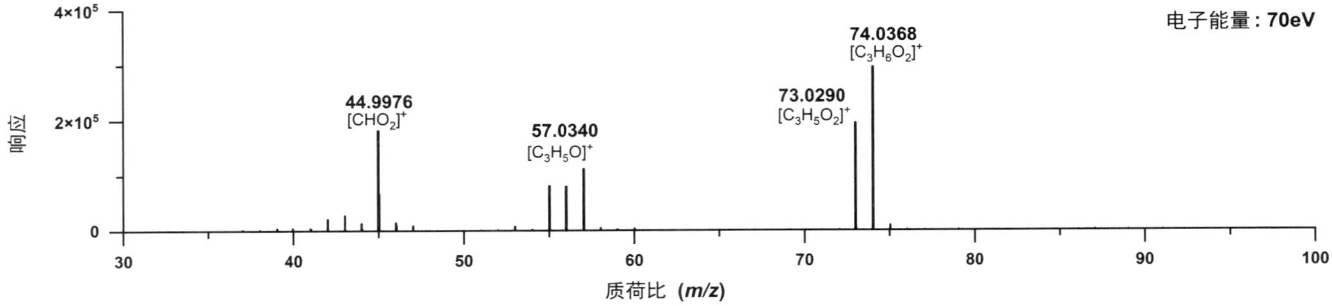

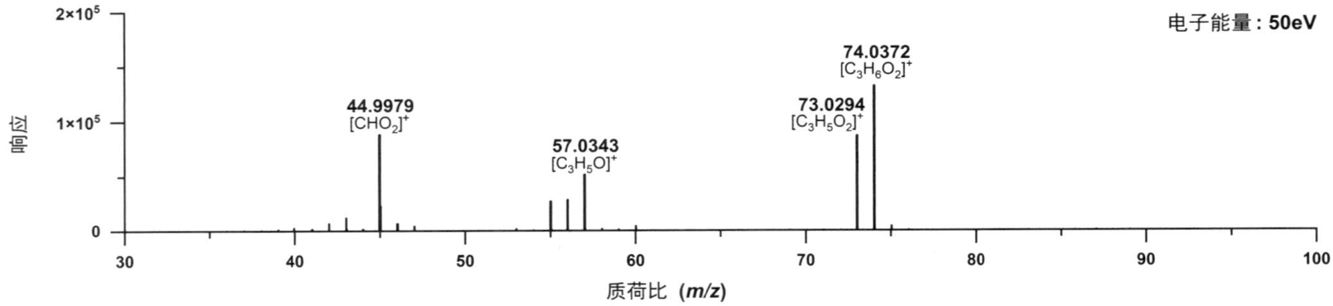

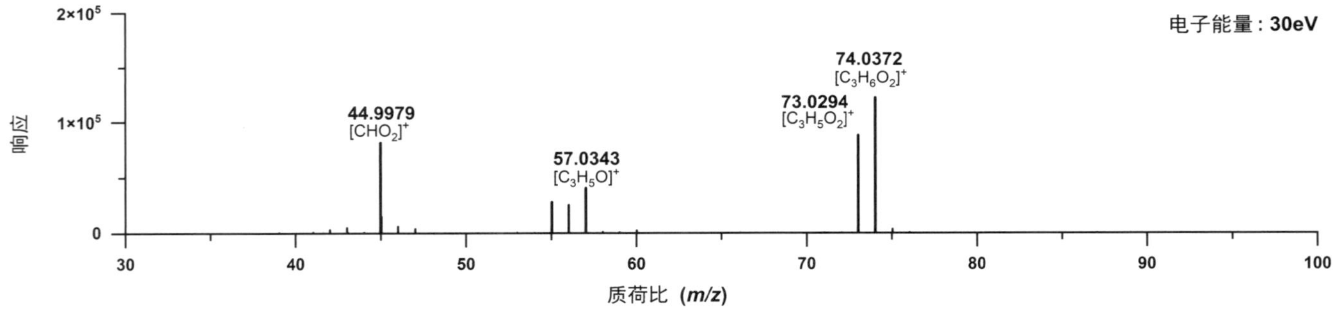

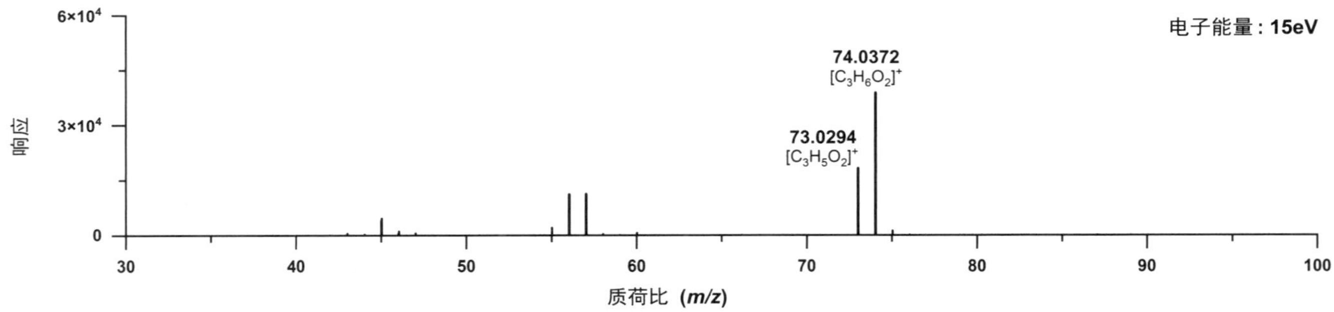

3 丁酸

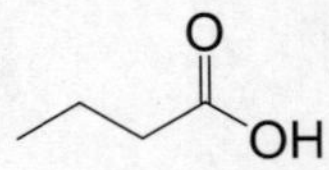

基本信息

CAS 登录号	107-92-6	分子式	$C_4H_8O_2$	分子量	88.0519
保留指数（极性）	1667	保留指数（非极性）	778	香气描述	刺激性气味，变质的气味，酸味，汗臭味

质谱图

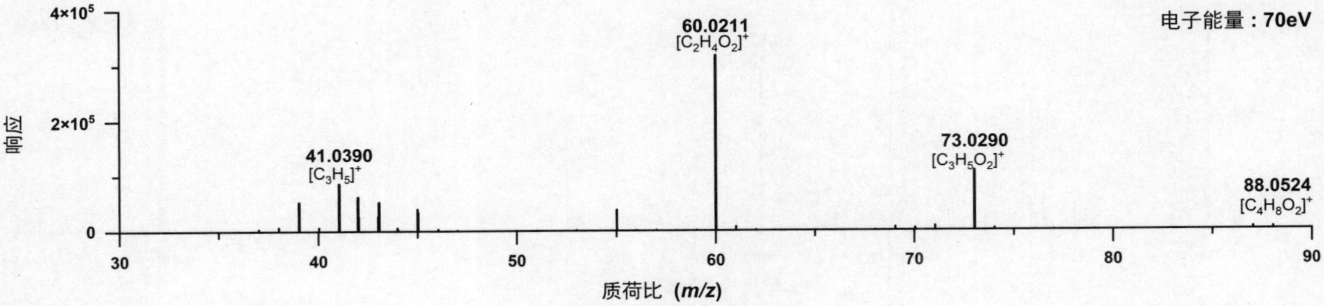

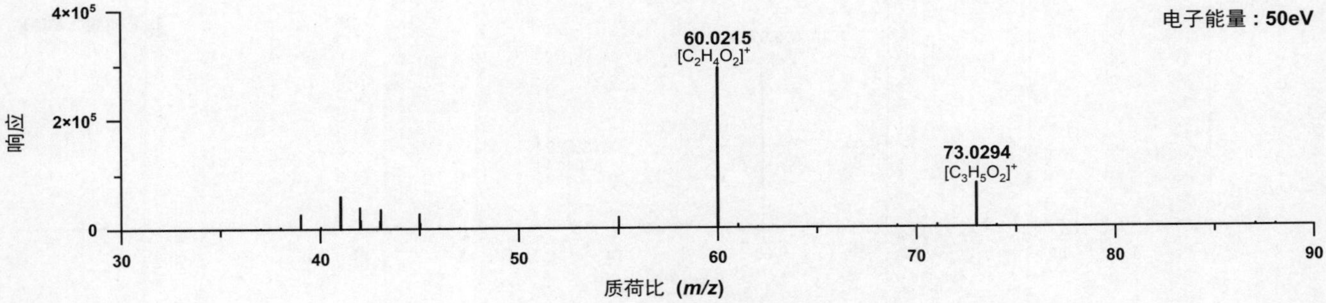

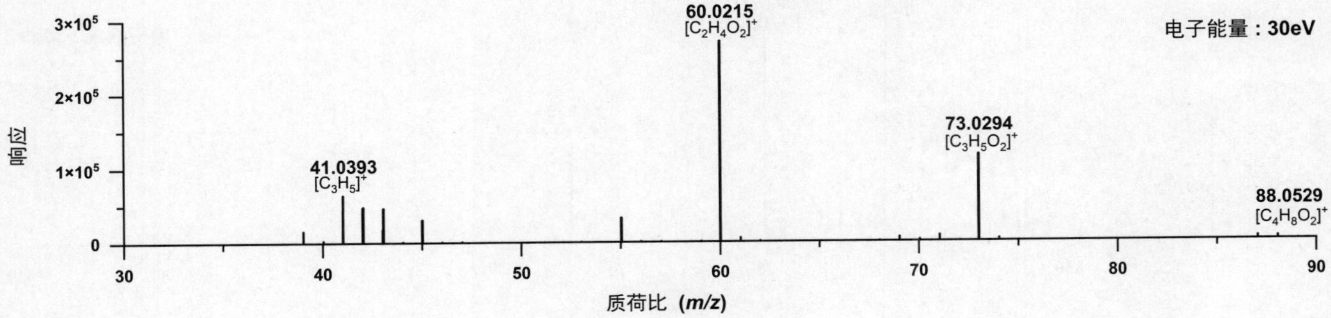

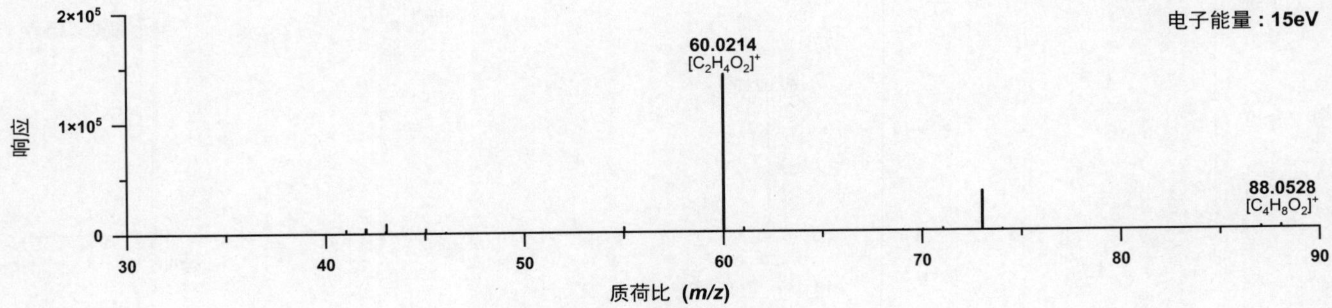

4 **戊酸**

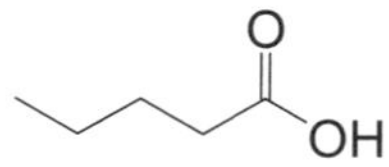

基本信息

CAS 登录号	109-52-4	分子式	$C_5H_{10}O_2$	分子量	102.0681
保留指数（极性）	1743	保留指数（非极性）	868	香气描述	刺激性气味，汗臭味，酸味

质谱图

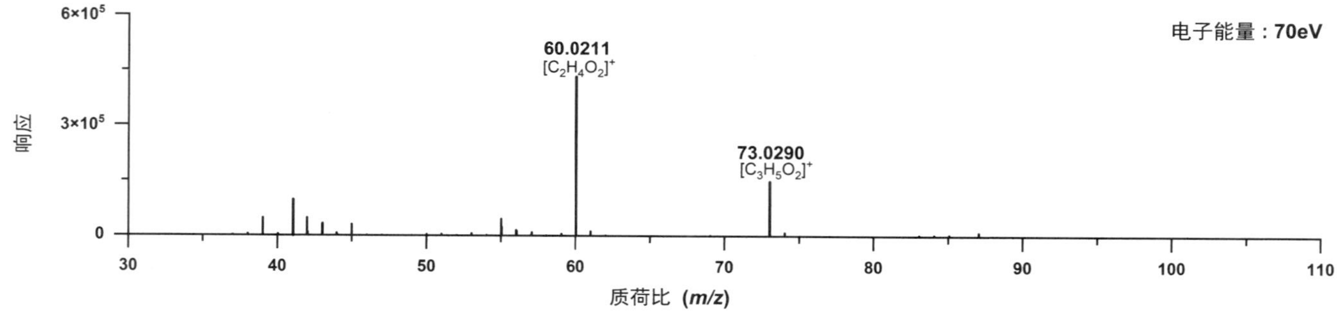

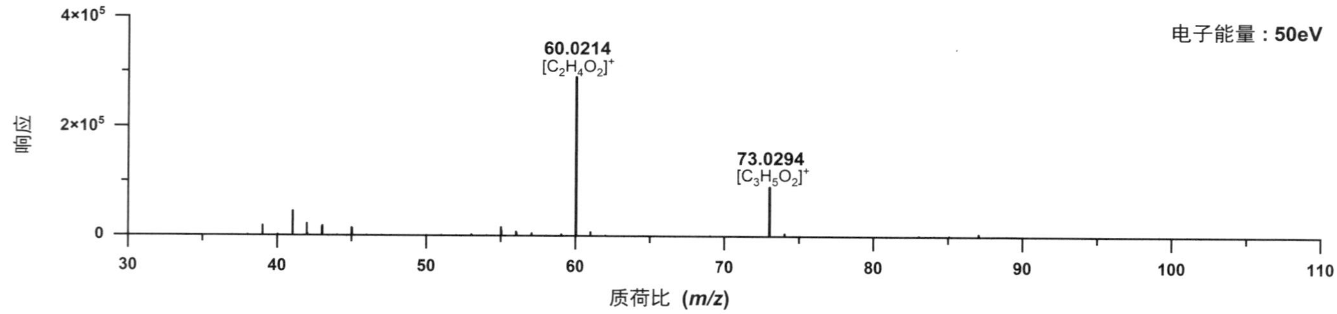

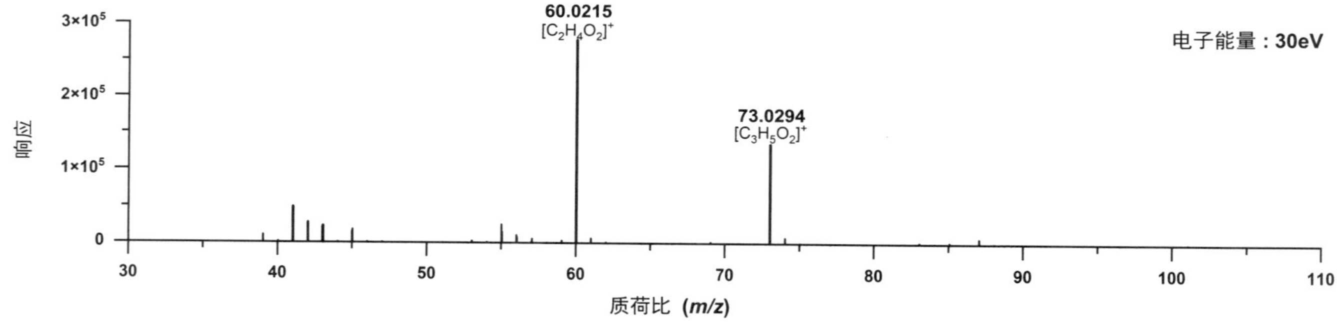

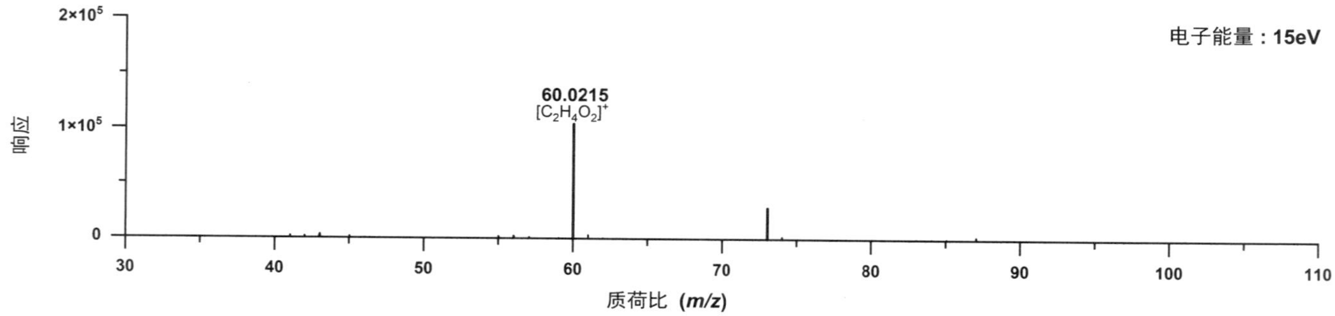

5 己酸

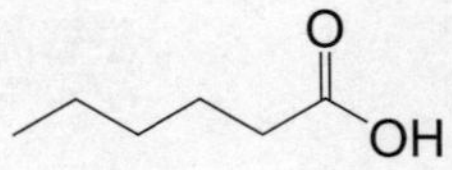

基本信息

CAS 登录号	142-62-1	分子式	$C_6H_{12}O_2$	分子量	116.0837
保留指数（极性）	1851	保留指数（非极性）	961	香气描述	酸味，刺激性气味，汗臭味

质谱图

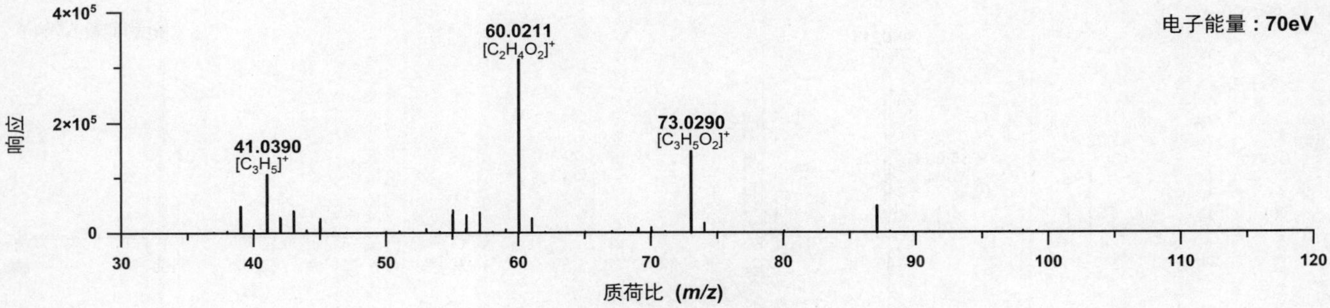

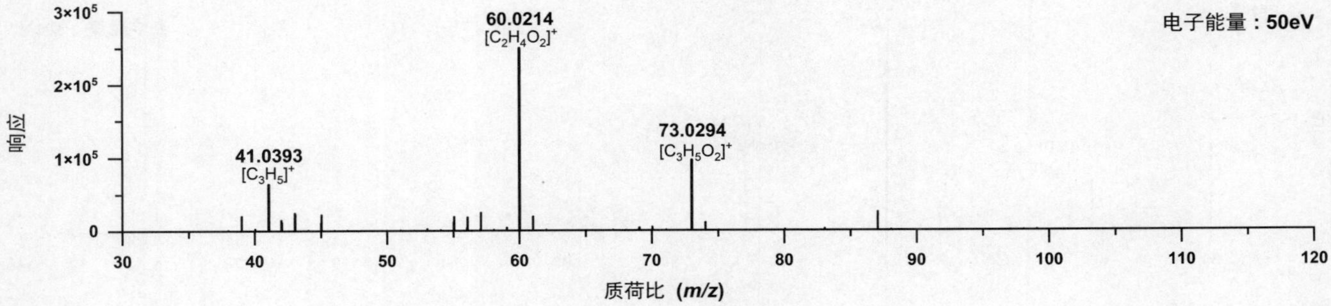

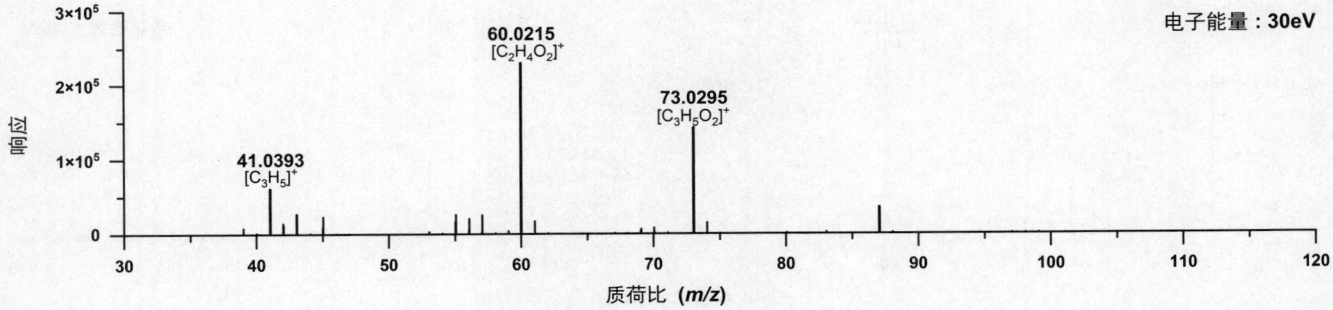

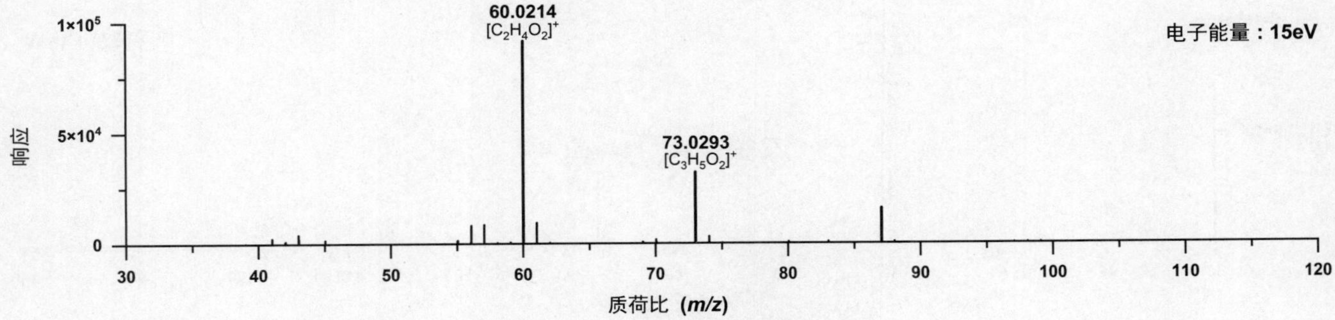

6 庚酸

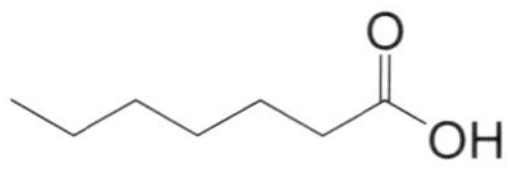

基本信息

CAS 登录号	111-14-8	分子式	$C_7H_{14}O_2$	分子量	130.0993
保留指数（极性）	1959	保留指数（非极性）	1055	香气描述	酸臭味，油脂腐臭味，汗臭味

质谱图

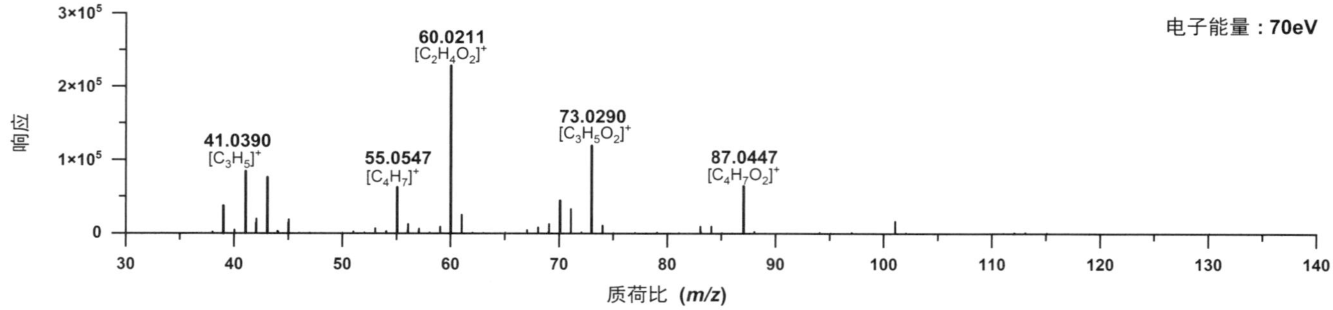

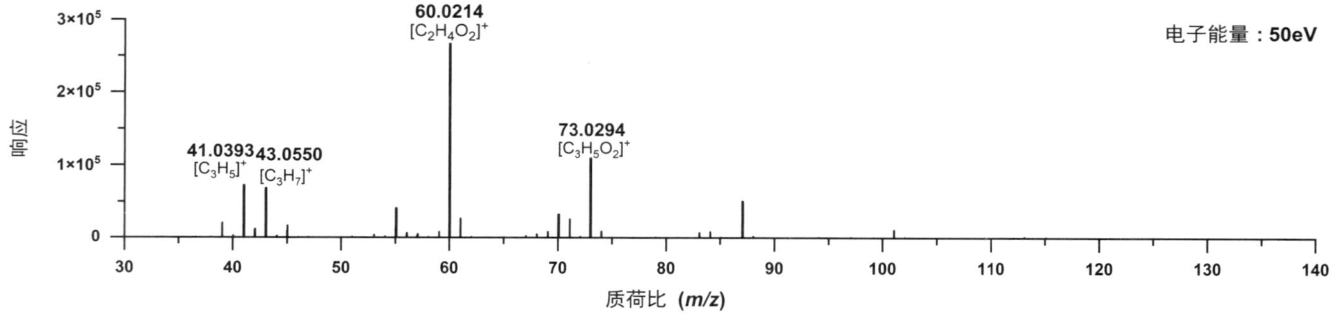

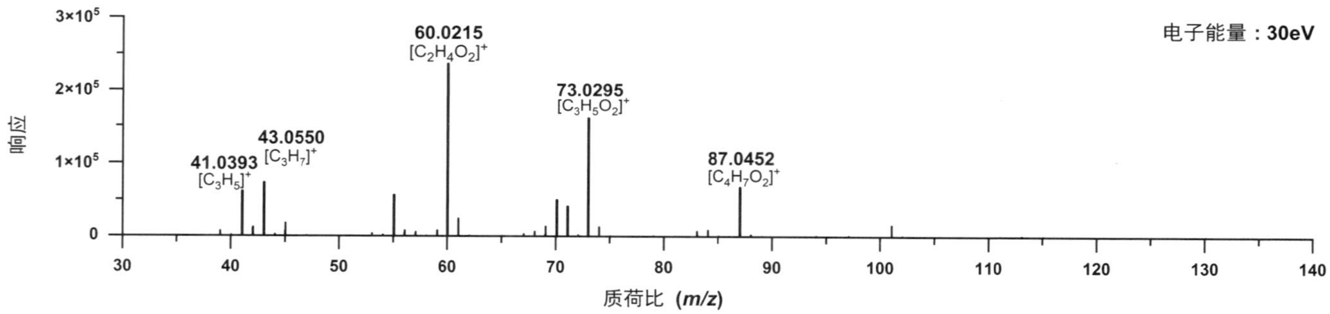

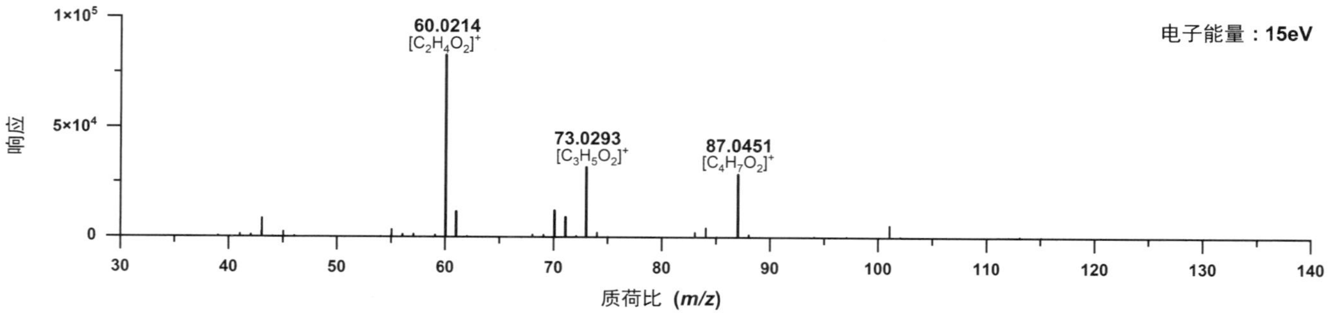

7 辛酸

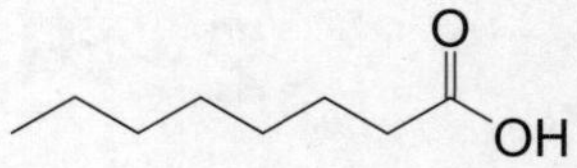

基本信息

CAS 登录号	124-07-2	分子式	$C_8H_{16}O_2$	分子量	144.1150
保留指数（极性）	2066	保留指数（非极性）	1150	香气描述	酸味，腐臭味，轻微难闻的气味

质谱图

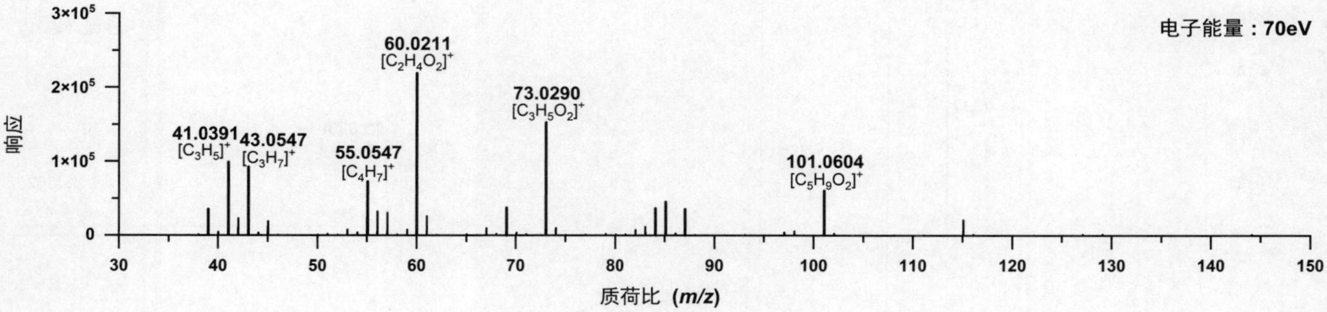

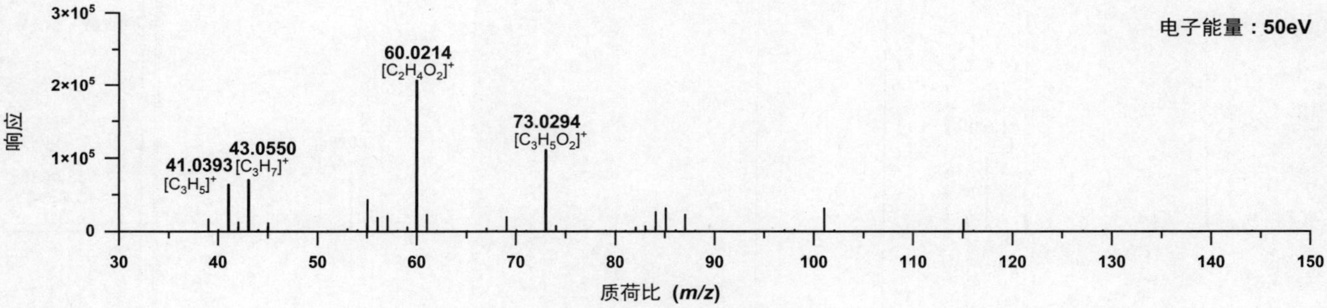

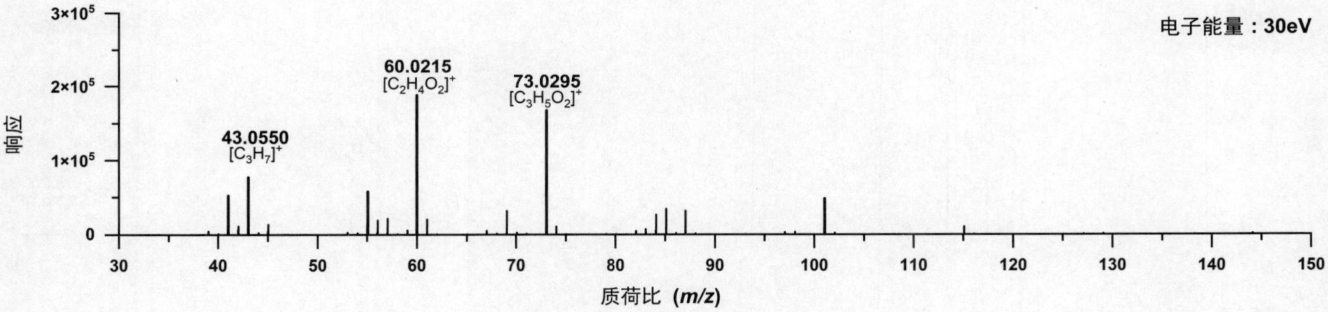

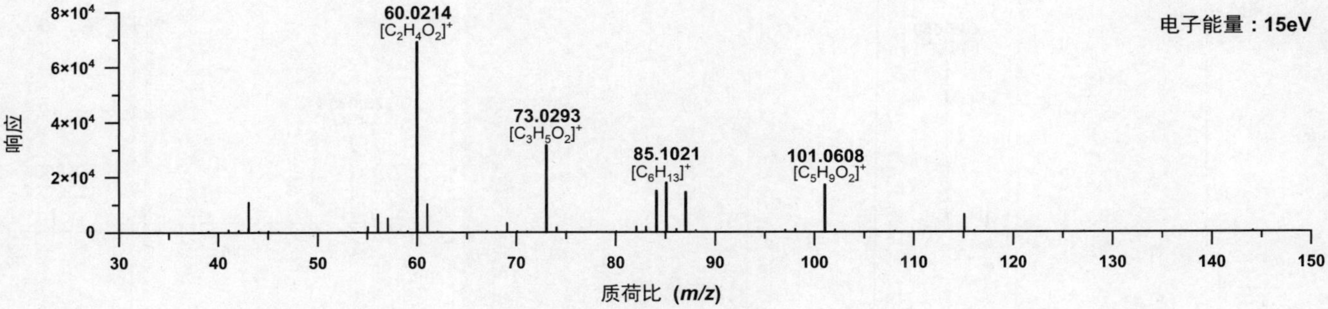

8 2-甲基丙酸

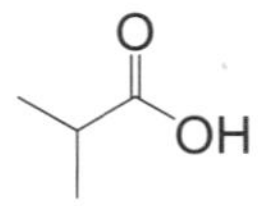

基本信息

CAS 登录号	79-31-2	分子式	$C_4H_8O_2$	分子量	88.0519
保留指数（极性）	1572	保留指数（非极性）	752	香气描述	刺激性气味，变质的气味，酸味，汗臭味

质谱图

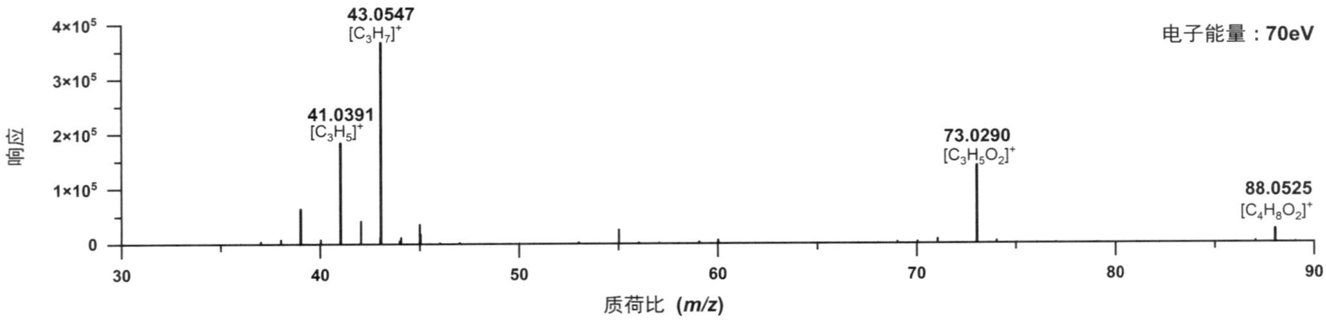

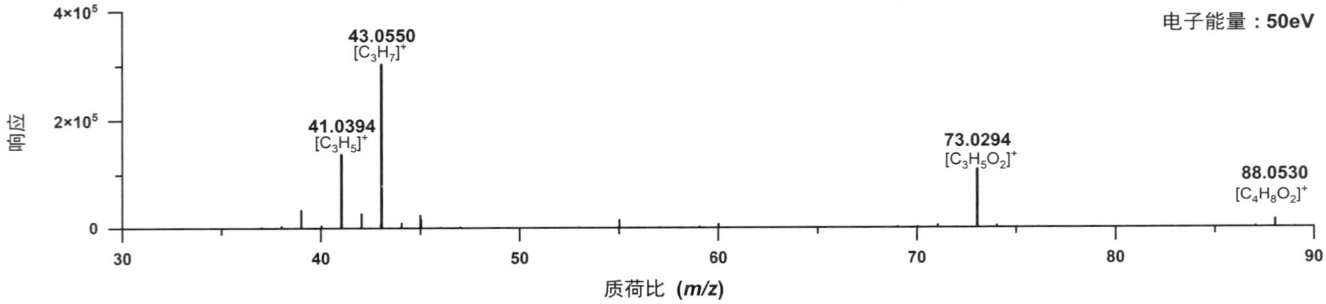

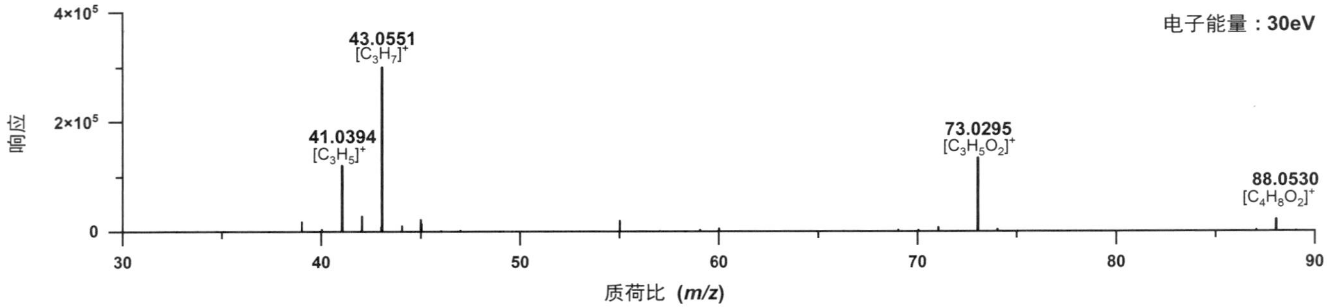

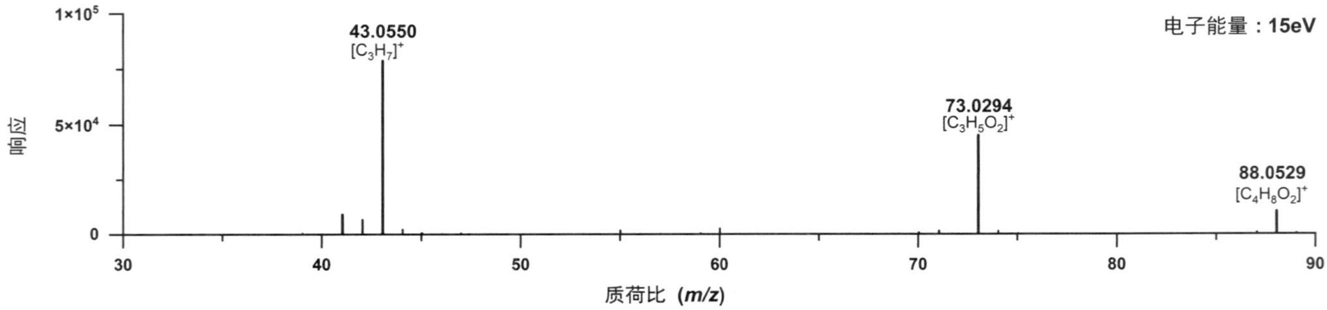

9 2-甲基丁酸

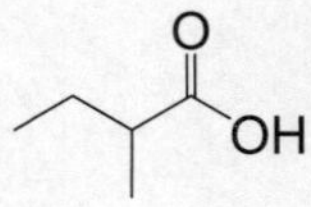

基本信息

CAS 登录号	116-53-0	分子式	$C_5H_{10}O_2$	分子量	102.0675
保留指数（极性）	1677	保留指数（非极性）	837	香气描述	酸臭味，奶酪味，汗臭味

质谱图

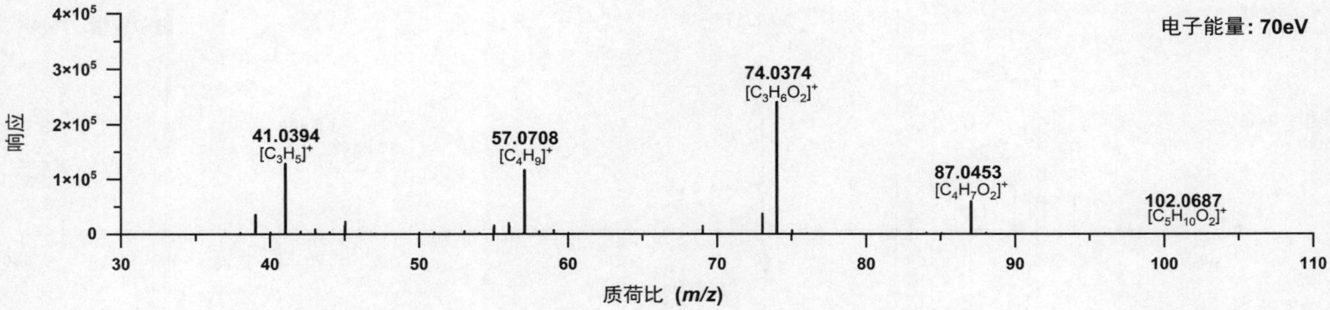

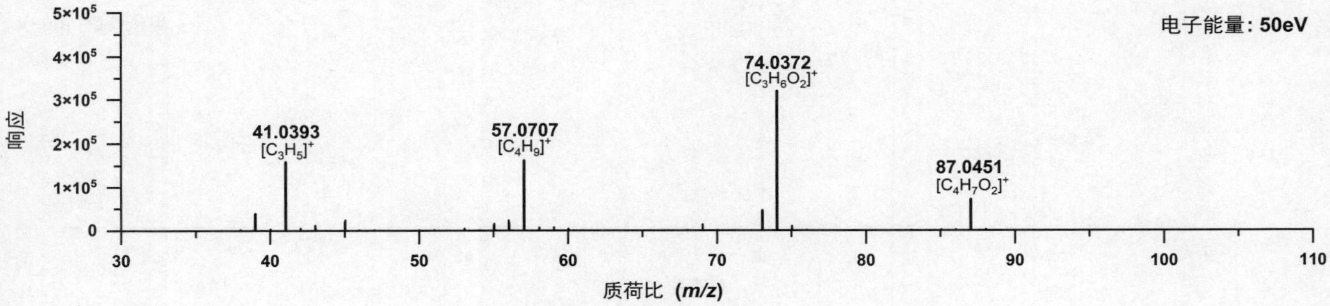

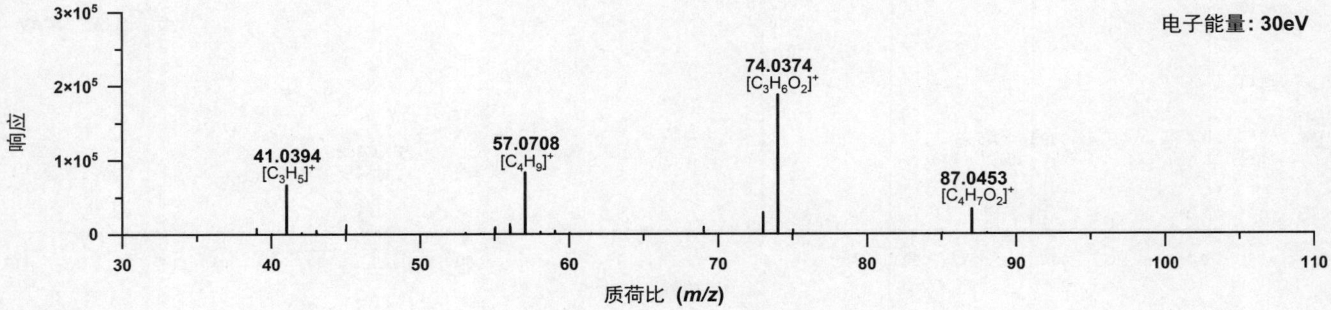

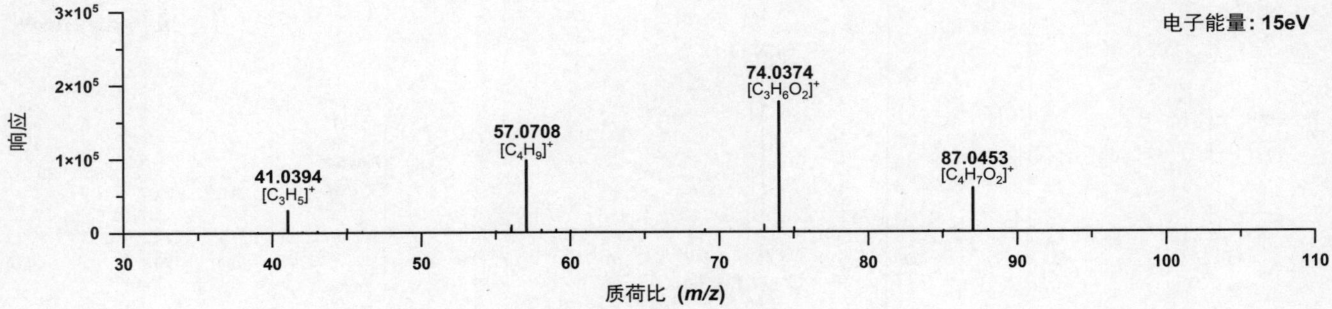

10 3-甲基丁酸

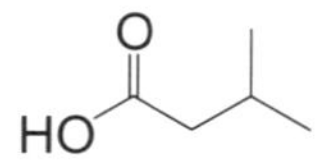

基本信息

CAS 登录号	503-74-2	分子式	$C_5H_{10}O_2$	分子量	102.0681
保留指数（极性）	1675	保留指数（非极性）	831	香气描述	酸味，腐臭味，奶酪味

质谱图

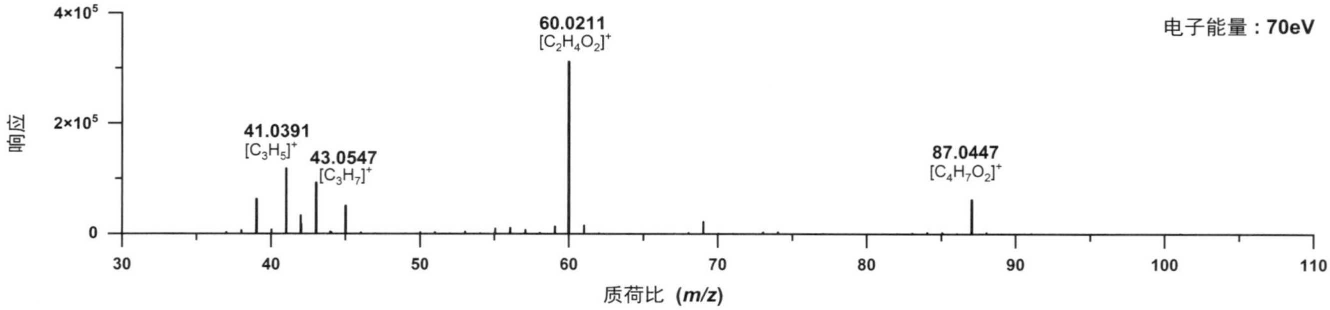

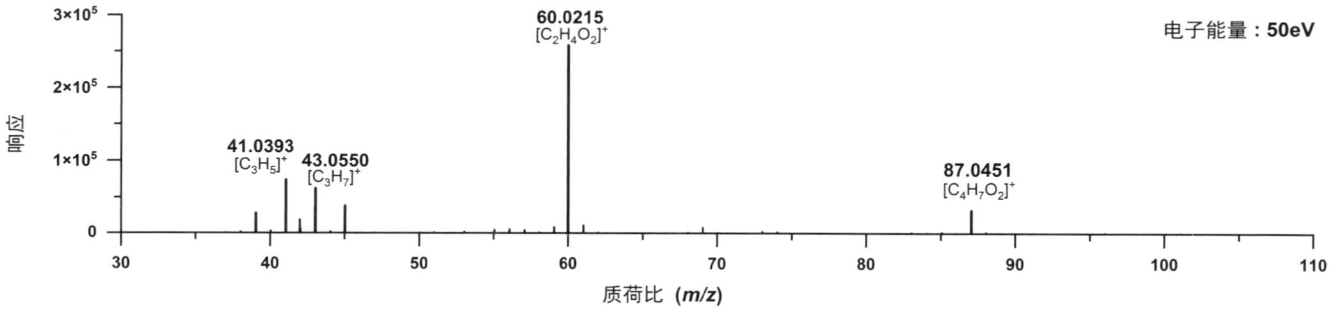

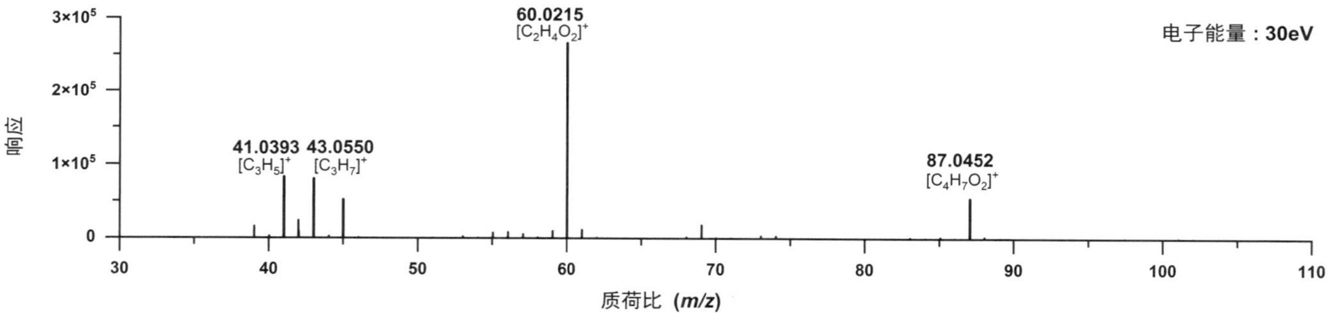

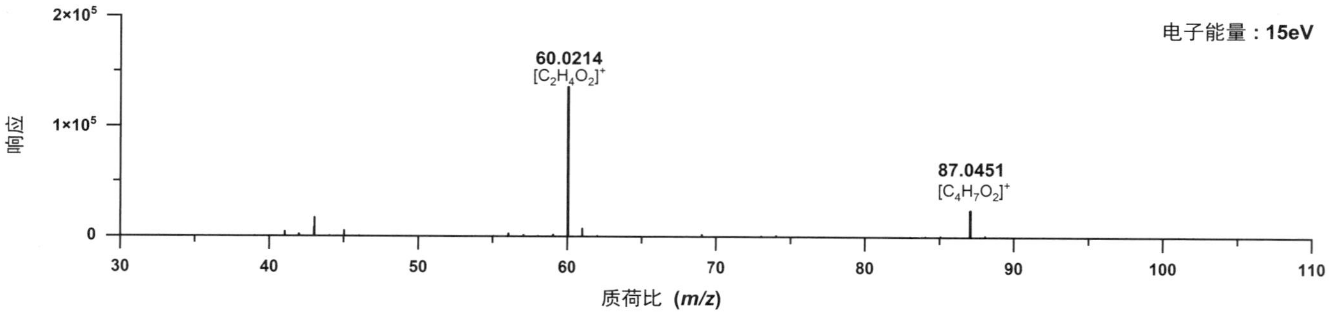

11 2-乙基丁酸

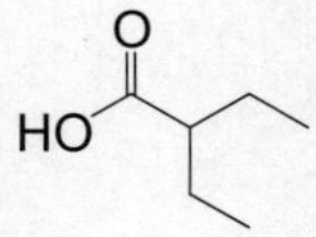

基本信息

CAS 登录号	88-09-5	分子式	$C_6H_{12}O_2$	分子量	116.0837
保留指数（极性）	1767	保留指数（非极性）	921	香气描述	酸味，油脂腐臭味，油性水果味

质谱图

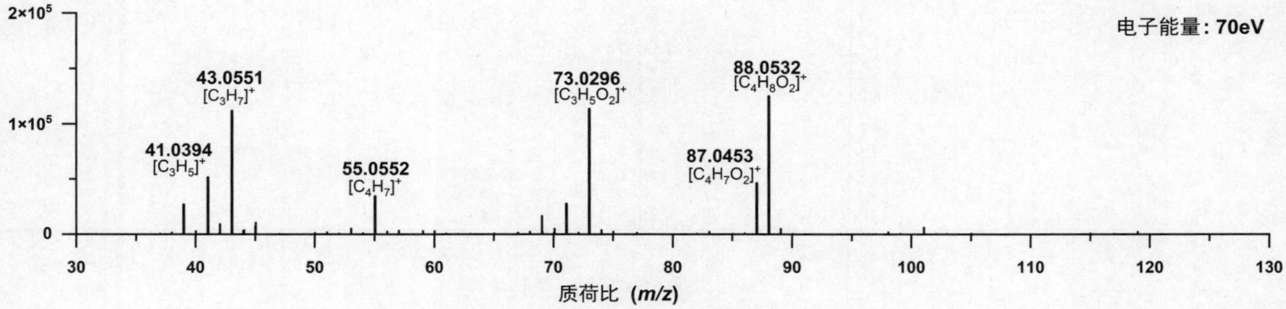

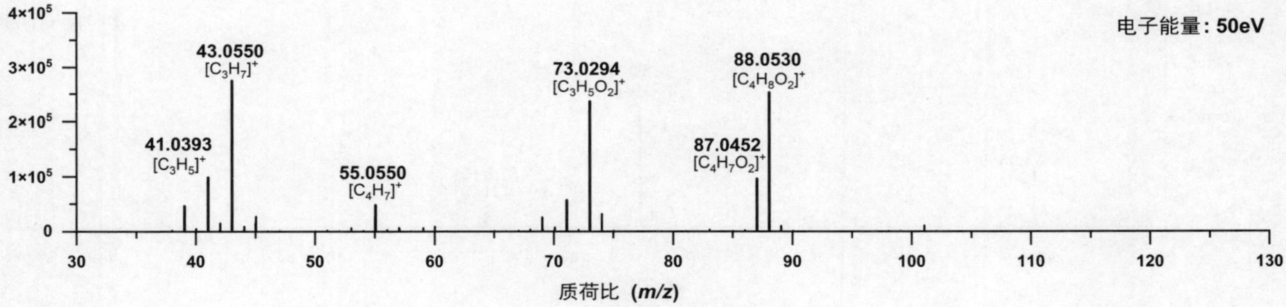

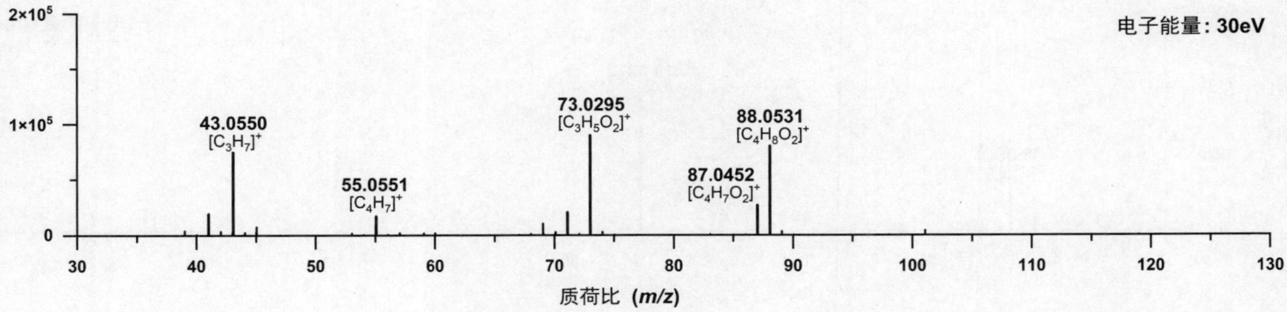

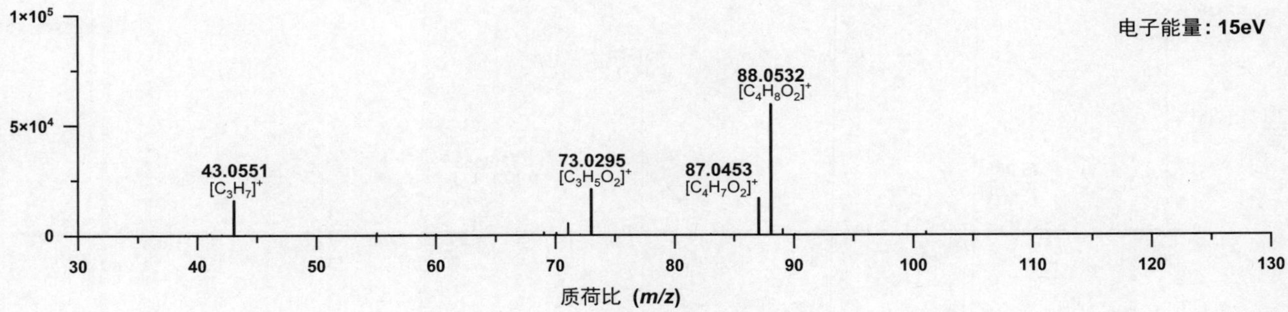

12 2-甲基戊酸

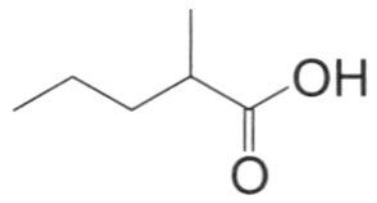

基本信息

CAS 登录号	97-61-0	分子式	$C_6H_{12}O_2$	分子量	116.0837
保留指数（极性）	1773	保留指数（非极性）	924	香气描述	酸味，刺激性气味

质谱图

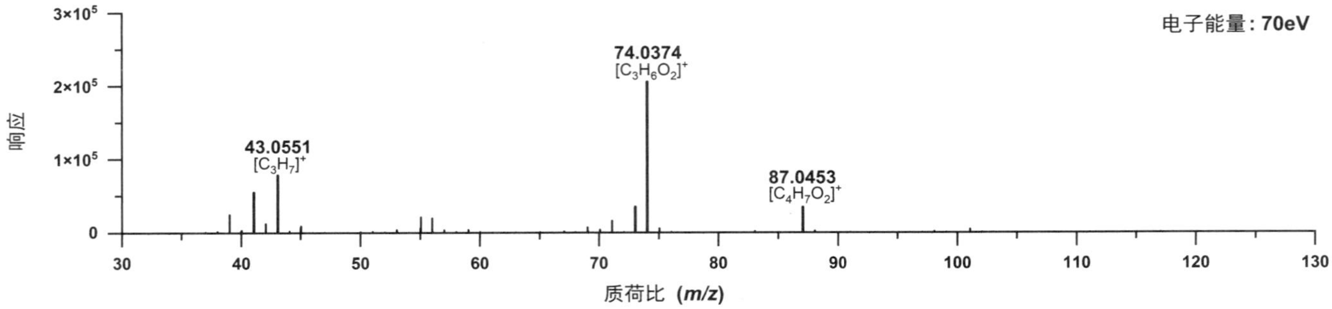

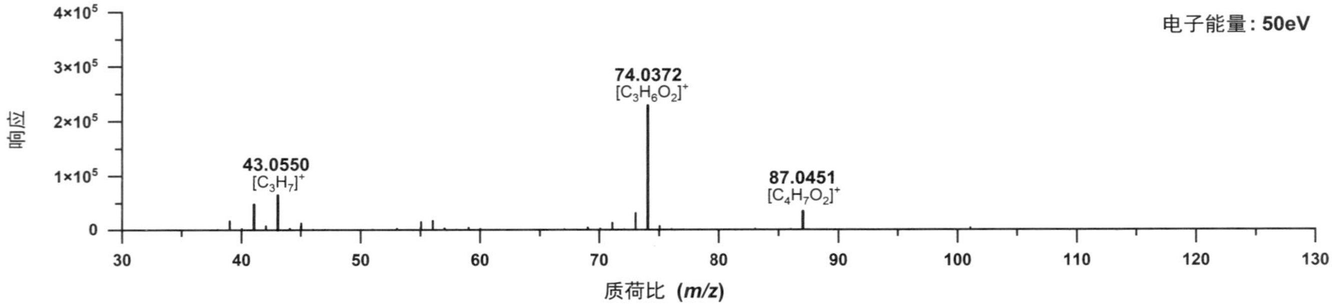

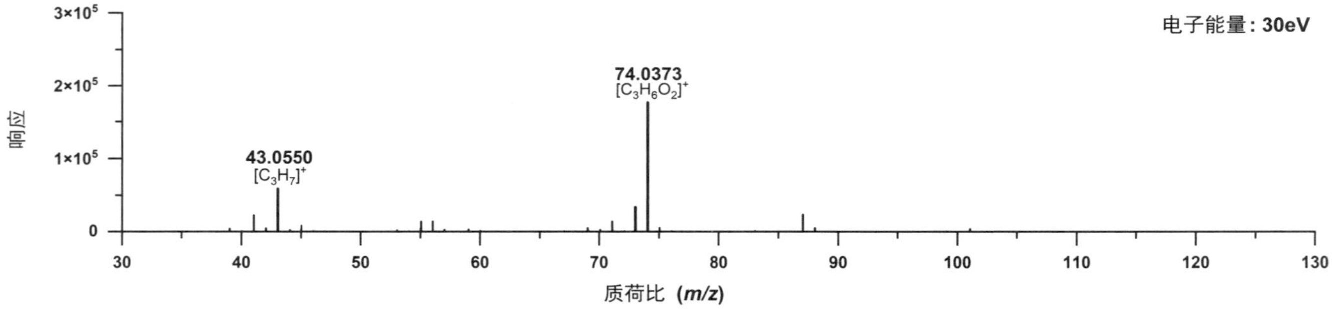

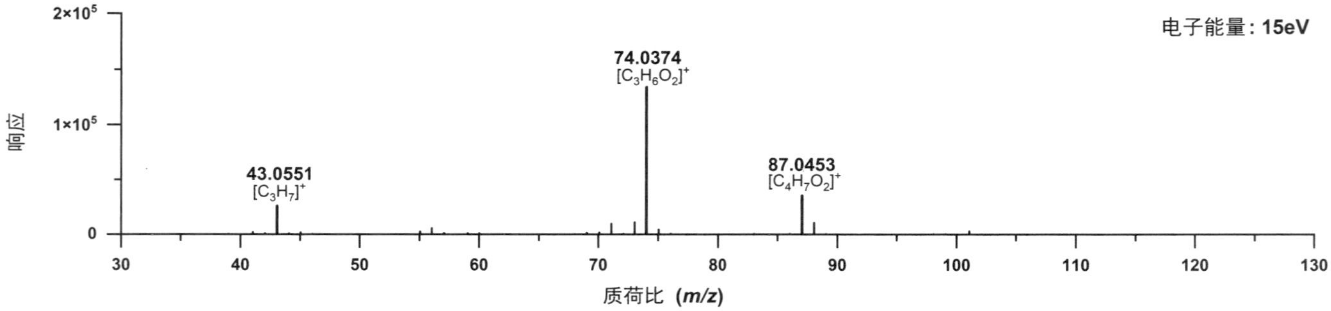

13 4-甲基戊酸

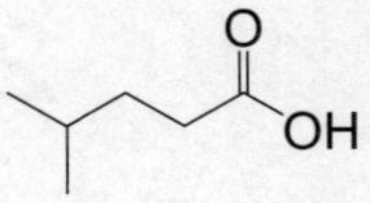

基本信息

CAS 登录号	646-07-1	分子式	$C_6H_{12}O_2$	分子量	116.0837
保留指数（极性）	1809	保留指数（非极性）	931	香气描述	酸臭味，汗臭味

质谱图

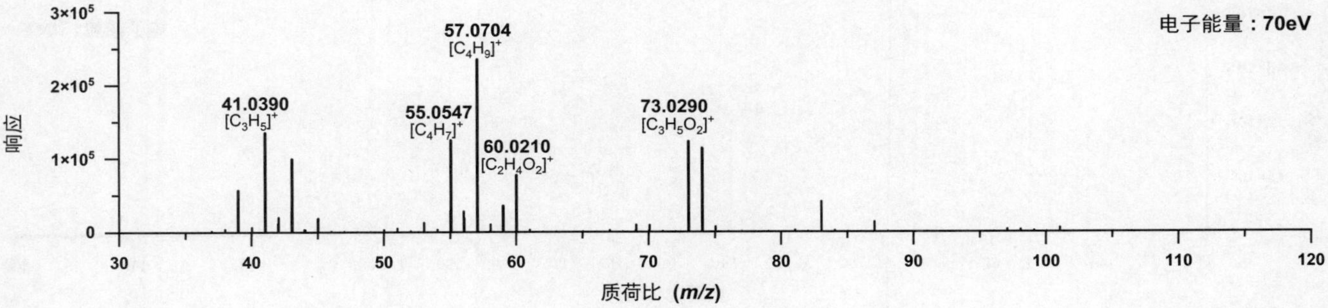

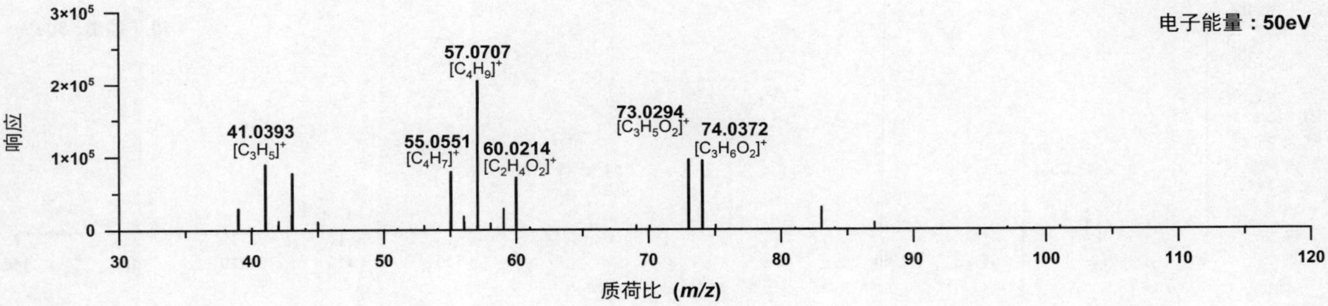

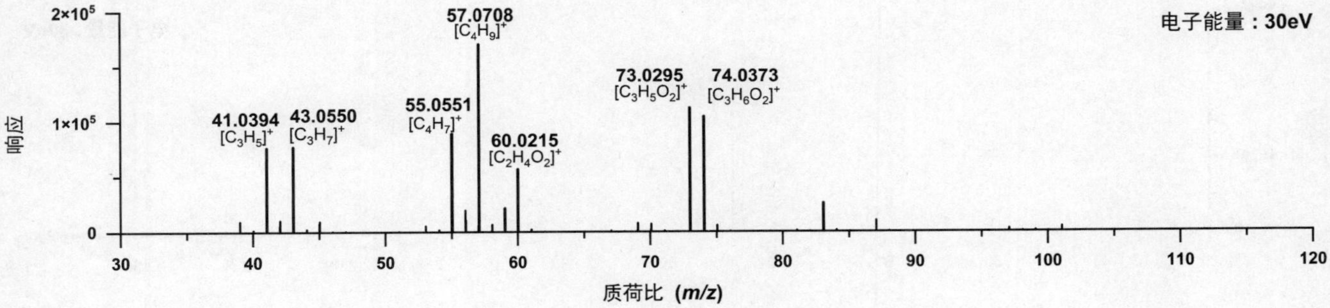

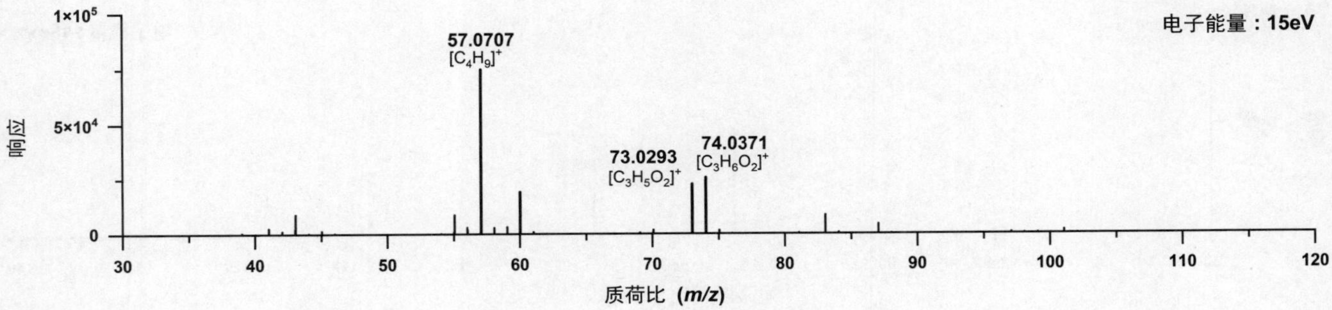

14 2-甲基己酸

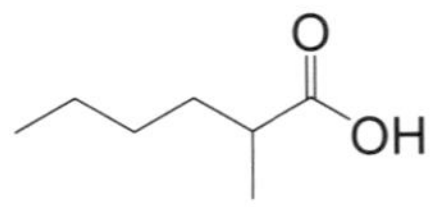

基本信息

CAS 登录号	4536-23-6	分子式	$C_7H_{14}O_2$	分子量	130.0994
保留指数（极性）	1874	保留指数（非极性）	1018	香气描述	酸味

质谱图

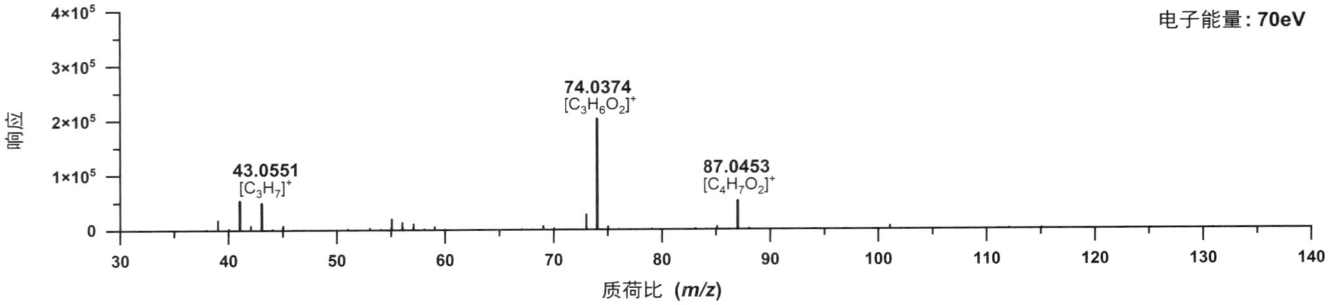

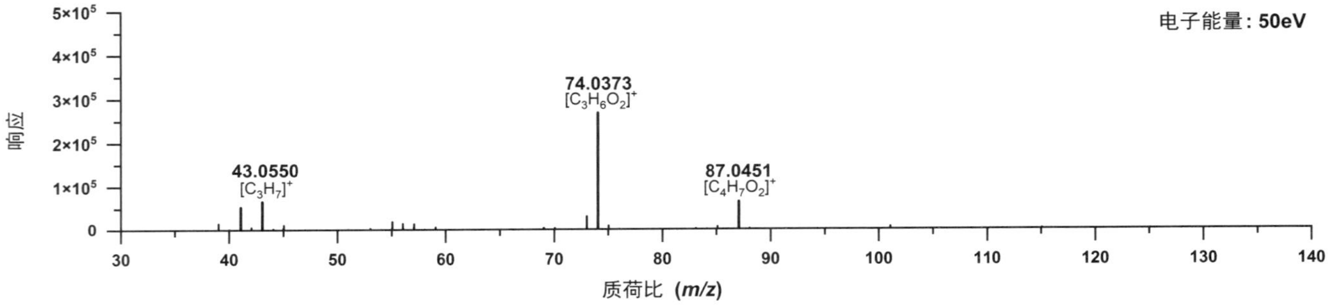

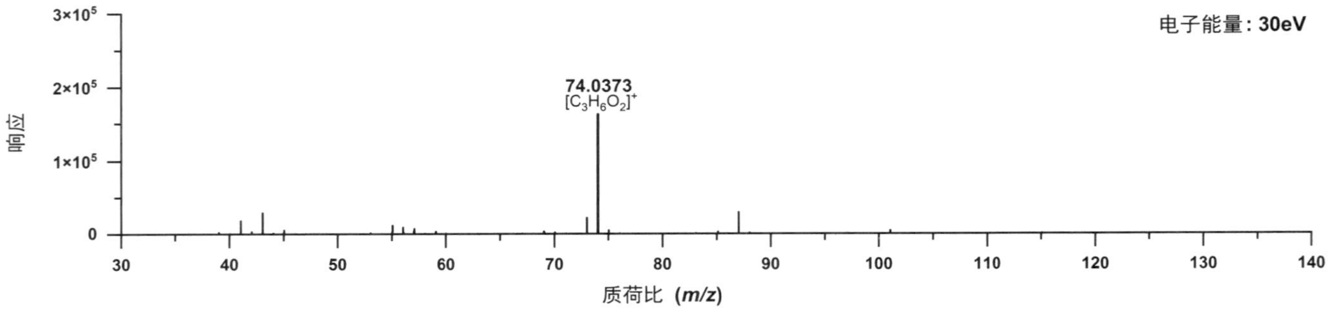

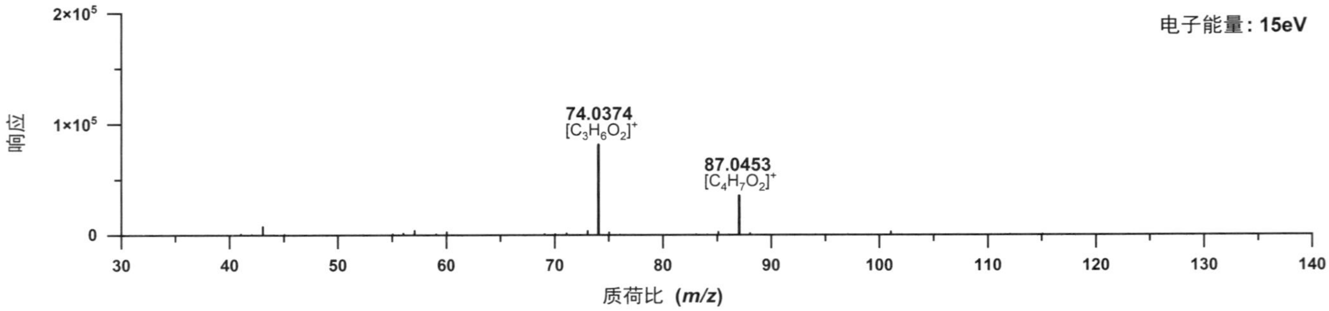

5-甲基己酸

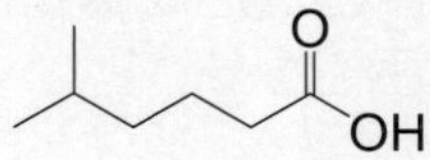

基本信息

CAS 登录号	628-46-6	分子式	$C_7H_{14}O_2$	分子量	130.0994
保留指数（极性）	1912	保留指数（非极性）	1022	香气描述	酸味，发酵后的奶酪味

质谱图

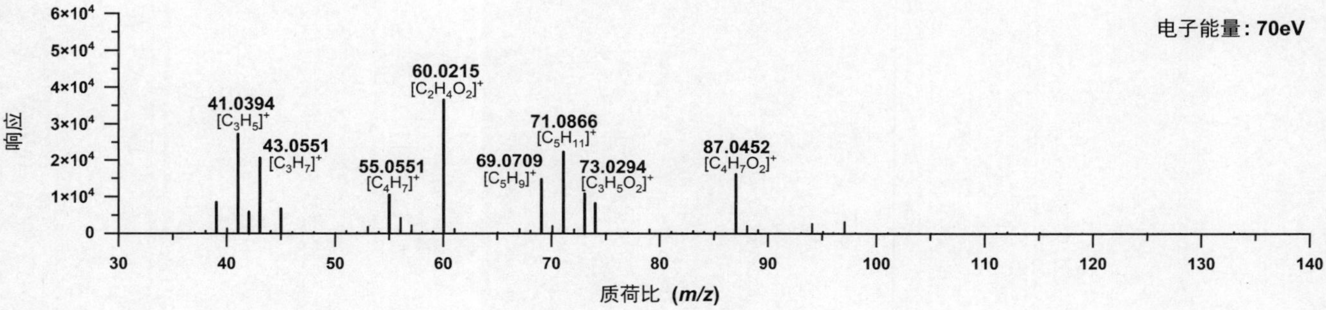

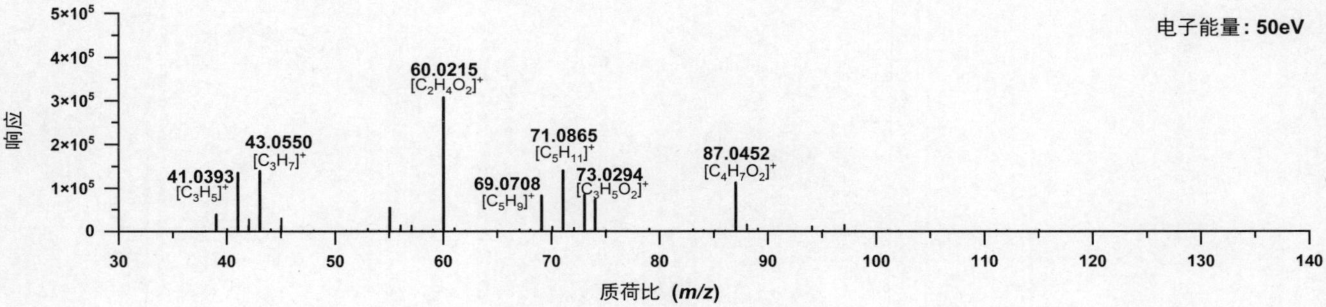

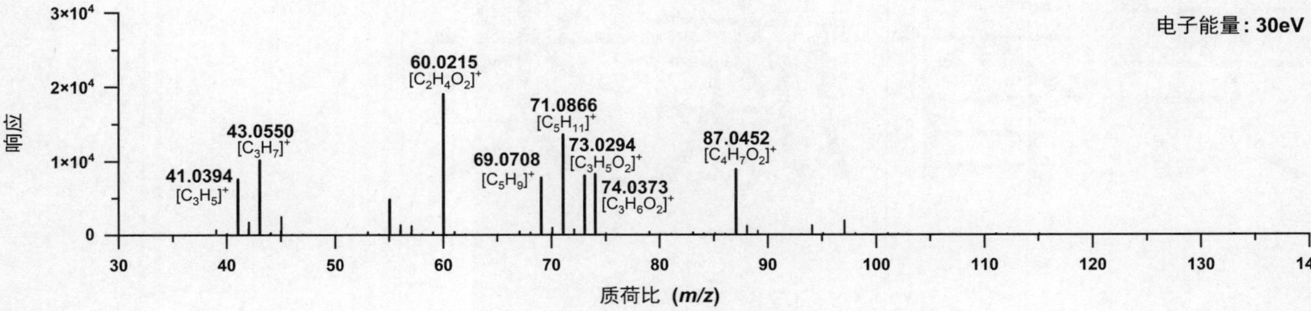

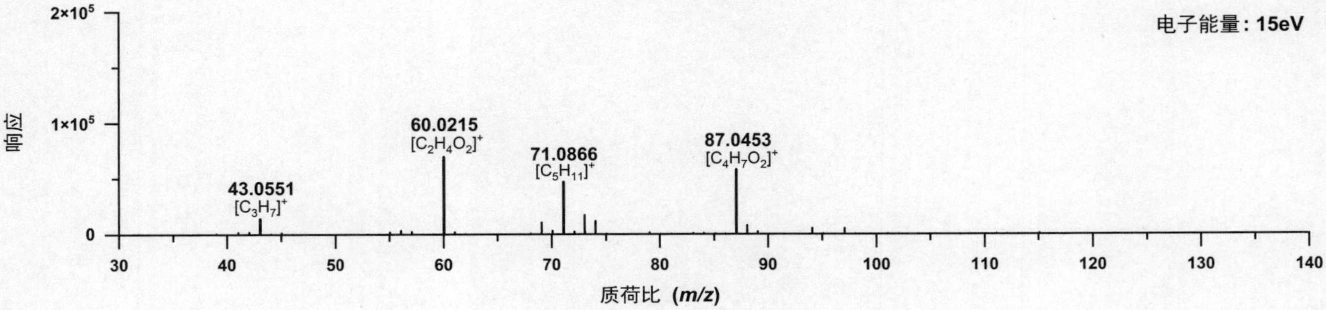

芳香族类

1 乙苯

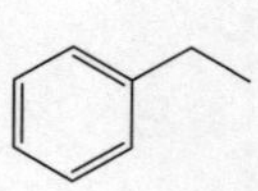

基本信息

CAS 登录号	100-41-4	分子式	C_8H_{10}	分子量	106.0777
保留指数（极性）	1140	保留指数（非极性）	848	香气描述	芳香气味，溶剂气味，甜香

质谱图

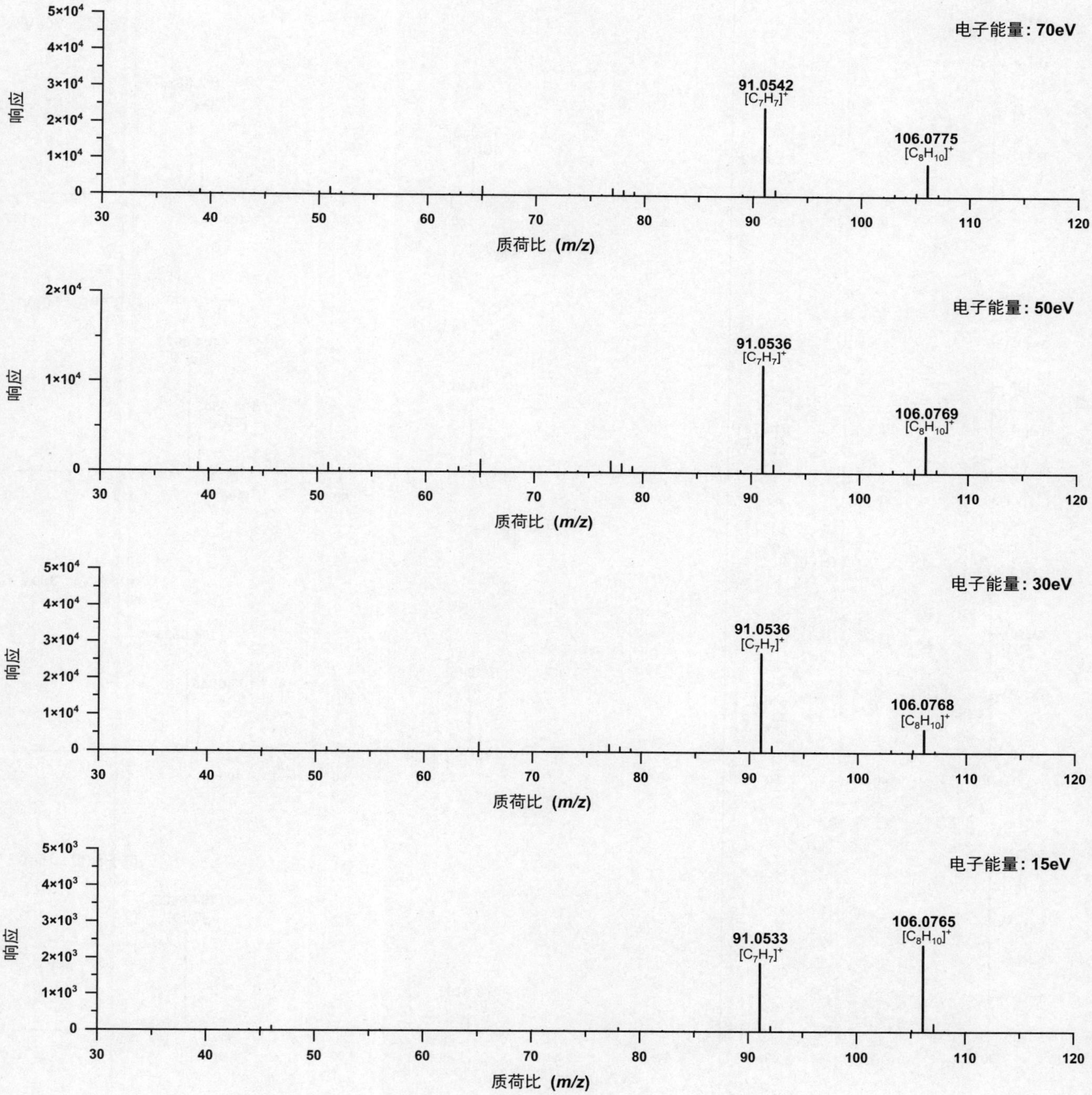

2 苯乙烯

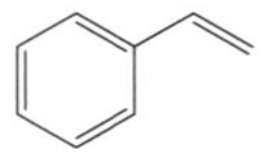

基本信息

CAS 登录号	100-42-5	分子式	C_8H_8	分子量	104.0621
保留指数（极性）	1273	保留指数（非极性）	874	香气描述	甜香，类似塑料的气味，花香

质谱图

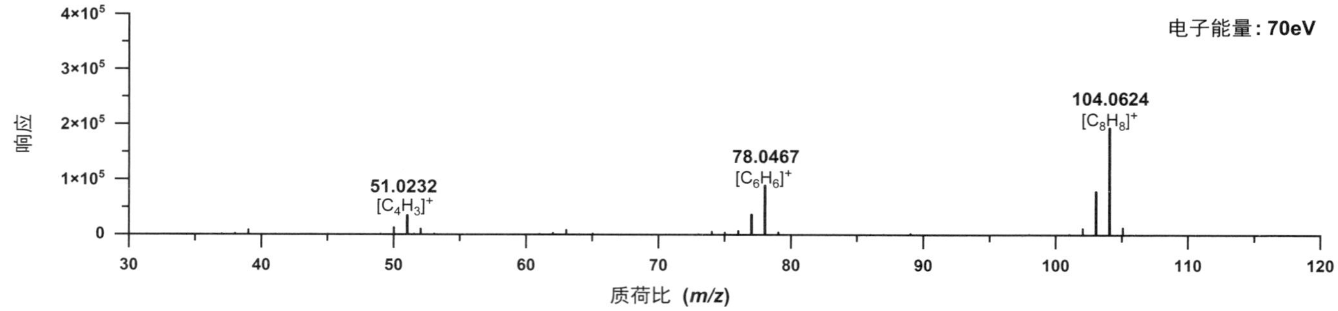

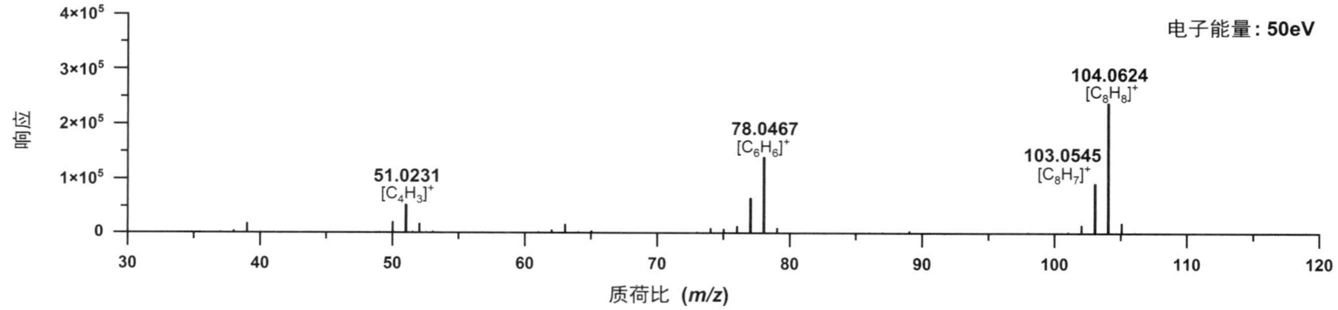

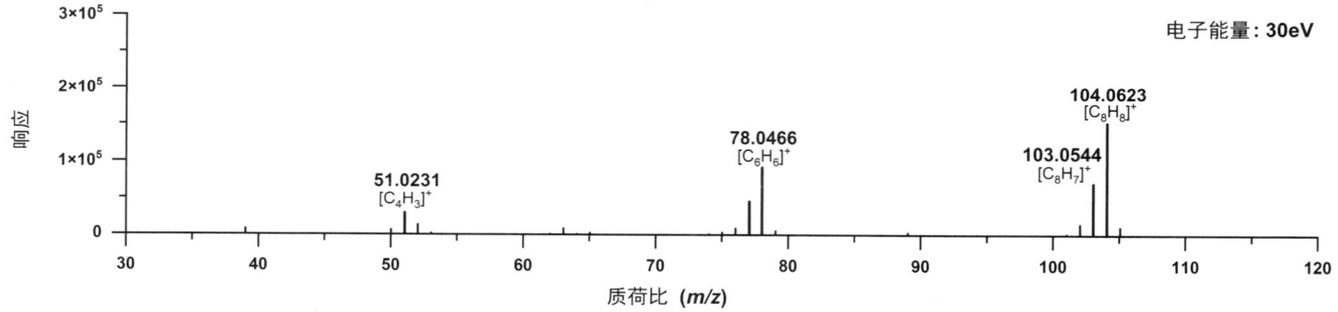

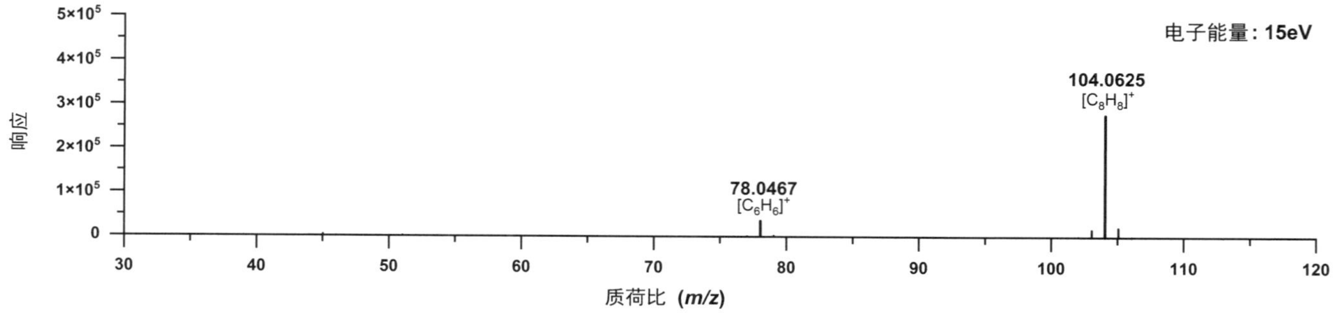

3 茚满

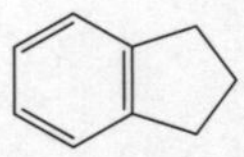

基本信息

CAS 登录号	496-11-7	分子式	C_9H_{10}	分子量	118.0777
保留指数（极性）	1401	保留指数（非极性）	1019	香气描述	麝香，木香，花香

质谱图

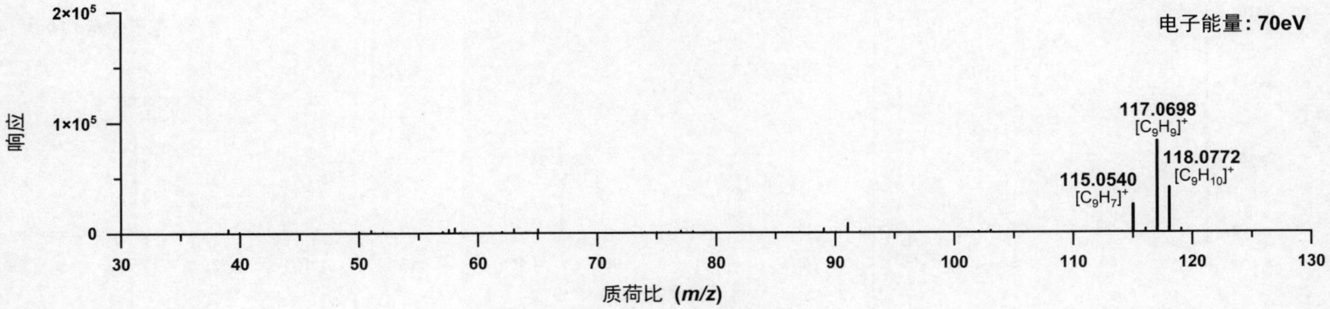

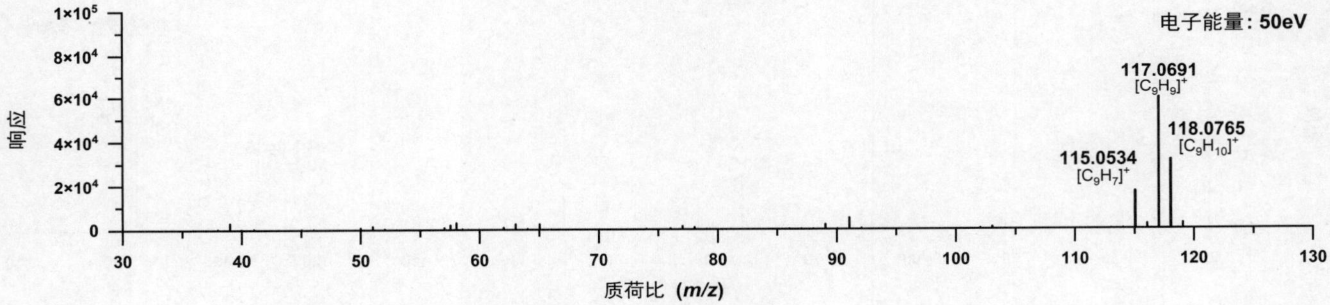

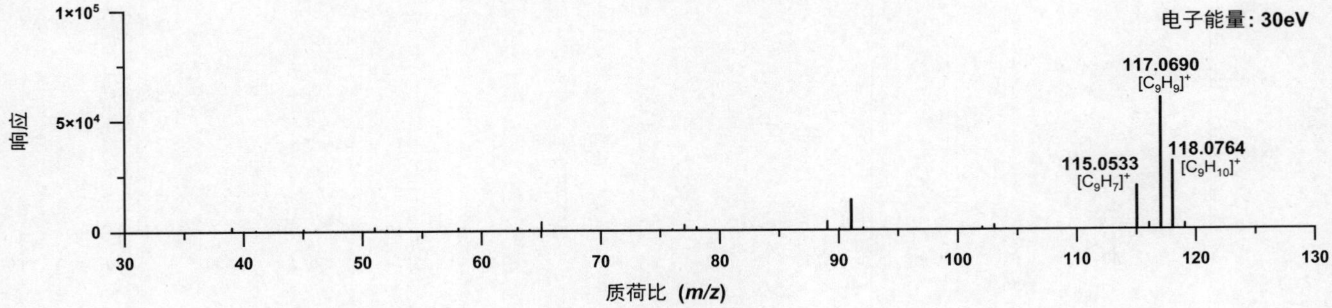

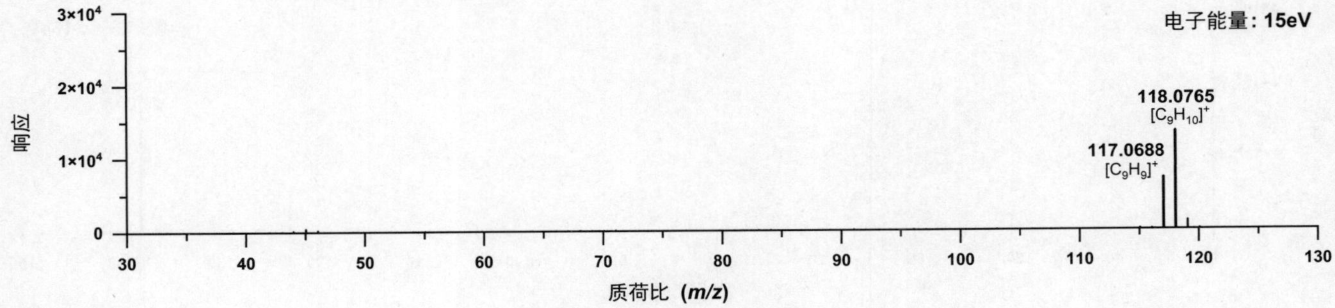

4 1,2-二甲氧基苯

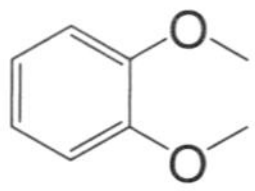

基本信息

CAS 登录号	91-16-7	分子式	$C_8H_{10}O_2$	分子量	138.0675
保留指数（极性）	1739	保留指数（非极性）	1111	香气描述	甜香，花香，香油味

质谱图

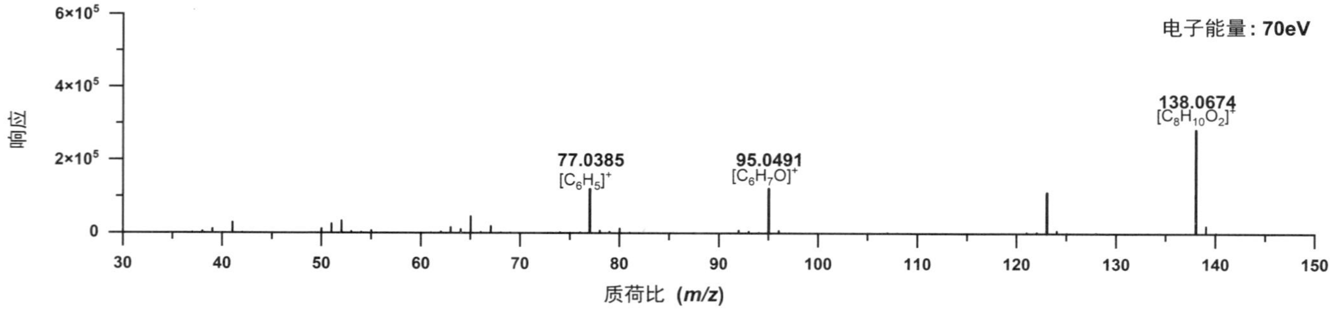

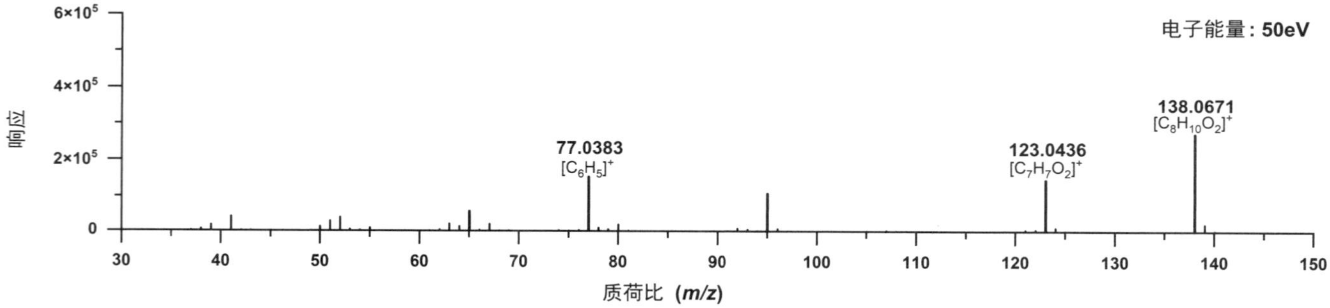

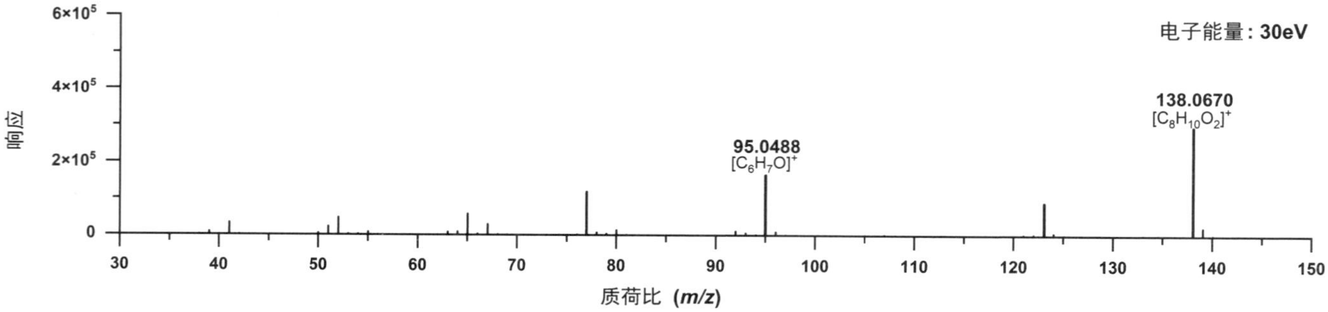

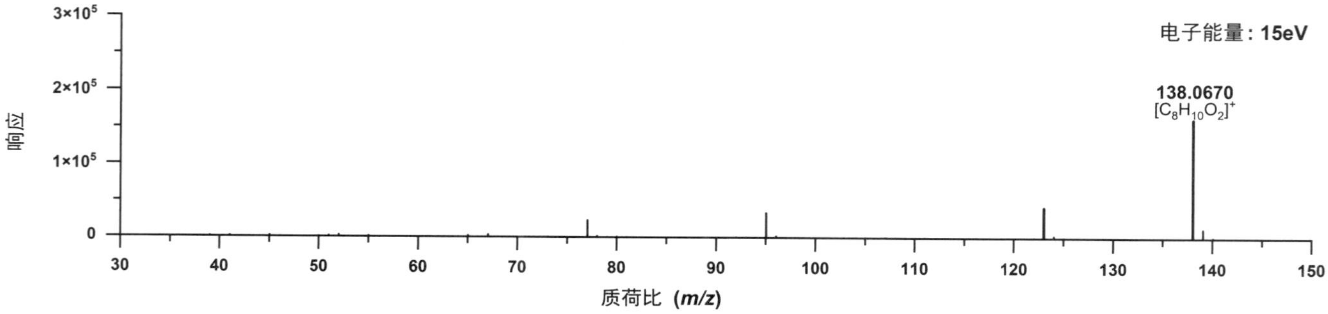

5 苯甲醇

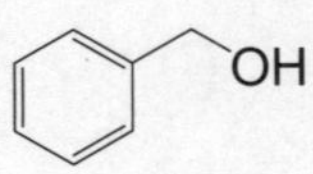

基本信息

CAS 登录号	100-51-6	分子式	C_7H_8O	分子量	108.0570
保留指数（极性）	1900	保留指数（非极性）	1004	香气描述	花香，甜香

质谱图

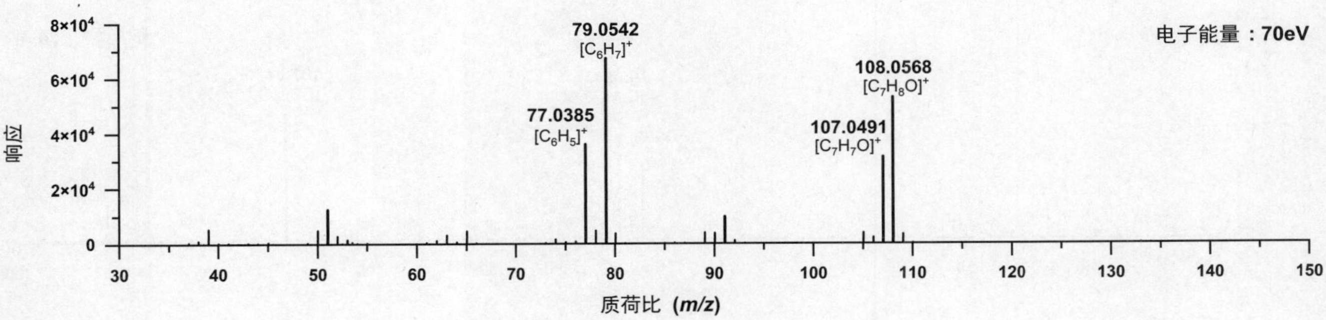

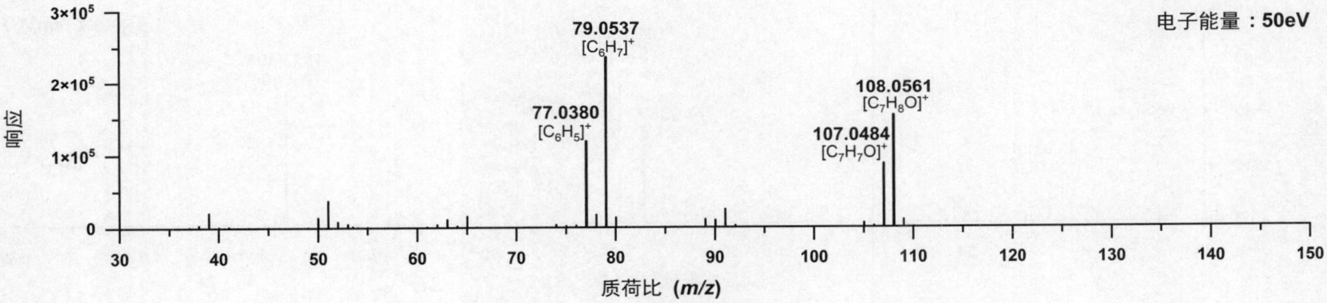

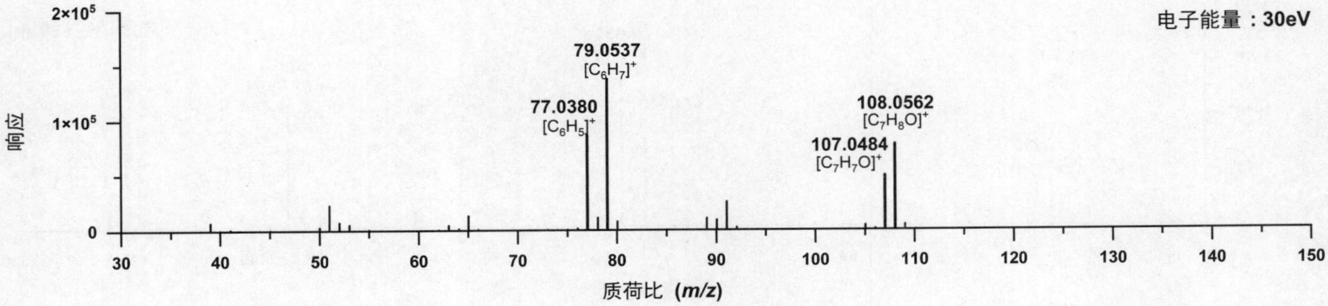

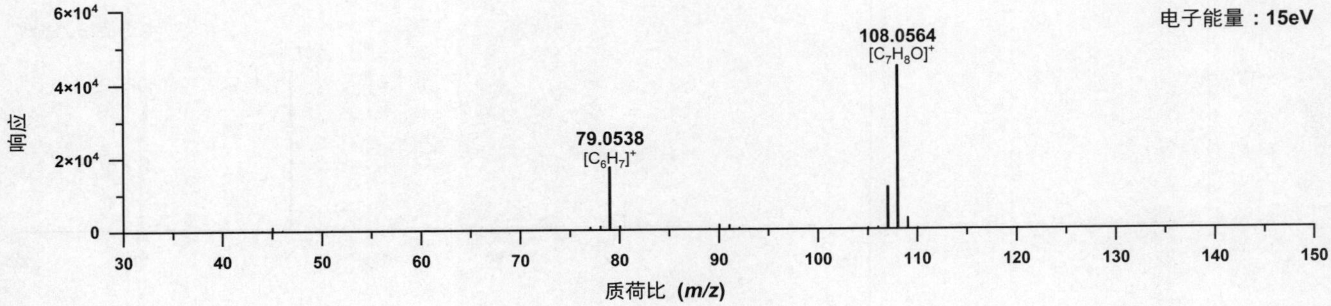

6 α-苯乙醇

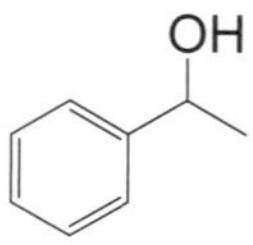

基本信息

CAS 登录号	98-85-1	分子式	$C_8H_{10}O$	分子量	122.0726
保留指数（极性）	1833	保留指数（非极性）	1034	香气描述	花香，甜香，玫瑰花香

质谱图

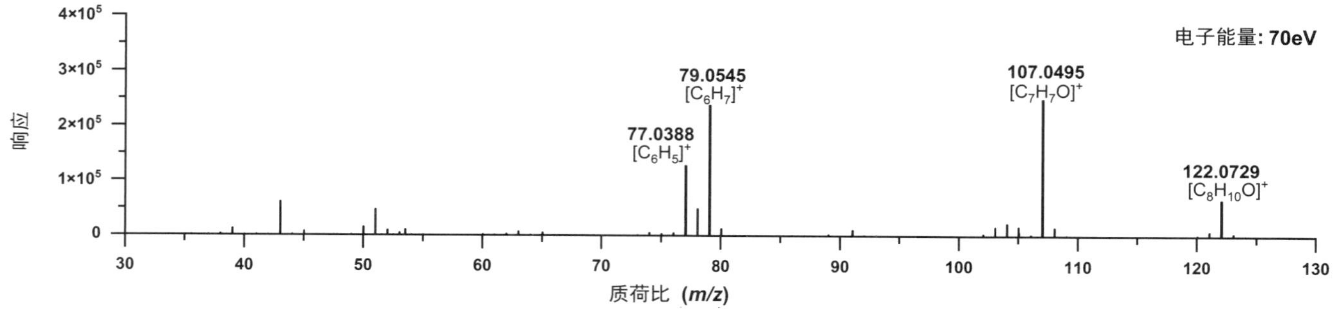

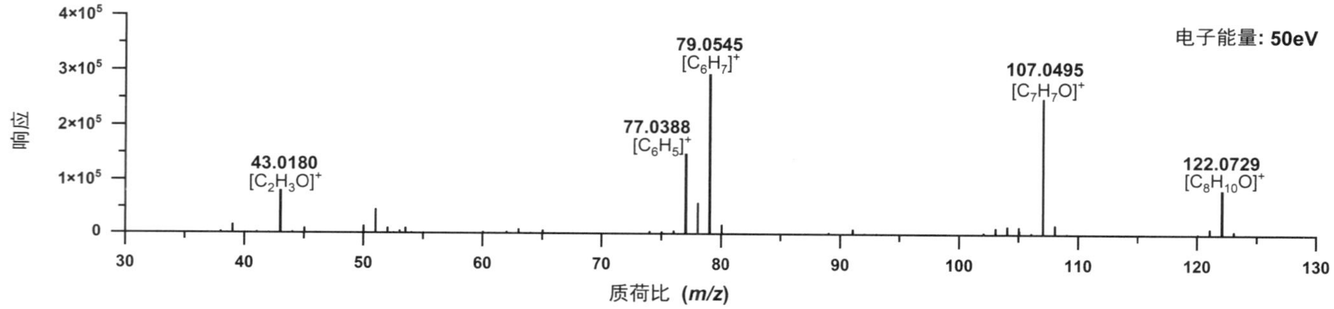

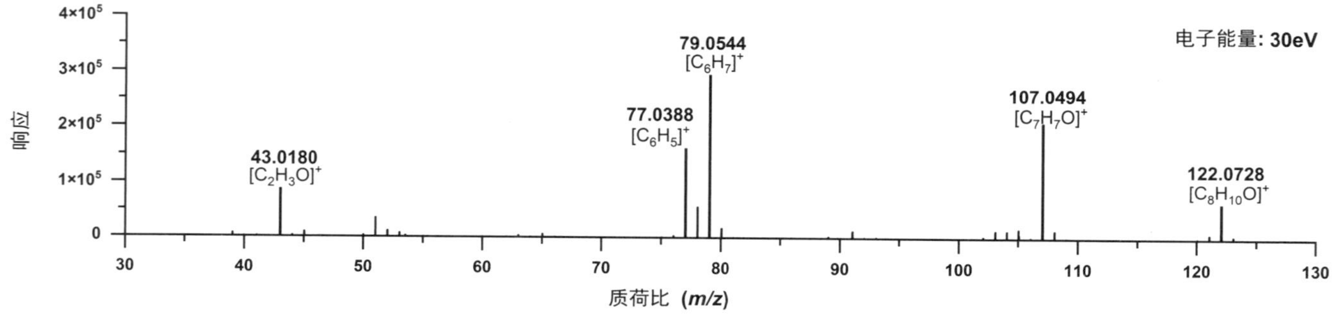

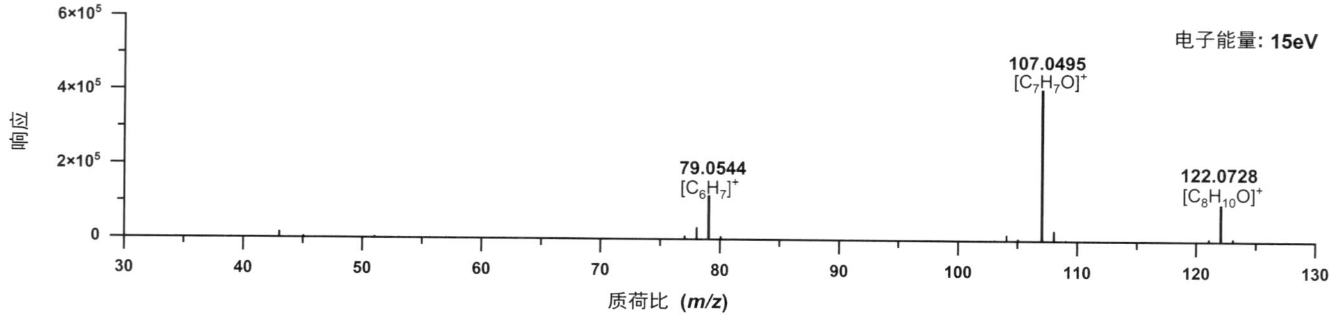

7 β-苯乙醇

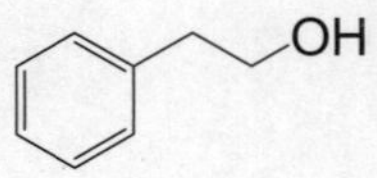

基本信息

CAS 登录号	60-12-8	分子式	$C_8H_{10}O$	分子量	122.0726
保留指数（极性）	1941	保留指数（非极性）	1084	香气描述	花香，甜香，玫瑰花香

质谱图

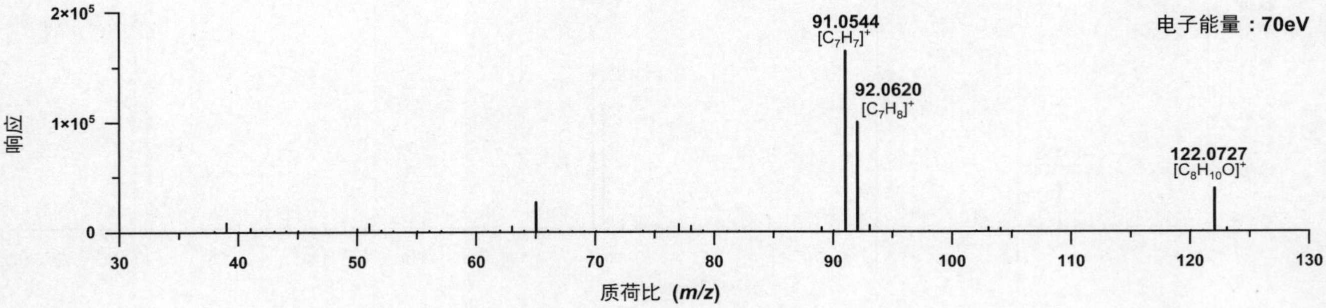

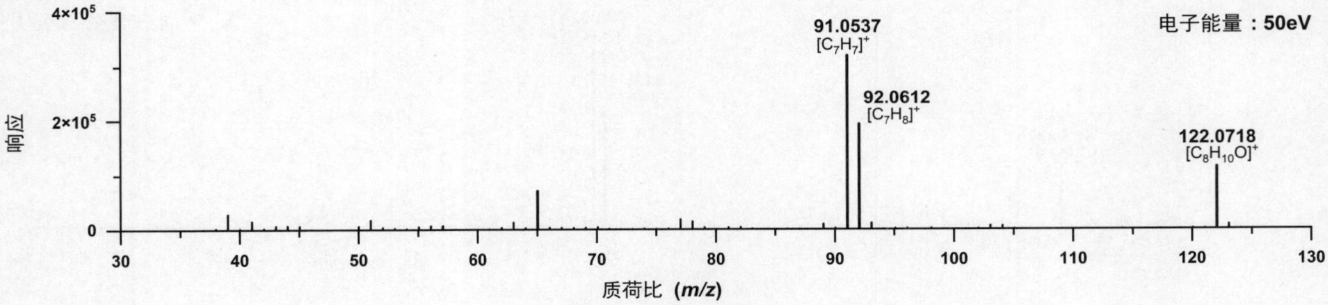

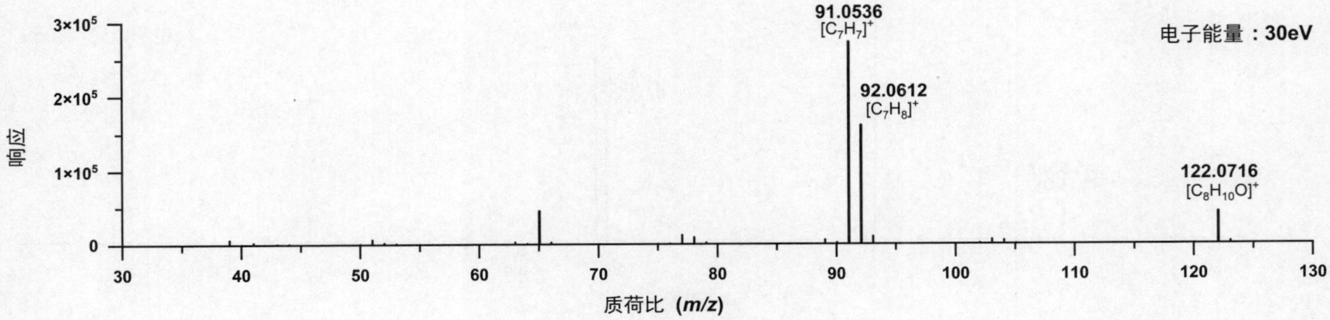

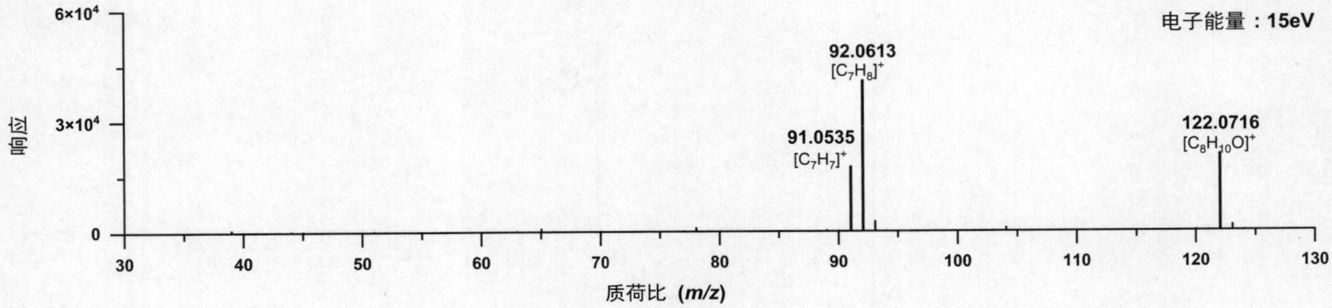

8 1–苯基–2–丙醇

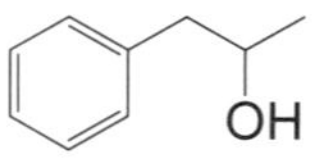

基本信息

CAS 登录号	14898-87-4	分子式	$C_9H_{12}O$	分子量	136.0888
保留指数（极性）	1849	保留指数（非极性）	1107	香气描述	花香，甜香，香油味

质谱图

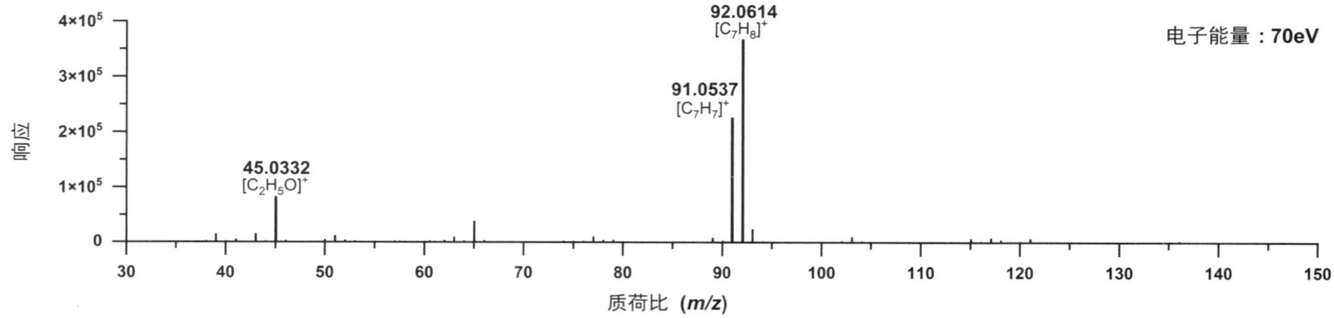

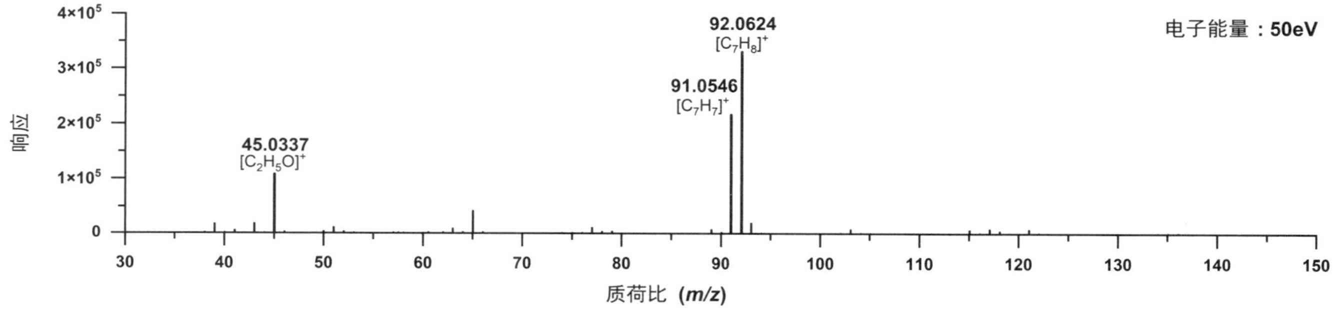

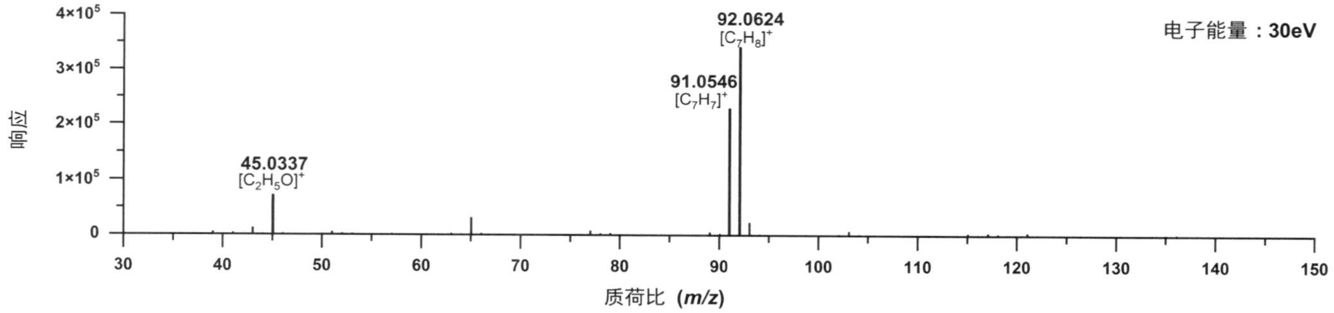

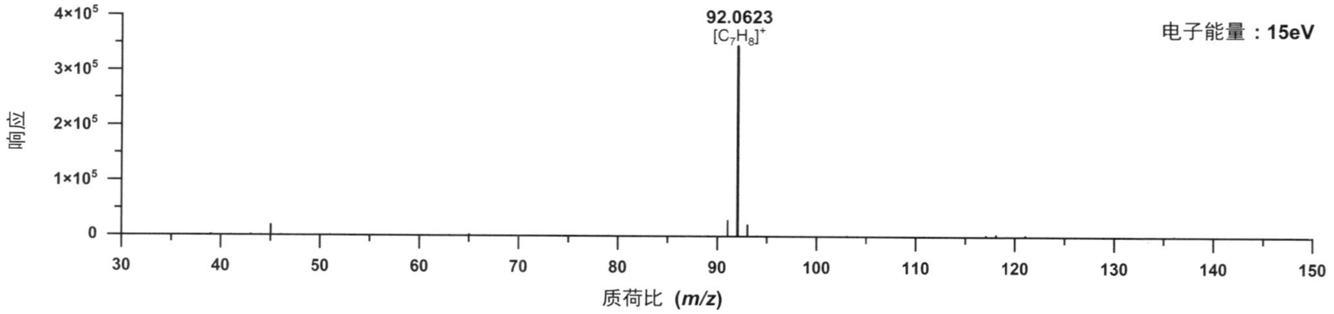

9

2-苯基-2-丙醇

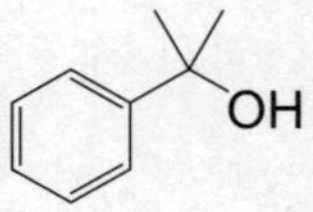

基本信息

CAS 登录号	617-94-7	分子式	$C_9H_{12}O$	分子量	136.0888
保留指数（极性）	1775	保留指数（非极性）	1059	香气描述	花香，甜香，玫瑰花香

质谱图

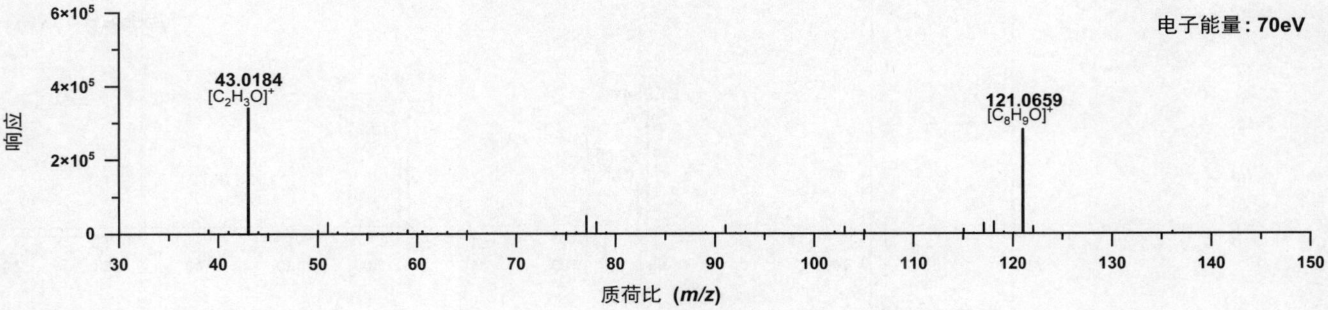

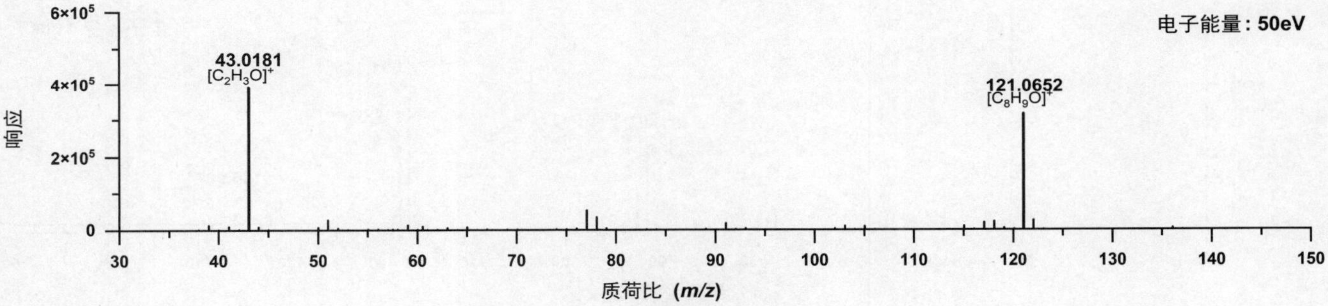

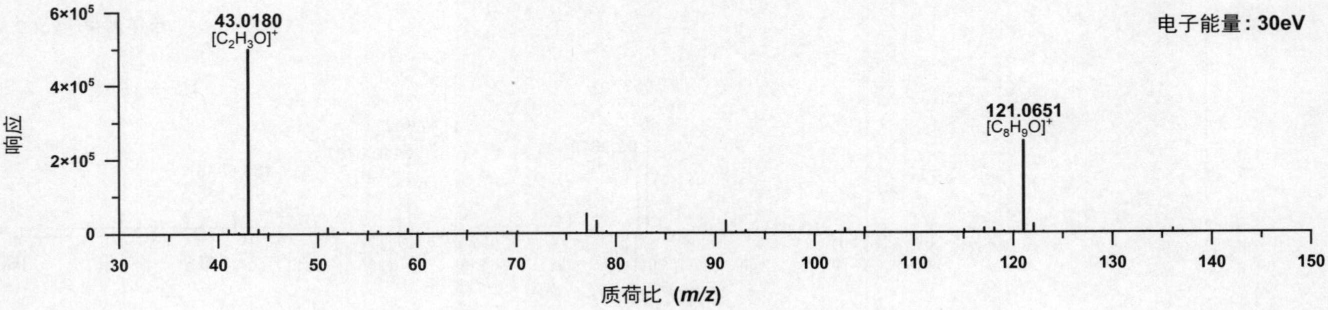

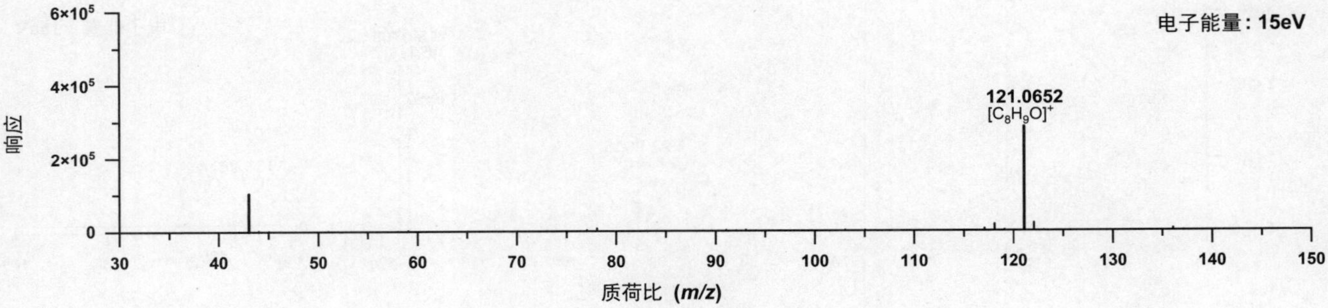

10 3-苯基-1-丙醇

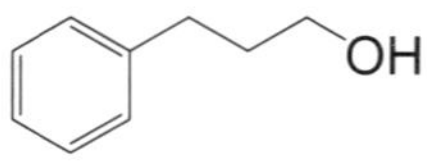

基本信息

CAS 登录号	122-97-4	分子式	$C_9H_{12}O$	分子量	136.0883
保留指数（极性）	2074	保留指数（非极性）	1200	香气描述	花香，甜香，类似蜂蜜的香气

质谱图

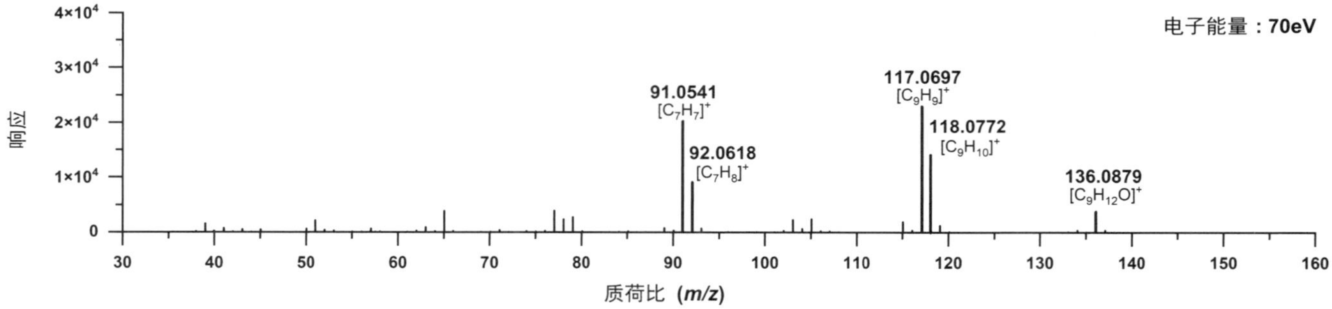

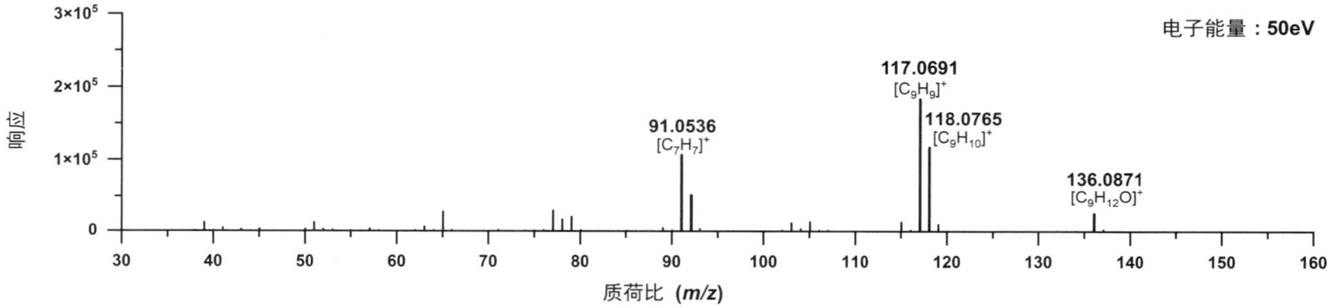

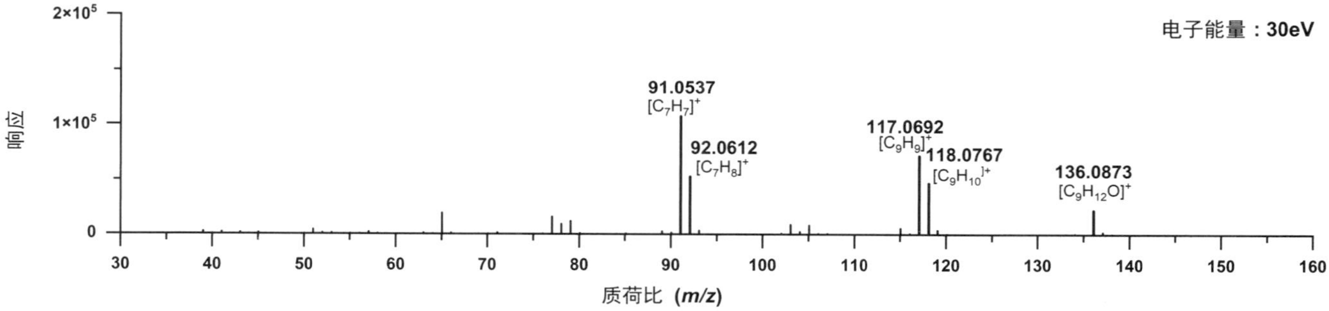

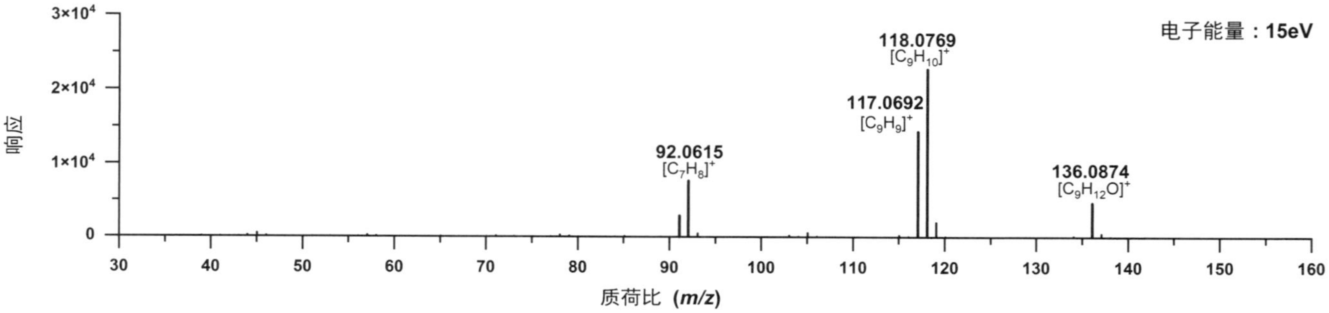

11

2-苯氧基乙醇

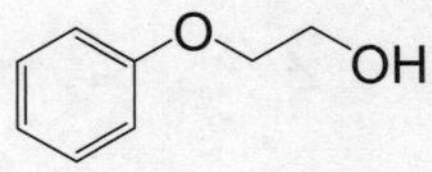

基本信息

CAS 登录号	122-99-6	分子式	$C_8H_{10}O_2$	分子量	138.0675
保留指数（极性）	2174	保留指数（非极性）	1185	香气描述	花香，甜香，木香

质谱图

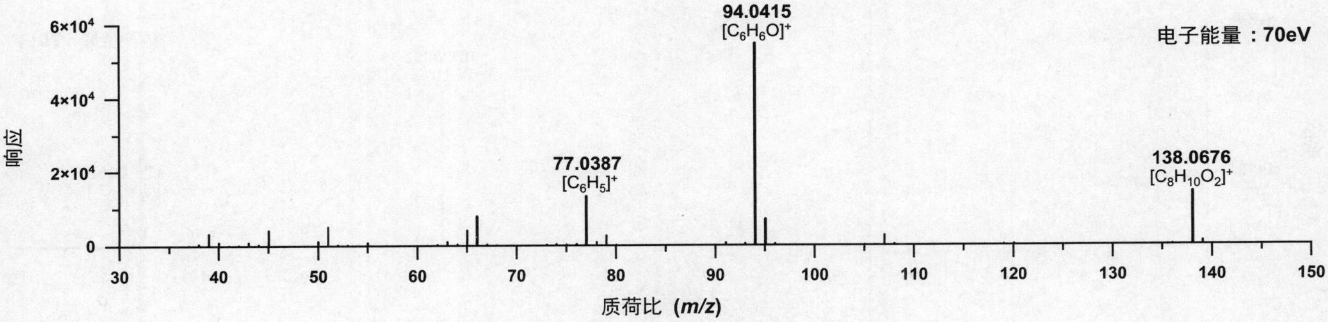

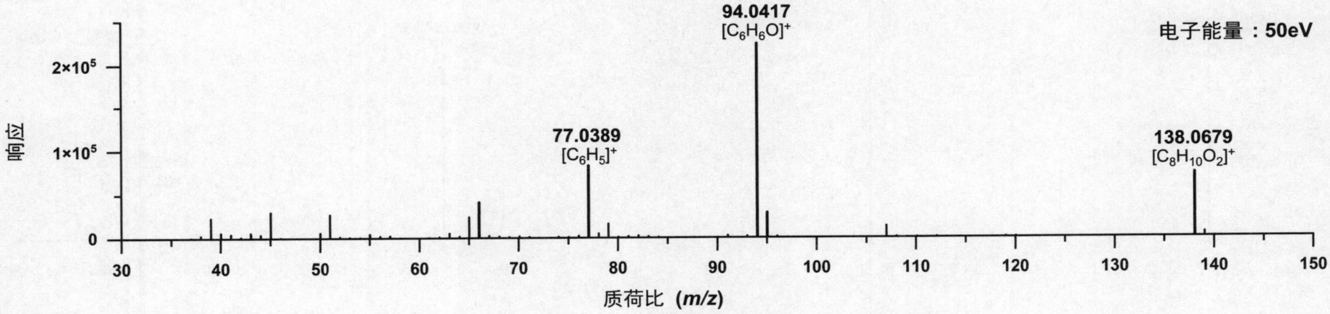

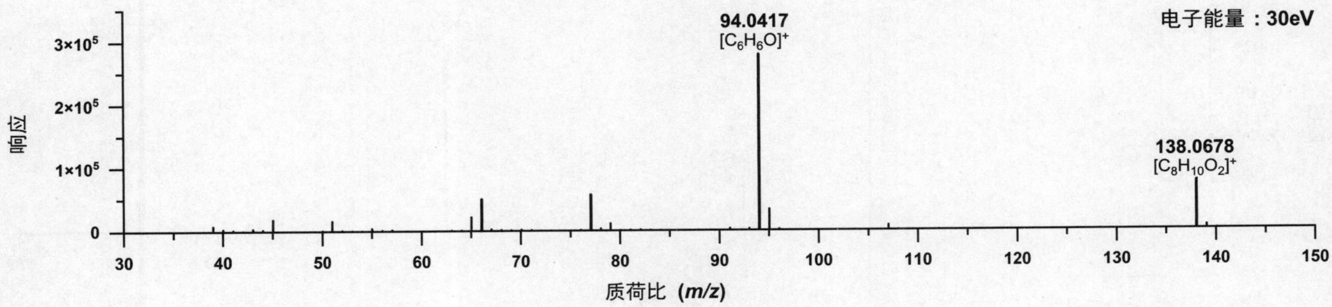

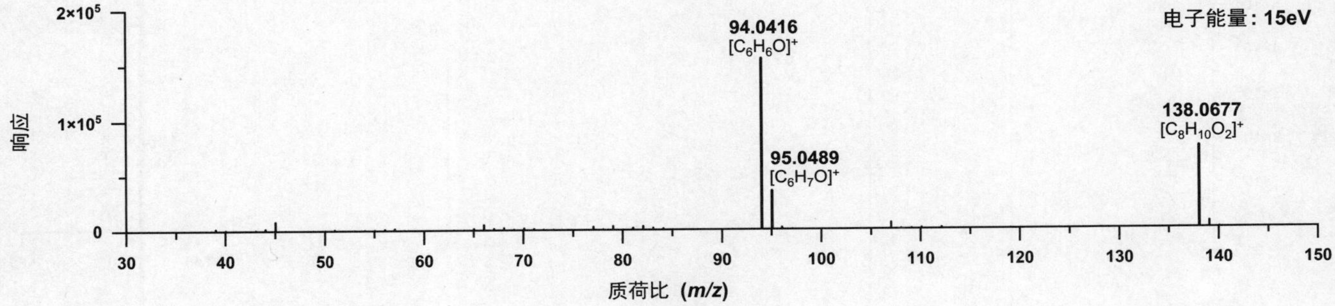

12

4-羟基苯乙醇

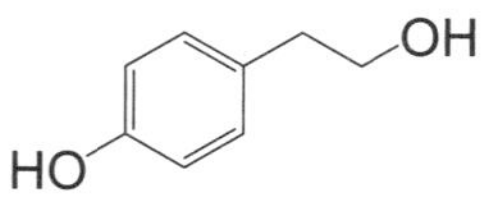

基本信息

CAS 登录号	501-94-0	分子式	$C_8H_{10}O_2$	分子量	138.0675
保留指数（极性）	>2400	保留指数（非极性）	1378	香气描述	类似酚类物质的气味，甜香，香脂味

质谱图

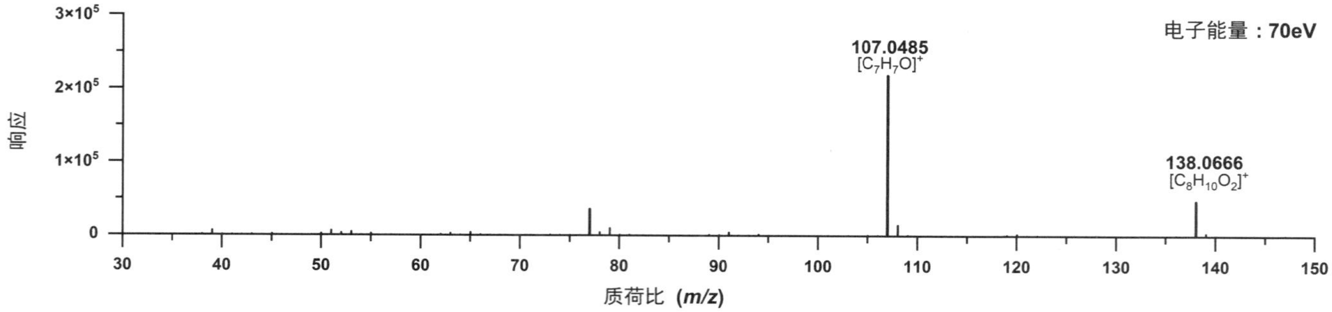

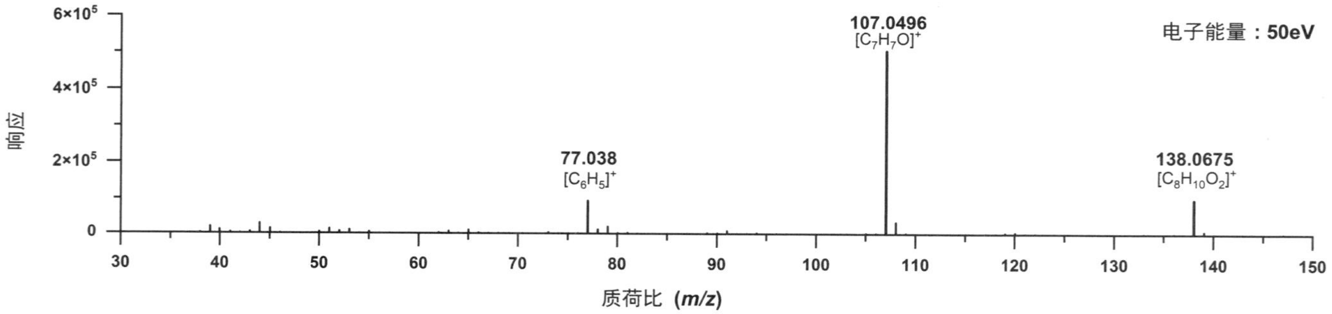

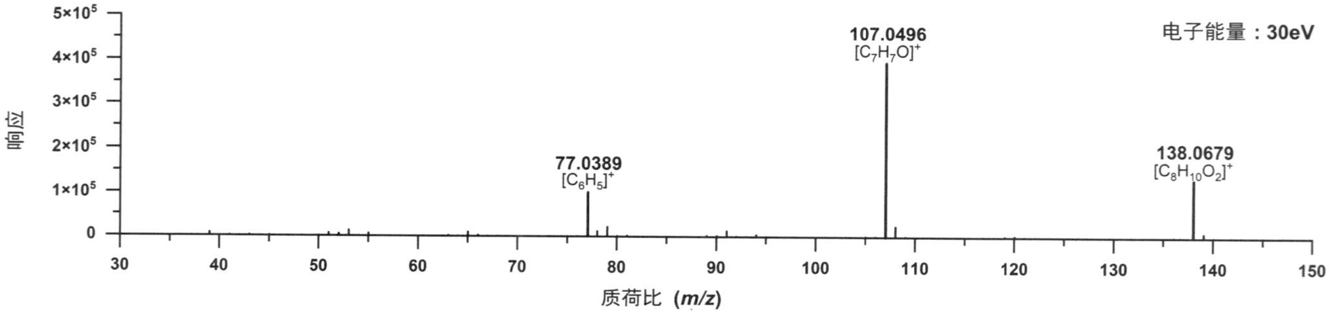

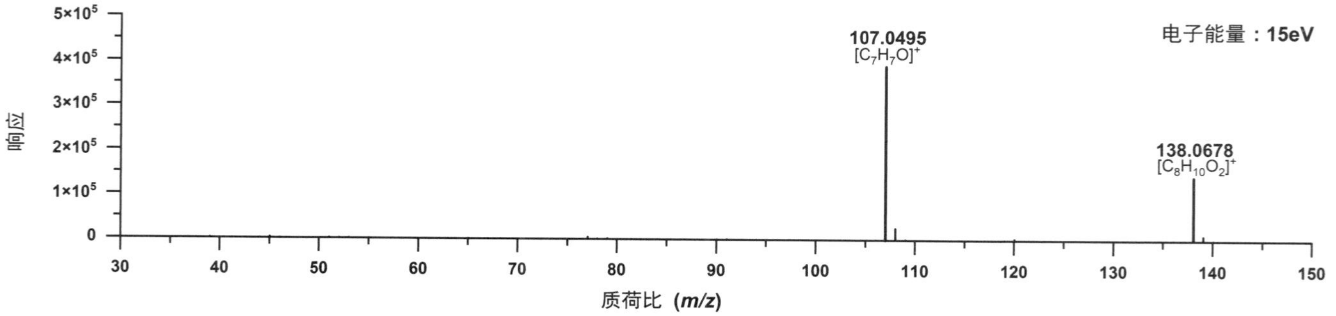

13

异香荚兰醇

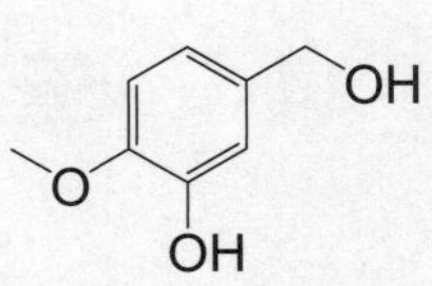

基本信息

CAS 登录号	4383-06-6	分子式	$C_8H_{10}O_3$	分子量	154.0624
保留指数（极性）	>2400	保留指数（非极性）	1418	香气描述	甜香，香脂味，奶油香

质谱图

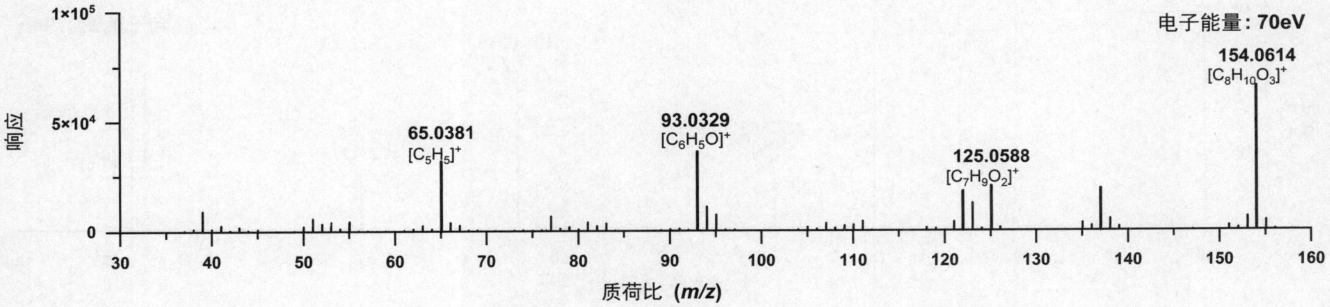

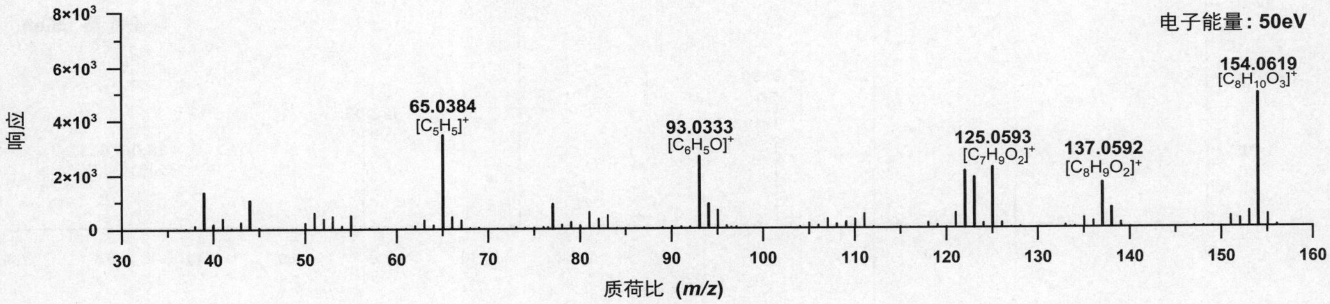

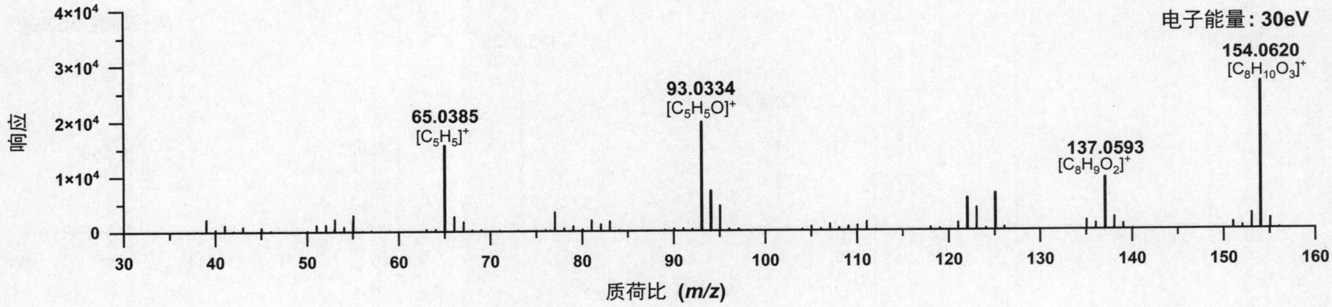

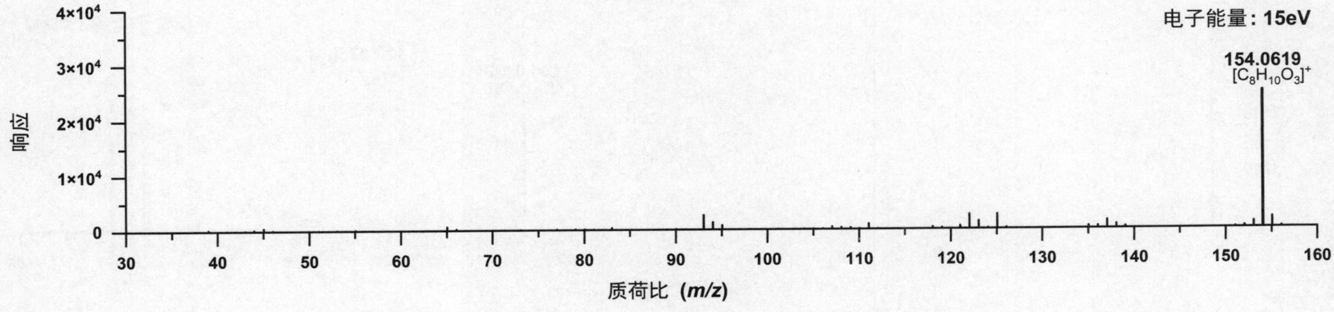

14 苯甲酸乙酯

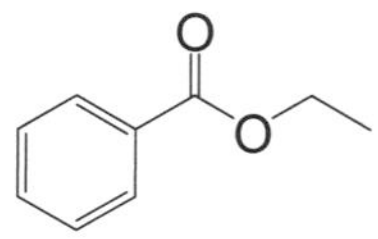

基本信息

CAS 登录号	93-89-0	分子式	$C_9H_{10}O_2$	分子量	150.0675
保留指数（极性）	1698	保留指数（非极性）	1146	香气描述	水果香，甜香，香油味

质谱图

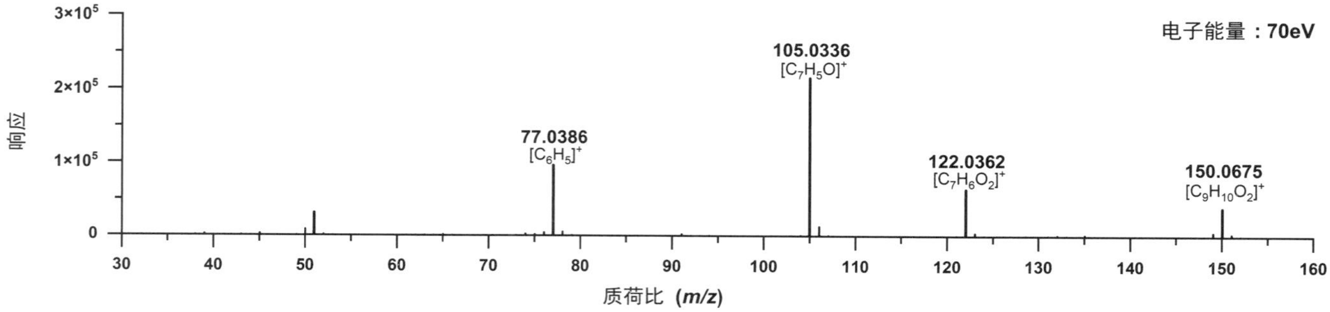

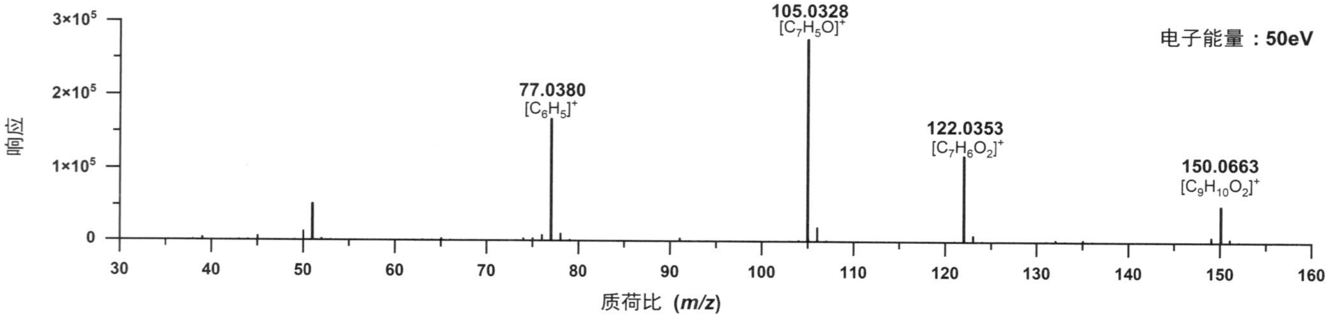

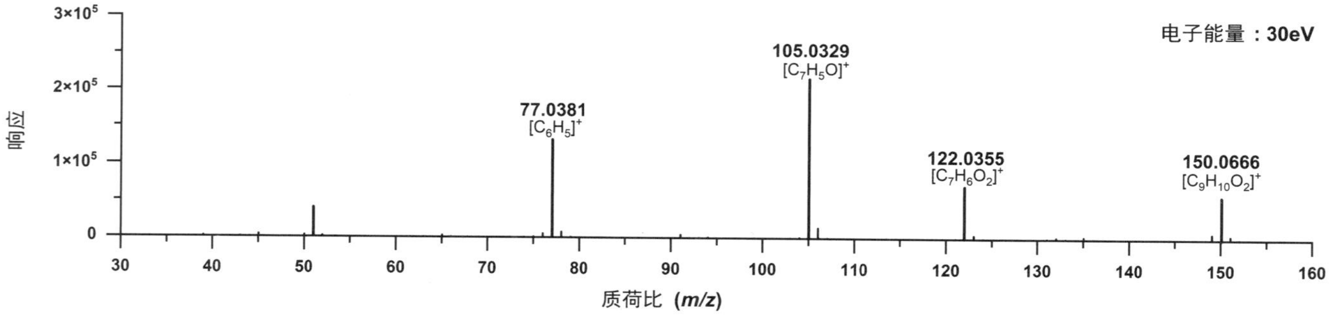

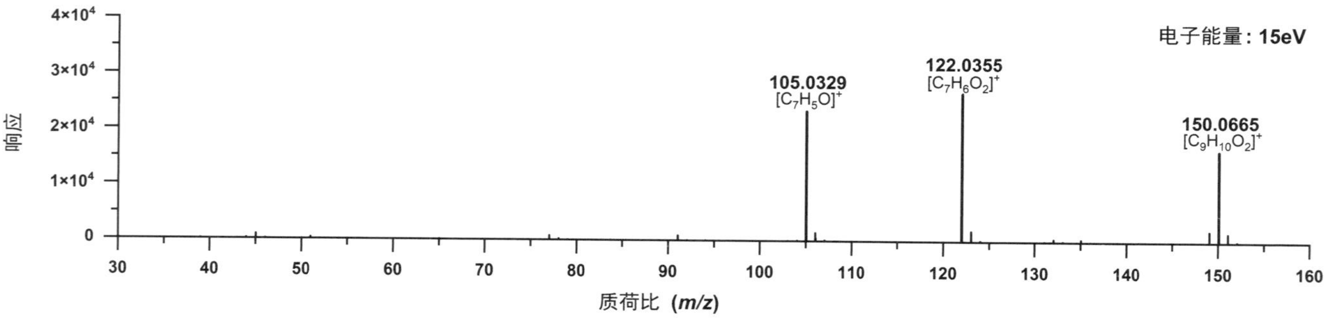

15 苯乙酸甲酯

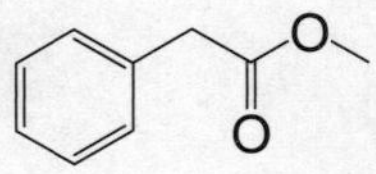

基本信息

CAS 登录号	101-41-7	分子式	$C_9H_{10}O_2$	分子量	150.0675
保留指数（极性）	1787	保留指数（非极性）	1147	香气描述	花香，甜香，水果香

质谱图

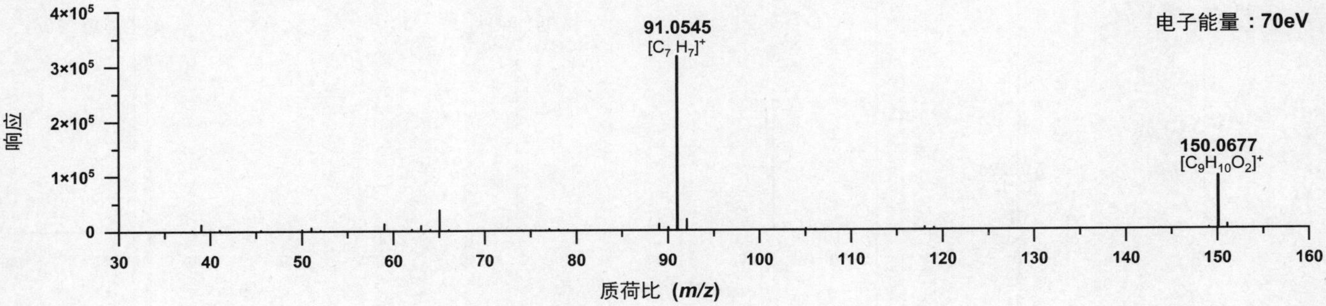

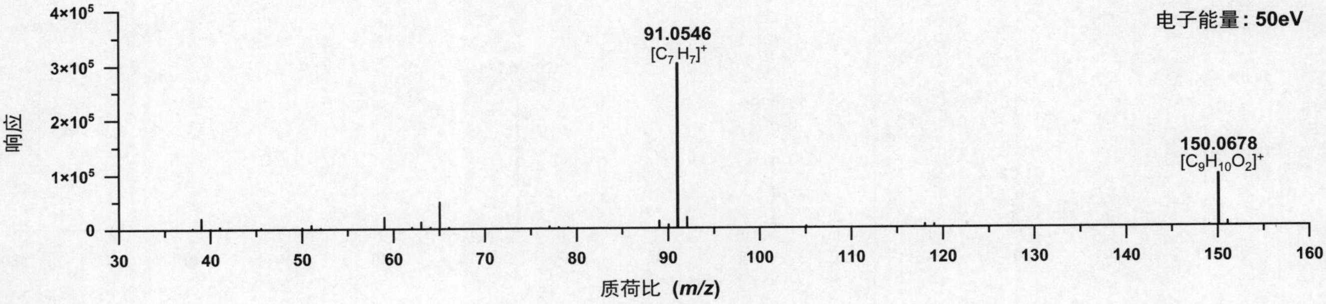

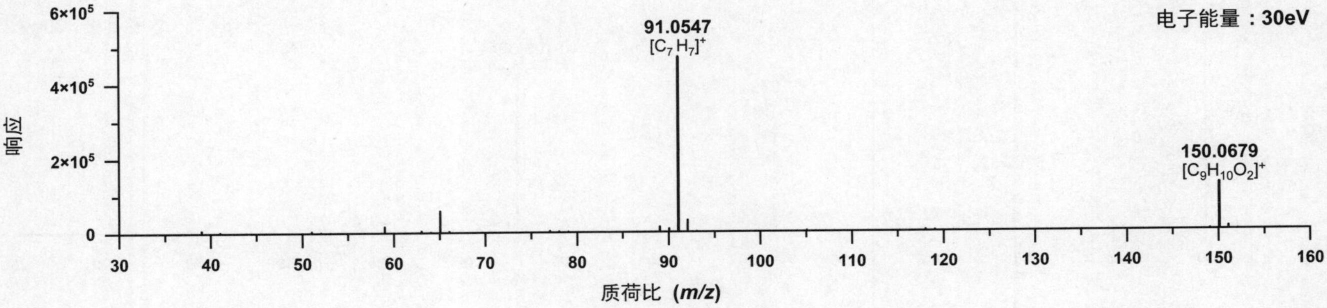

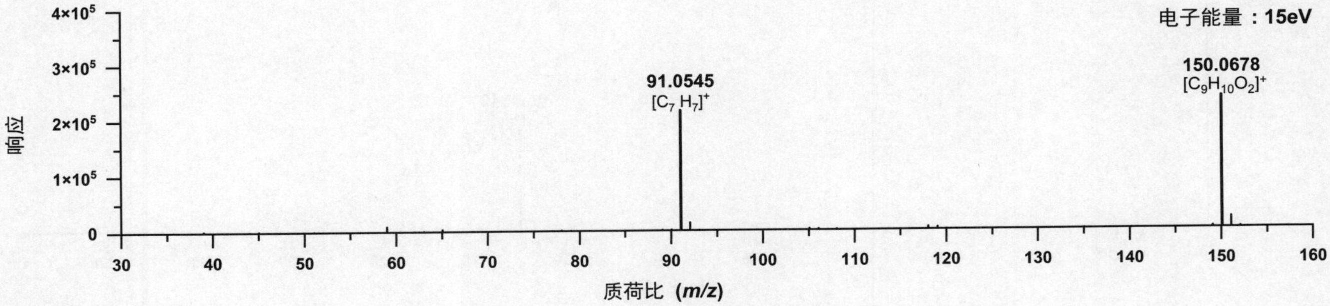

16 苯甲酸乙烯酯

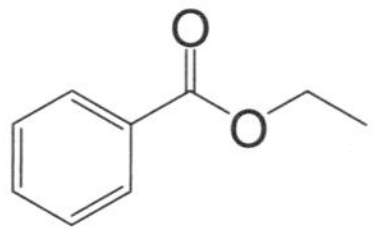

基本信息

CAS 登录号	769-78-8	分子式	$C_9H_8O_2$	分子量	148.0524
保留指数（极性）	1676	保留指数（非极性）	1112	香气描述	甜香，水果香，香油味

质谱图

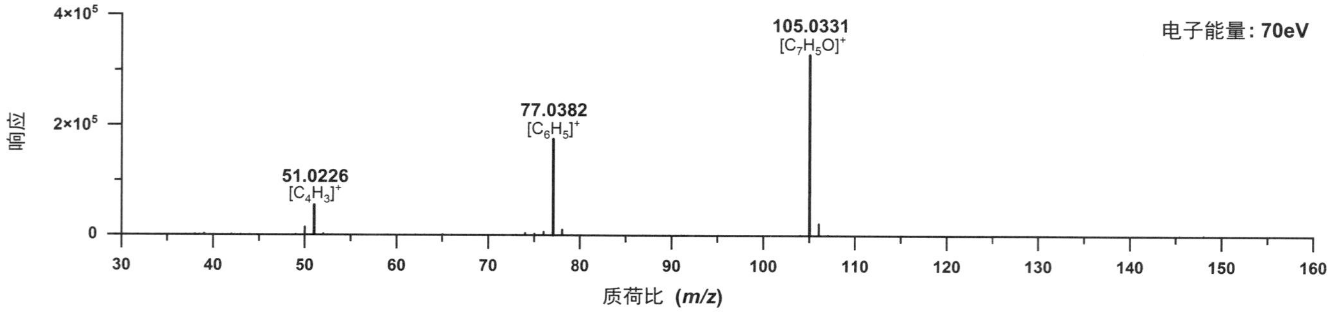

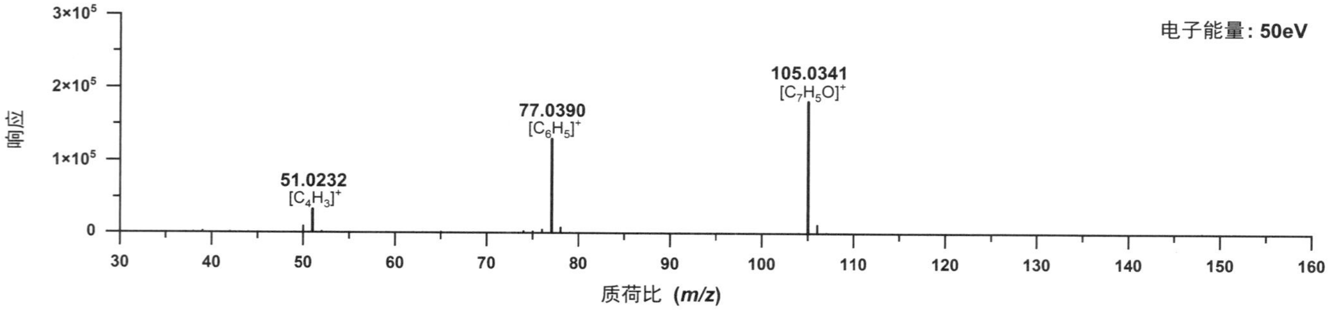

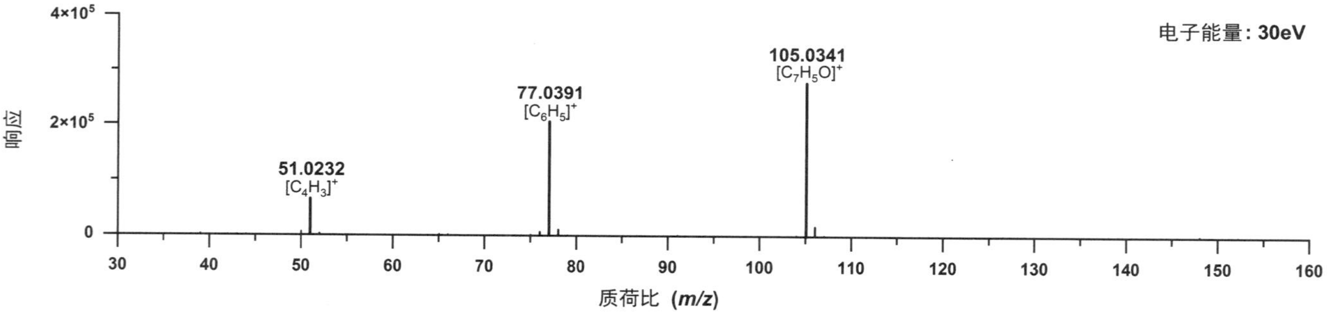

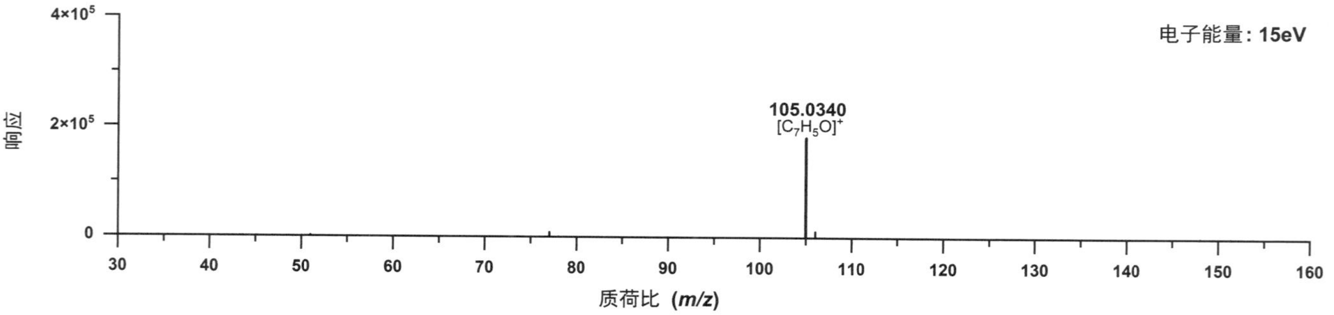

17 苯乙酸乙酯

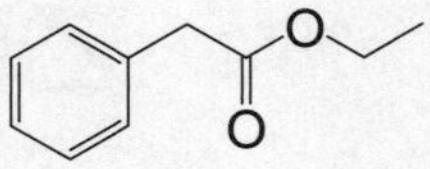

基本信息

CAS 登录号	101-97-3	分子式	$C_{10}H_{12}O_2$	分子量	164.0832
保留指数（极性）	1812	保留指数（非极性）	1214	香气描述	花香，甜香，水果香

质谱图

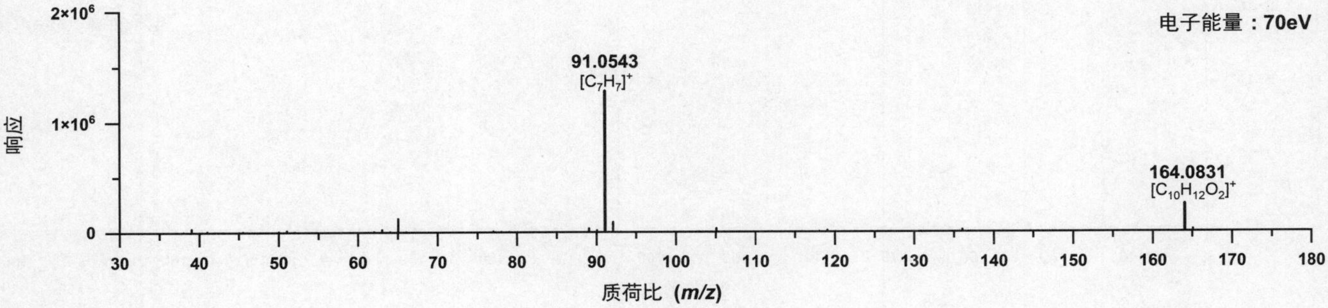

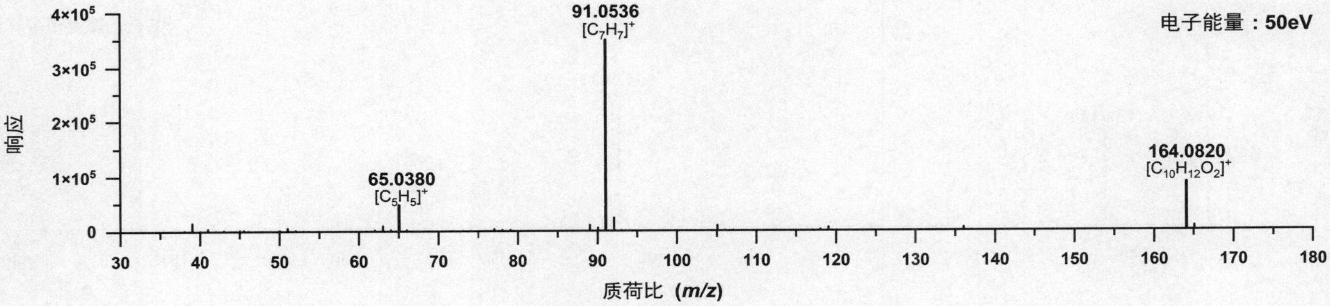

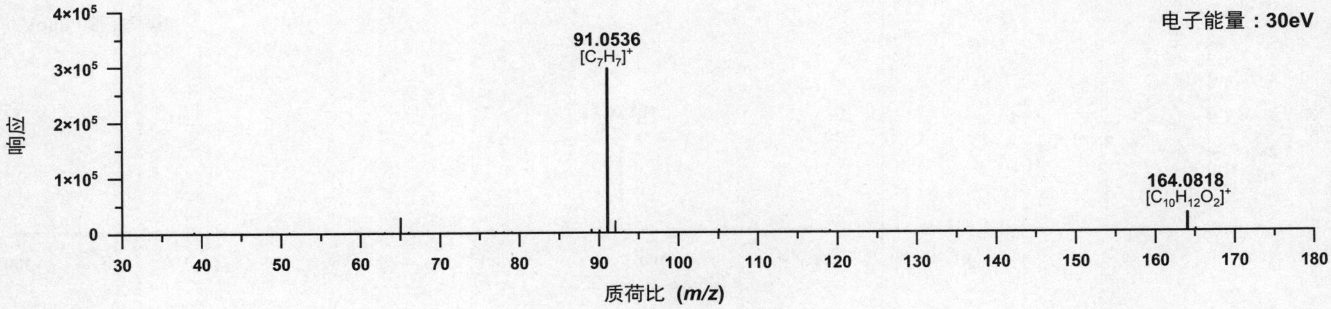

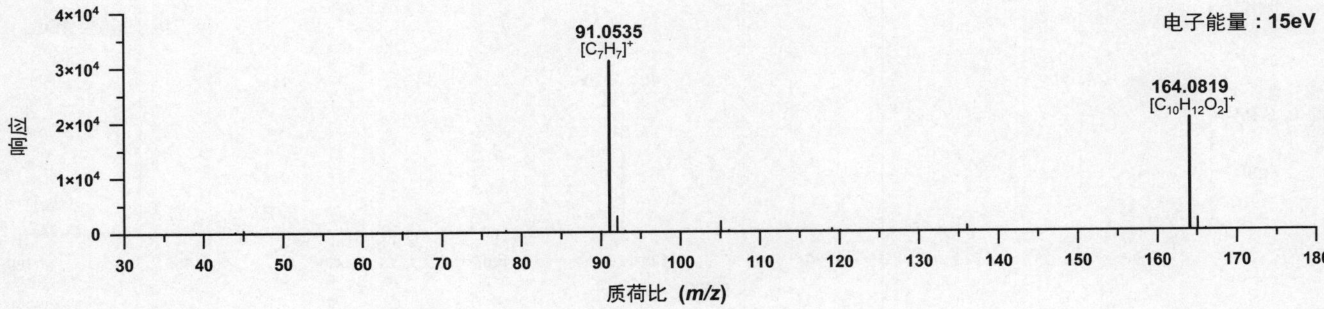

18 乙酸苯乙酯

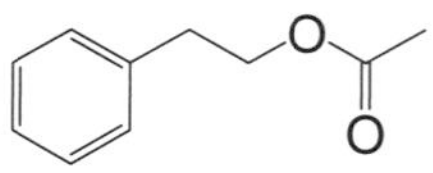

基本信息

CAS 登录号	103-45-7	分子式	$C_{10}H_{12}O_2$	分子量	164.0837
保留指数（极性）	1845	保留指数（非极性）	1226	香气描述	花香，甜香，类似蜂蜜的香气

质谱图

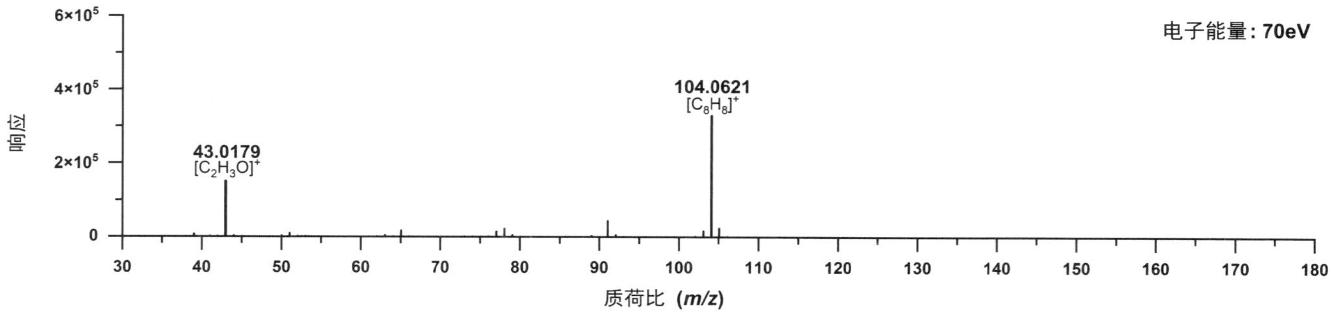

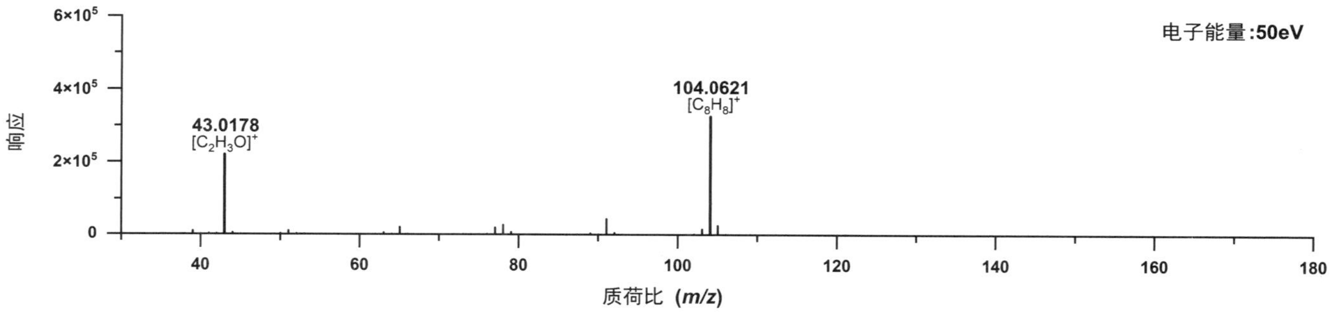

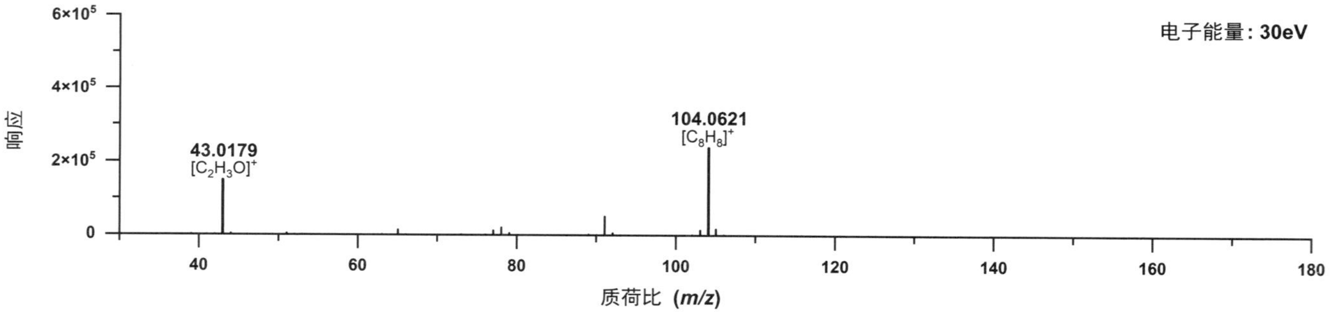

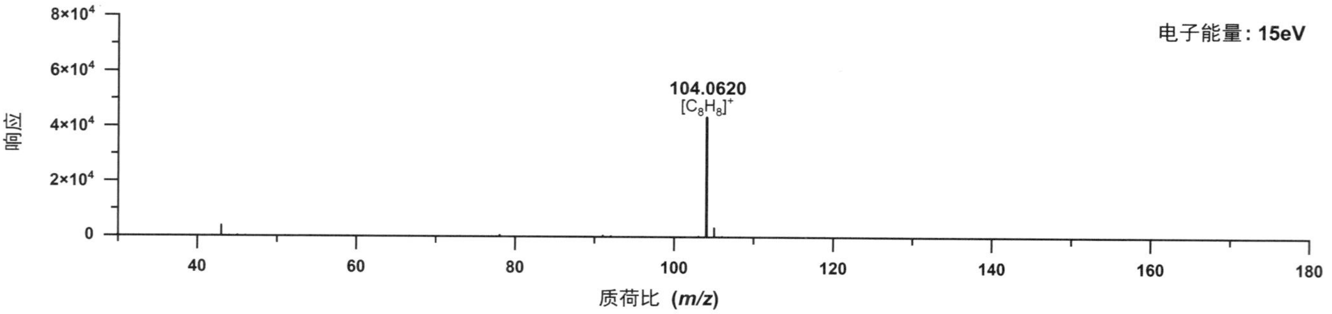

19

苯乙酸-2-丙烯酯

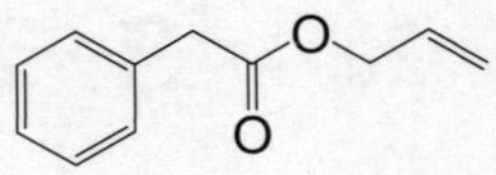

基本信息

CAS 登录号	1797-74-6	分子式	$C_{11}H_{12}O_2$	分子量	176.0832
保留指数（极性）	1960	保留指数（非极性）	1295	香气描述	甜香，花香，水果

质谱图

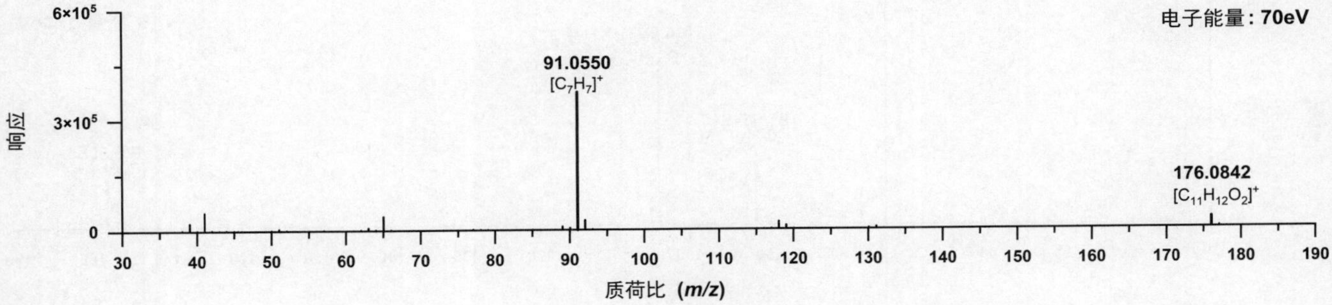

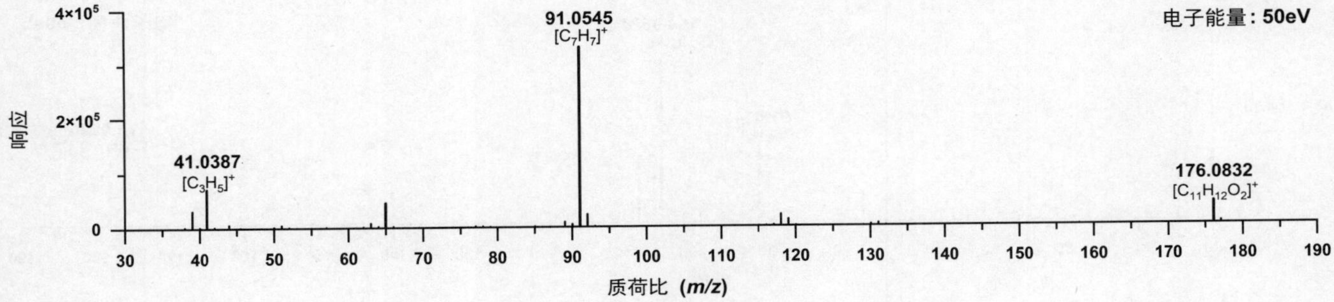

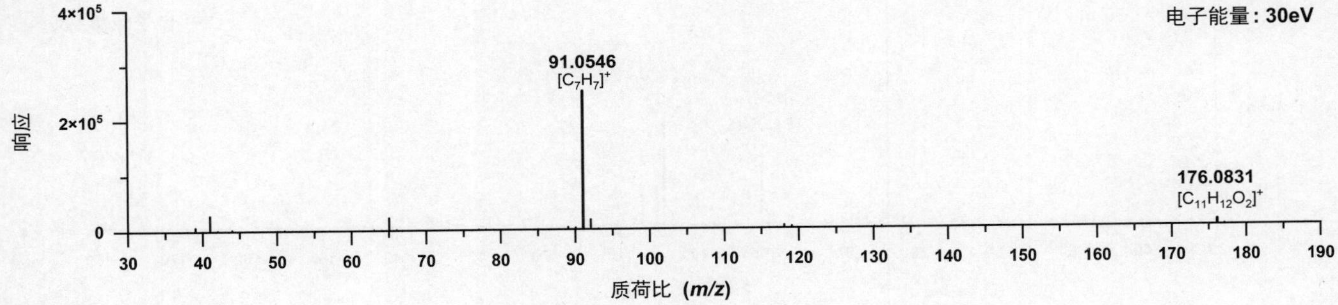

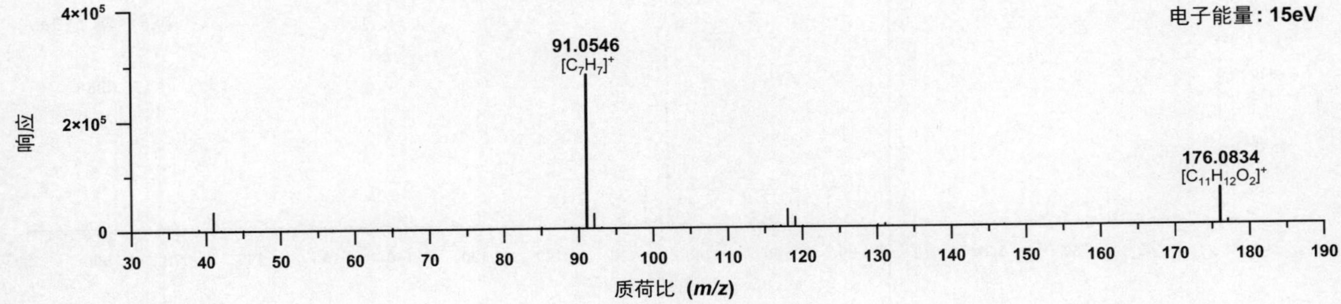

20 3-苯丙酸乙酯

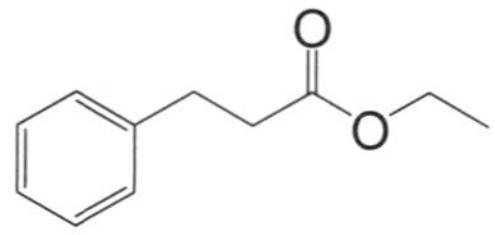

基本信息

CAS 登录号	2021-28-5	分子式	$C_{11}H_{14}O_2$	分子量	178.0988
保留指数（极性）	1917	保留指数（非极性）	1320	香气描述	花香，甜香，玫瑰花香

质谱图

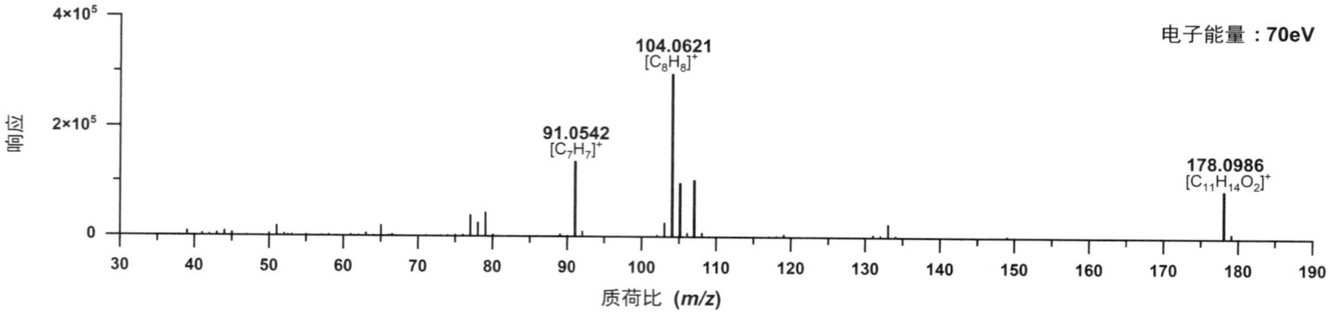

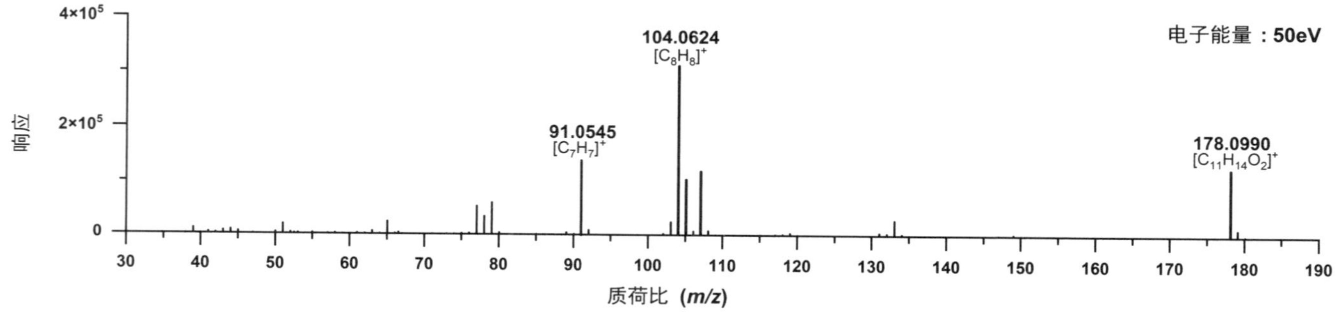

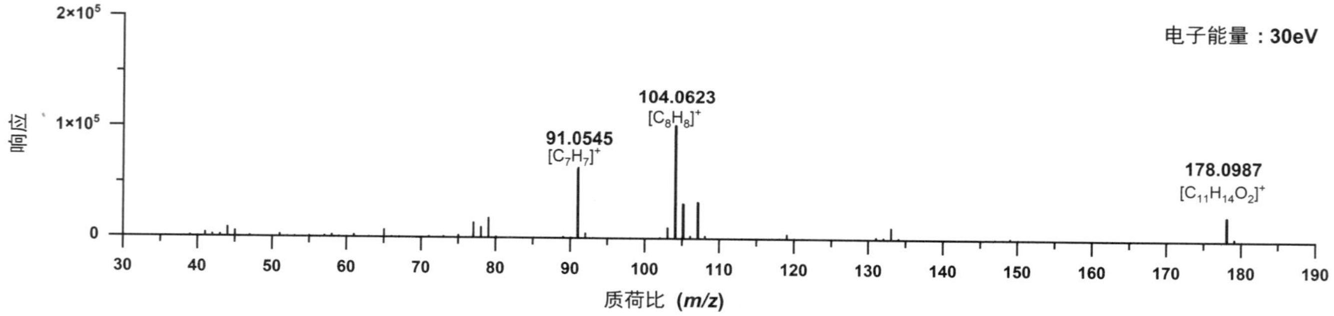

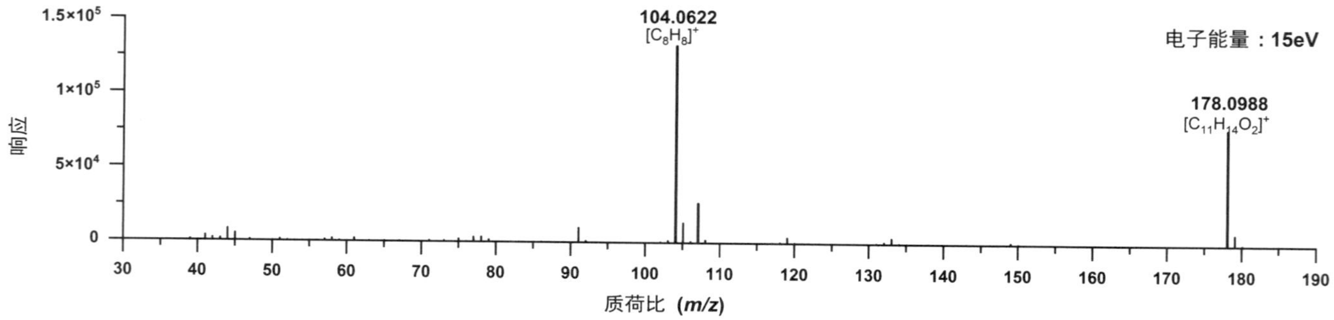

21 3-羟基-3-苯基丙酸乙酯

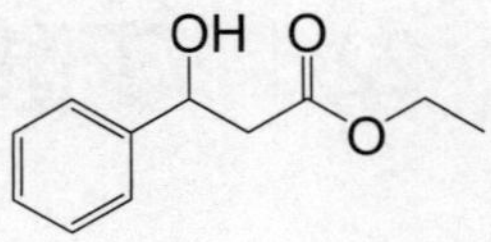

基本信息

CAS 登录号	5764-85-2	分子式	$C_{11}H_{14}O_3$	分子量	194.0937
保留指数（极性）	>2400	保留指数（非极性）	1463	香气描述	甜香，花香，香油味

质谱图

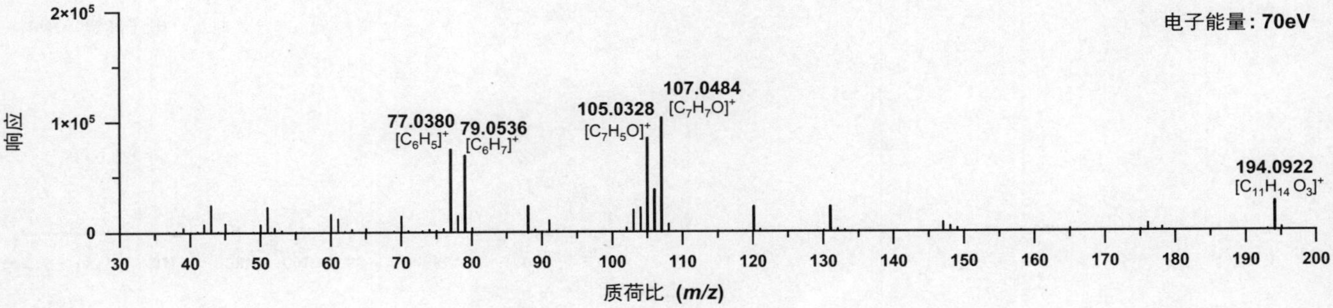

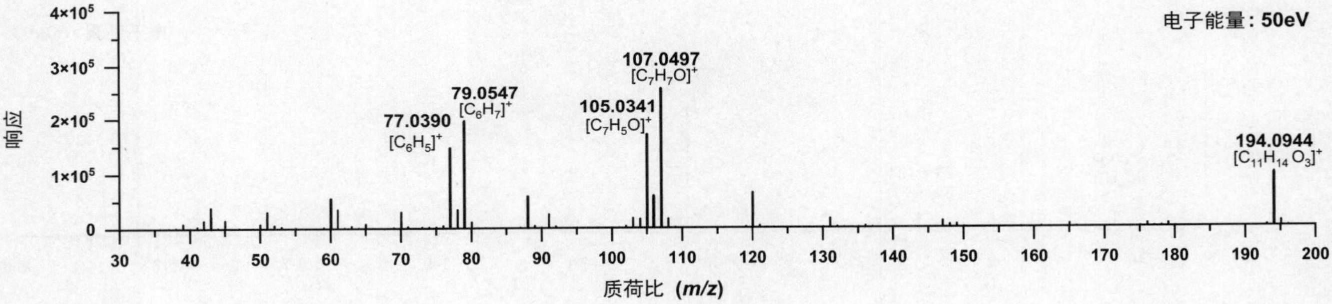

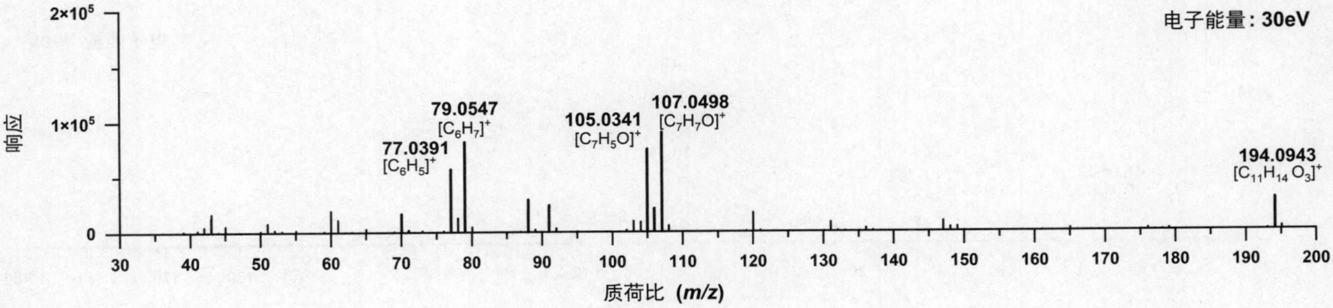

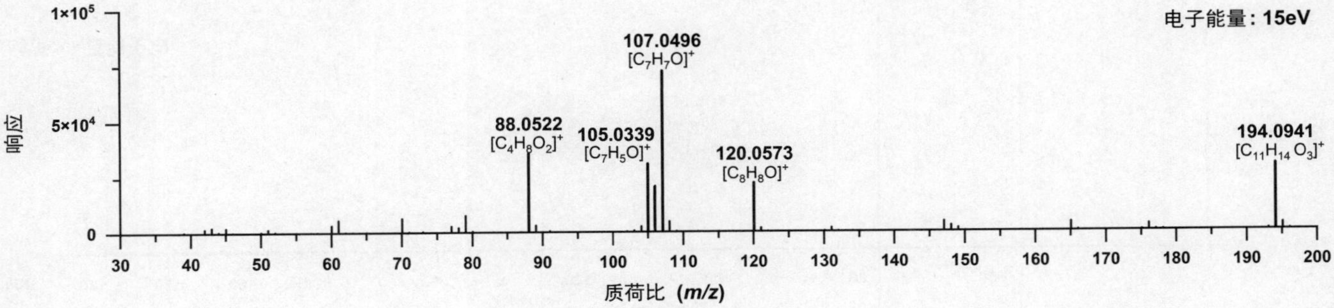

22 丁酸苯乙酯

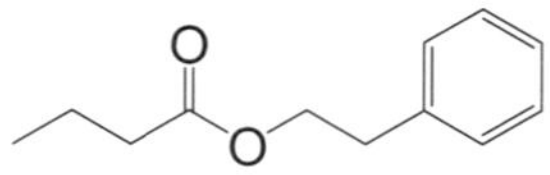

基本信息

CAS 登录号	103-52-6	分子式	$C_{12}H_{16}O_2$	分子量	192.1150
保留指数（极性）	1996	保留指数（非极性）	1413	香气描述	水果香，甜香，类似蜂蜜的香气

质谱图

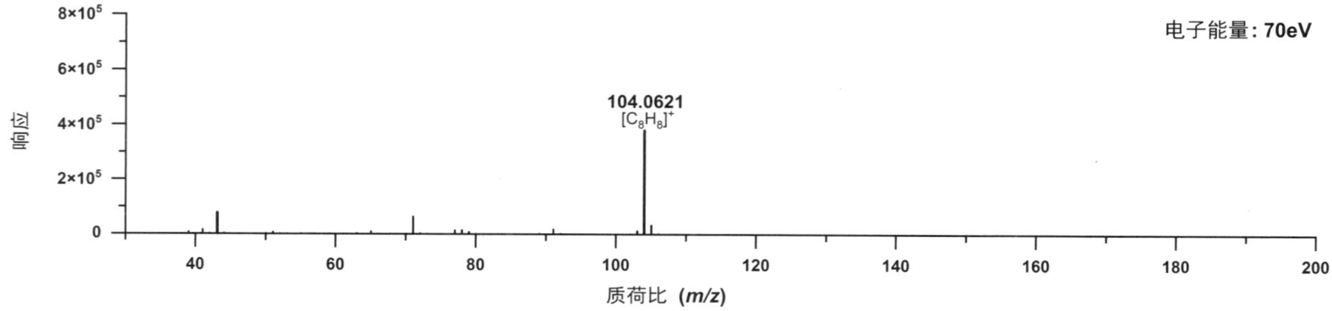

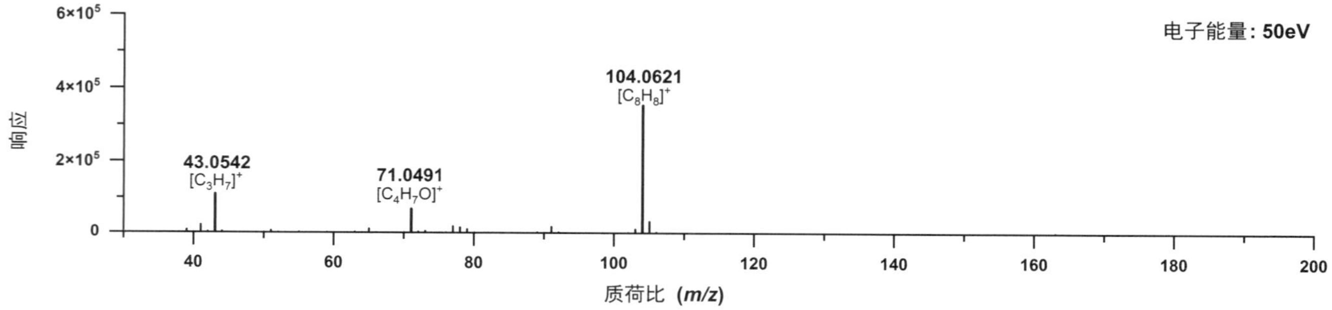

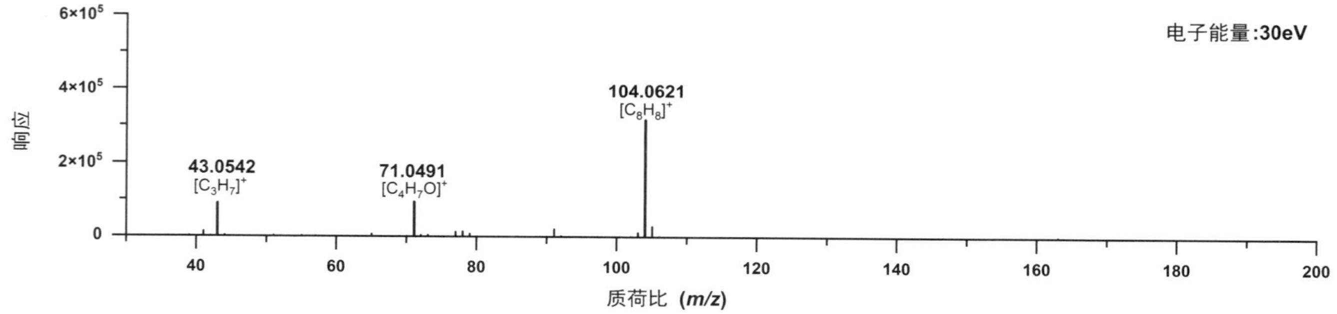

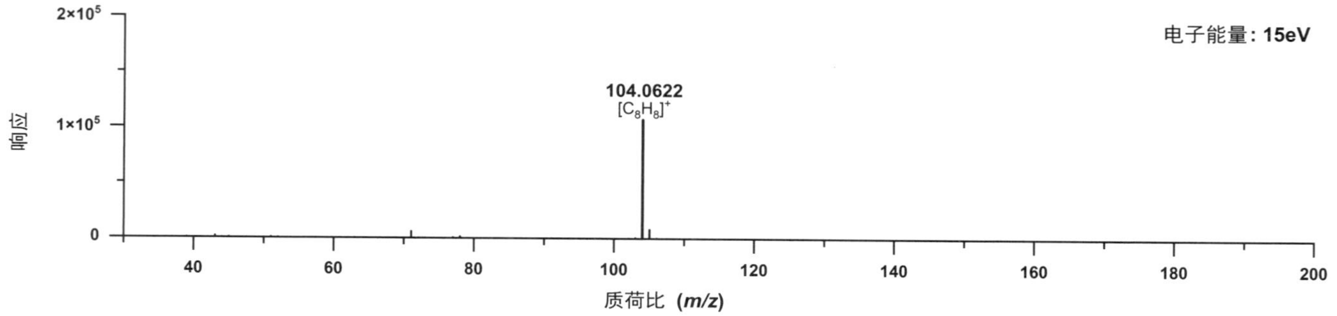

23 苯乙酸异戊酯

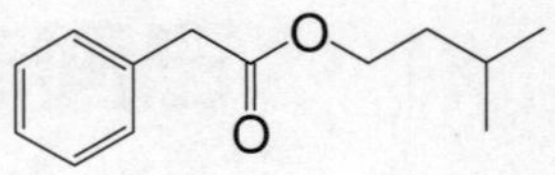

基本信息

CAS 登录号	102-19-2	分子式	$C_{13}H_{18}O_2$	分子量	206.1307
保留指数（极性）	2033	保留指数（非极性）	1463	香气描述	花香，甜香，水果香

质谱图

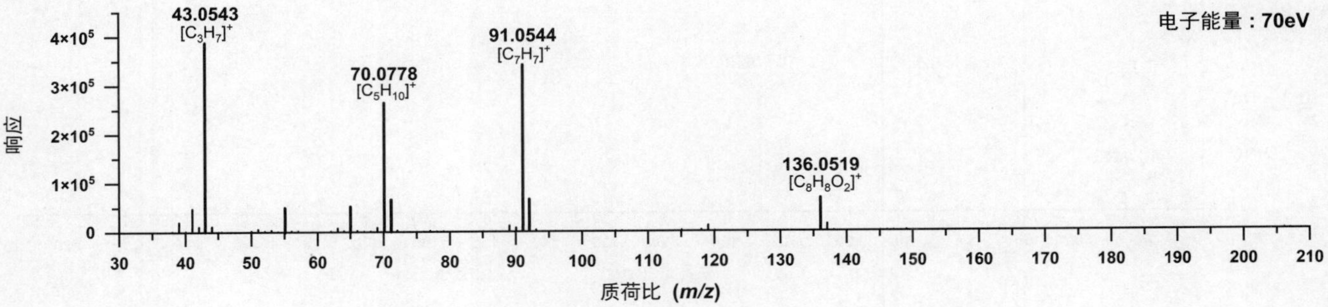

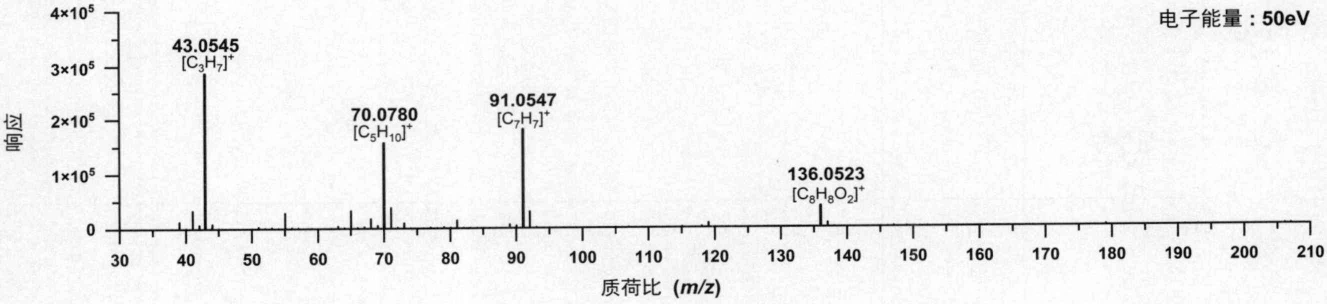

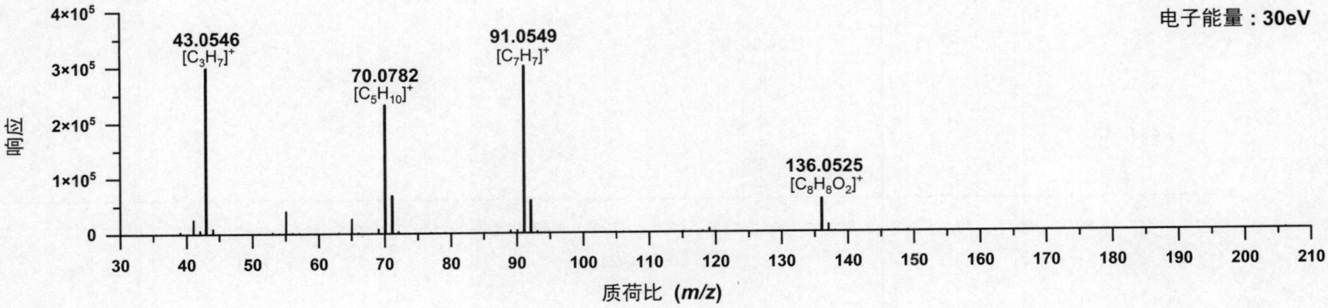

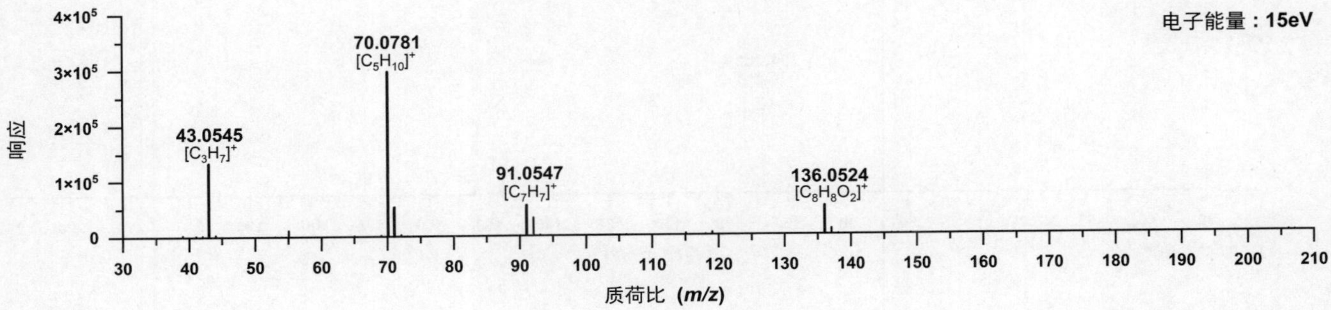

24 己酸苯乙酯

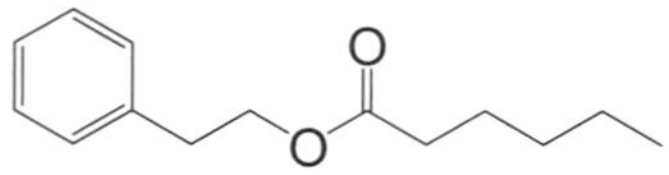

基本信息

CAS 登录号	6290-37-5	分子式	$C_{14}H_{20}O_2$	分子量	220.1463
保留指数（极性）	2204	保留指数（非极性）	1616	香气描述	花香，甜香，水果香

质谱图

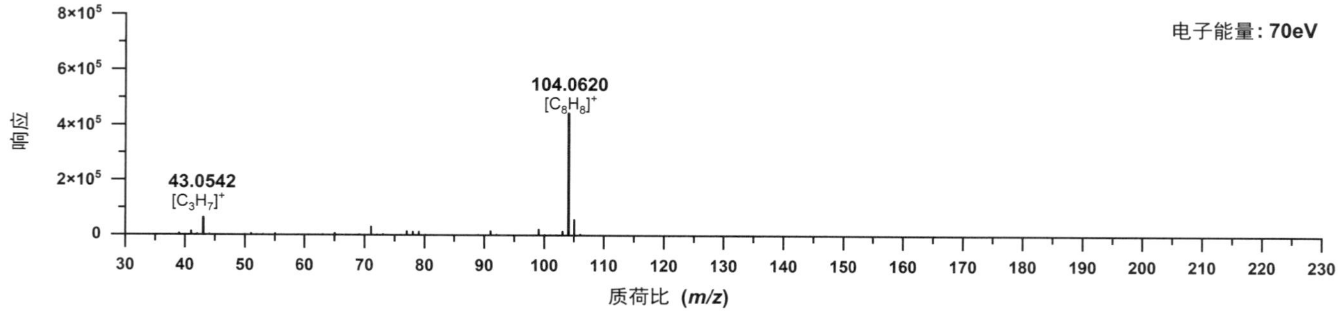

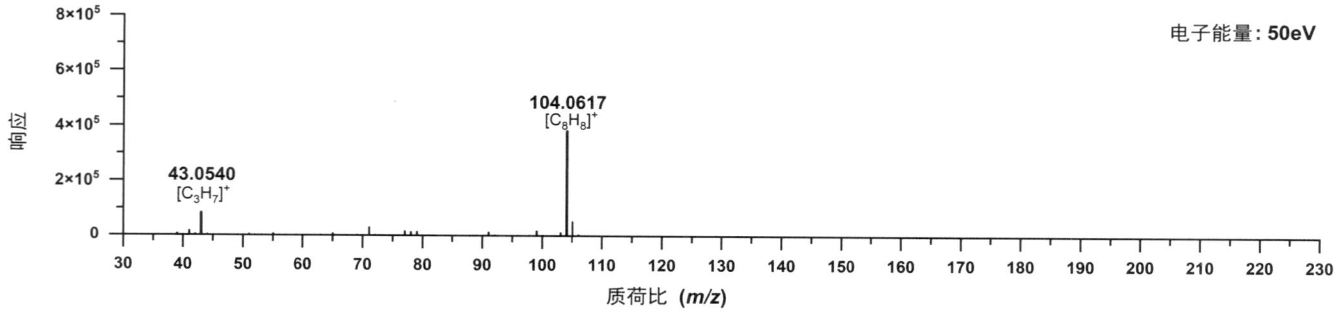

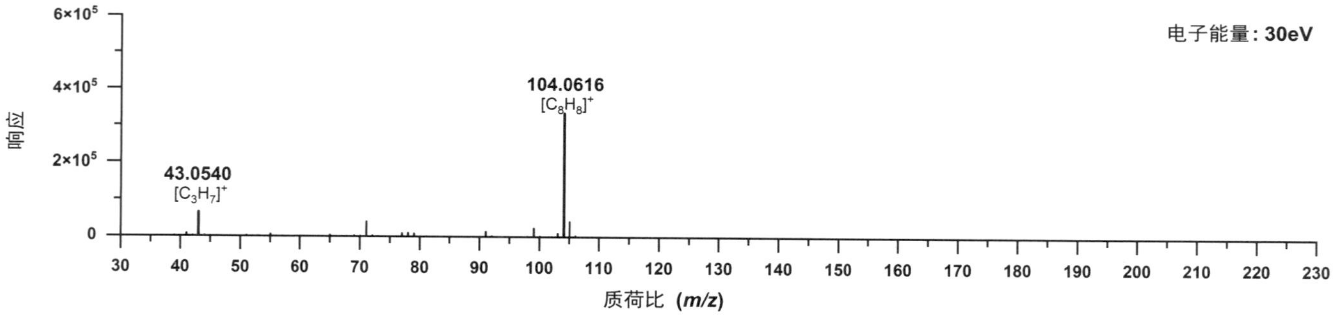

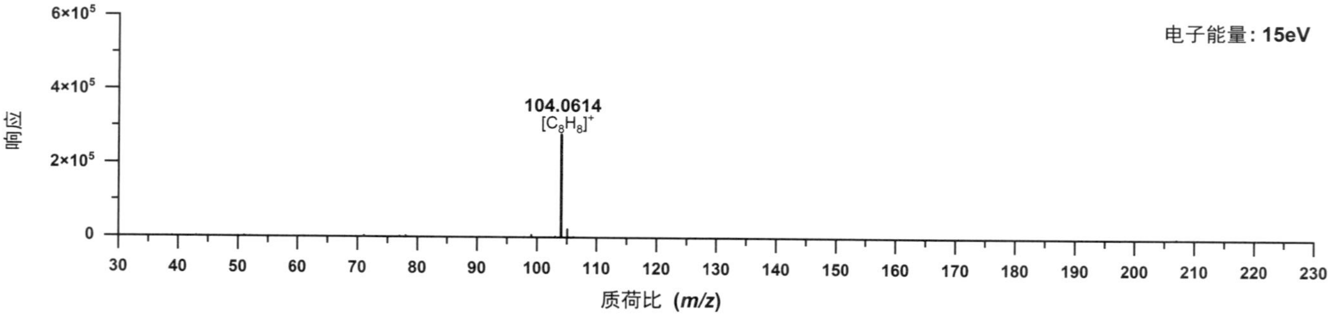

25 苯甲醛

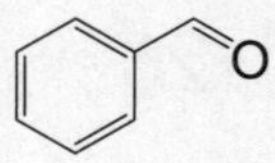

基本信息

CAS 登录号	100-52-7	分子式	C_7H_6O	分子量	106.0413
保留指数（极性）	1556	保留指数（非极性）	929	香气描述	杏仁味，樱桃香，甜香

质谱图

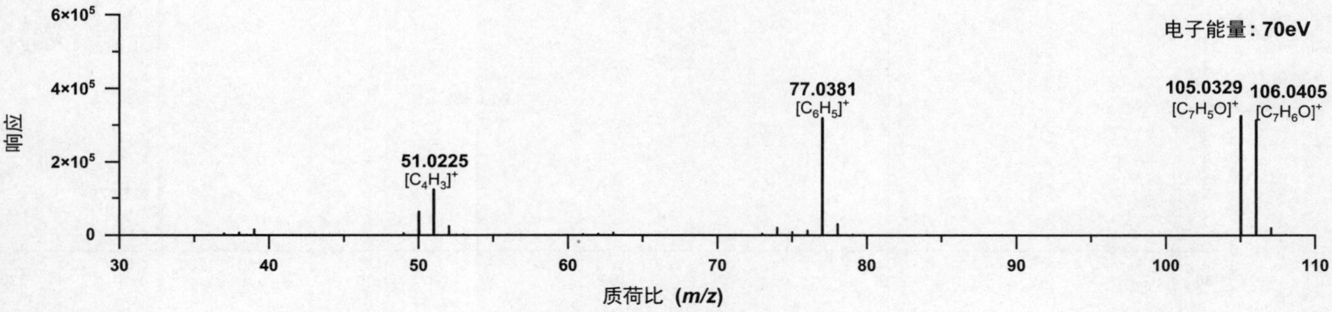

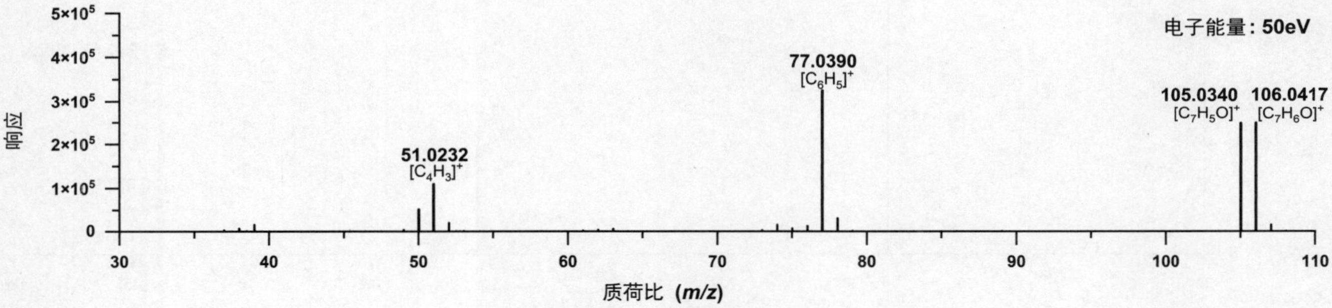

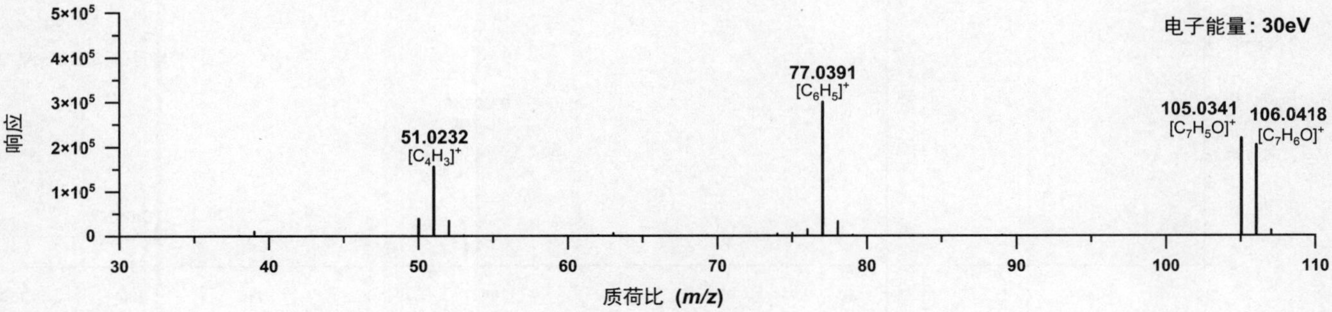

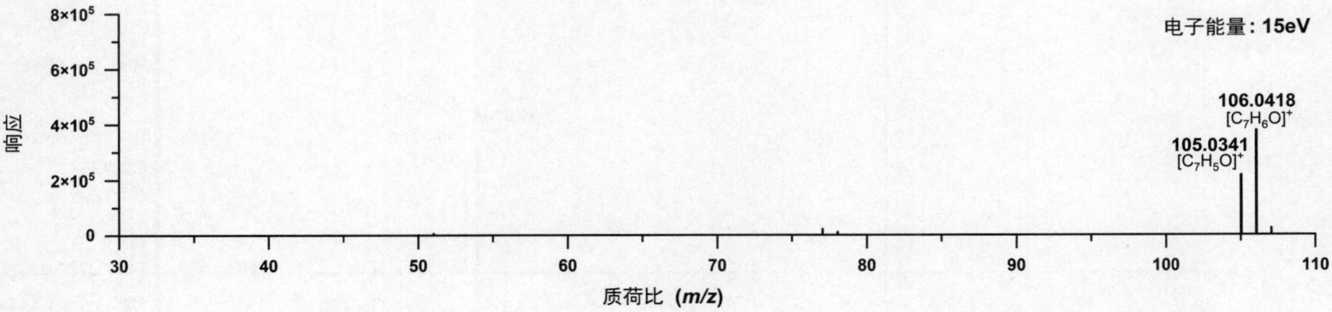

26 苯乙醛

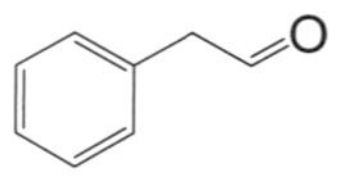

基本信息

CAS 登录号	122-78-1	分子式	C_8H_8O	分子量	120.0570
保留指数（极性）	1673	保留指数（非极性）	1008	香气描述	花香，甜香，醛香

质谱图

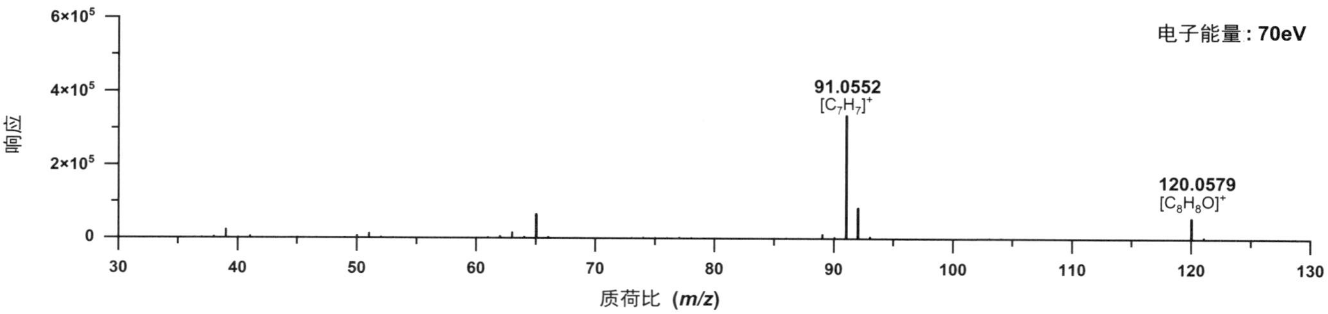

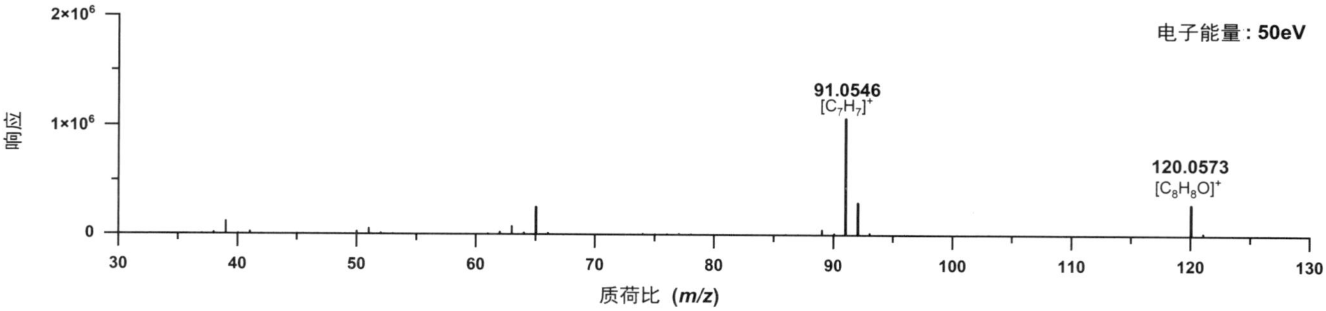

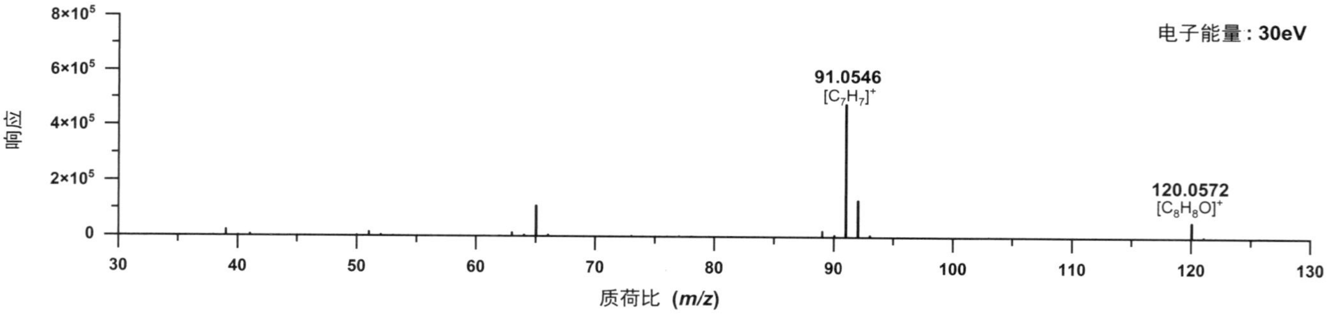

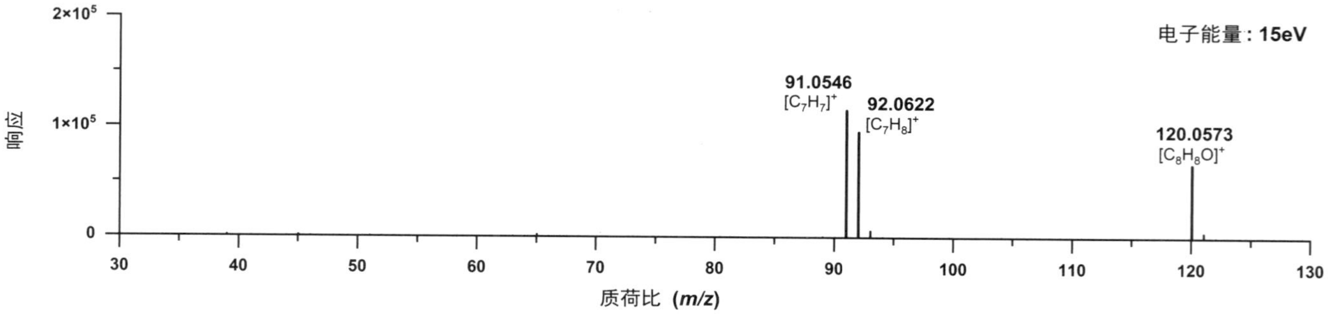

27 3-甲基苯甲醛

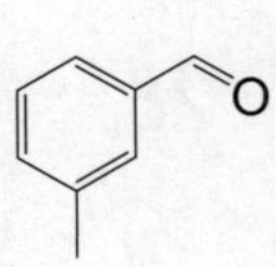

基本信息

CAS 登录号	620-23-5	分子式	C_8H_8O	分子量	120.0570
保留指数（极性）	1660	保留指数（非极性）	1038	香气描述	杏仁味，樱桃香，甜香

质谱图

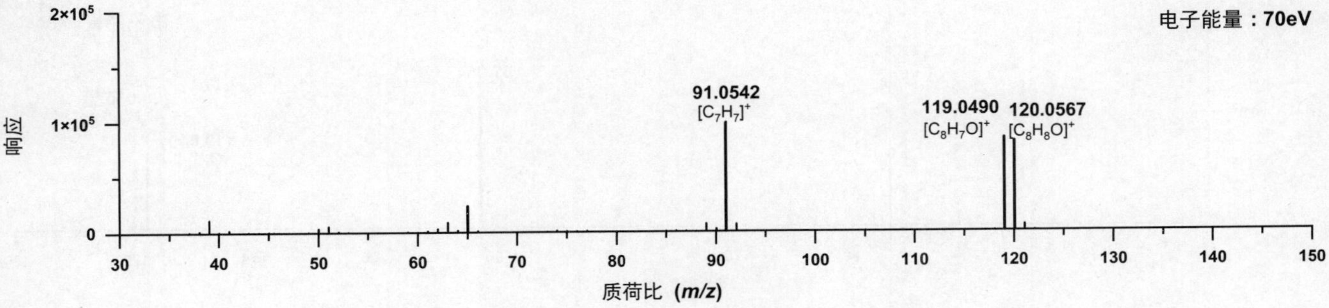

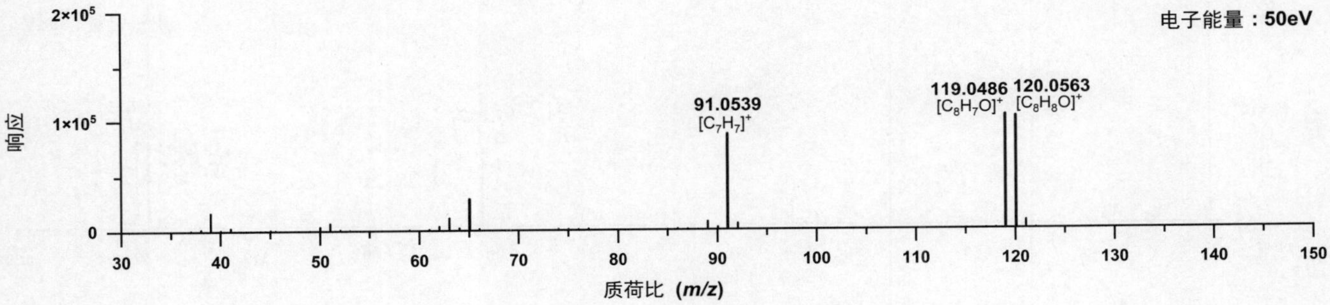

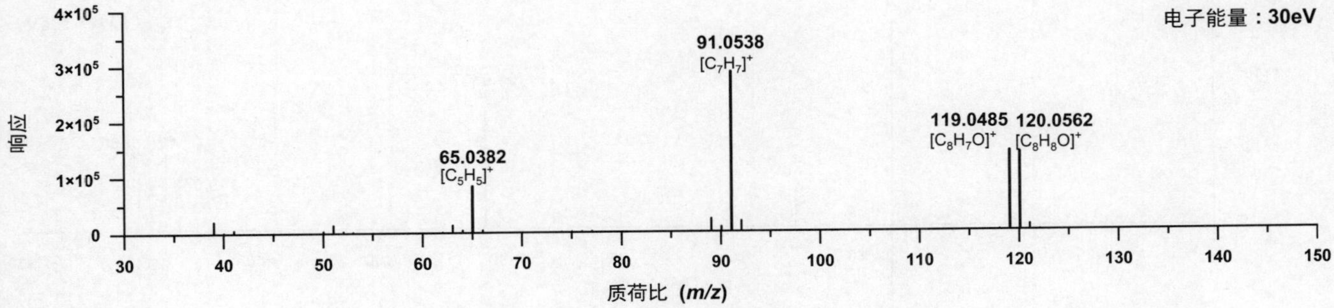

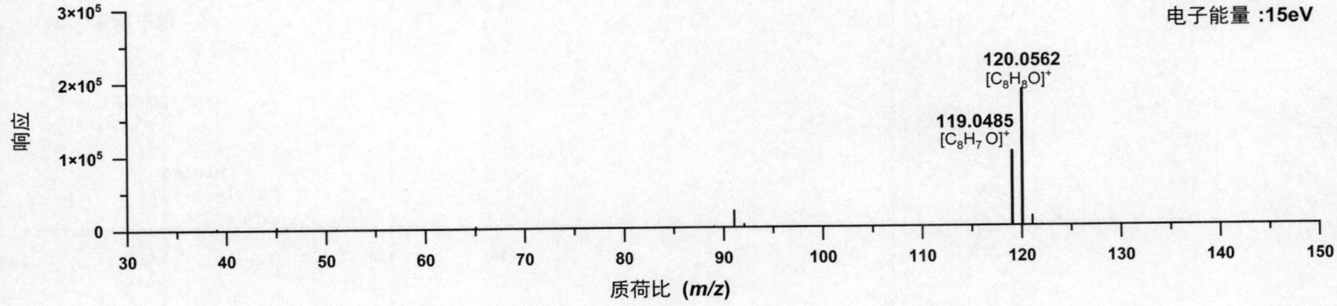

28 2-甲基苯甲醛

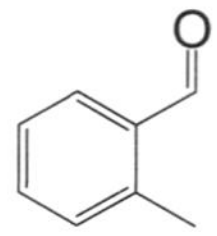

基本信息

CAS 登录号	529-20-4	分子式	C_8H_8O	分子量	120.0570
保留指数（极性）	1657	保留指数（非极性）	1037	香气描述	杏仁味，樱桃香，甜香

质谱图

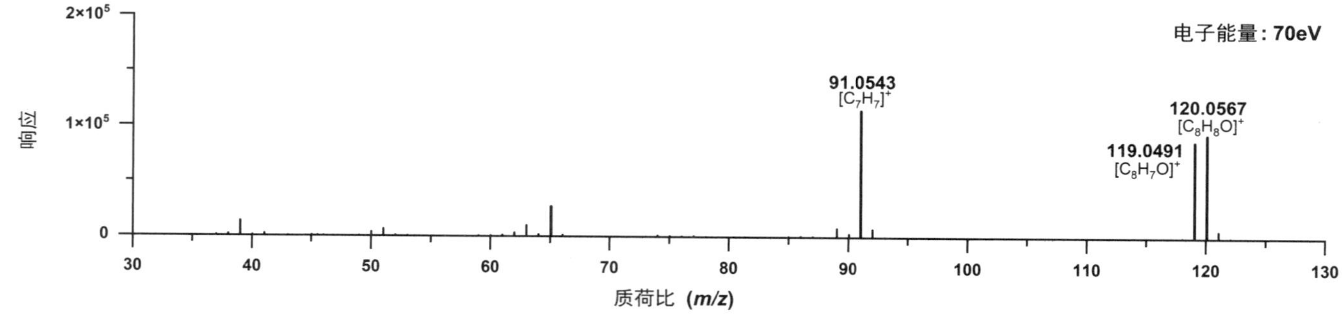

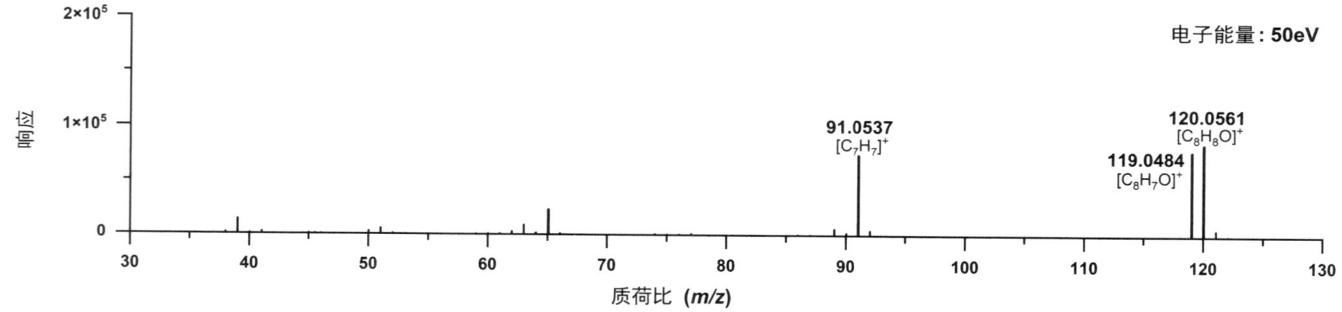

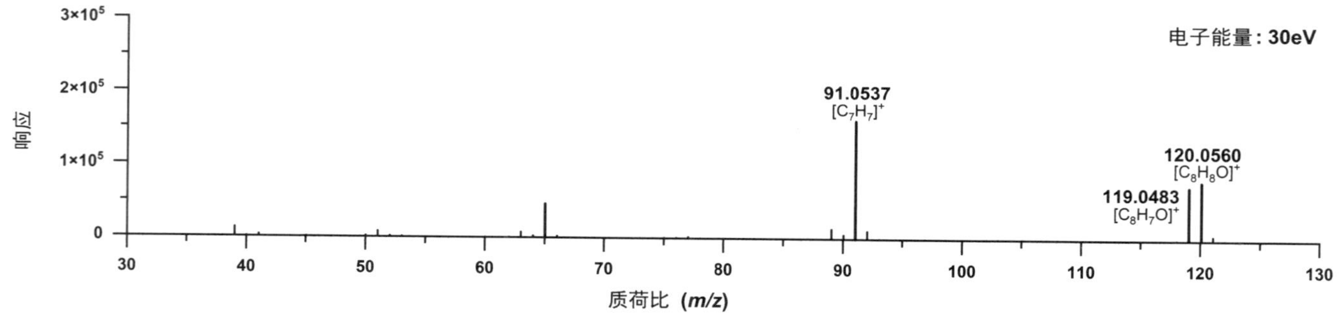

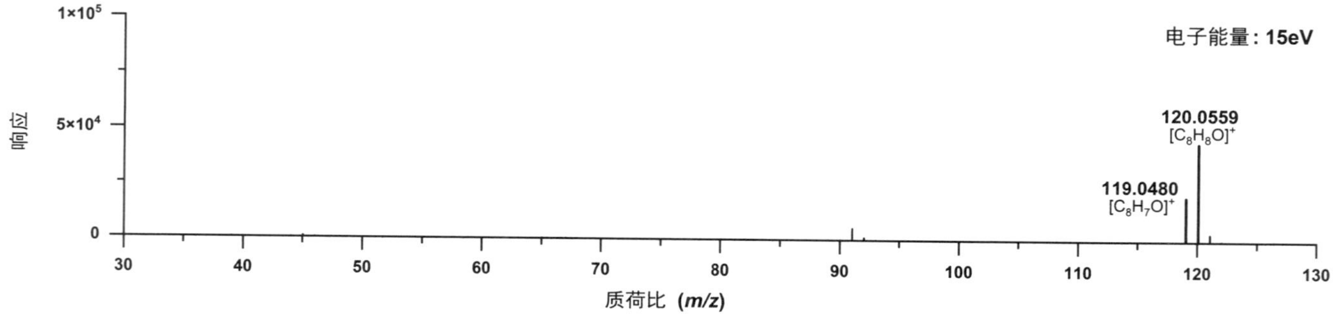

29 4-甲基苯甲醛

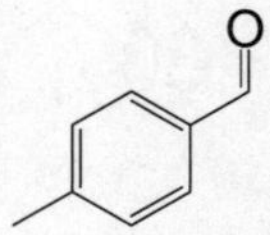

基本信息

CAS 登录号	104-87-0	分子式	C_8H_8O	分子量	120.0570
保留指数（极性）	1687	保留指数（非极性）	1051	香气描述	杏仁味，樱桃香，甜香

质谱图

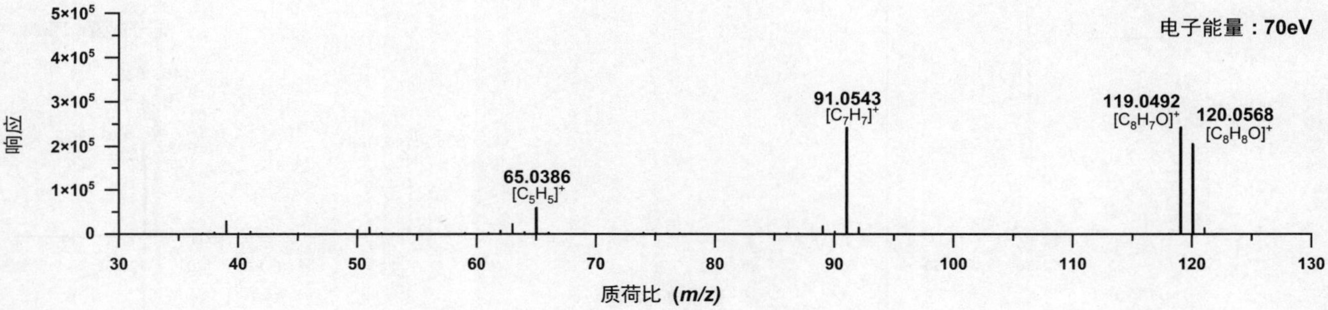

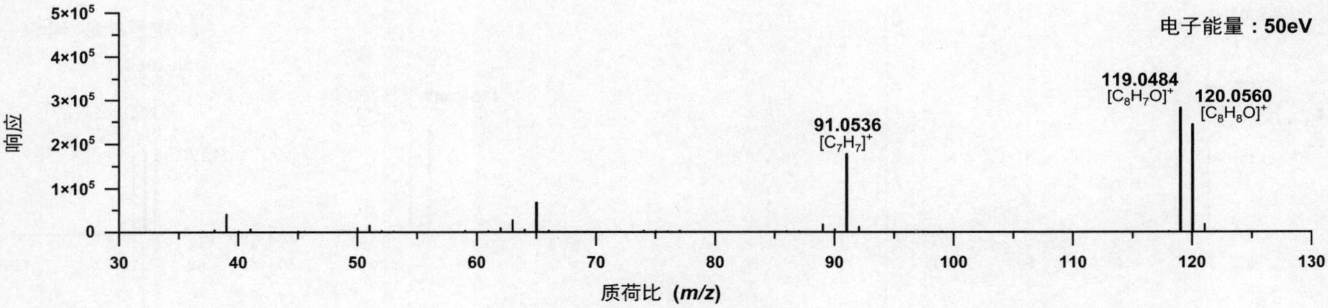

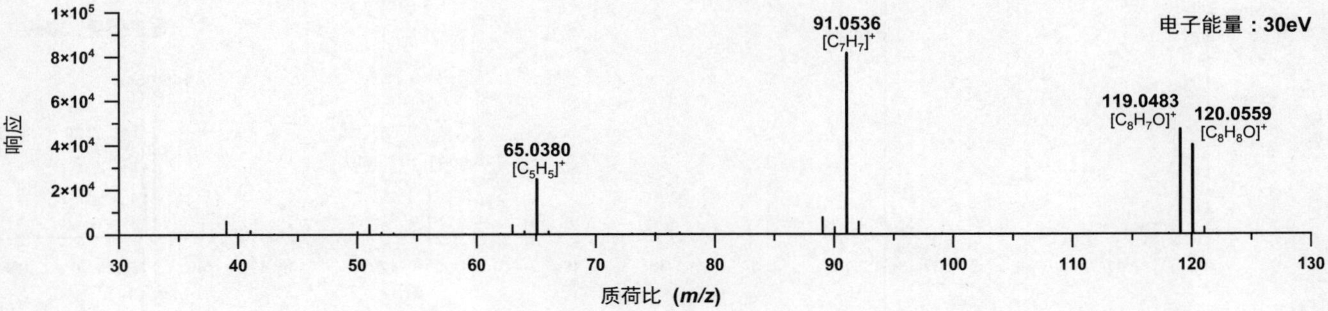

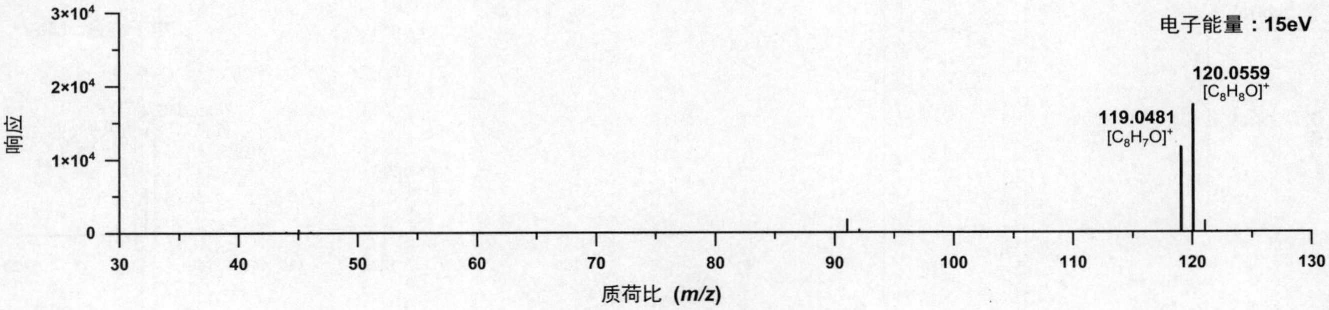

30 α-甲基肉桂醛

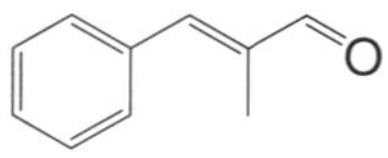

基本信息

CAS 登录号	101-39-3	分子式	$C_{10}H_{10}O$	分子量	146.0726
保留指数（极性）	2044	保留指数（非极性）	1293	香气描述	花香，甜香，醛香

质谱图

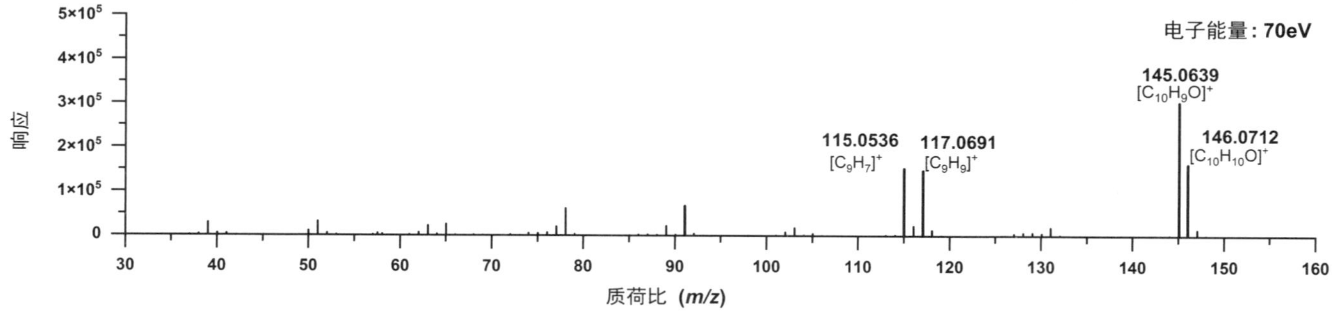

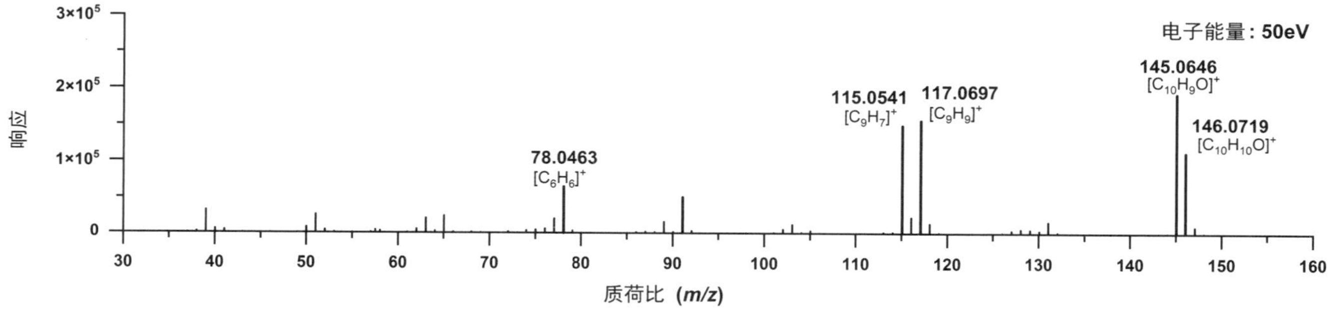

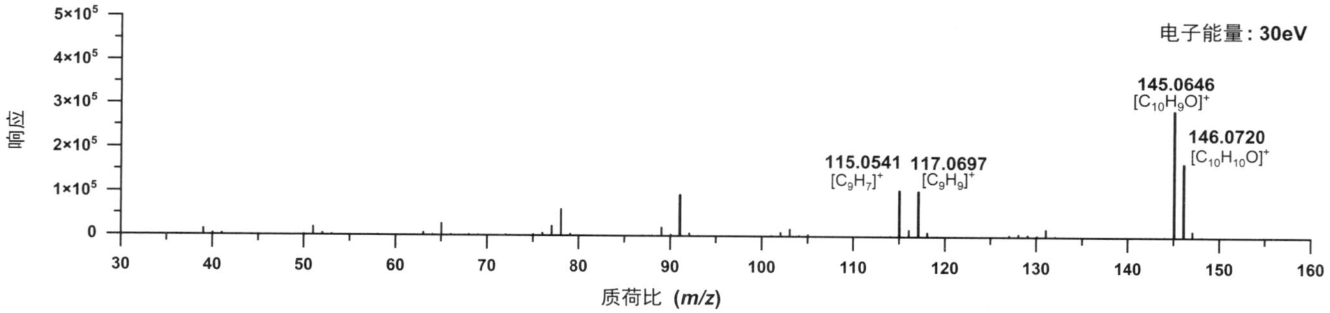

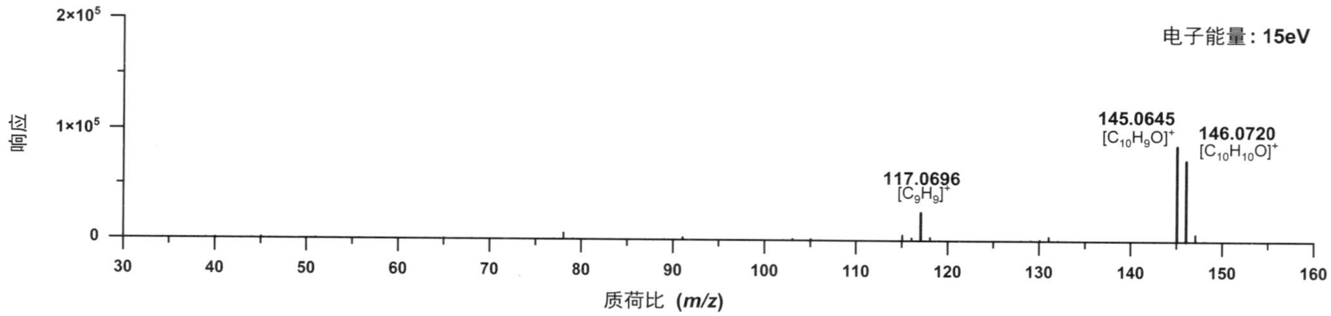

31 2-苯基巴豆醛

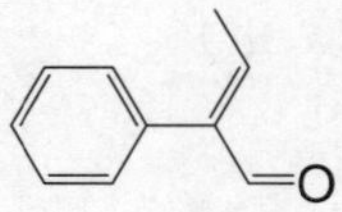

基本信息

CAS 登录号	4411-89-6	分子式	$C_{10}H_{10}O$	分子量	146.0726
保留指数（极性）	1970	保留指数（非极性）	1238	香气描述	花香，甜香，醛香

质谱图

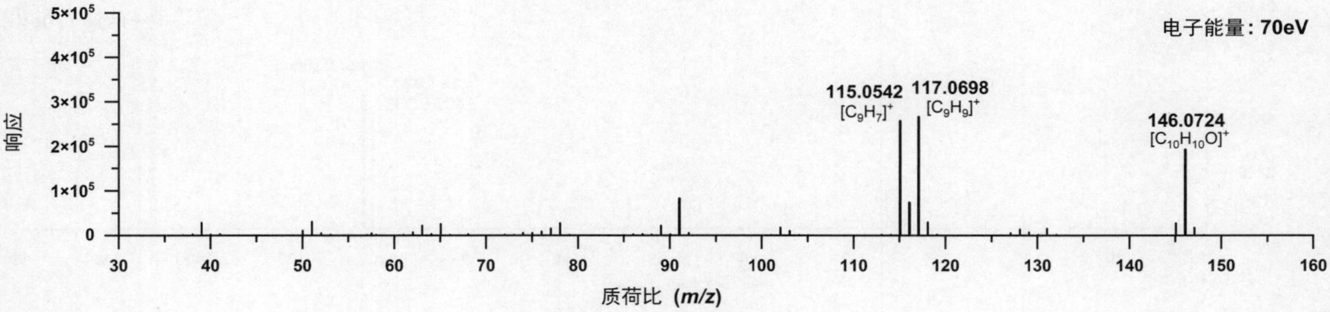

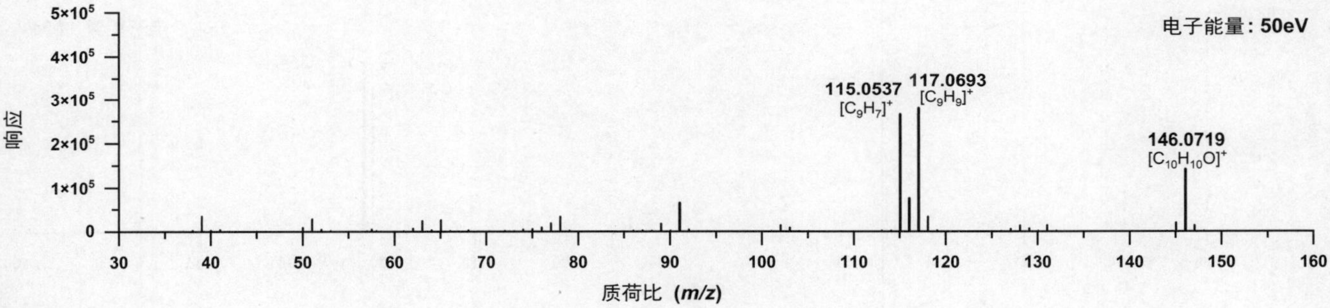

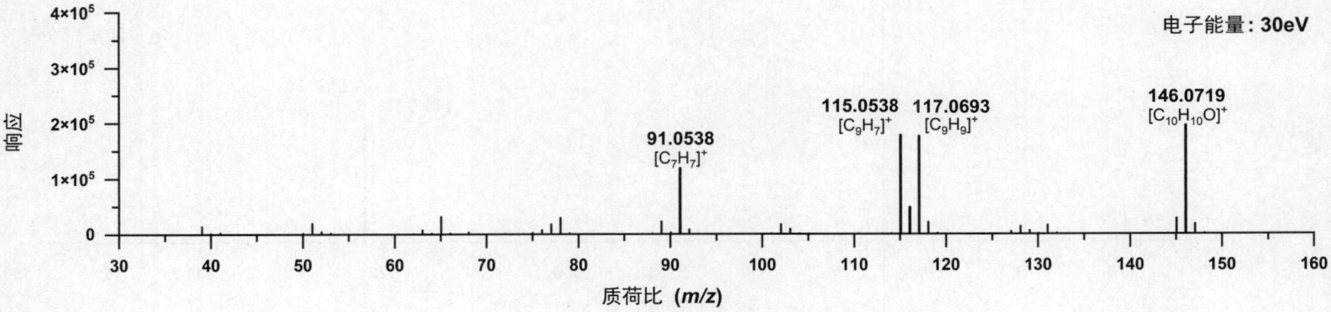

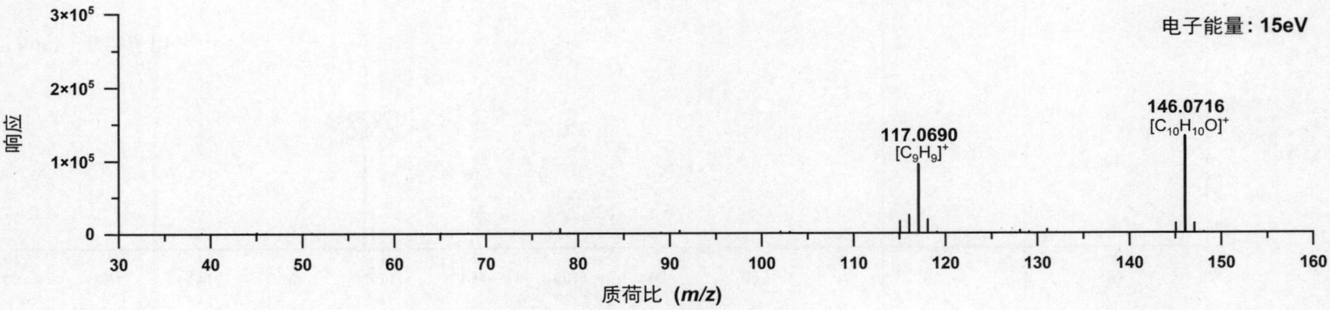

32 水杨醛

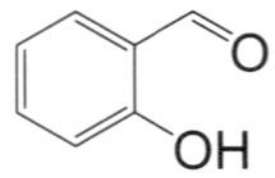

基本信息

CAS 登录号	90-02-8	分子式	$C_7H_6O_2$	分子量	122.0362
保留指数（极性）	1718	保留指数（非极性）	1011	香气描述	杏仁味，甜香，花香

质谱图

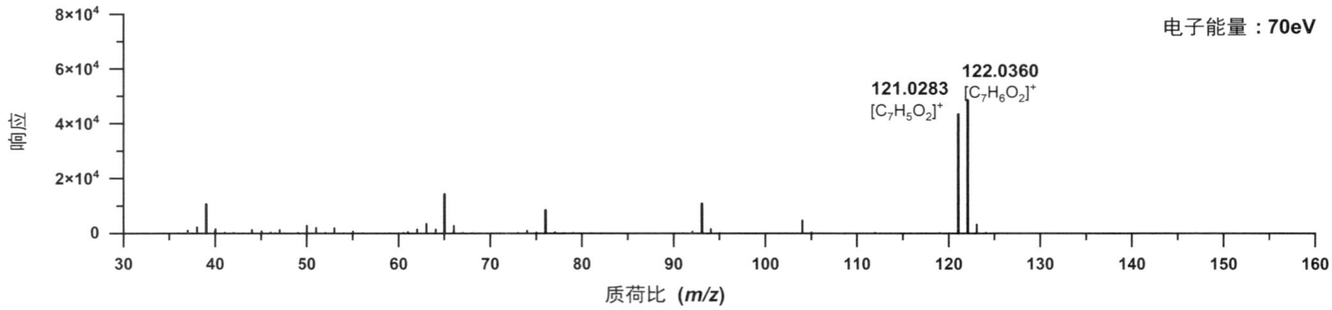

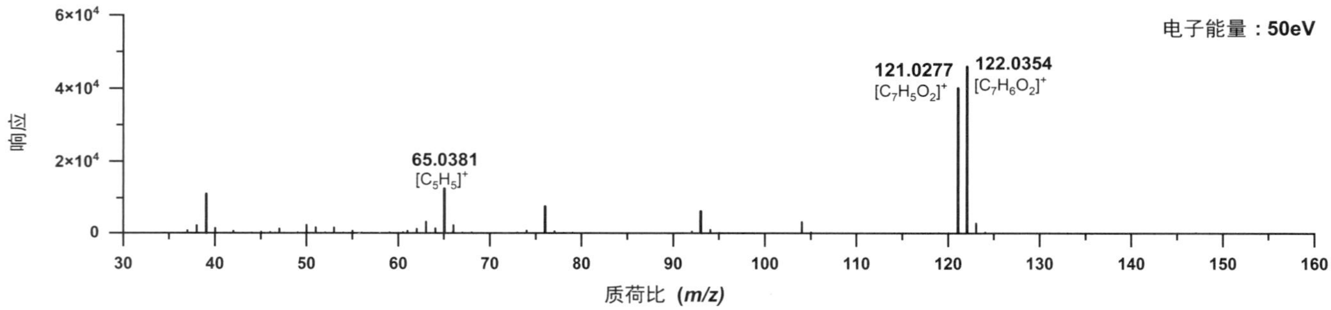

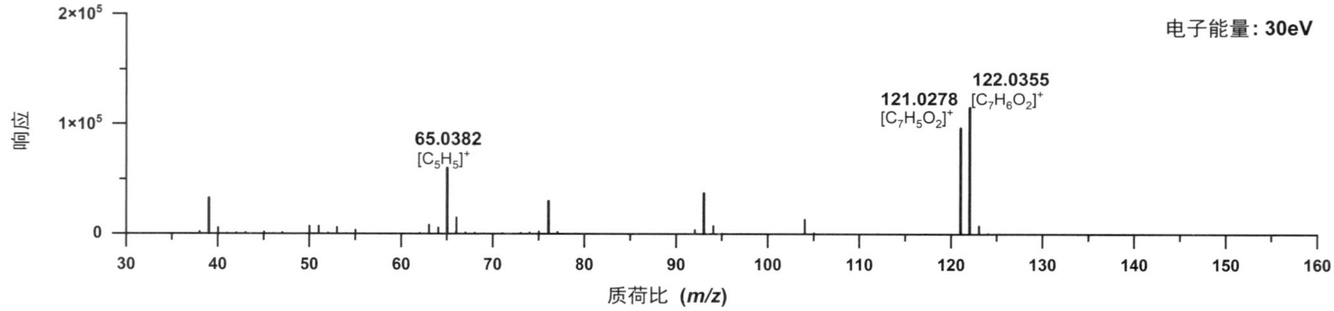

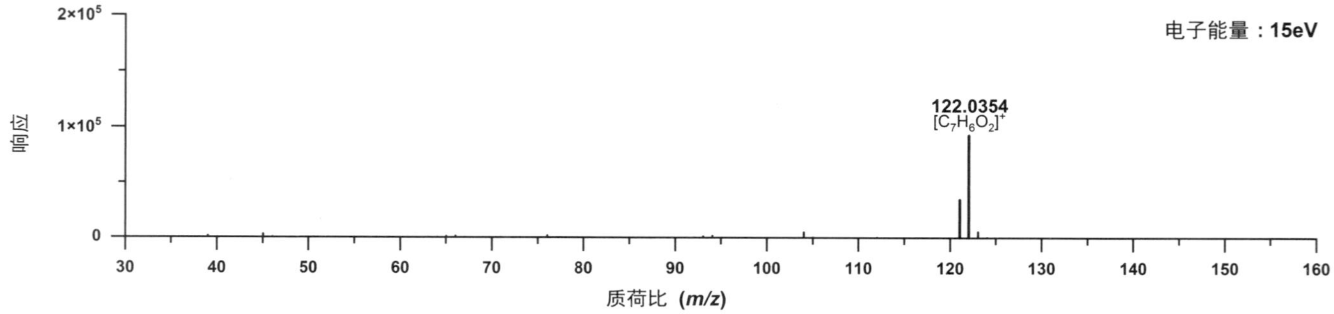

33 3-羟基苯甲醛

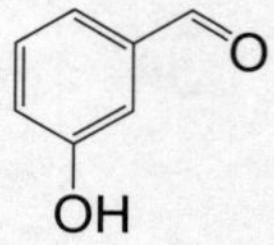

基本信息

CAS 登录号	100-83-4	分子式	$C_7H_6O_2$	分子量	122.0362
保留指数（极性）	>2400	保留指数（非极性）	1263	香气描述	杏仁味，甜香，花香

质谱图

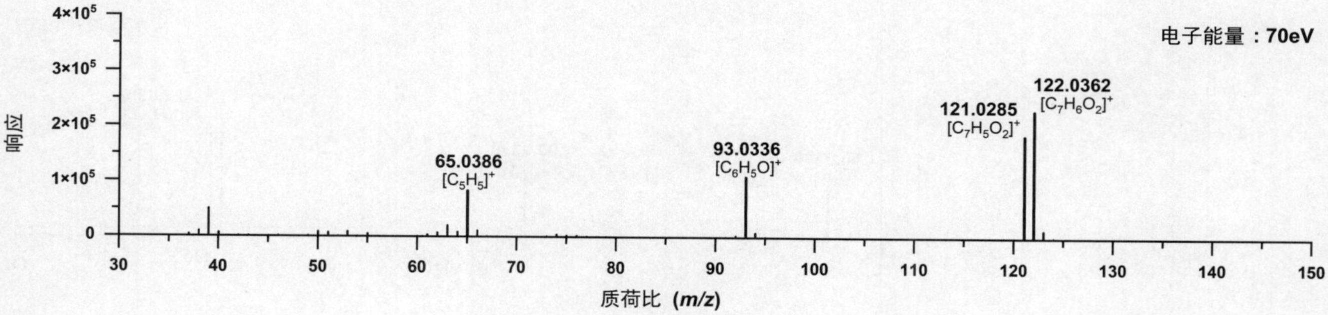

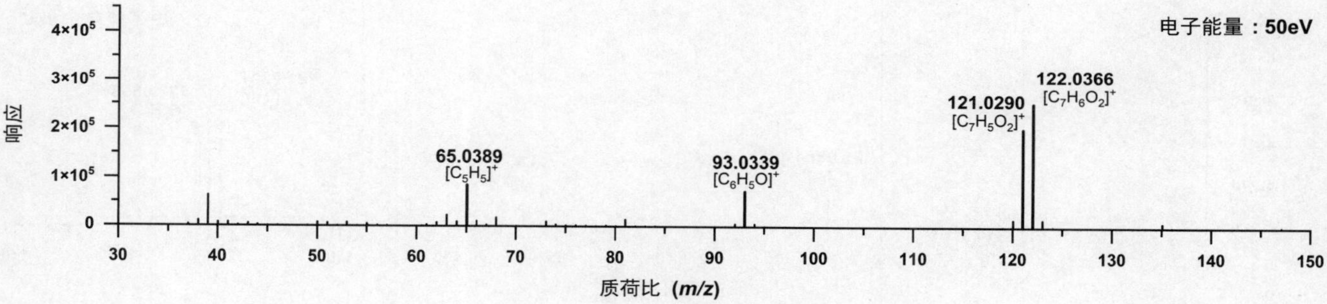

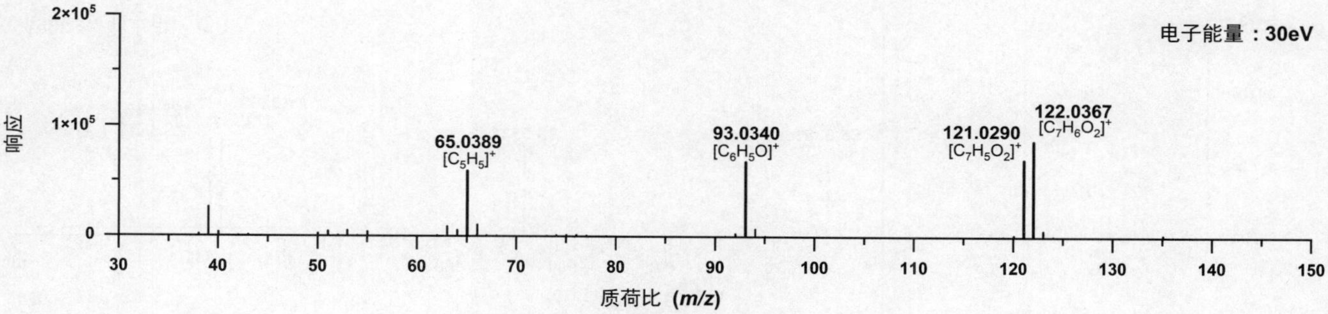

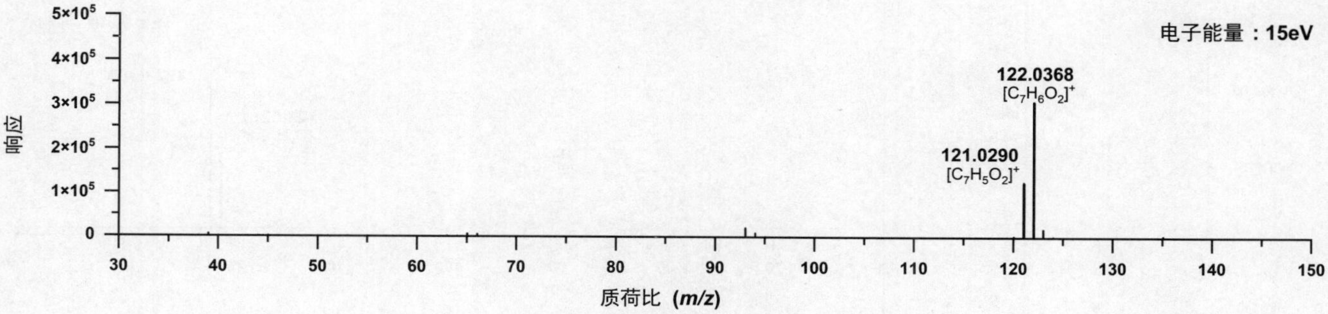

34 4-羟基苯甲醛

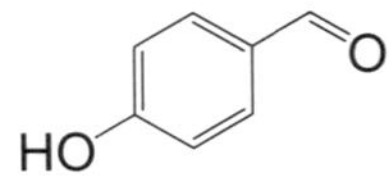

基本信息

CAS 登录号	123-08-0	分子式	$C_7H_6O_2$	分子量	122.0362
保留指数（极性）	>2400	保留指数（非极性）	1314	香气描述	杏仁味，甜香，水果香

质谱图

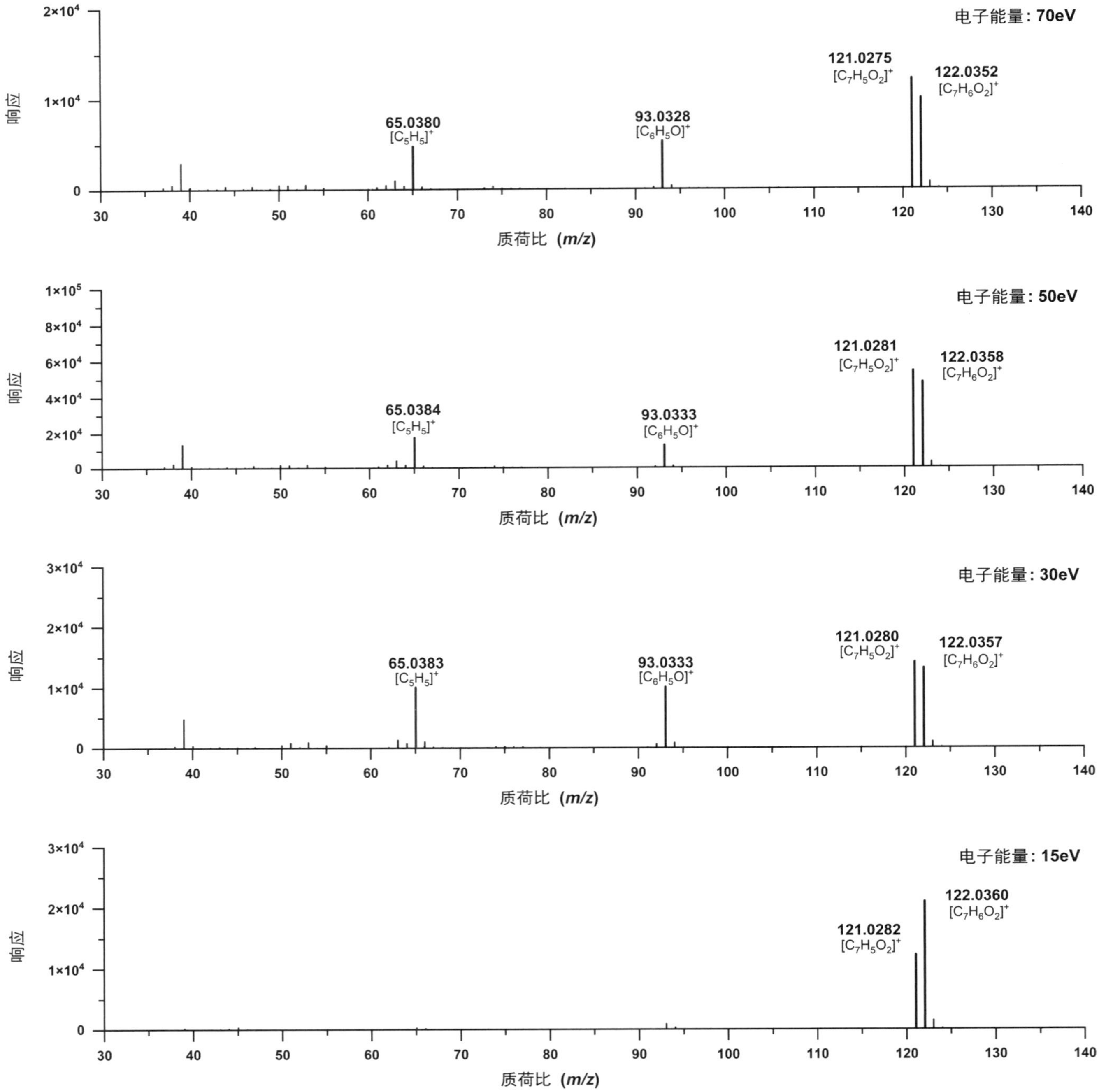

35 苯乙酮

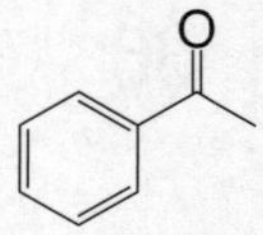

基本信息

CAS 登录号	98-86-2	分子式	C_8H_8O	分子量	120.0570
保留指数（极性）	1687	保留指数（非极性）	1033	香气描述	甜香，杏仁味，花香

质谱图

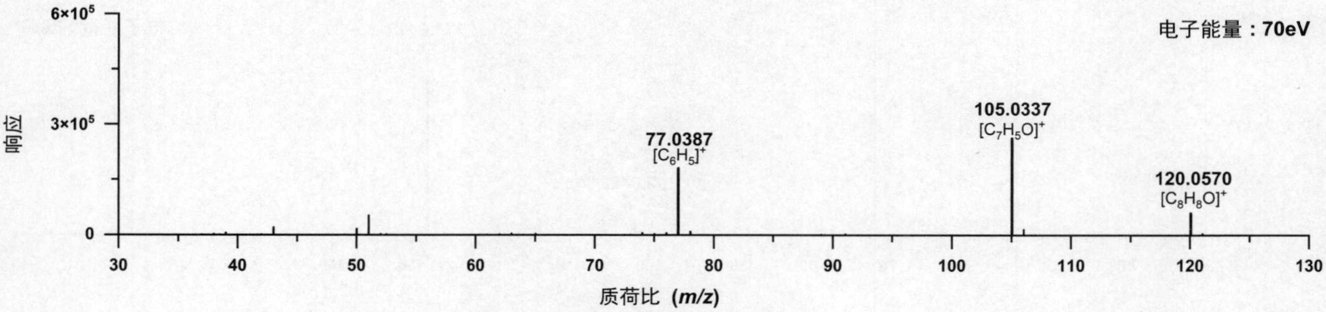

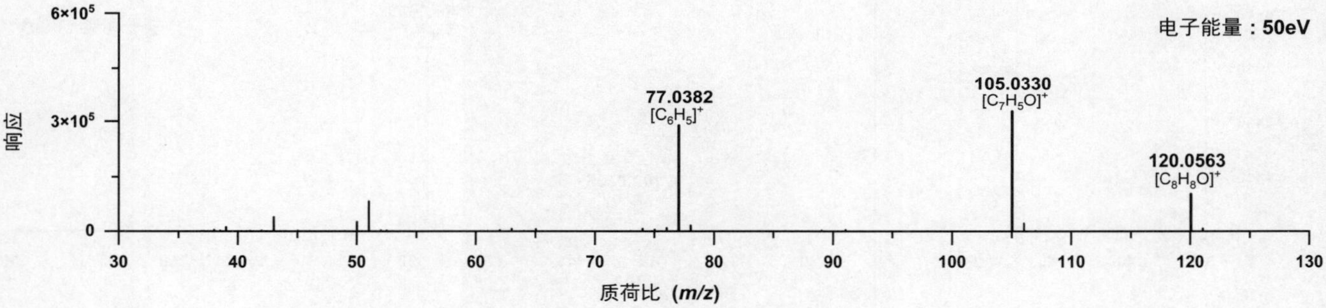

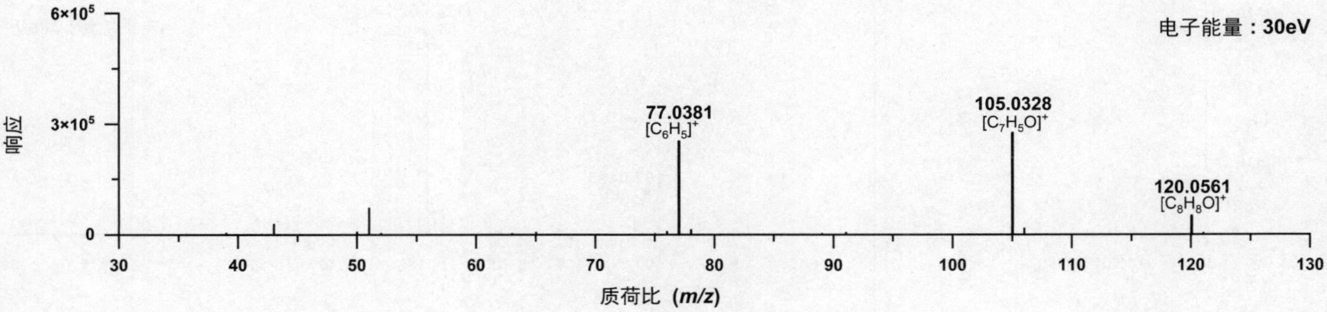

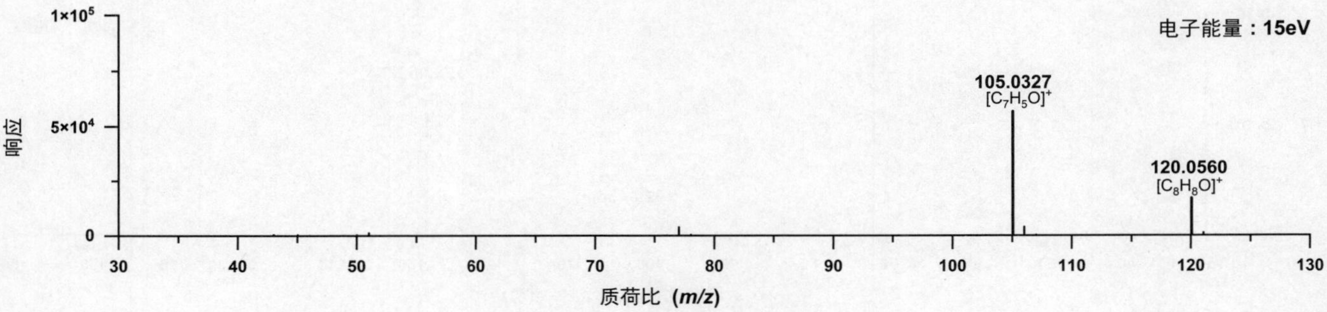

36 萘

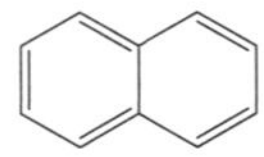

基本信息

CAS 登录号	91-20-3	分子式	$C_{10}H_8$	分子量	128.0621
保留指数（极性）	1791	保留指数（非极性）	1164	香气描述	类似焦油的气味，麝香，木香

质谱图

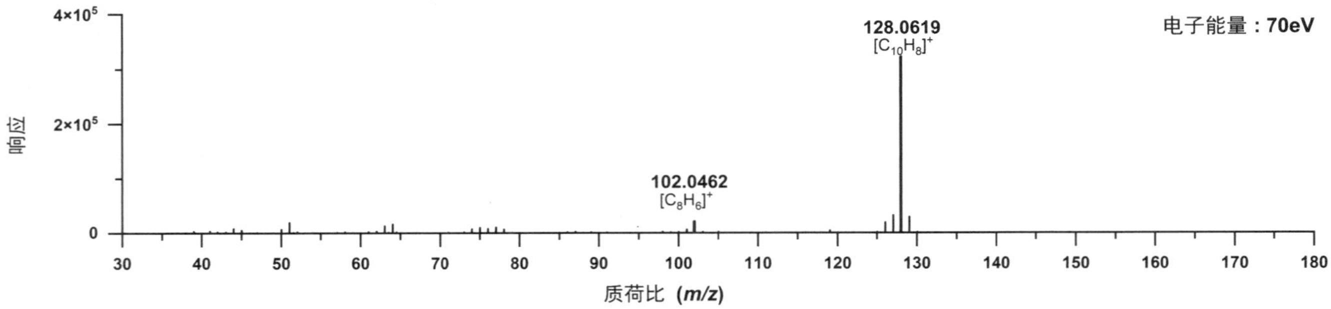

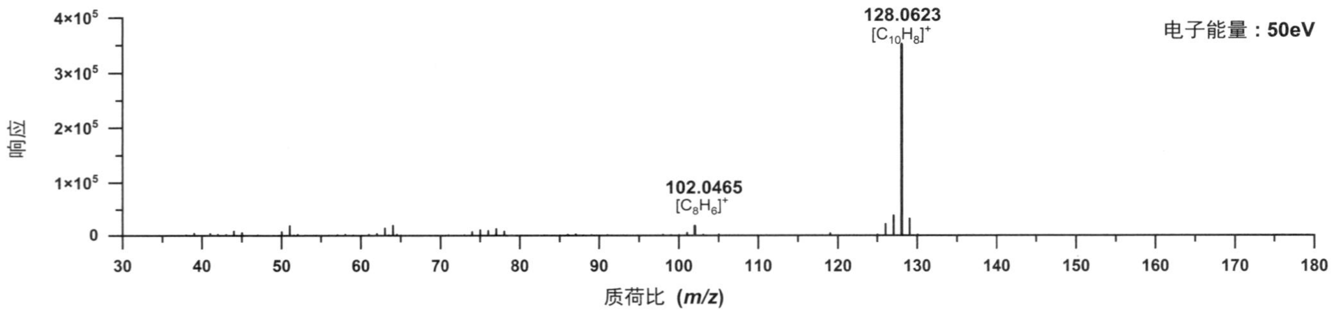

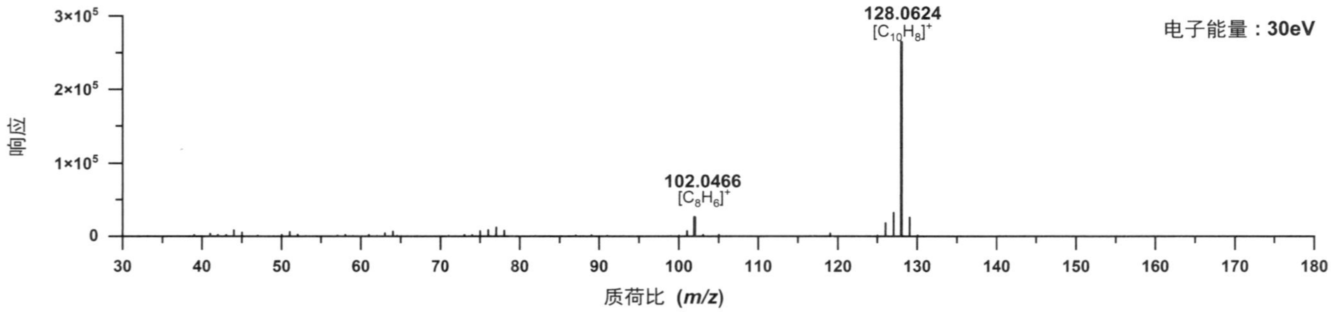

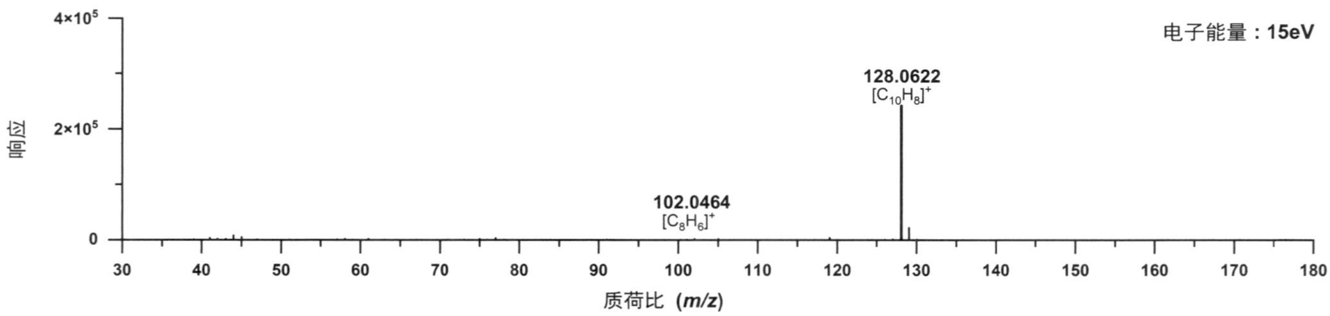

37

1,2,3,4-四氢萘

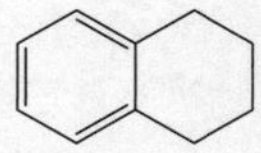

基本信息

CAS 登录号	119-64-2	分子式	$C_{10}H_{12}$	分子量	132.0934
保留指数（极性）	1569	保留指数（非极性）	1144	香气描述	甜香，花香

质谱图

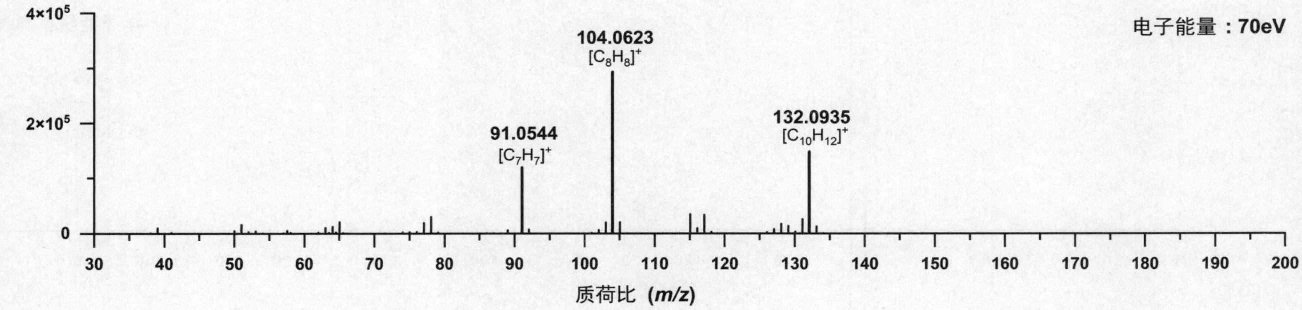

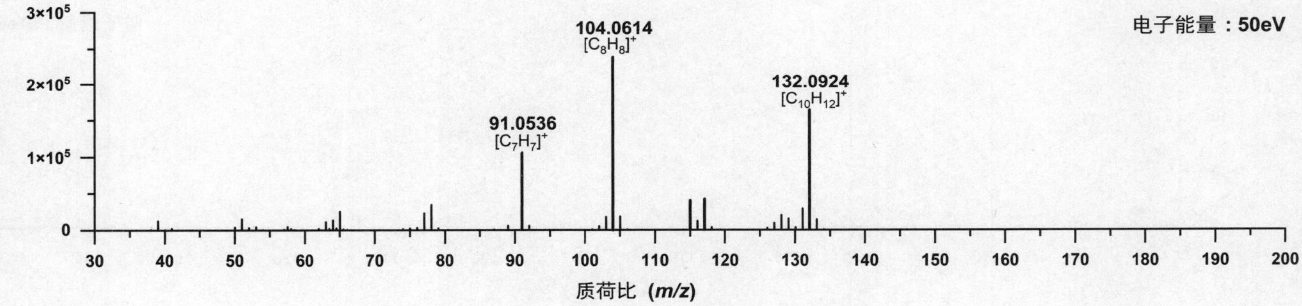

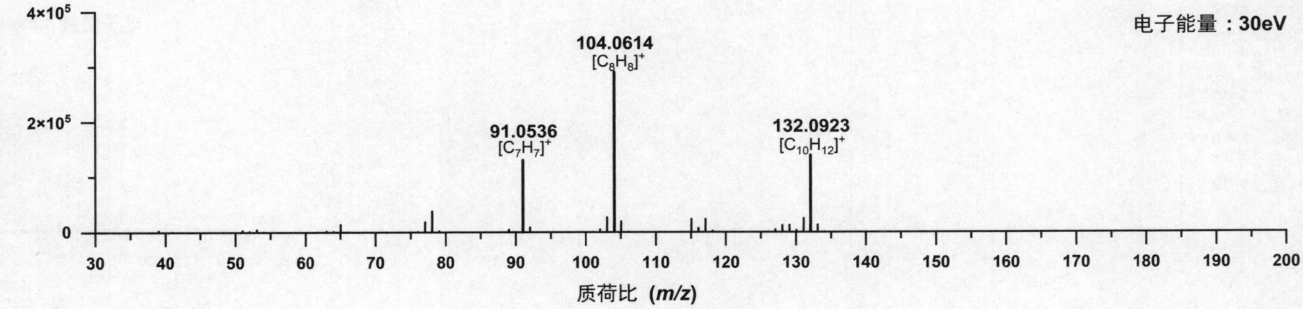

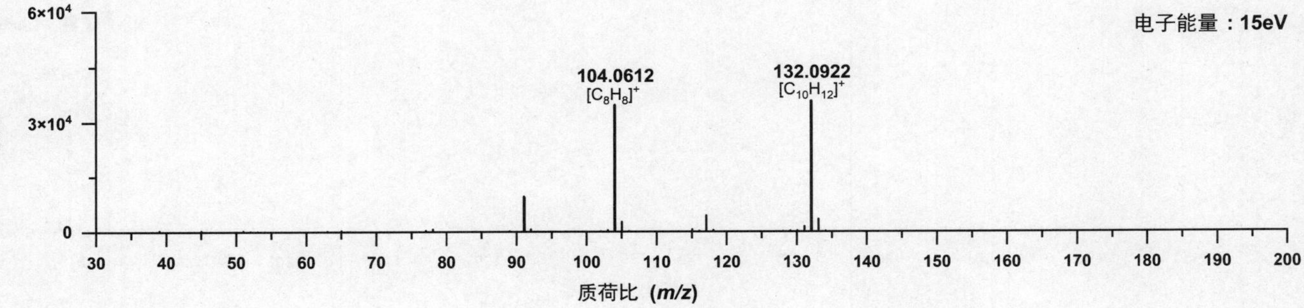

38 1-甲基萘

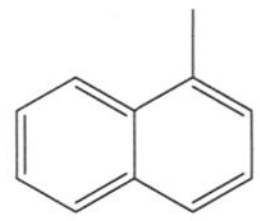

基本信息

CAS 登录号	90-12-0	分子式	$C_{11}H_{10}$	分子量	142.0777
保留指数（极性）	1946	保留指数（非极性）	1292	香气描述	类似樟脑球的气味，麝香，木香

质谱图

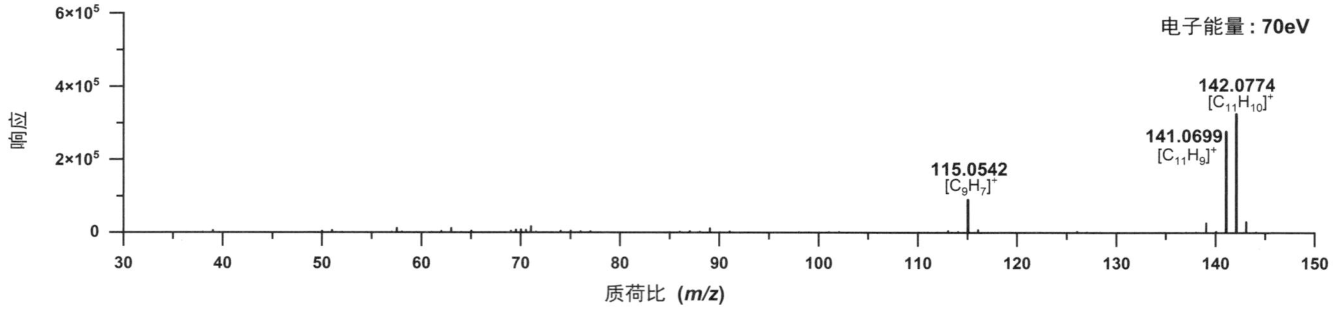

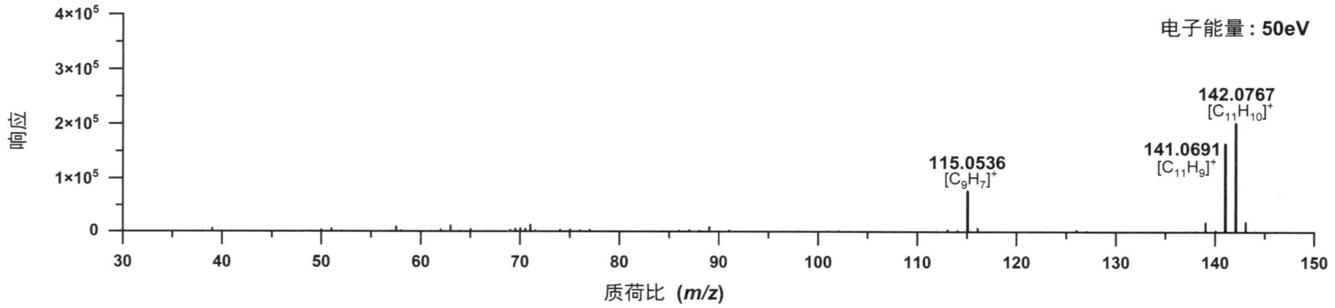

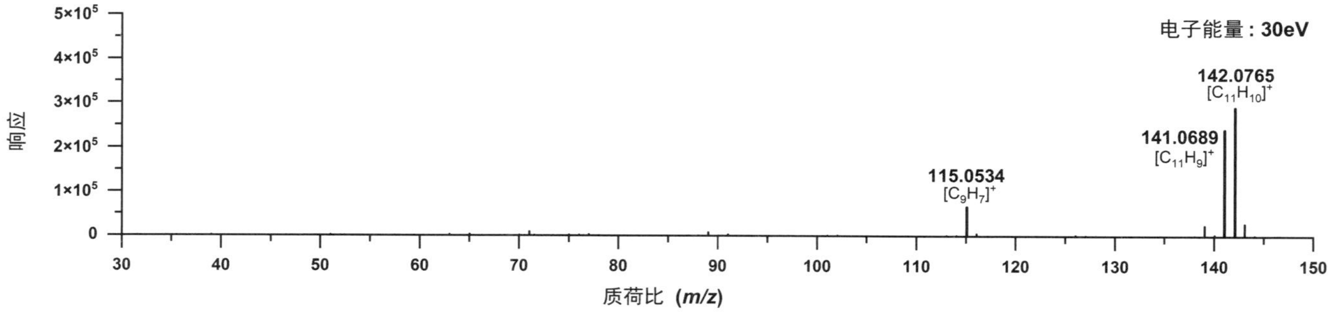

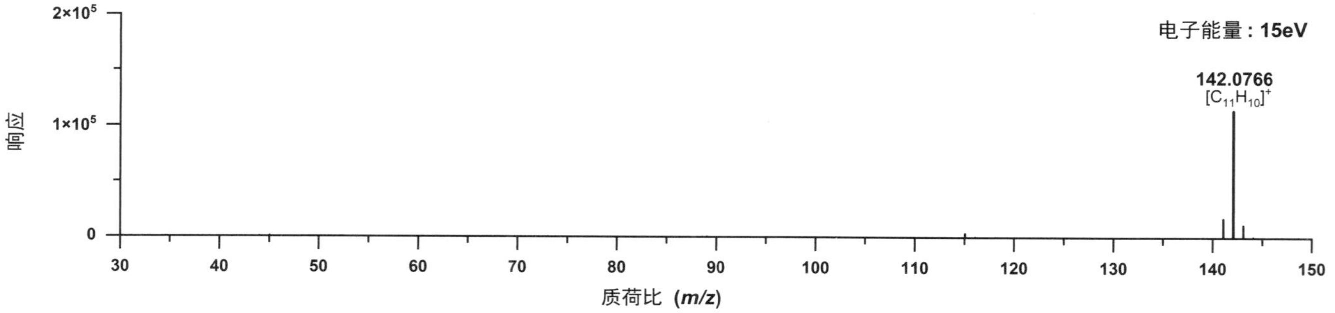

39 2-甲基萘

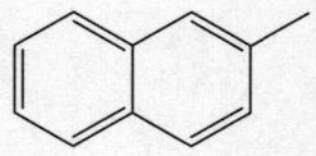

基本信息

CAS 登录号	91-57-6	分子式	$C_{11}H_{10}$	分子量	142.0777
保留指数（极性）	1906	保留指数（非极性）	1276	香气描述	甜香，麝香，木香

质谱图

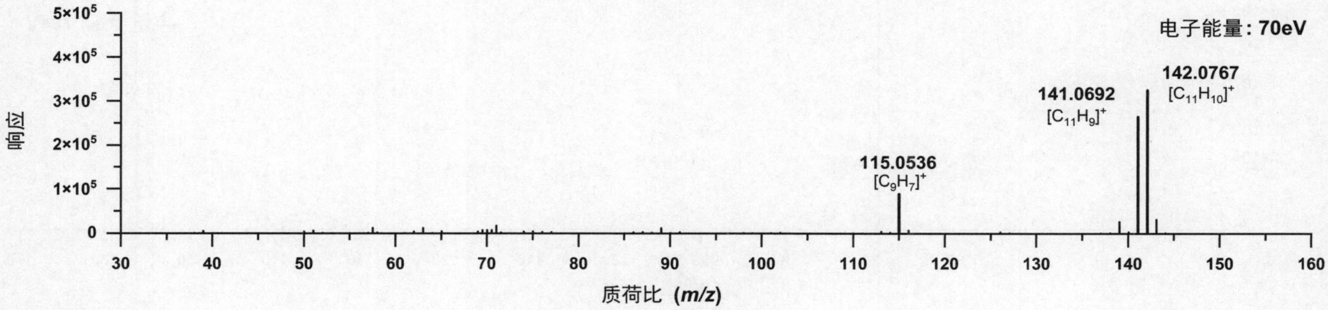

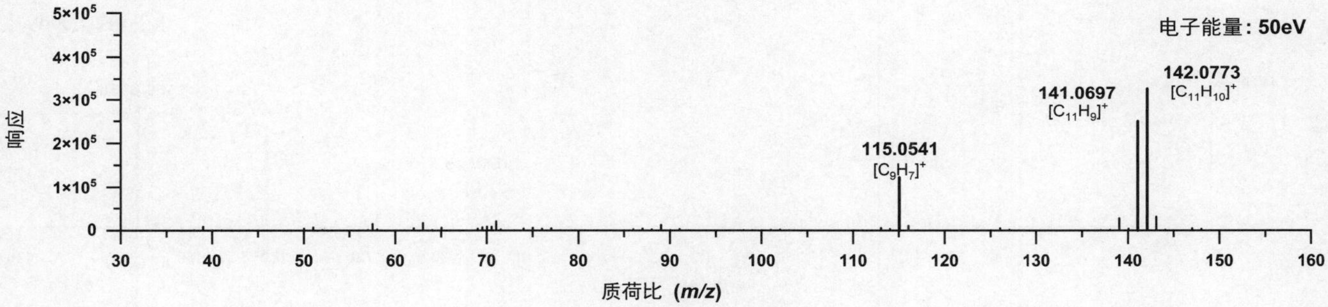

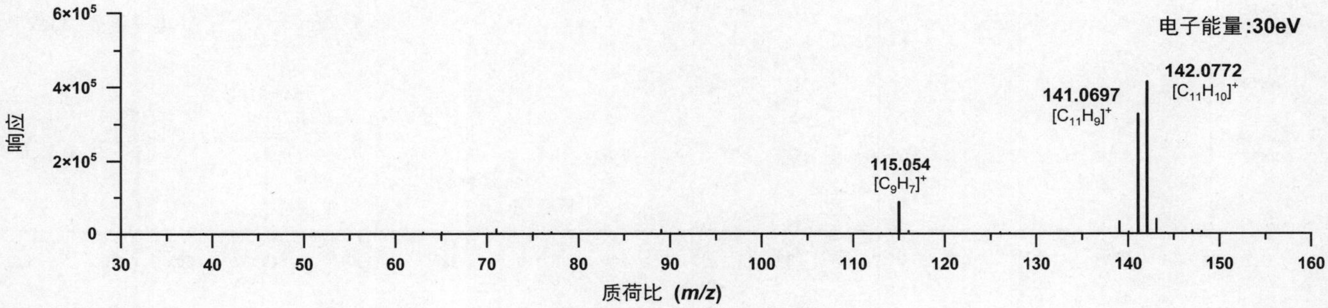

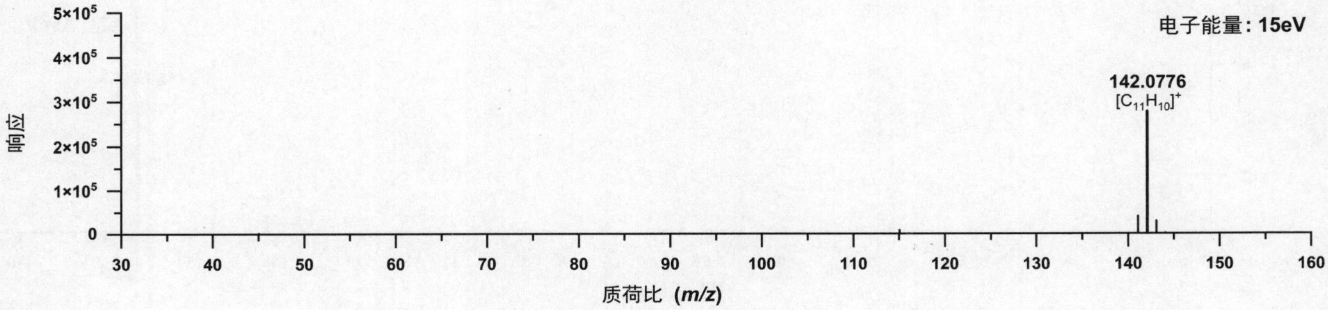

40 1,3-二甲基萘

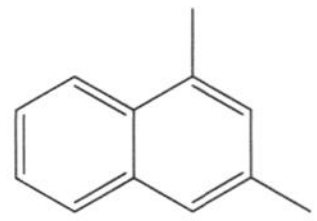

基本信息

CAS 登录号	575-41-7	分子式	$C_{12}H_{12}$	分子量	156.0934
保留指数（极性）	2061	保留指数（非极性）	1402	香气描述	麝香，甜香，花香

质谱图

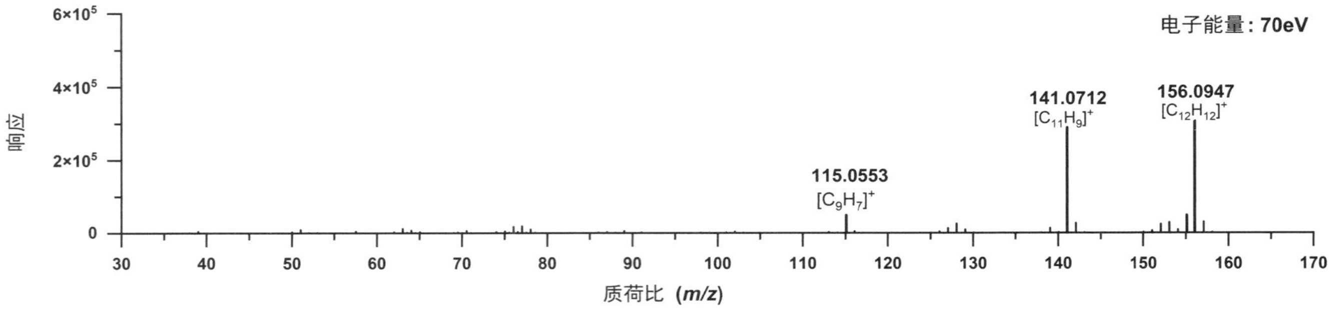

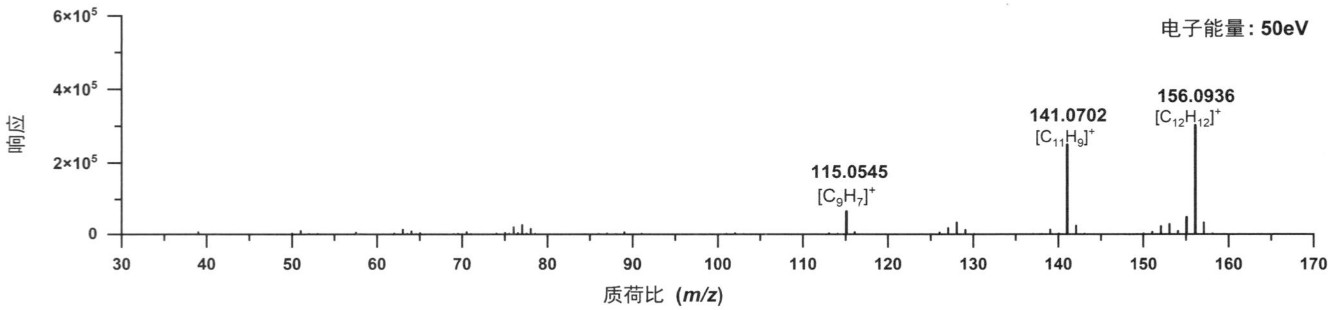

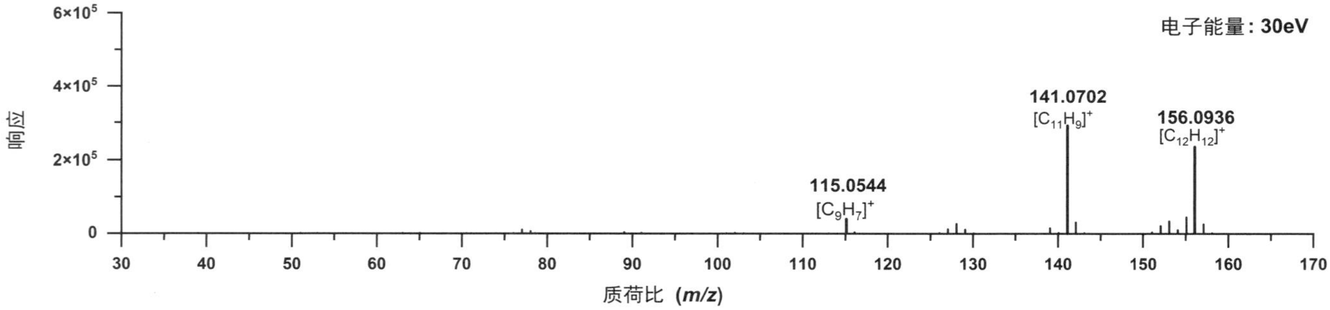

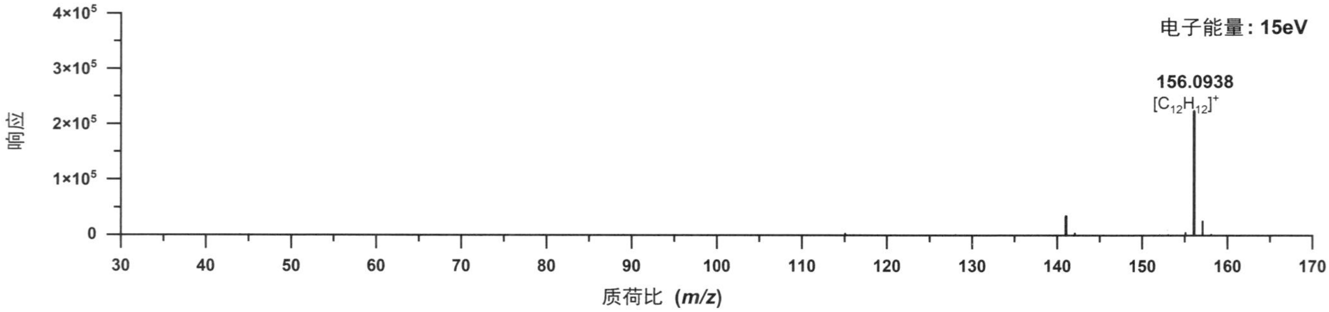

41 1,7-二甲基萘

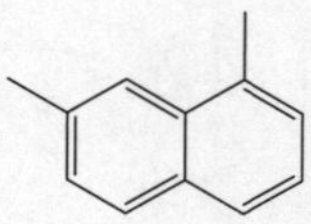

基本信息

CAS 登录号	575-37-1	分子式	$C_{12}H_{12}$	分子量	156.0934
保留指数（极性）	2029	保留指数（非极性）	1402	香气描述	麝香，木香，甜香

质谱图

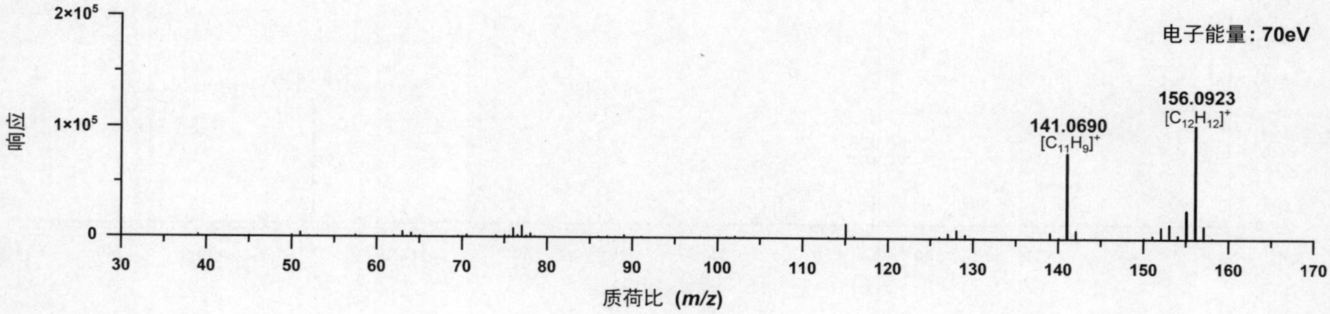

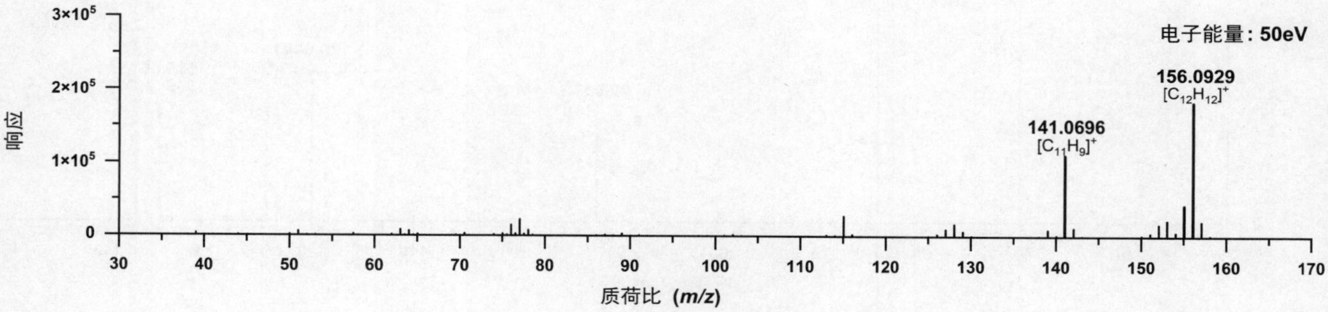

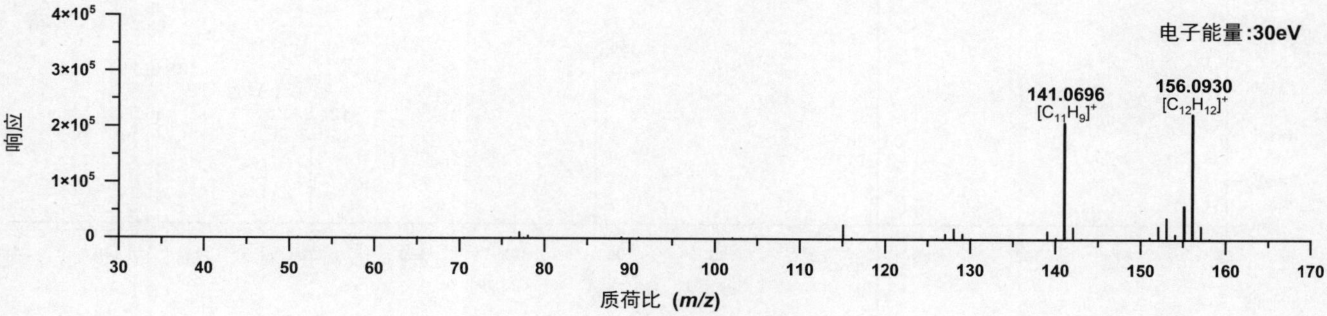

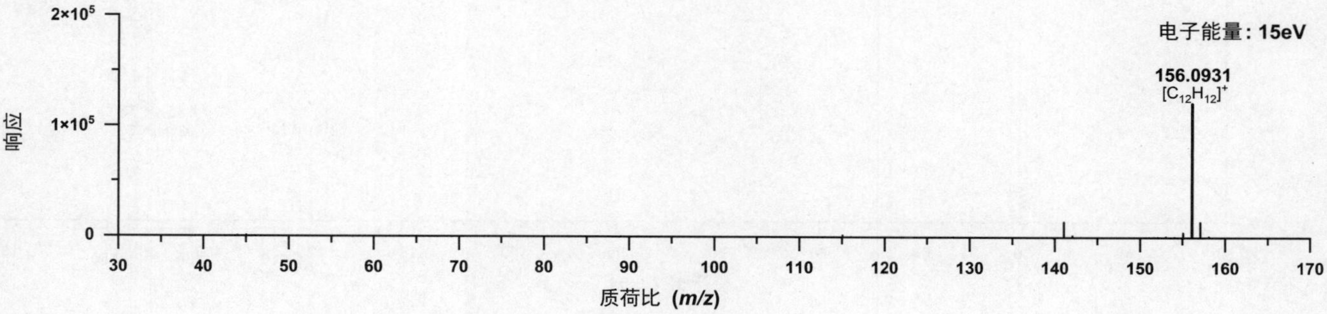

42

3-氨基苯乙酮

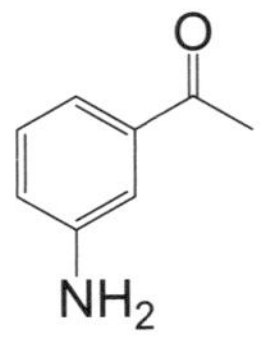

基本信息

CAS 登录号	99-03-6	分子式	C_8H_9NO	分子量	135.0679
保留指数（极性）	>2400	保留指数（非极性）	1361	香气描述	甜香，花香

质谱图

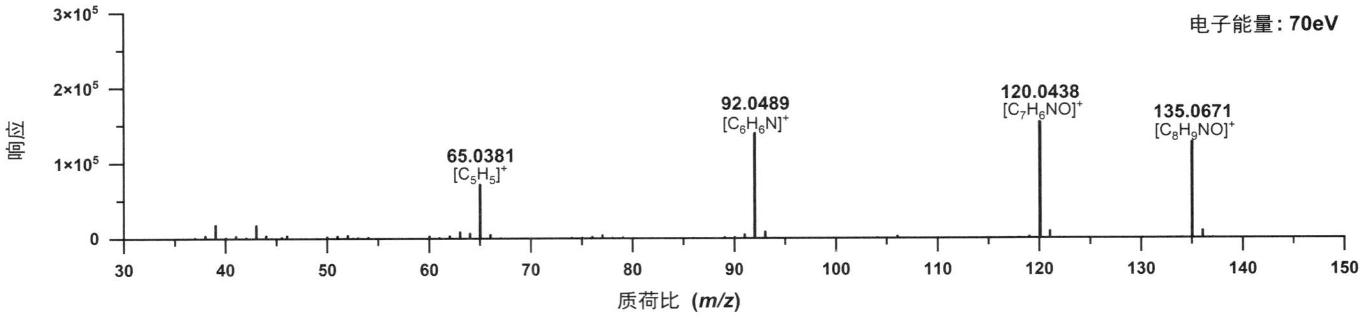

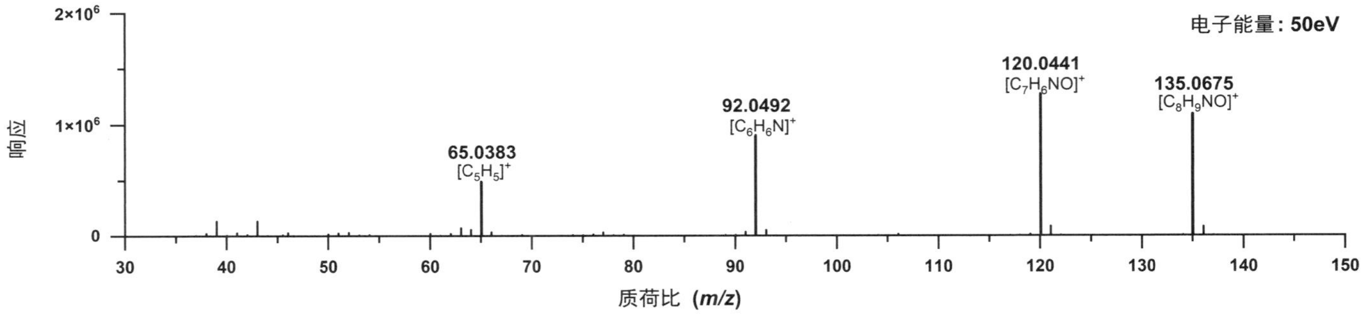

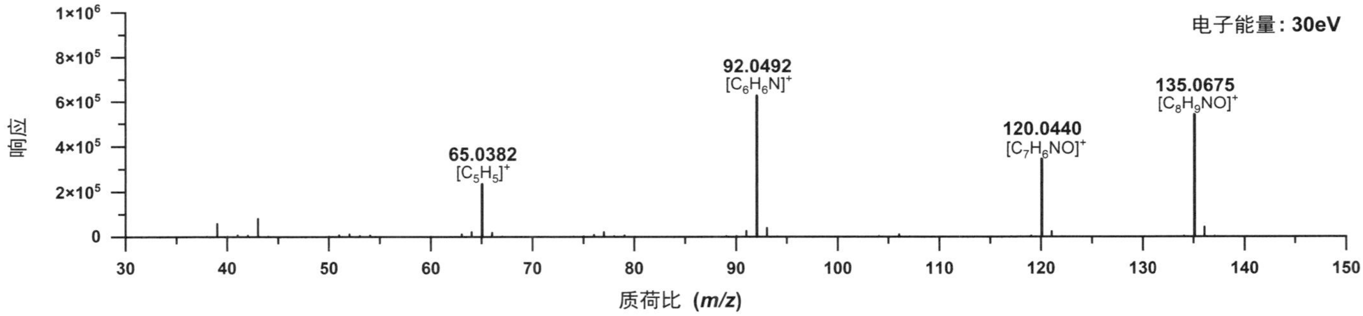

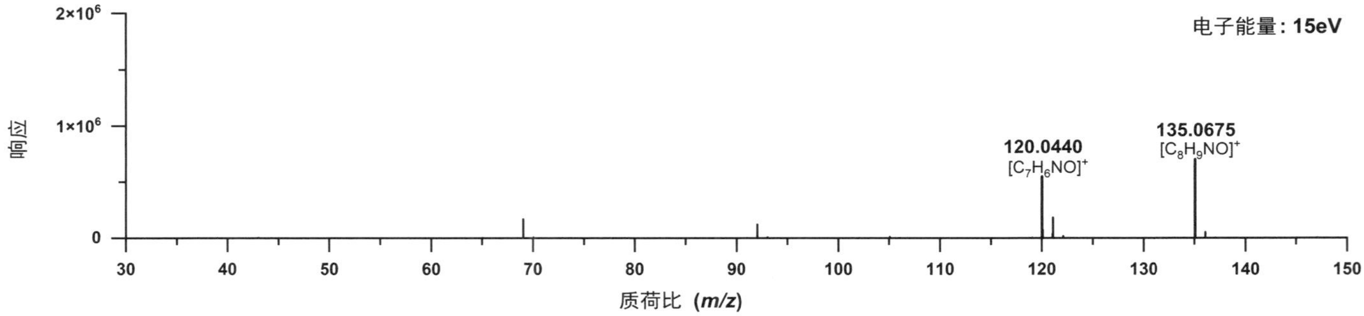

43 N-苯甲酰基甘氨酸甲酯

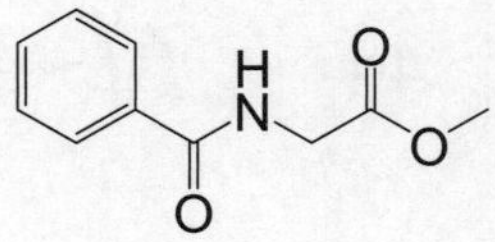

基本信息

CAS 登录号	1205-08-9	分子式	$C_{10}H_{11}NO_3$	分子量	193.0733
保留指数（极性）	>2400	保留指数（非极性）	1640	香气描述	水果，甜香，酯类的气味

质谱图

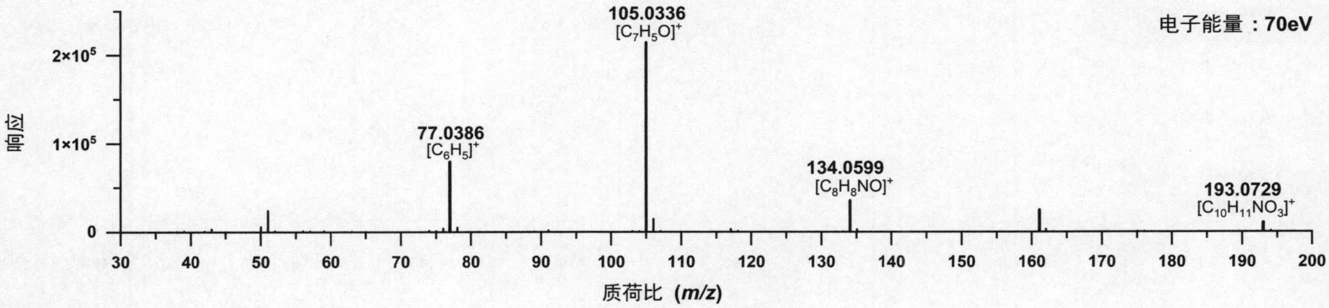

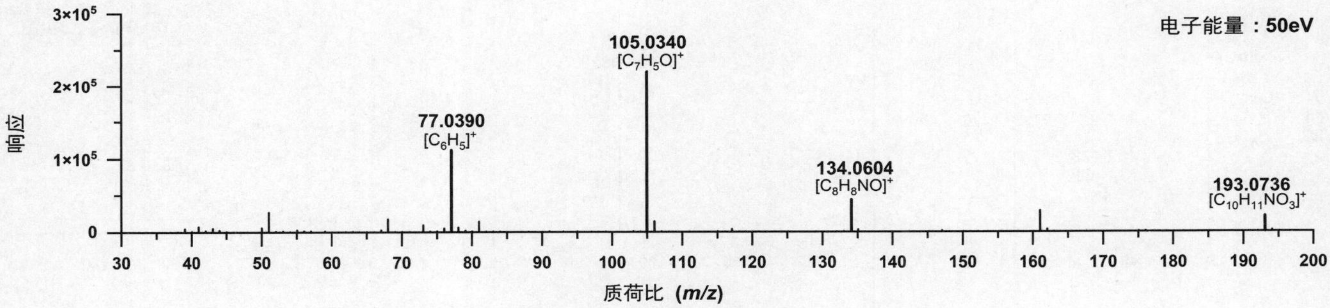

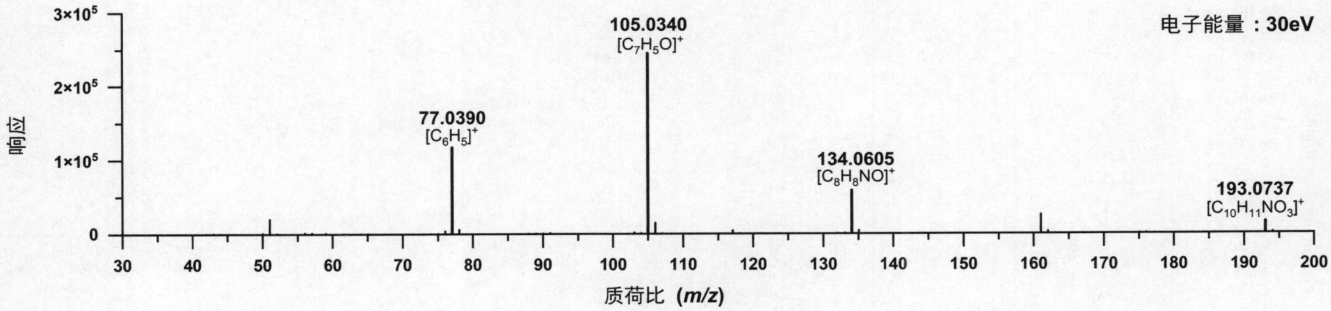

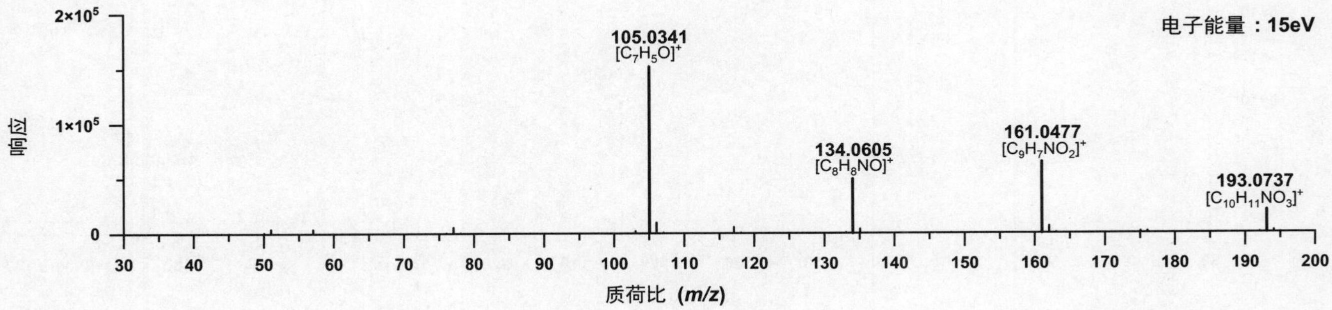

44 N-(2-苯乙基)乙酰胺

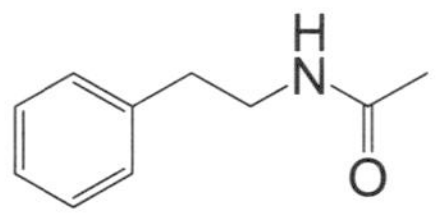

基本信息

CAS 登录号	877-95-2	分子式	$C_{10}H_{13}NO$	分子量	163.0992
保留指数（极性）	>2400	保留指数（非极性）	1457	香气描述	花香，甜香

质谱图

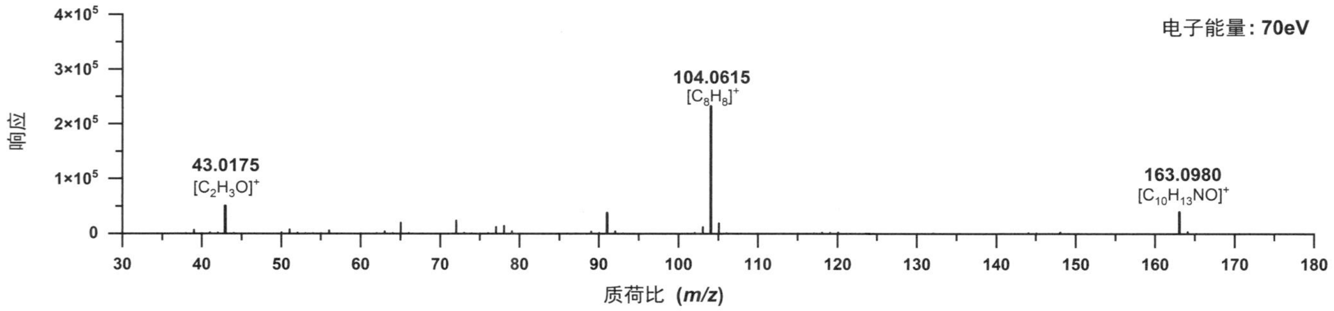

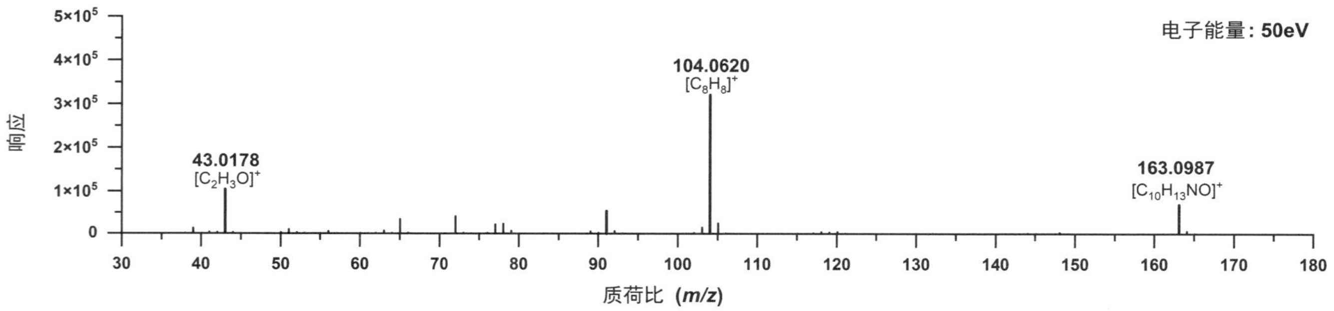

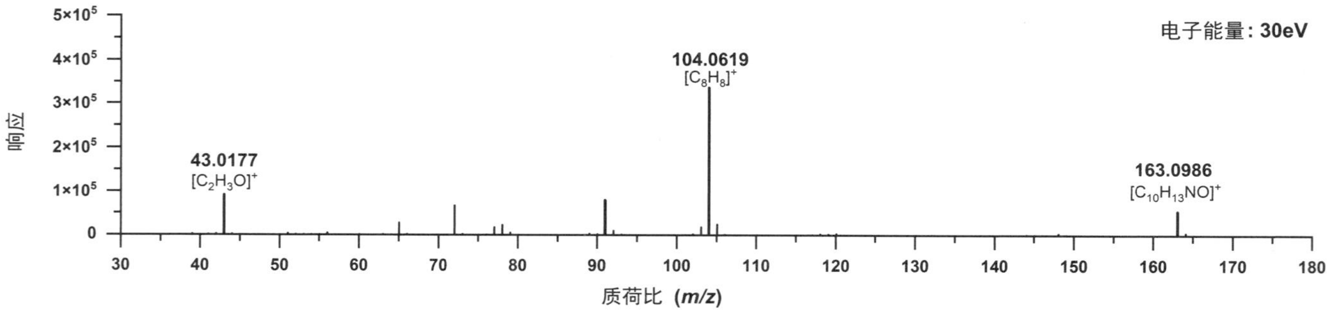

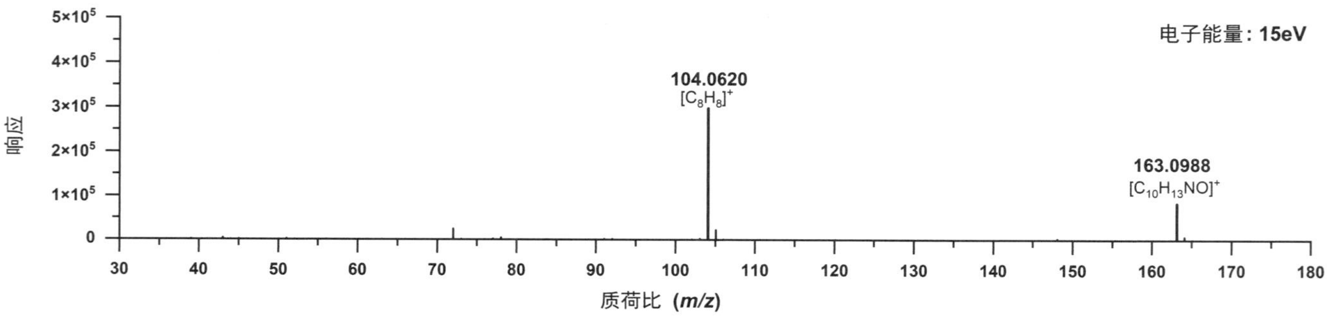

醇类

1 1-丙醇

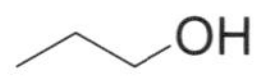

基本信息

CAS 登录号	71-23-8	分子式	C_3H_8O	分子量	60.0570
保留指数（极性）	1039	保留指数（非极性）	556	香气描述	醇香，甜香，类似溶剂的气味

质谱图

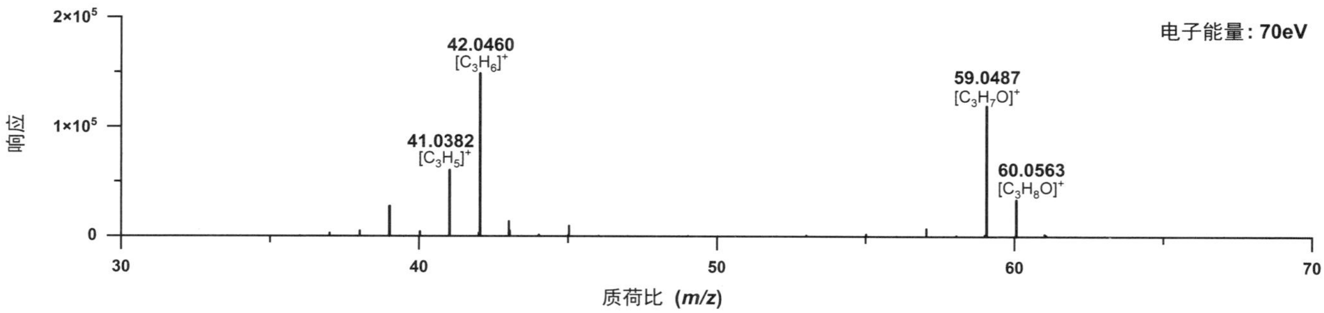

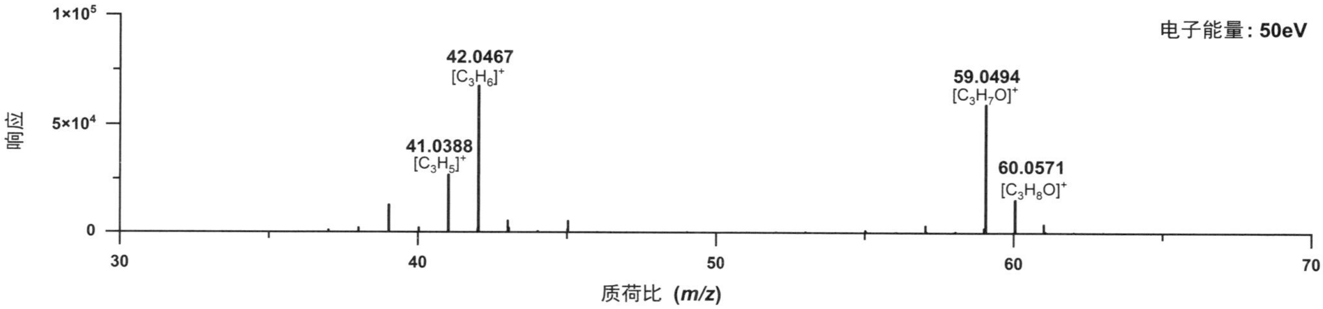

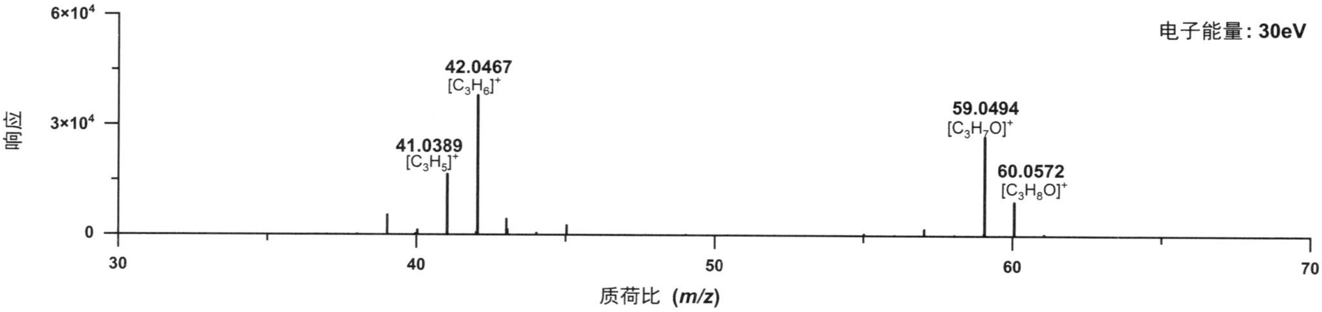

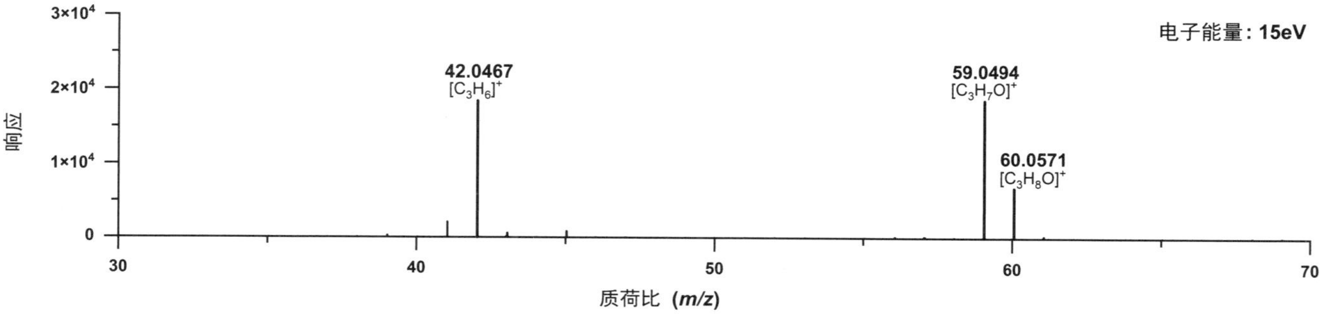

2

1–丁醇

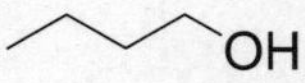

基本信息

CAS 登录号	71-36-3	分子式	$C_4H_{10}O$	分子量	74.0732
保留指数（极性）	1145	保留指数（非极性）	648	香气描述	甜香，水果，溶剂气味

质谱图

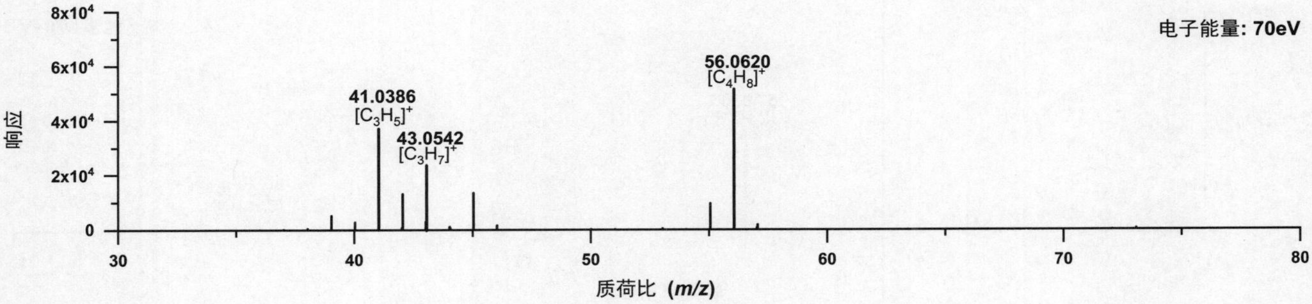

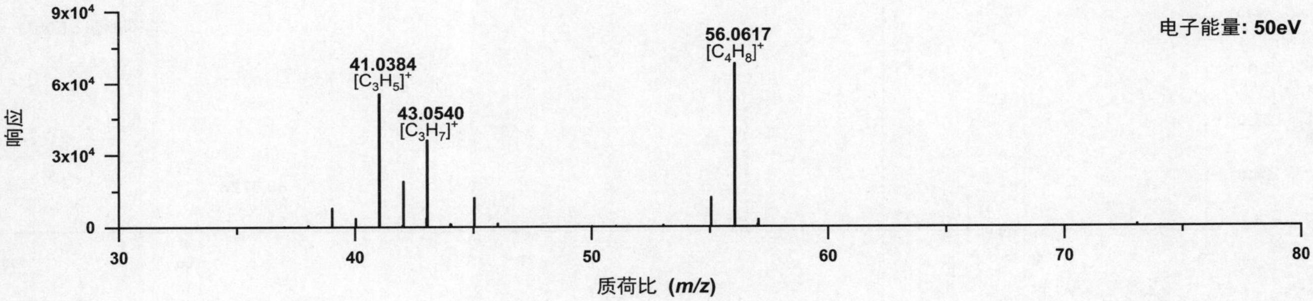

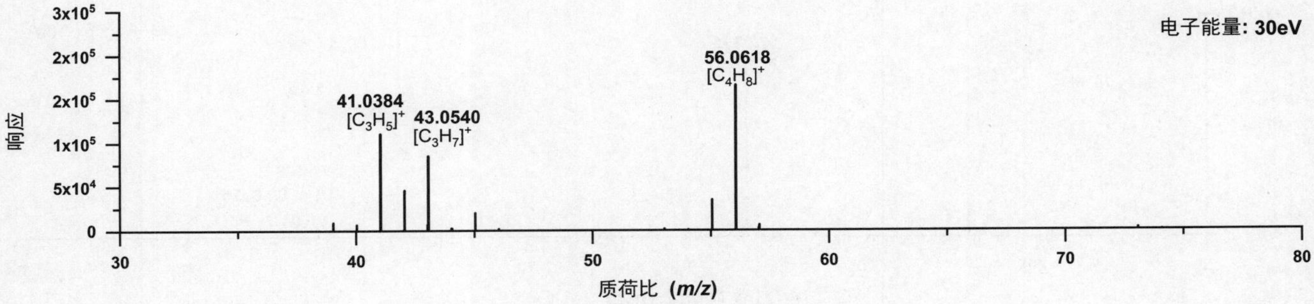

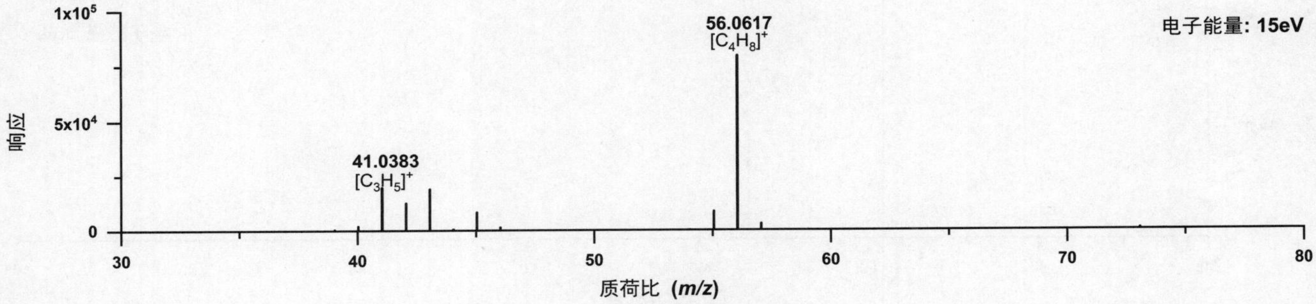

3 环戊醇

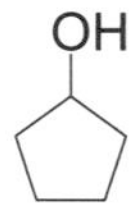

基本信息

CAS 登录号	96-41-3	分子式	$C_5H_{10}O$	分子量	86.0726
保留指数（极性）	1311	保留指数（非极性）	768	香气描述	薄荷味，樟脑味，甜香

质谱图

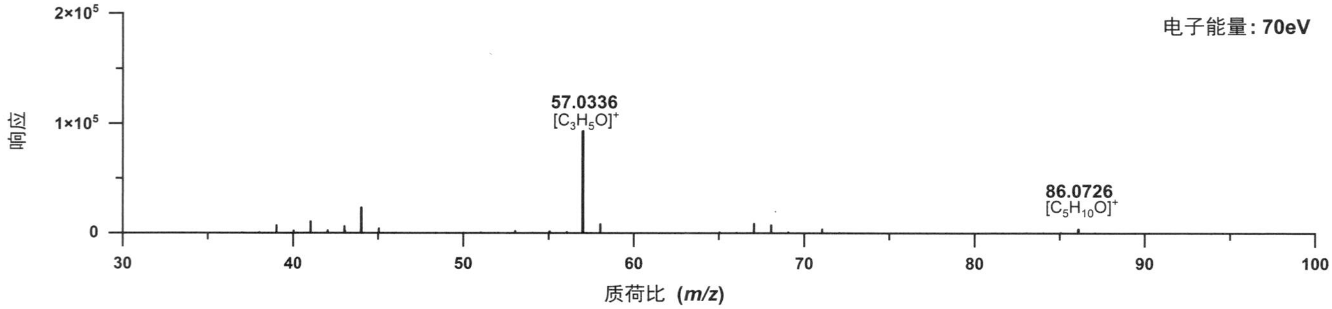

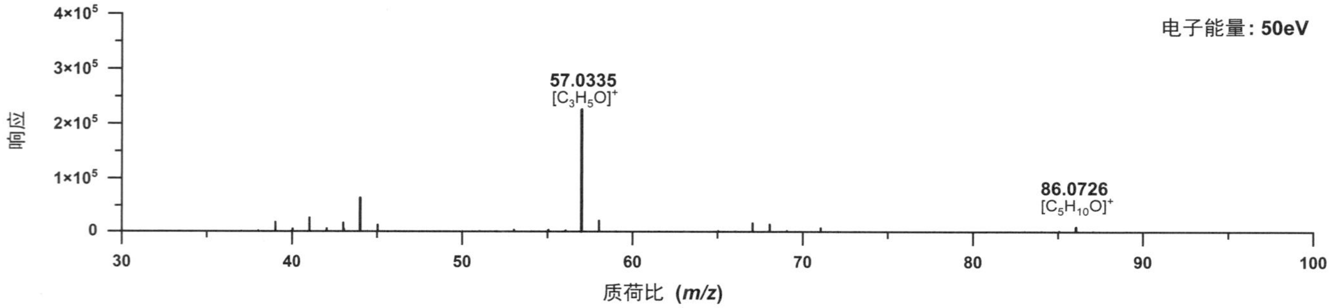

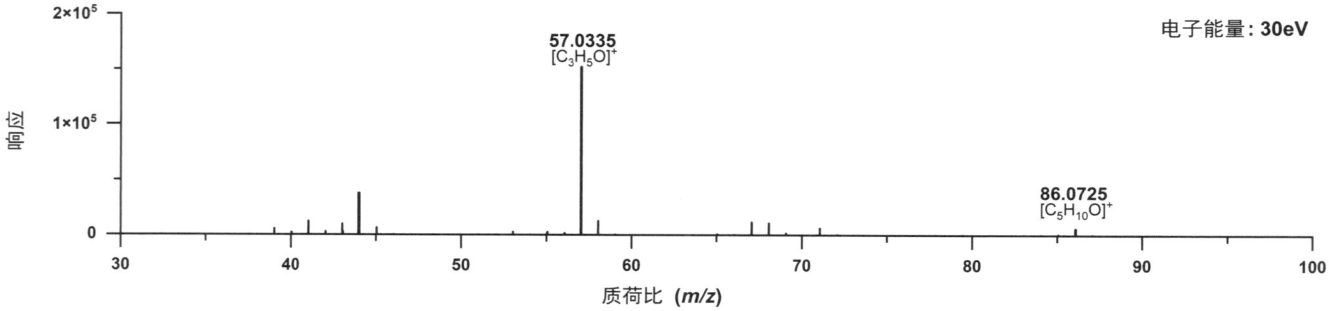

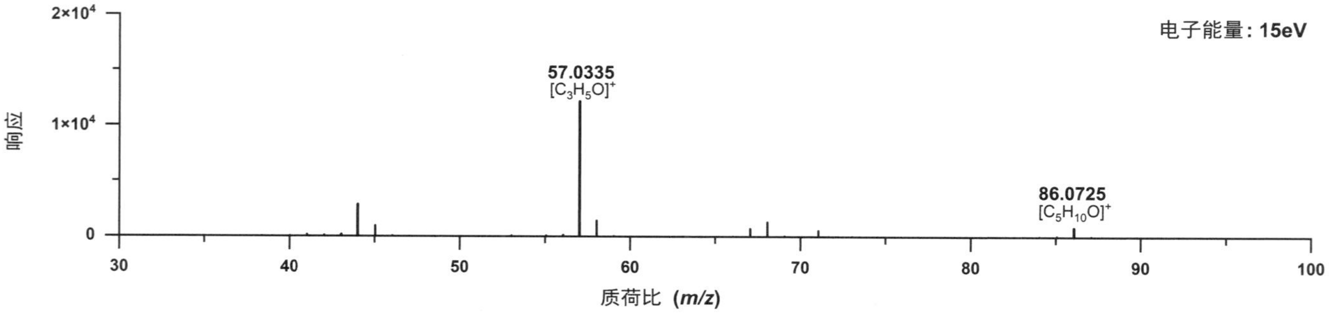

4 1-戊醇

基本信息

CAS 登录号	71-41-0	分子式	$C_5H_{12}O$	分子量	88.0888
保留指数（极性）	1252	保留指数（非极性）	755	香气描述	花香，甜香，水果香

质谱图

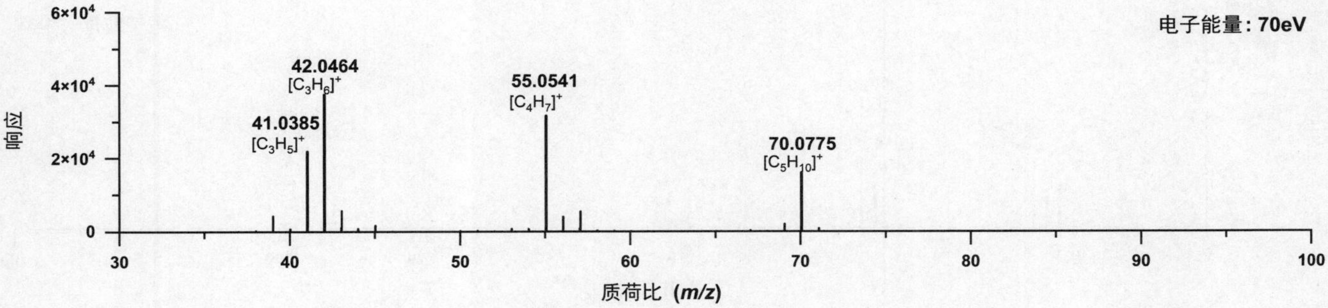

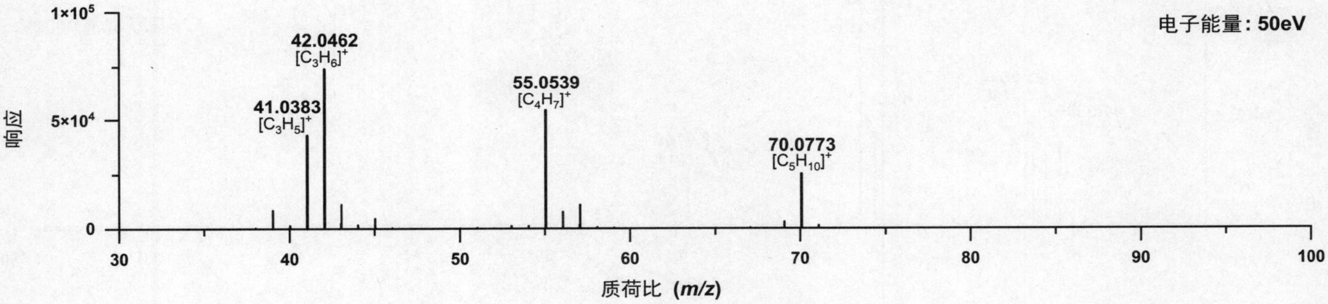

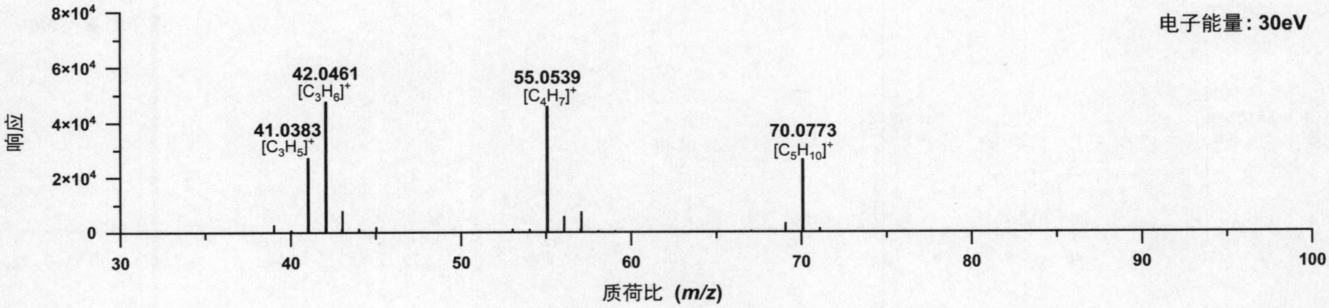

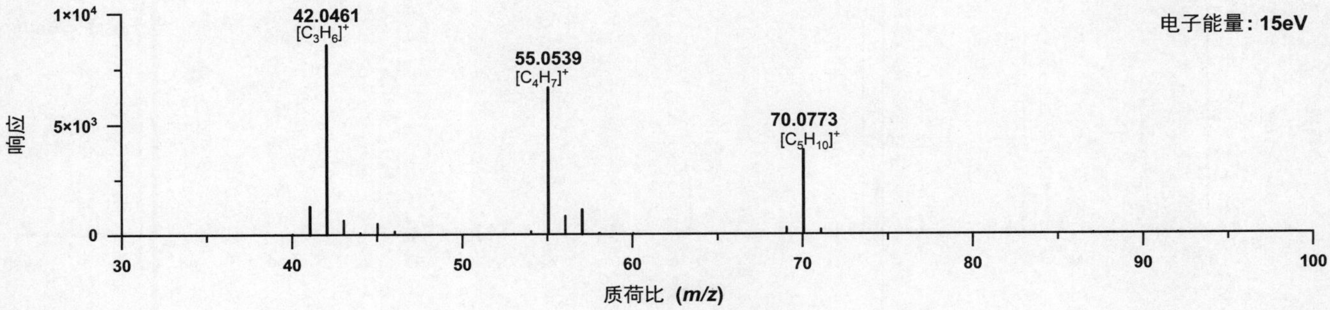

5 1-己醇

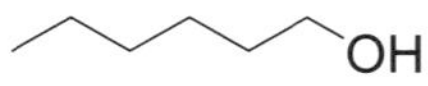

基本信息

CAS 登录号	111-27-3	分子式	$C_6H_{14}O$	分子量	102.1045
保留指数（极性）	1353	保留指数（非极性）	853	香气描述	花香，水果香，甜香

质谱图

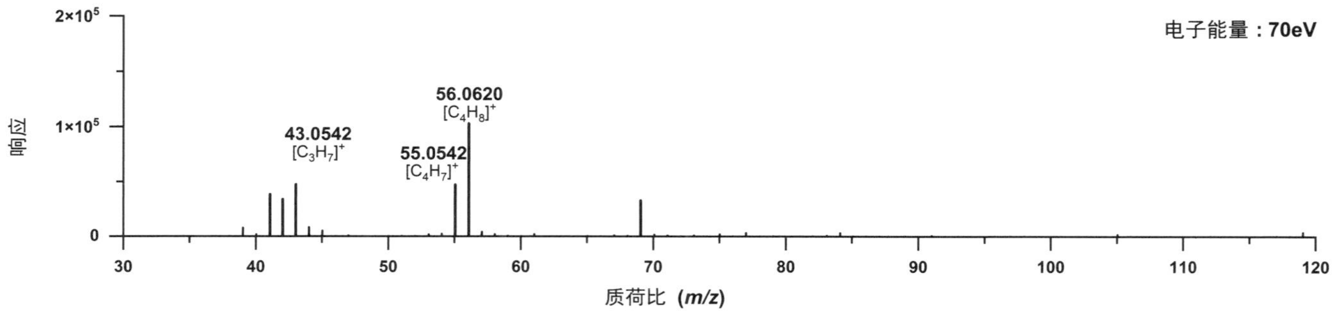

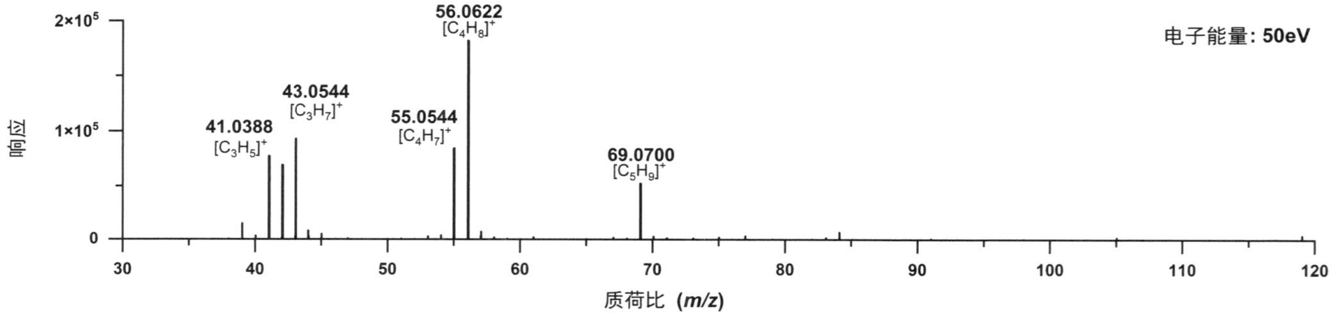

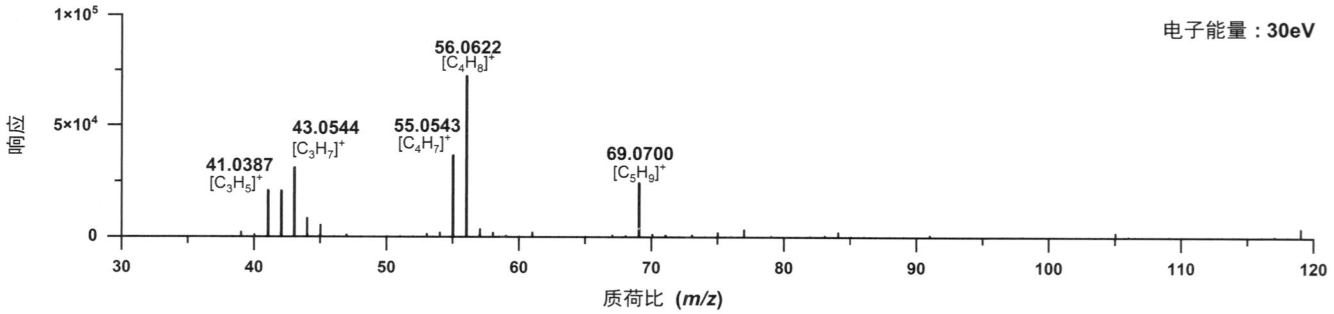

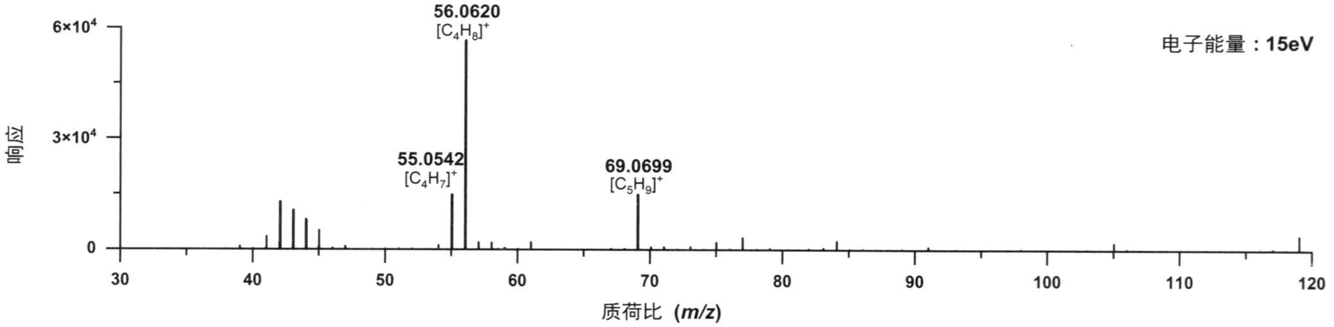

6

1-庚醇

基本信息

CAS 登录号	111-70-6	分子式	$C_7H_{16}O$	分子量	116.1201
保留指数（极性）	1459	保留指数（非极性）	954	香气描述	花香，甜香，水果香

质谱图

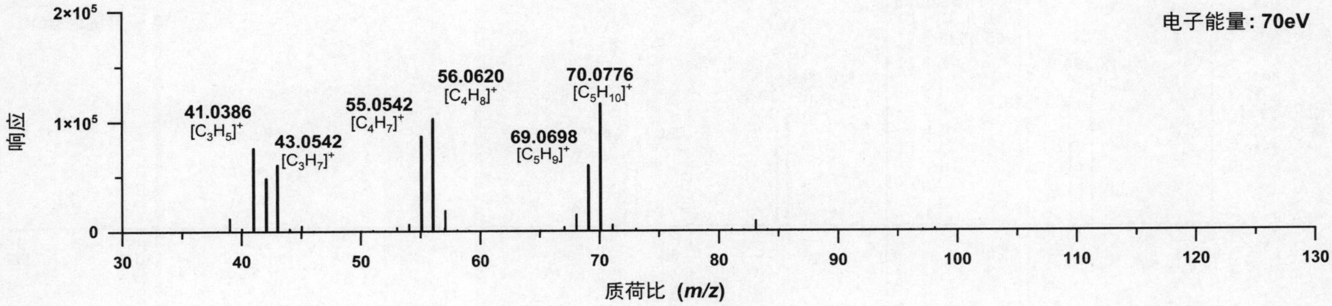

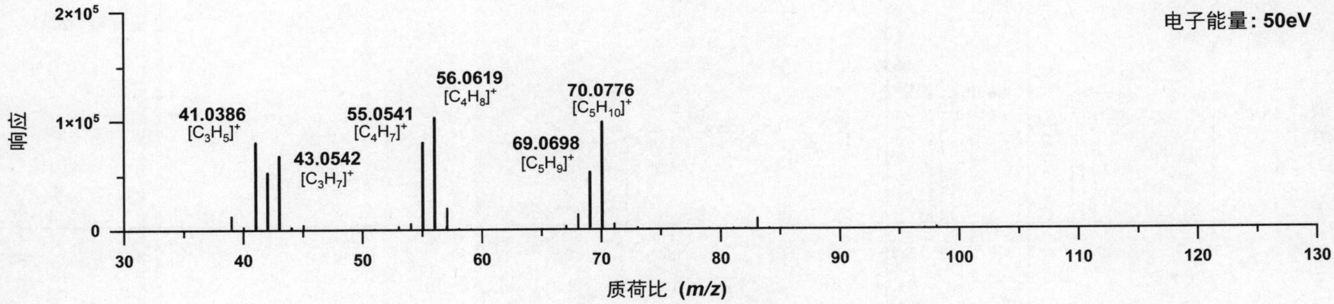

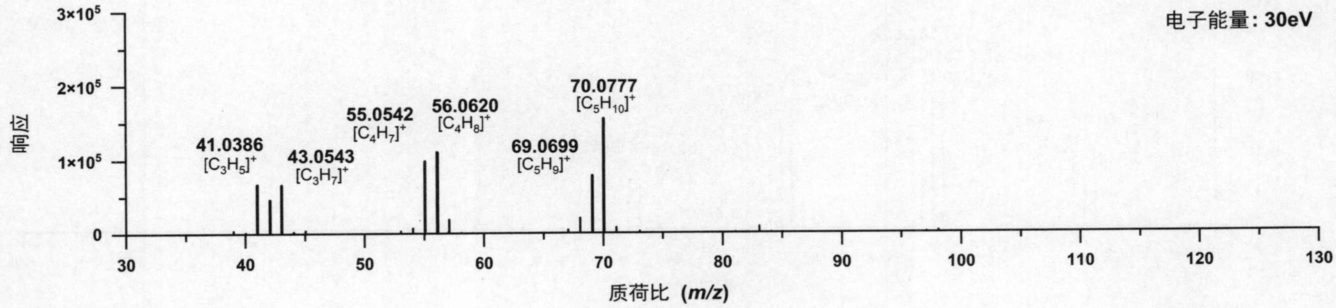

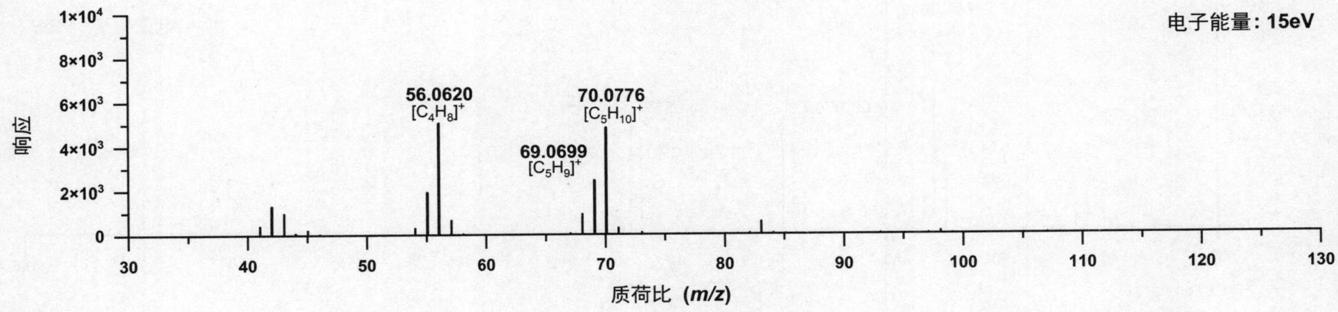

7 1-辛醇

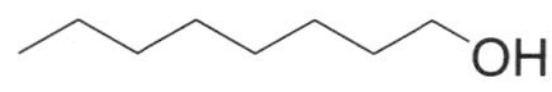

基本信息

CAS 登录号	111-87-5	分子式	$C_8H_{18}O$	分子量	130.2279
保留指数（极性）	1562	保留指数（非极性）	1054	香气描述	花香，水果香，草本植物的气味

质谱图

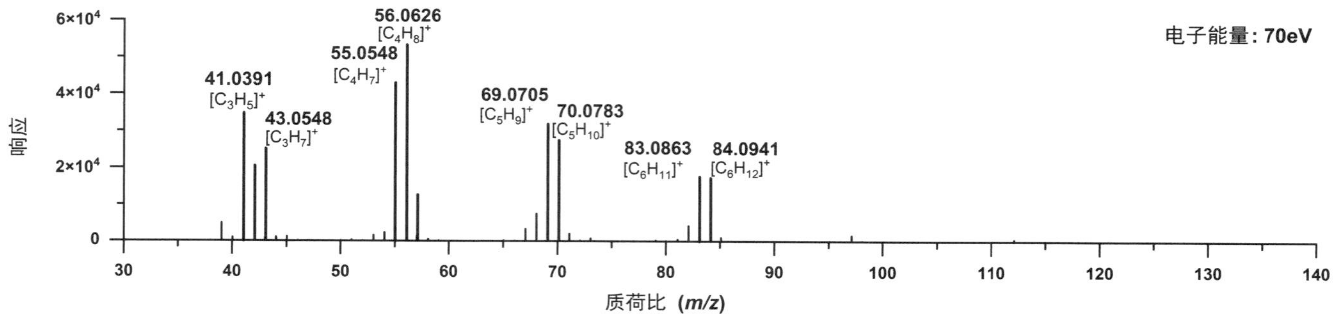

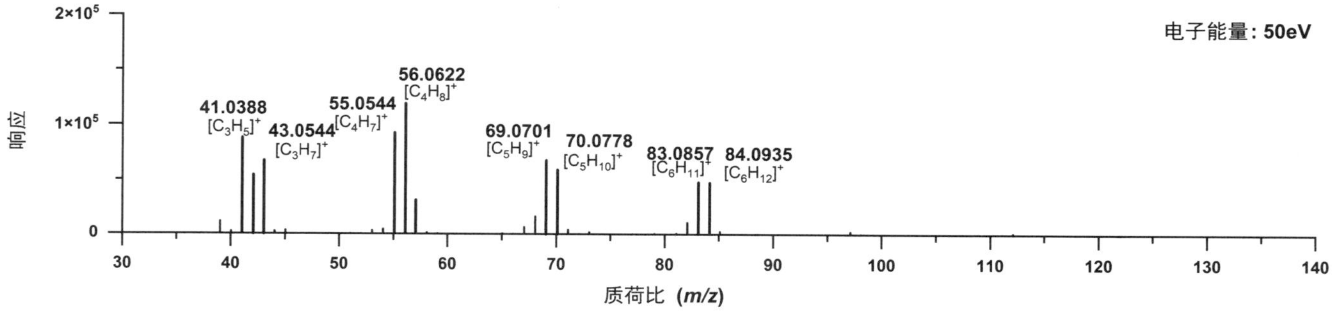

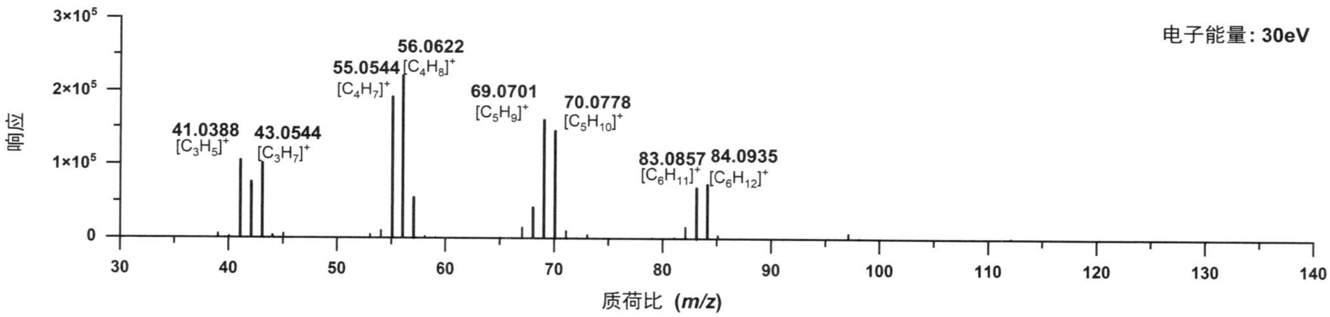

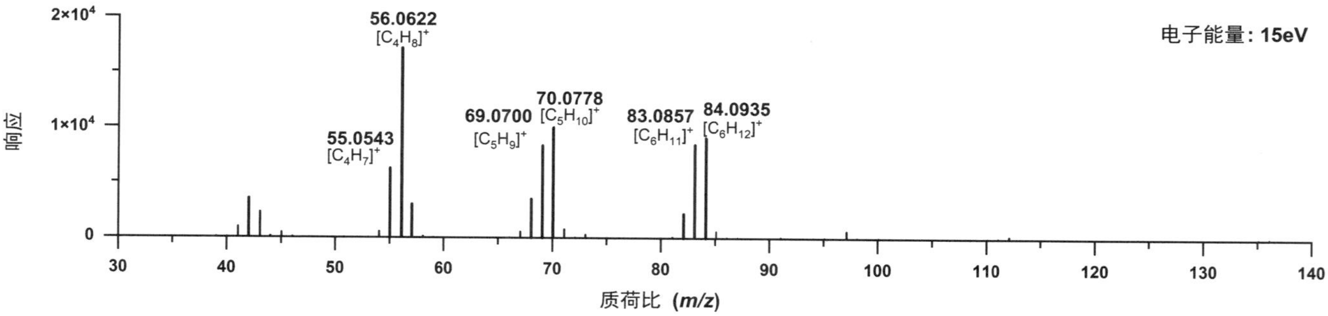

8 2-丁醇

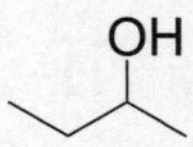

基本信息

CAS 登录号	78-92-2	分子式	$C_4H_{10}O$	分子量	74.0732
保留指数（极性）	1024	保留指数（非极性）	593	香气描述	甜香，水果香，类似溶剂的气味

质谱图

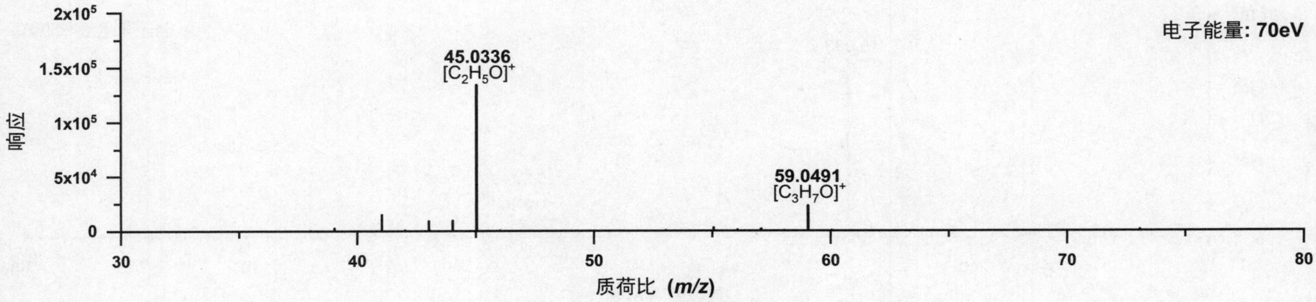

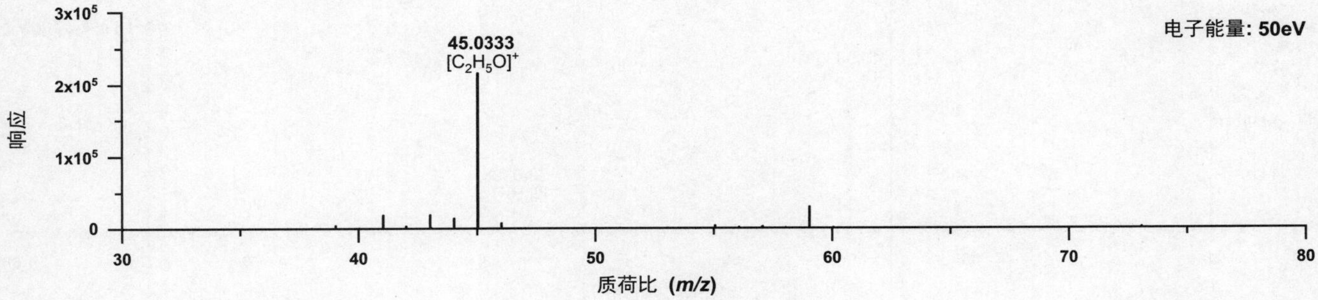

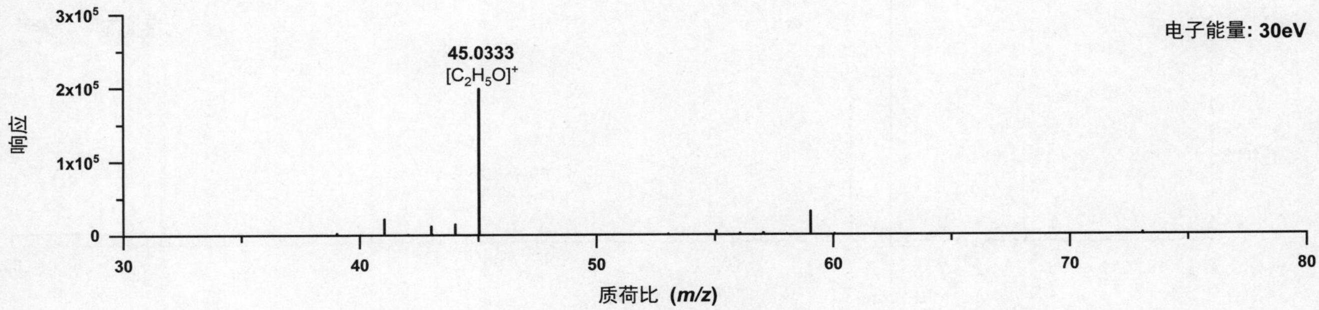

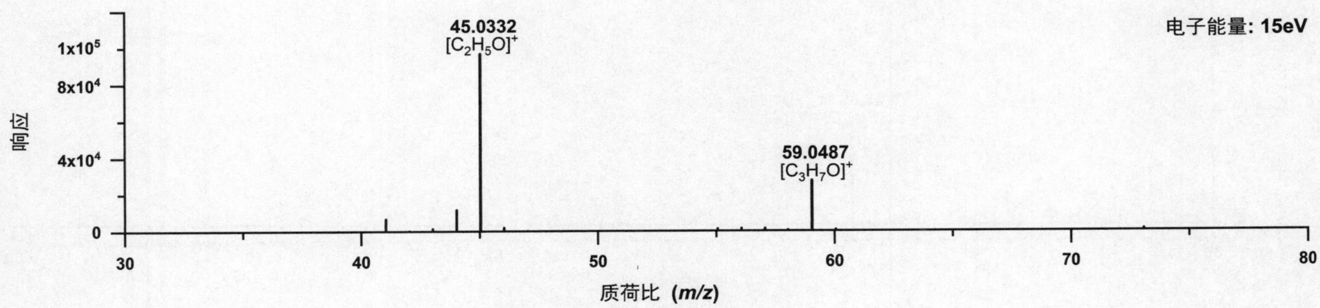

9 (*R*)-2-丁醇

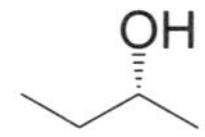

基本信息

CAS 登录号	14898-79-4	分子式	$C_4H_{10}O$	分子量	74.0732
保留指数（极性）	1025	保留指数（非极性）	602	香气描述	甜香，水果香，类似溶剂的气味

质谱图

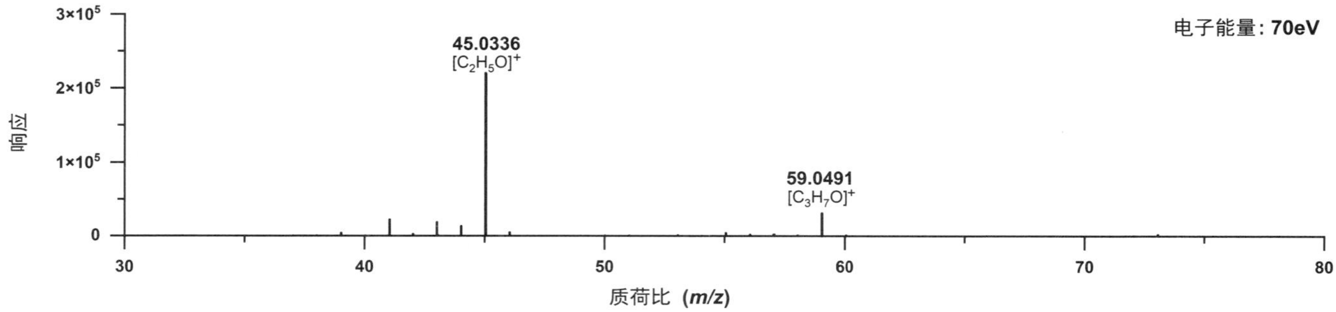

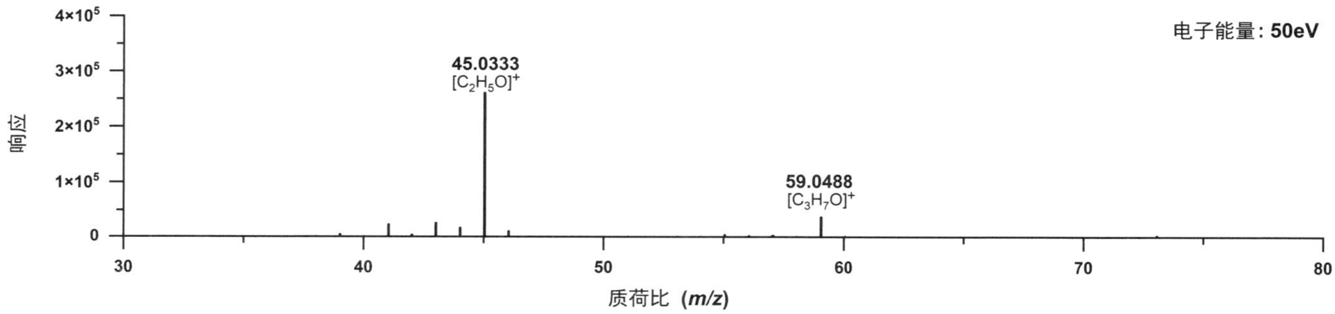

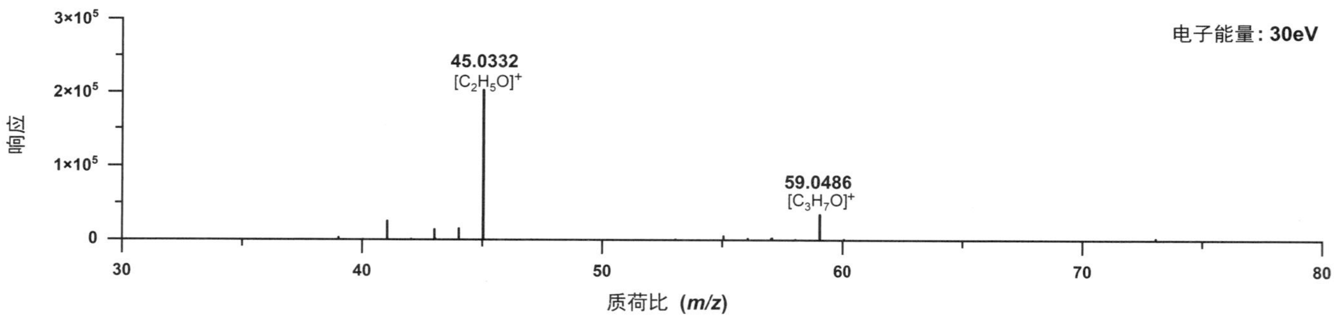

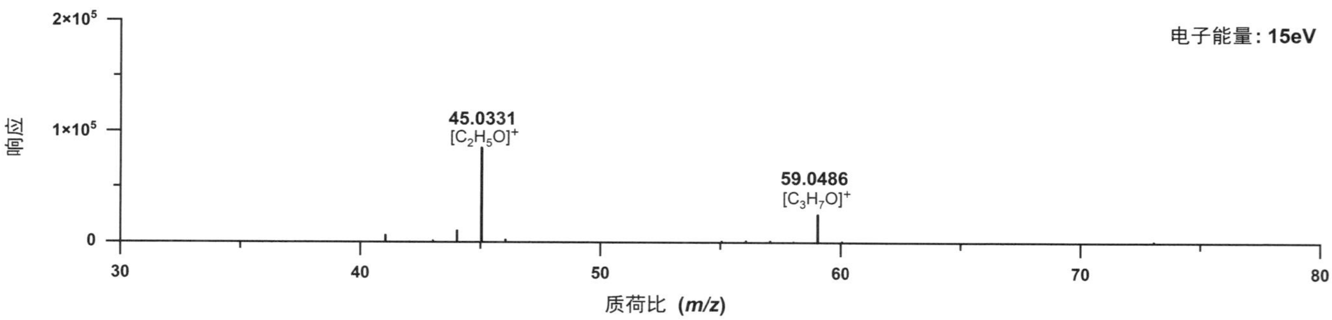

10 (*S*)-2-丁醇

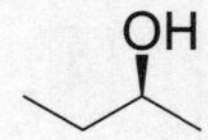

基本信息

CAS 登录号	4221-99-2	分子式	$C_4H_{10}O$	分子量	74.0732
保留指数（极性）	1025	保留指数（非极性）	605	香气描述	甜香，水果香，类似溶剂的气味

质谱图

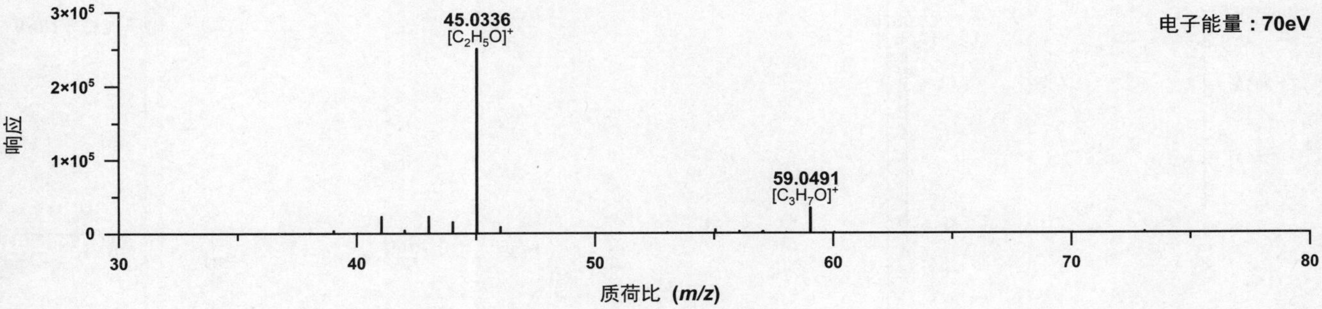

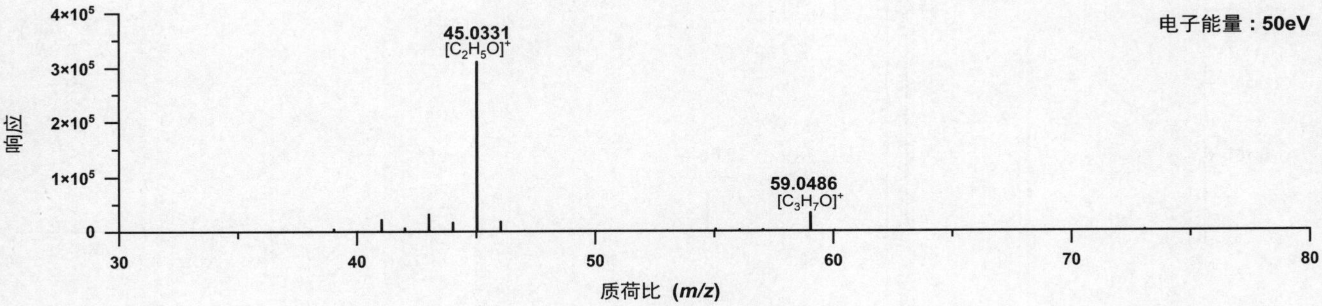

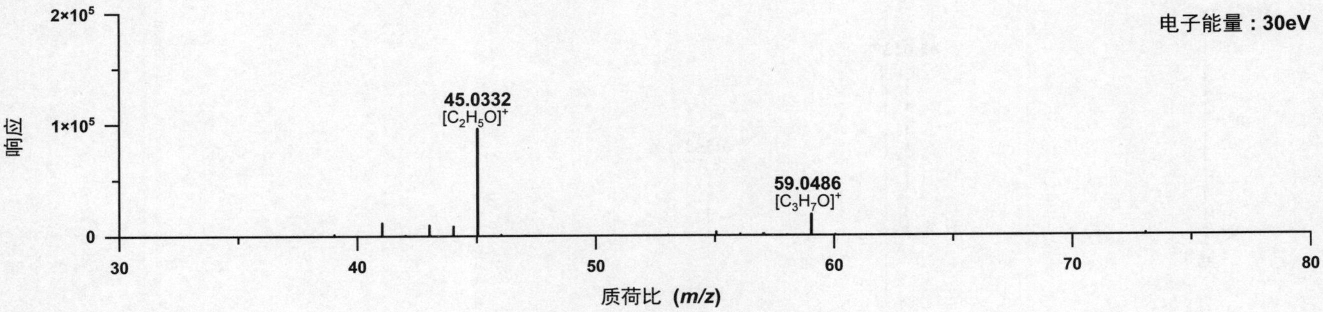

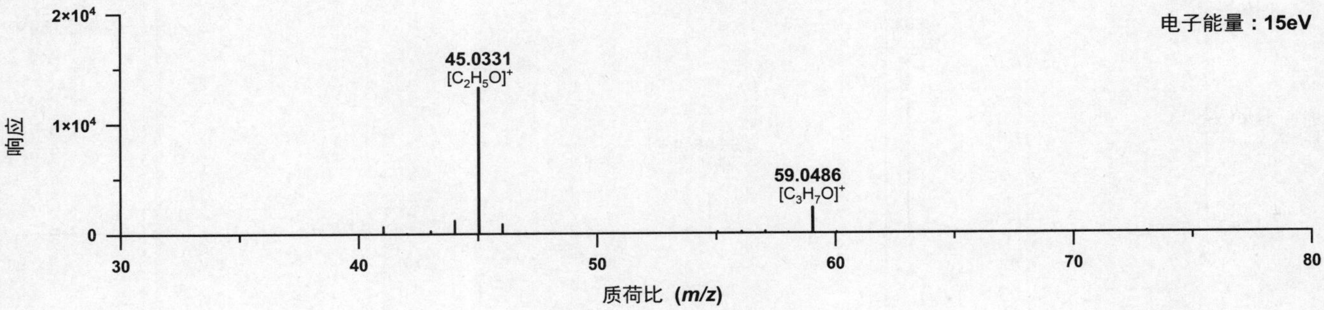

11 2-戊醇

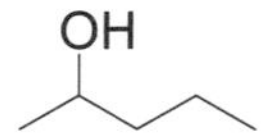

基本信息

CAS 登录号	6032-29-7	分子式	$C_5H_{12}O$	分子量	88.0888
保留指数（极性）	1120	保留指数（非极性）	684	香气描述	甜香，花香，醇香

质谱图

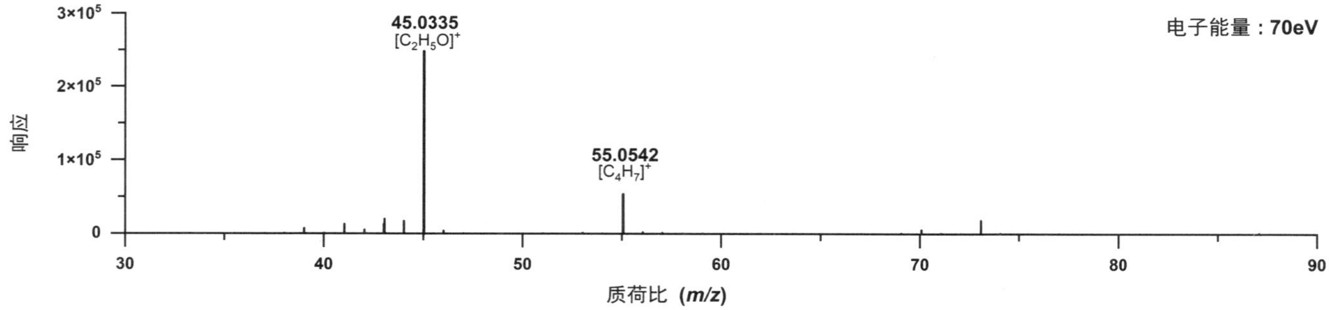

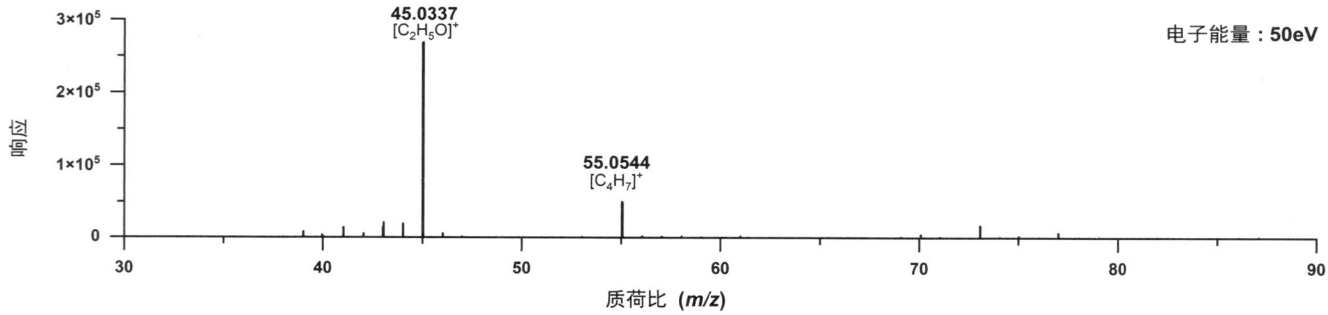

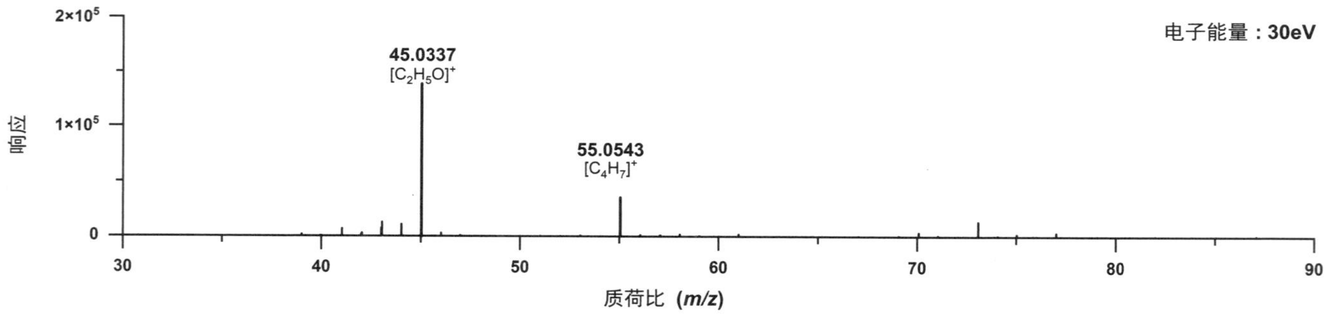

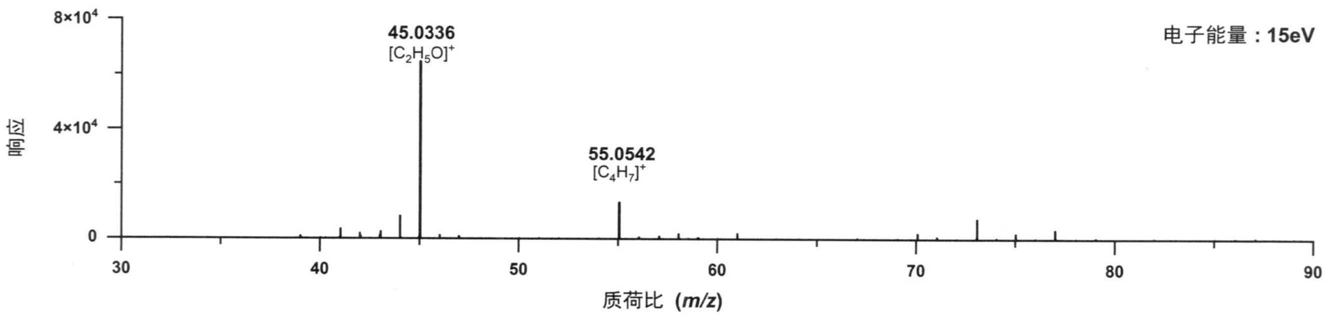

12 (*R*)-(−)-2-戊醇

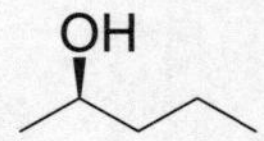

基本信息

CAS 登录号	31087-44-2	分子式	$C_5H_{12}O$	分子量	88.0888
保留指数（极性）	1120	保留指数（非极性）	688	香气描述	花香，甜香，水果香

质谱图

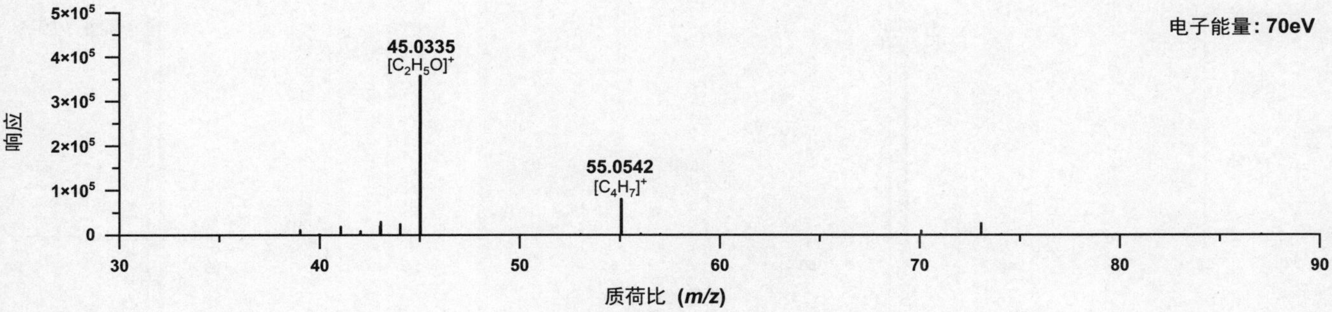

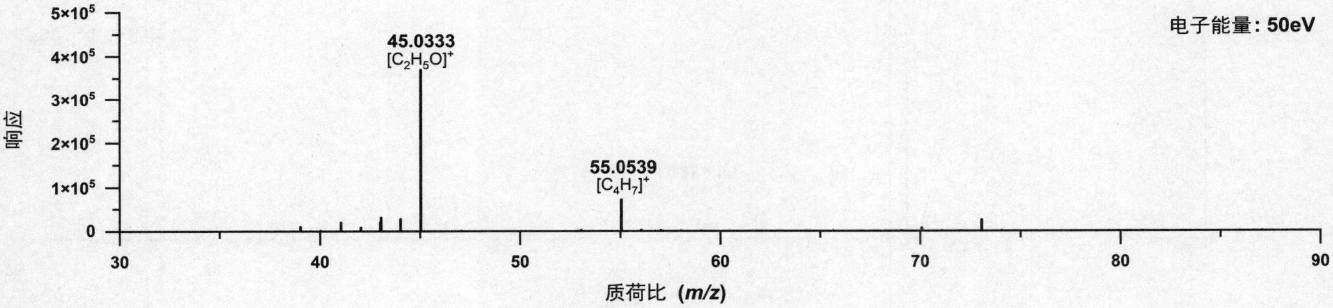

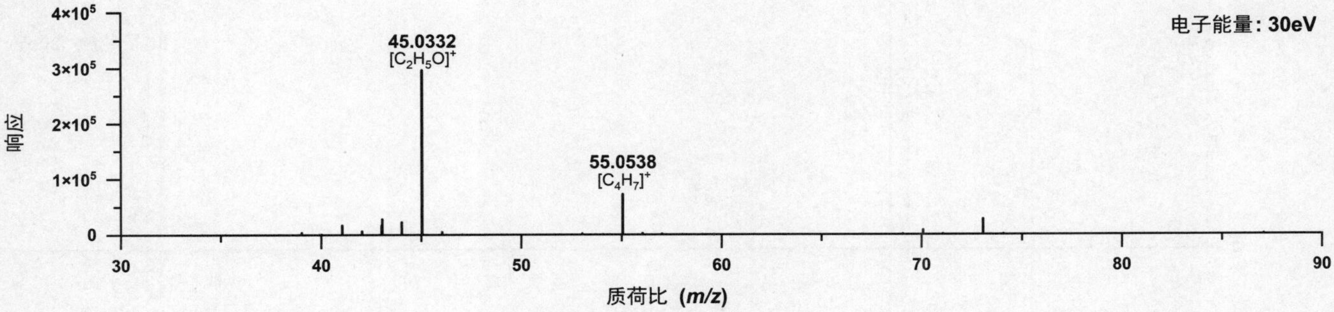

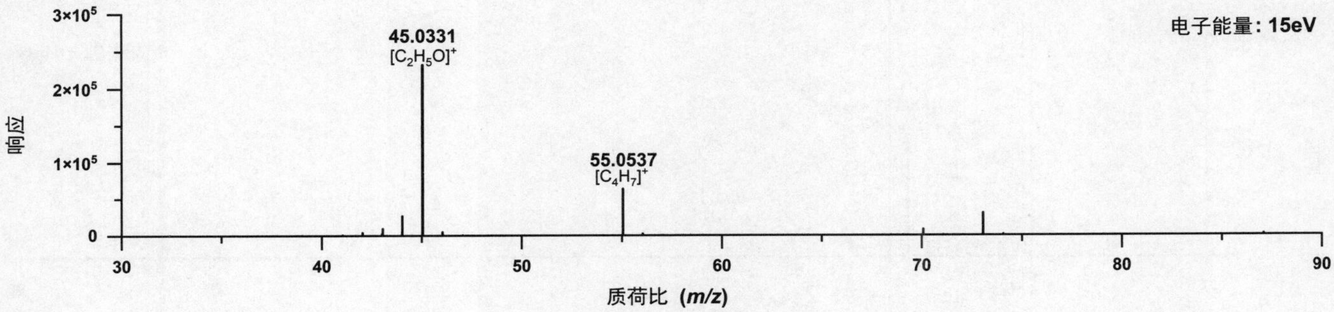

13 (*S*)-(+)-2-戊醇

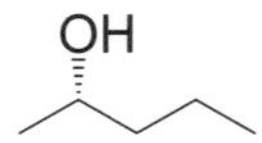

基本信息

CAS 登录号	26184-62-3	分子式	$C_5H_{12}O$	分子量	88.0888
保留指数（极性）	1120	保留指数（非极性）	691	香气描述	花香，甜香，水果香

质谱图

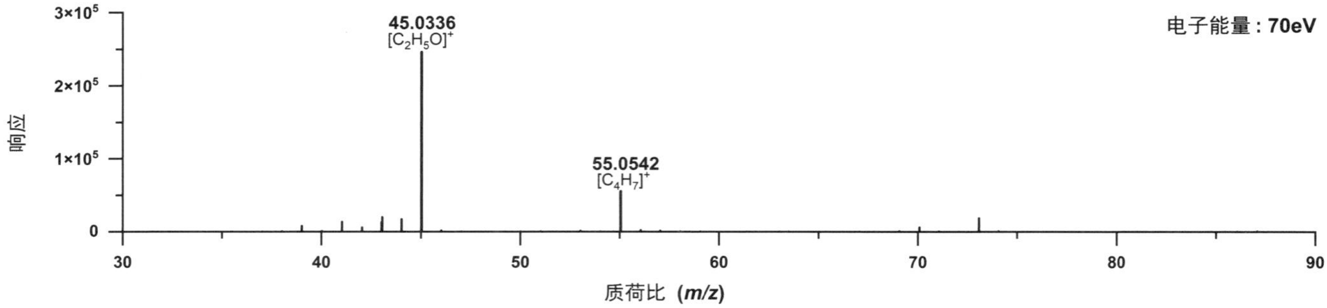

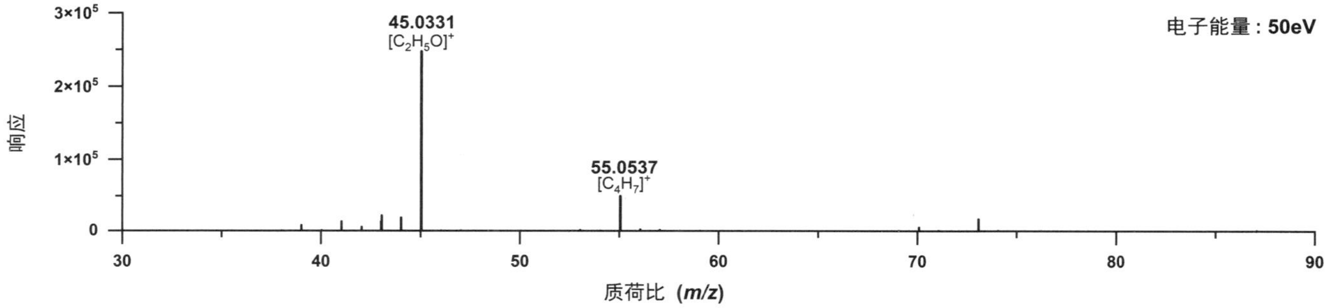

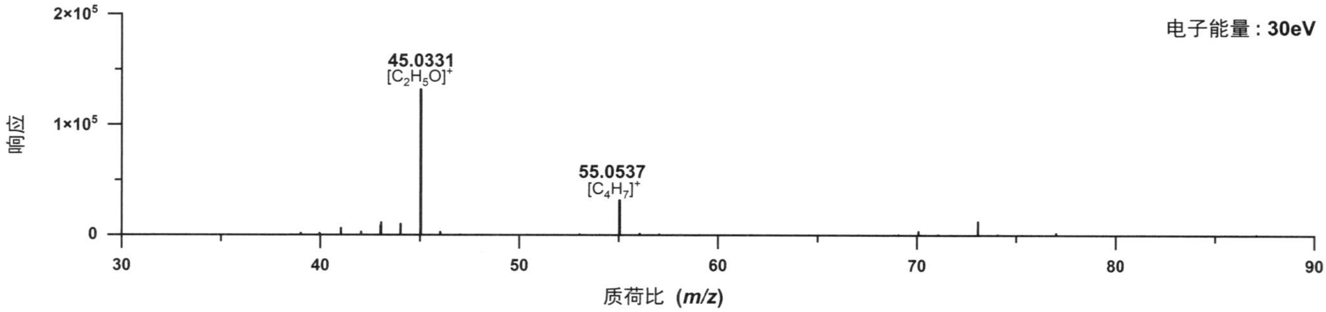

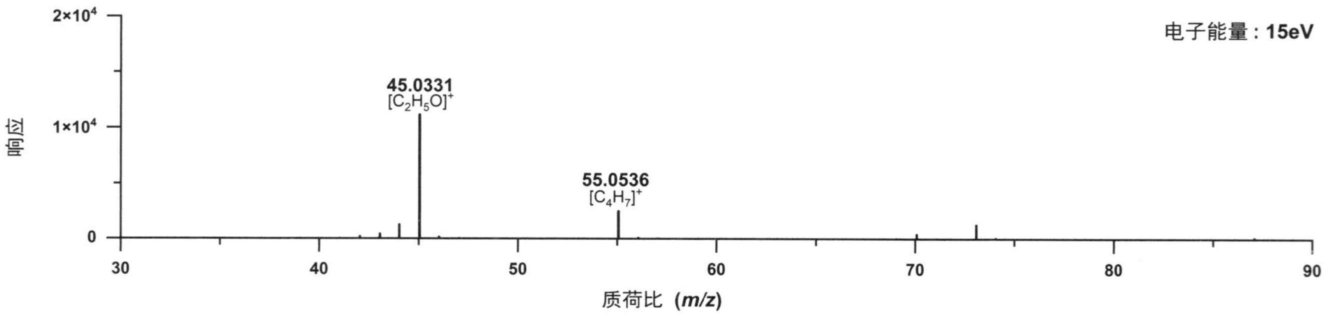

14

2-己醇

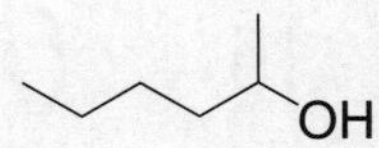

基本信息

CAS 登录号	626-93-7	分子式	$C_6H_{14}O$	分子量	102.1045
保留指数（极性）	1221	保留指数（非极性）	788	香气描述	花香，甜香，绿色植物的气味

质谱图

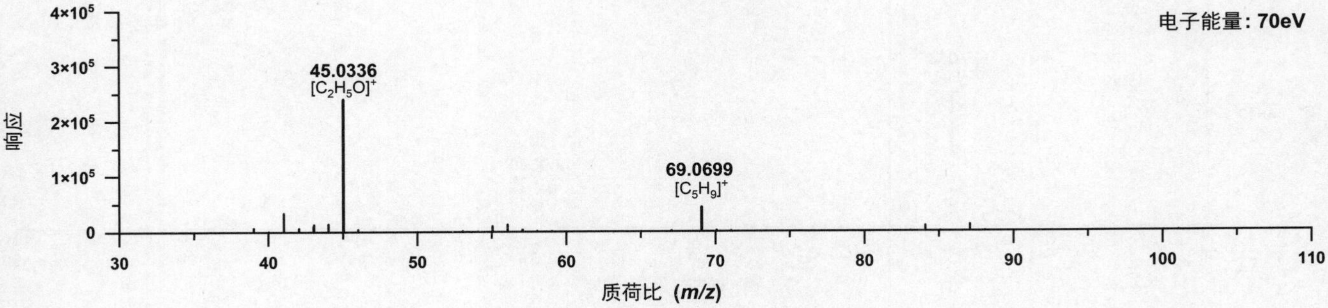

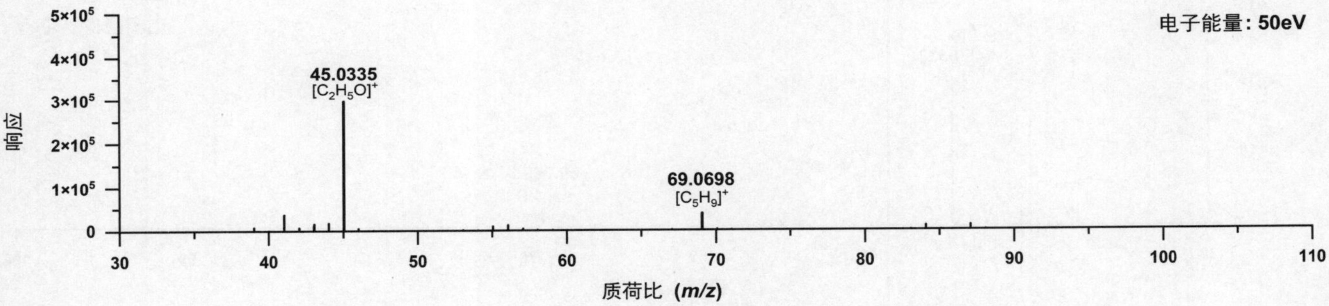

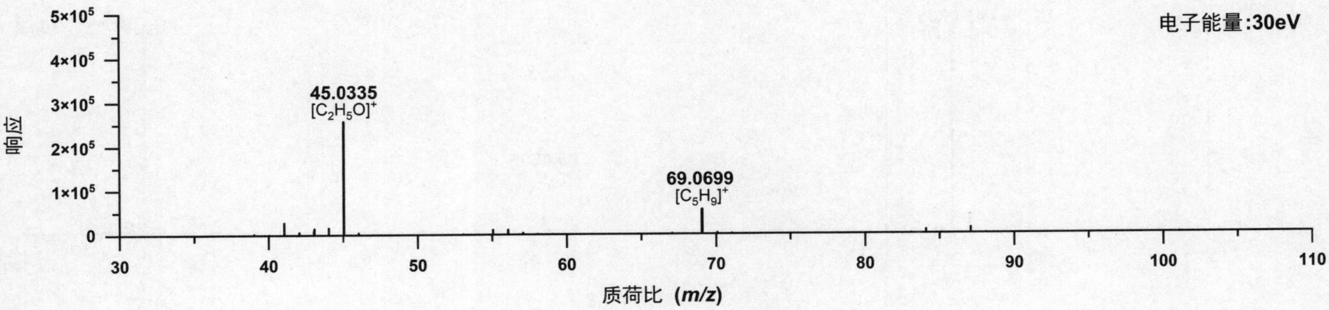

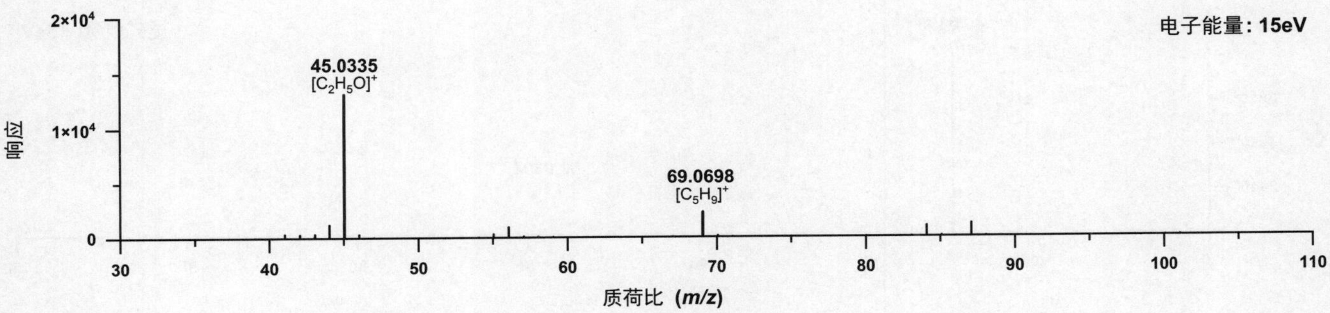

15 (*R*)-2-己醇

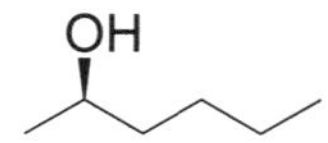

基本信息

CAS 登录号	26549-24-6	分子式	$C_6H_{14}O$	分子量	102.1045
保留指数（极性）	1245	保留指数（非极性）	786	香气描述	花香，甜香，水果

质谱图

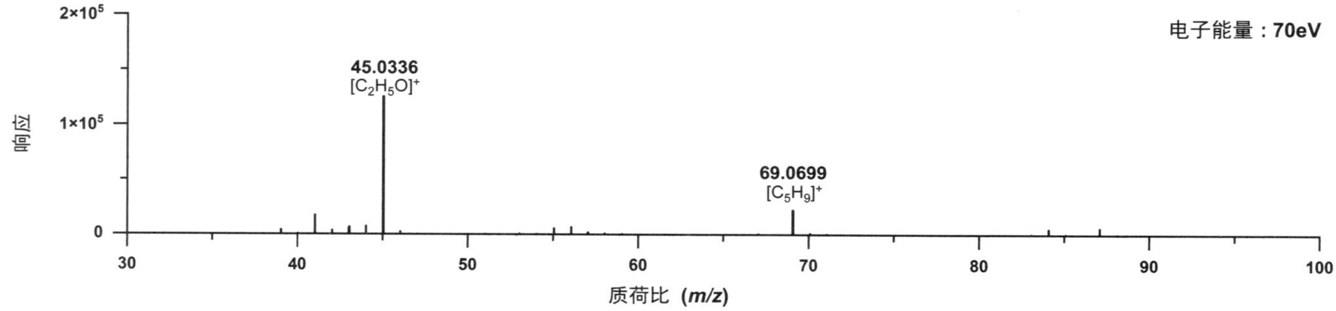

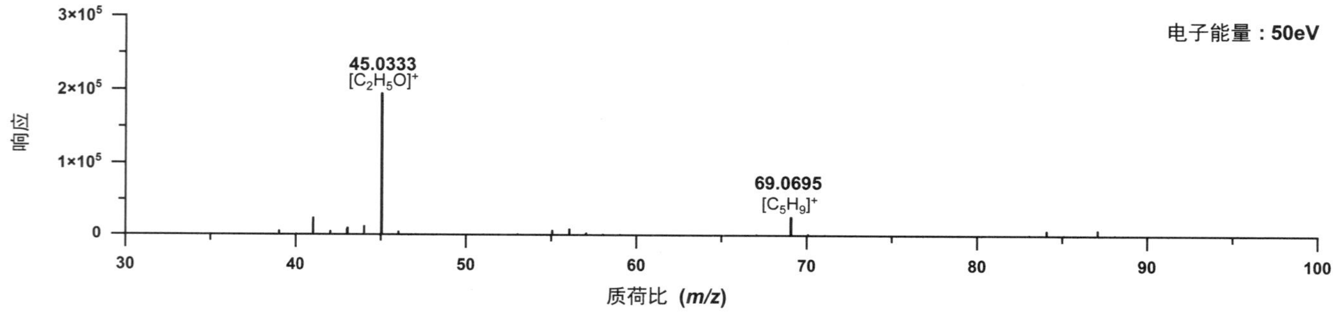

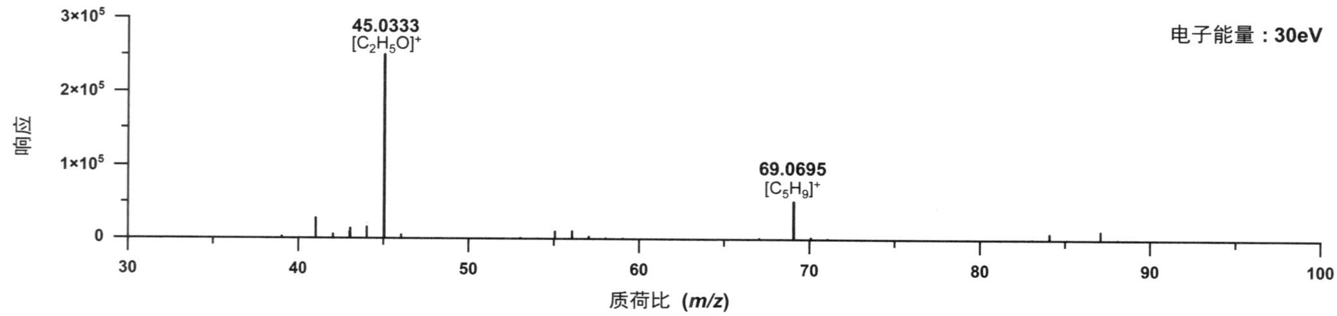

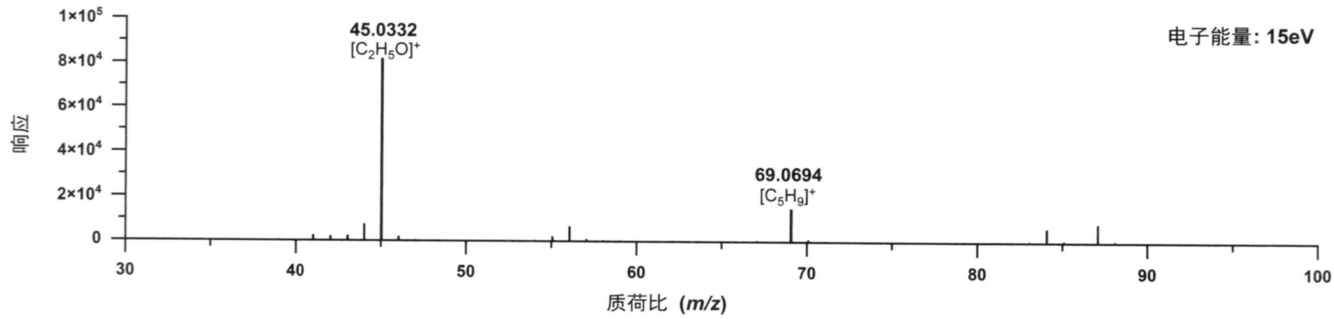

16 (*S*)-(+)-2-己醇

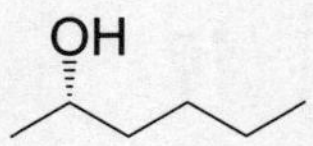

基本信息

CAS 登录号	52019-78-0	分子式	$C_6H_{14}O$	分子量	102.1045
保留指数（极性）	1220	保留指数（非极性）	785	香气描述	花香，甜香，水果香

质谱图

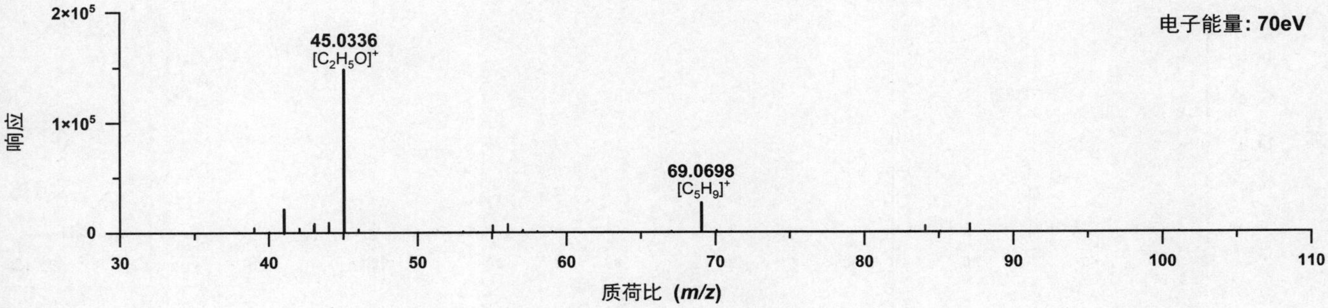

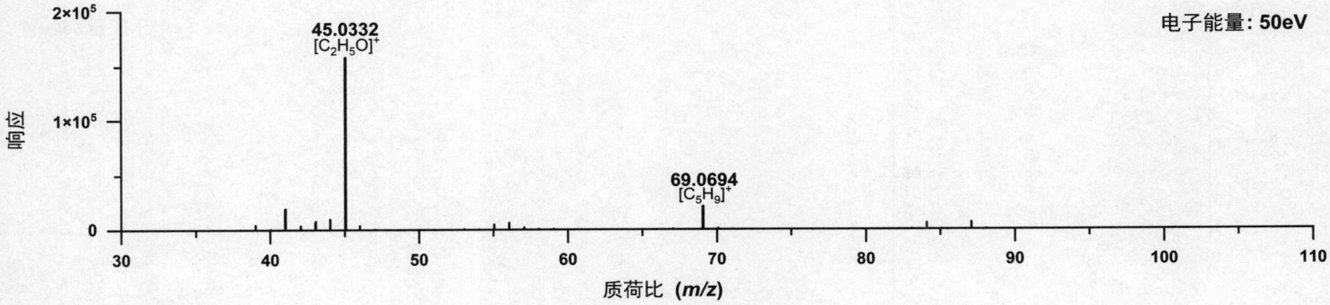

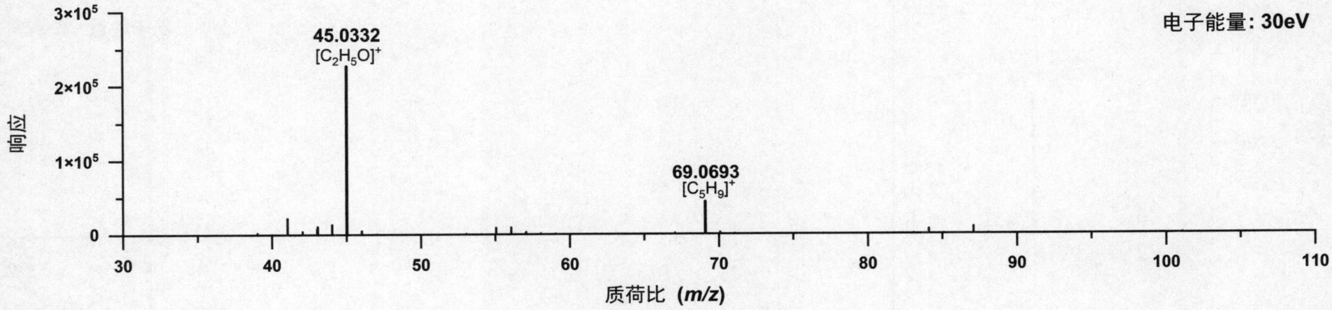

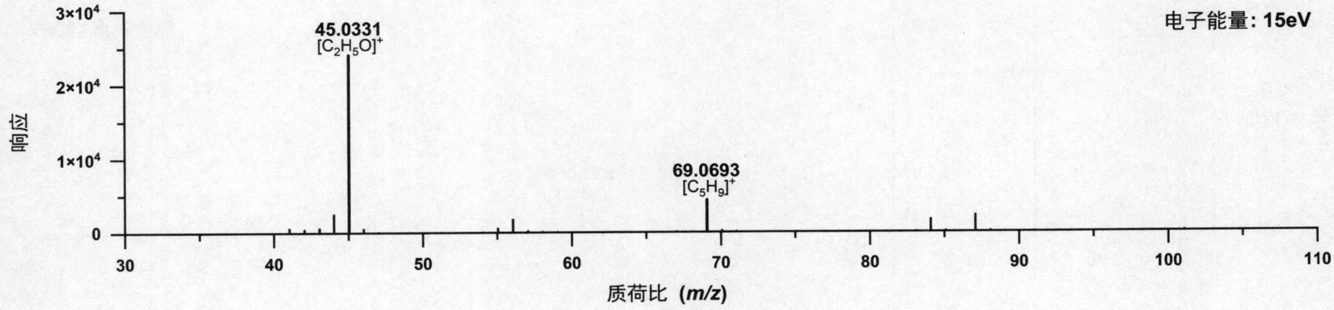

17

2-庚醇

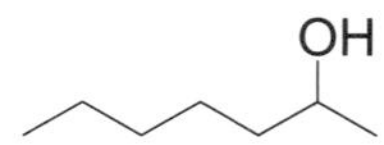

基本信息

CAS 登录号	543-49-7	分子式	$C_7H_{16}O$	分子量	116.1201
保留指数（极性）	1320	保留指数（非极性）	886	香气描述	花香，甜香，水果香

质谱图

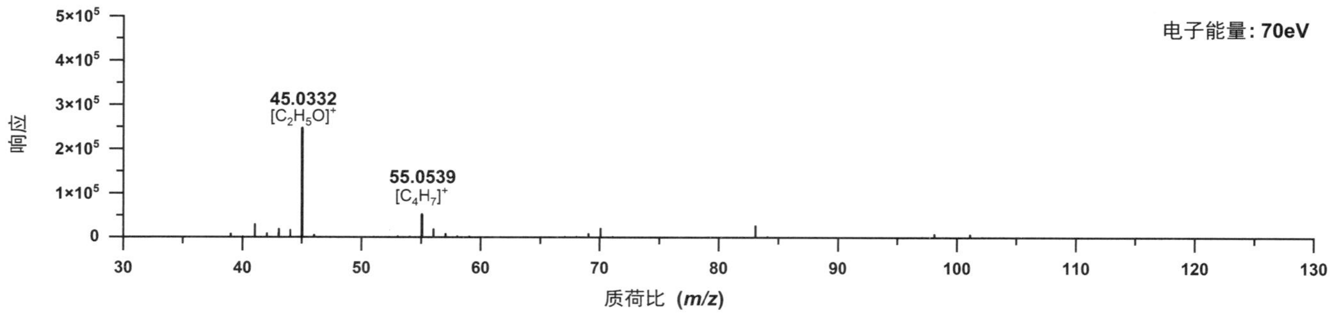

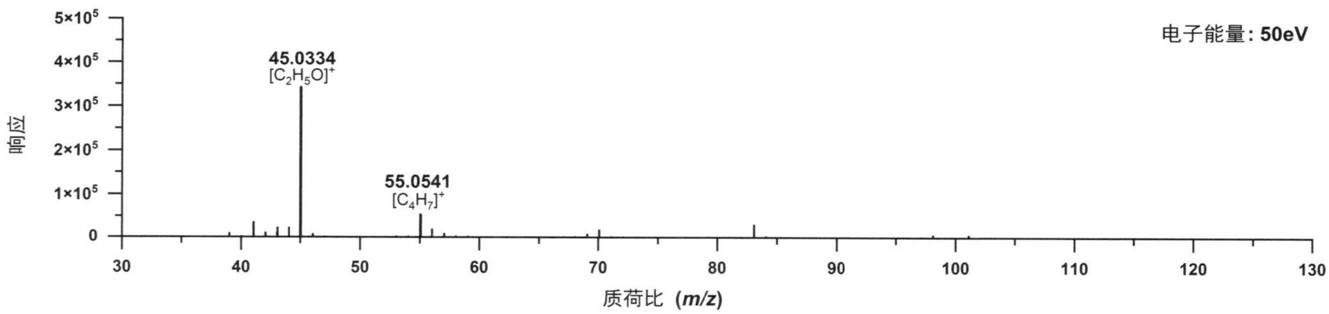

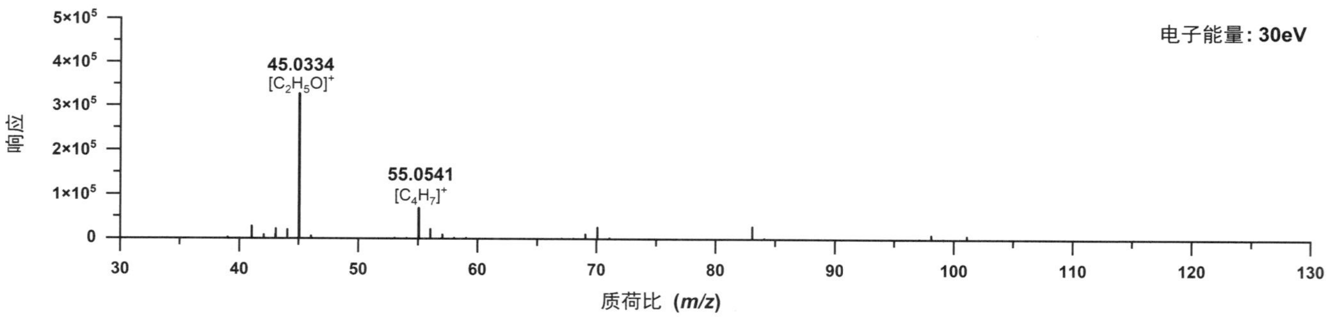

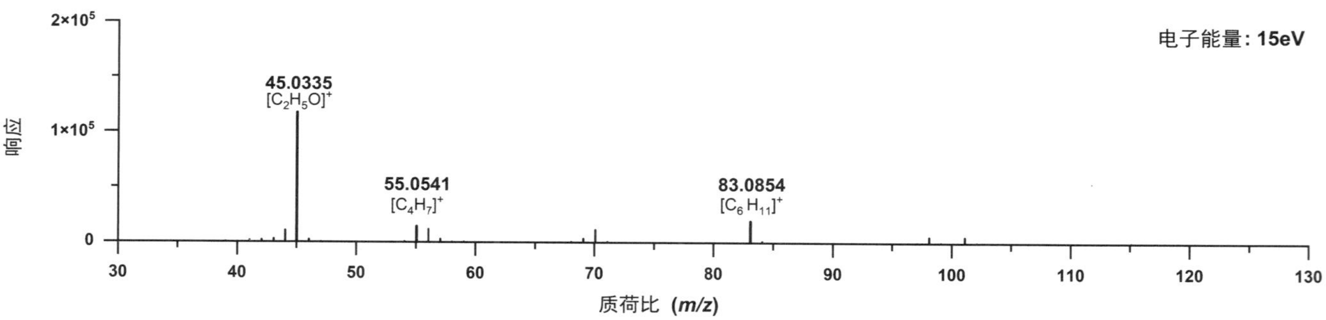

18 (*S*)-2-庚醇

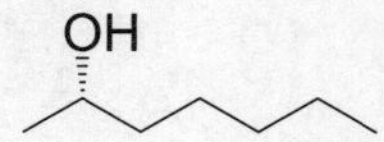

基本信息

CAS 登录号	6033-23-4	分子式	$C_7H_{16}O$	分子量	116.1201
保留指数（极性）	1320	保留指数（非极性）	885	香气描述	花香，甜香，水果香

质谱图

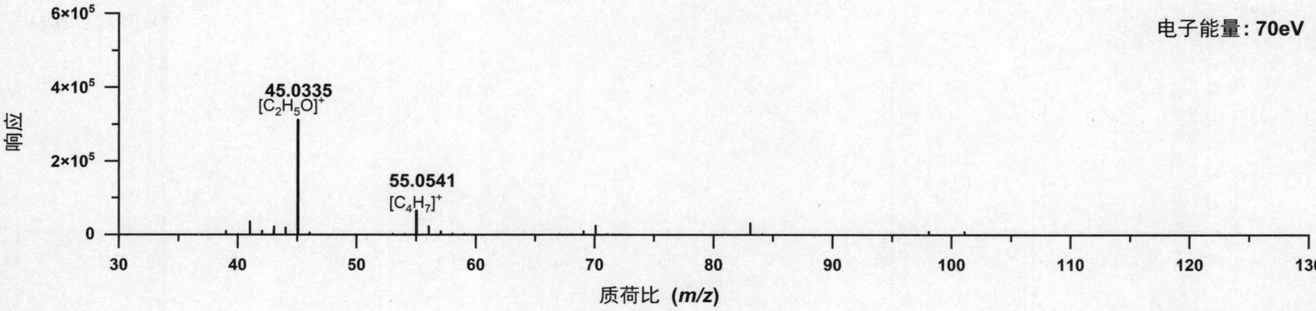

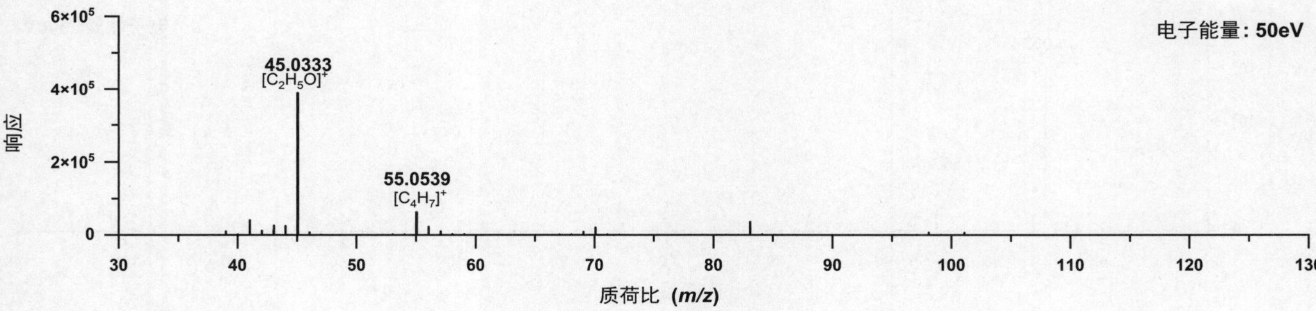

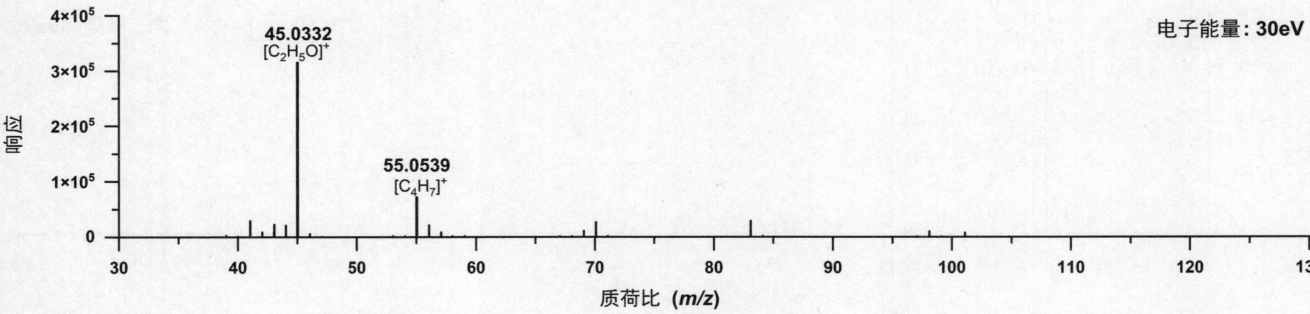

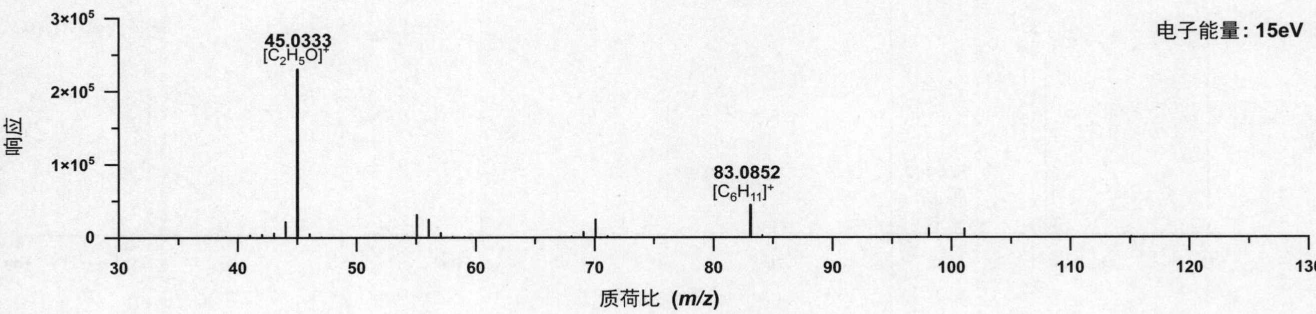

19 (*R*)-2-辛醇

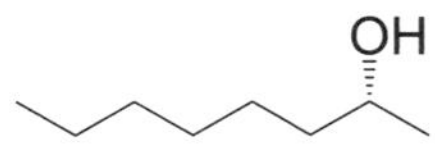

基本信息

CAS 登录号	5978-70-1	分子式	$C_8H_{18}O$	分子量	130.2279
保留指数（极性）	1420	保留指数（非极性）	985	香气描述	花香，甜香，水果香

质谱图

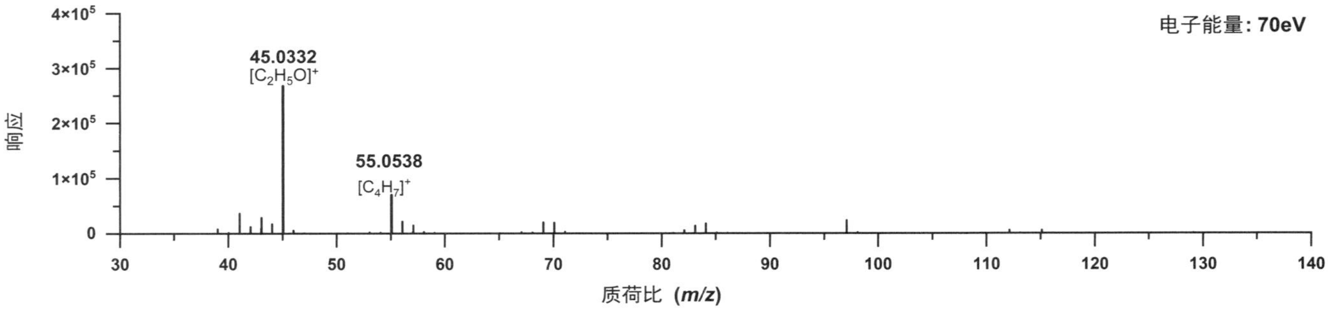

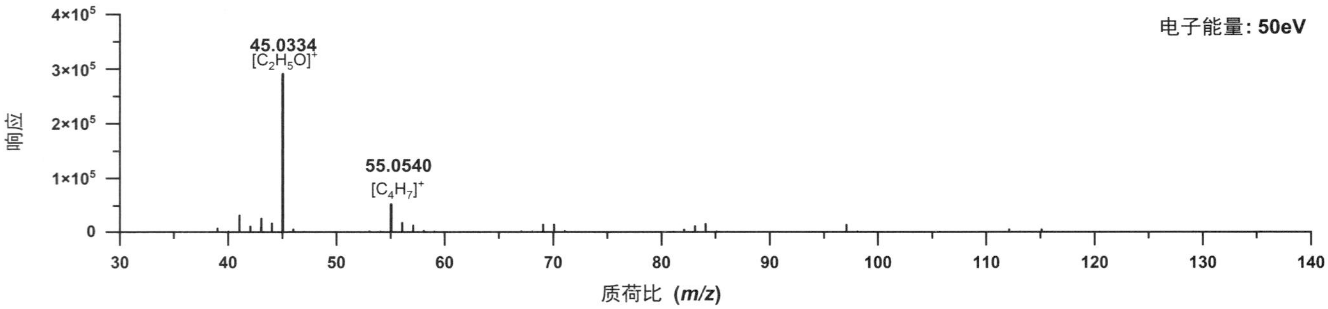

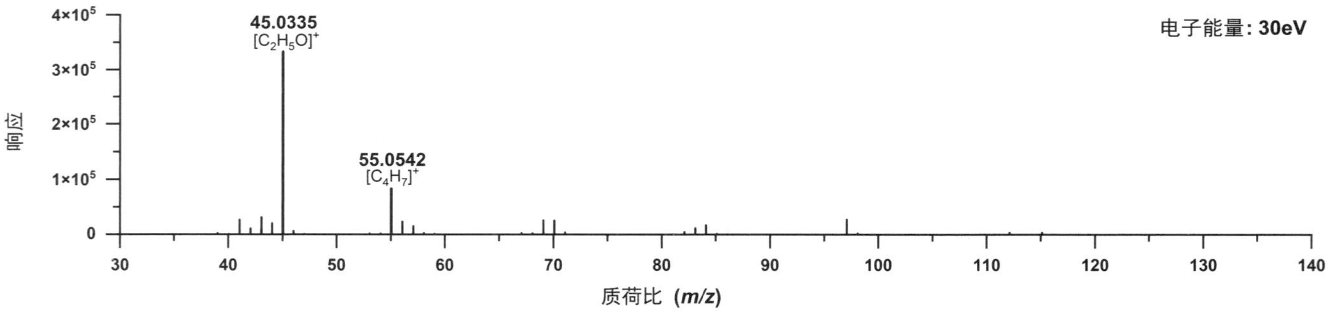

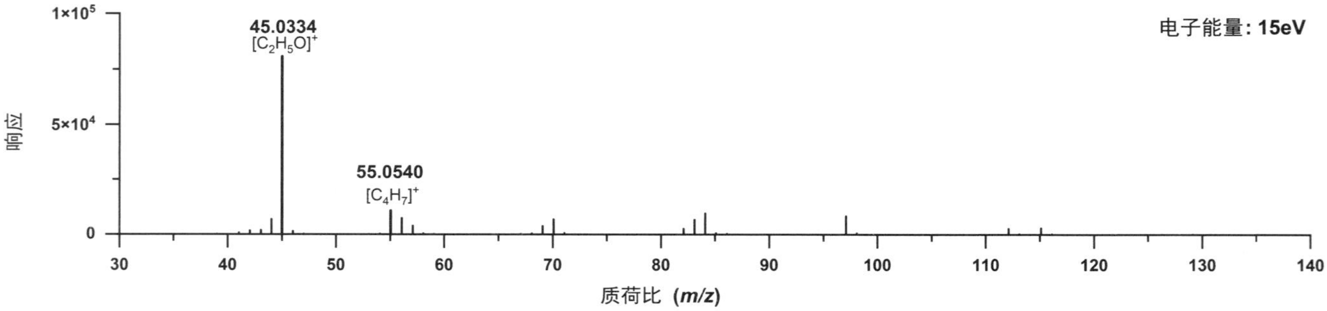

20 (*S*)-2-辛醇

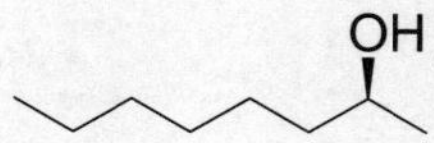

基本信息

CAS 登录号	6169-06-8	分子式	$C_8H_{18}O$	分子量	130.1358
保留指数（极性）	1420	保留指数（非极性）	985	香气描述	花香，甜香，水果香

质谱图

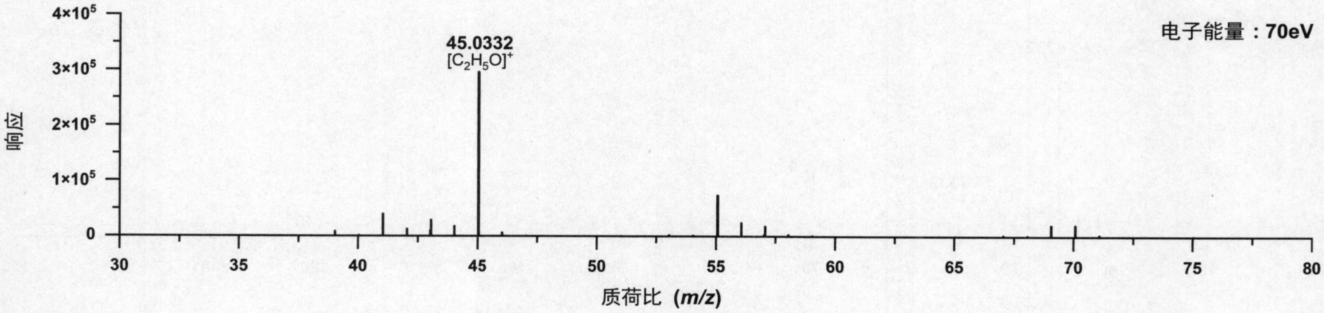

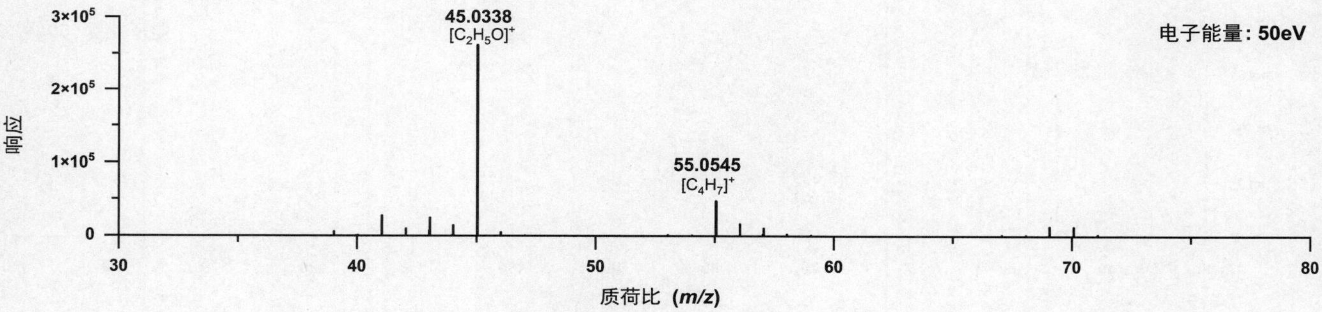

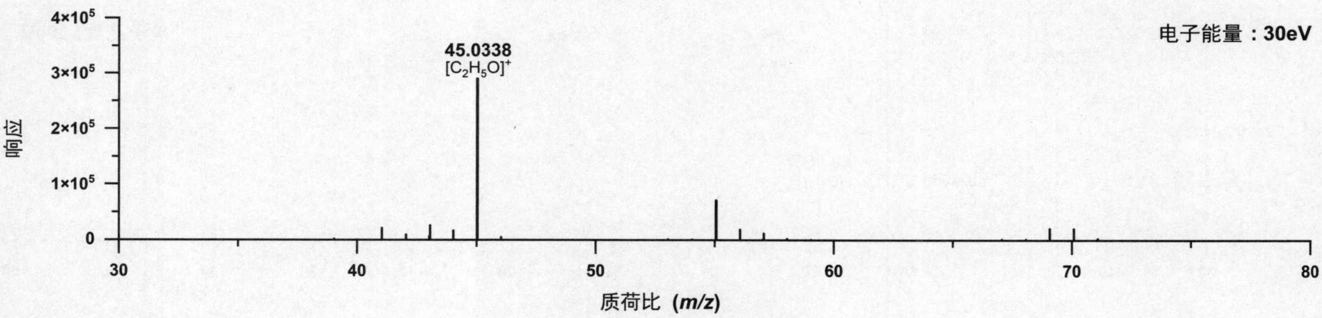

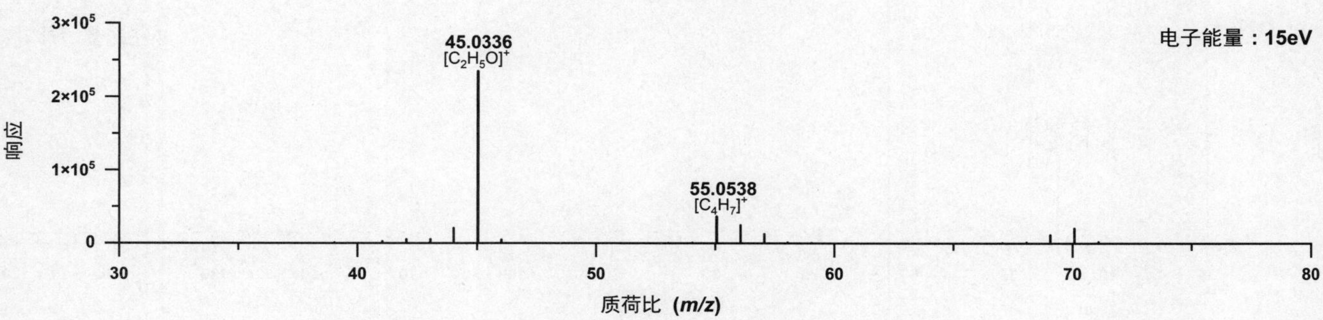

21 2-壬醇

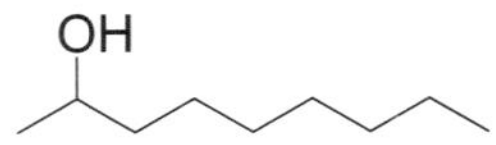

基本信息

CAS 登录号	628-99-9	分子式	$C_9H_{20}O$	分子量	144.1514
保留指数（极性）	1520	保留指数（非极性）	1085	香气描述	花香，甜香，水果香

质谱图

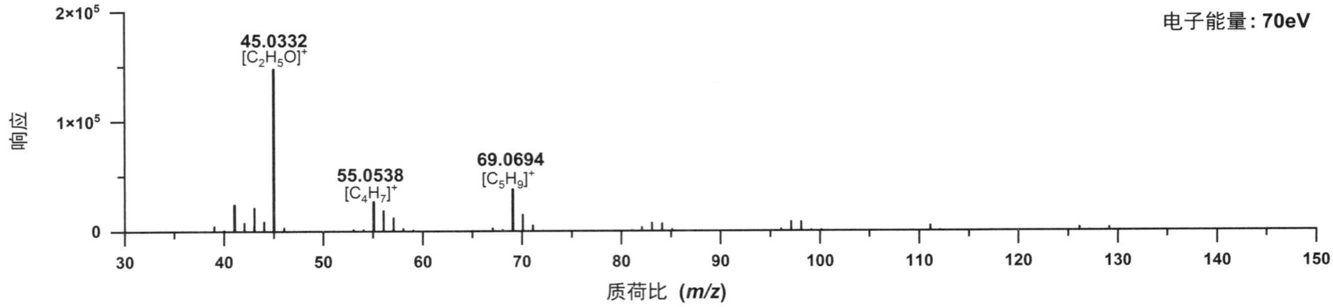

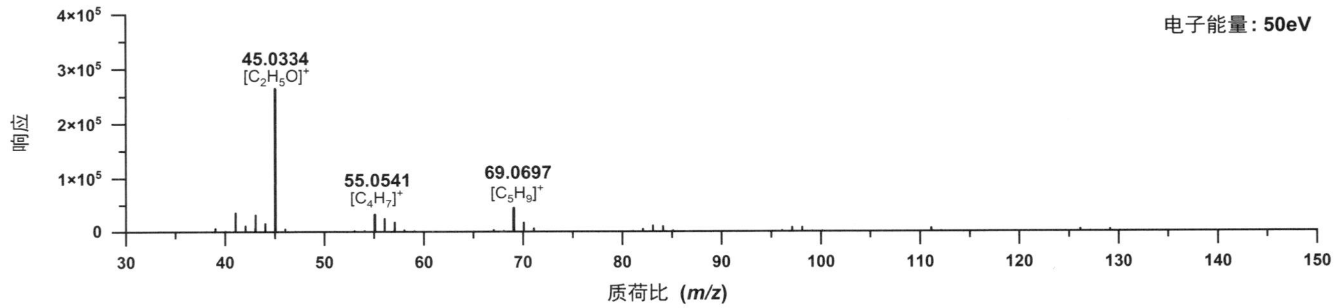

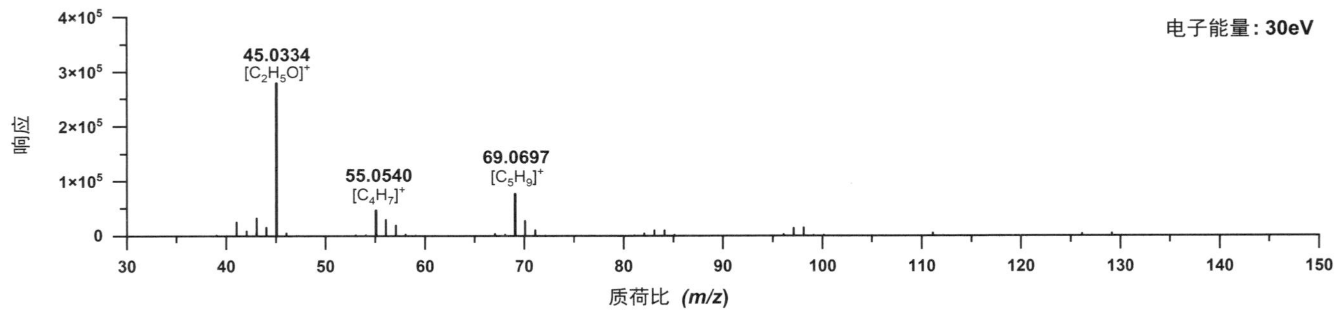

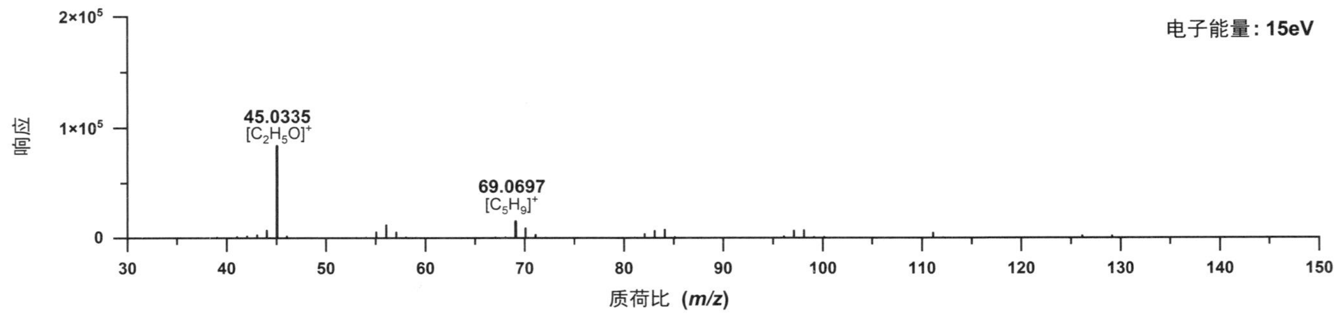

22 3-戊醇

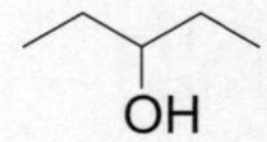

基本信息

CAS 登录号	584-02-1	分子式	$C_5H_{12}O$	分子量	88.0888
保留指数（极性）	1107	保留指数（非极性）	687	香气描述	花香，甜香，水果香

质谱图

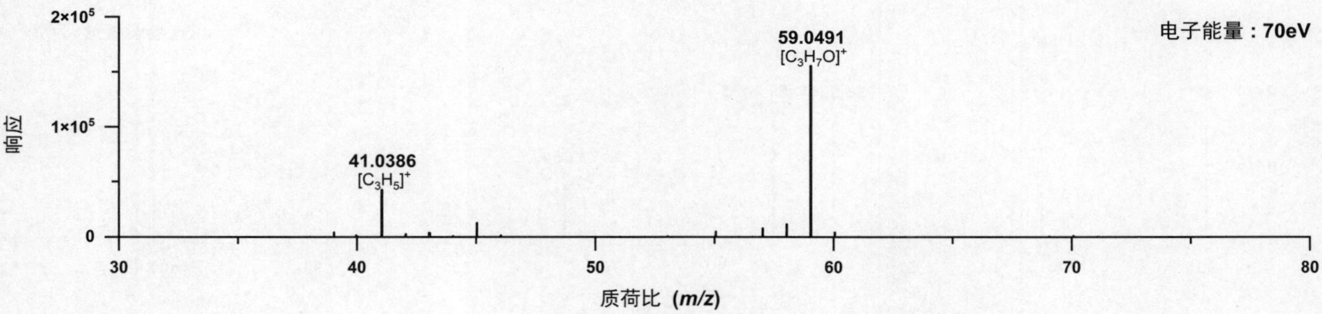

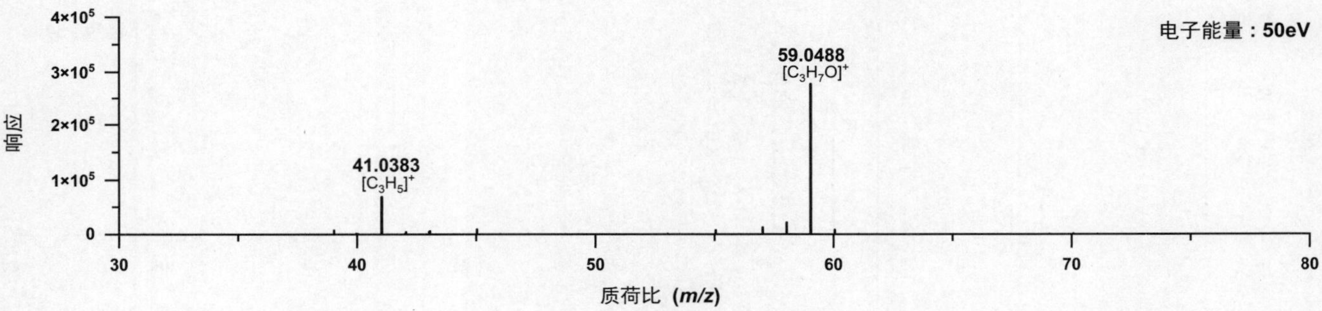

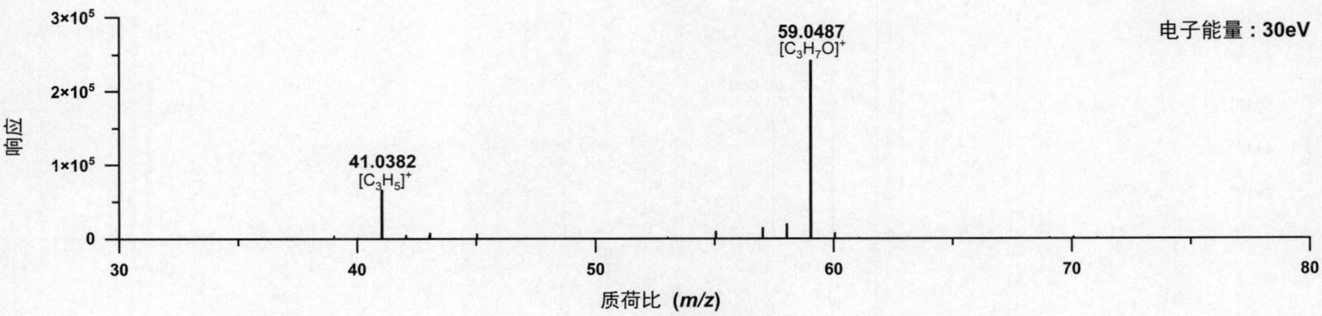

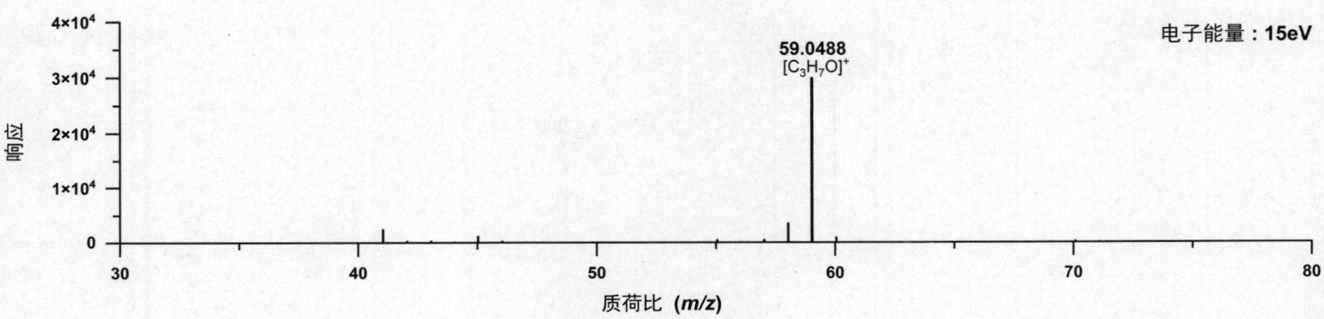

23 3-己醇

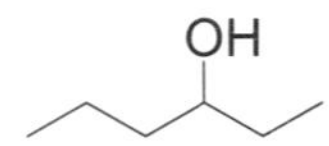

基本信息

CAS 登录号	623-37-0	分子式	$C_6H_{14}O$	分子量	102.1045
保留指数（极性）	1196	保留指数（非极性）	782	香气描述	花香，甜香，水果香

质谱图

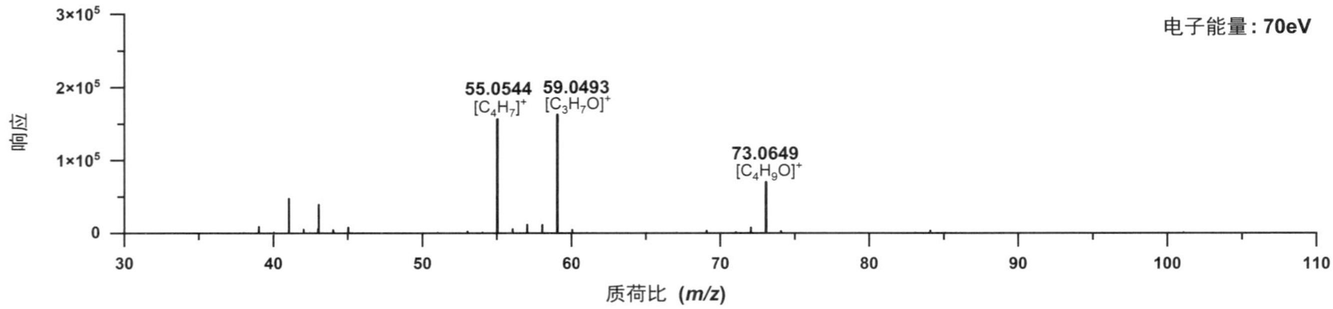

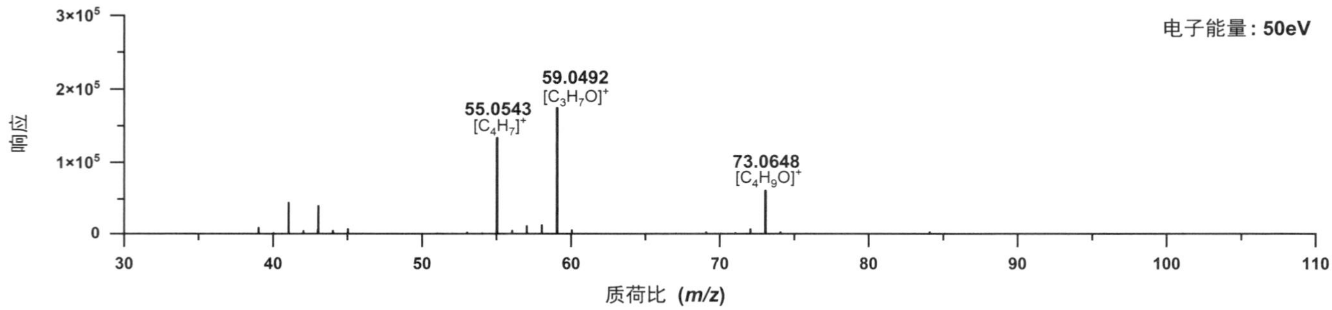

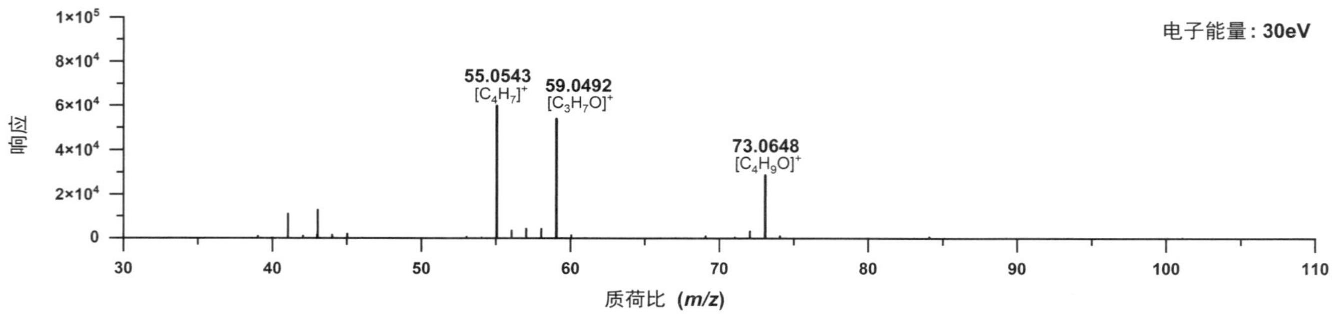

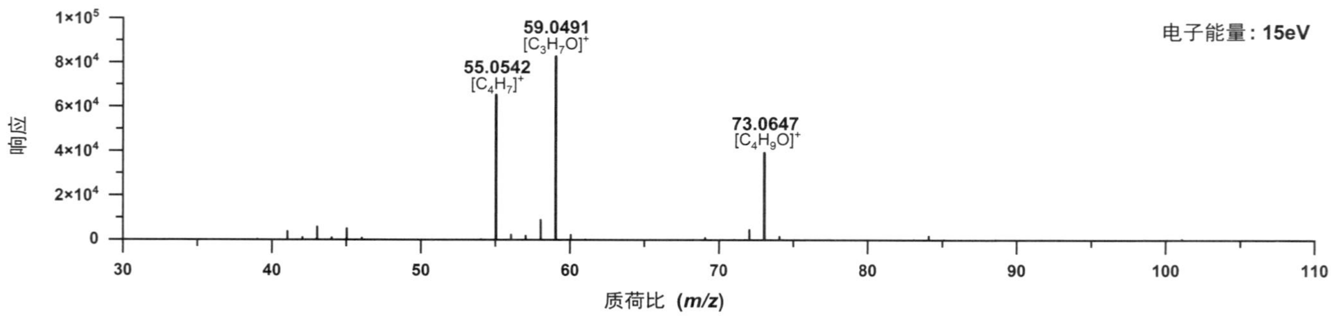

24 3-辛醇

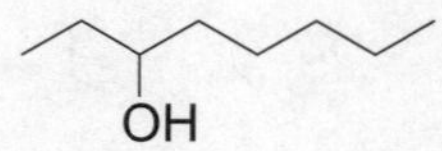

基本信息

CAS 登录号	589-98-0	分子式	$C_8H_{18}O$	分子量	130.1358
保留指数（极性）	1394	保留指数（非极性）	981	香气描述	花香，甜香，水果香

质谱图

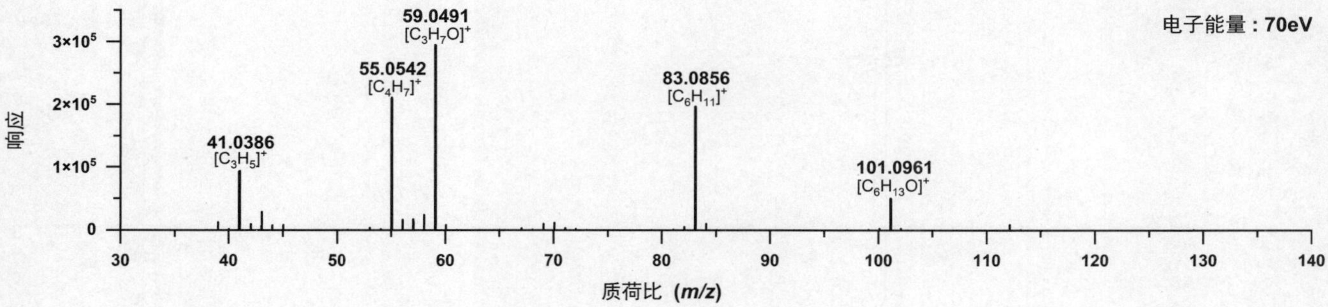

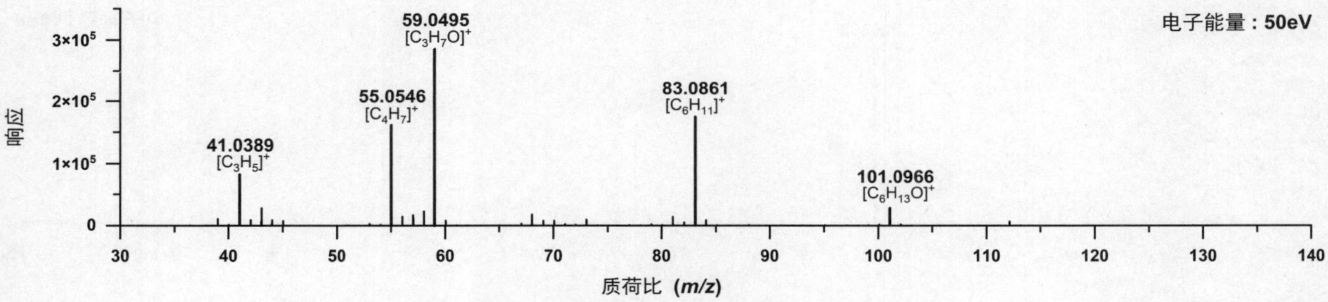

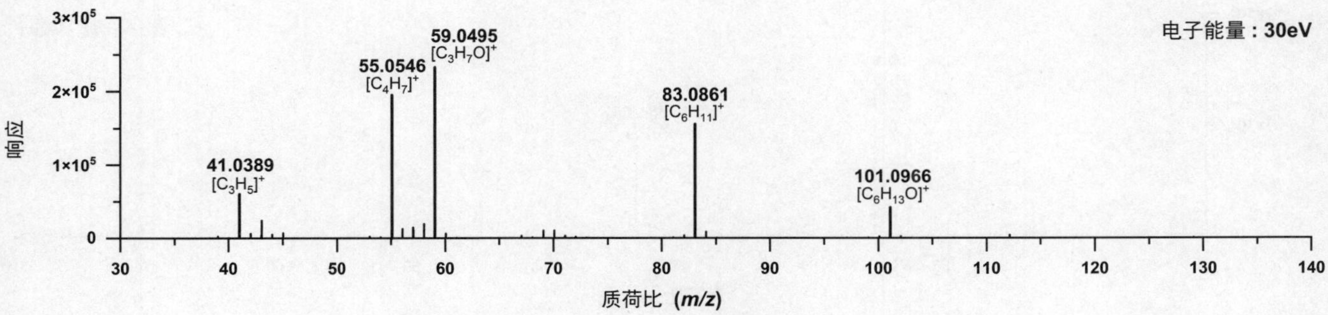

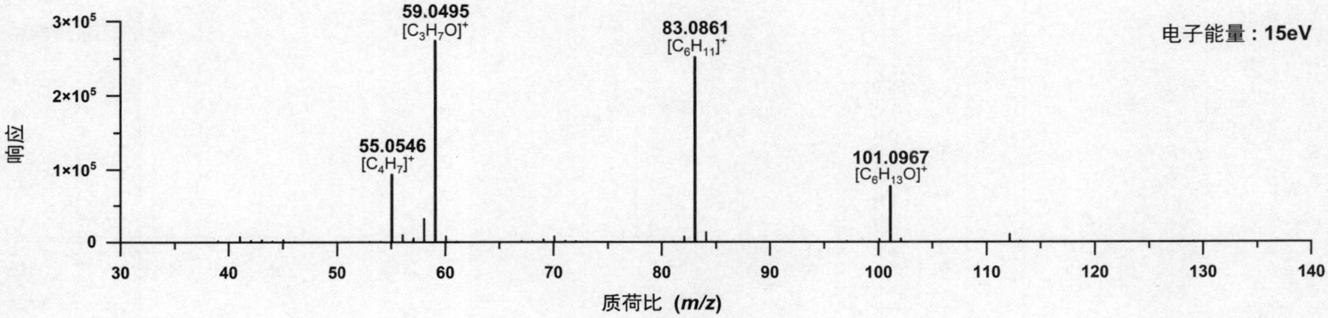

25

4-庚醇

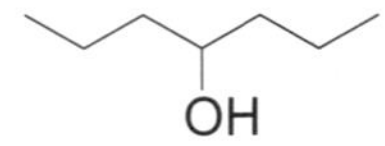

基本信息

CAS 登录号	589-55-9	分子式	$C_7H_{16}O$	分子量	116.1201
保留指数（极性）	1283	保留指数（非极性）	876	香气描述	花香，甜香，水果香

质谱图

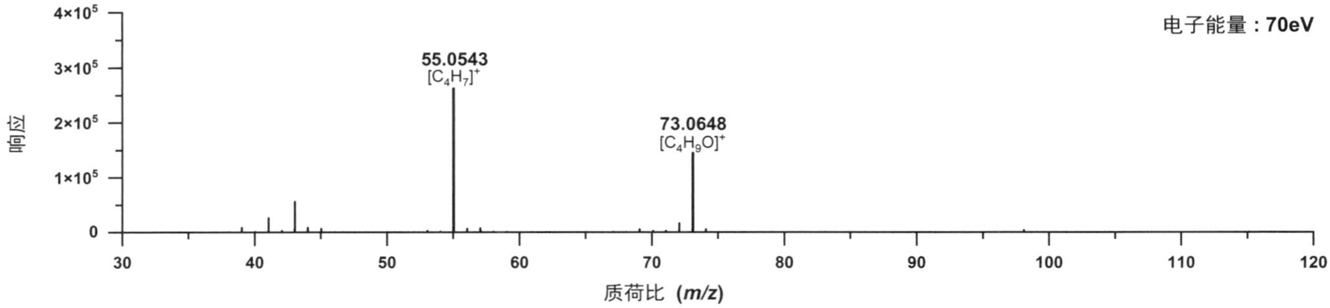

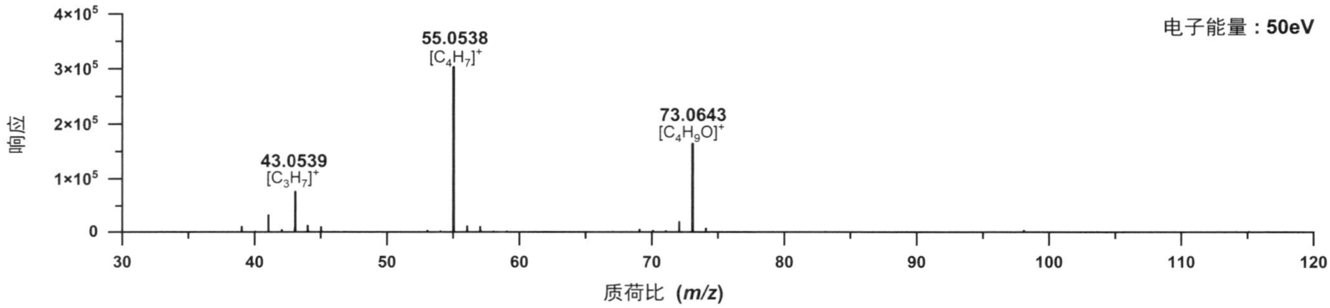

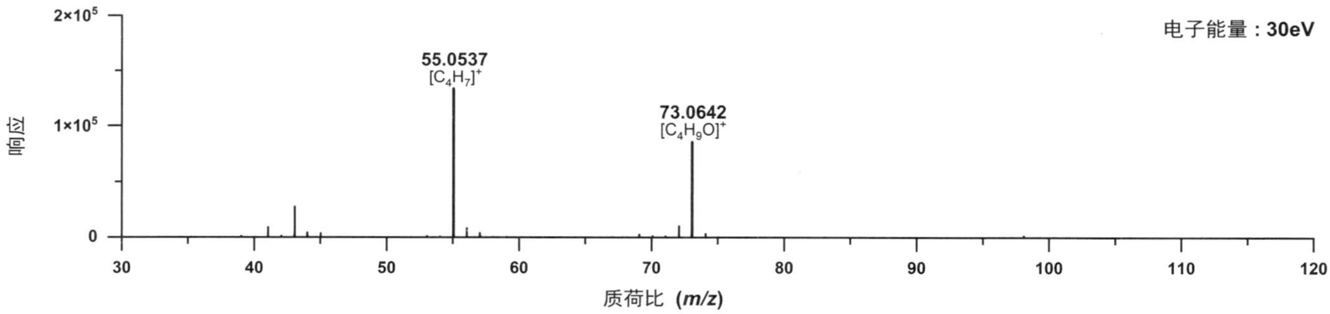

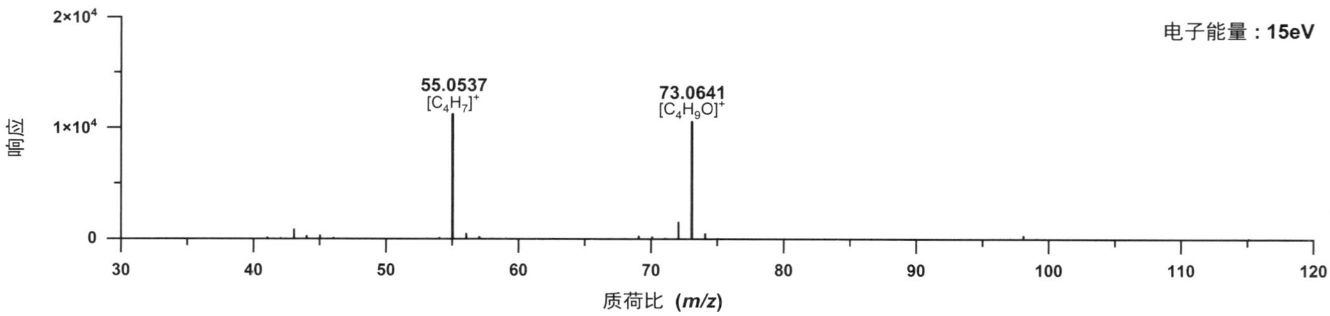

26

4-辛醇

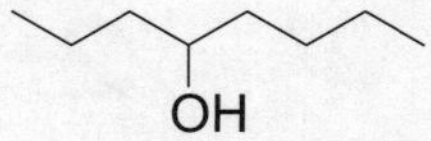

基本信息

CAS 登录号	589-62-8	分子式	$C_8H_{18}O$	分子量	130.1358
保留指数（极性）	1381	保留指数（非极性）	975	香气描述	水果，甜香，橘子味

质谱图

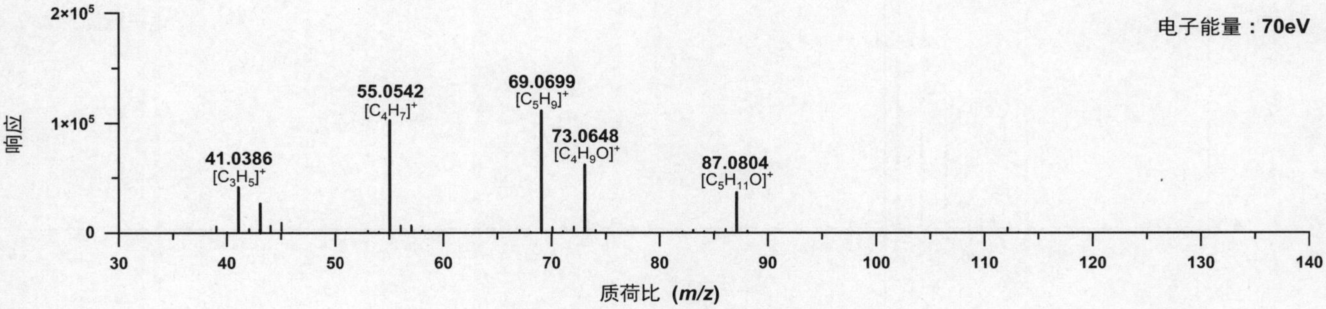

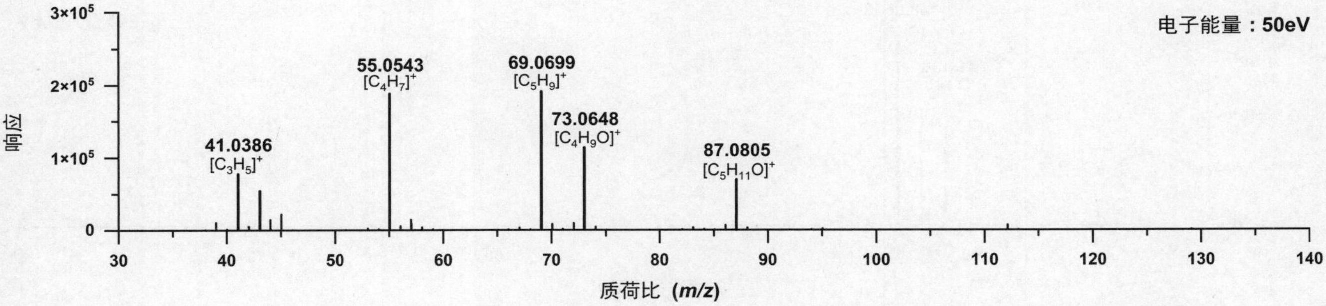

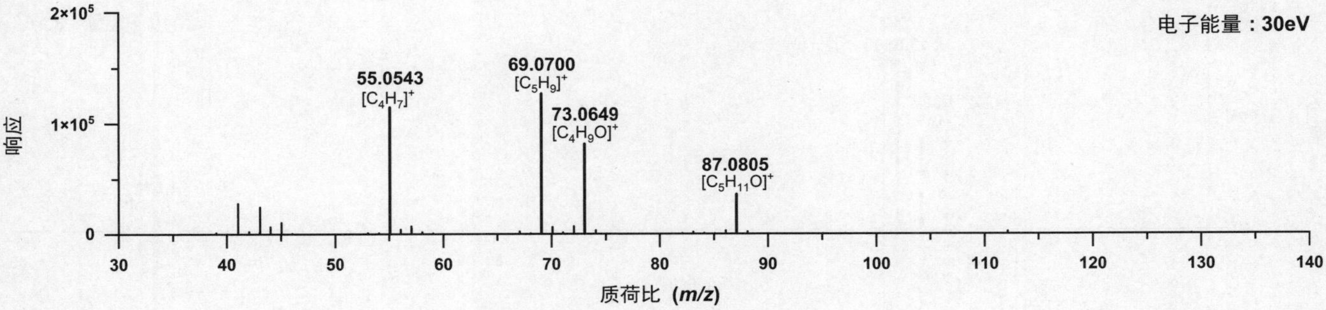

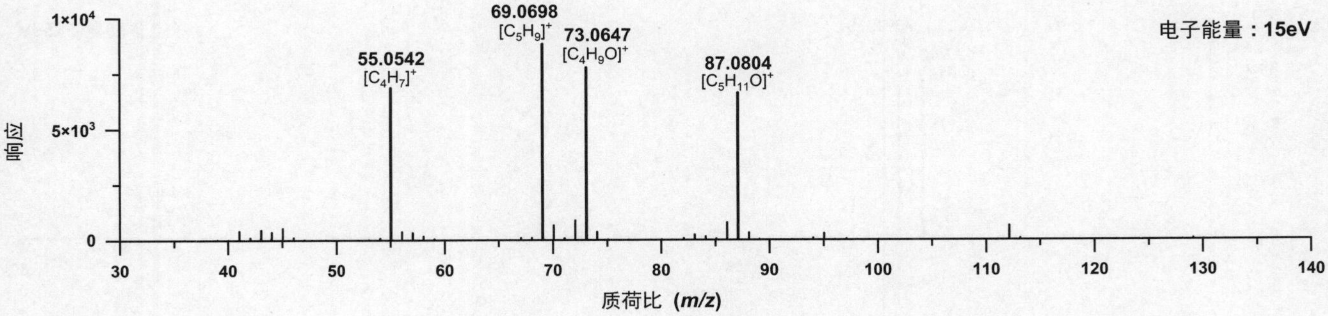

27

2-甲基丙醇

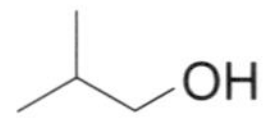

基本信息

CAS 登录号	78-83-1	分子式	$C_4H_{10}O$	分子量	74.0726
保留指数（极性）	1090	保留指数（非极性）	616	香气描述	类似溶剂的气味，醇香，甜香

质谱图

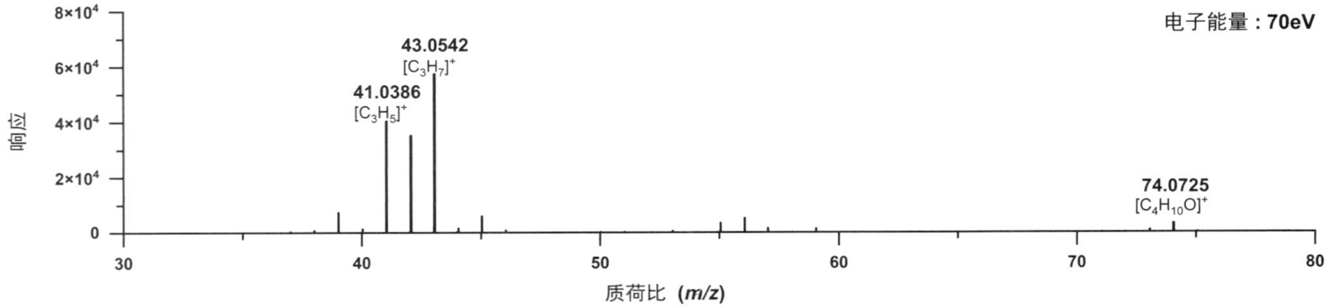

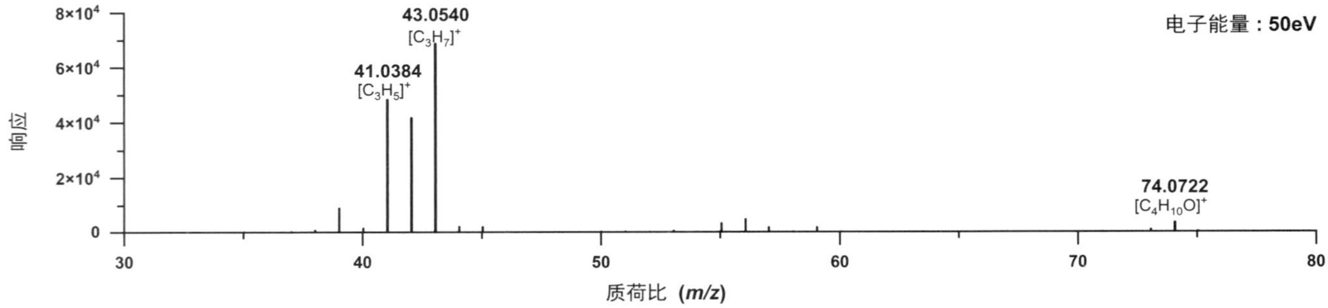

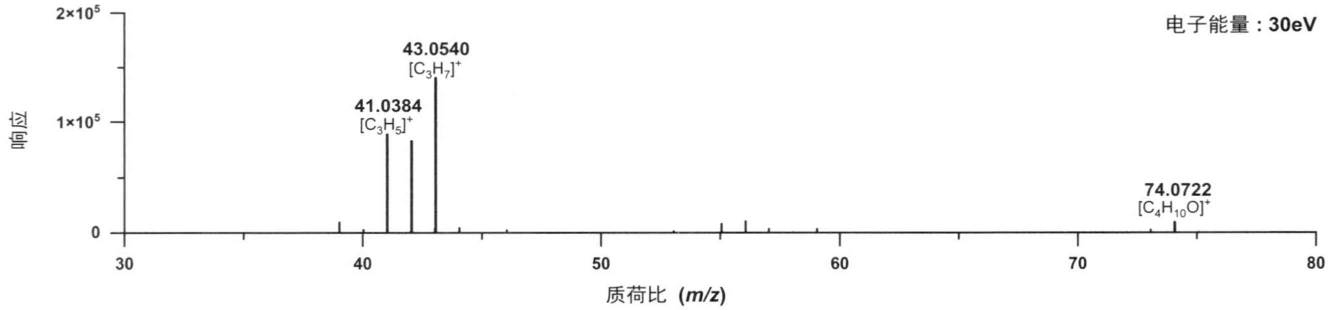

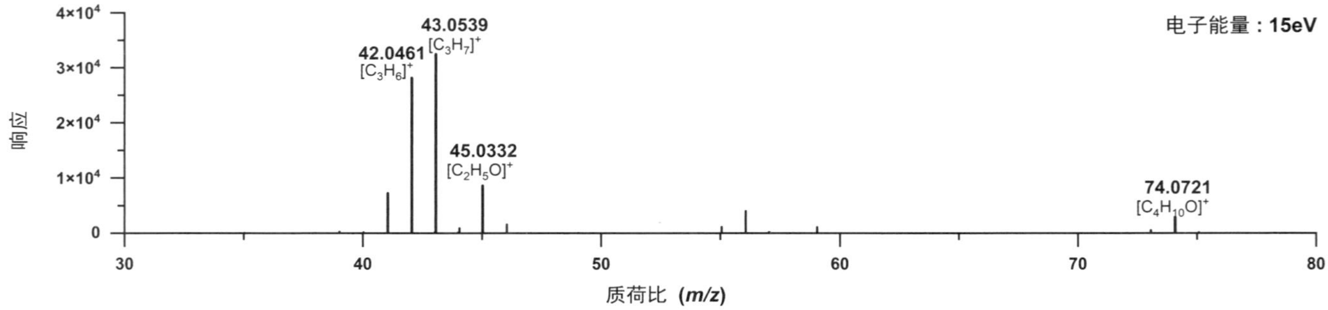

28 3-甲基丁醇

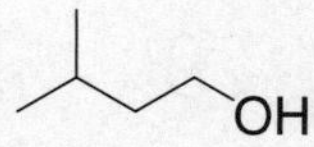

基本信息

CAS 登录号	123-51-3	分子式	$C_5H_{12}O$	分子量	88.0888
保留指数（极性）	1209	保留指数（非极性）	720	香气描述	水果香，香蕉味，醇香

质谱图

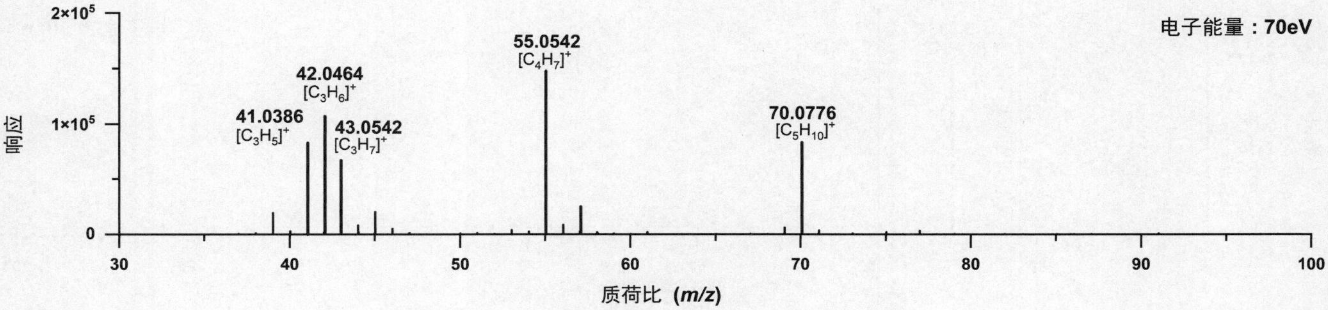

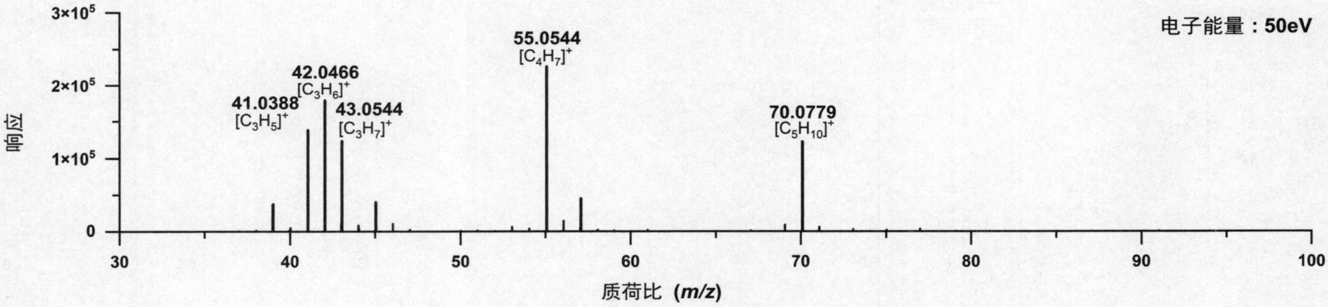

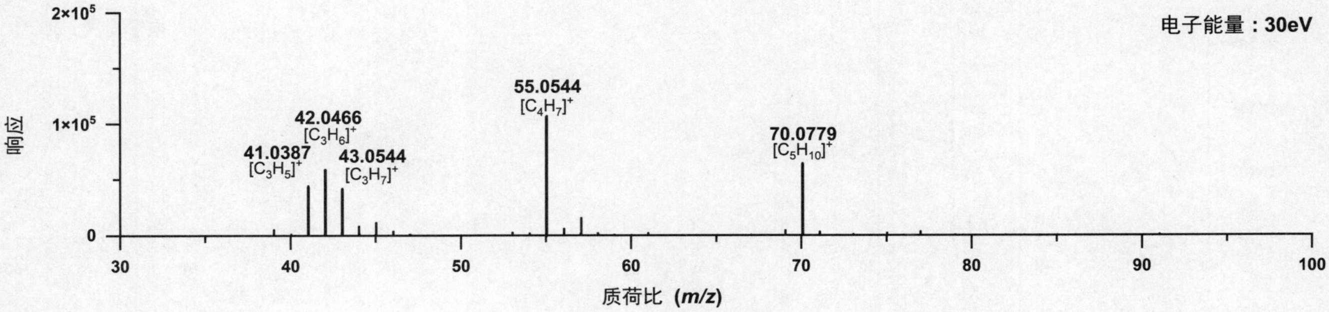

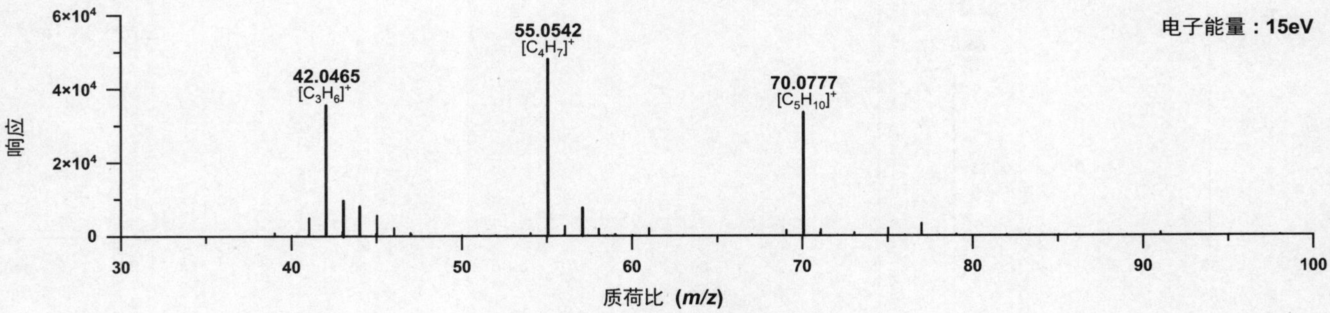

29 3-甲基-2-丁醇

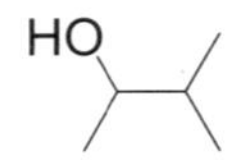

基本信息

CAS 登录号	598-75-4	分子式	$C_5H_{12}O$	分子量	88.0888
保留指数（极性）	1091	保留指数（非极性）	664	香气描述	水果香，甜香，花香

质谱图

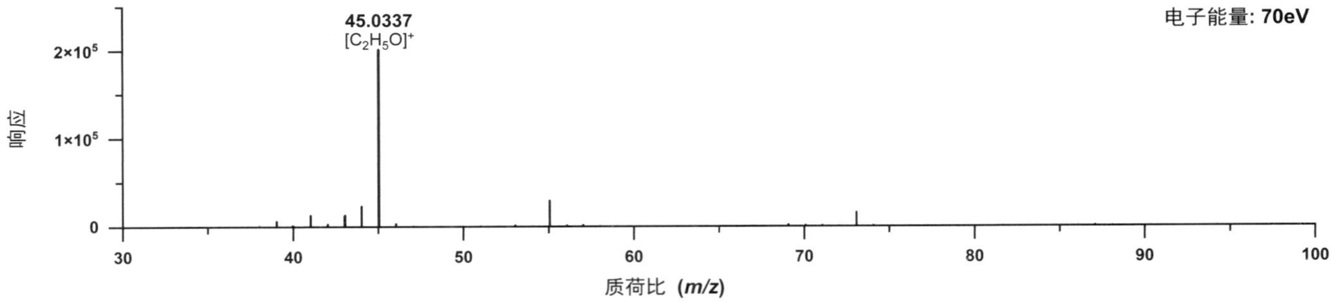

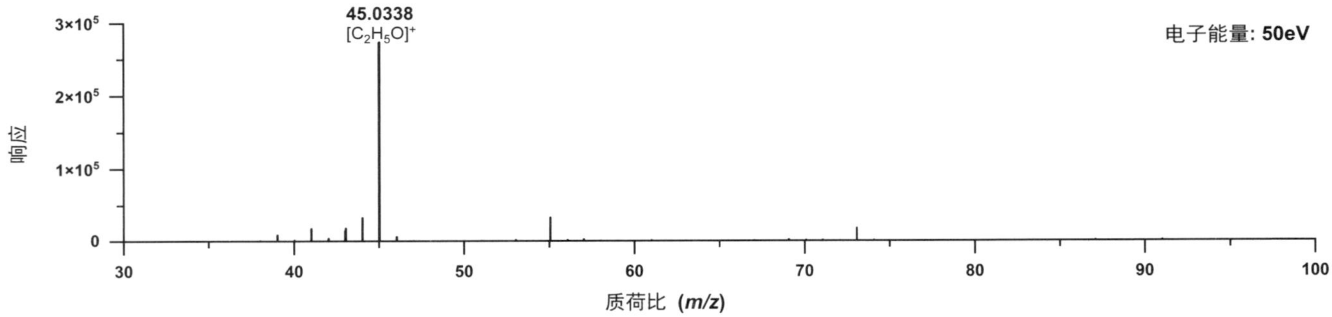

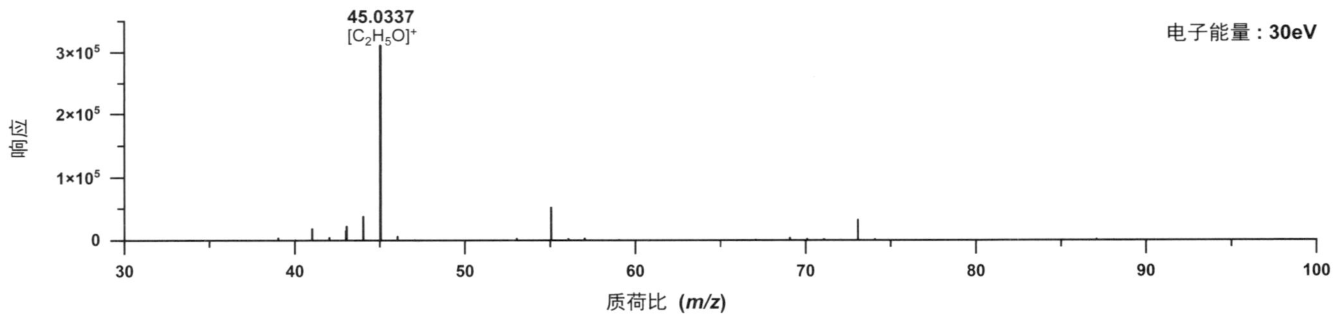

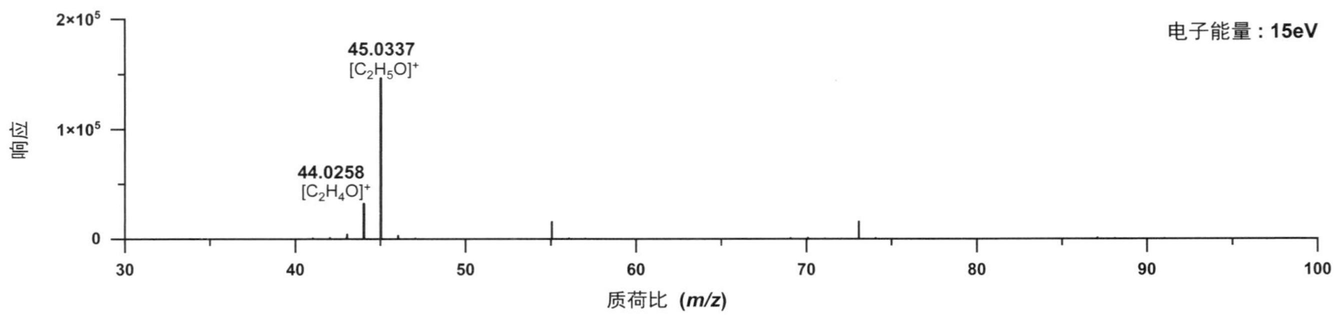

30 (*R*)-3-甲基-2-丁醇

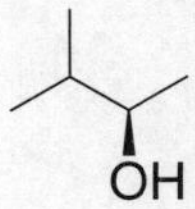

基本信息

CAS 登录号	1572-93-6	分子式	$C_5H_{12}O$	分子量	88.0888
保留指数（极性）	1091	保留指数（非极性）	667	香气描述	花香，甜香，水果香

质谱图

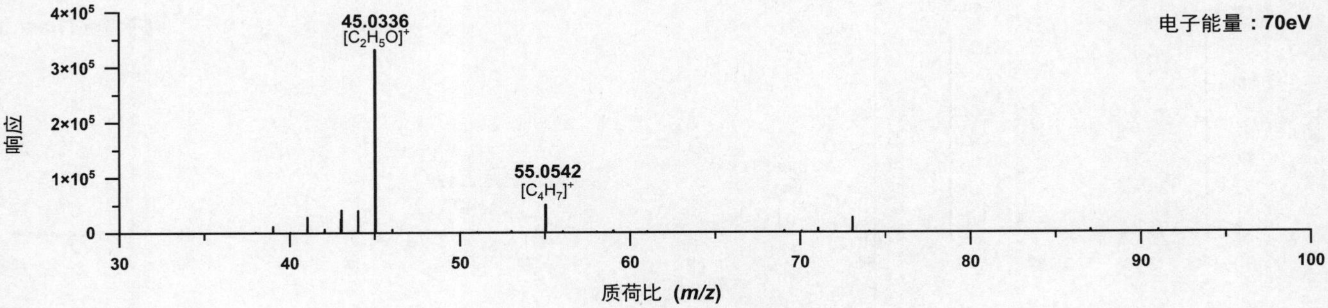

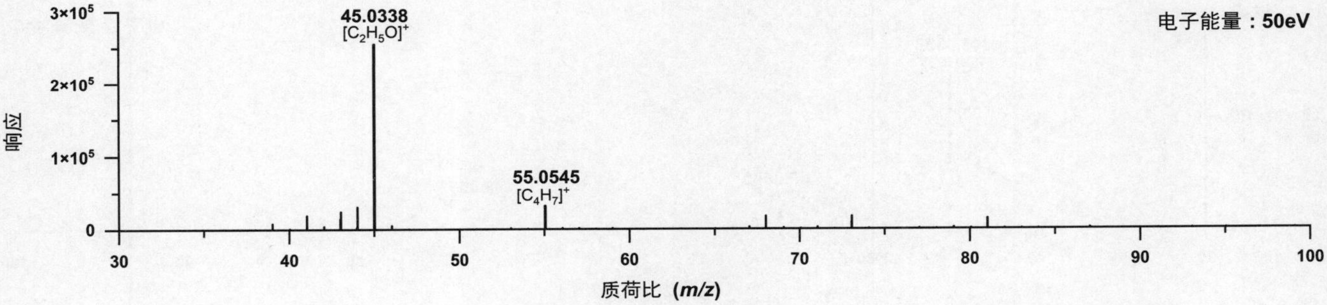

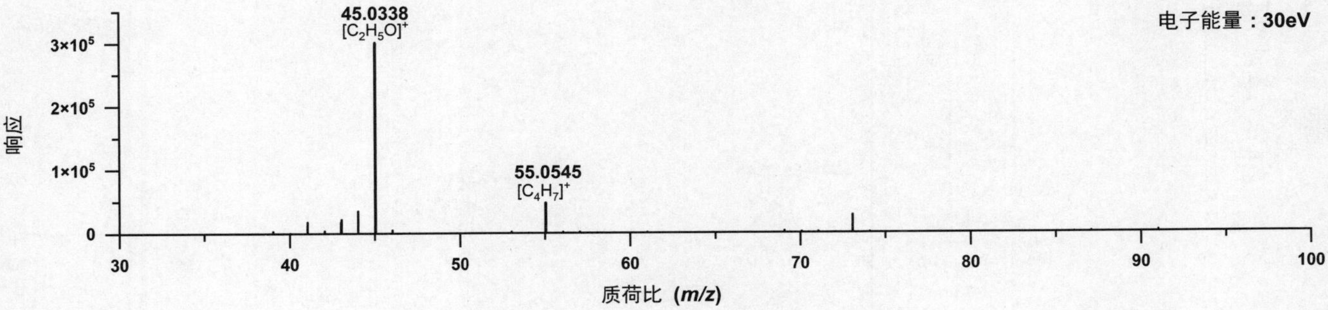

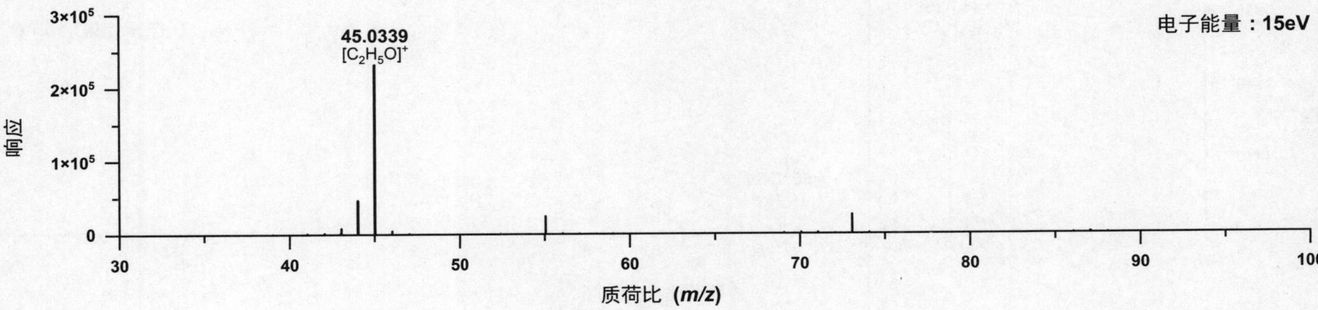

31 (*S*)-3-甲基-2-丁醇

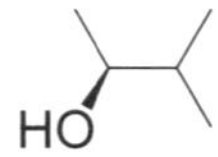

基本信息

CAS 登录号	1517-66-4	分子式	$C_5H_{12}O$	分子量	88.1482
保留指数（极性）	1091	保留指数（非极性）	672	香气描述	花香，甜香，水果香

质谱图

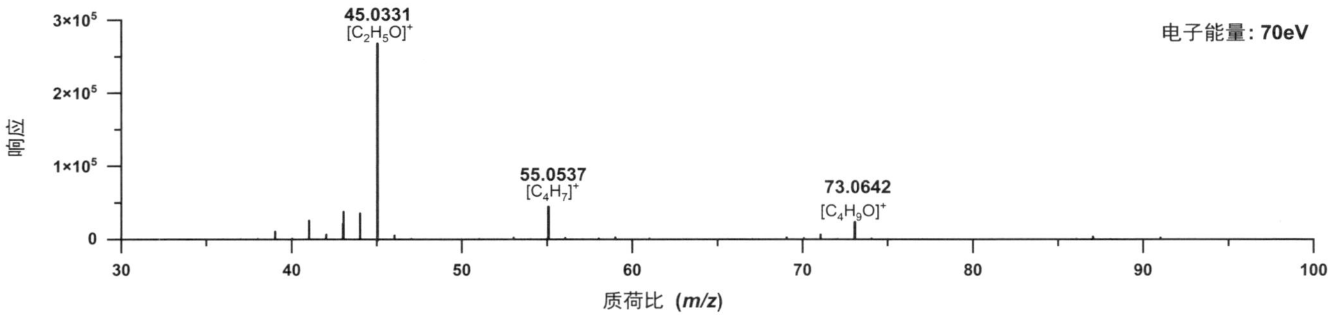

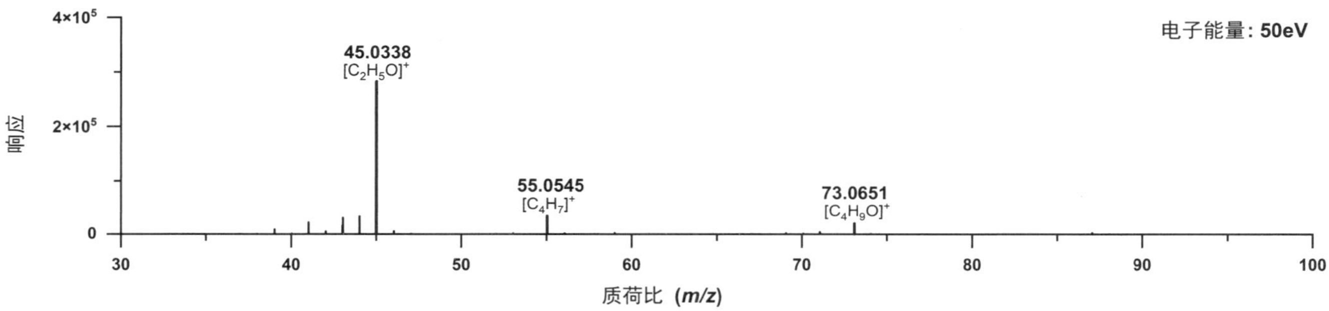

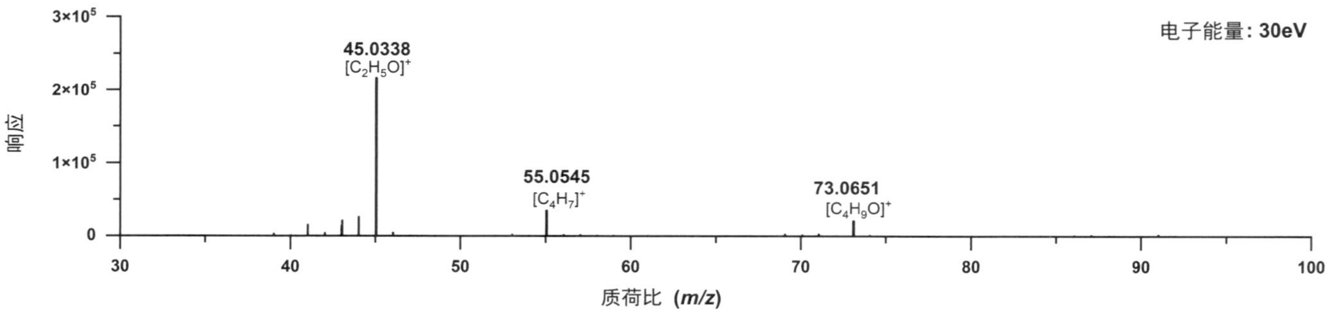

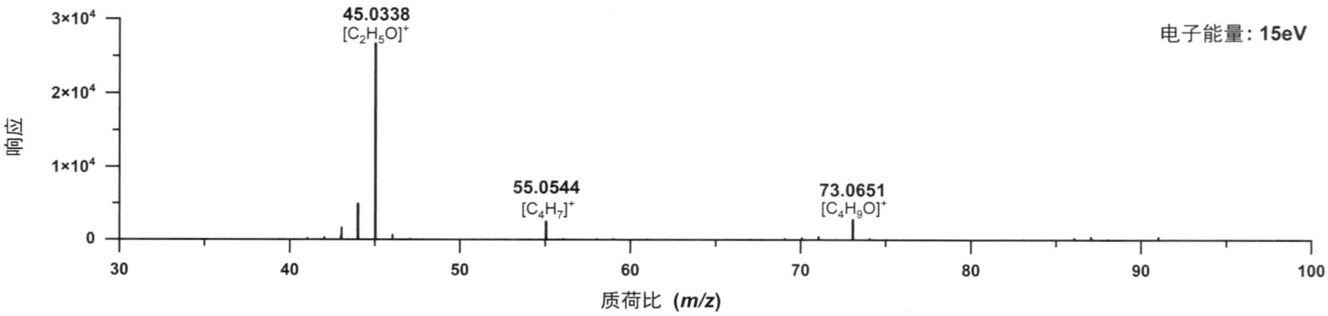

32 2-甲基丁醇

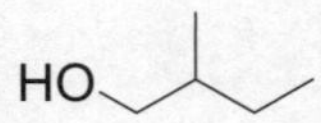

基本信息

CAS 登录号	137-32-6	分子式	$C_5H_{12}O$	分子量	88.0888
保留指数（极性）	1207	保留指数（非极性）	724	香气描述	花香，甜香，水果香

质谱图

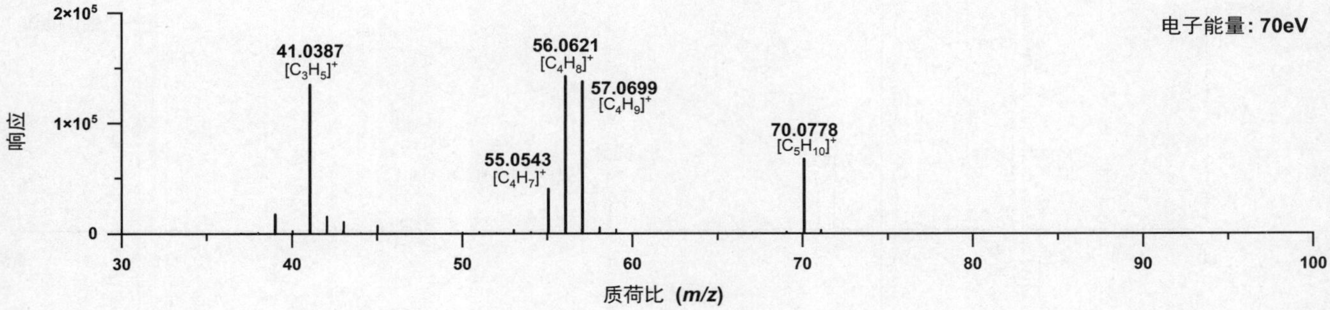

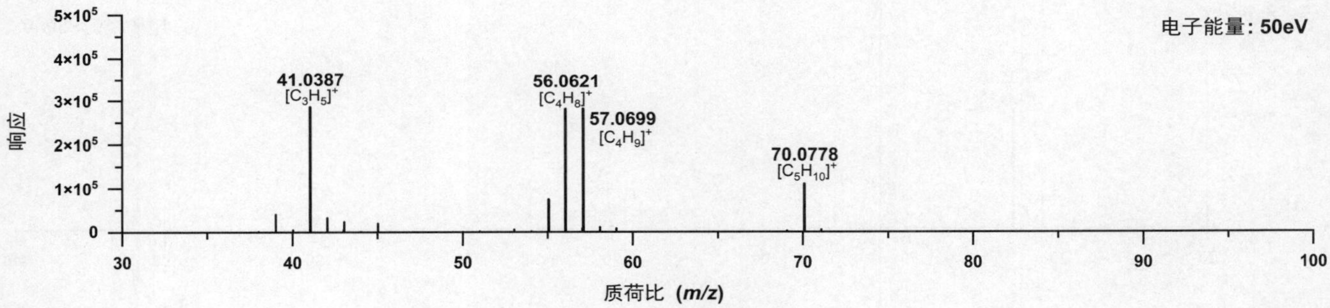

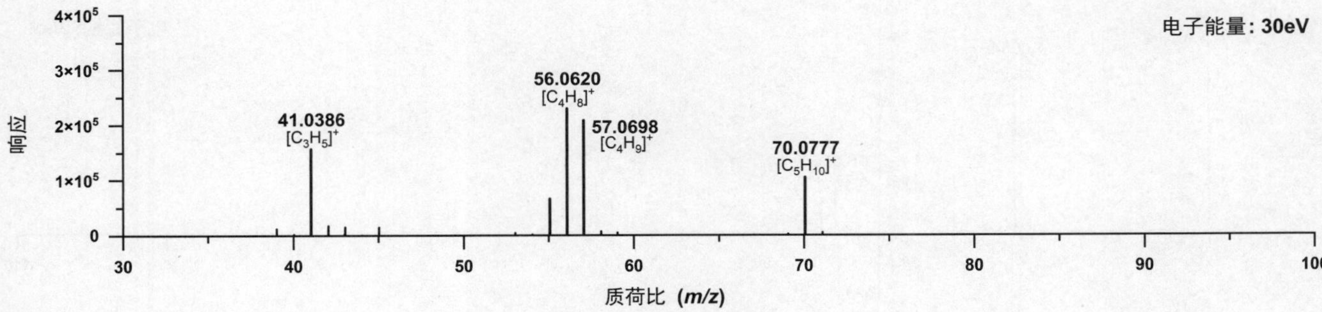

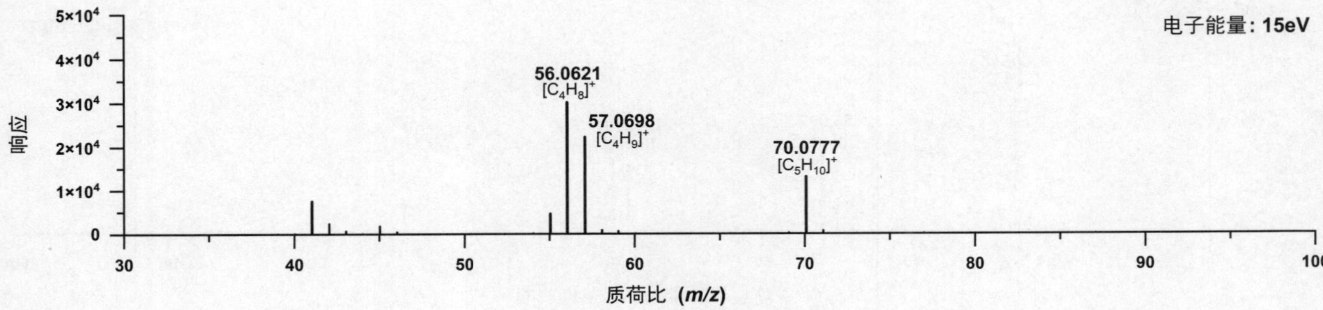

33 2-甲基戊醇

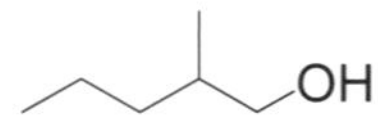

基本信息

CAS 登录号	105-30-6	分子式	$C_6H_{14}O$	分子量	102.1045
保留指数（极性）	1301	保留指数（非极性）	820	香气描述	花香，甜香，水果香

质谱图

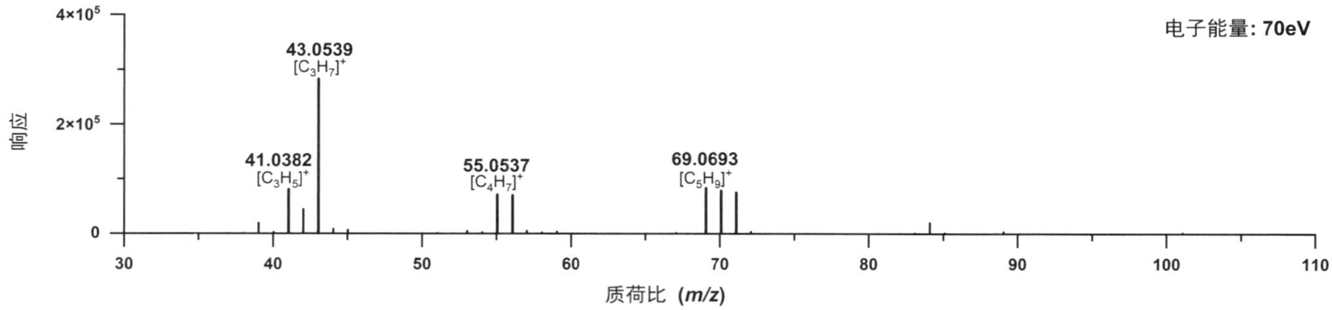

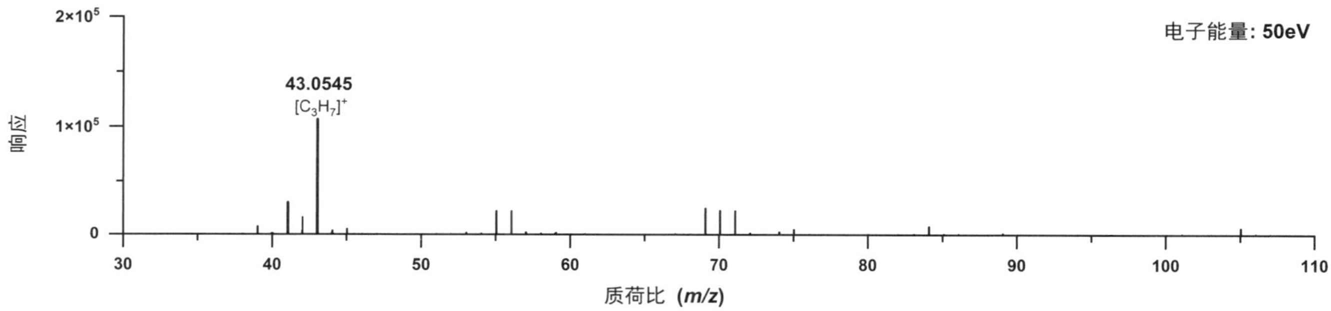

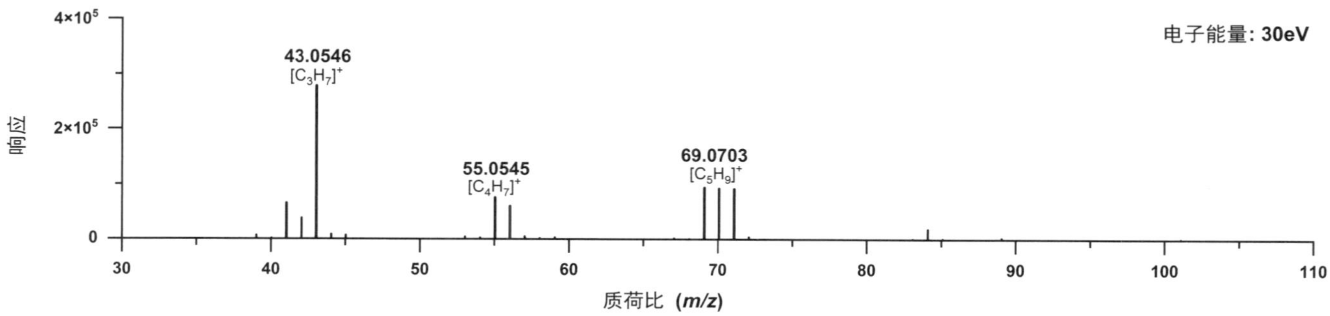

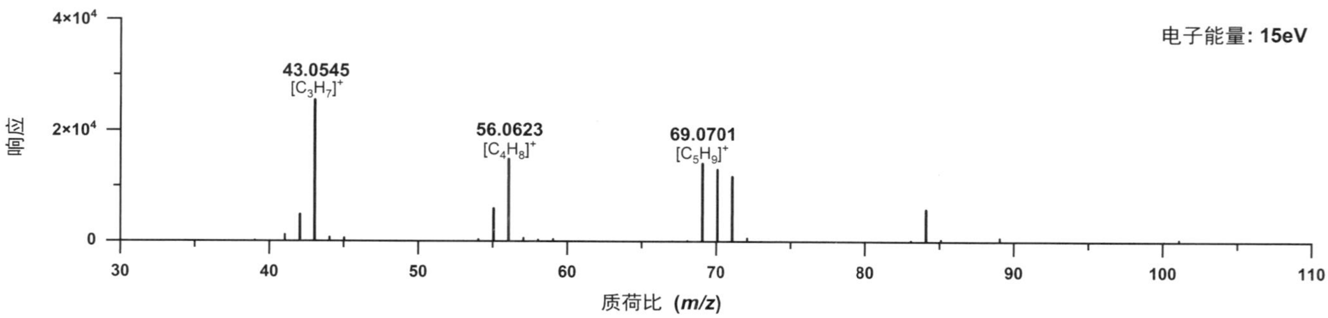

34 2-甲基-2-戊醇

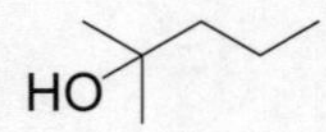

基本信息

CAS 登录号	590-36-3	分子式	$C_6H_{14}O$	分子量	102.1045
保留指数（极性）	1100	保留指数（非极性）	718	香气描述	花香，甜香，水果香

质谱图

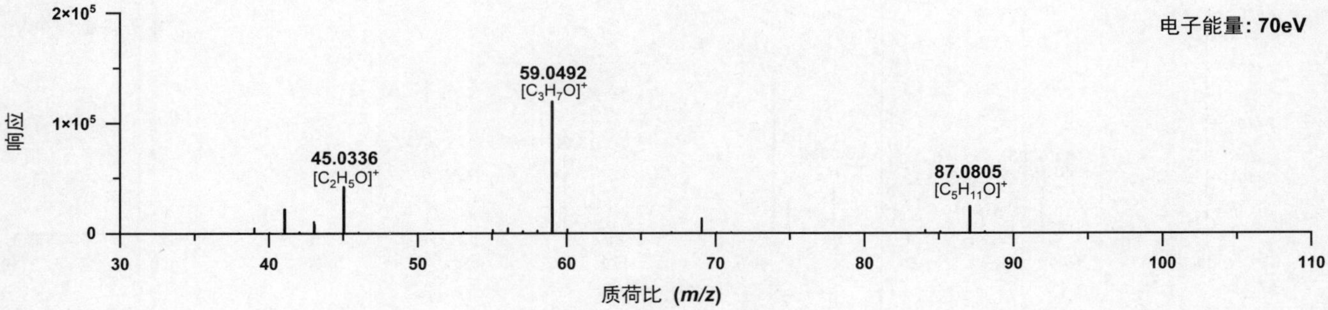

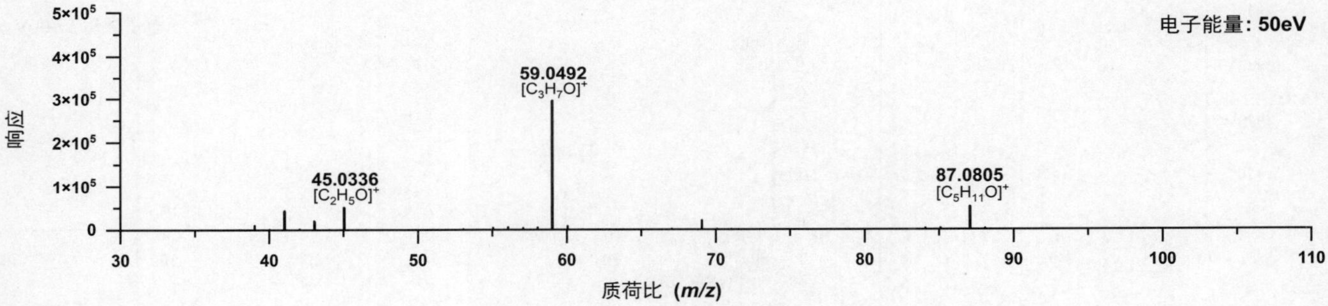

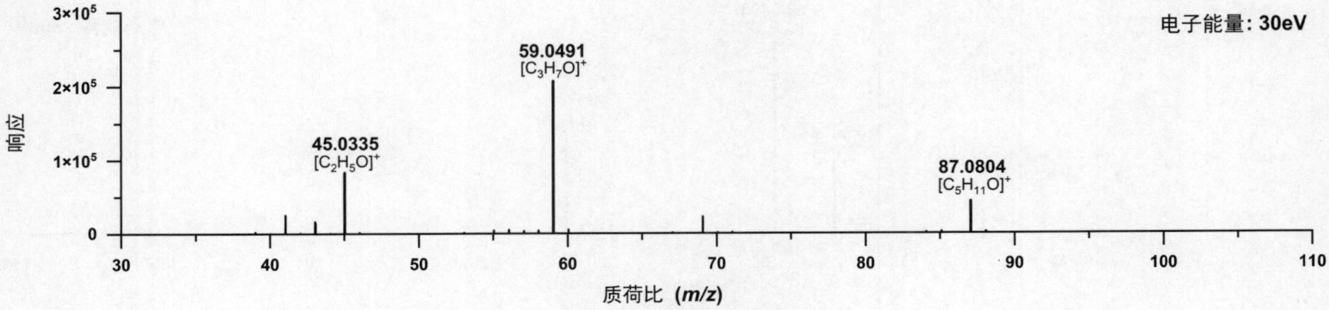

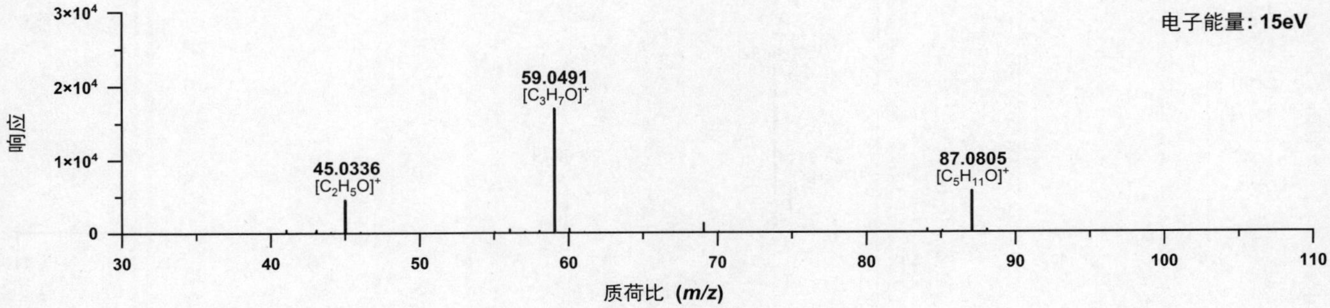

35 2-甲基-3-戊醇

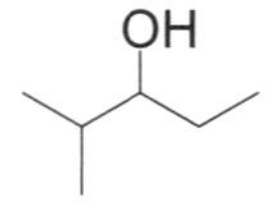

基本信息

CAS 登录号	565-67-3	分子式	$C_6H_{14}O$	分子量	102.1045
保留指数（极性）	1157	保留指数（非极性）	760	香气描述	花香，水果，绿色植物的气味

质谱图

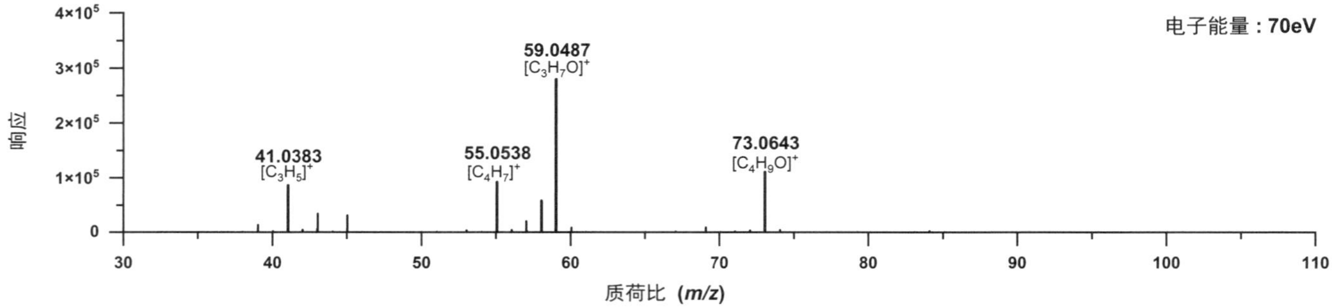

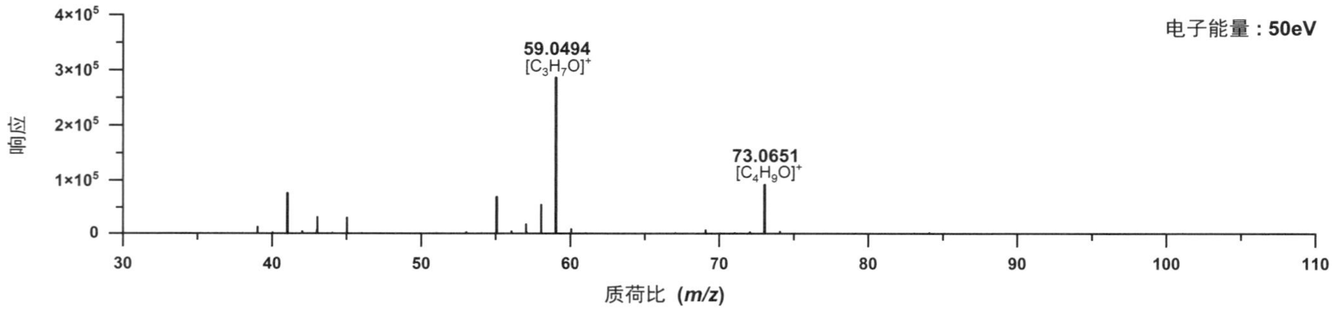

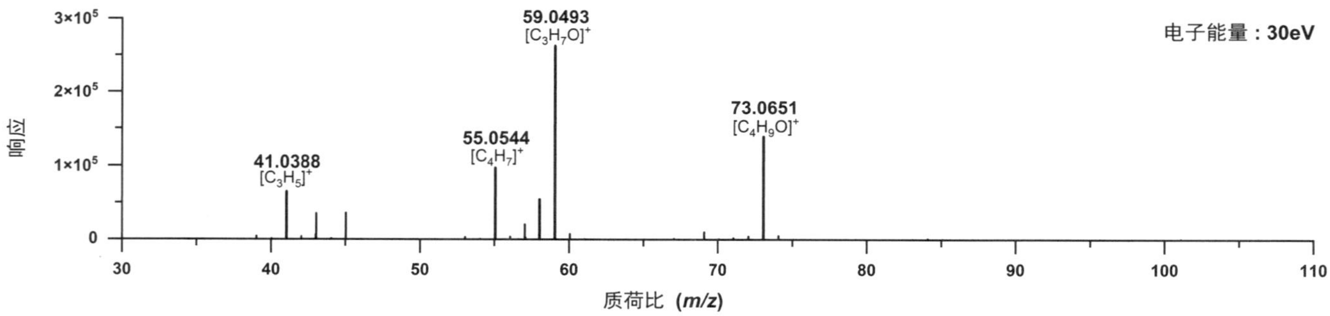

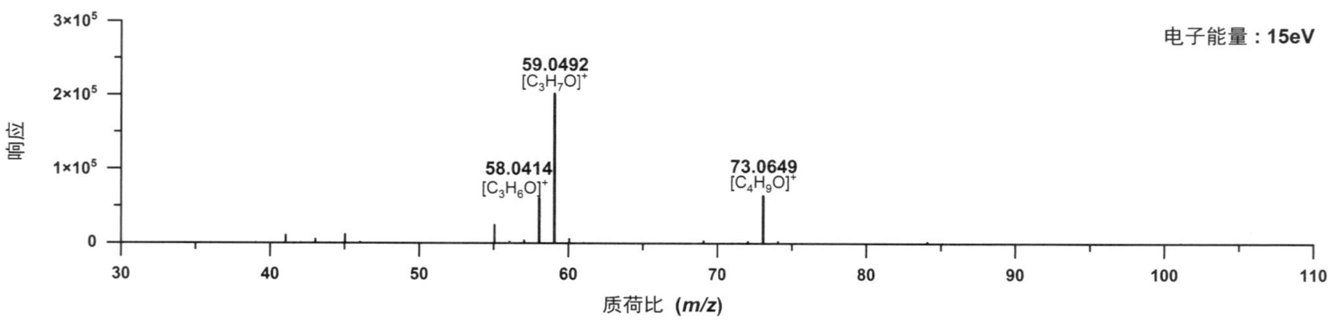

36

3-甲基戊醇

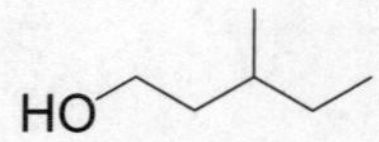

基本信息

CAS 登录号	589-35-5	分子式	$C_6H_{14}O$	分子量	102.1044
保留指数（极性）	1331	保留指数（非极性）	831	香气描述	花香，甜香，水果香

质谱图

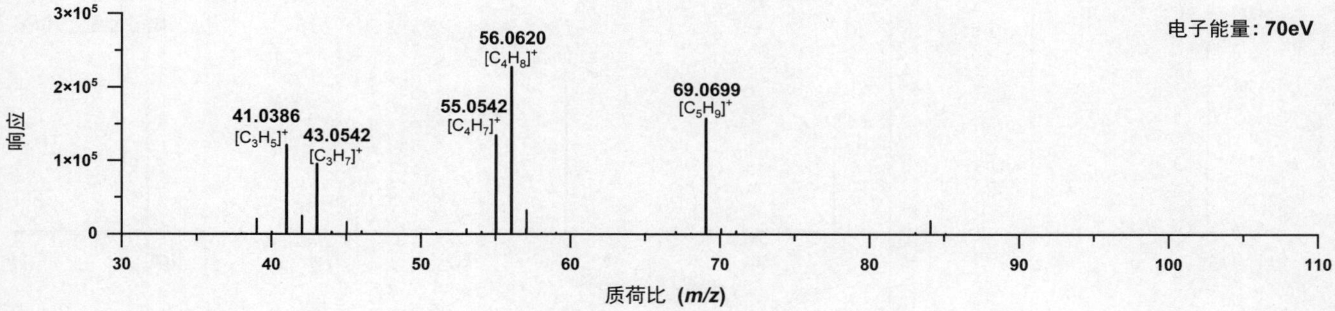

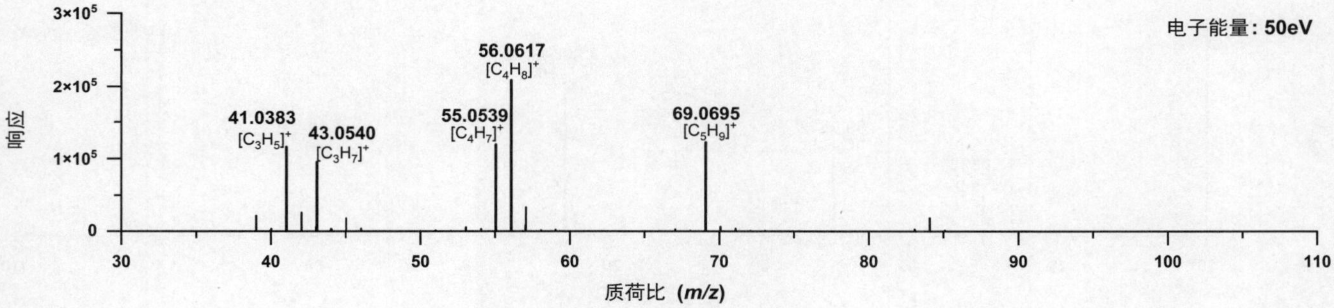

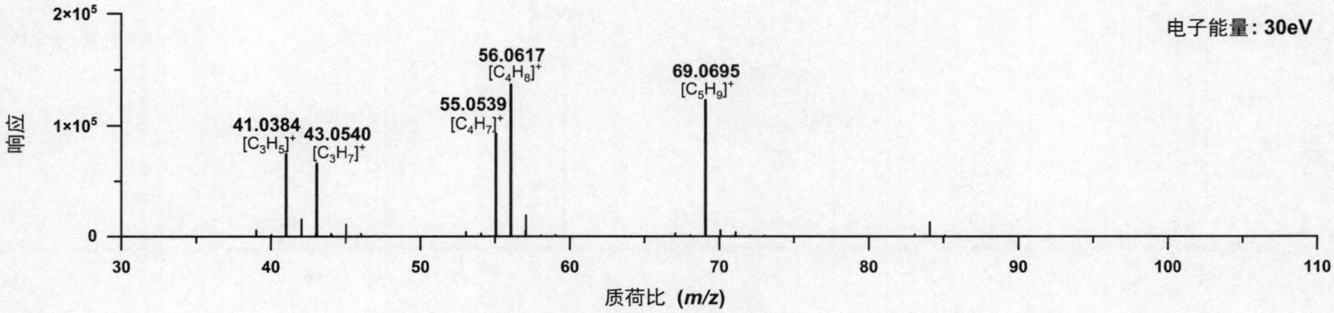

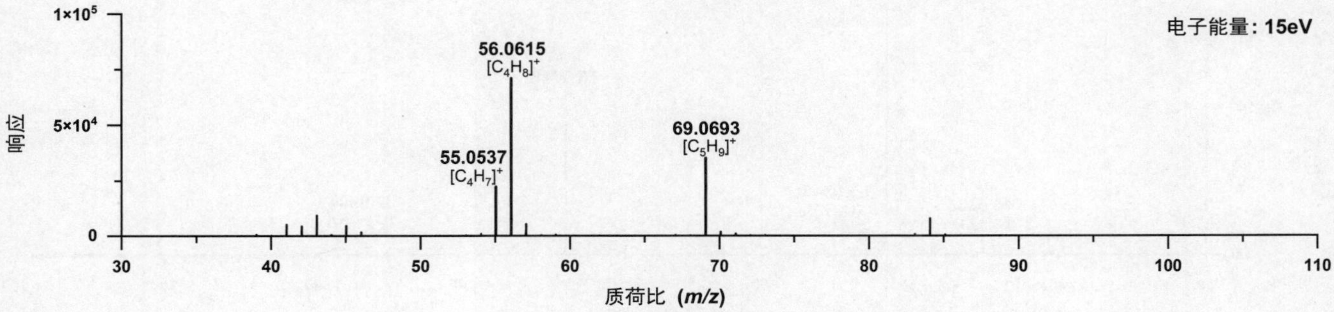

37

3-甲基-3-戊醇

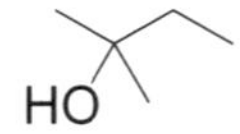

基本信息

CAS 登录号	77-74-7	分子式	$C_6H_{14}O$	分子量	102.1045
保留指数（极性）	1116	保留指数（非极性）	737	香气描述	花香，甜香，水果香

质谱图

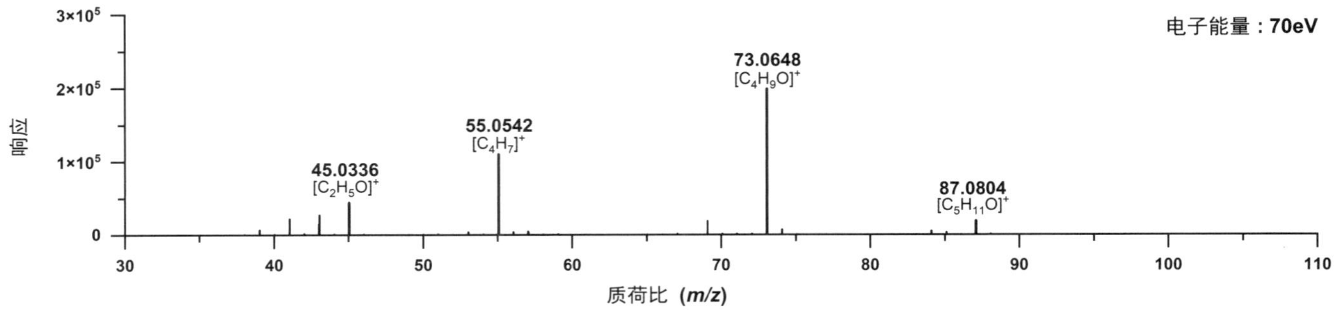

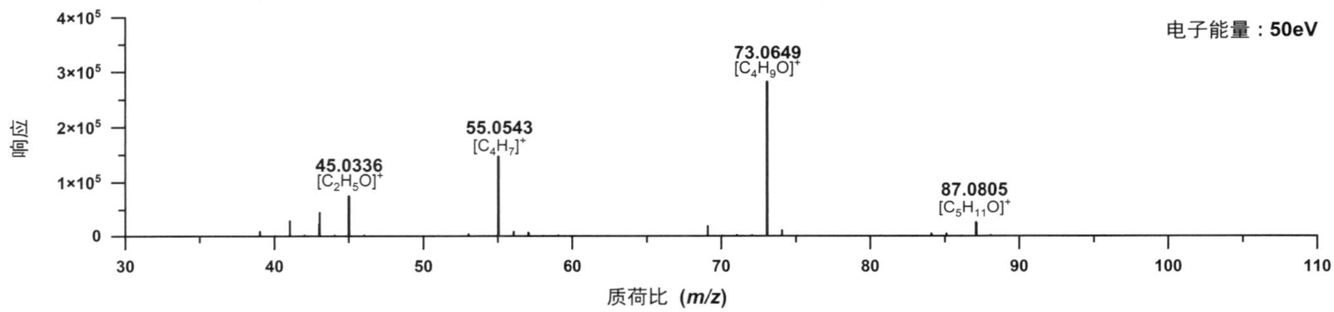

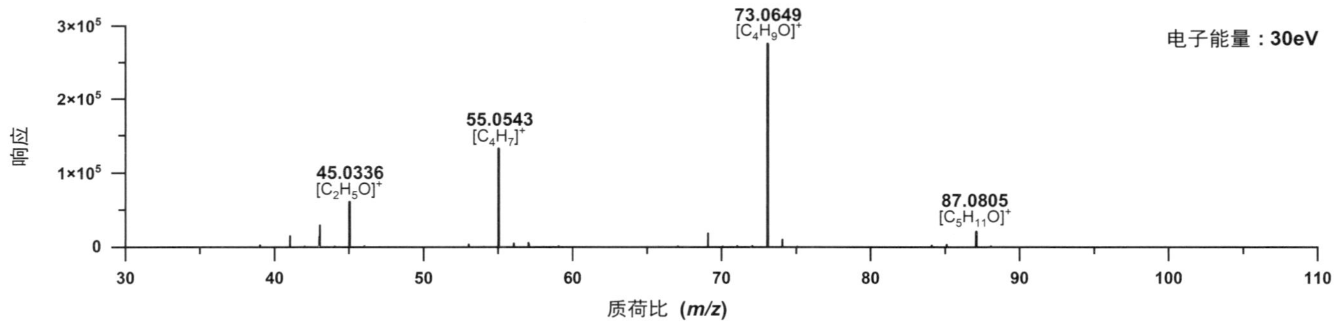

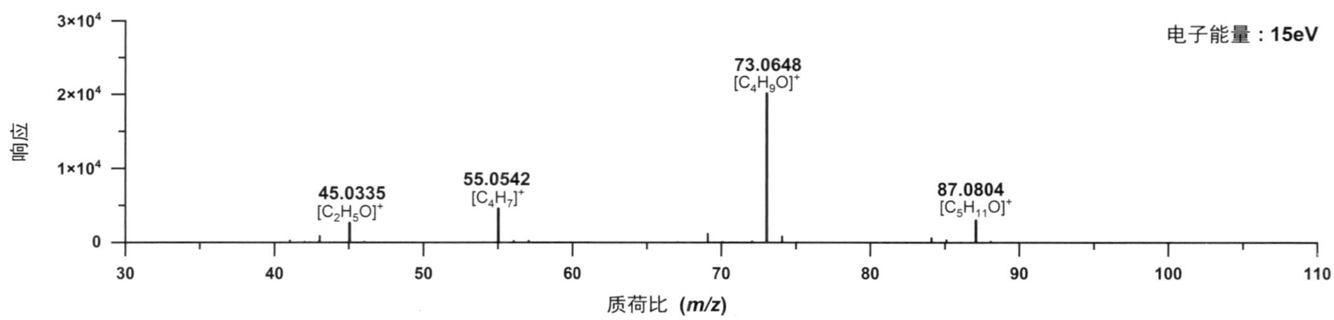

38 4-甲基戊醇

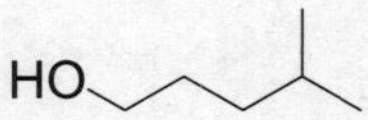

基本信息

CAS 登录号	626-89-1	分子式	$C_6H_{14}O$	分子量	102.1045
保留指数（极性）	1317	保留指数（非极性）	823	香气描述	水果香，类似溶剂的气味，甜香

质谱图

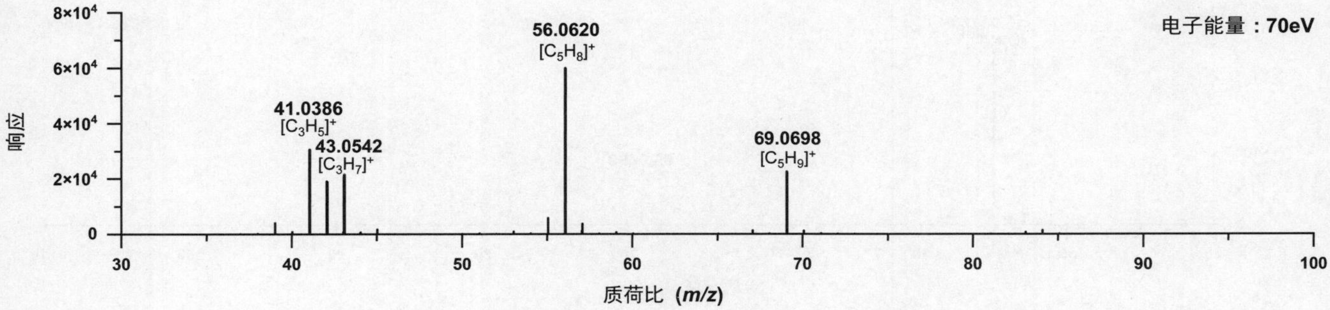

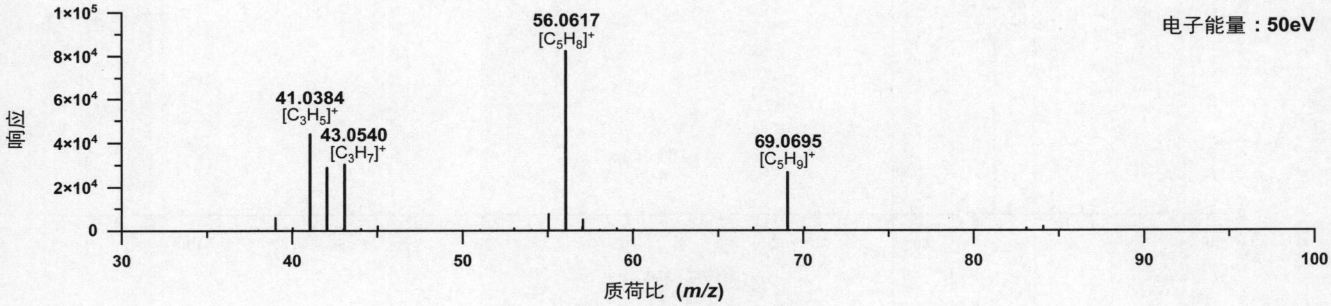

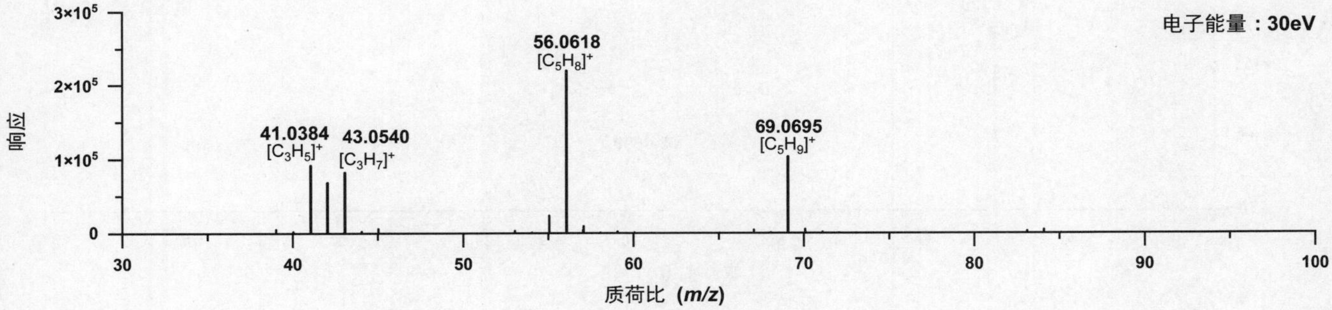

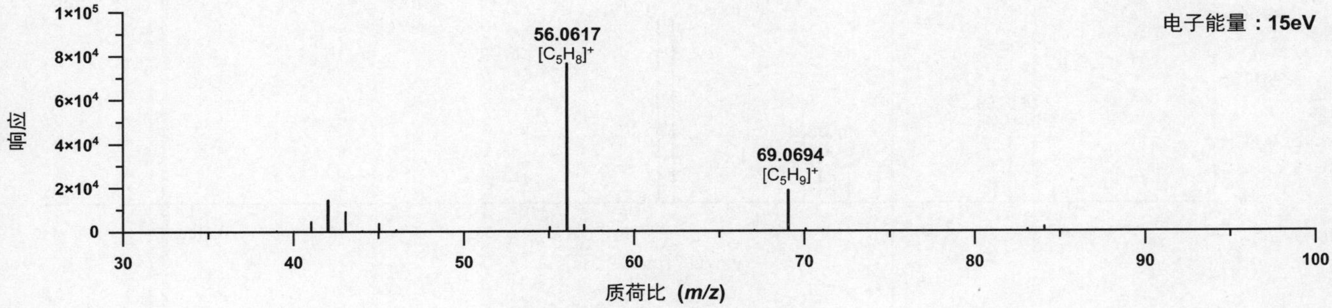

39 4-甲基-2-戊醇

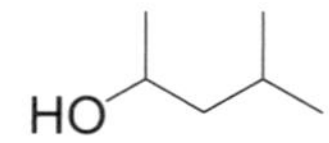

基本信息

CAS 登录号	108-11-2	分子式	$C_6H_{14}O$	分子量	102.1045
保留指数（极性）	1166	保留指数（非极性）	745	香气描述	水果香，甜香，类似梨的香气

质谱图

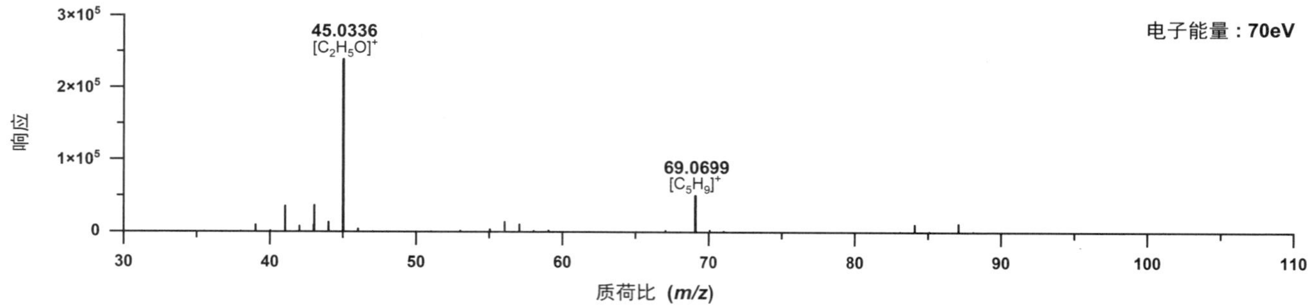

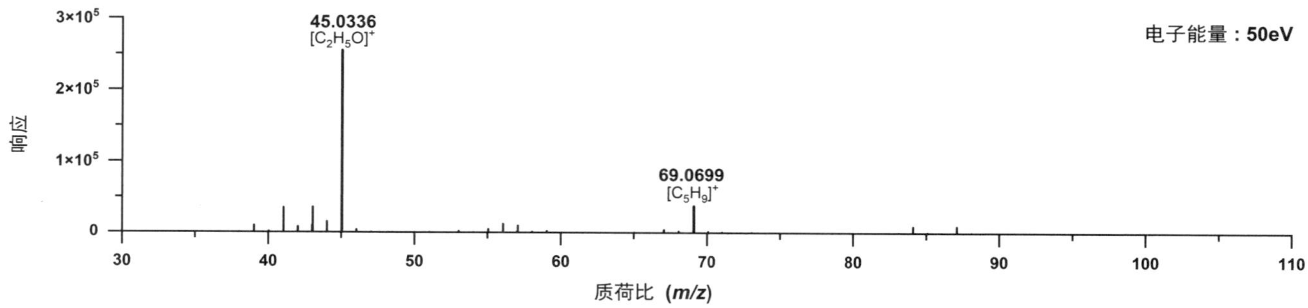

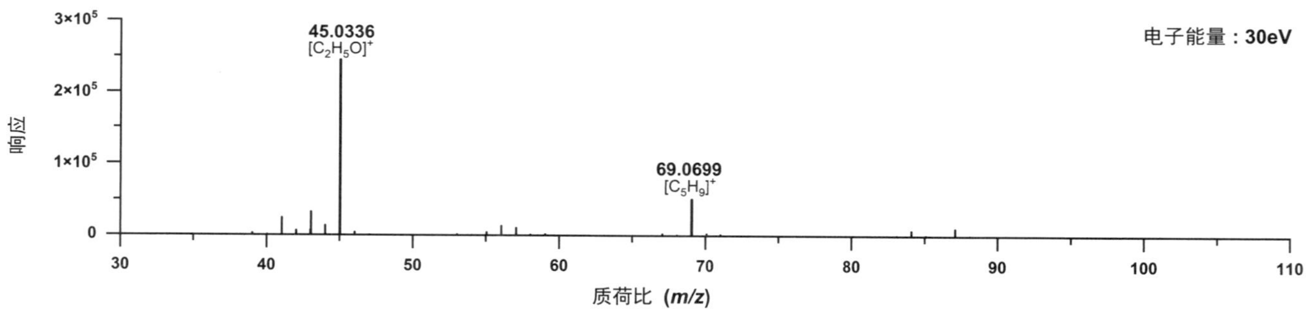

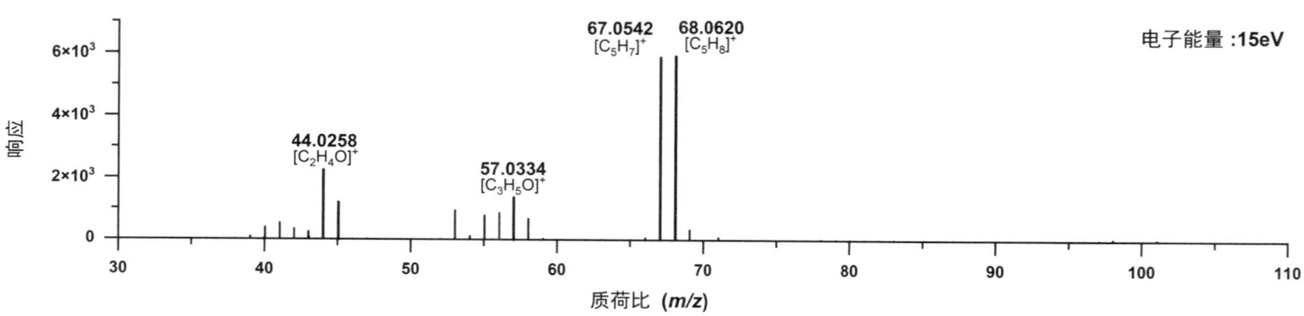

40 5-甲基-2-己醇

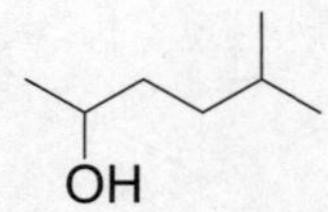

基本信息

CAS 登录号	627-59-8	分子式	$C_7H_{16}O$	分子量	116.1201
保留指数（极性）	1278	保留指数（非极性）	853	香气描述	花香，甜香，类似绿色植物的香气

质谱图

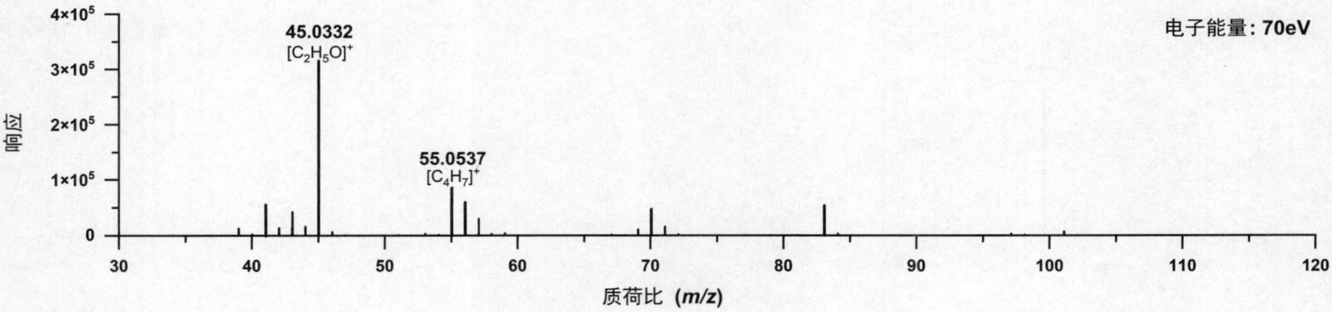

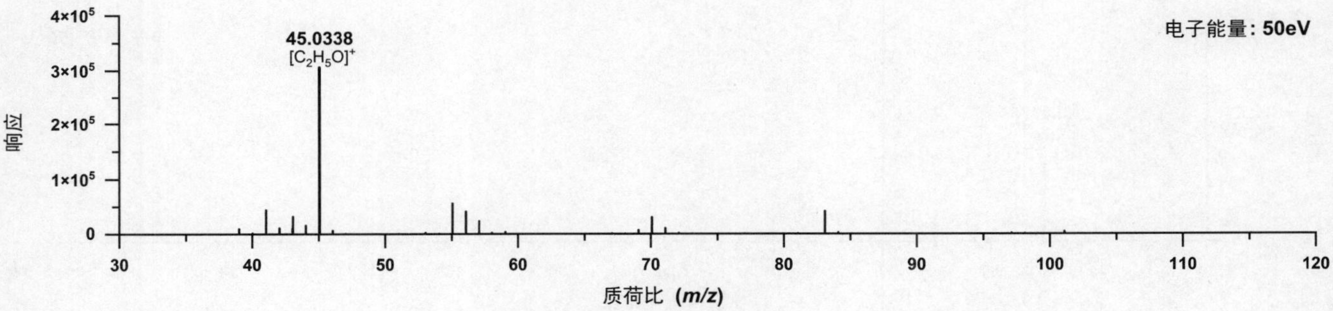

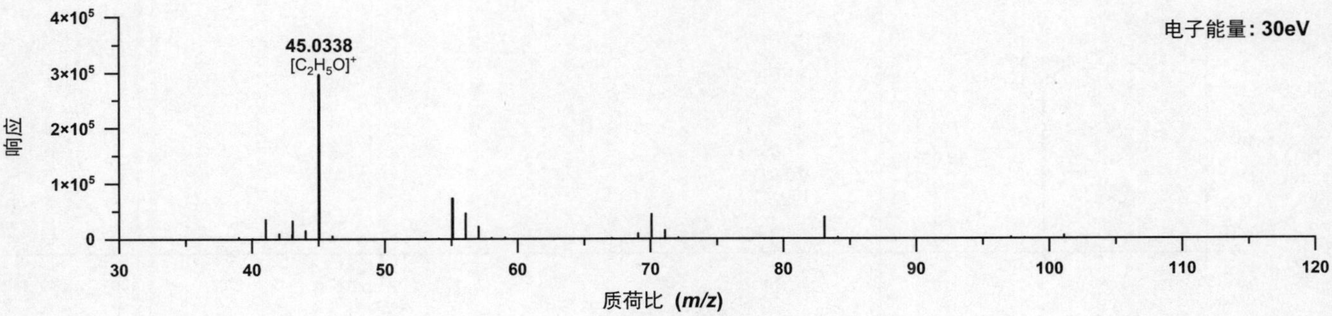

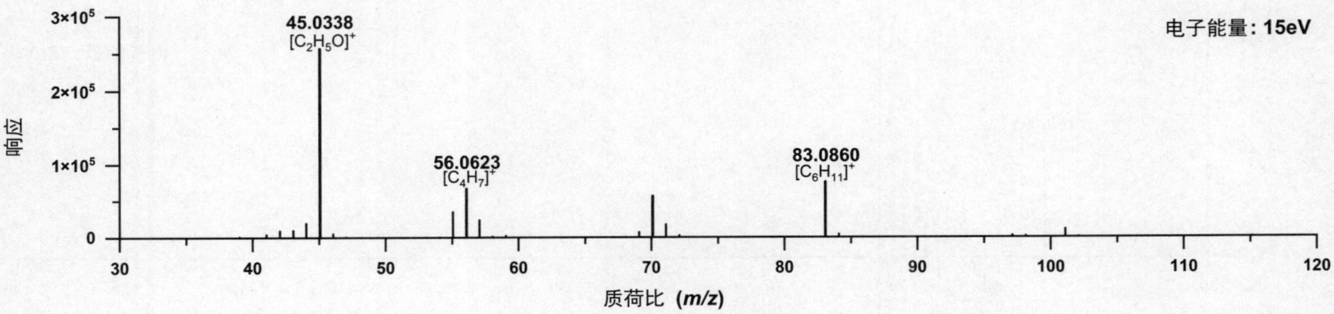

41 5-甲基-2-庚醇

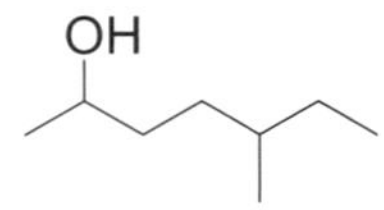

基本信息

CAS 登录号	54630-50-1	分子式	$C_8H_{18}O$	分子量	130.1358
保留指数（极性）	1390	保留指数（非极性）	959	香气描述	花香，甜香，水果香

质谱图

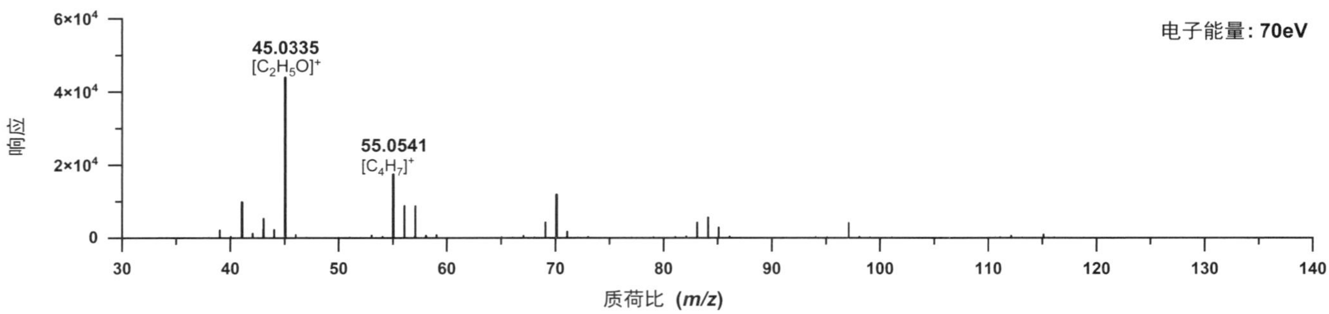

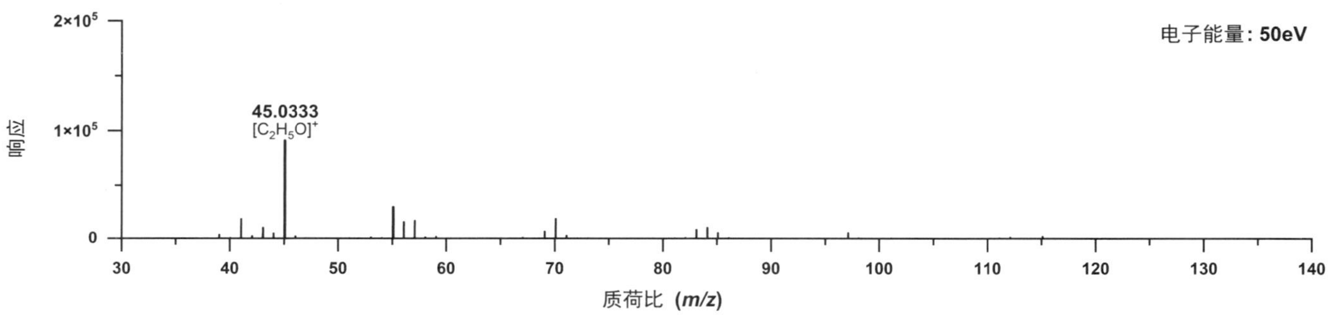

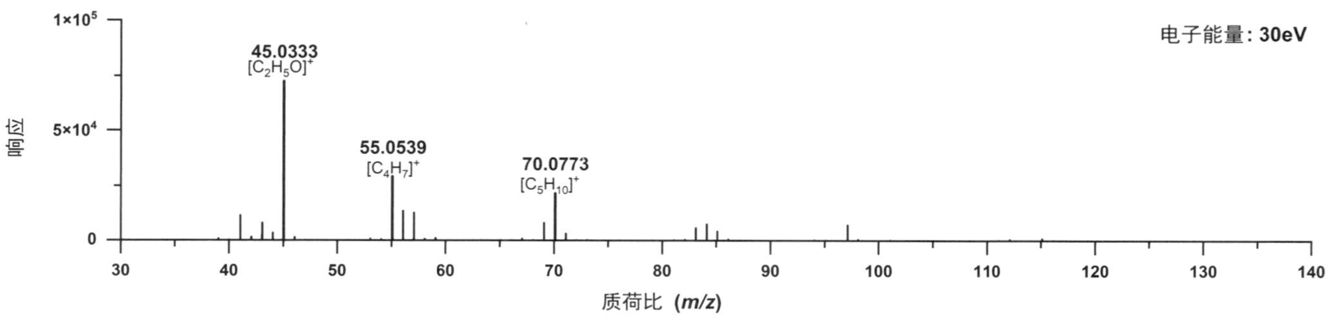

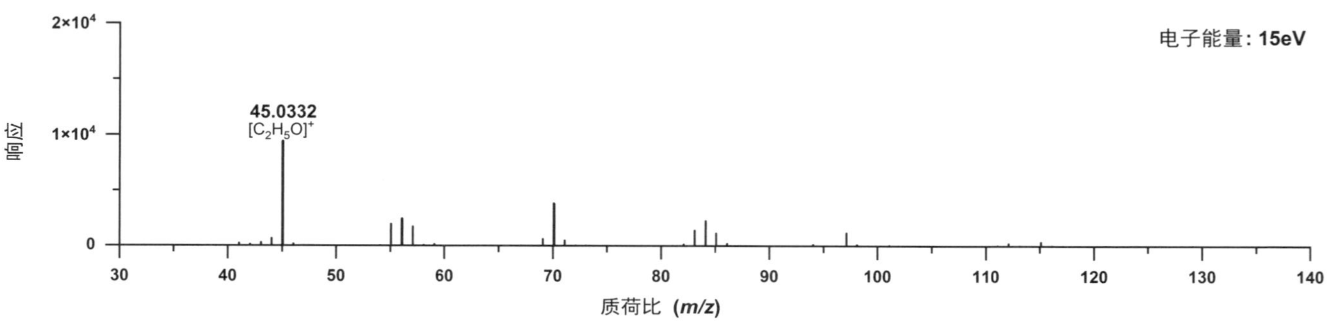

42 6-甲基-2-庚醇

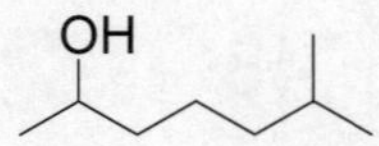

基本信息

CAS 登录号	4730-22-7	分子式	$C_8H_{18}O$	分子量	130.1358
保留指数（极性）	1374	保留指数（非极性）	950	香气描述	花香，甜香，水果香

质谱图

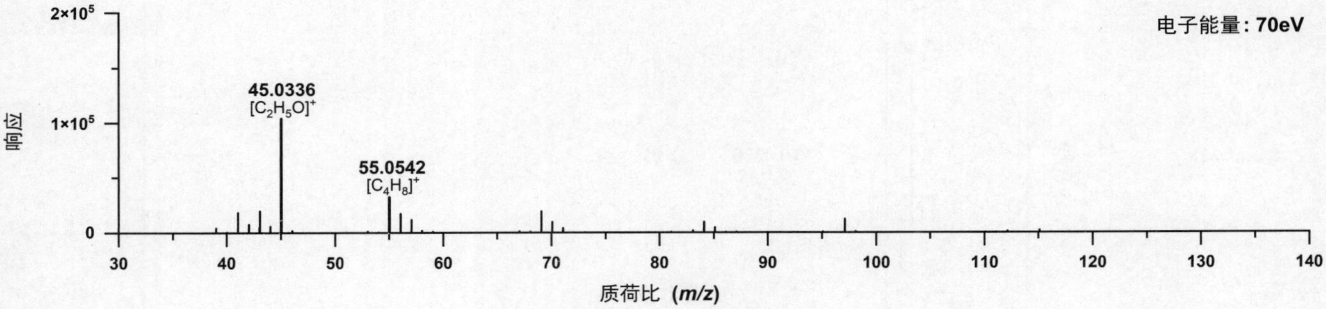

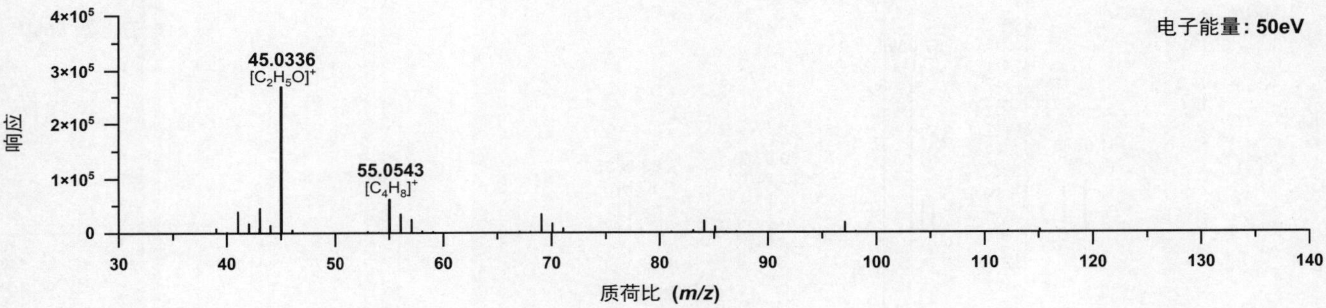

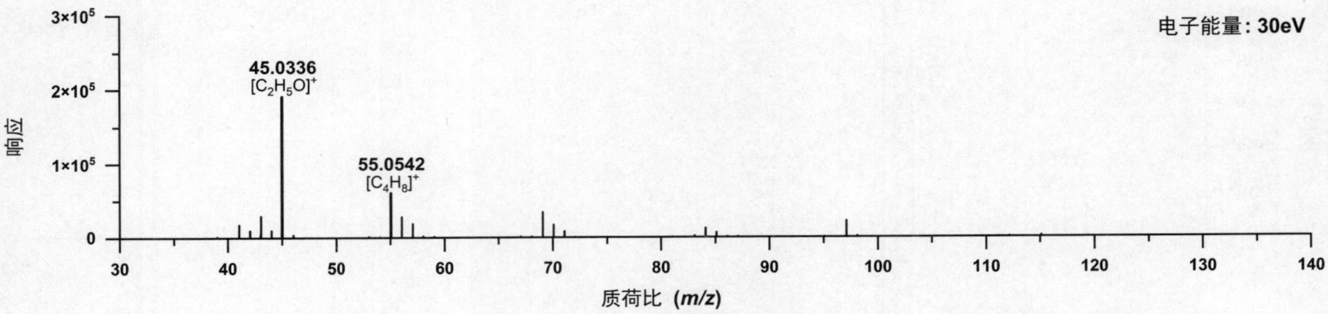

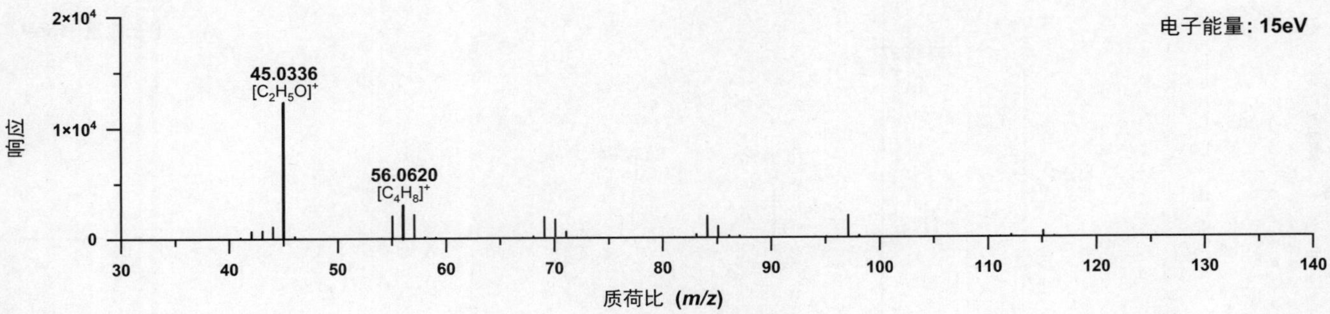

43

2-乙基己醇

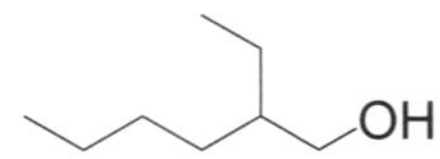

基本信息

CAS 登录号	104-76-7	分子式	$C_8H_{18}O$	分子量	130.1358
保留指数（极性）	1492	保留指数（非极性）	1013	香气描述	花香，甜香，水果香

质谱图

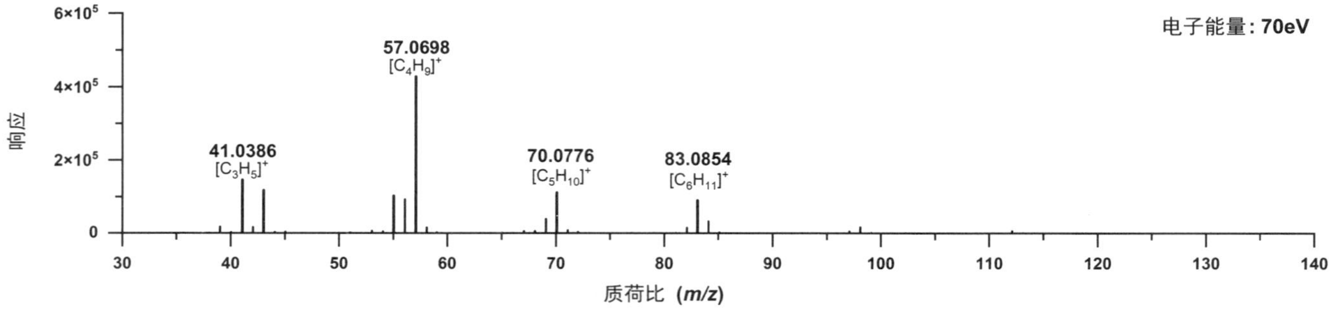

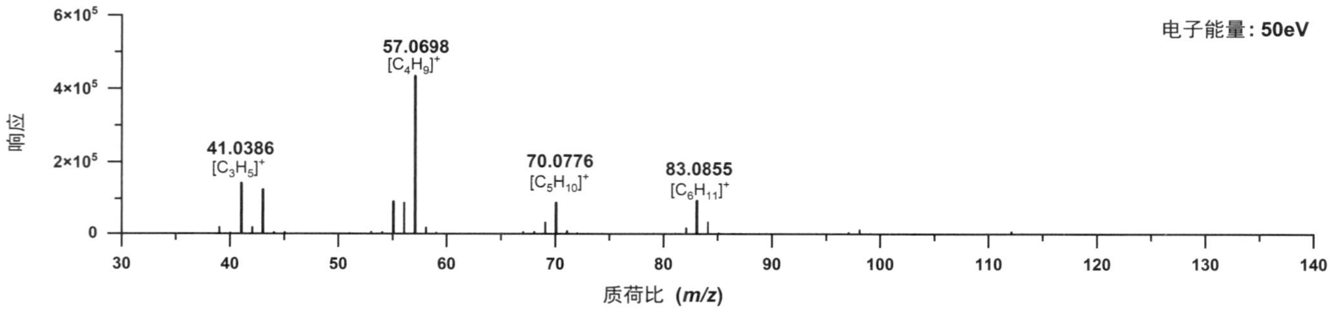

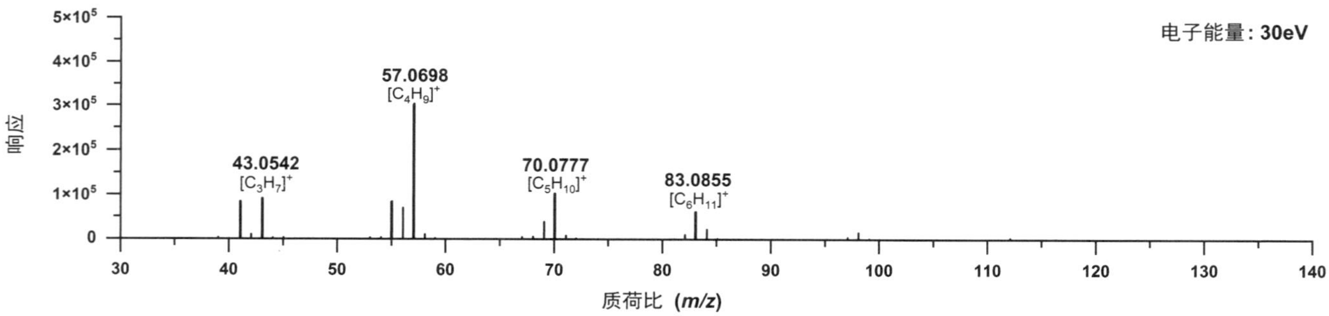

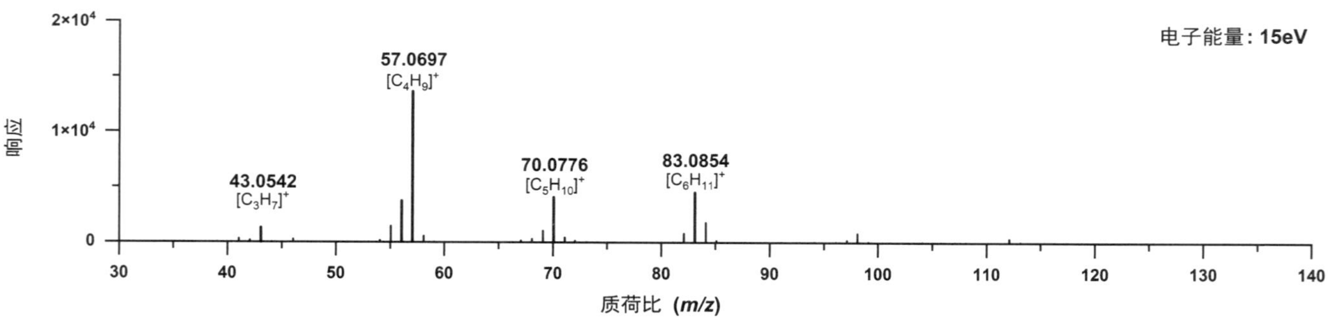

44 2-甲基-2-丙烯-1-醇

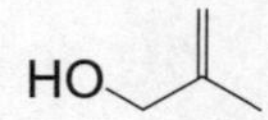

基本信息

CAS 登录号	513-42-8	分子式	C_4H_8O	分子量	72.0570
保留指数（极性）	1205	保留指数（非极性）	640	香气描述	甜香，水果香，醇香

质谱图

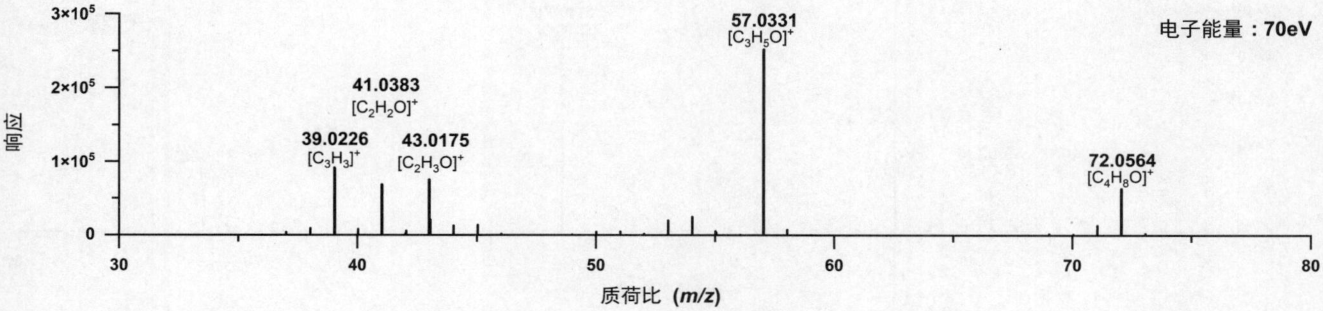

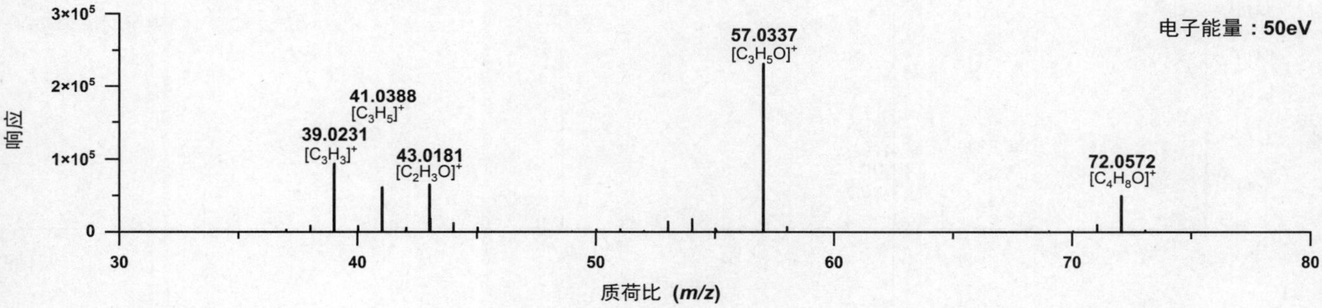

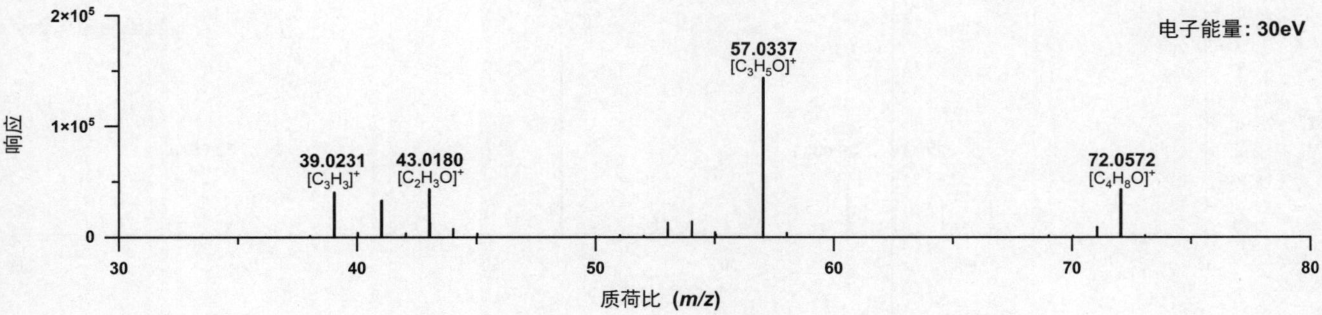

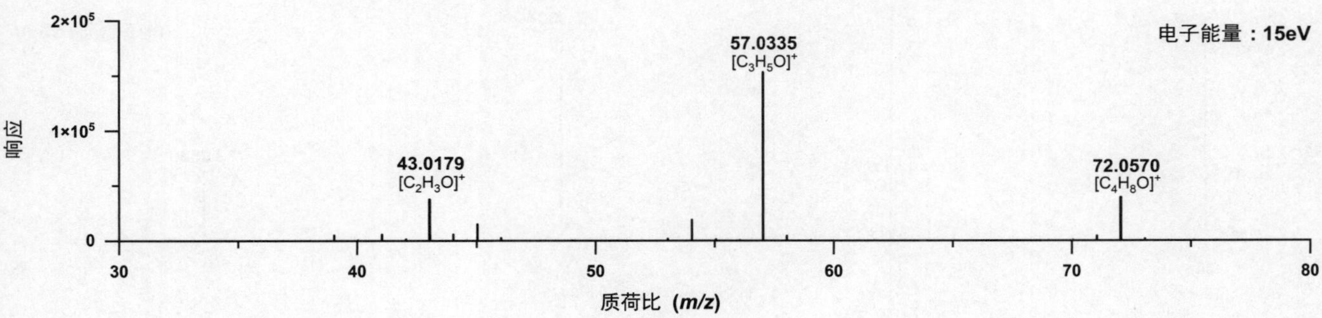

45 2-丁烯-1-醇

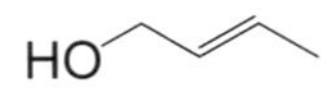

基本信息

CAS 登录号	6117-91-5	分子式	C_4H_8O	分子量	72.0570
保留指数（极性）	1219	保留指数（非极性）	657	香气描述	花香，甜香，水果香

质谱图

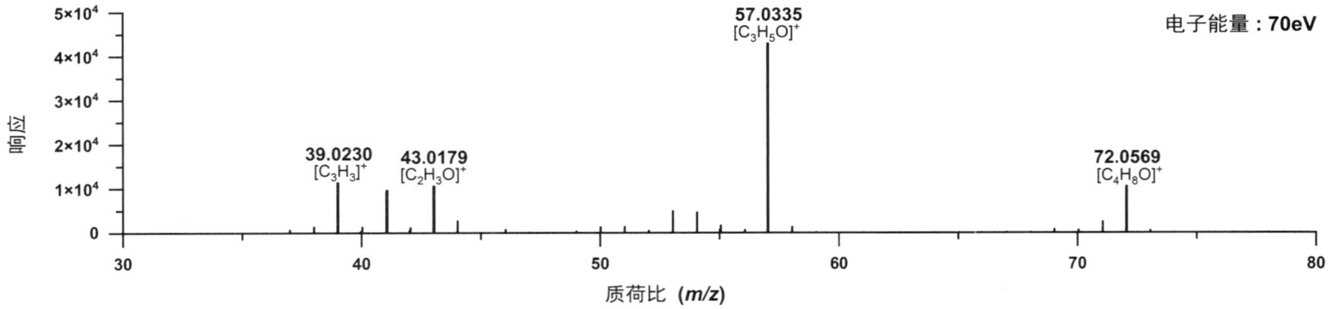

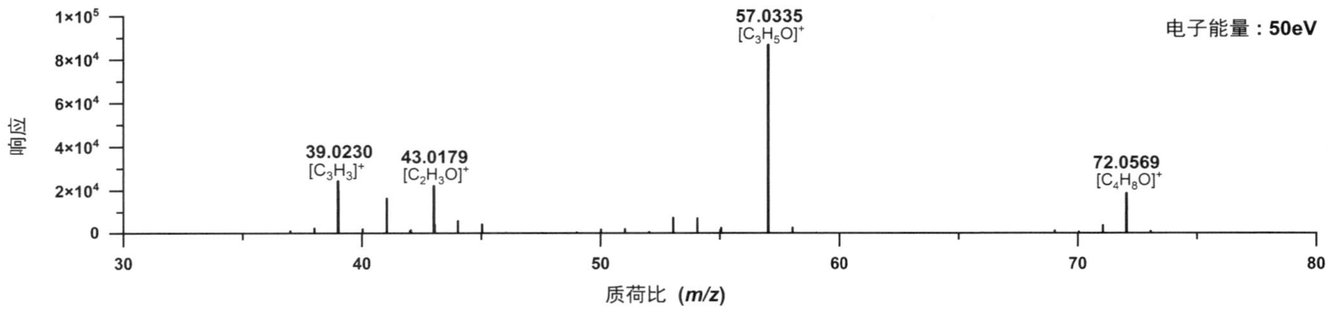

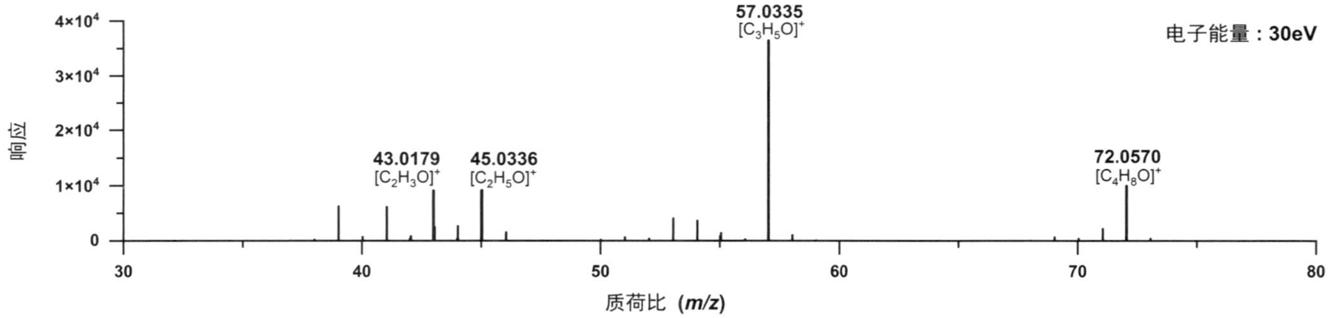

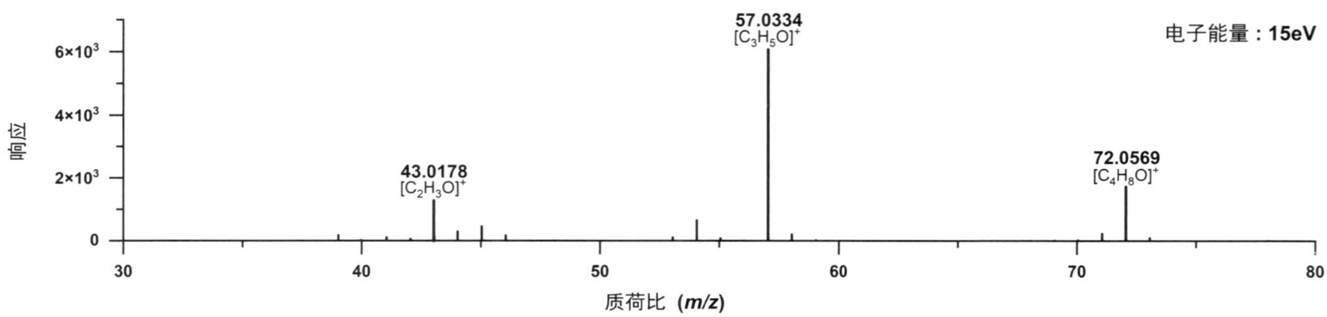

46 3-丁烯-2-醇

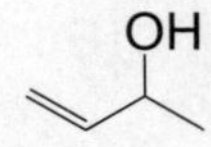

基本信息

CAS 登录号	598-32-3	分子式	C_4H_8O	分子量	72.0570
保留指数（极性）	1072	保留指数（非极性）	588	香气描述	水果香，类似绿色植物的气味，类似溶剂的气味

质谱图

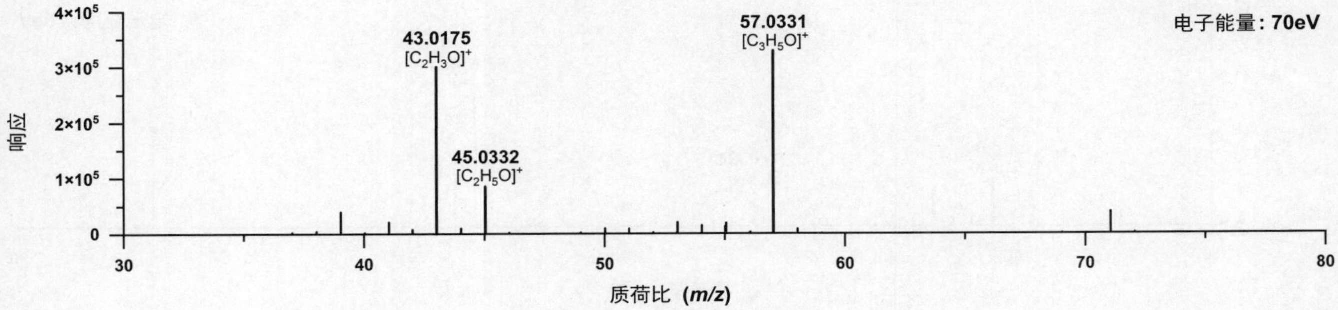

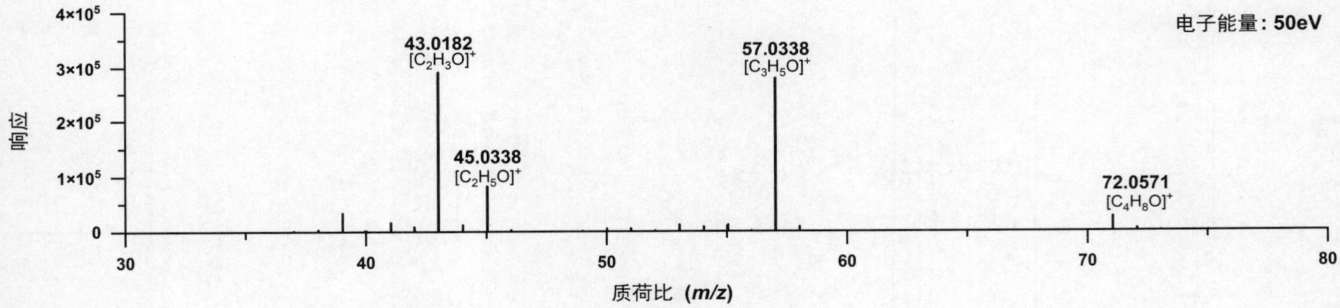

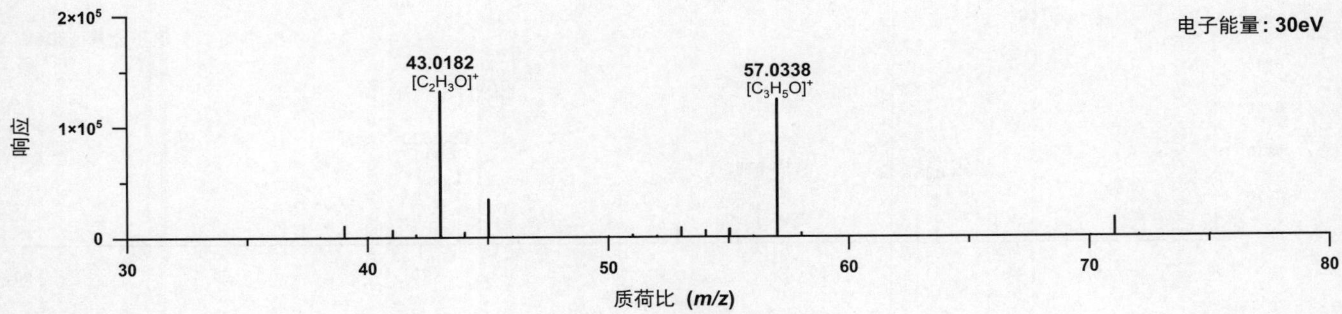

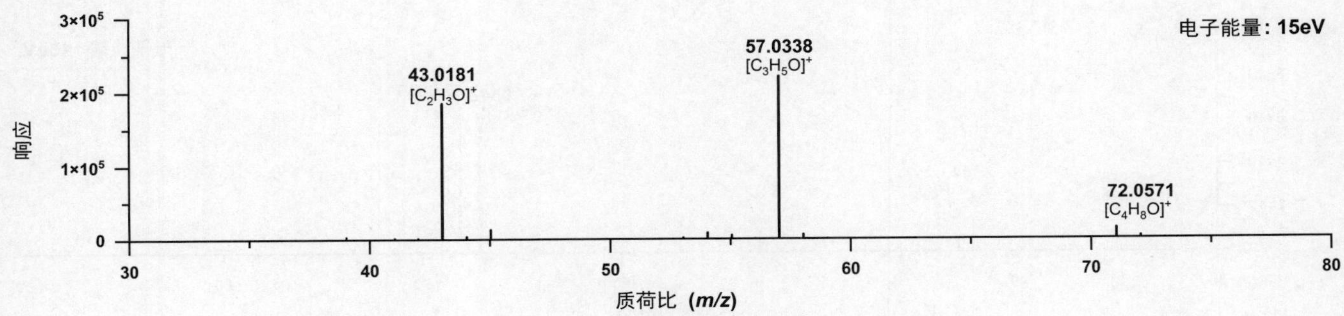

47 4-戊烯-1-醇

基本信息

CAS 登录号	821-09-0	分子式	$C_5H_{10}O$	分子量	86.0732
保留指数（极性）	1303	保留指数（非极性）	739	香气描述	水果香，甜香，橘子味

质谱图

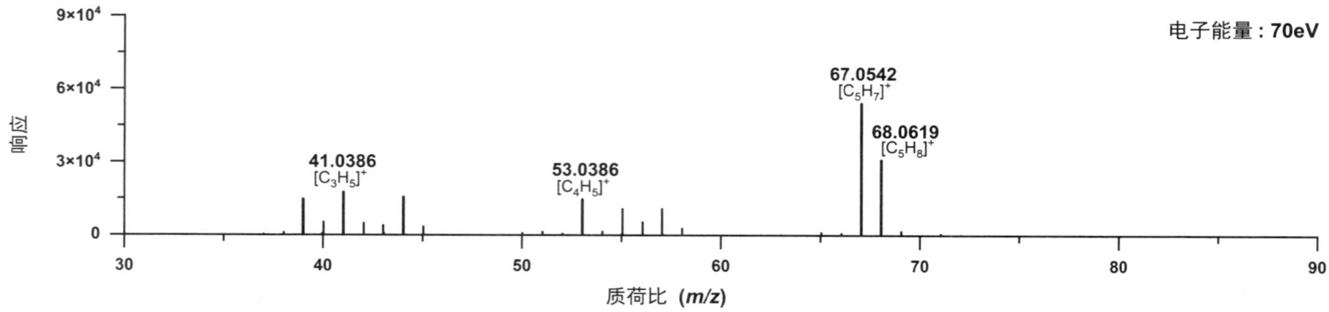

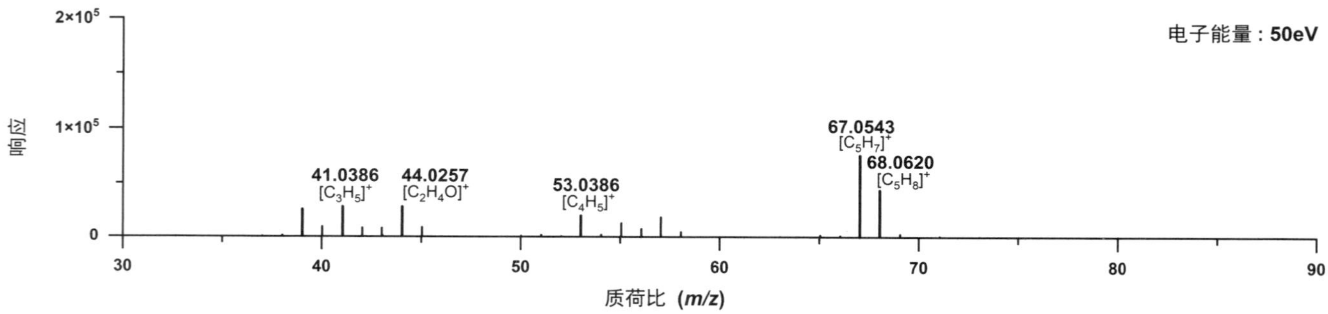

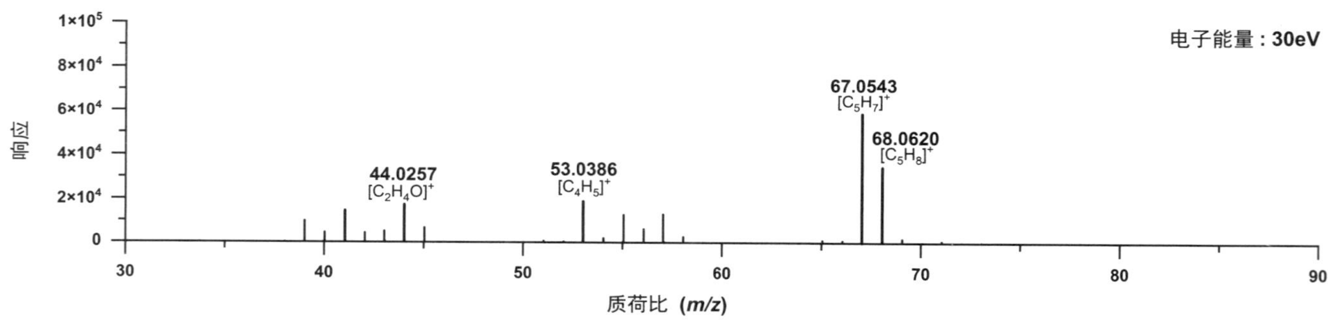

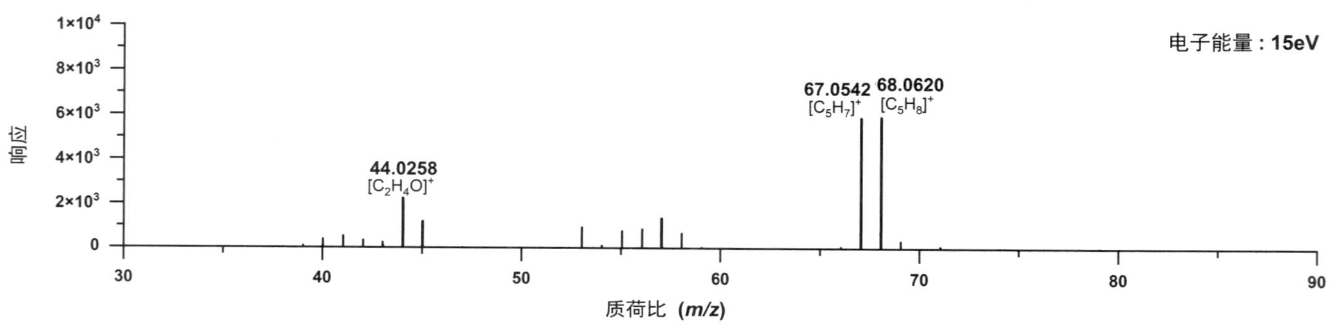

48 顺-2-戊烯-1-醇

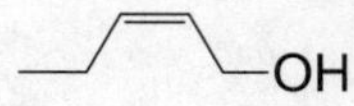

基本信息

CAS 登录号	1576-95-0	分子式	$C_5H_{10}O$	分子量	86.0726
保留指数（极性）	1322	保留指数（非极性）	755	香气描述	类似绿色植物的气味，青草香，甜香

质谱图

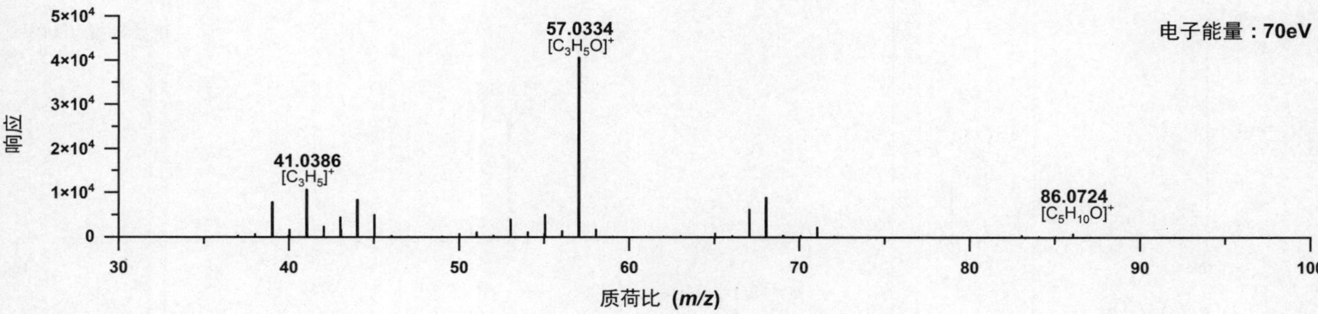

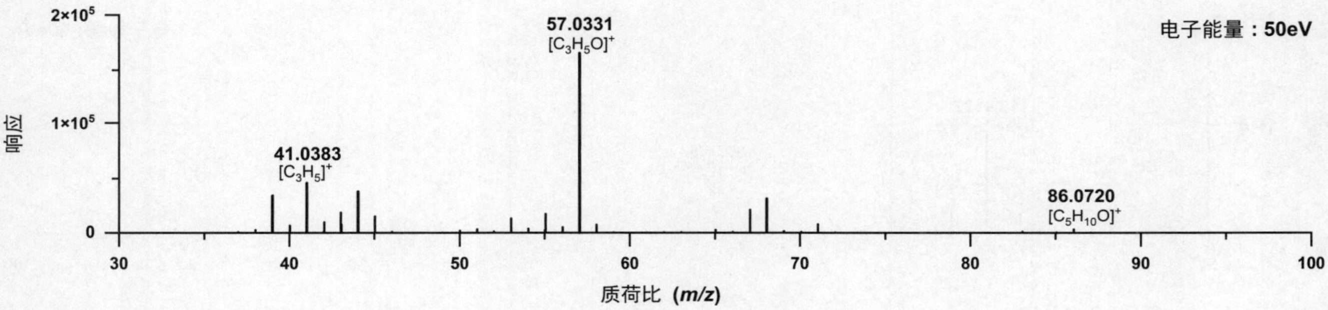

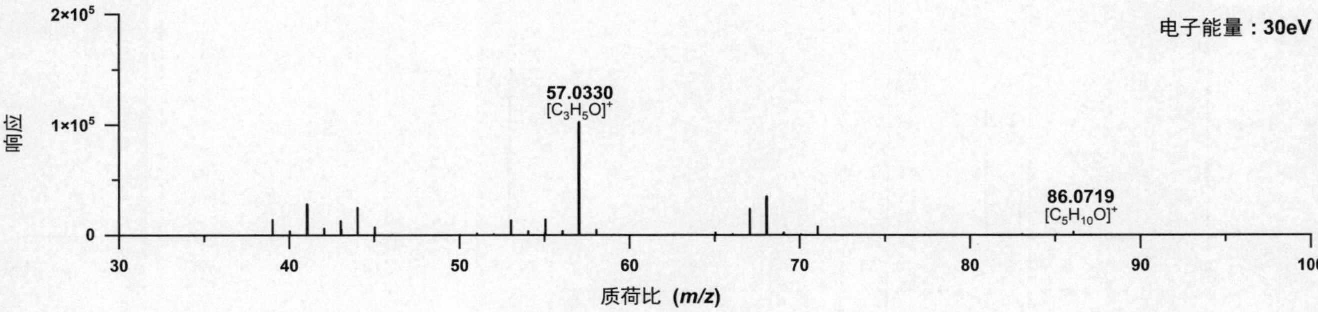

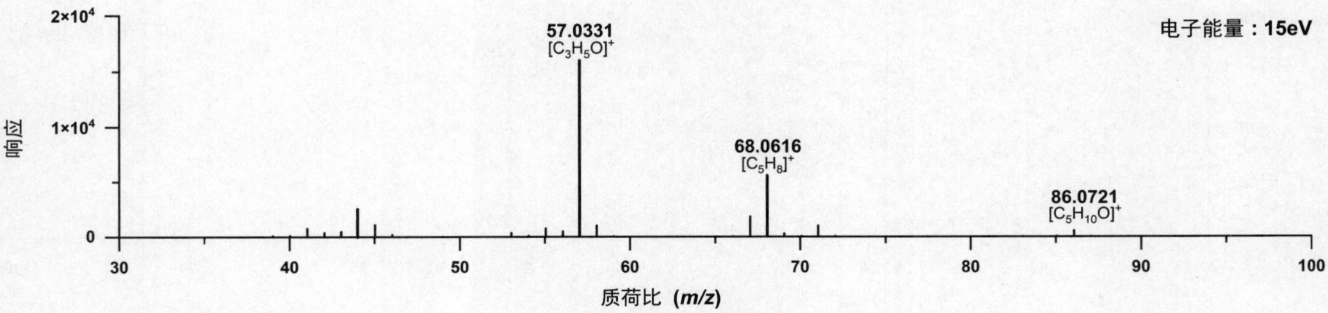

49 2-甲基-3-丁烯-2-醇

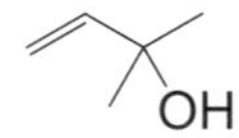

基本信息

CAS 登录号	115-18-4	分子式	$C_5H_{10}O$	分子量	86.0732
保留指数（极性）	1039	保留指数（非极性）	612	香气描述	水果香，甜香，类似绿色植物的气味

质谱图

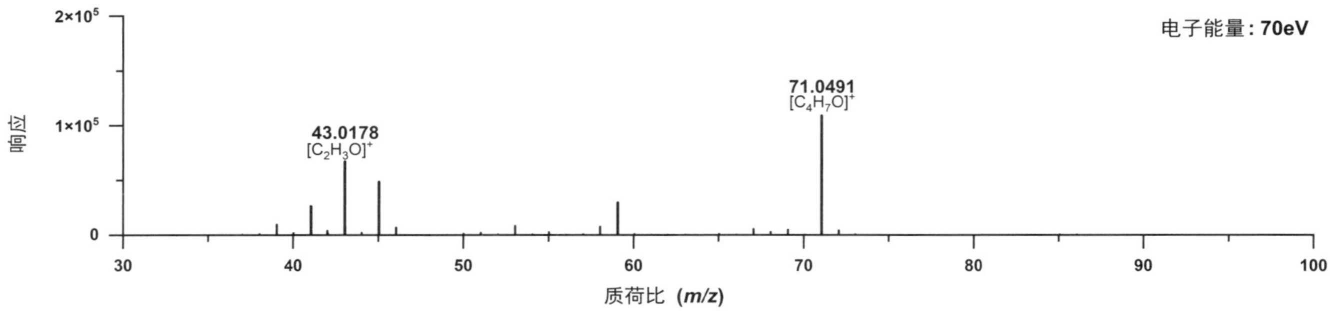

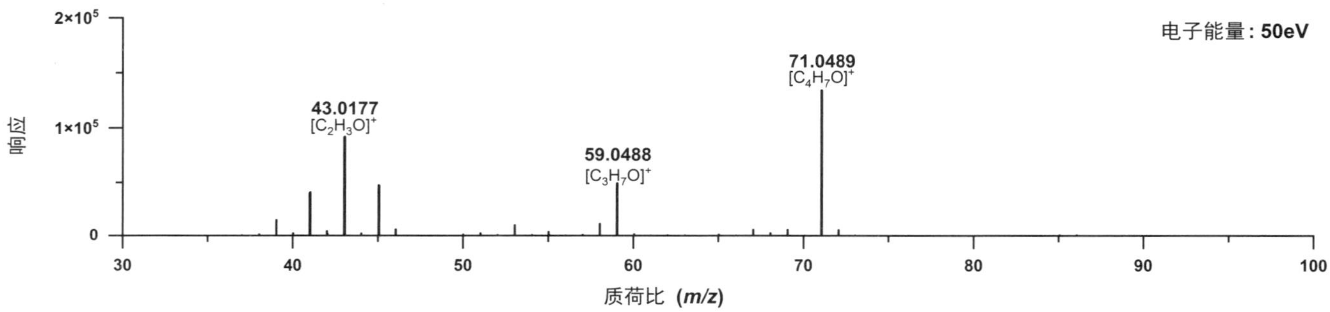

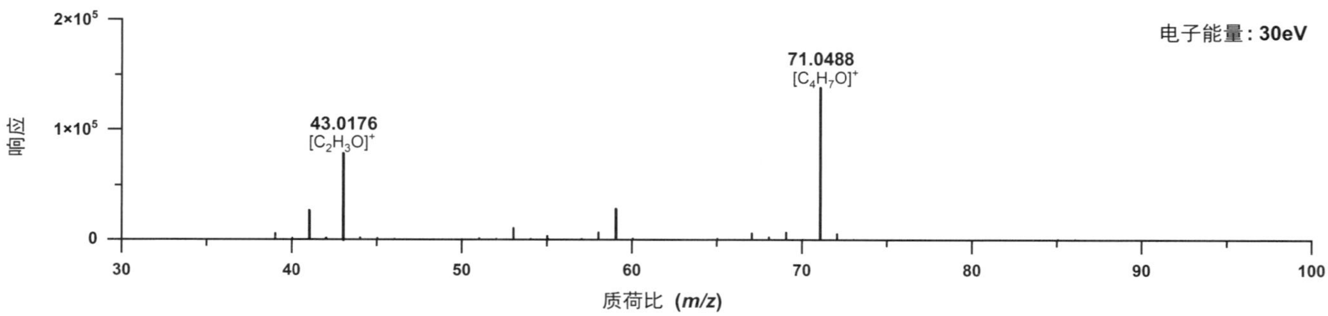

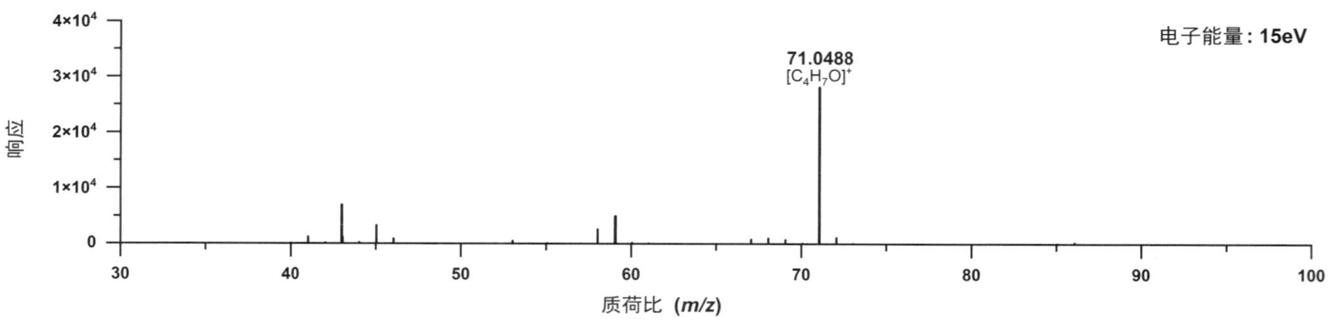

50 3-甲基-2-丁烯-1-醇

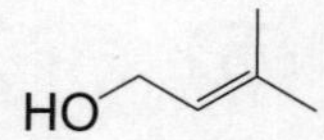

基本信息

CAS 登录号	556-82-1	分子式	$C_5H_{10}O$	分子量	86.0726
保留指数（极性）	1325	保留指数（非极性）	758	香气描述	花香，甜香，水果香

质谱图

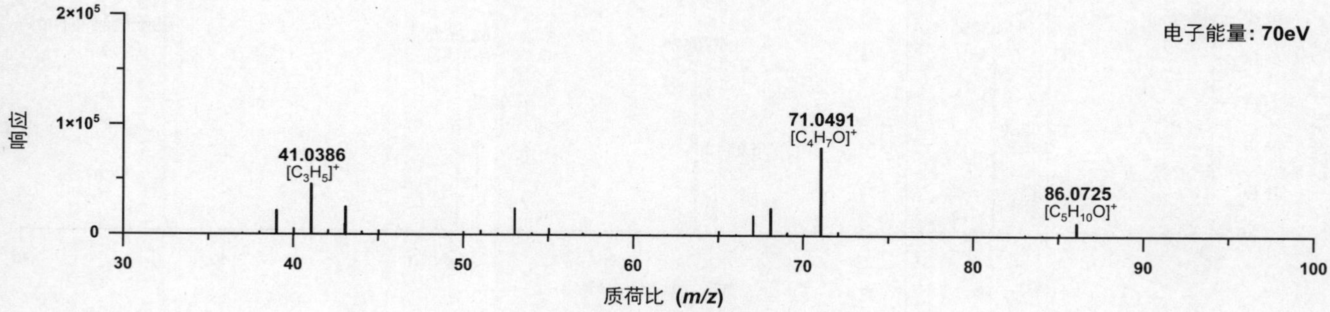

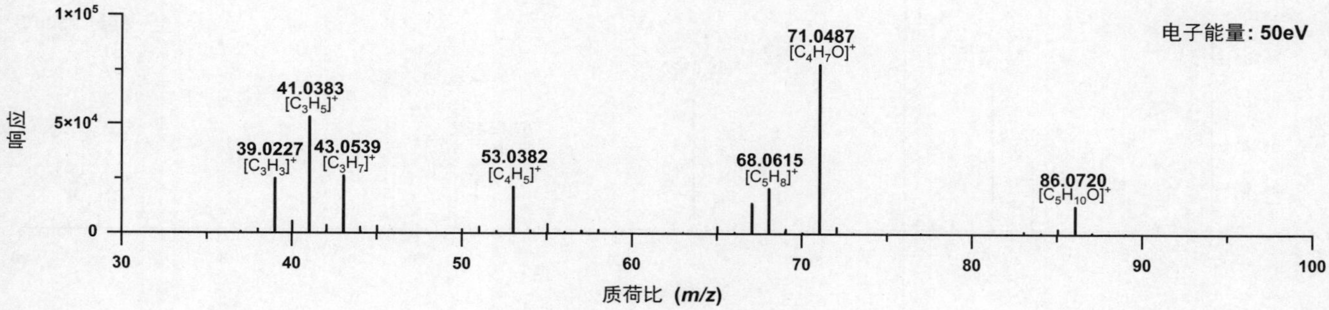

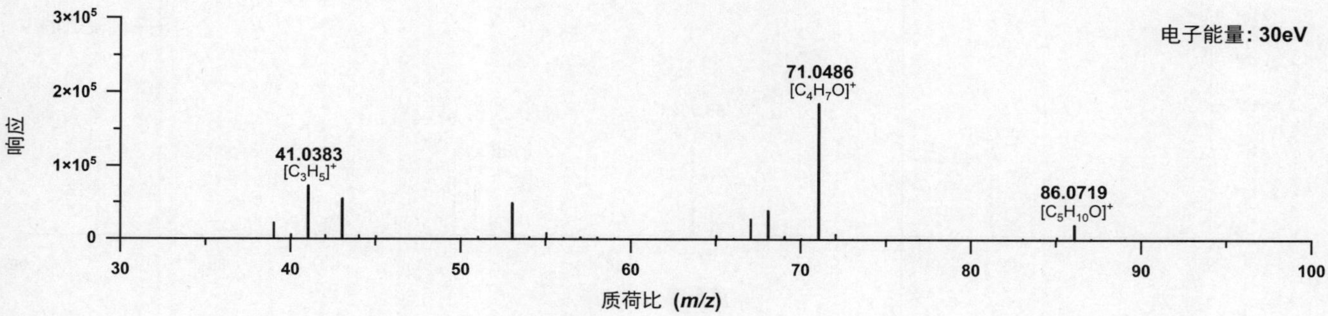

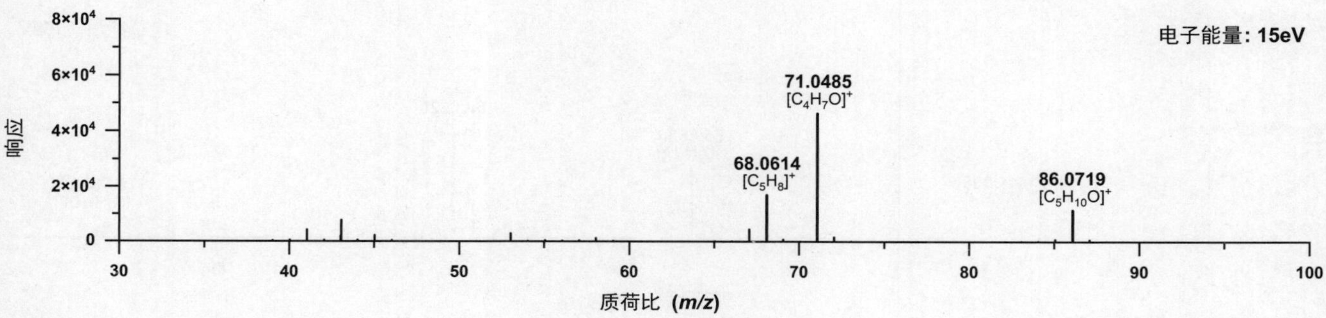

51 3-甲基-3-丁烯-1-醇

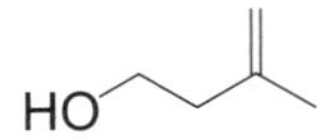

基本信息

CAS 登录号	763-32-6	分子式	$C_5H_{10}O$	分子量	86.0726
保留指数（极性）	1254	保留指数（非极性）	716	香气描述	花香，甜香，水果香

质谱图

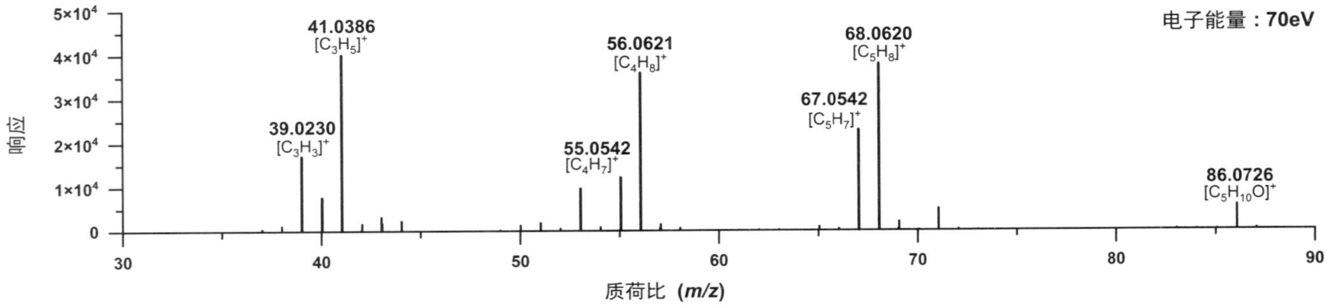

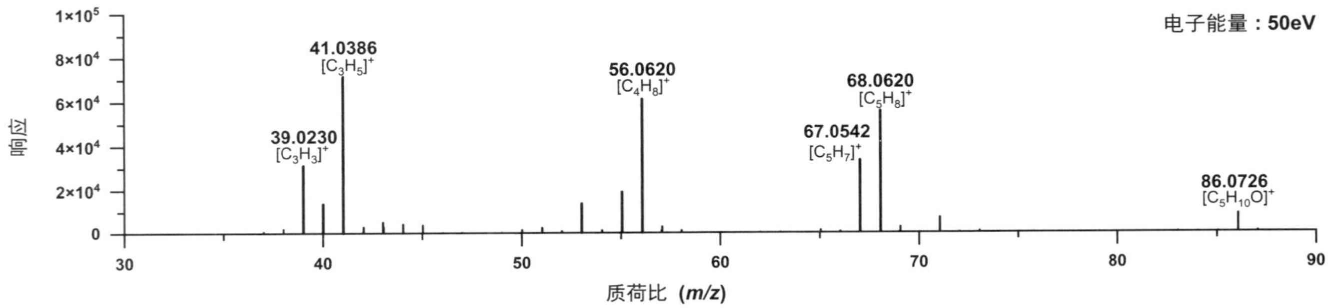

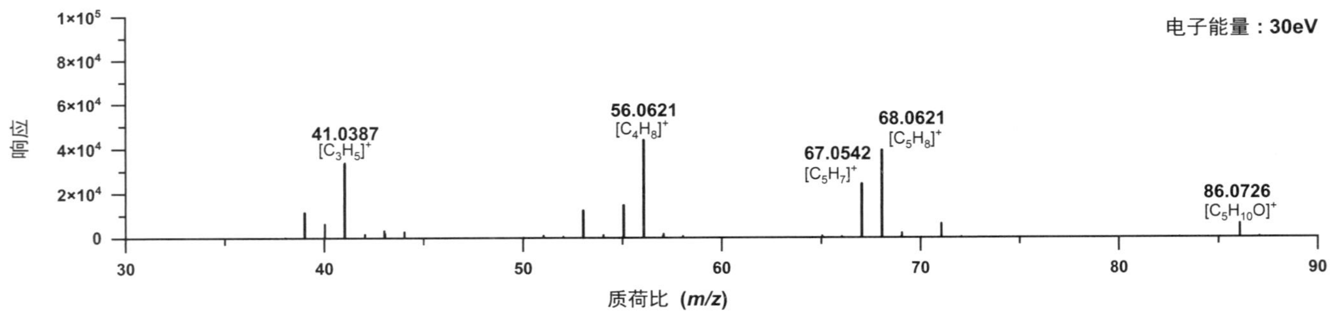

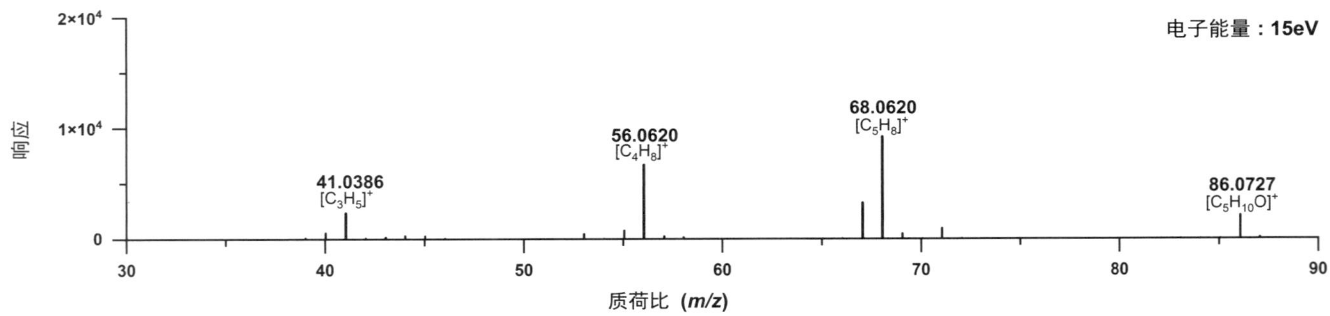

52 (*E*)-2-己烯-1-醇

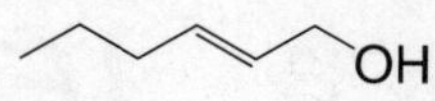

基本信息

CAS 登录号	928-95-0	分子式	$C_6H_{12}O$	分子量	100.0883
保留指数（极性）	1410	保留指数（非极性）	851	香气描述	类似绿色植物的气味，青草香，甜香

质谱图

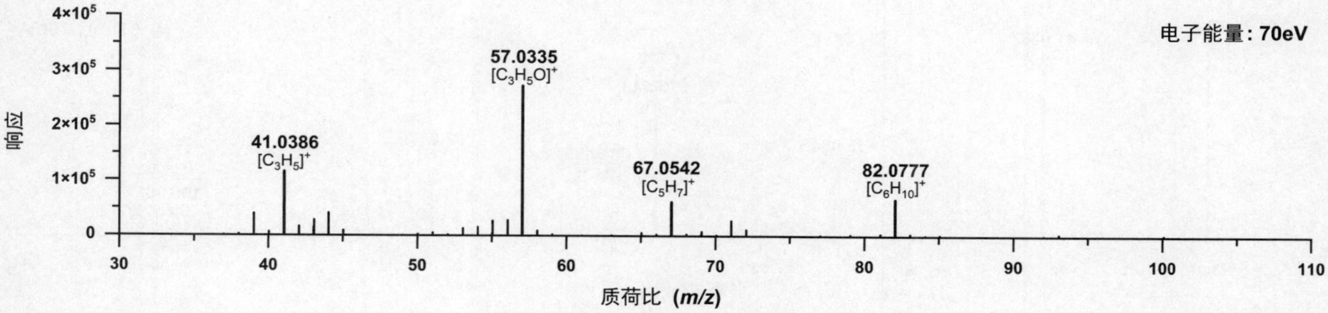

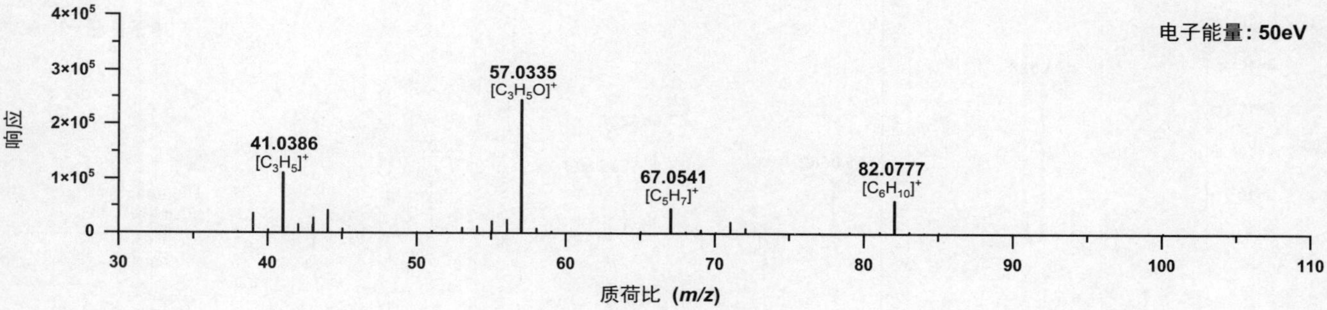

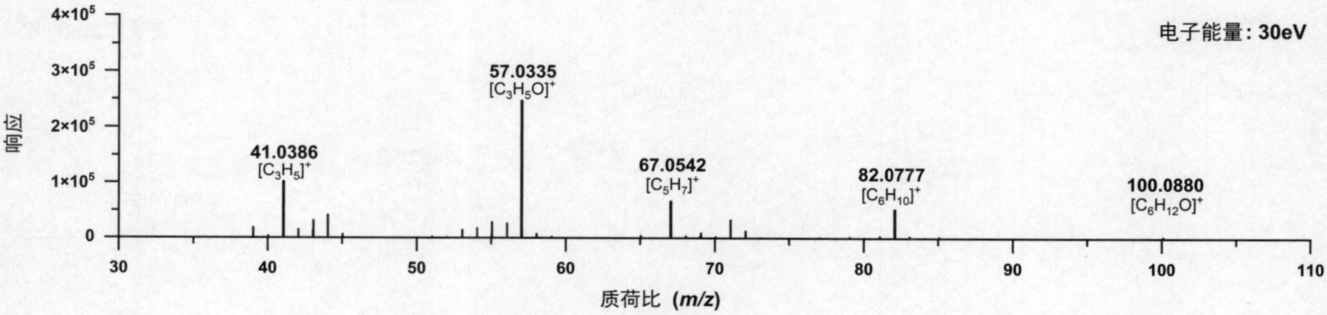

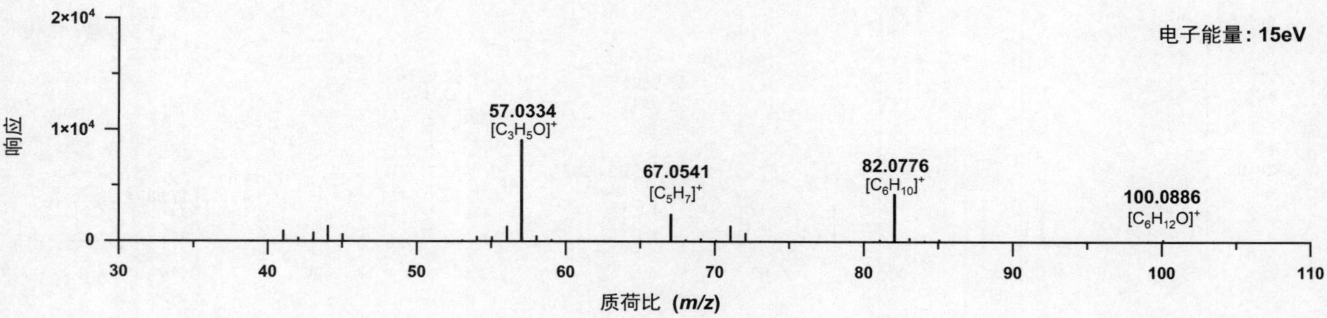

53 (*E*)-3-己烯-1-醇

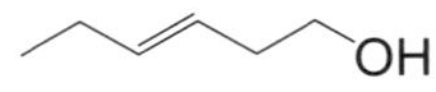

基本信息

CAS 登录号	928-97-2	分子式	$C_6H_{12}O$	分子量	100.0883
保留指数（极性）	1368	保留指数（非极性）	836	香气描述	类似绿色植物的气味，青草香，花香

质谱图

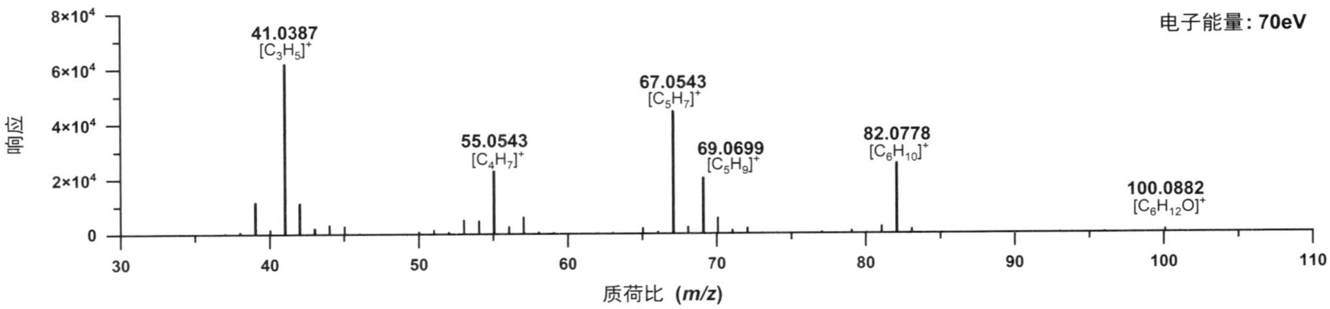

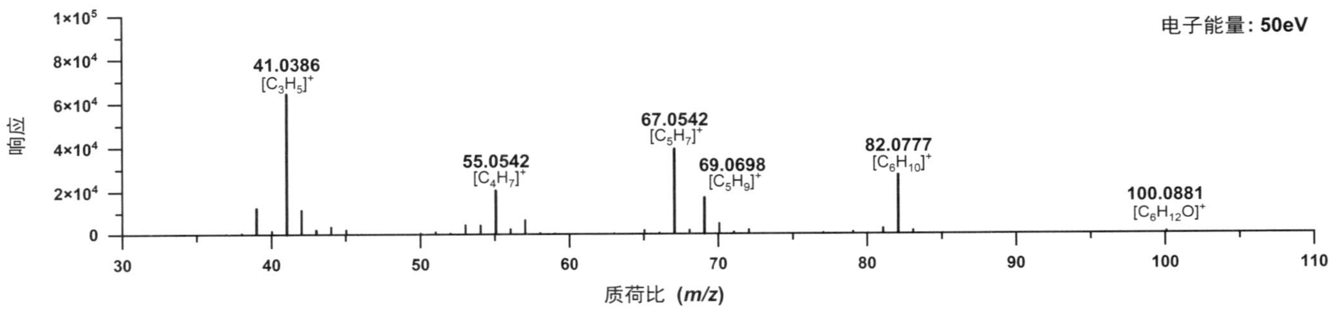

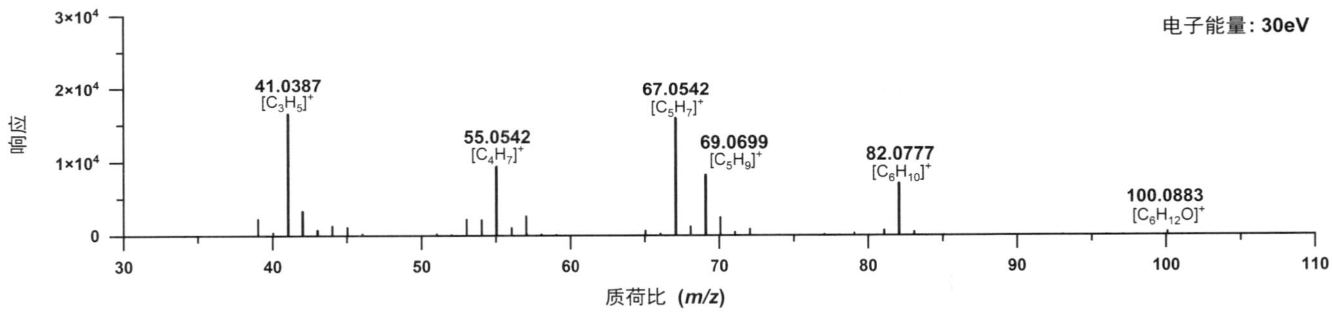

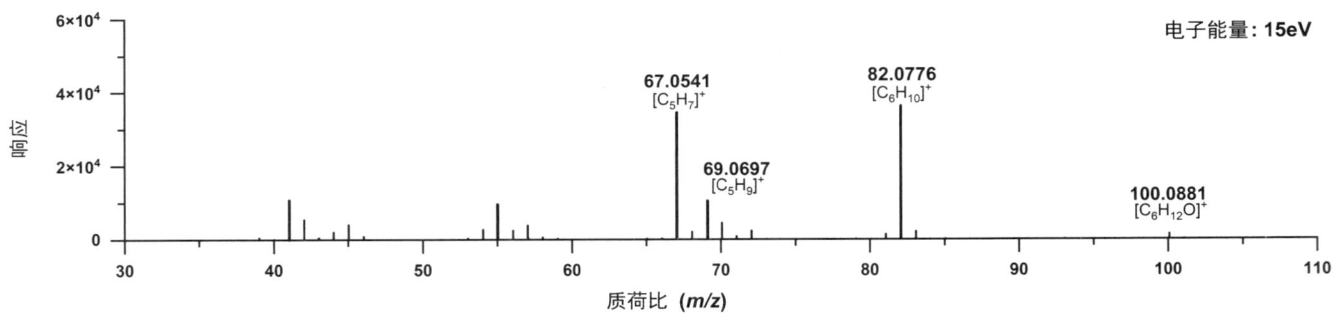

54 (*Z*)-3-己烯-1-醇

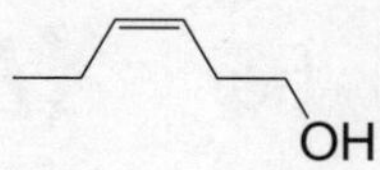

基本信息

CAS 登录号	928-96-1	分子式	$C_6H_{12}O$	分子量	100.0883
保留指数（极性）	1390	保留指数（非极性）	839	香气描述	类似绿色植物的气味，青草香，甜香

质谱图

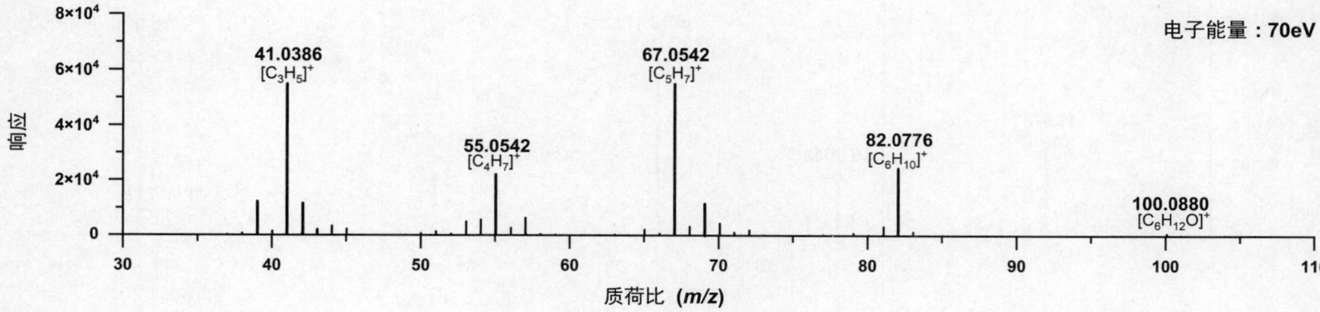

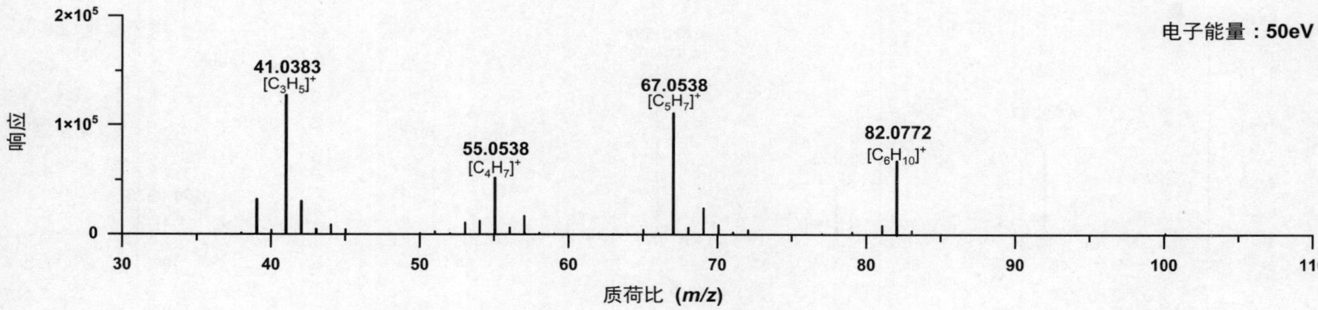

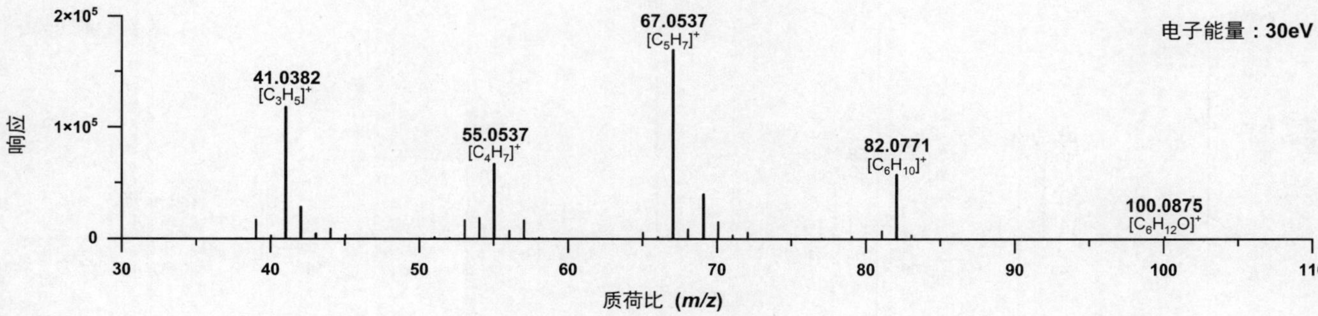

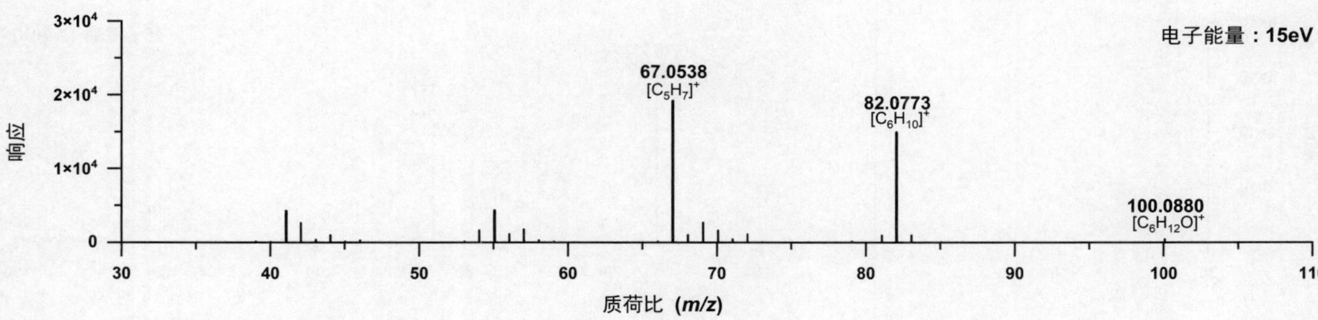

55 (*E*)-4-己烯-1-醇

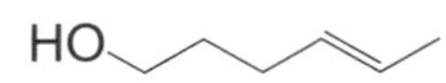

基本信息

CAS 登录号	928-92-7	分子式	$C_6H_{12}O$	分子量	100.0883
保留指数（极性）	1414	保留指数（非极性）	855	香气描述	类似绿色植物的气味，青草香，甜香

质谱图

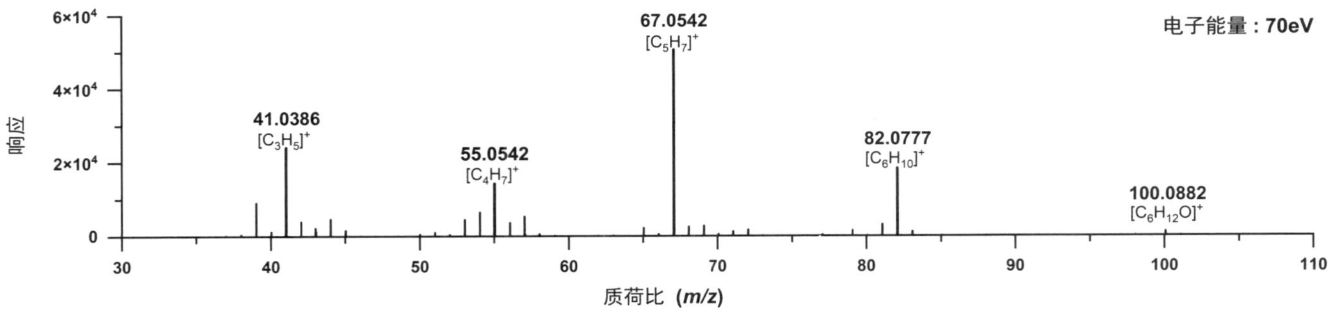

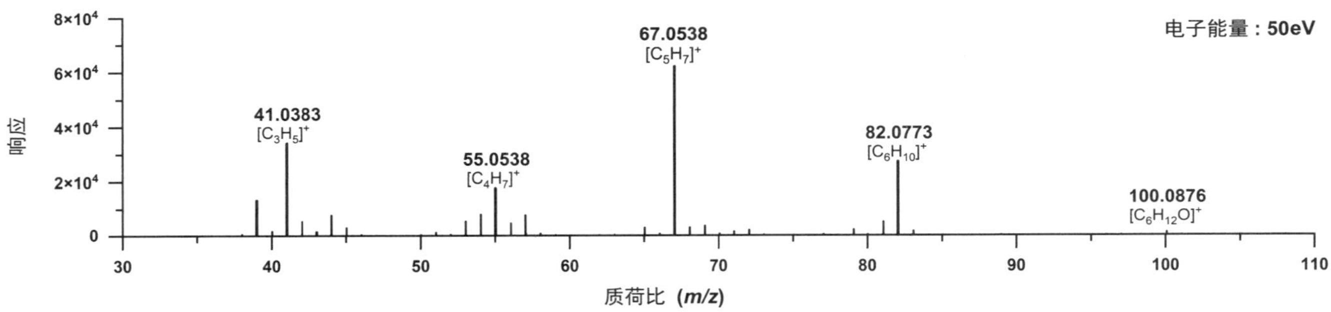

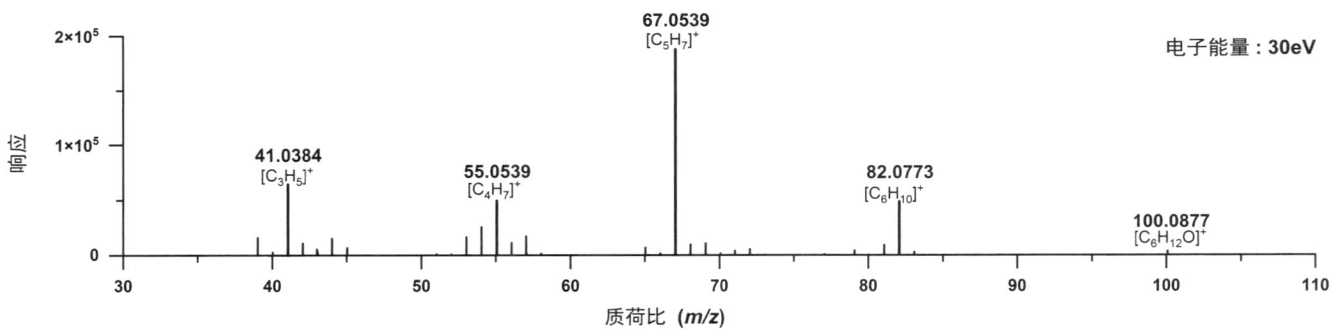

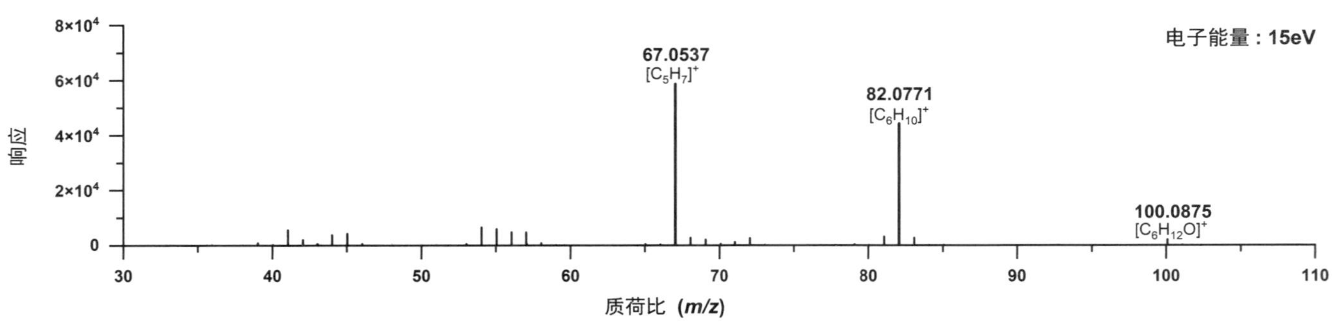

56

(*Z*)-4-己烯-1-醇

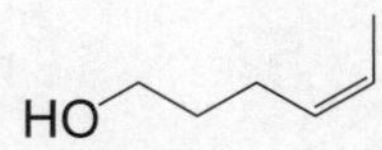

基本信息

CAS 登录号	928-91-6	分子式	$C_6H_{12}O$	分子量	100.0883
保留指数（极性）	1431	保留指数（非极性）	861	香气描述	类似绿色植物的气味，青草香，甜香

质谱图

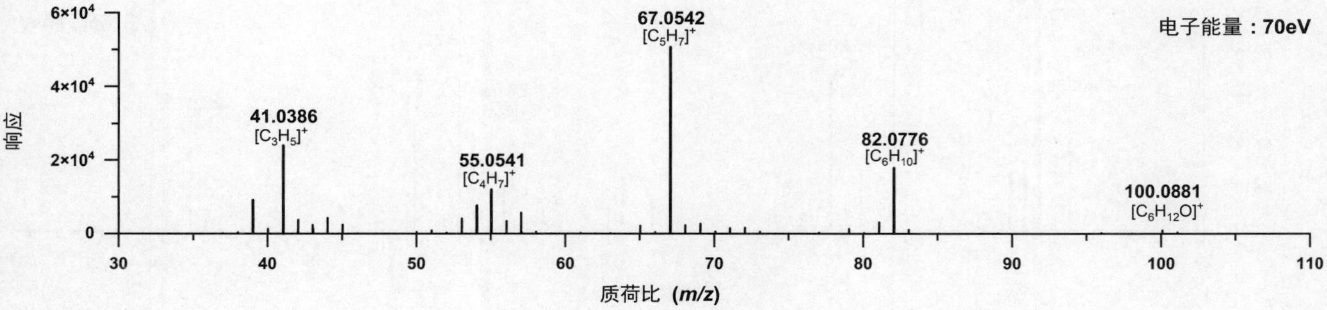

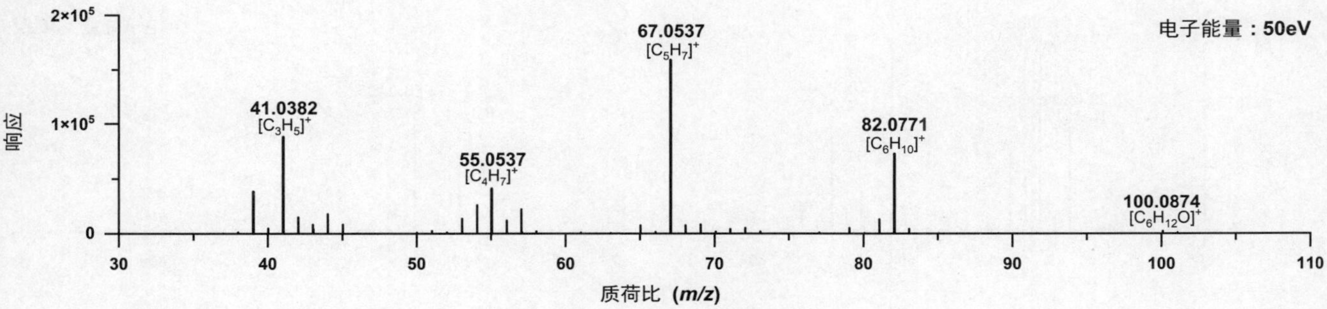

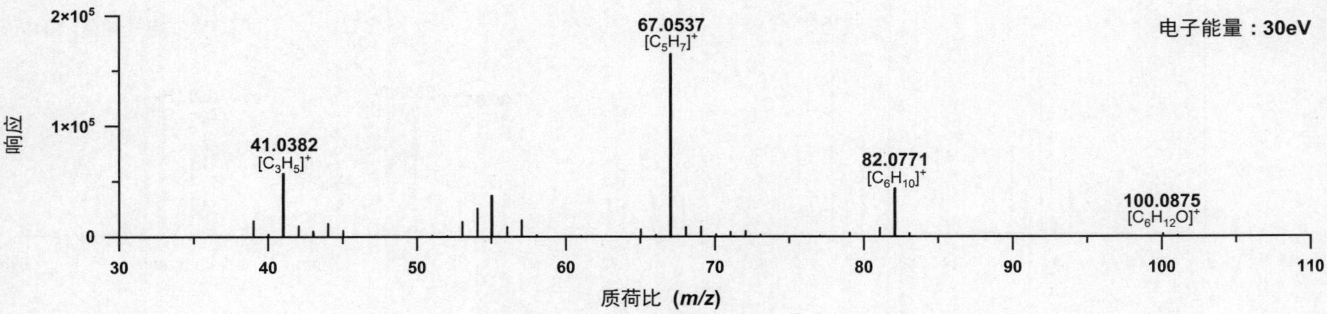

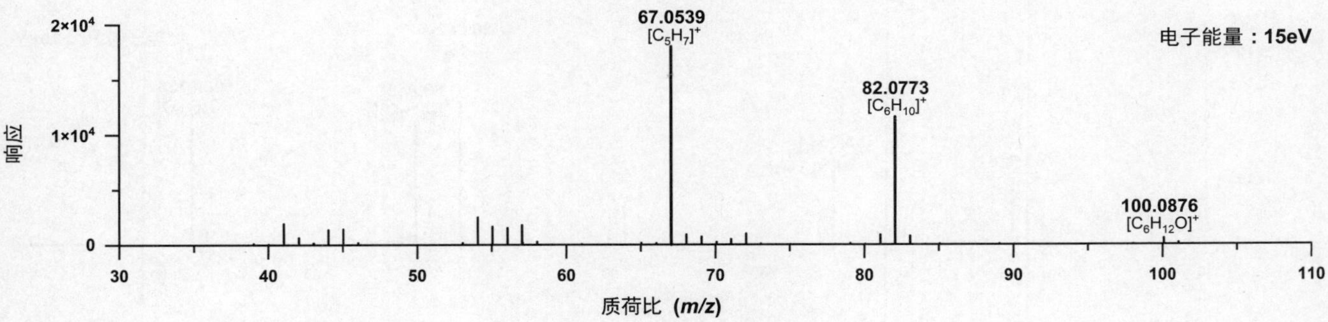

57 (*E*)-2,4-己二烯-1-醇

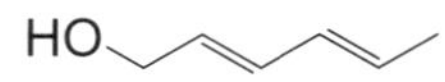

基本信息

CAS 登录号	111-28-4	分子式	$C_6H_{10}O$	分子量	98.0726
保留指数（极性）	1593	保留指数（非极性）	898	香气描述	花香，甜香，类似绿色植物的气味

质谱图

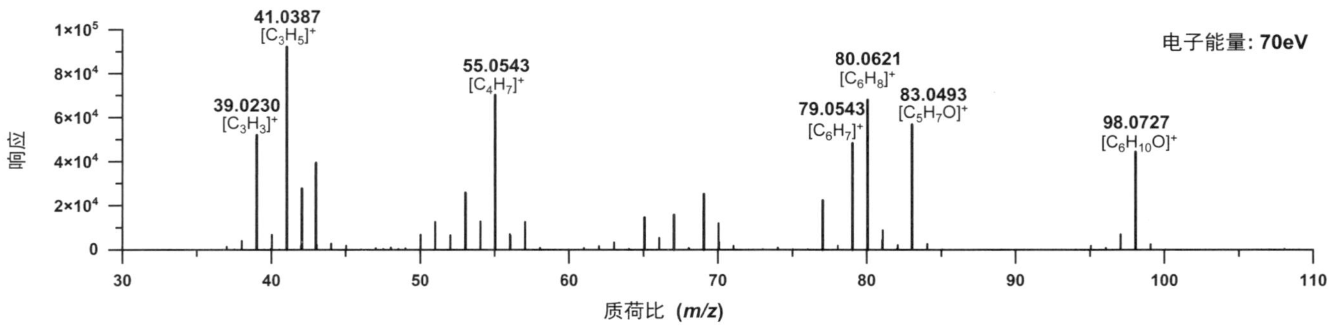

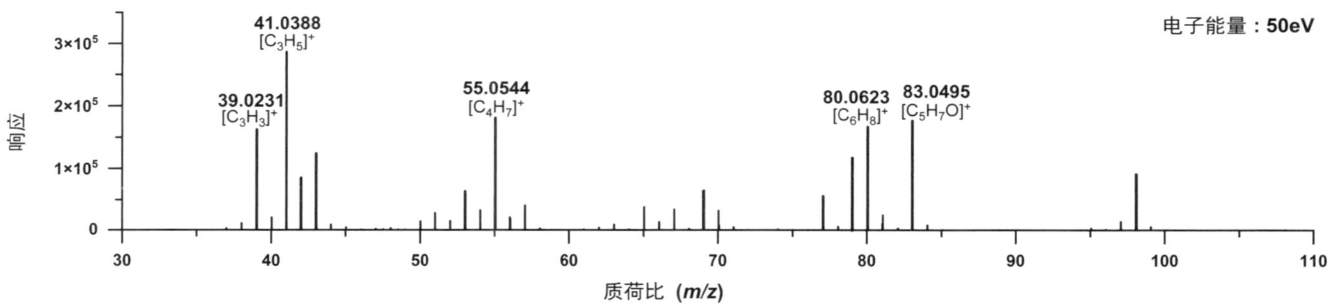

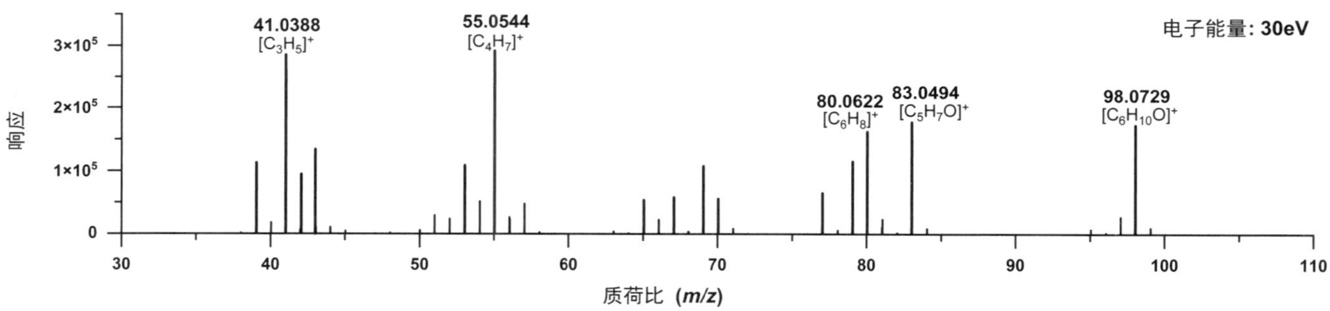

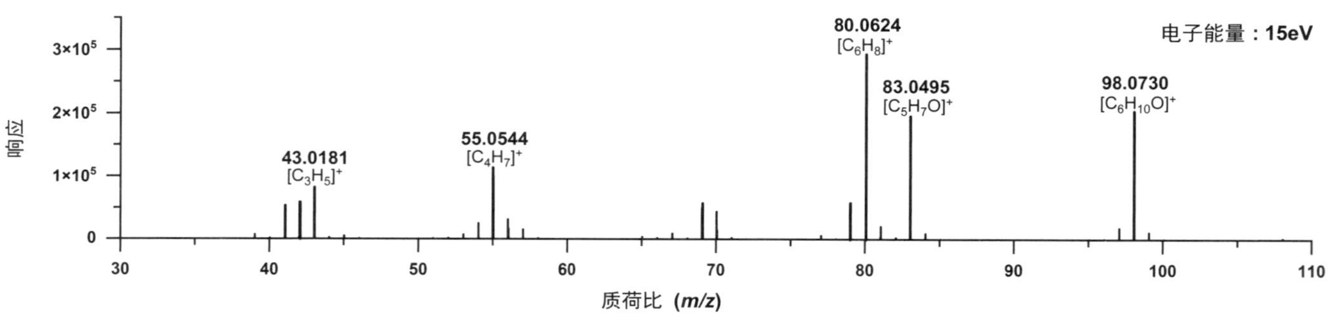

58 (*E*)-2-庚烯-1-醇

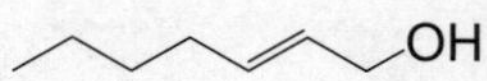

基本信息

CAS 登录号	33467-76-4	分子式	$C_7H_{14}O$	分子量	114.1039
保留指数（极性）	1516	保留指数（非极性）	951	香气描述	类似绿色植物的气味，青草香，水果香

质谱图

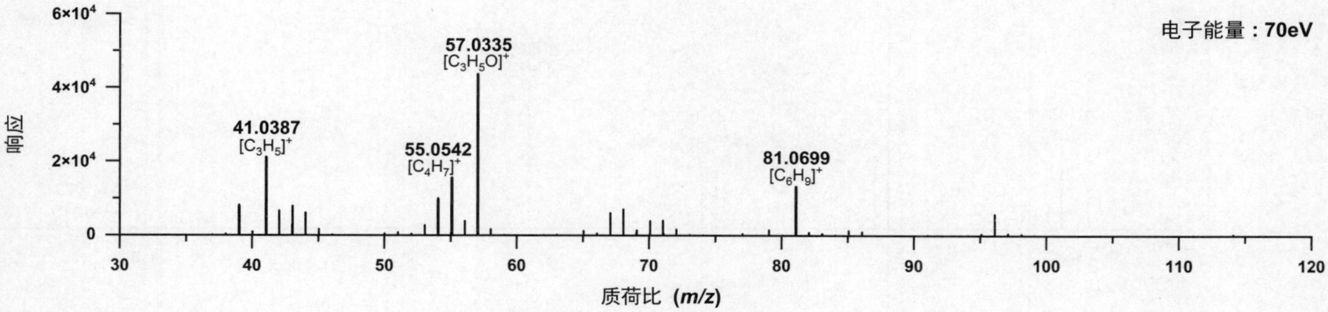

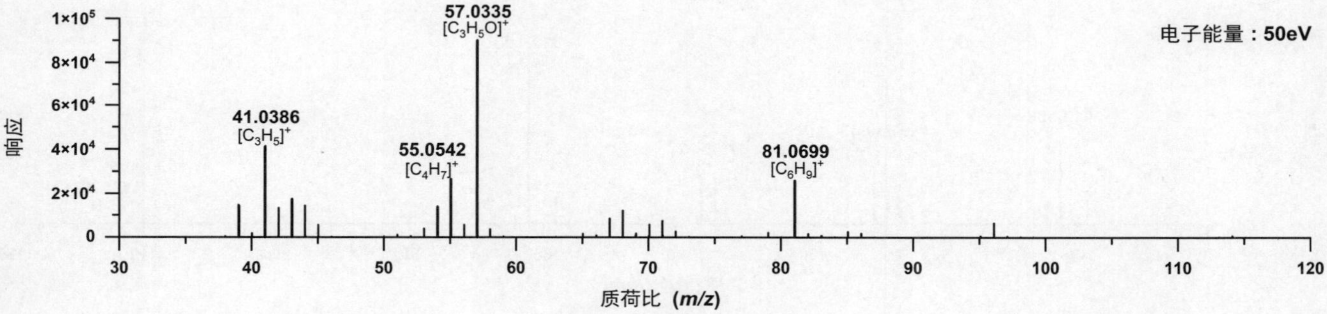

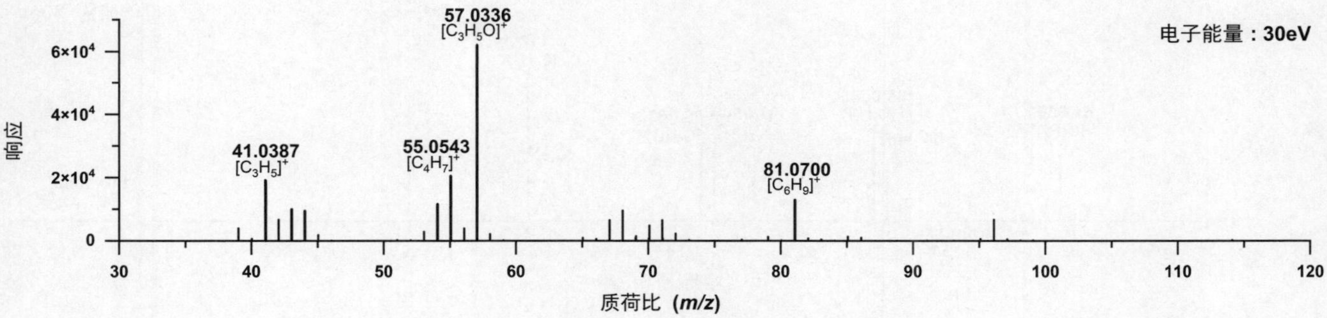

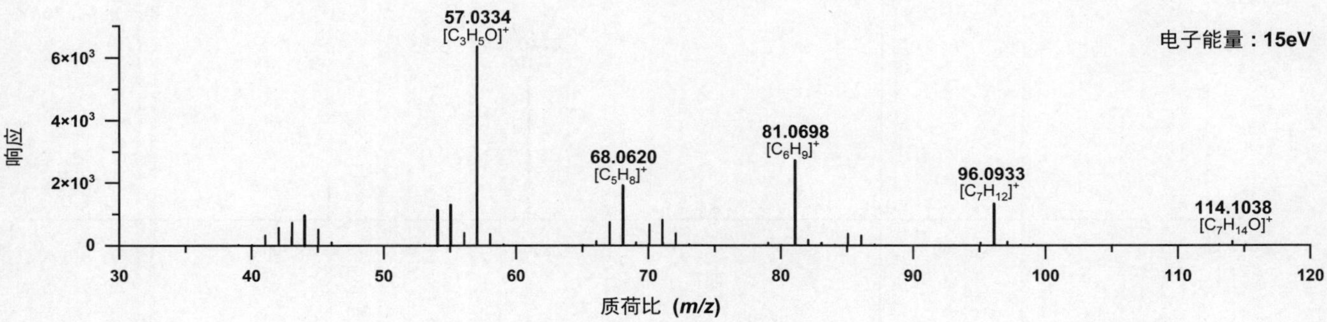

59 (*Z*)-4-庚烯-1-醇

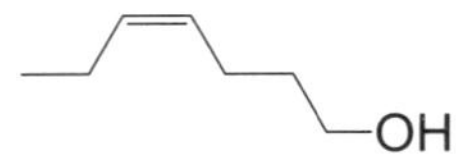

基本信息

CAS 登录号	6191-71-5	分子式	$C_7H_{14}O$	分子量	114.1039
保留指数（极性）	1509	保留指数（非极性）	947	香气描述	类似绿色植物的气味，花香，橘子味

质谱图

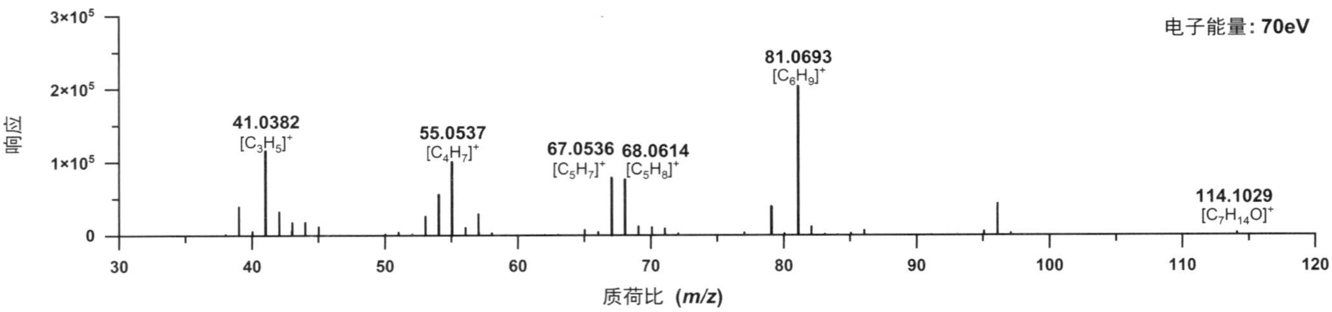

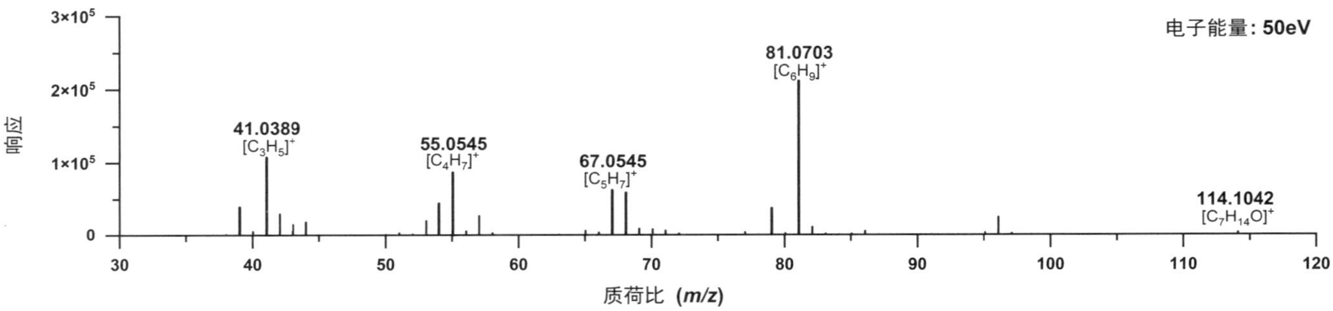

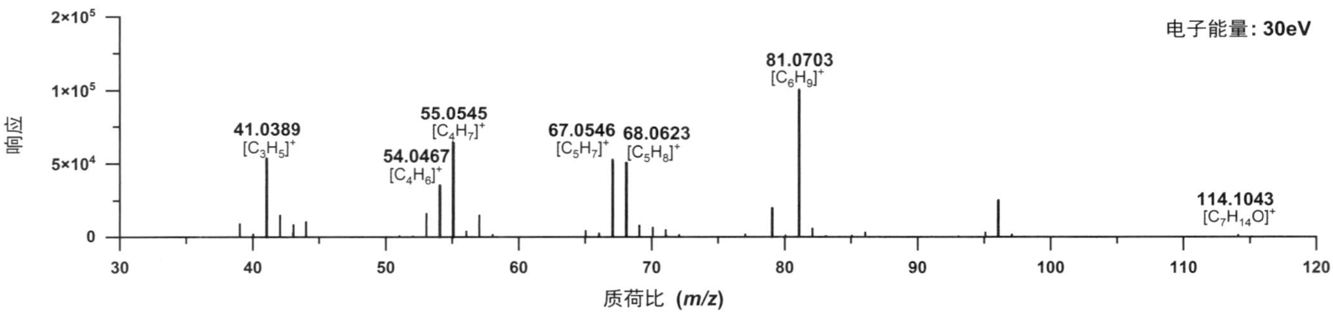

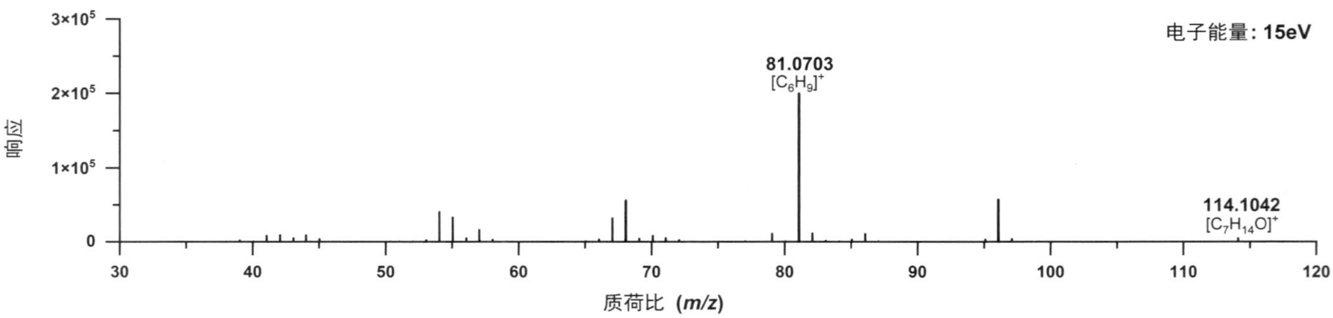

60 (*E*)-2-辛烯-1-醇

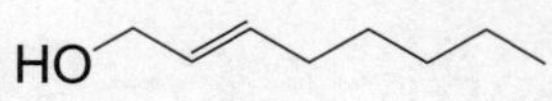

基本信息

CAS 登录号	18409-17-1	分子式	$C_8H_{16}O$	分子量	128.1201
保留指数（极性）	1618	保留指数（非极性）	1050	香气描述	蘑菇味，泥土气味，类似绿色植物的气味

质谱图

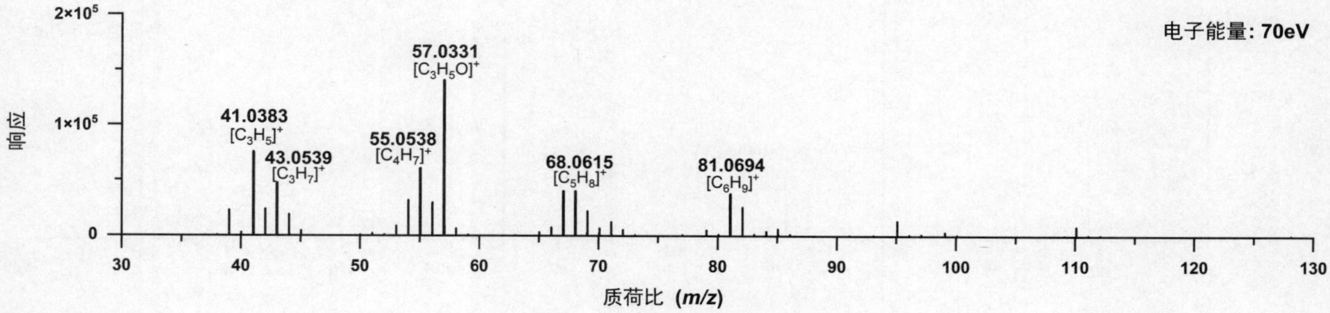

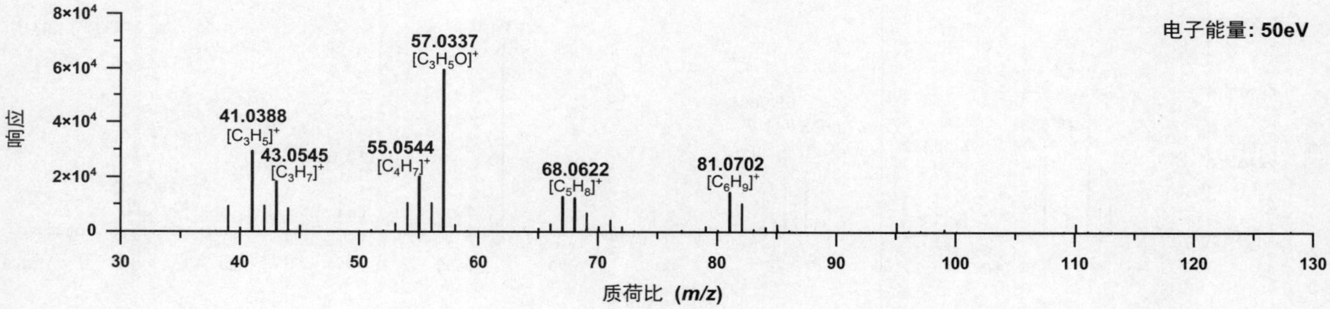

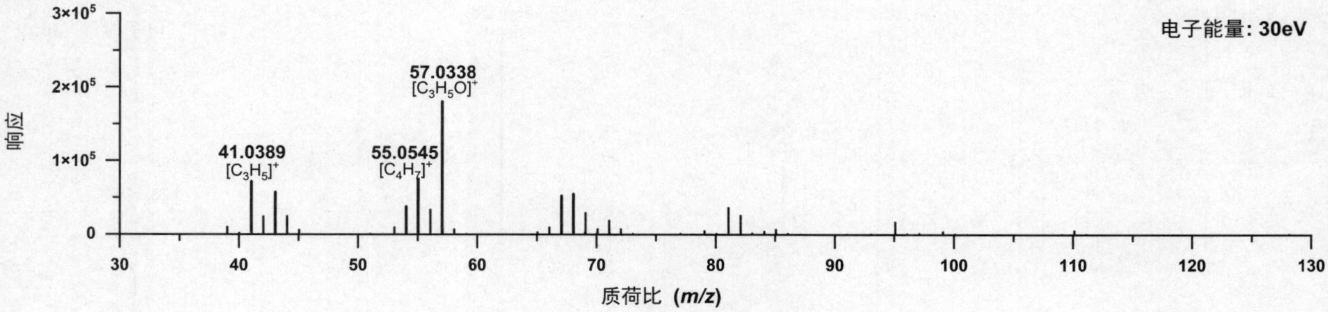

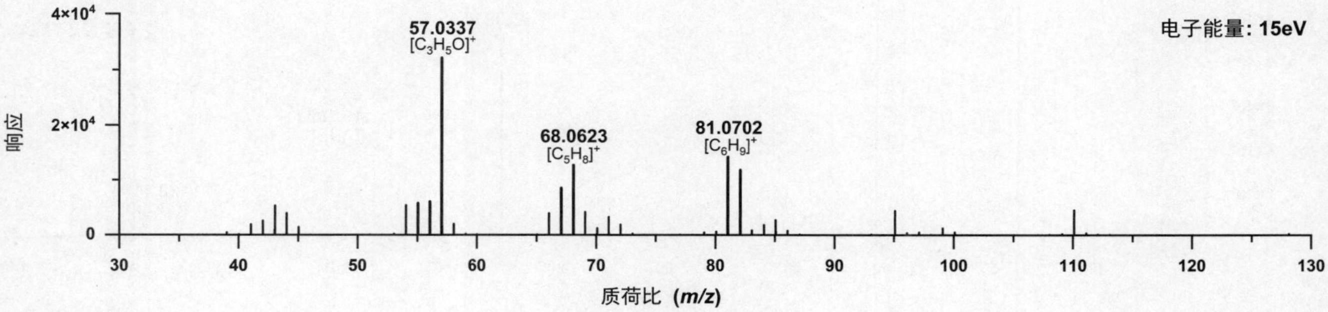

61 6-甲基-5-庚烯-2-醇

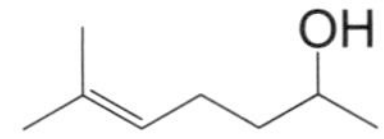

基本信息

CAS 登录号	1569-60-4	分子式	$C_8H_{16}O$	分子量	128.1196
保留指数（极性）	1464	保留指数（非极性）	976	香气描述	花香，甜香，橘子味

质谱图

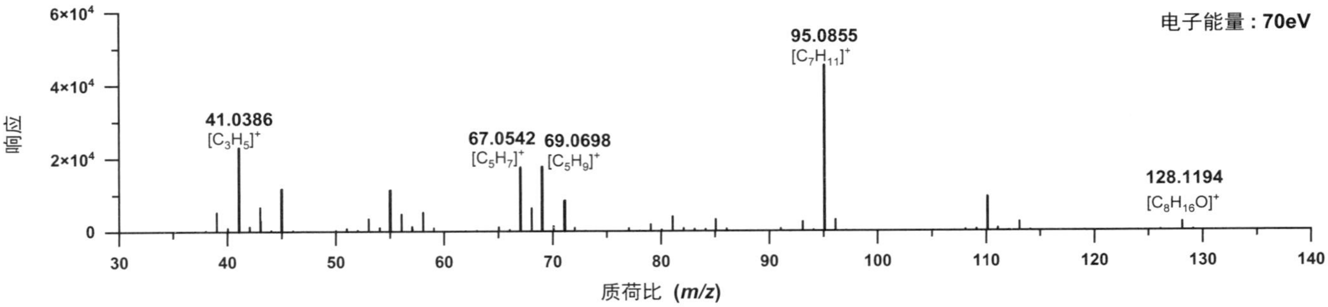

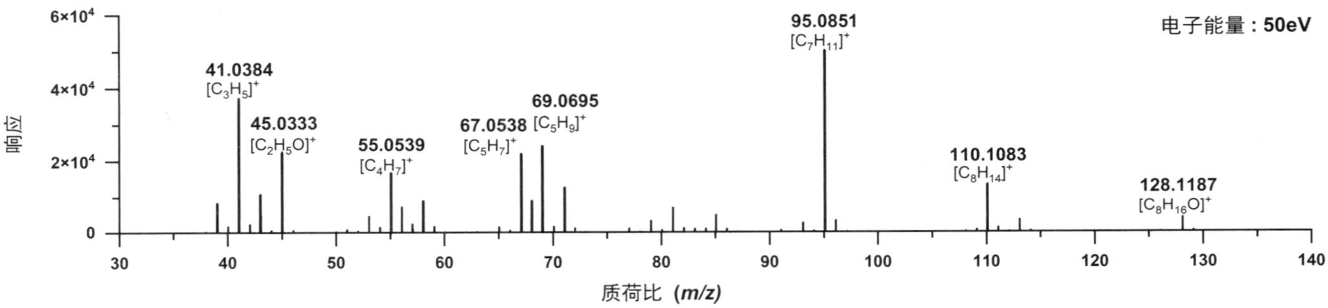

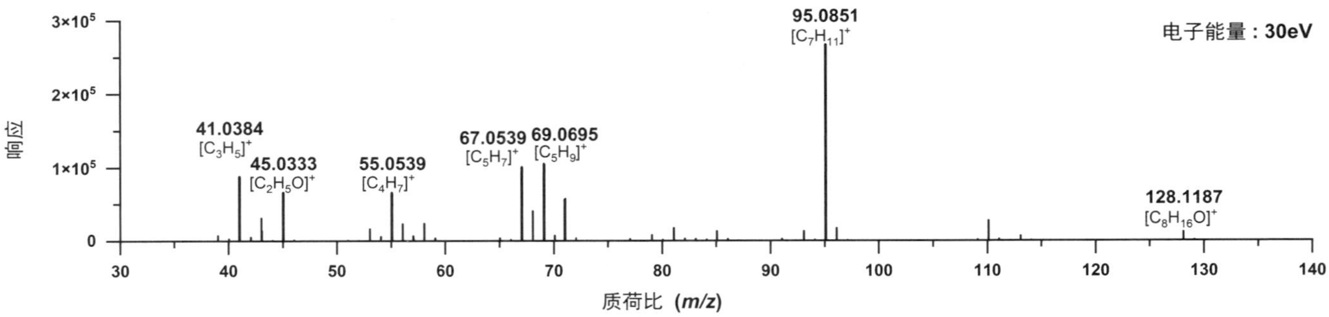

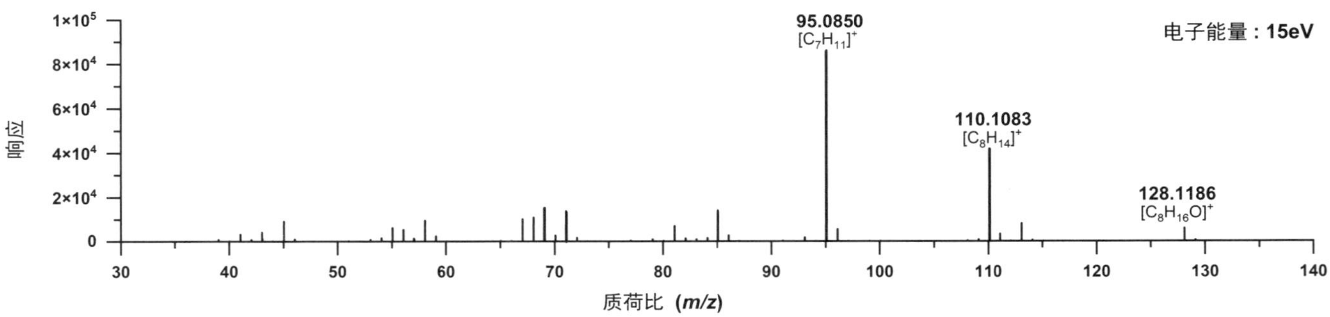

62 1-辛烯-3-醇

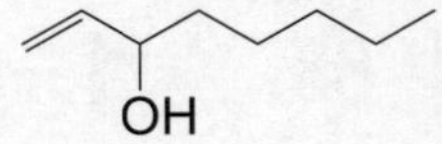

基本信息

CAS 登录号	3391-86-4	分子式	$C_8H_{16}O$	分子量	128.1201
保留指数（极性）	1451	保留指数（非极性）	964	香气描述	蘑菇味，泥土味，类似金属的气味

质谱图

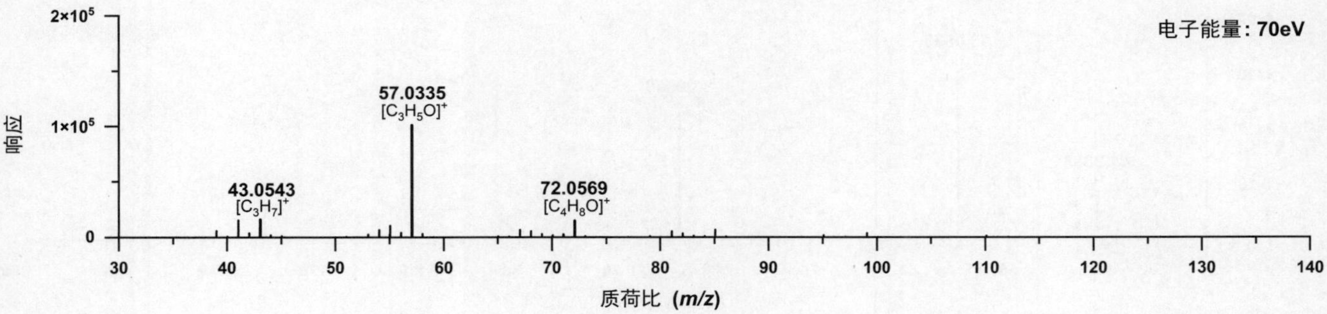

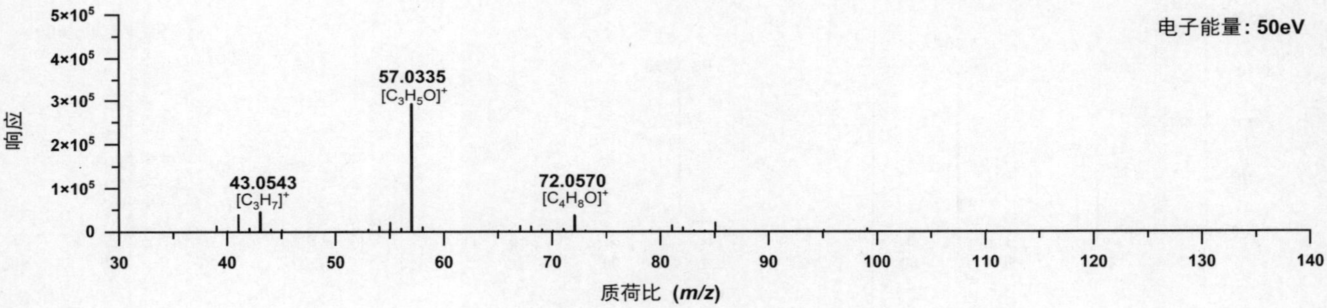

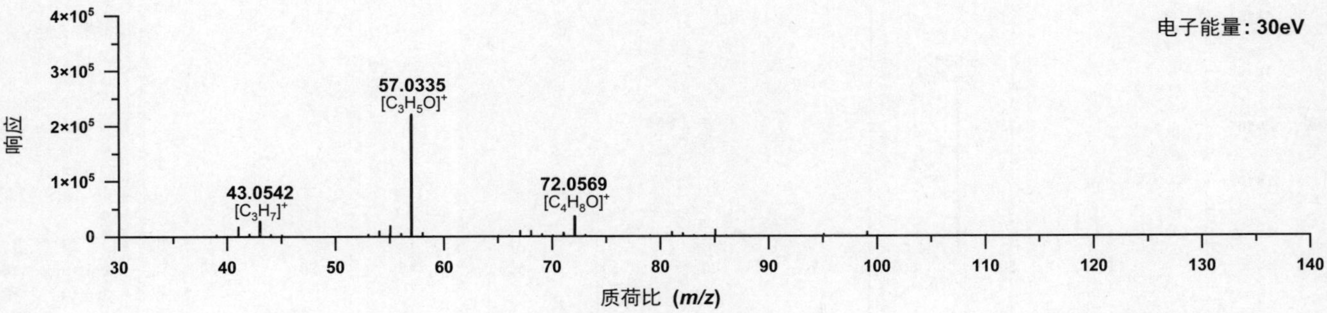

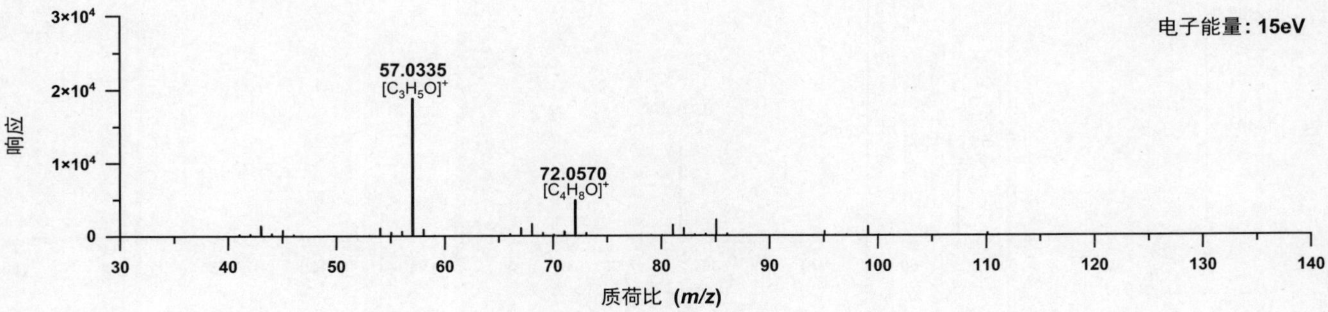

63 1-壬烯-4-醇

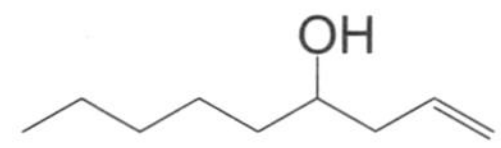

基本信息

CAS 登录号	35192-73-5	分子式	$C_9H_{18}O$	分子量	142.1358
保留指数（极性）	1504	保留指数（非极性）	1052	香气描述	花香，甜香，水果香

质谱图

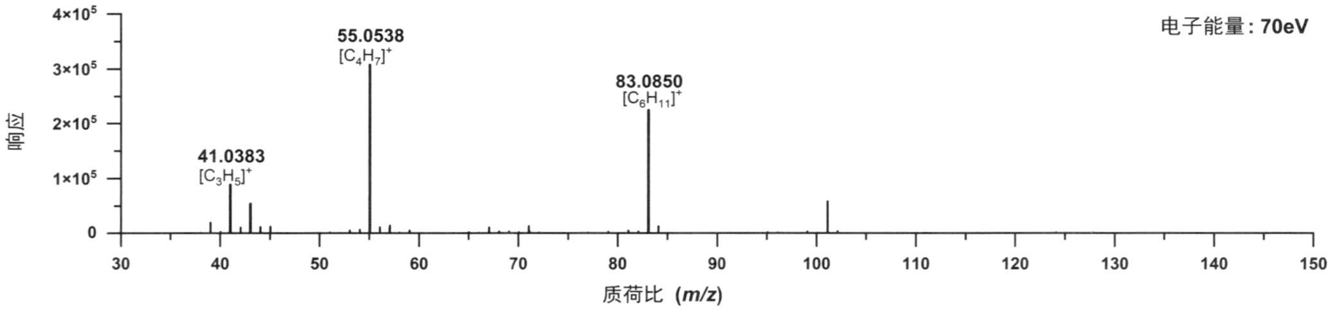

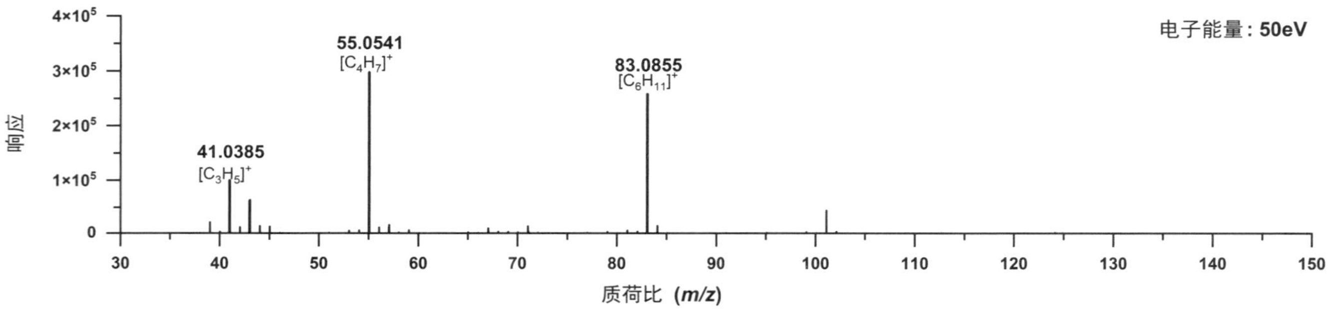

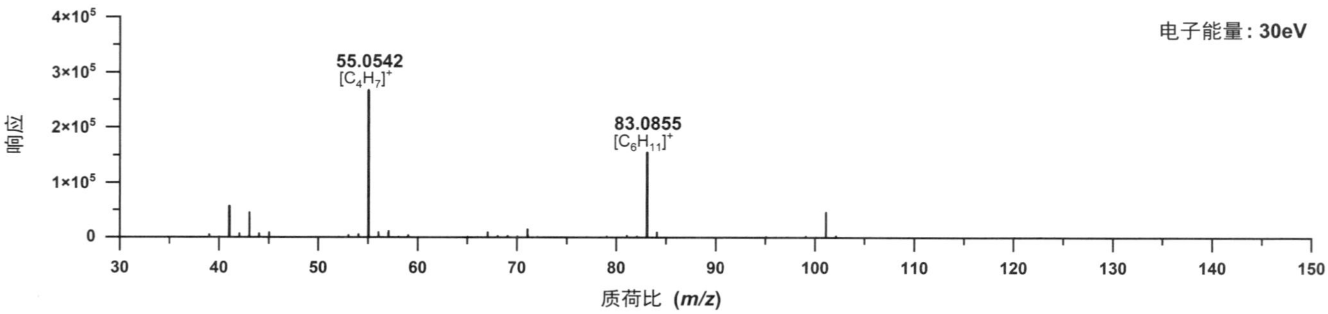

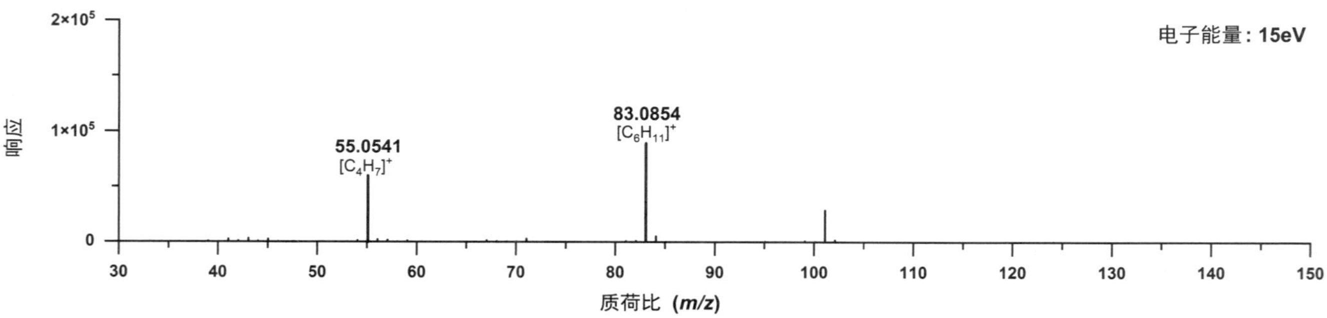

64 1-甲氧基-2-丙醇

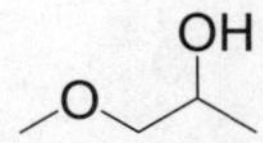

基本信息

CAS 登录号	107-98-2	分子式	$C_4H_{10}O_2$	分子量	90.0681
保留指数（极性）	1135	保留指数（非极性）	665	香气描述	甜香，像醚的气味，水果香

质谱图

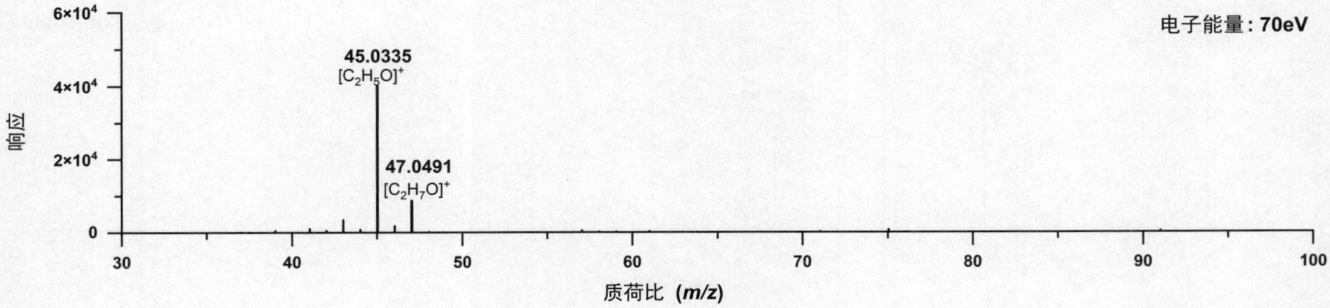

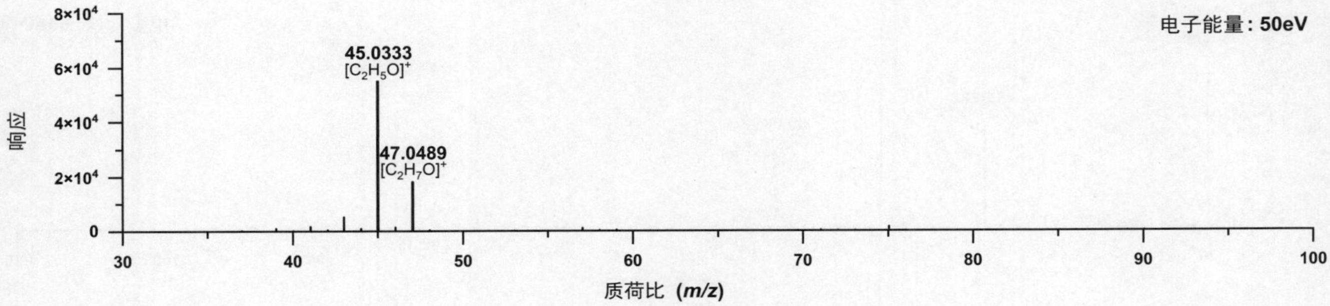

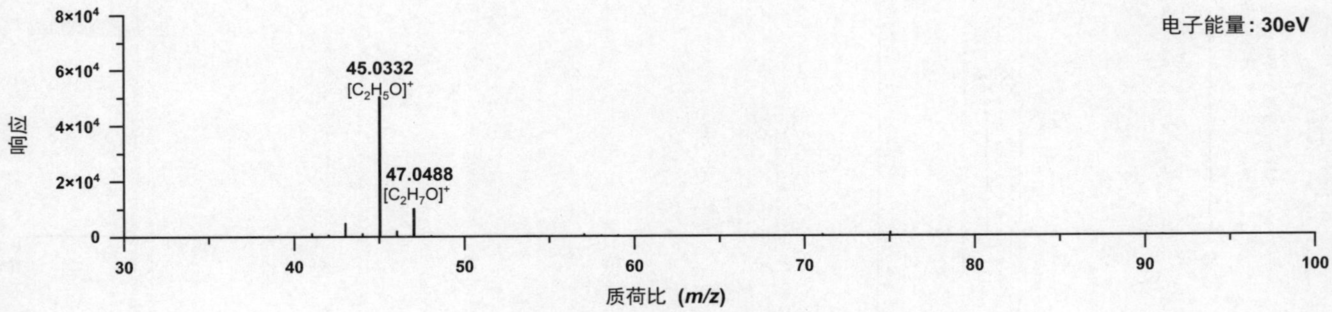

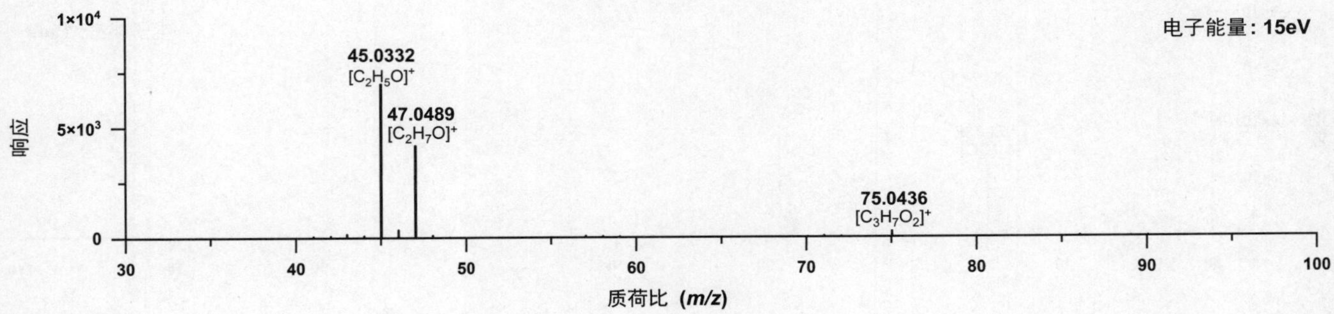

65 1-乙氧基-2-丙醇

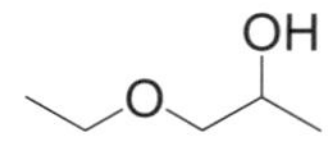

基本信息

CAS 登录号	1569-02-4	分子式	$C_5H_{12}O_2$	分子量	104.0837
保留指数（极性）	1173	保留指数（非极性）	737	香气描述	甜香，水果香，像乙醚的气味

质谱图

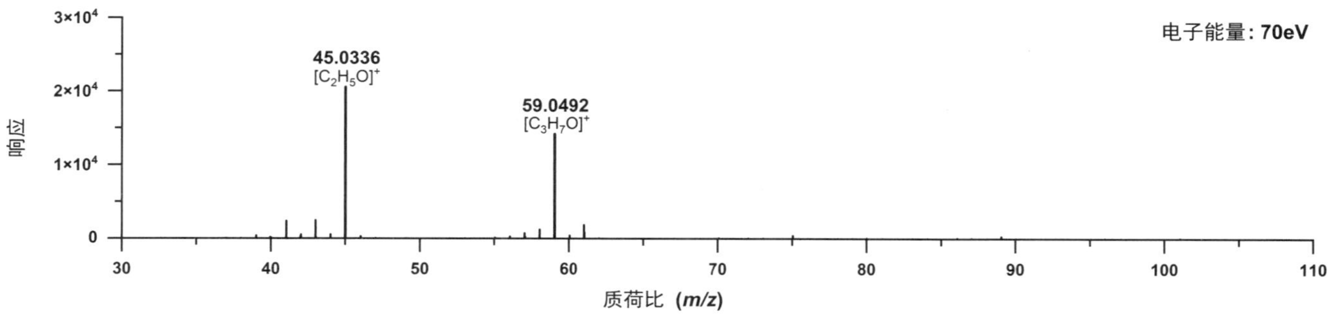

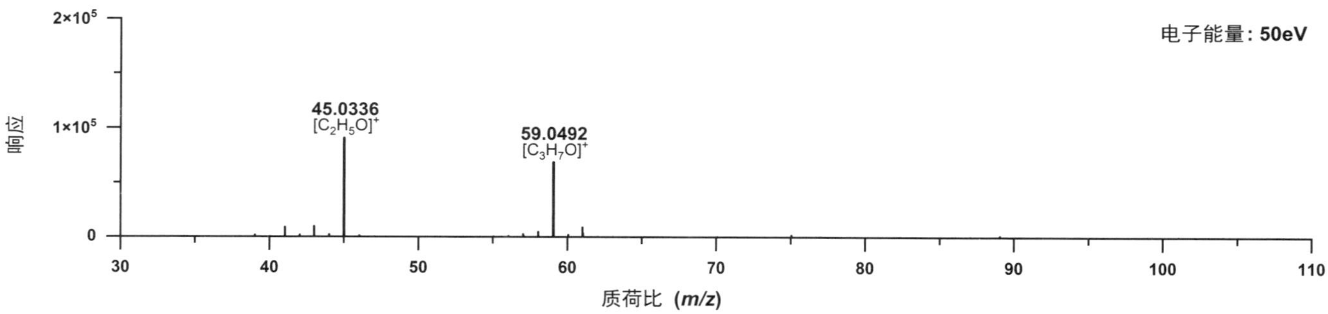

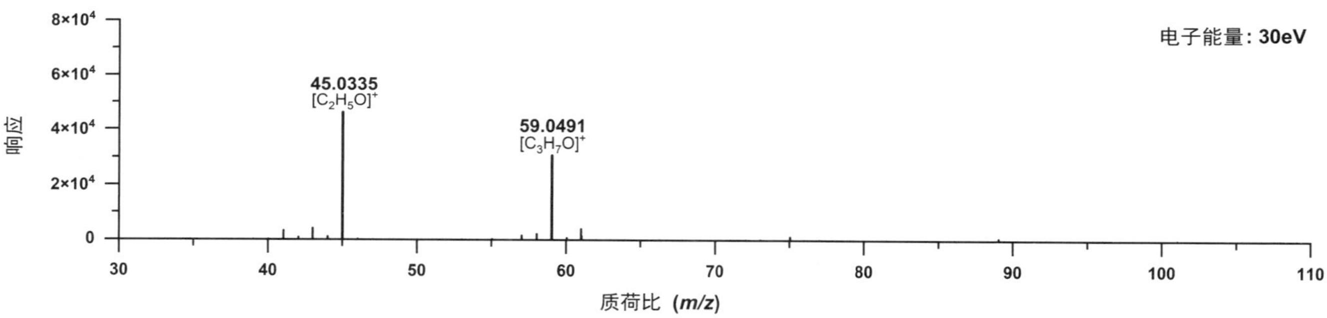

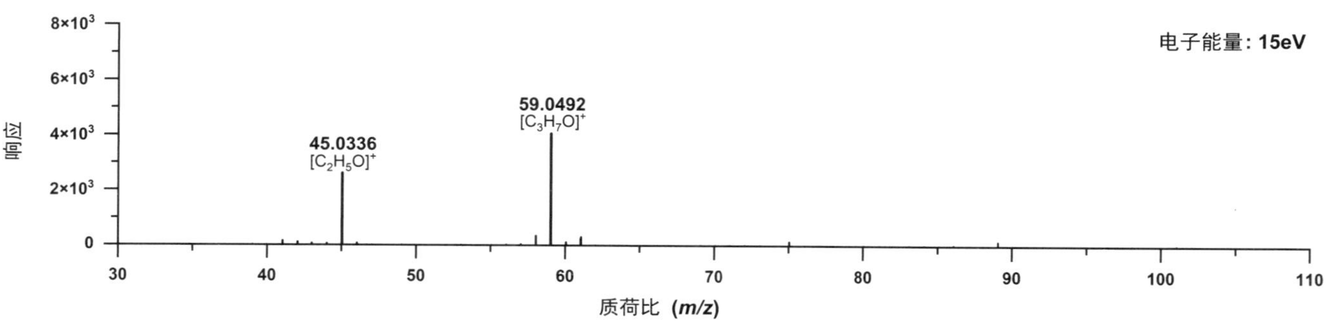

66 1,3-丙二醇

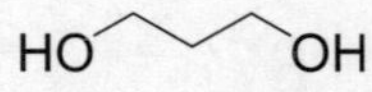

基本信息

CAS 登录号	504-63-2	分子式	$C_3H_8O_2$	分子量	76.0524
保留指数（极性）	1793	保留指数（非极性）	816	香气描述	甜香，奶油，醇香

质谱图

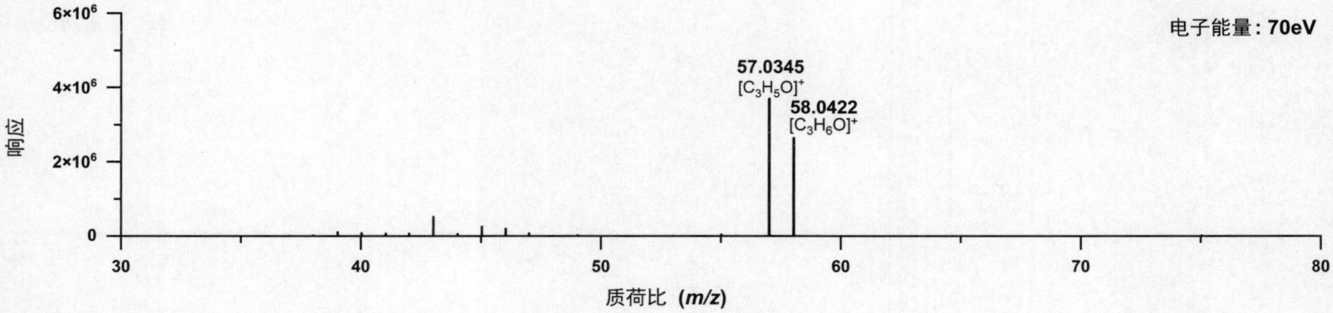

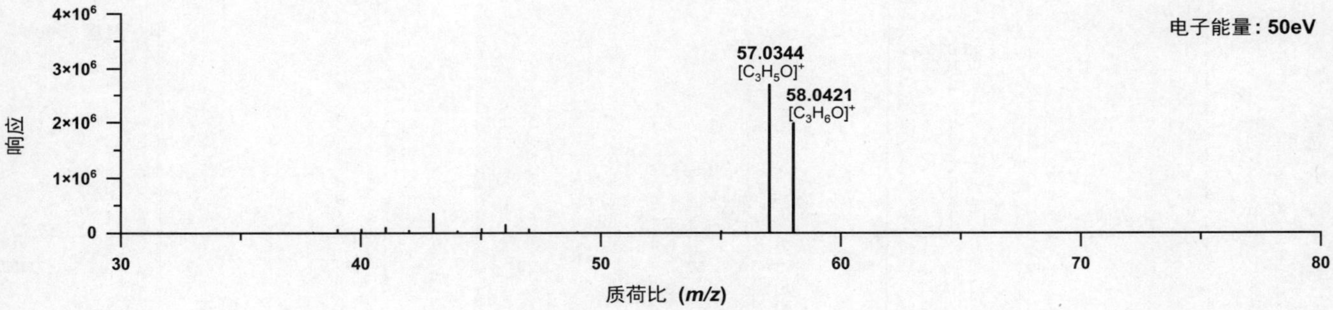

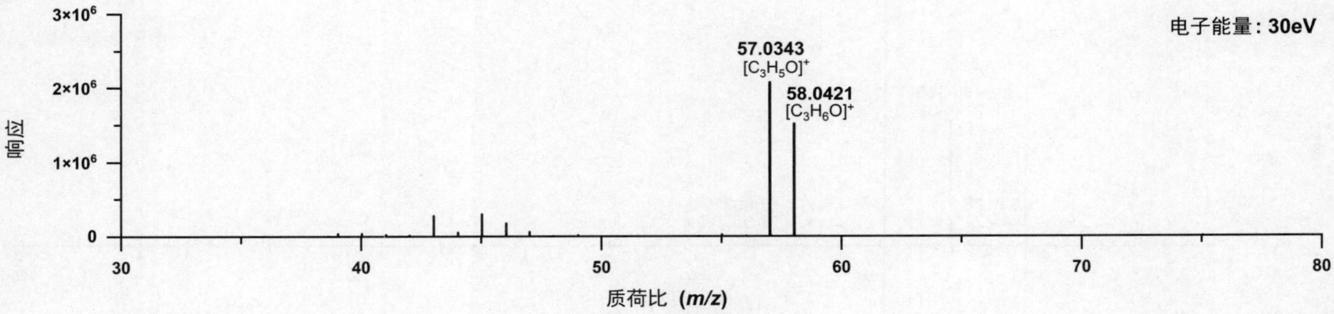

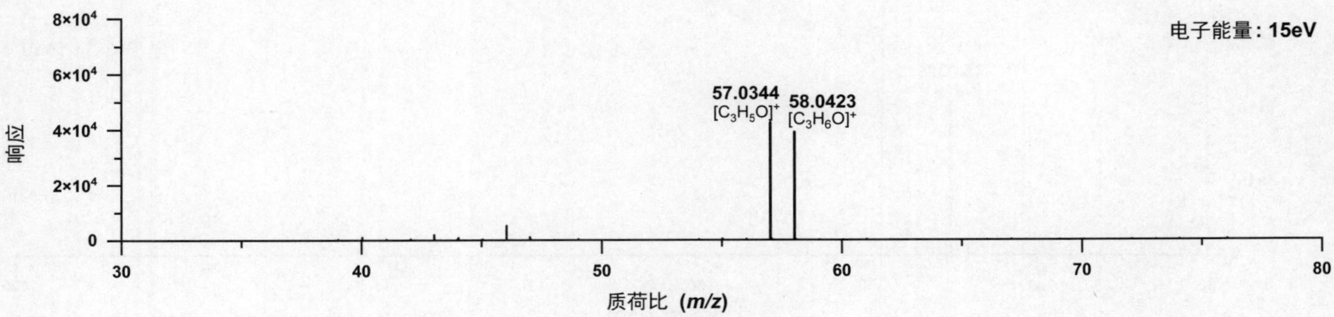

67 (2*R*,3*R*)-2,3-丁二醇

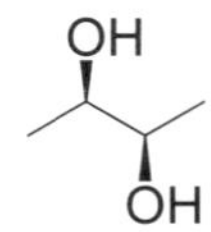

基本信息

CAS 登录号	24347-58-8	分子式	$C_4H_{10}O_2$	分子量	90.0675
保留指数（极性）	1545	保留指数（非极性）	756	香气描述	甜香，奶油香，焦糖香

质谱图

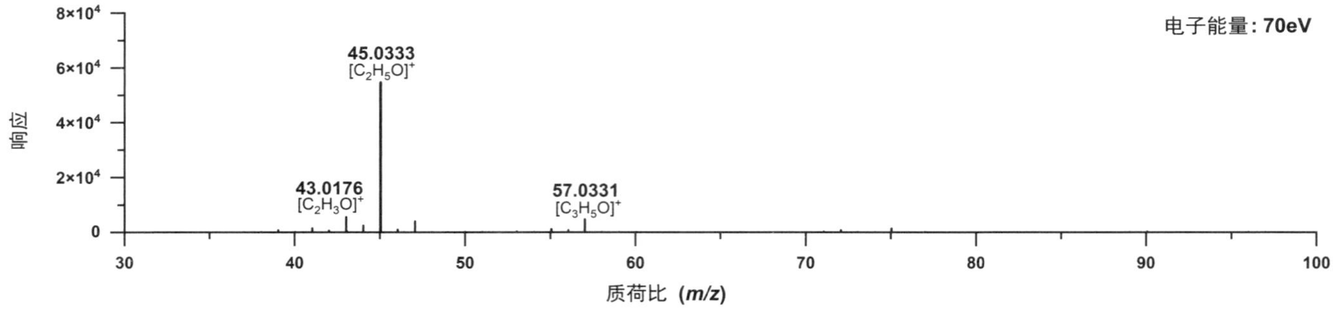

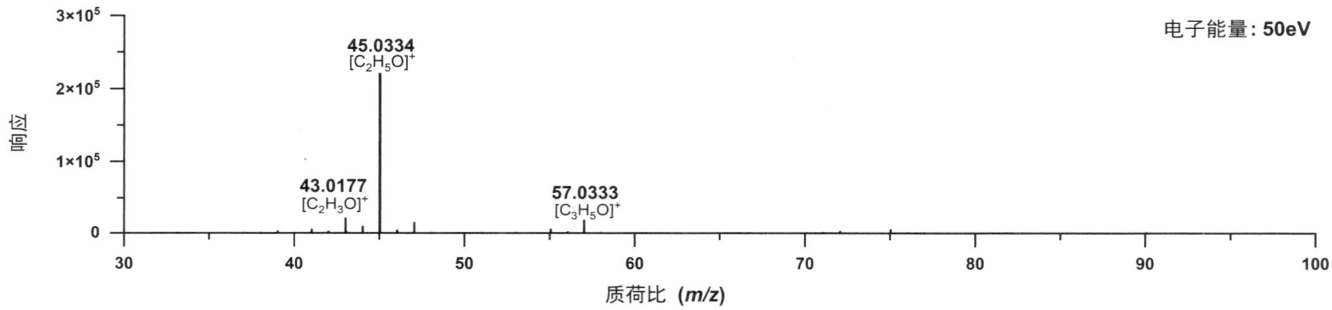

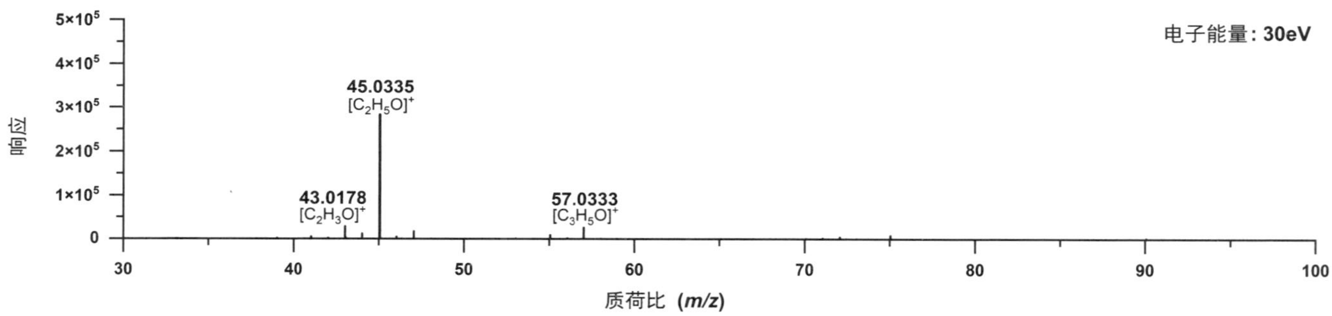

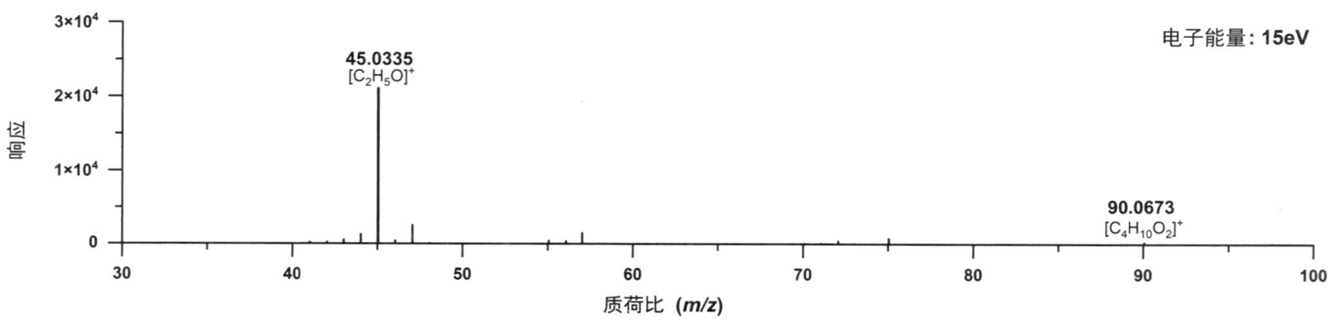

68 (2*S*,3*S*)-2,3-丁二醇

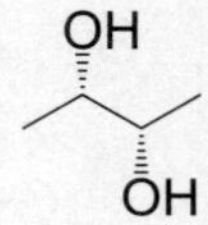

基本信息

CAS 登录号	19132-06-0	分子式	$C_4H_{10}O_2$	分子量	90.0675
保留指数（极性）	1545	保留指数（非极性）	757	香气描述	甜香，奶油，焦糖香

质谱图

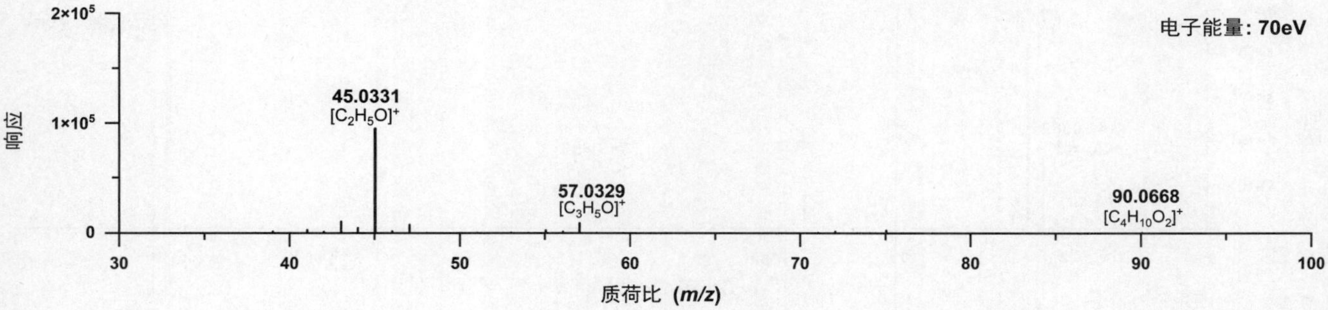

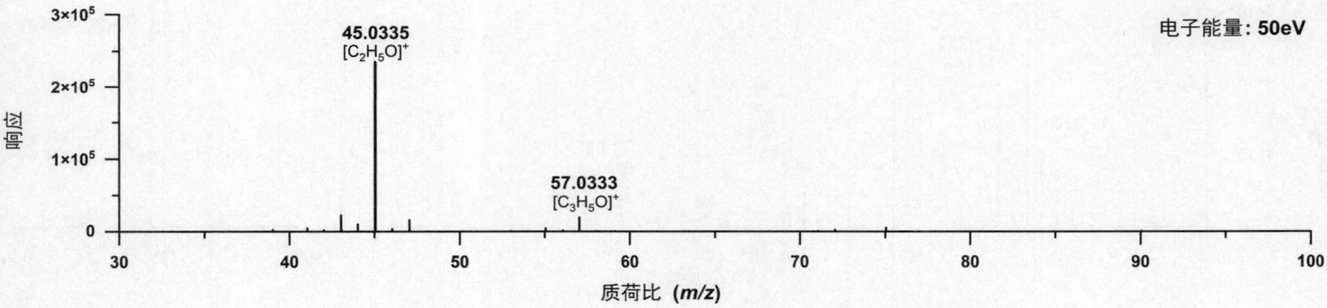

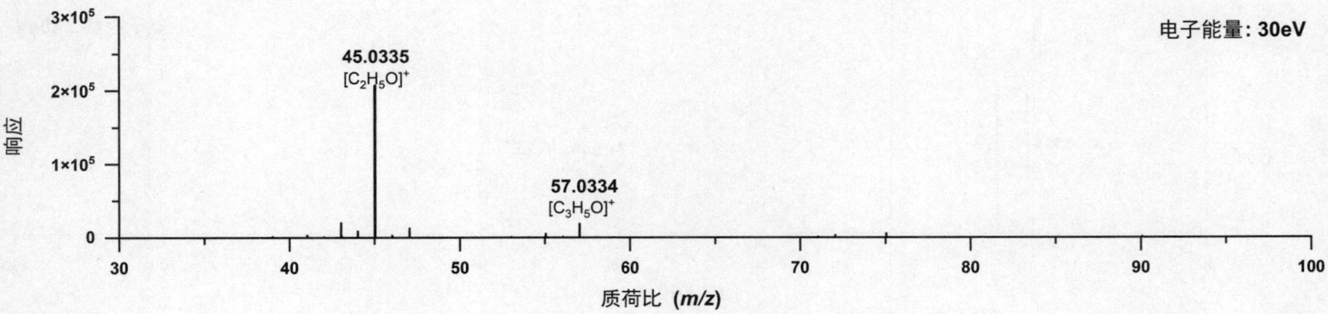

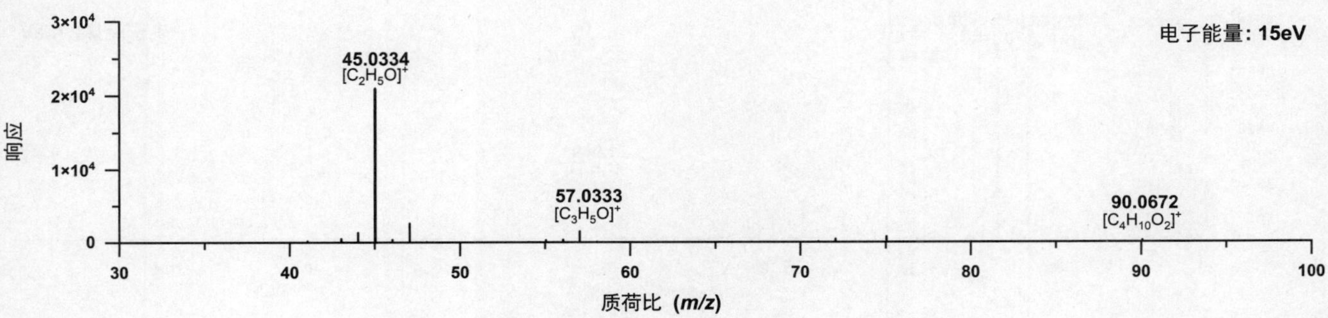

69 1,4-丁二醇

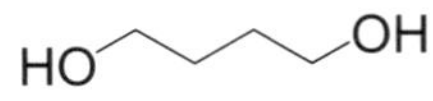

基本信息

CAS 登录号	110-63-4	分子式	$C_4H_{10}O_2$	分子量	90.0681
保留指数（极性）	1928	保留指数（非极性）	913	香气描述	甜香，奶油香

质谱图

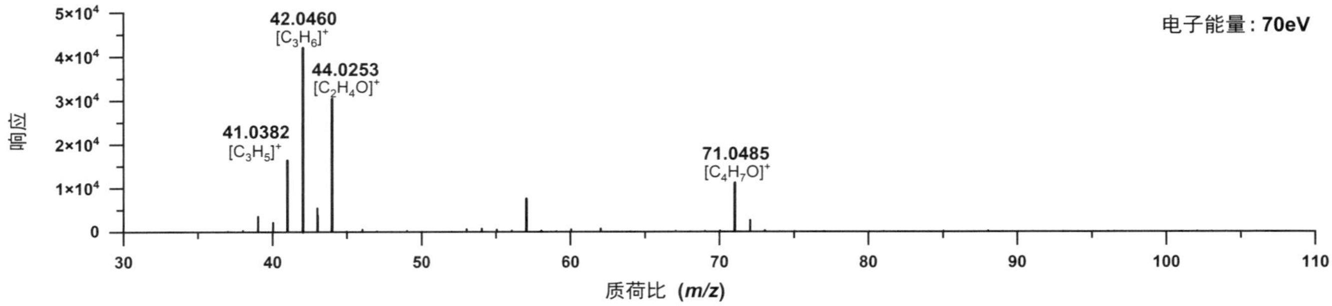

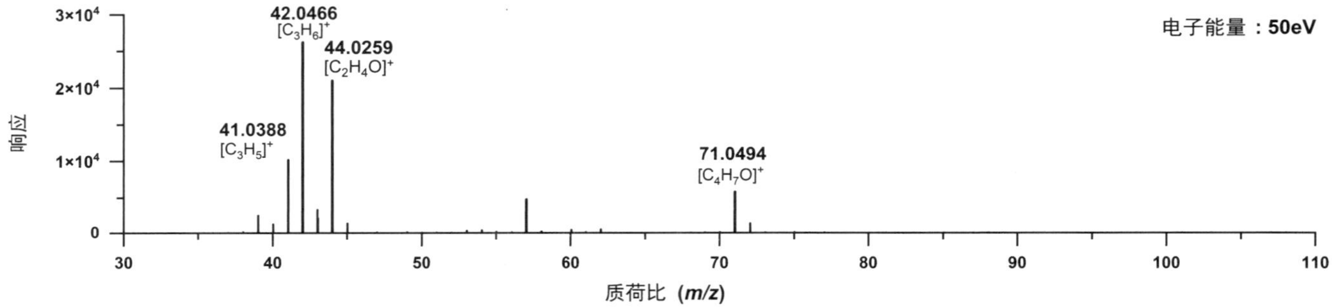

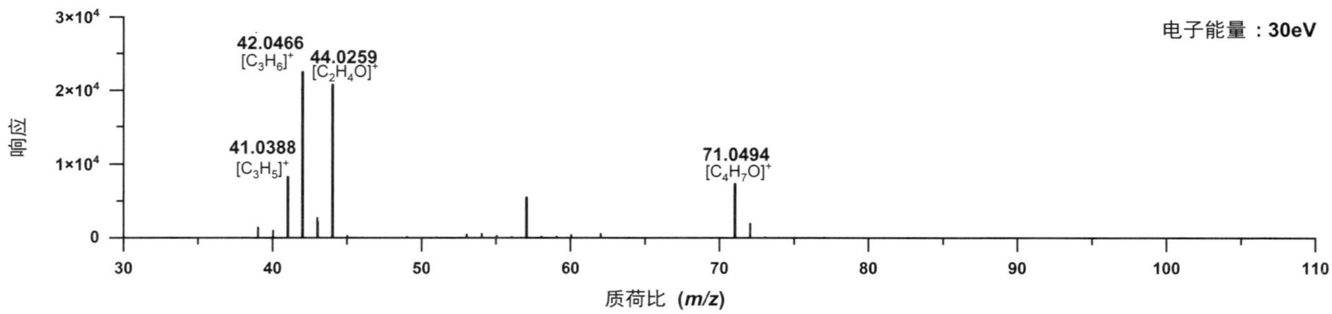

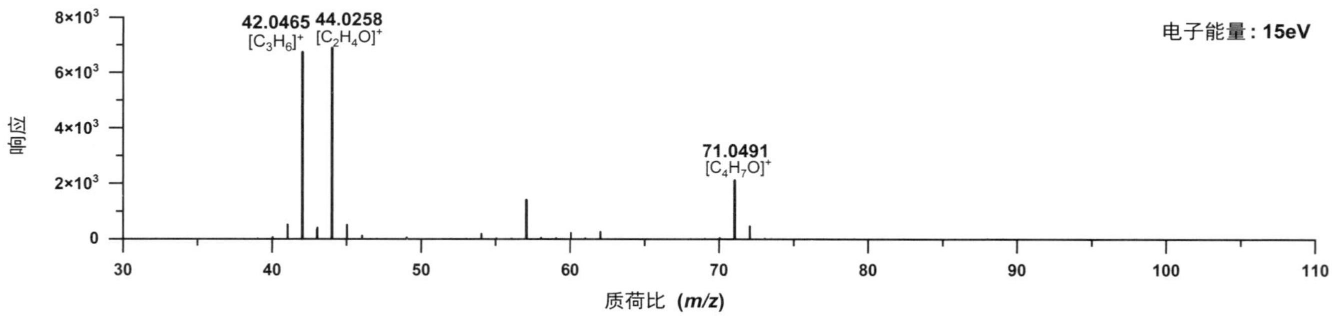

70 2,5-二甲基-2,5-己二醇

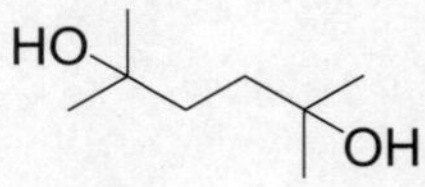

基本信息

CAS 登录号	110-03-2	分子式	$C_8H_{18}O_2$	分子量	146.1307
保留指数（极性）	1765	保留指数（非极性）	1027	香气描述	甜香，水果香，类似绿色植物的气味

质谱图

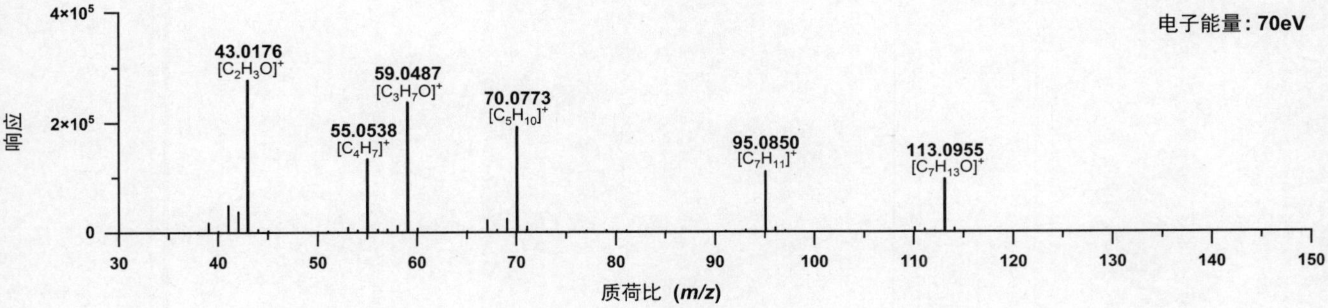

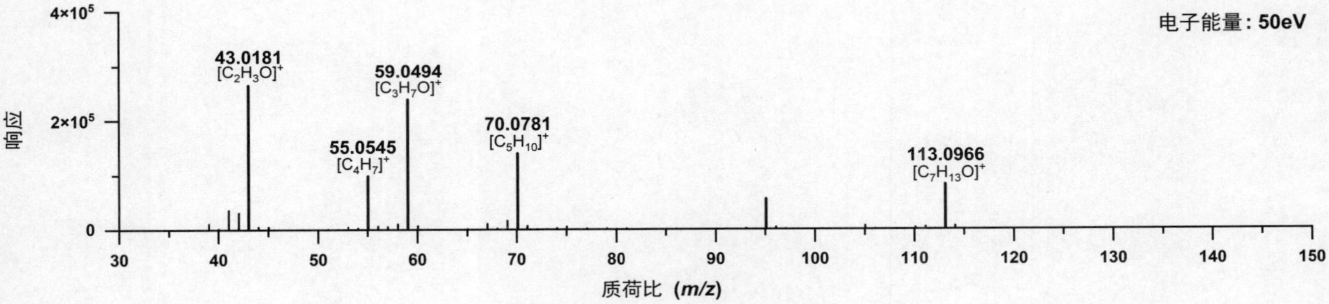

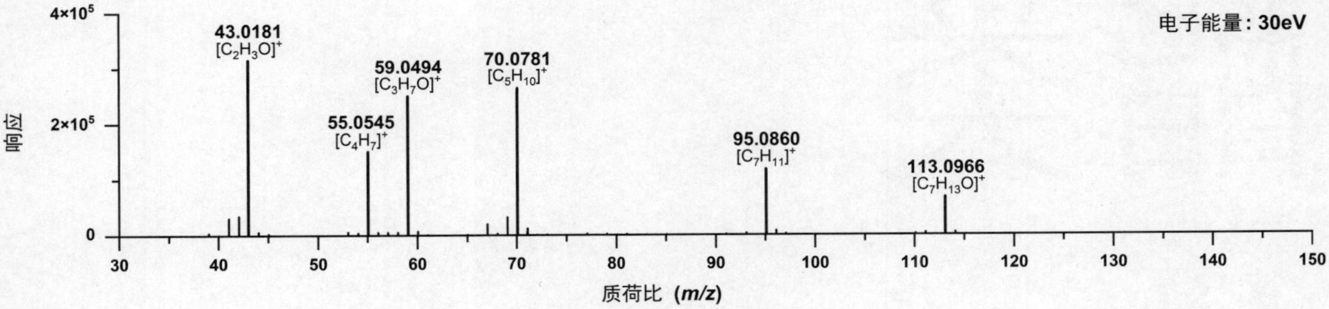

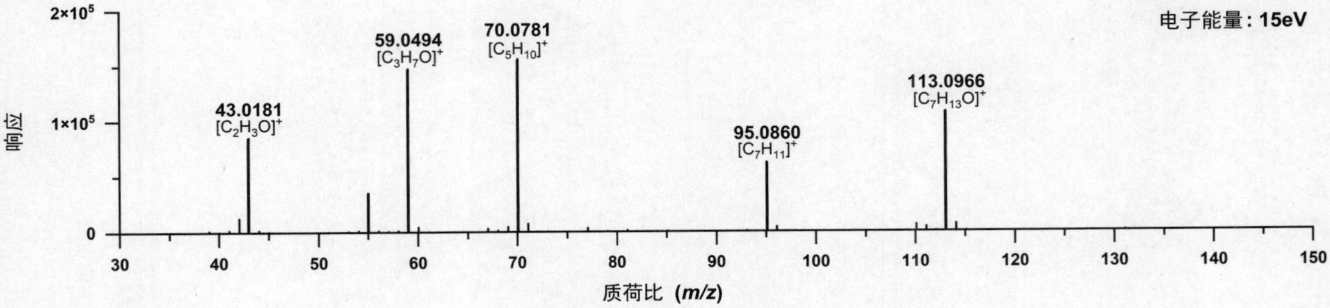

酯类

1 乙酸甲酯

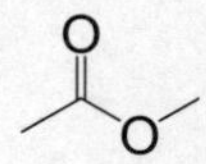

基本信息

CAS 登录号	79-20-9	分子式	$C_3H_6O_2$	分子量	74.0362
保留指数（极性）	847	保留指数（非极性）	509	香气描述	水果香，甜香，类似溶剂的气味

质谱图

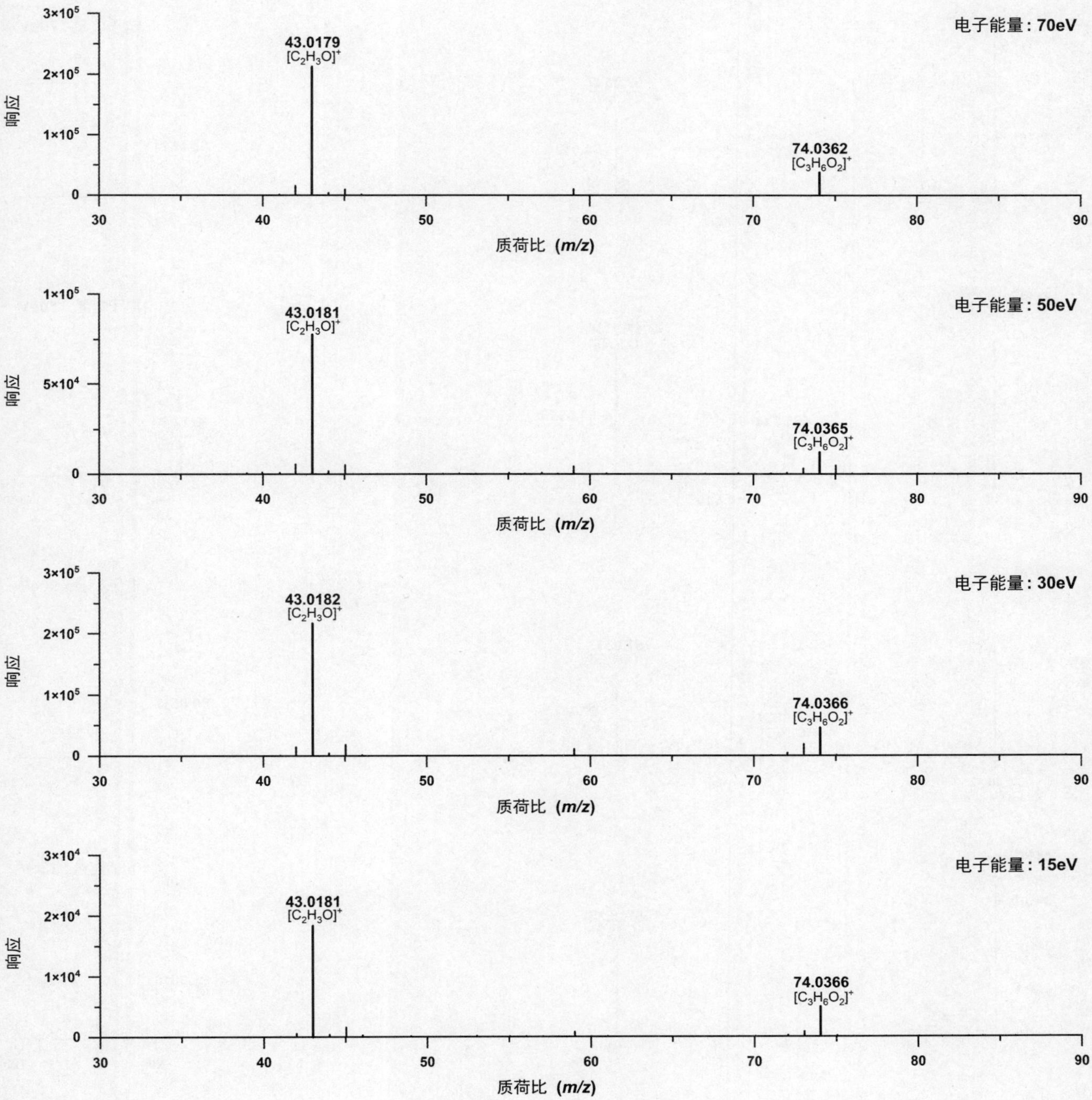

2 丙酸甲酯

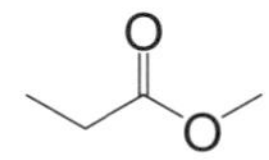

基本信息

CAS 登录号	554-12-1	分子式	$C_4H_8O_2$	分子量	88.0519
保留指数（极性）	911	保留指数（非极性）	614	香气描述	水果香，甜香，类似指甲油的气味

质谱图

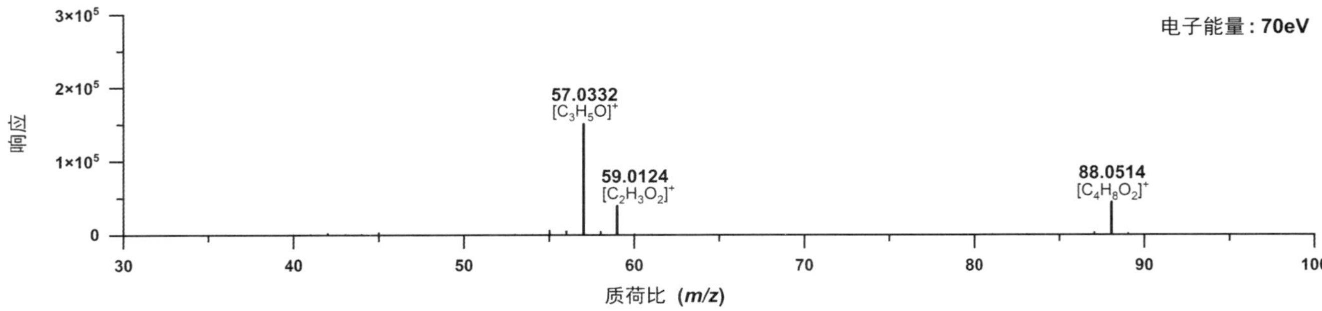

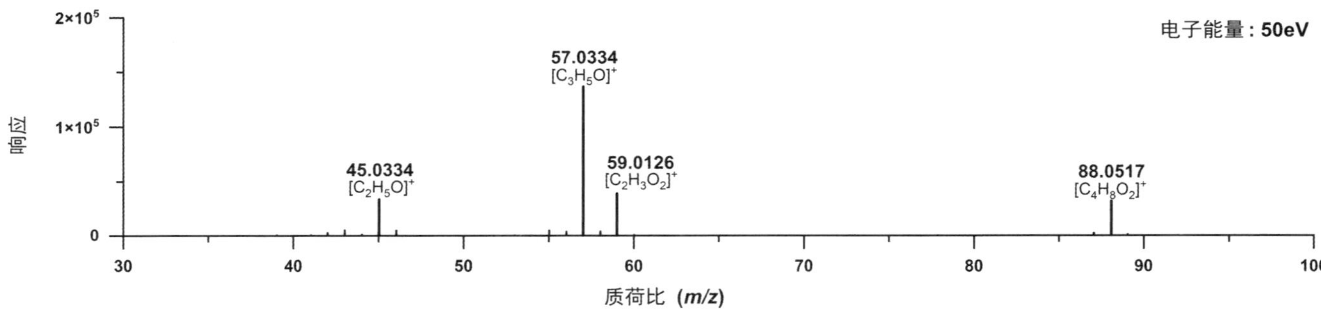

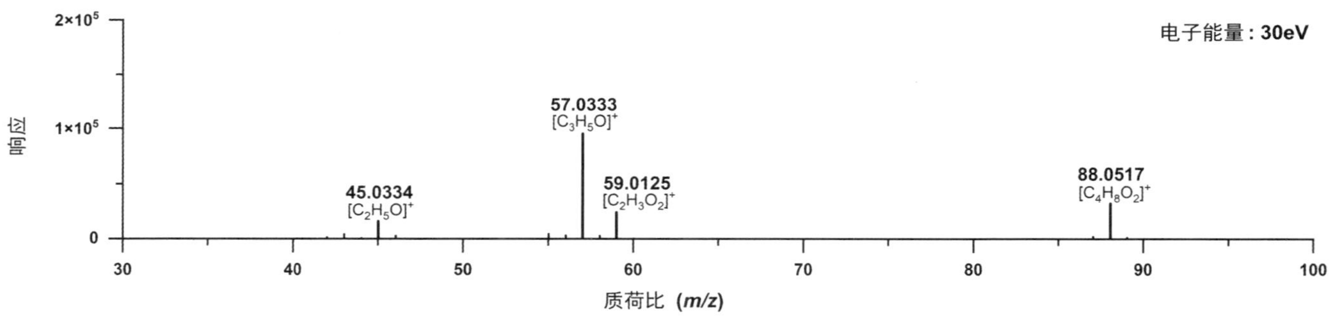

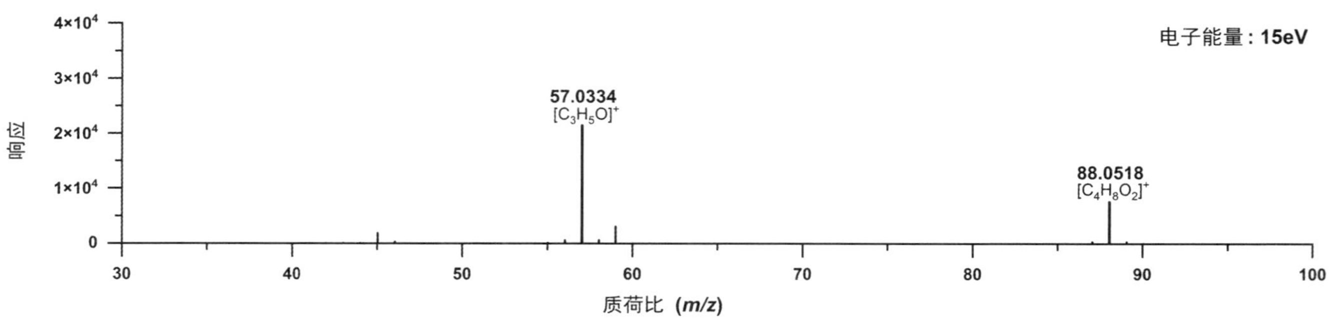

3 丁酸甲酯

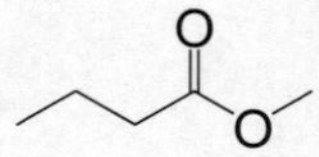

基本信息

CAS 登录号	623-42-7	分子式	$C_5H_{10}O_2$	分子量	102.0675
保留指数（极性）	989	保留指数（非极性）	707	香气描述	水果香，甜香

质谱图

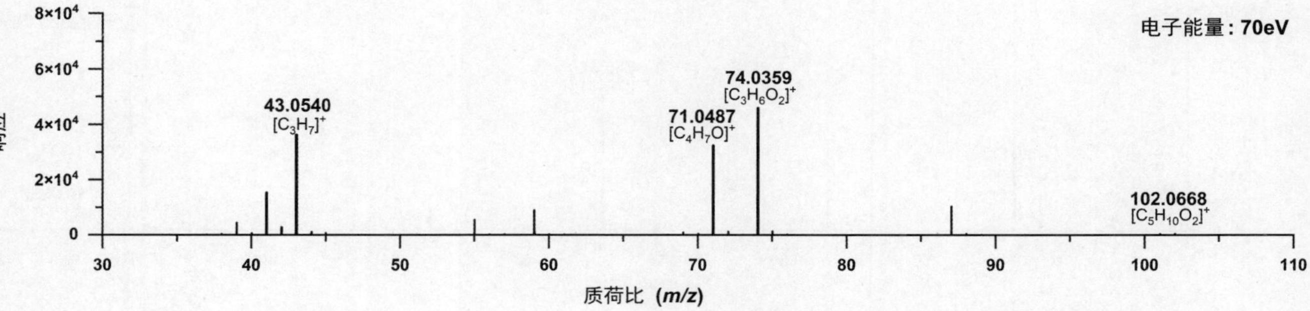

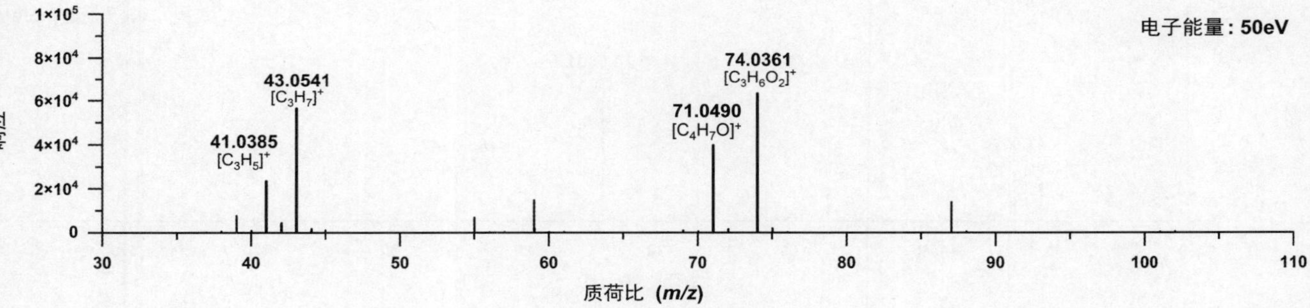

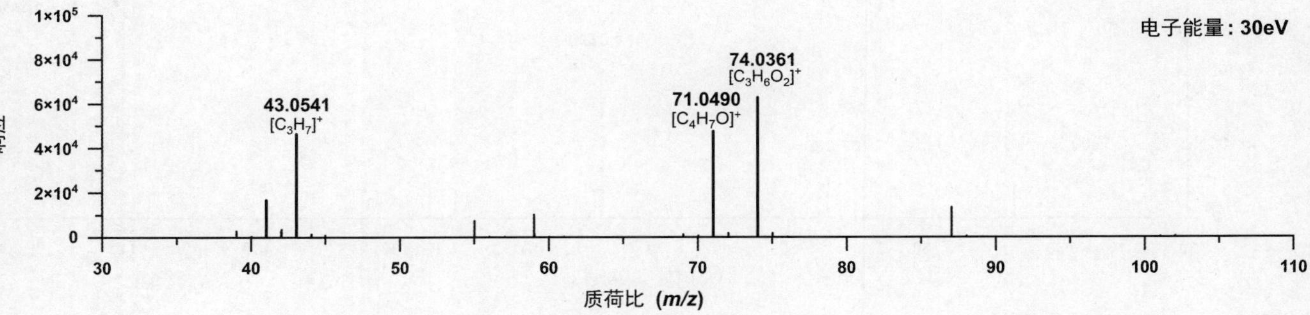

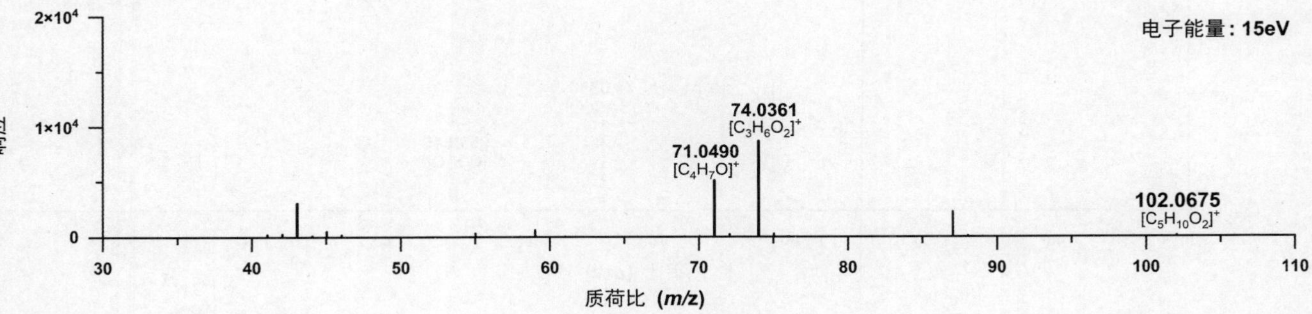

4 戊酸甲酯

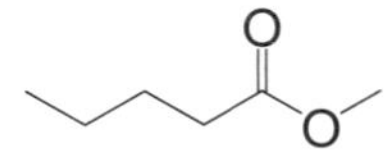

基本信息

CAS 登录号	624-24-8	分子式	$C_6H_{12}O_2$	分子量	116.0832
保留指数（极性）	1092	保留指数（非极性）	808	香气描述	水果香，苹果香，甜香

质谱图

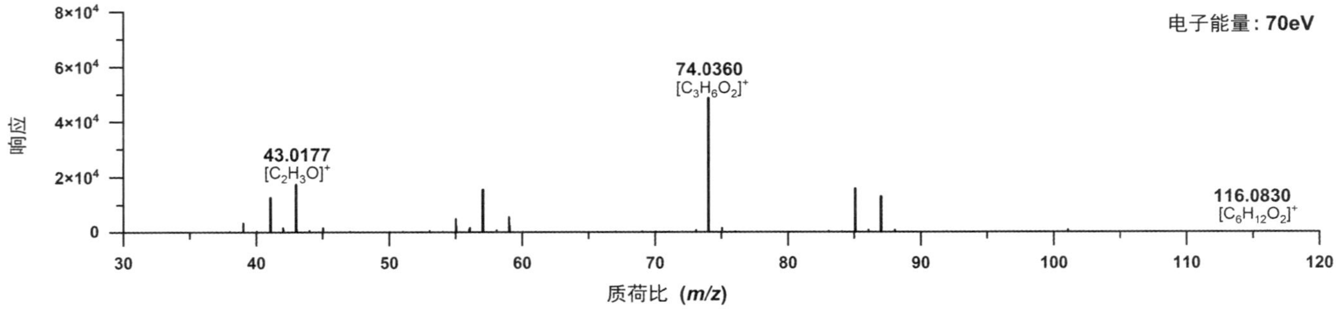

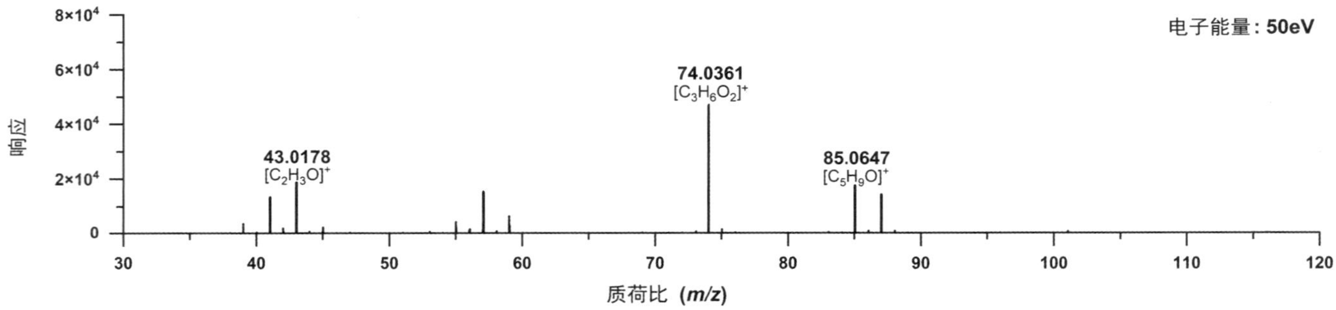

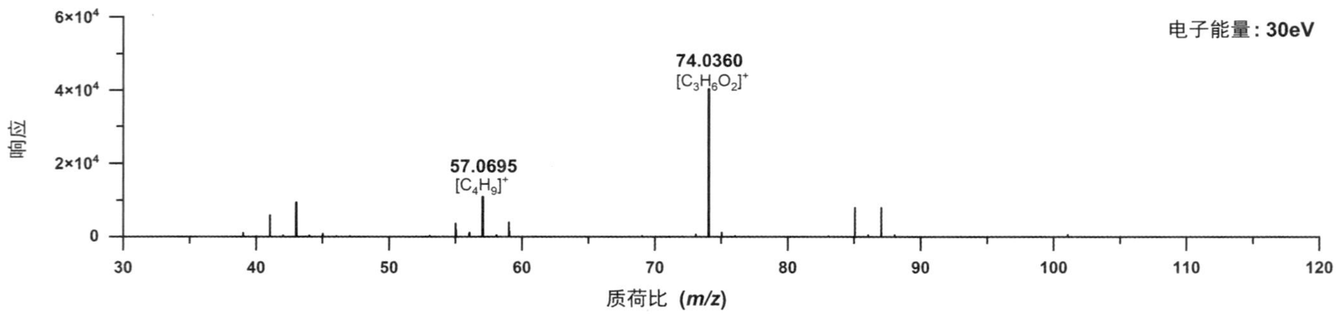

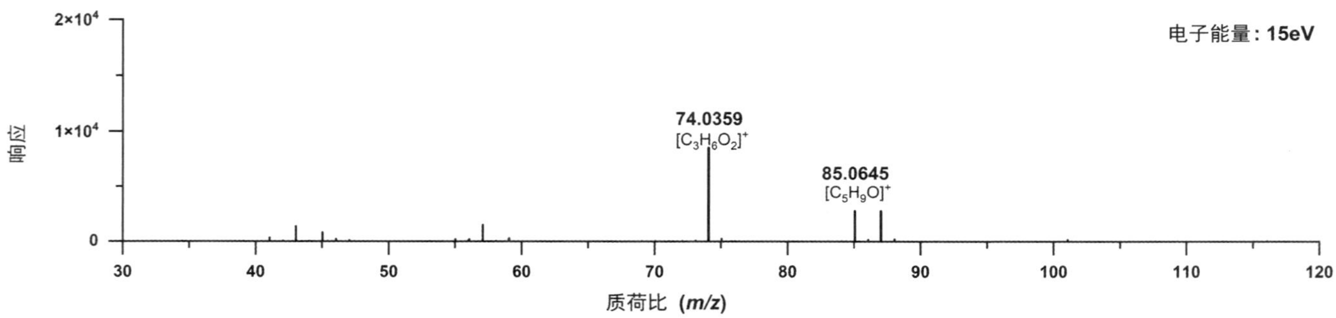

5 己酸甲酯

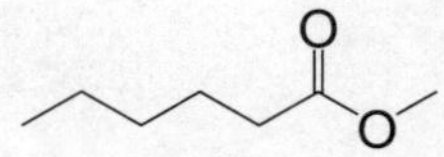

基本信息

CAS 登录号	106-70-7	分子式	$C_7H_{14}O_2$	分子量	130.0988
保留指数（极性）	1194	保留指数（非极性）	908	香气描述	水果香，甜香，凤梨香

质谱图

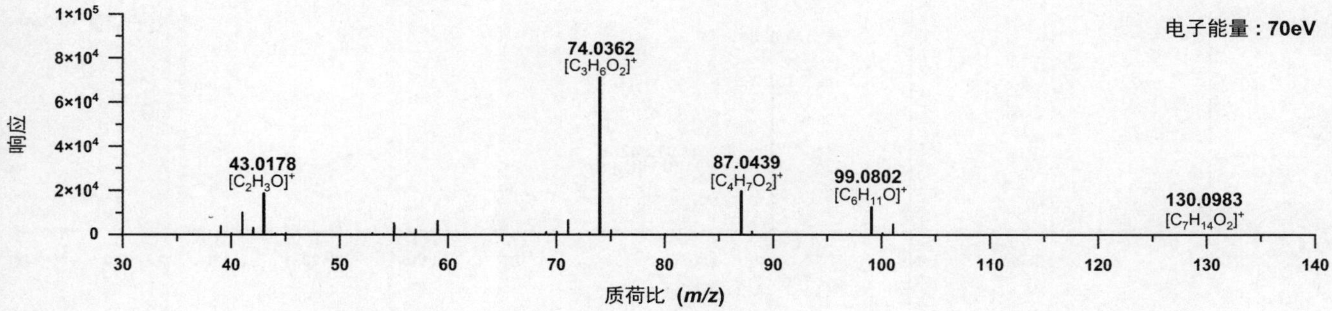

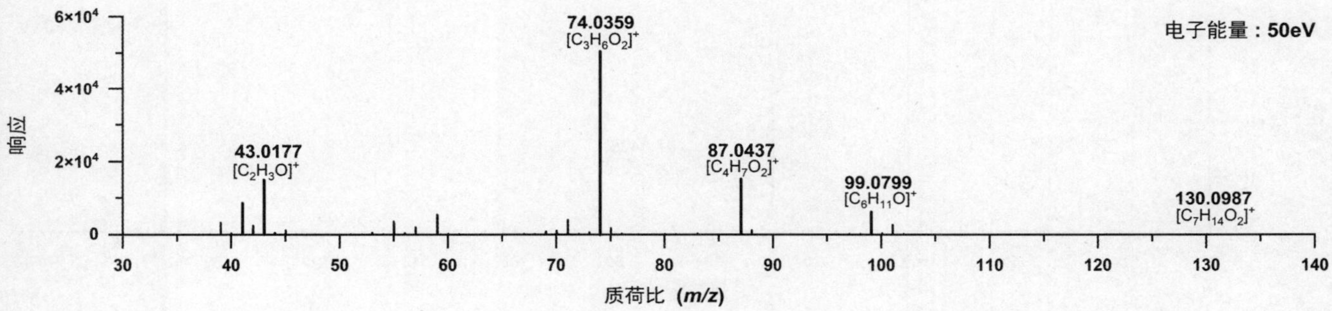

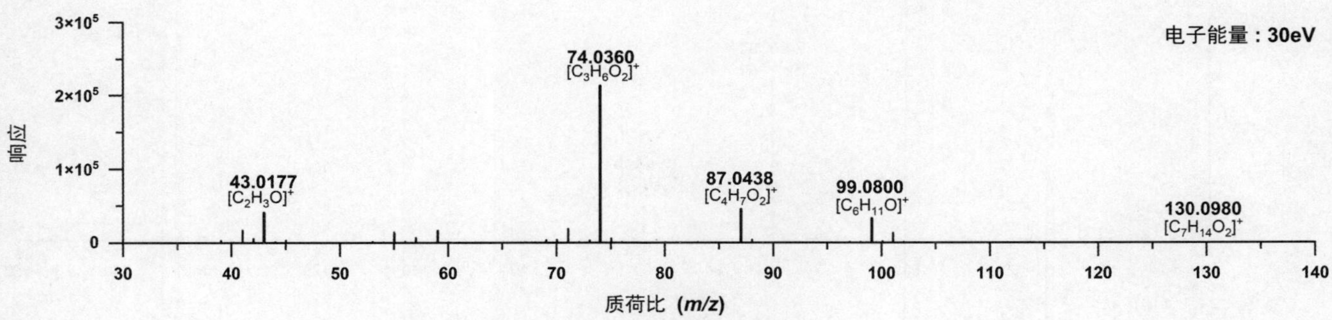

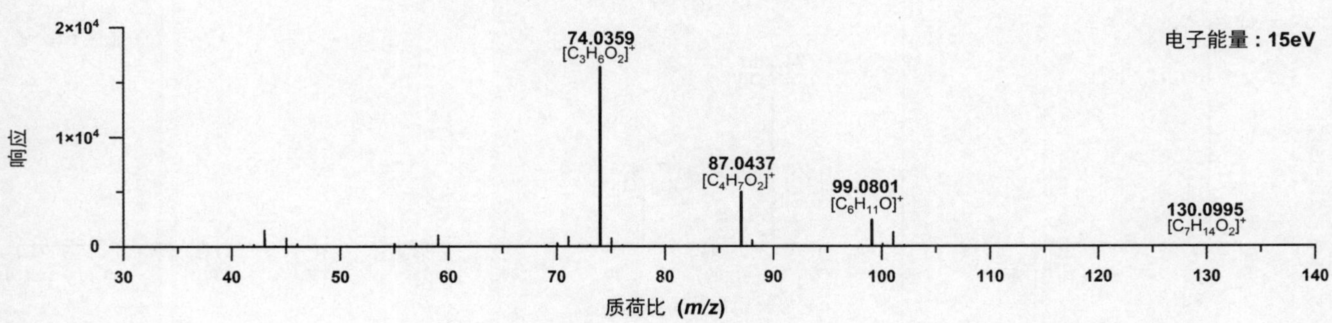

6 庚酸甲酯

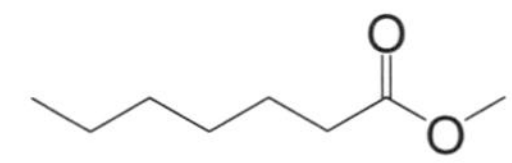

基本信息

CAS 登录号	106-73-0	分子式	$C_8H_{16}O_2$	分子量	144.1150
保留指数（极性）	1296	保留指数（非极性）	1006	香气描述	水果香，甜香，凤梨香

质谱图

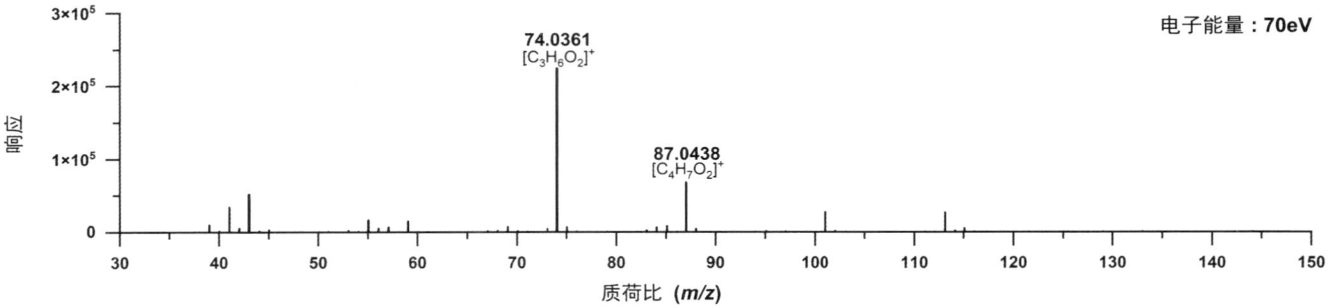

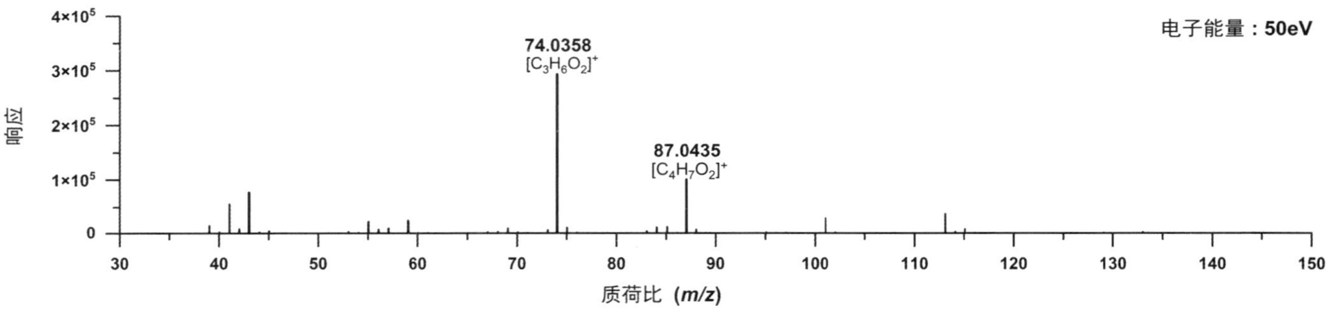

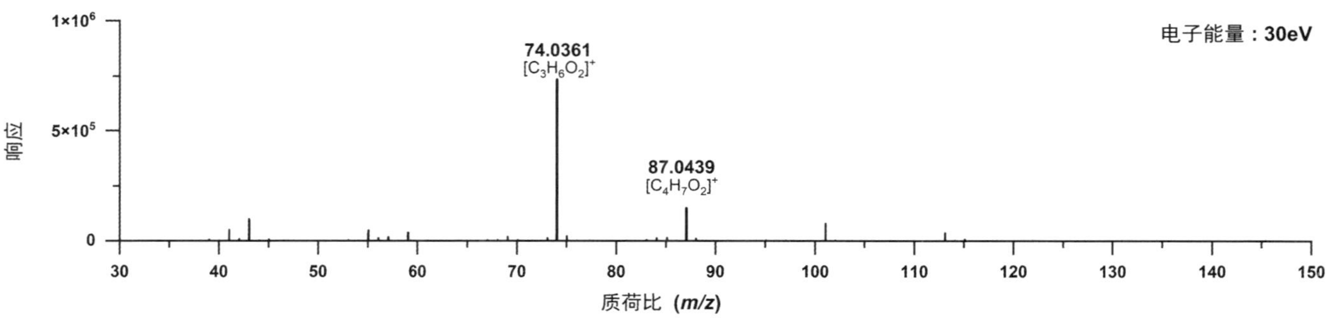

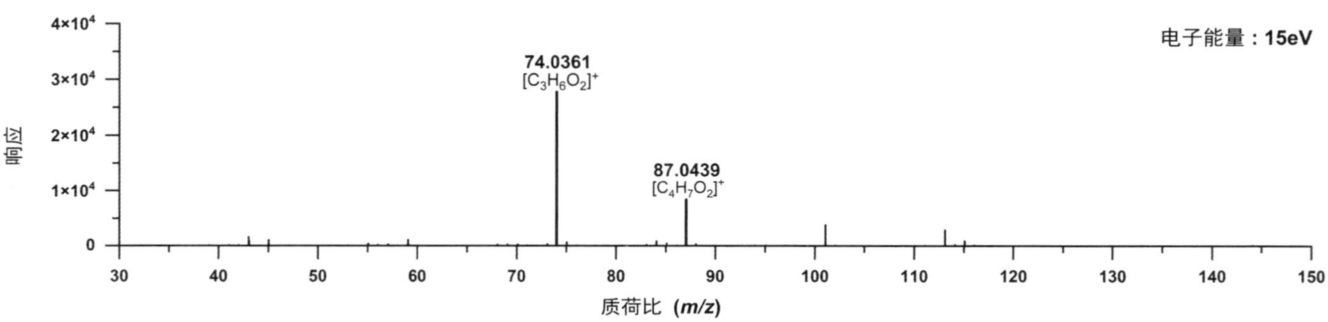

7 棕榈酸甲酯

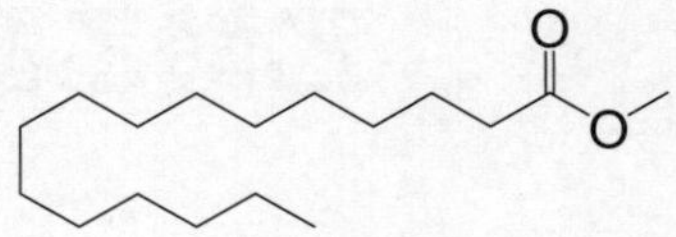

基本信息

CAS 登录号	112-39-0	分子式	$C_{17}H_{34}O_2$	分子量	270.2553
保留指数（极性）	2228	保留指数（非极性）	1908	香气描述	水果香，甜香，蜡味

质谱图

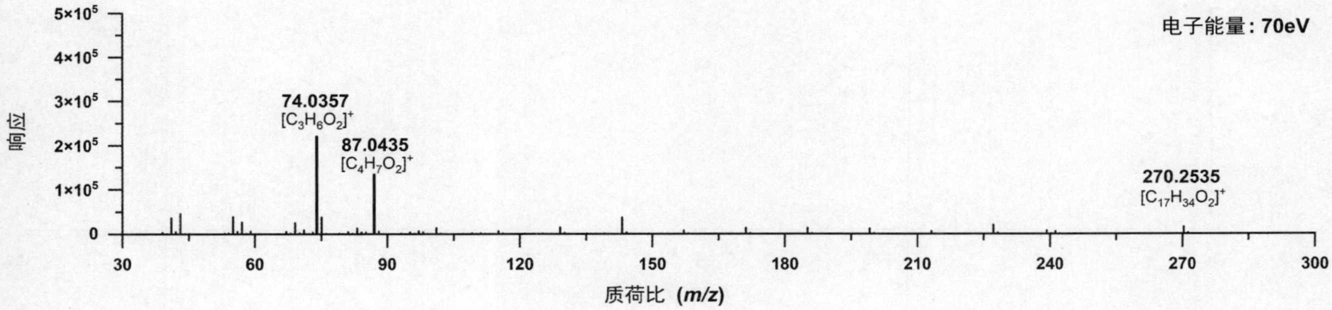

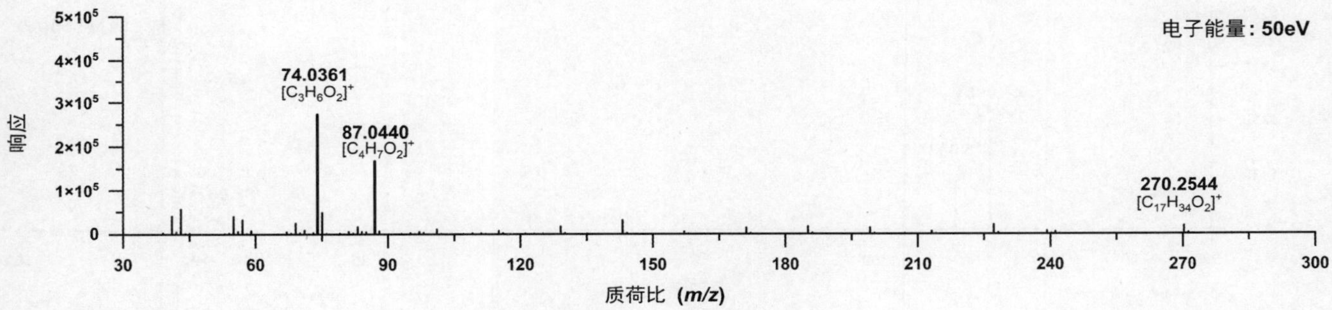

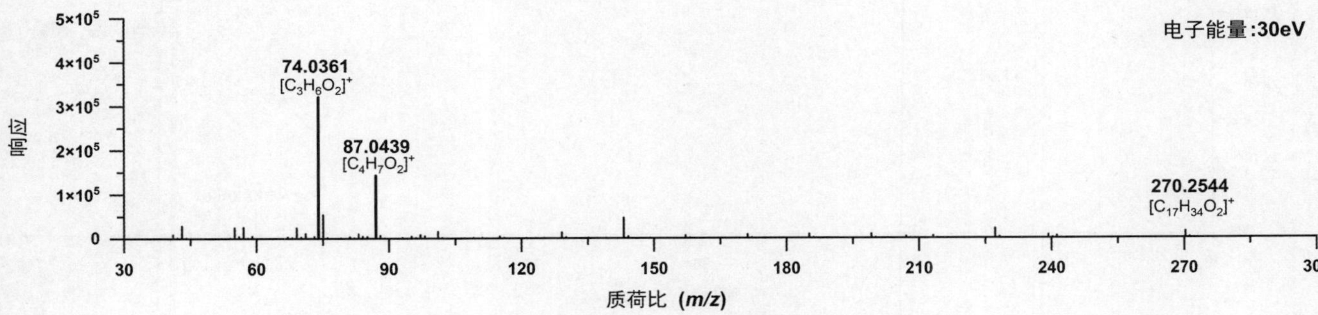

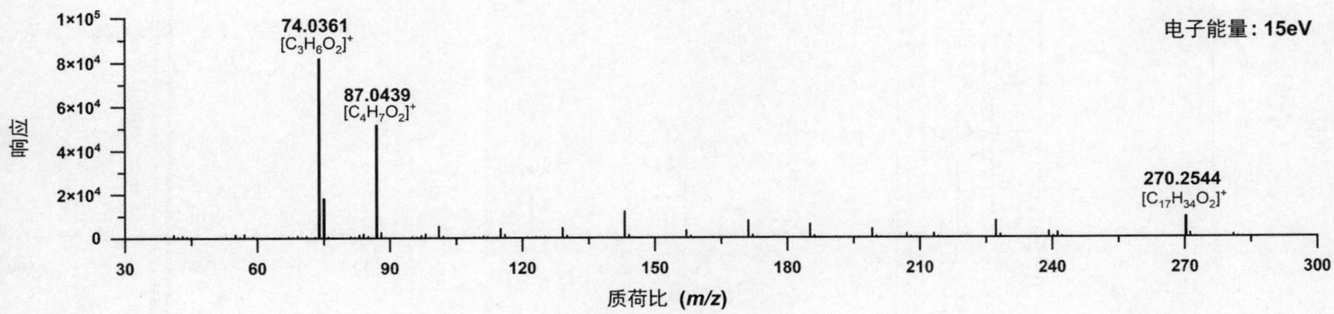

8 乙酸乙酯

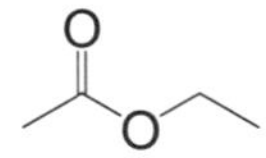

基本信息

CAS 登录号	141-78-6	分子式	$C_4H_8O_2$	分子量	88.0519
保留指数（极性）	891	保留指数（非极性）	603	香气描述	甜香，水果香，香蕉味，类似指甲油的气味

质谱图

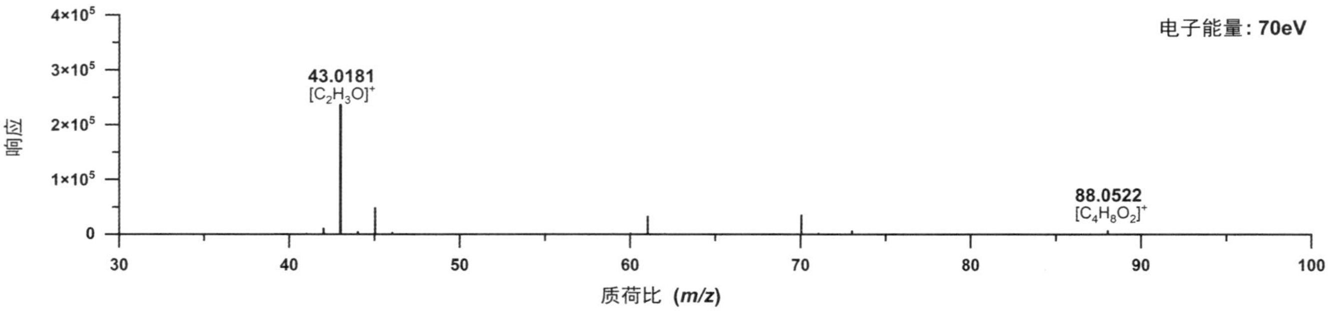

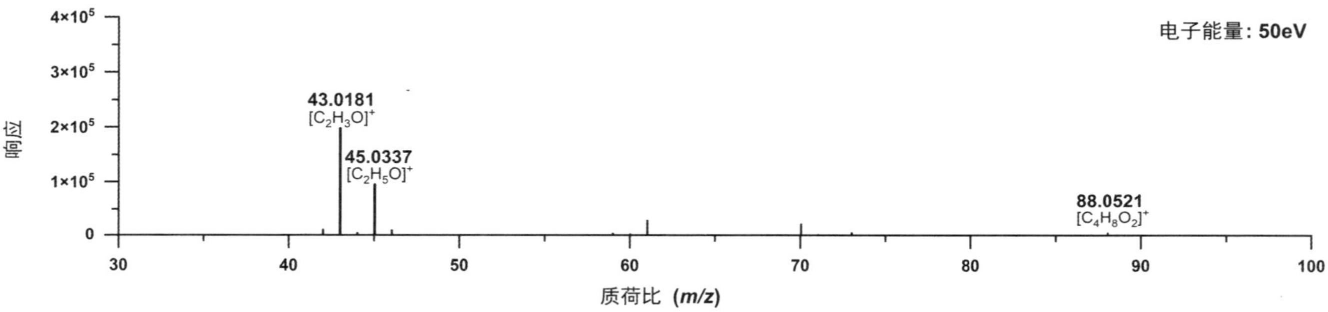

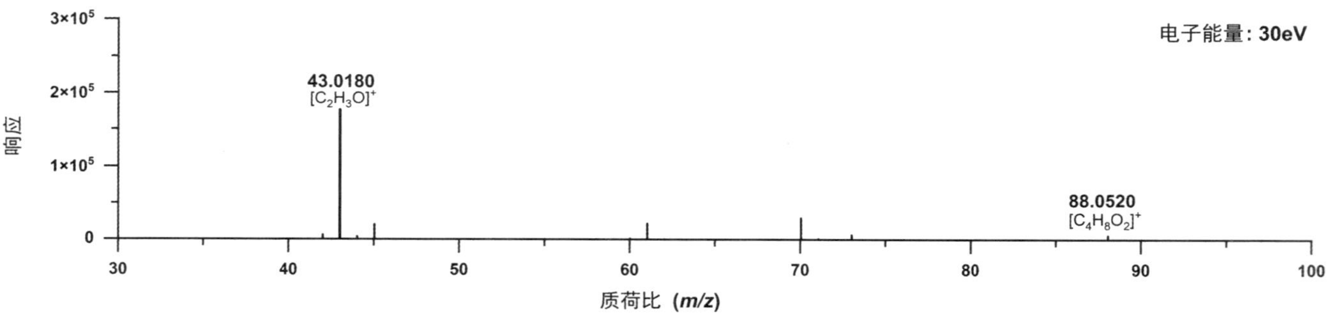

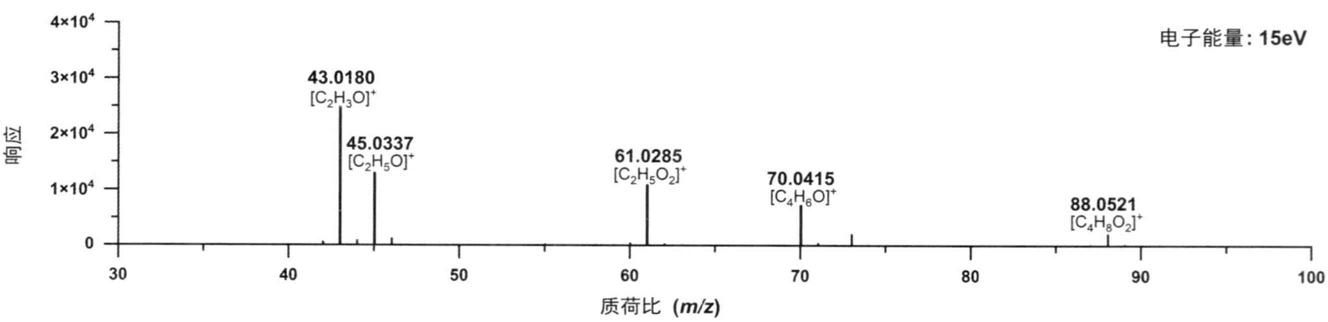

9 丙酸乙酯

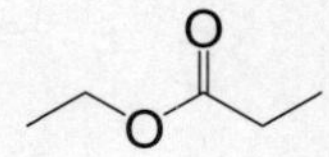

基本信息

CAS 登录号	105-37-3	分子式	$C_5H_{10}O_2$	分子量	102.0675
保留指数（极性）	962	保留指数（非极性）	701	香气描述	水果香，凤梨香，甜香

质谱图

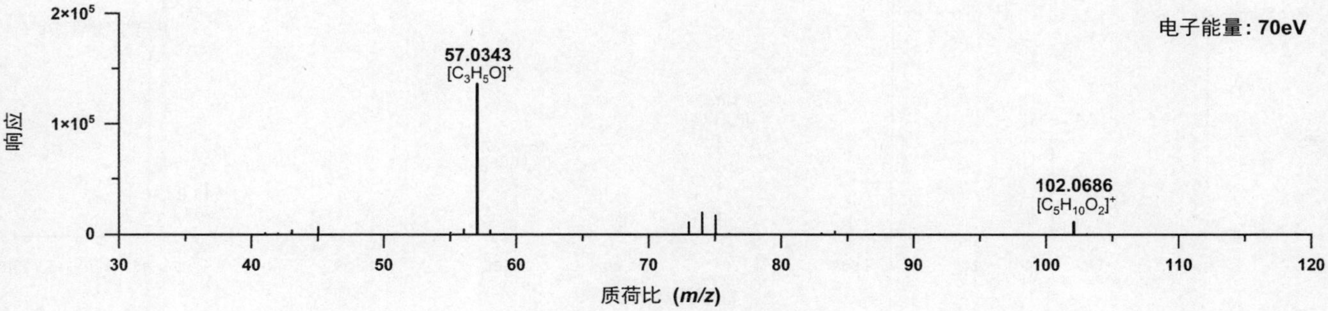

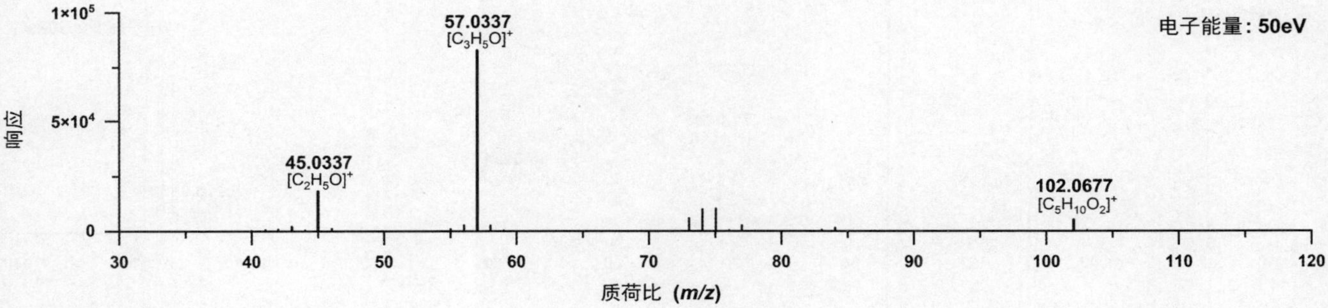

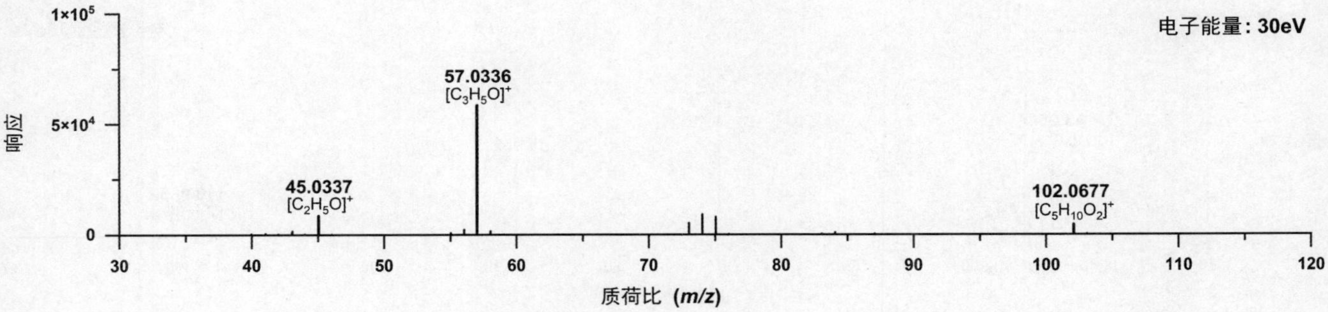

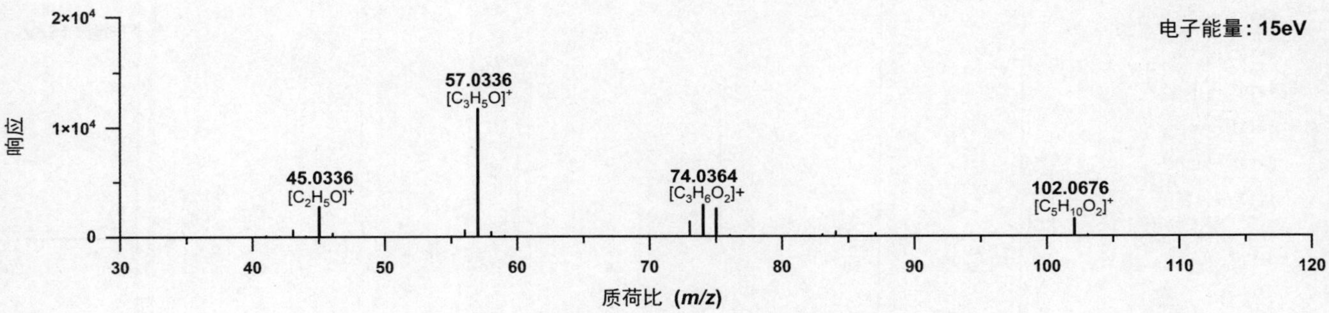

10 丁酸乙酯

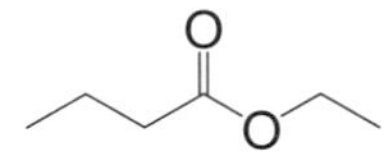

基本信息

CAS 登录号	105-54-4	分子式	$C_6H_{12}O_2$	分子量	116.0832
保留指数（极性）	1040	保留指数（非极性）	786	香气描述	水果香，甜香，凤梨香

质谱图

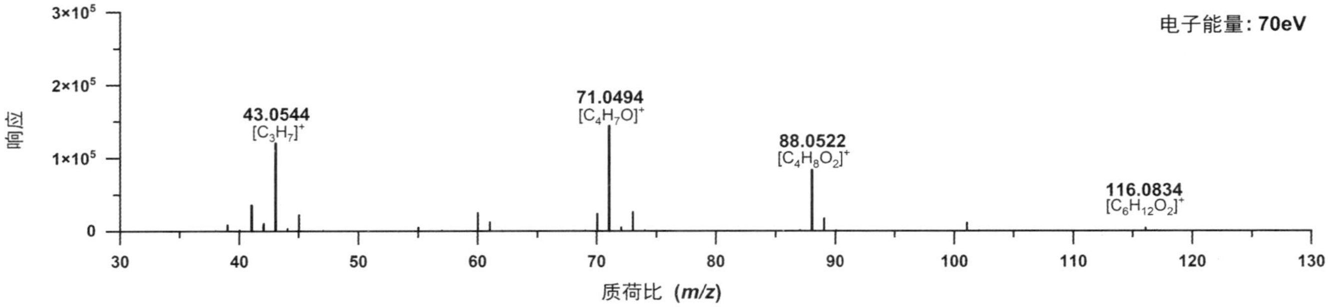

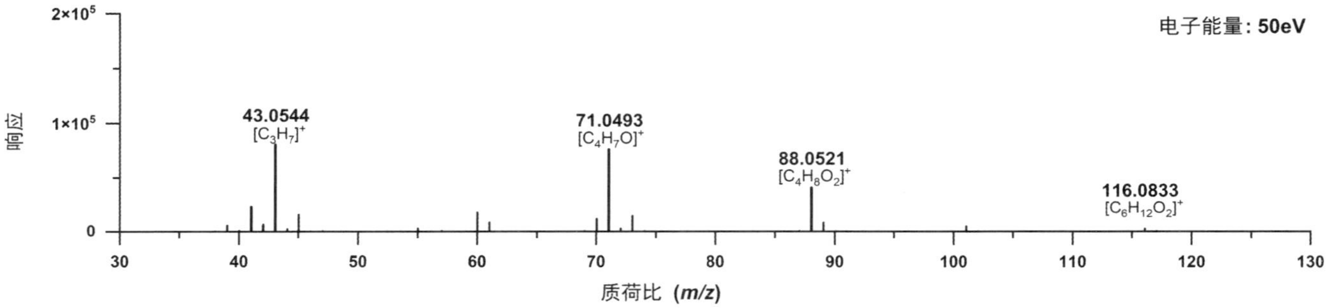

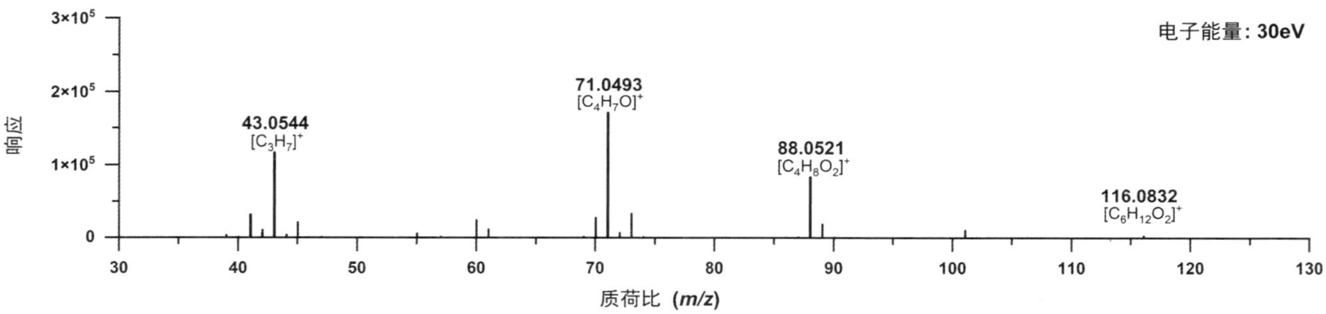

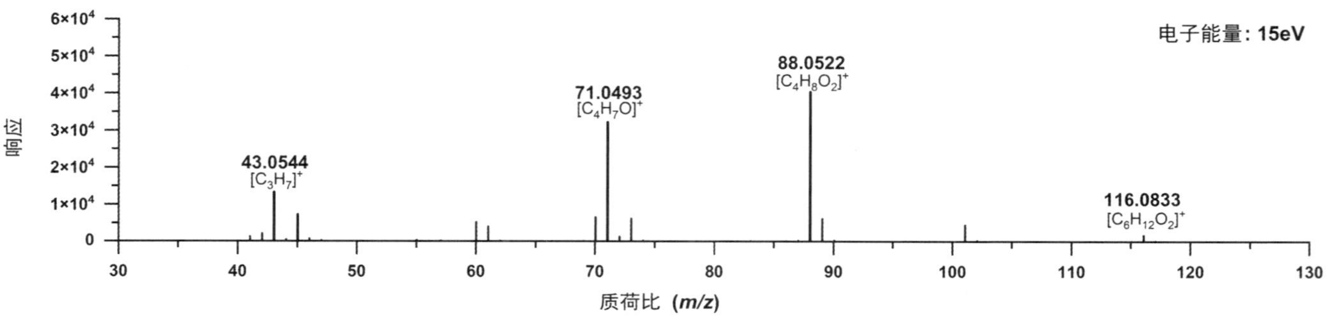

11 戊酸乙酯

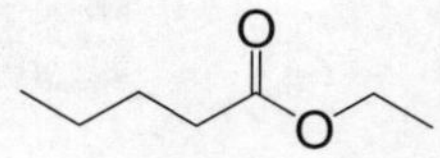

基本信息

CAS 登录号	539-82-2	分子式	$C_7H_{14}O_2$	分子量	130.0994
保留指数（极性）	1141	保留指数（非极性）	884	香气描述	水果香，甜香，凤梨香

质谱图

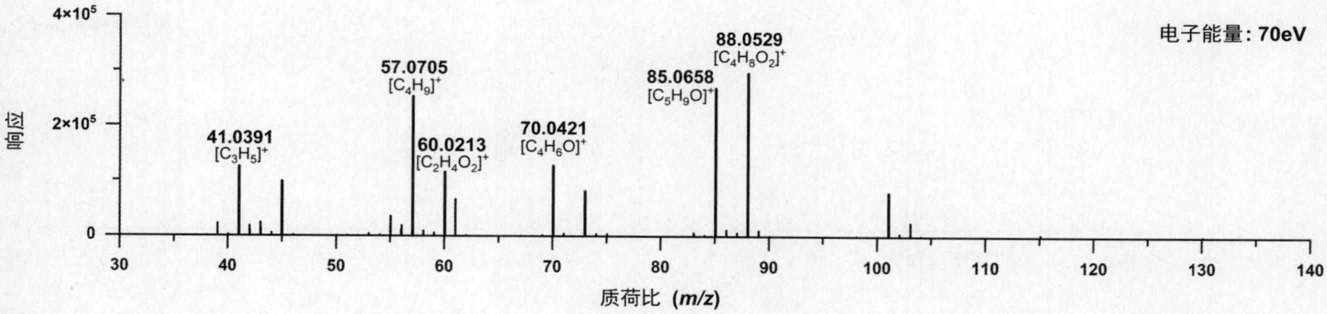

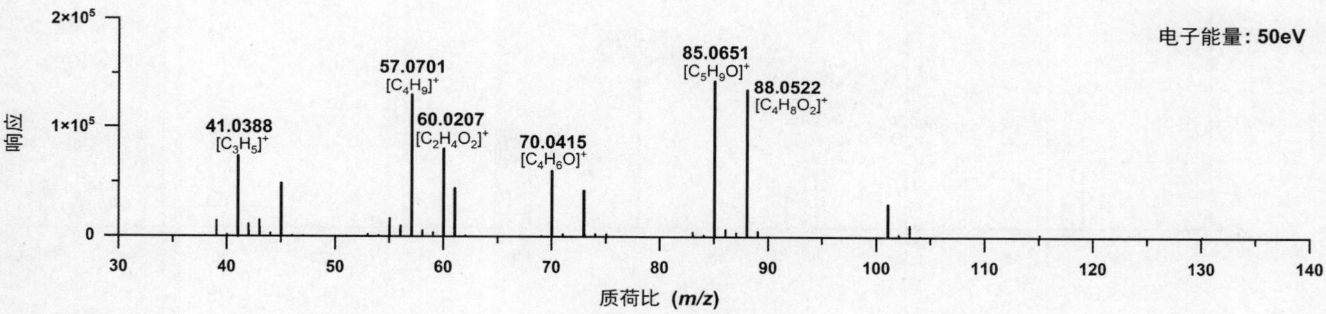

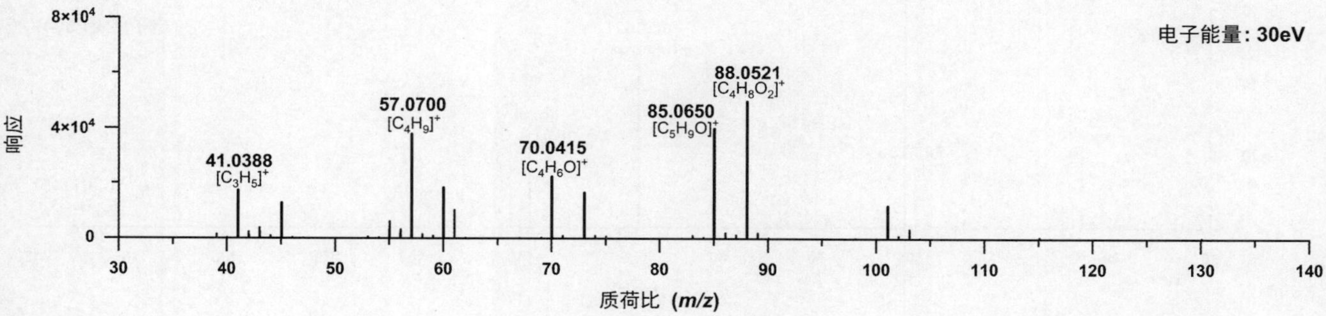

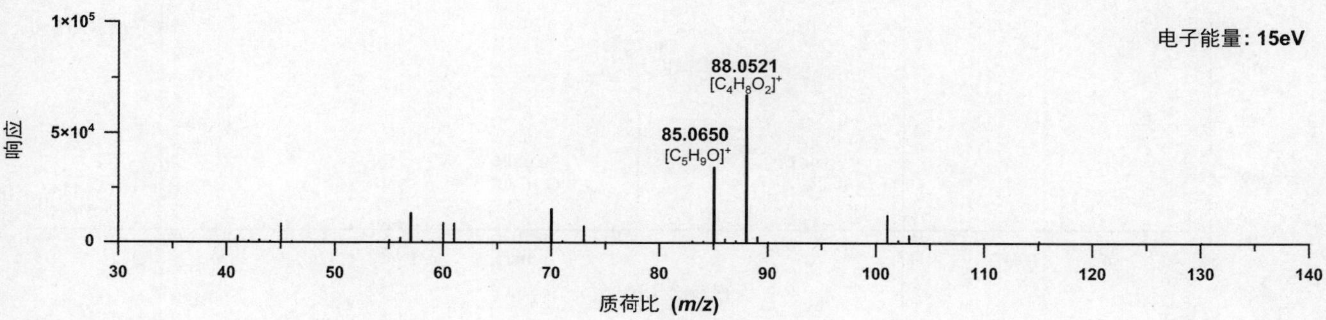

12 己酸乙酯

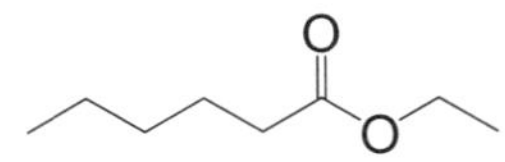

基本信息

CAS 登录号	123-66-0	分子式	$C_8H_{16}O_2$	分子量	144.1145
保留指数（极性）	1241	保留指数（非极性）	982	香气描述	水果香，甜香，凤梨香

质谱图

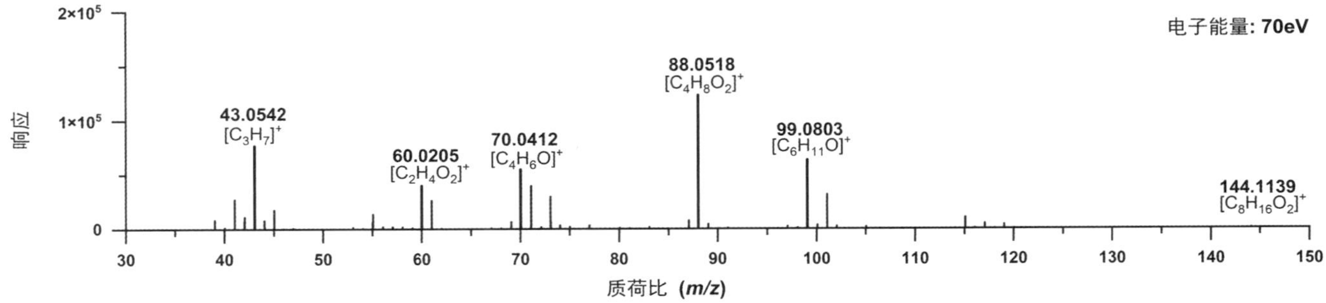

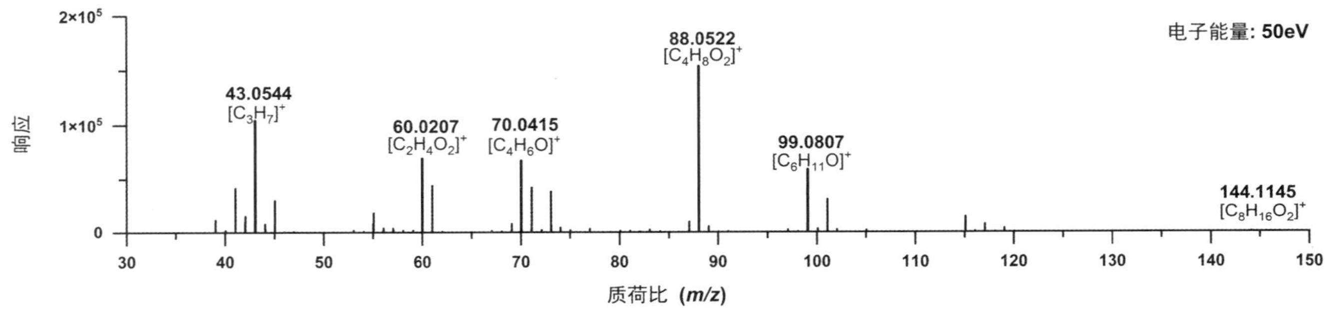

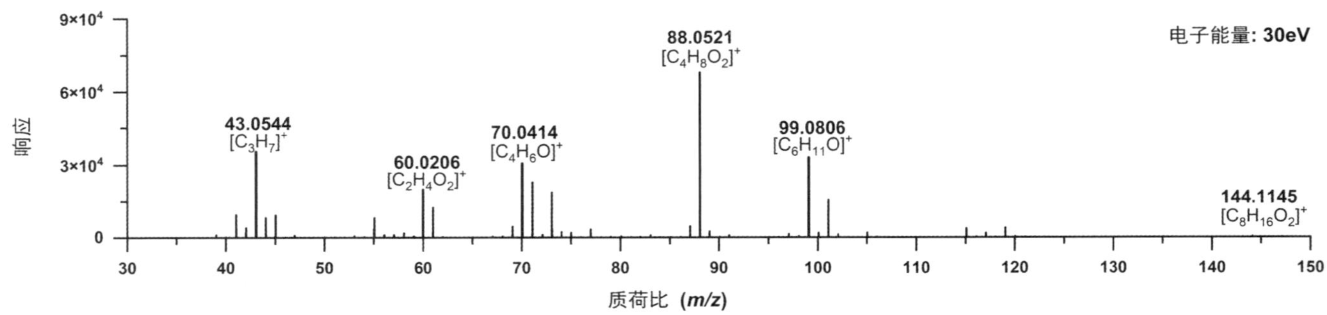

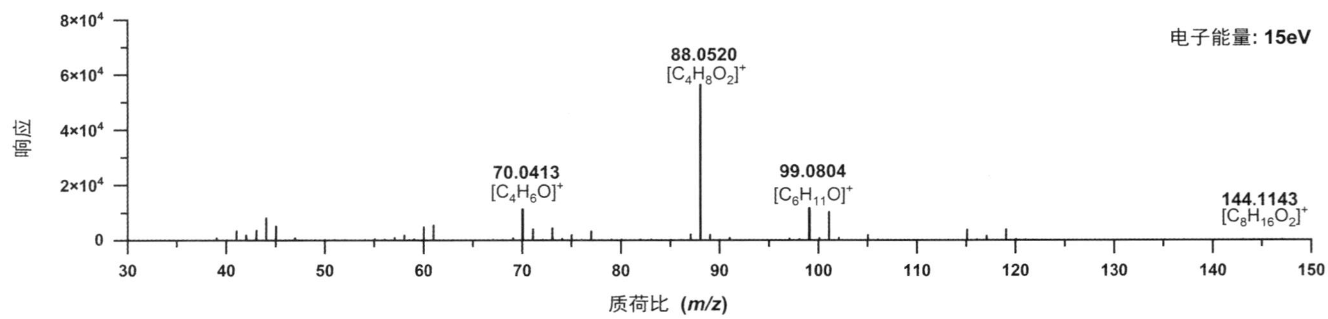

13

环己甲酸乙酯

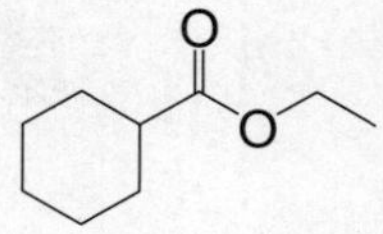

基本信息

CAS 登录号	3289-28-9	分子式	$C_9H_{16}O_2$	分子量	156.1145
保留指数（极性）	1448	保留指数（非极性）	1114	香气描述	甜香，水果香，蜡味

质谱图

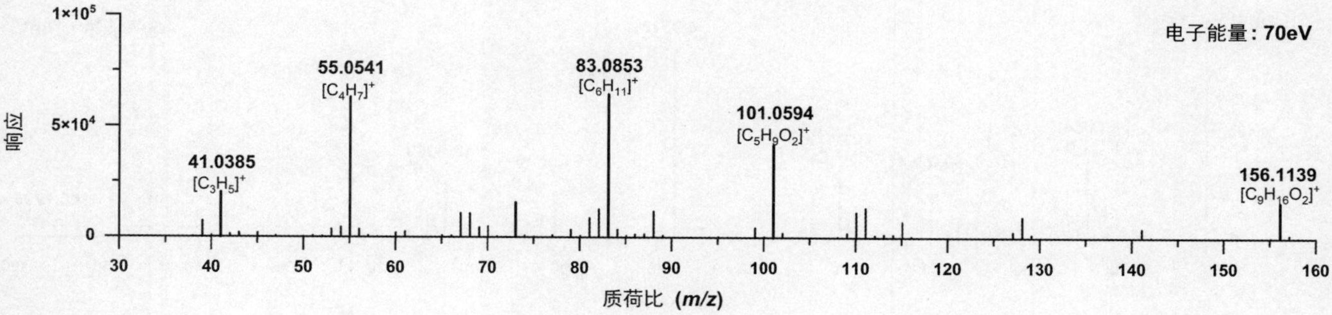

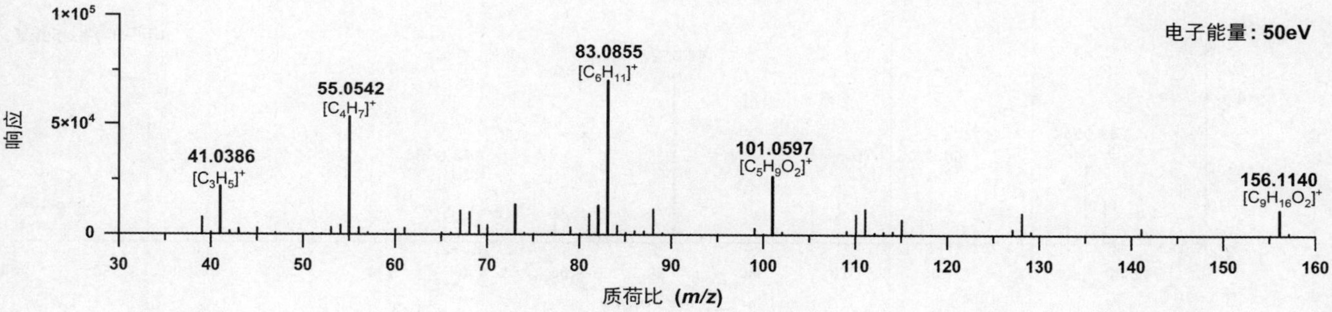

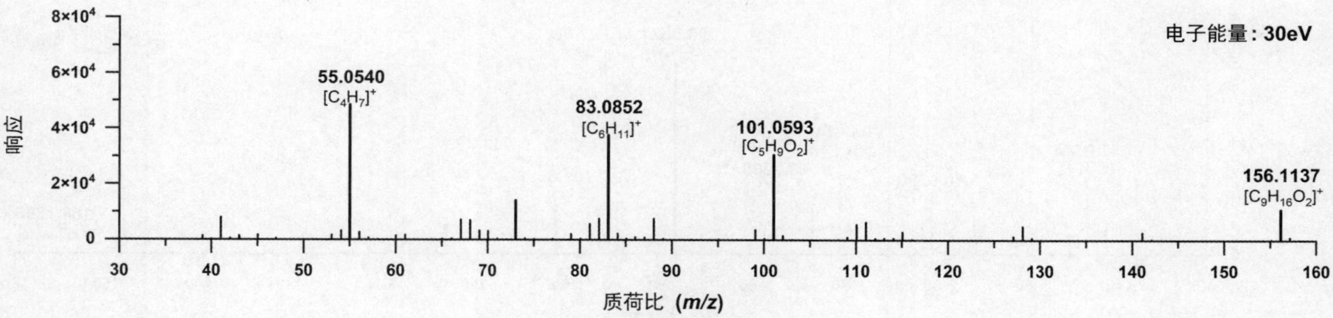

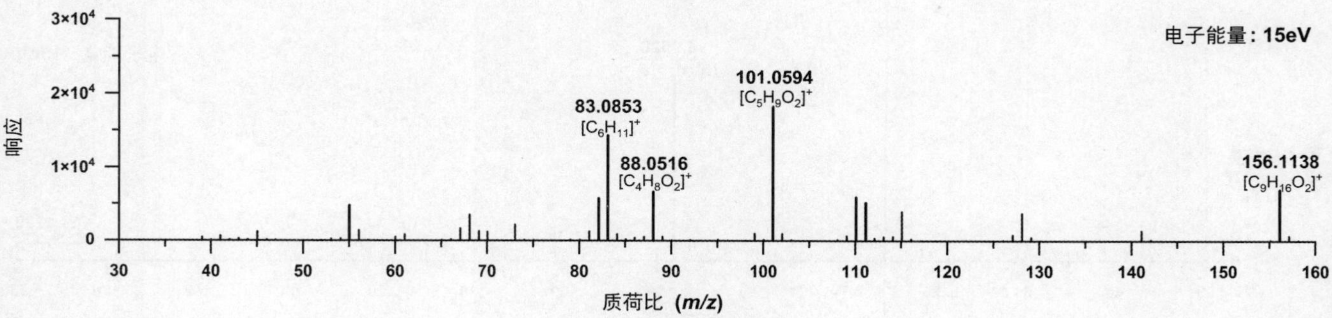

14 庚酸乙酯

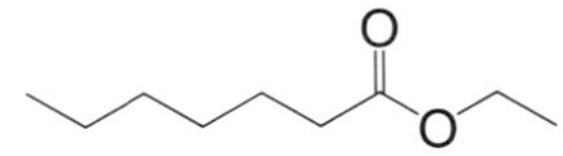

基本信息

CAS 登录号	106-30-9	分子式	$C_9H_{18}O_2$	分子量	158.1301
保留指数（极性）	1342	保留指数（非极性）	1080	香气描述	水果香，甜香，香蕉味

质谱图

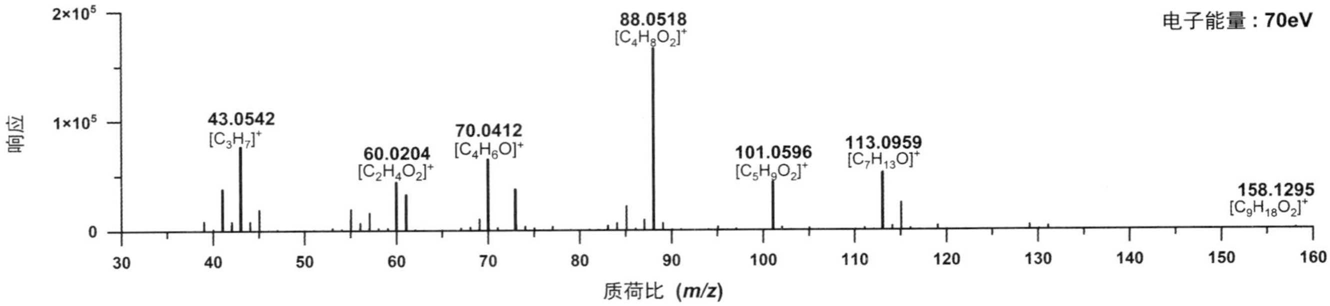

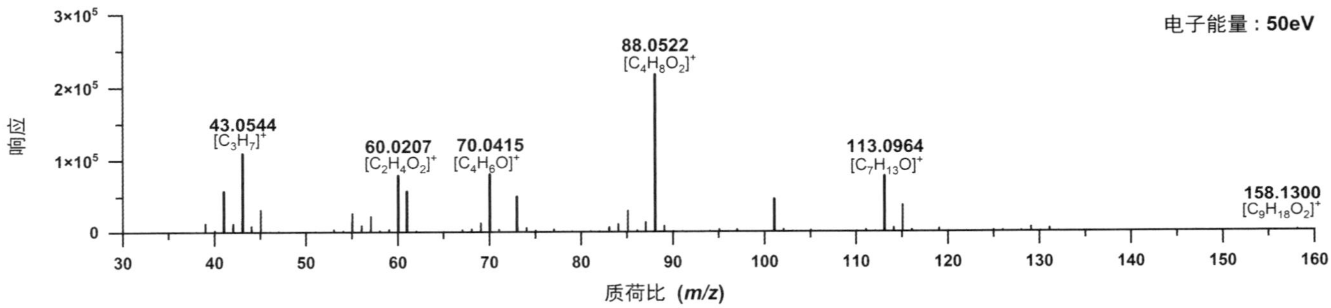

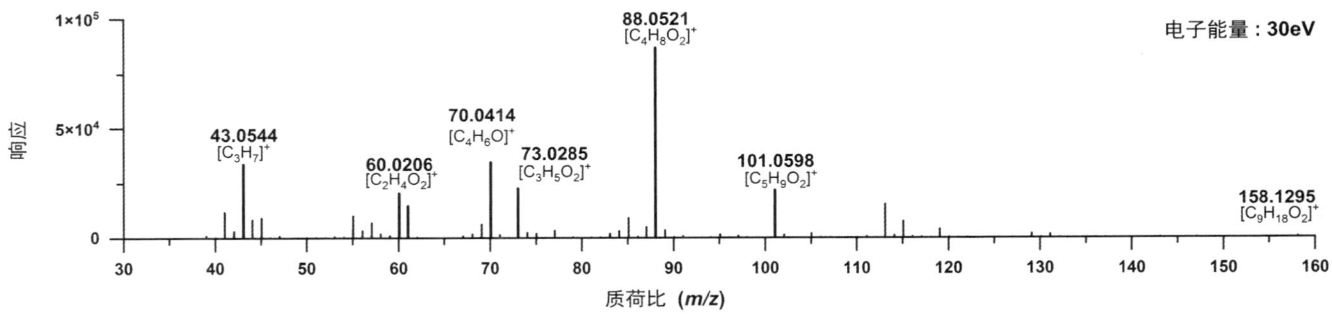

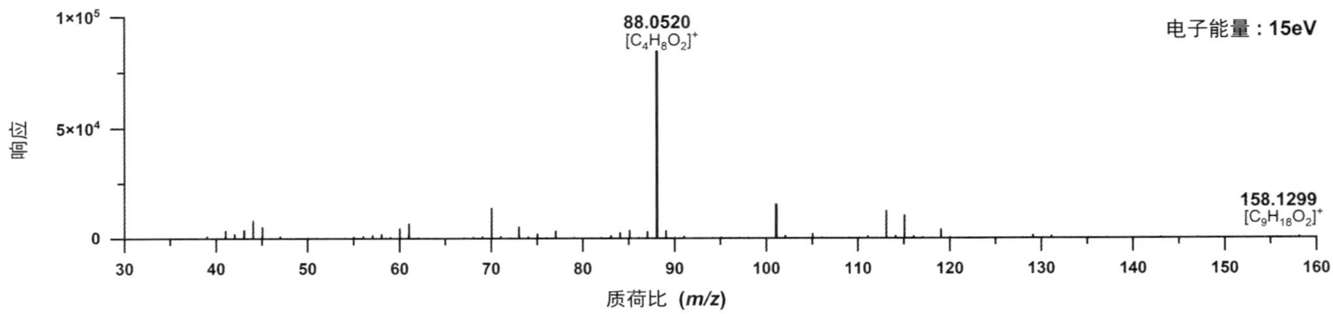

15 辛酸乙酯

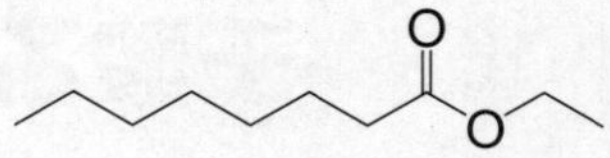

基本信息

CAS 登录号	106-32-1	分子式	$C_{10}H_{20}O_2$	分子量	172.1458
保留指数（极性）	1443	保留指数（非极性）	1179	香气描述	水果香，甜香，凤梨香

质谱图

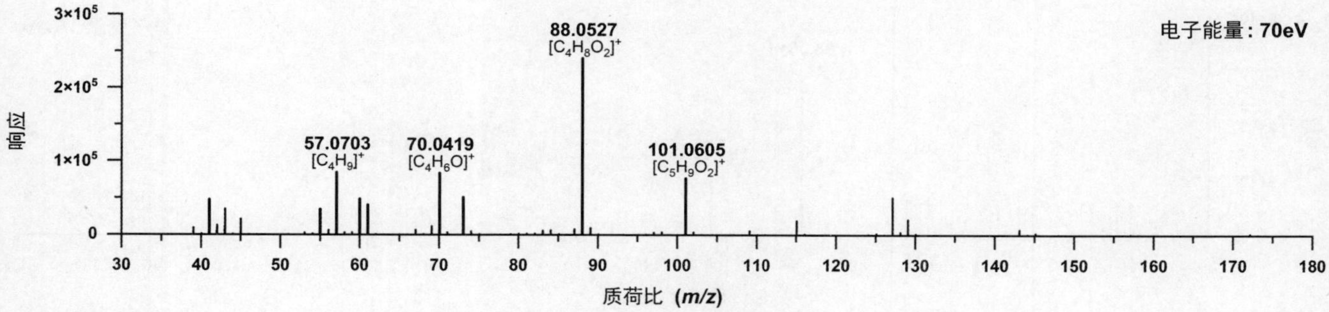

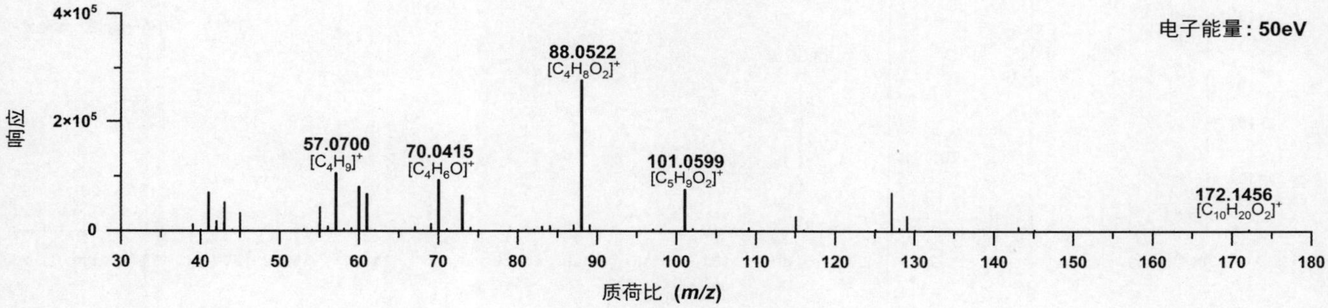

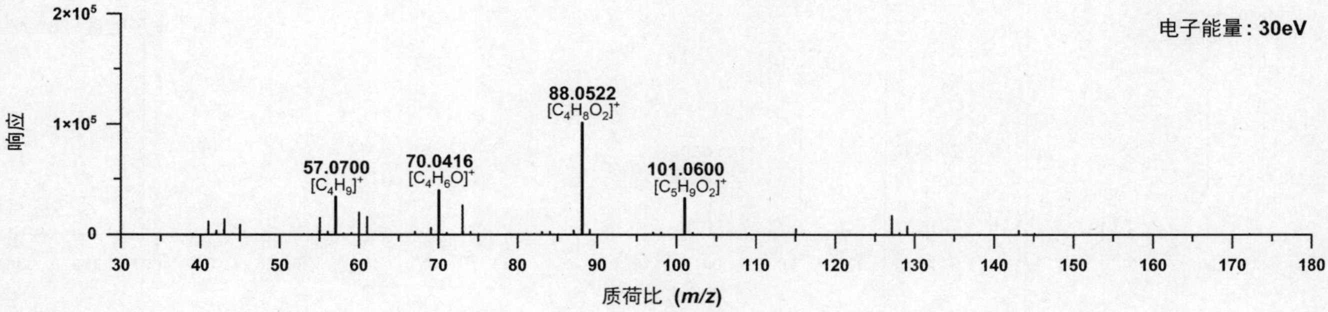

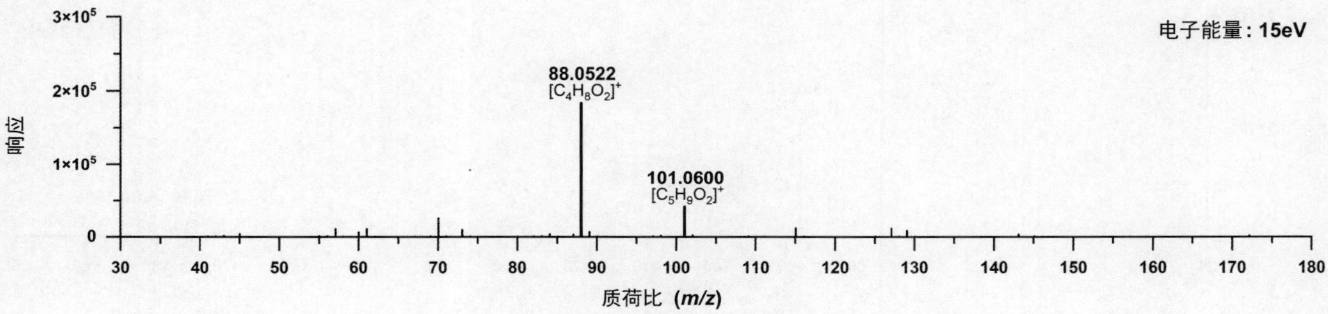

16 壬酸乙酯

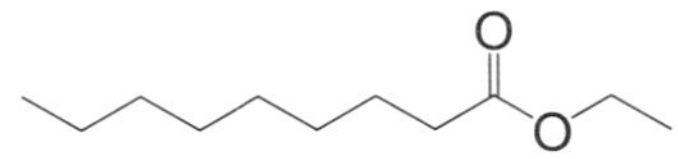

基本信息

CAS 登录号	123-29-5	分子式	$C_{11}H_{22}O_2$	分子量	186.1614
保留指数（极性）	1546	保留指数（非极性）	1278	香气描述	水果香，甜香

质谱图

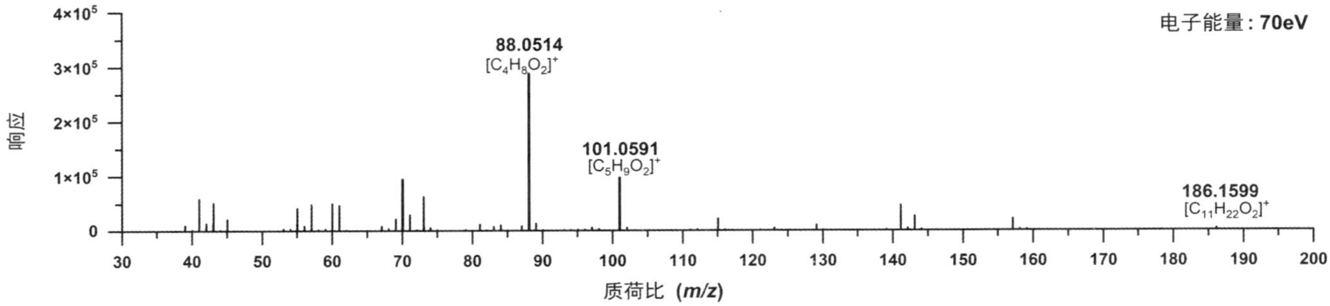

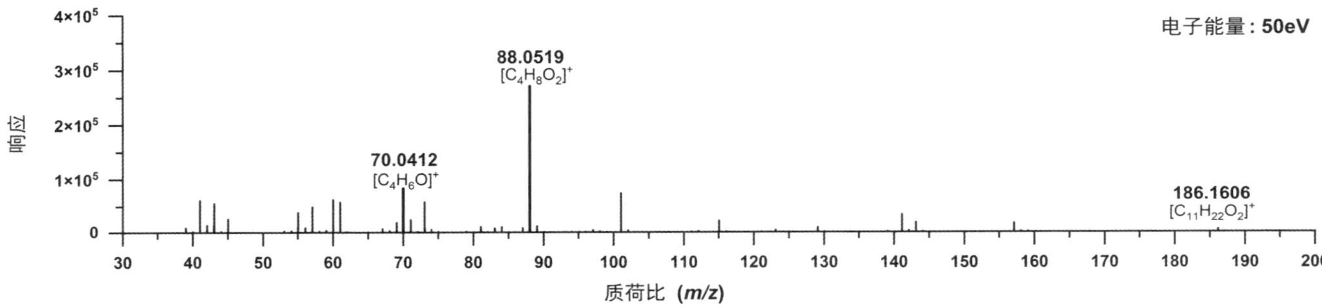

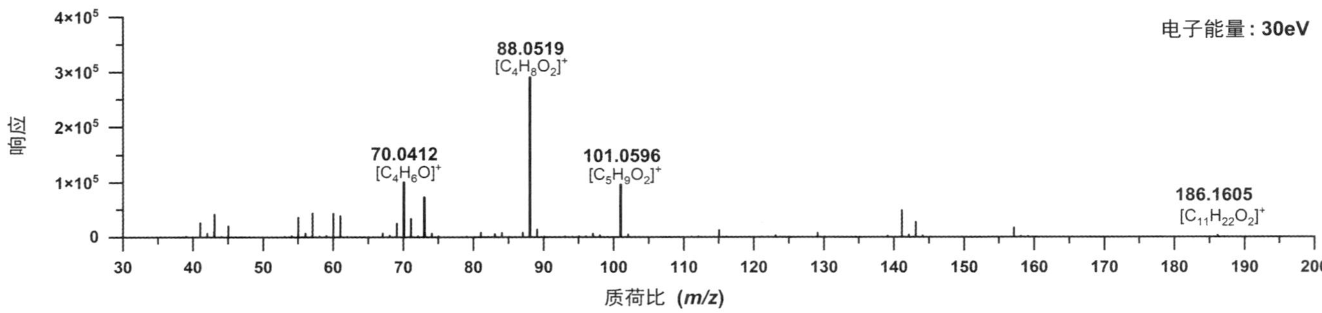

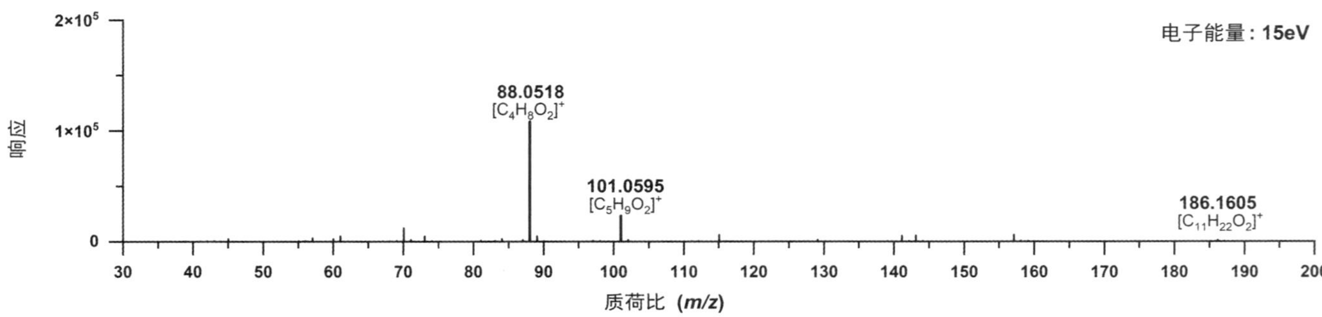

17 癸酸乙酯

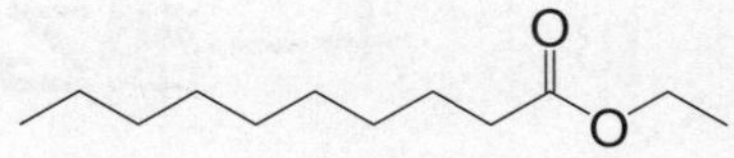

基本信息

CAS 登录号	110-38-3	分子式	$C_{12}H_{24}O_2$	分子量	200.1771
保留指数（极性）	1648	保留指数（非极性）	1378	香气描述	水果，甜香，蜡味

质谱图

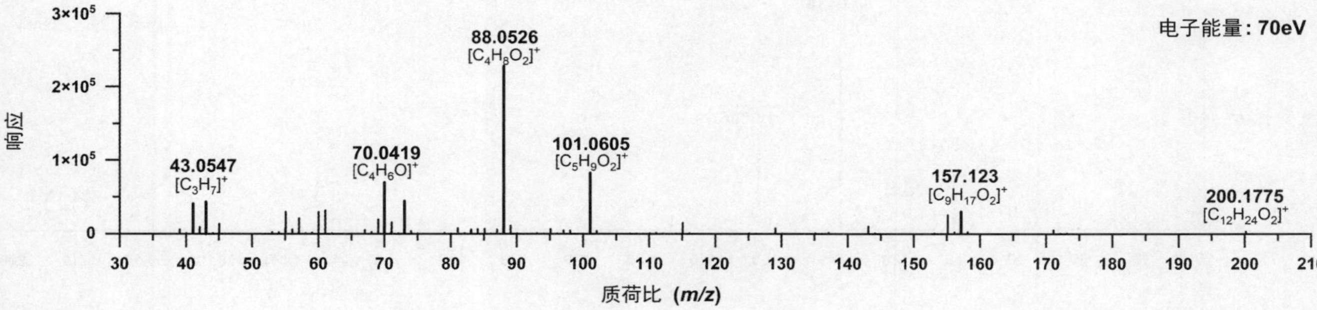

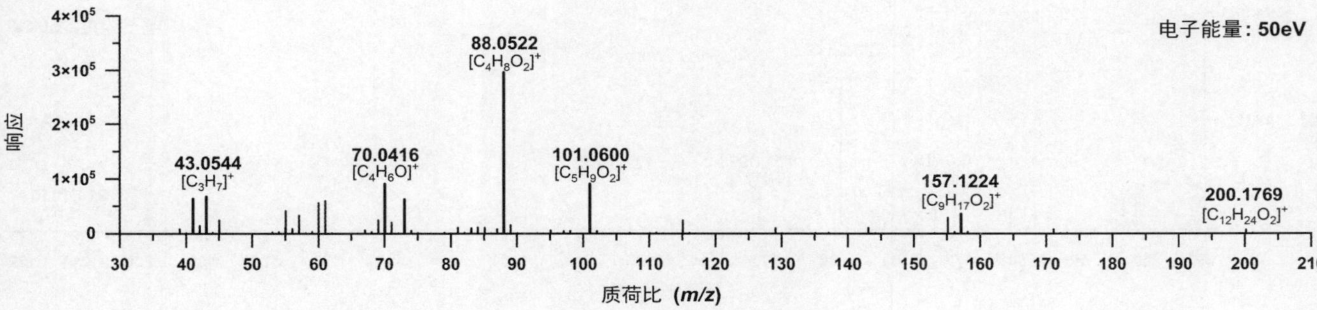

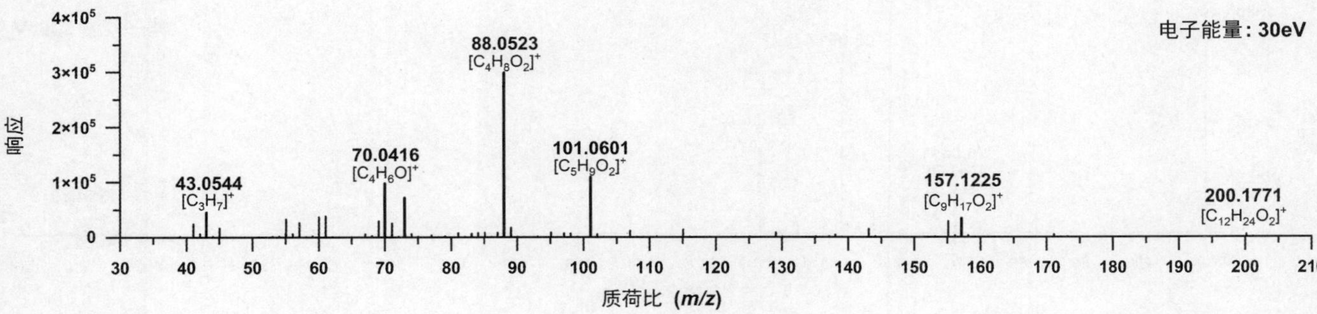

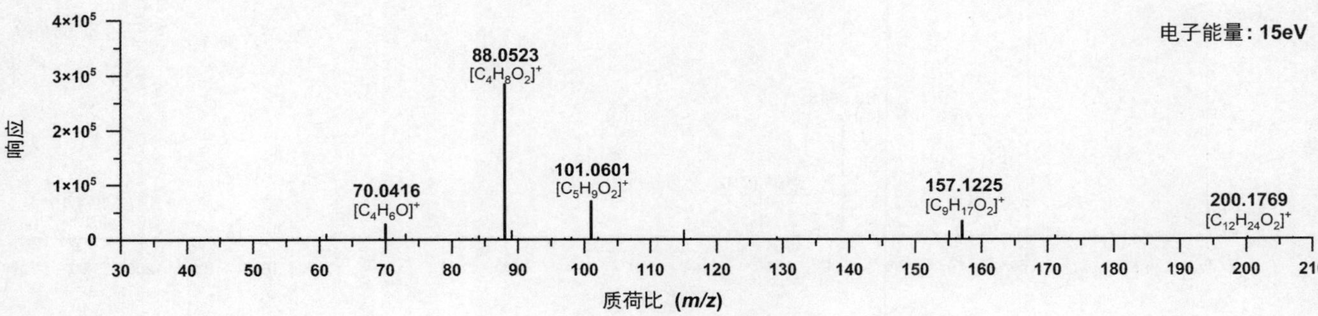

18 十一酸乙酯

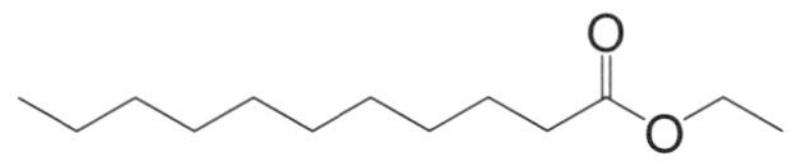

基本信息

CAS 登录号	627-90-7	分子式	$C_{13}H_{26}O_2$	分子量	214.1927
保留指数（极性）	1751	保留指数（非极性）	1478	香气描述	水果香，甜香，蜡味

质谱图

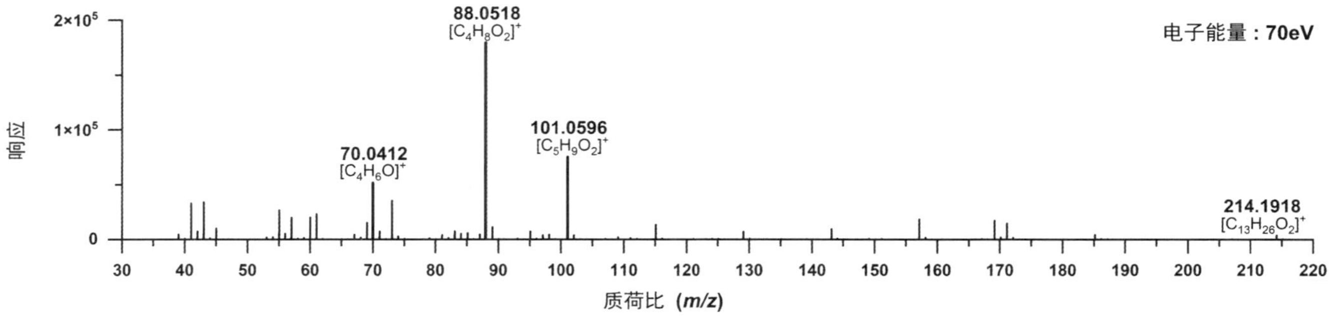

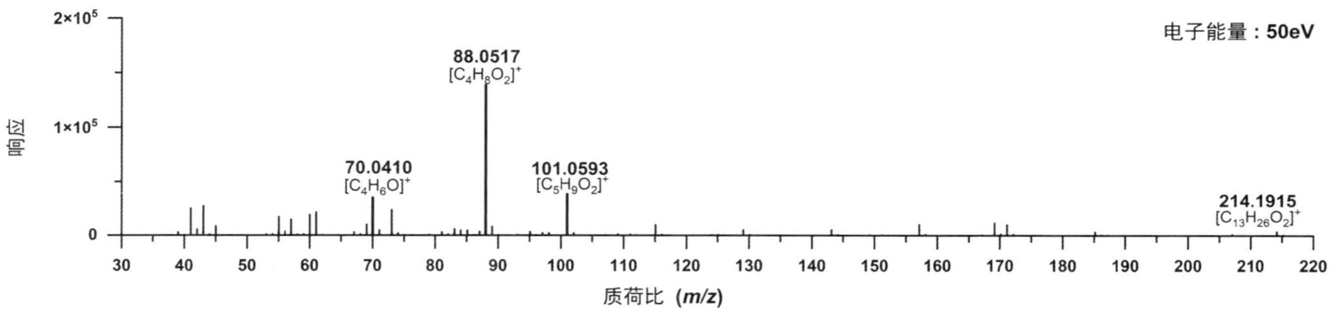

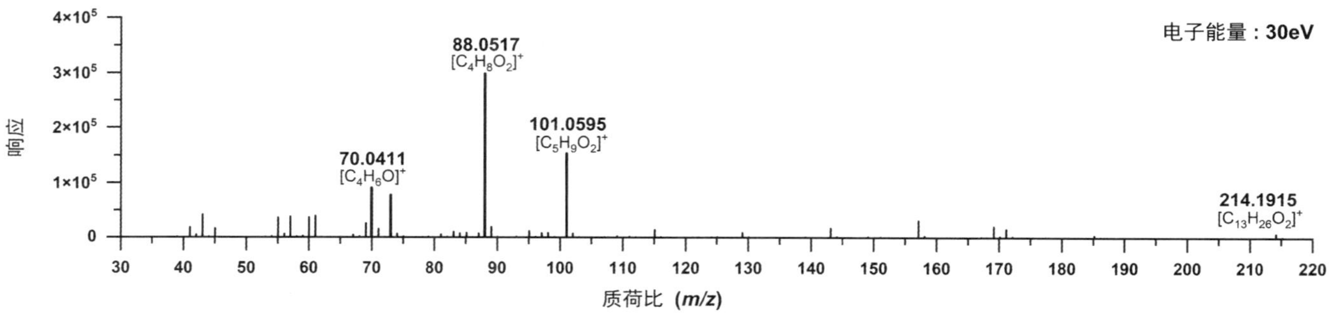

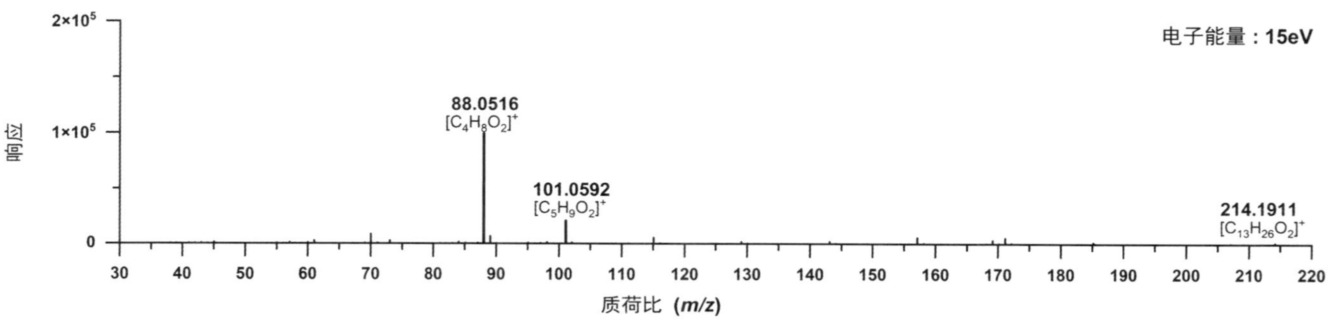

19 月桂酸乙酯

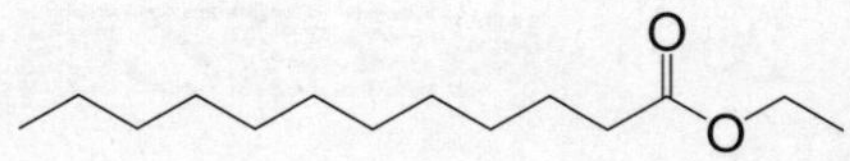

基本信息

CAS 登录号	106-33-2	分子式	$C_{14}H_{28}O_2$	分子量	228.2084
保留指数（极性）	1853	保留指数（非极性）	1577	香气描述	甜香，水果香，蜡味

质谱图

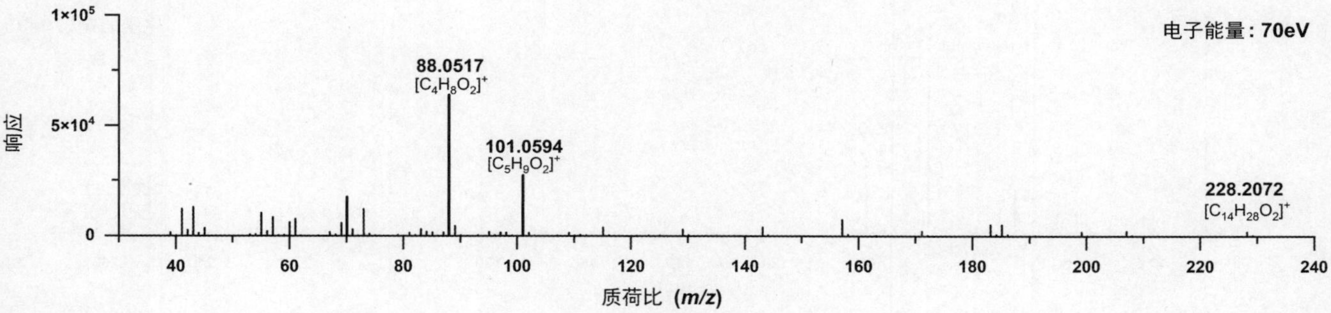

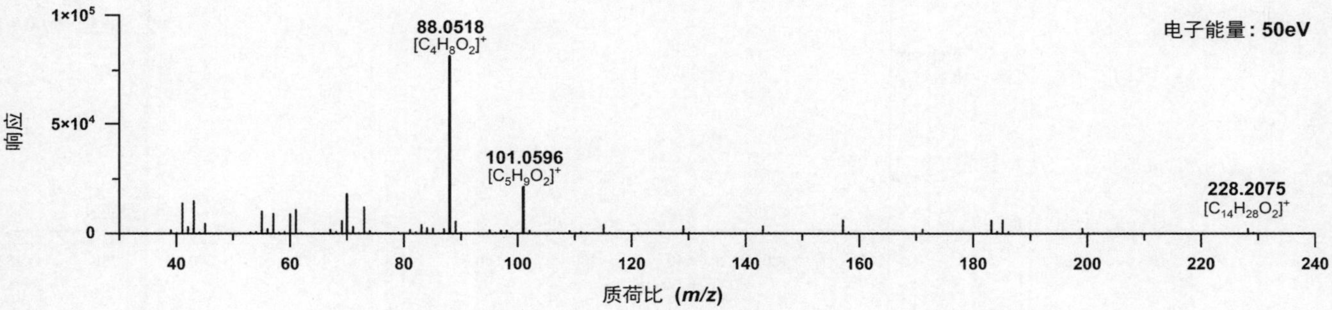

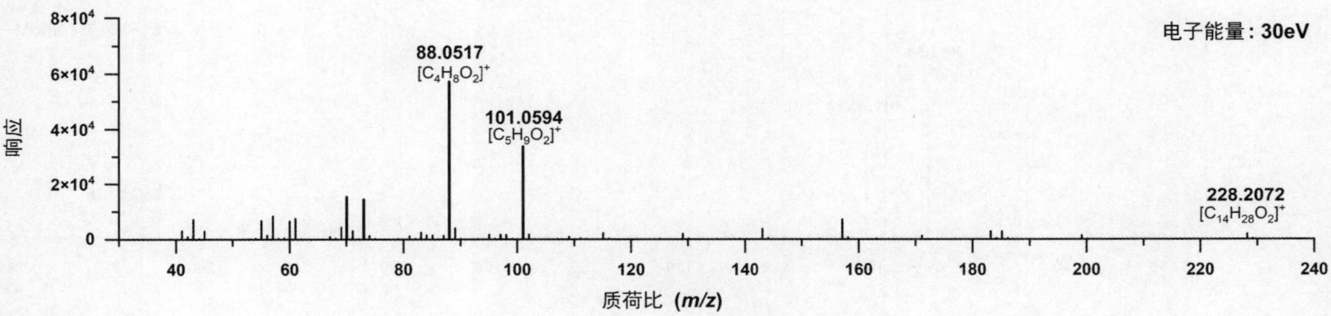

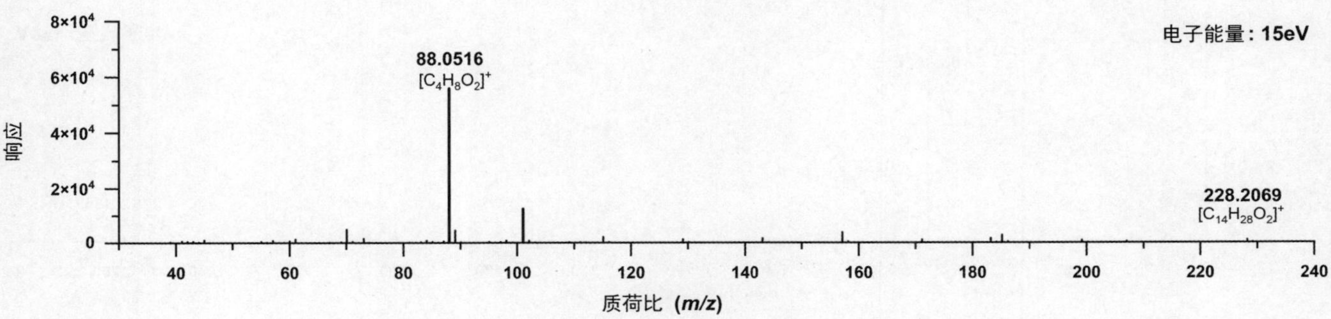

20 肉豆蔻乙酯

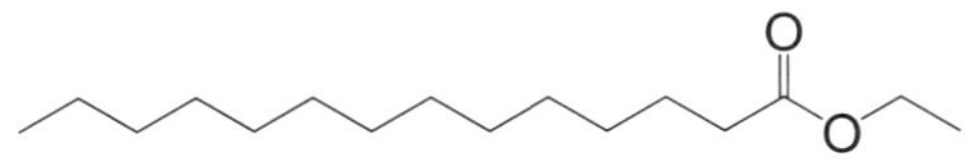

基本信息

CAS 登录号	124-06-1	分子式	$C_{16}H_{32}O_2$	分子量	256.2397
保留指数（极性）	2058	保留指数（非极性）	1777	香气描述	甜香，水果香，蜡味

质谱图

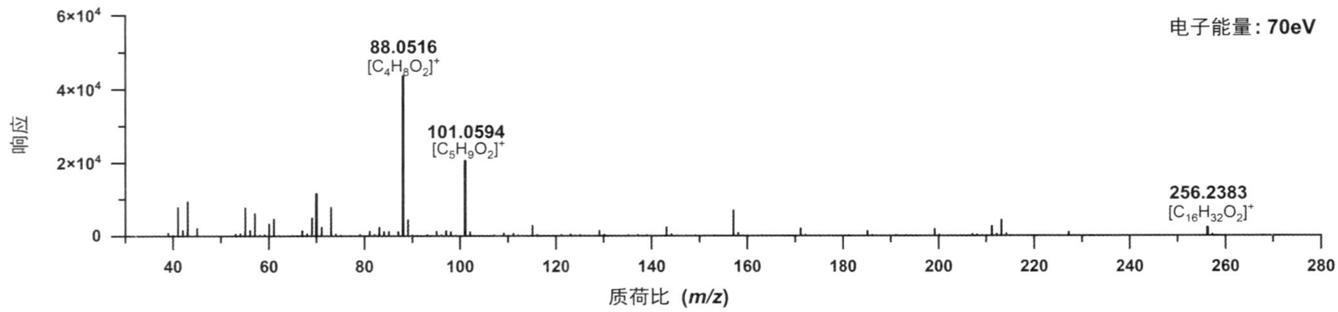

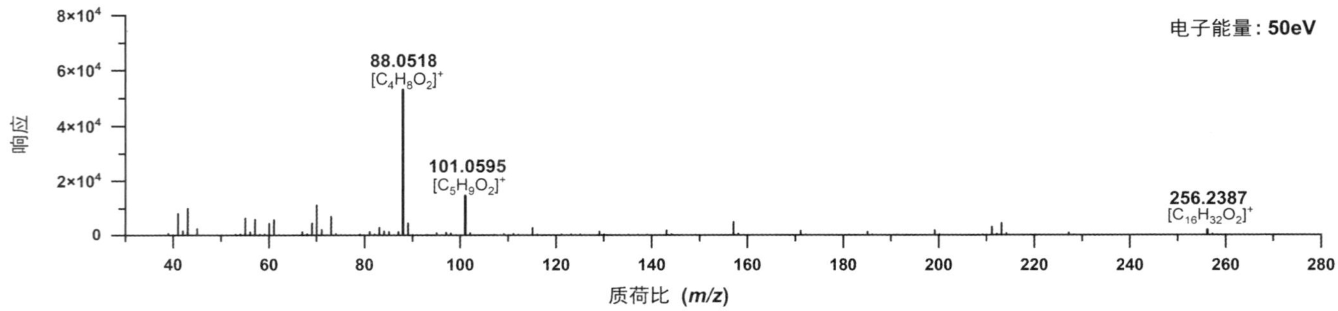

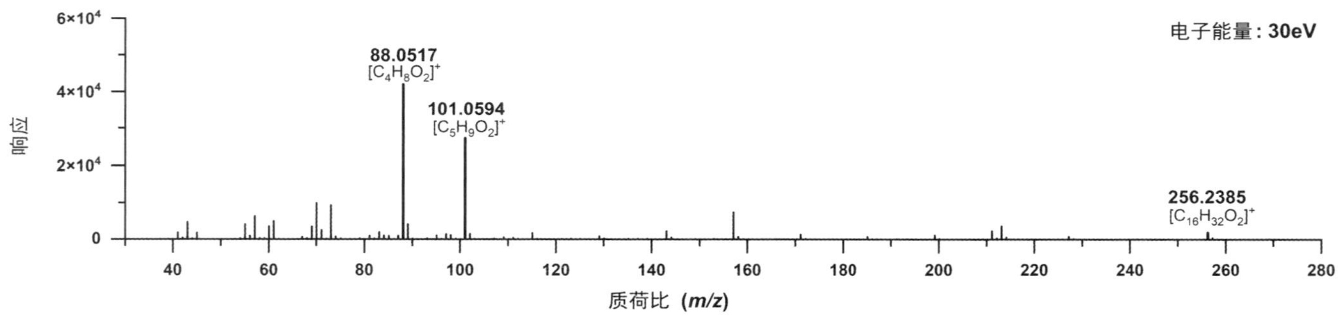

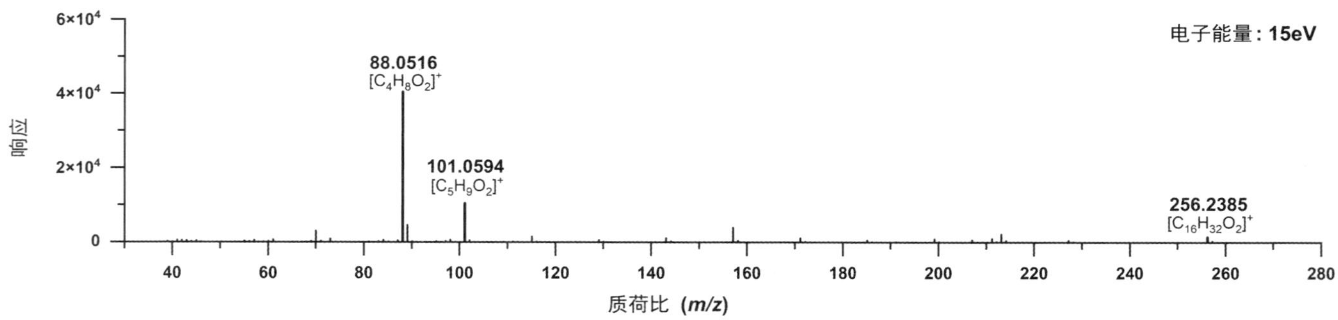

21 十五酸乙酯

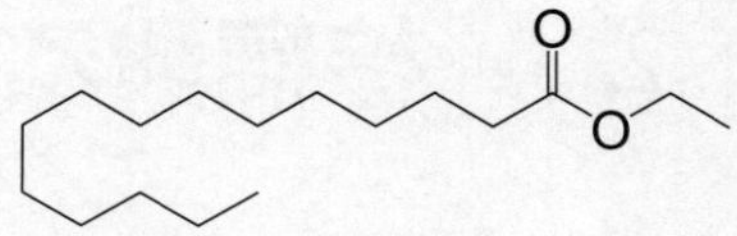

基本信息

CAS 登录号	41114-00-5	分子式	$C_{17}H_{34}O_2$	分子量	270.2553
保留指数（极性）	2160	保留指数（非极性）	1877	香气描述	水果香，甜香，蜡味

质谱图

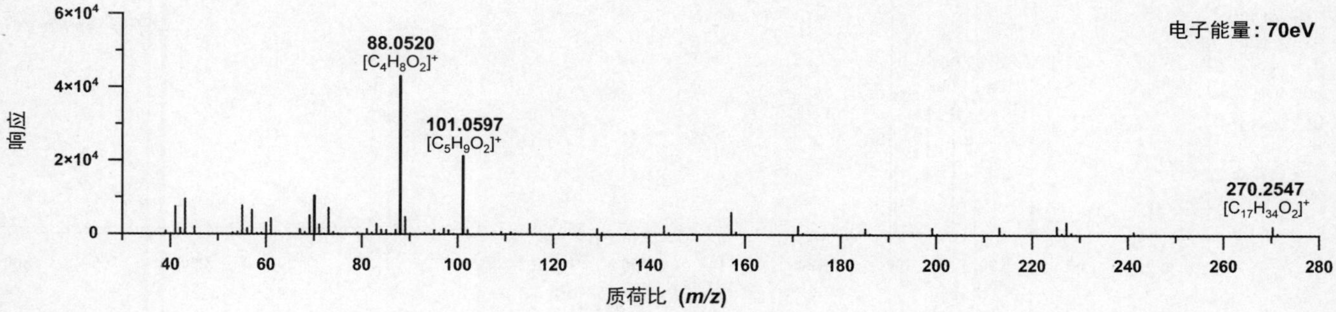

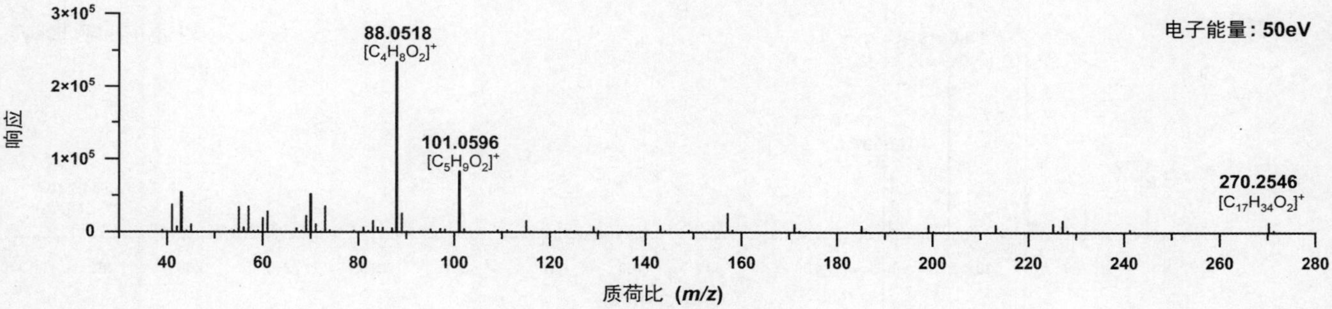

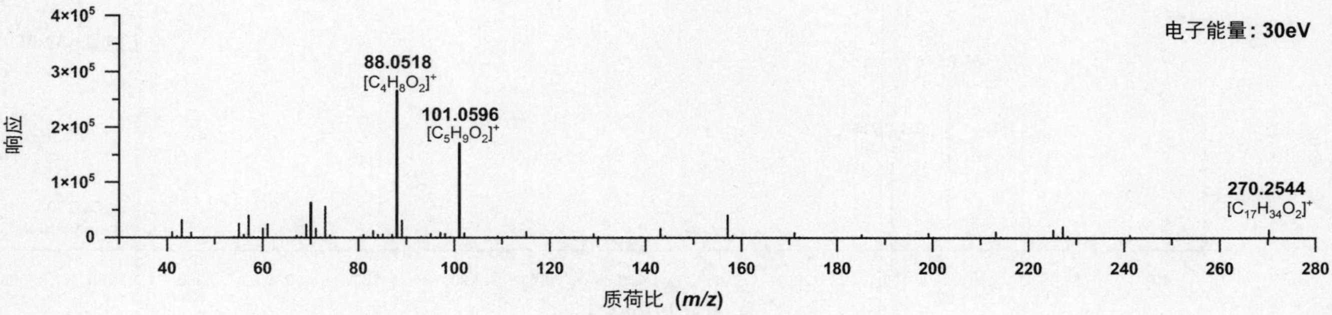

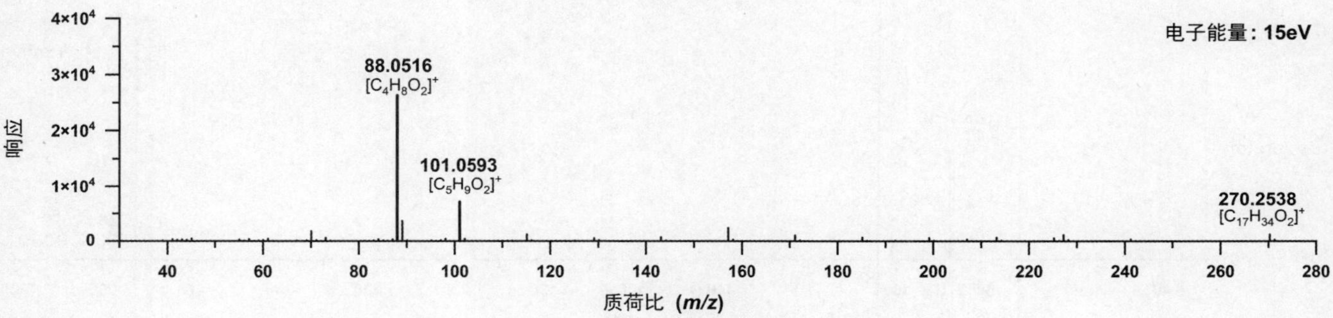

22 棕榈酸乙酯

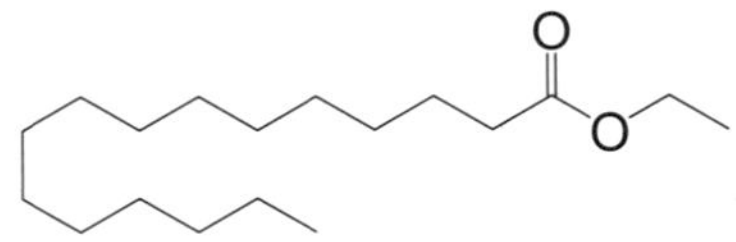

基本信息

CAS 登录号	628-97-7	分子式	$C_{18}H_{36}O_2$	分子量	284.2710
保留指数（极性）	2263	保留指数（非极性）	1976	香气描述	水果香，甜香，蜡味

质谱图

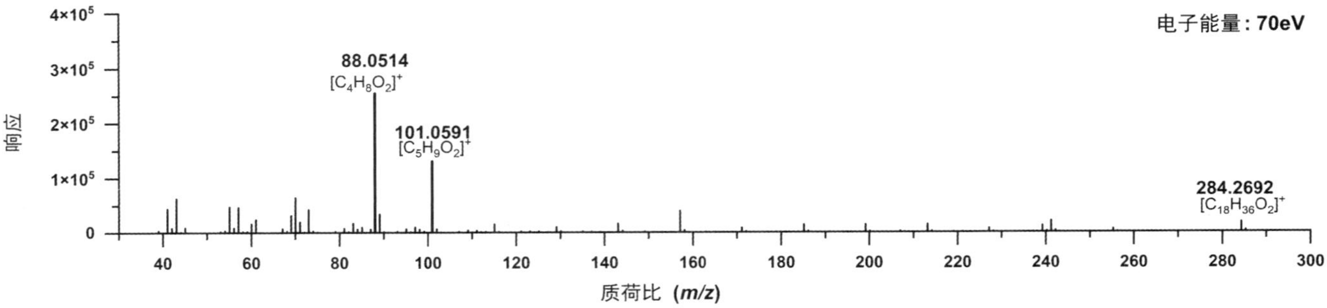

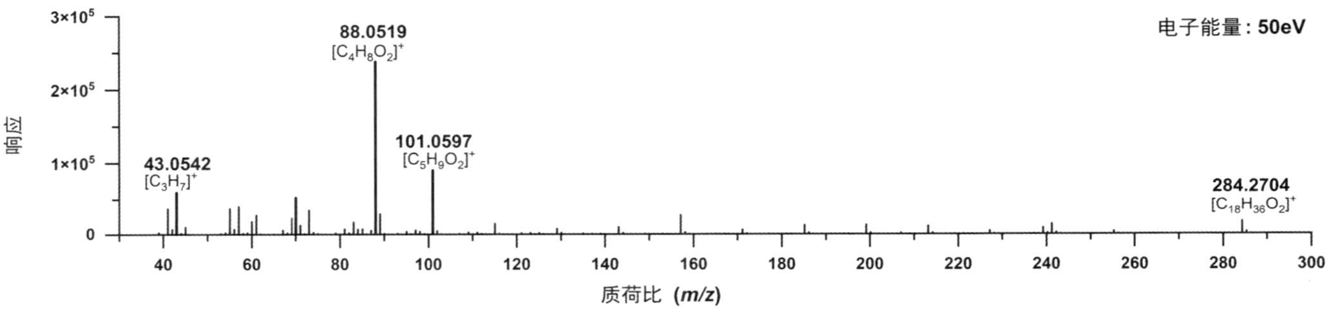

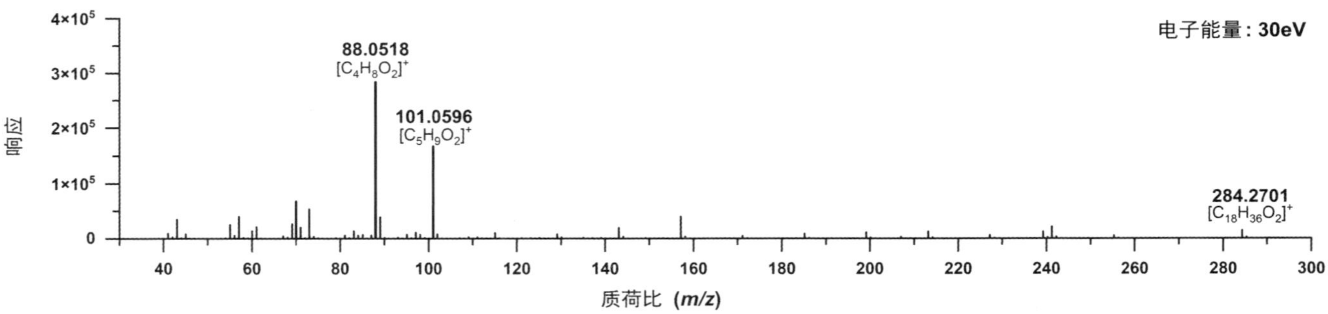

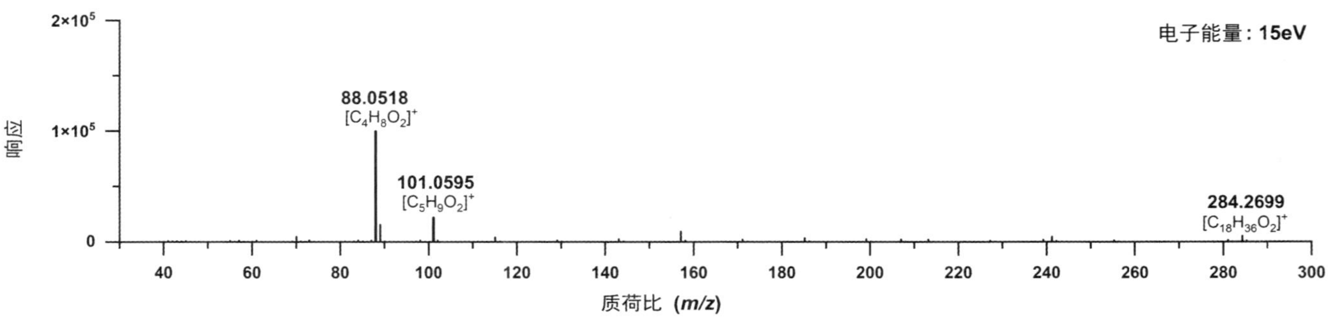

23 十七酸乙酯

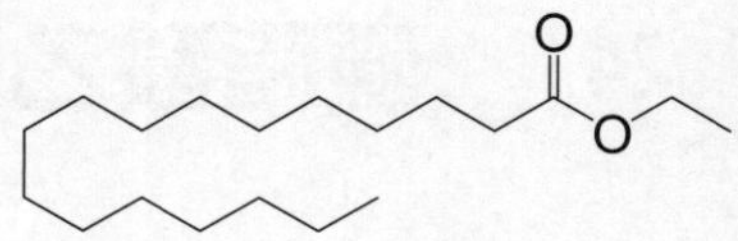

基本信息

CAS 登录号	14010-23-2	分子式	$C_{19}H_{38}O_2$	分子量	298.2866
保留指数（极性）	2365	保留指数（非极性）	2075	香气描述	类似脂肪的气味，蜡味，甜香

质谱图

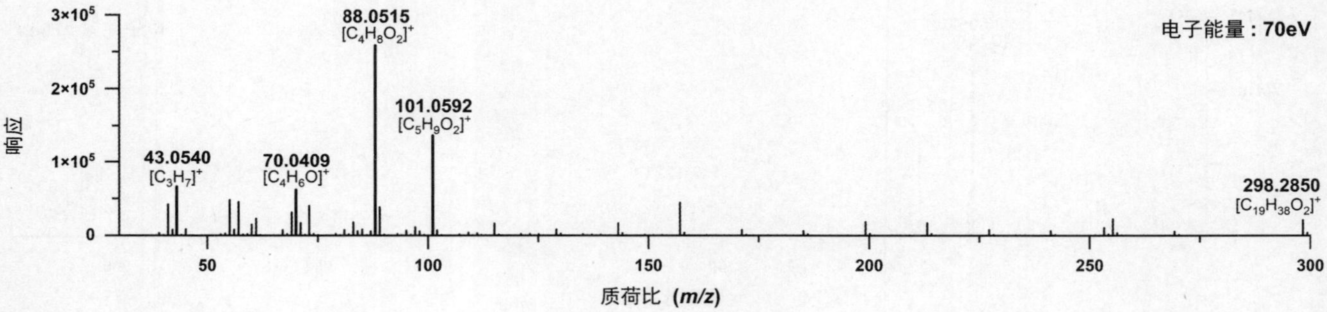

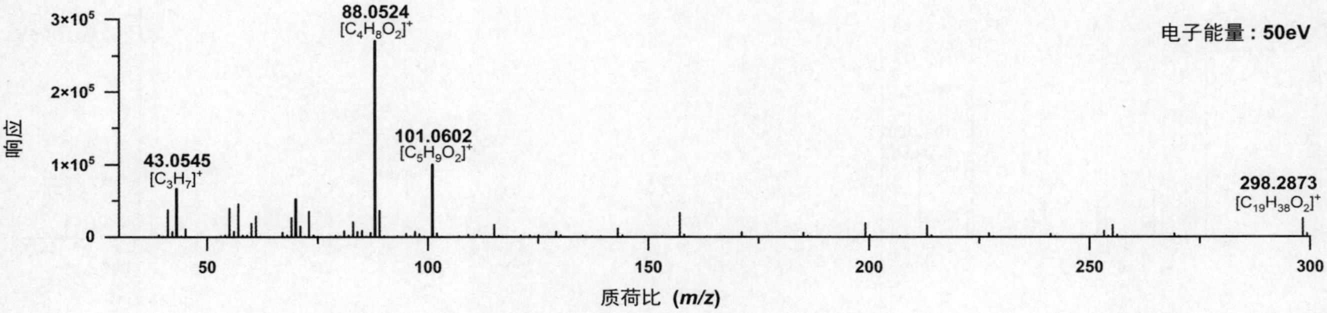

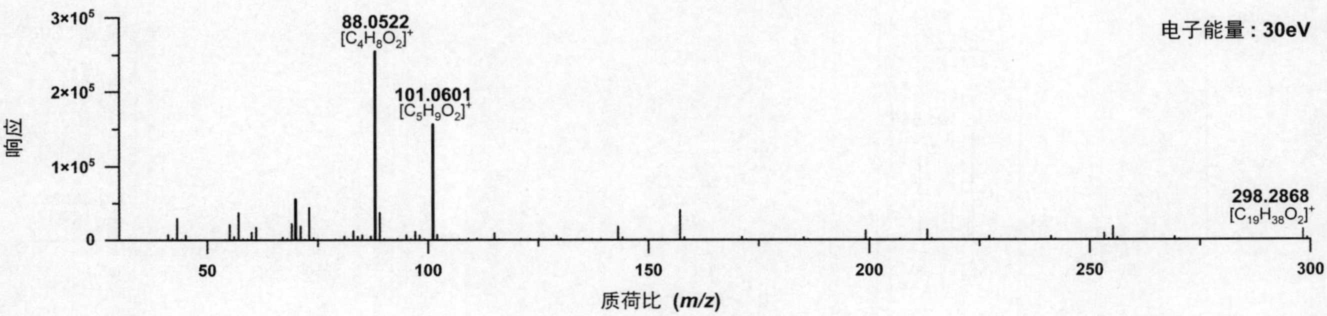

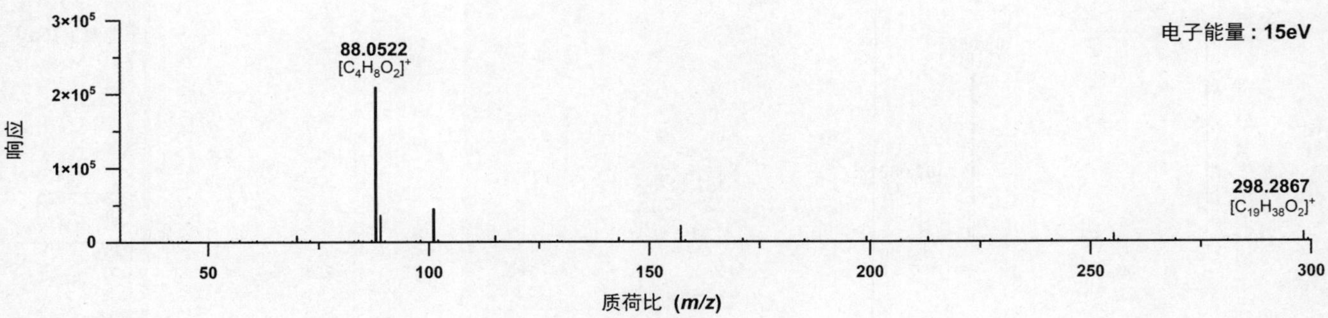

24 硬脂酸乙酯

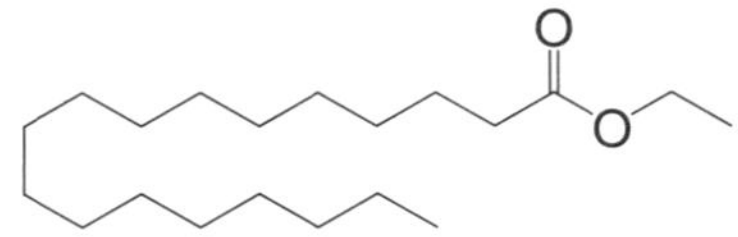

基本信息

CAS 登录号	111-61-5	分子式	$C_{20}H_{40}O_2$	分子量	312.3023
保留指数（极性）	2483	保留指数（非极性）	2175	香气描述	类似脂肪的气味，蜡味，甜香

质谱图

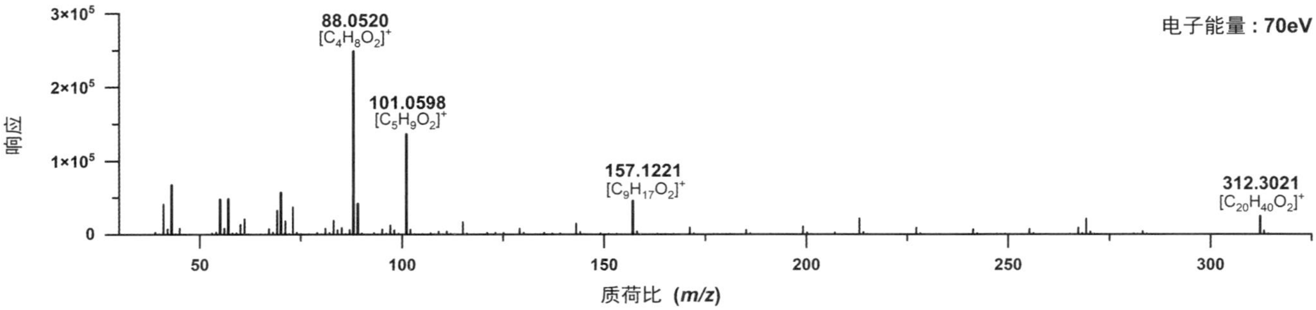

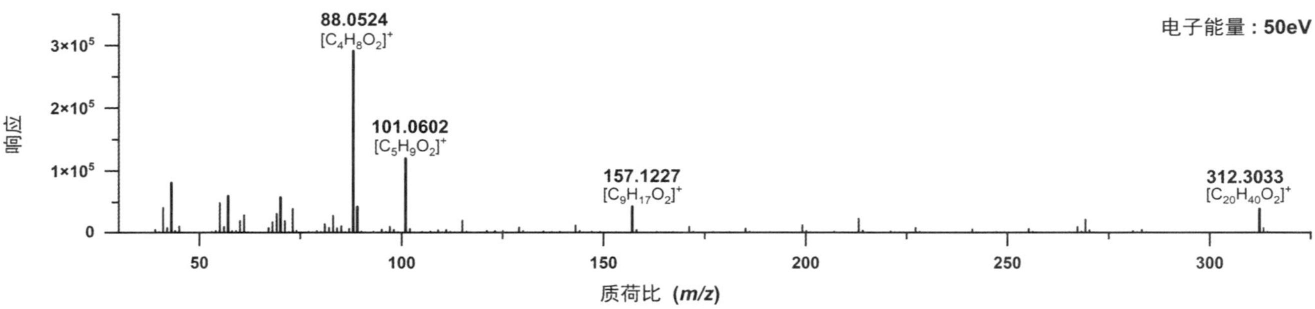

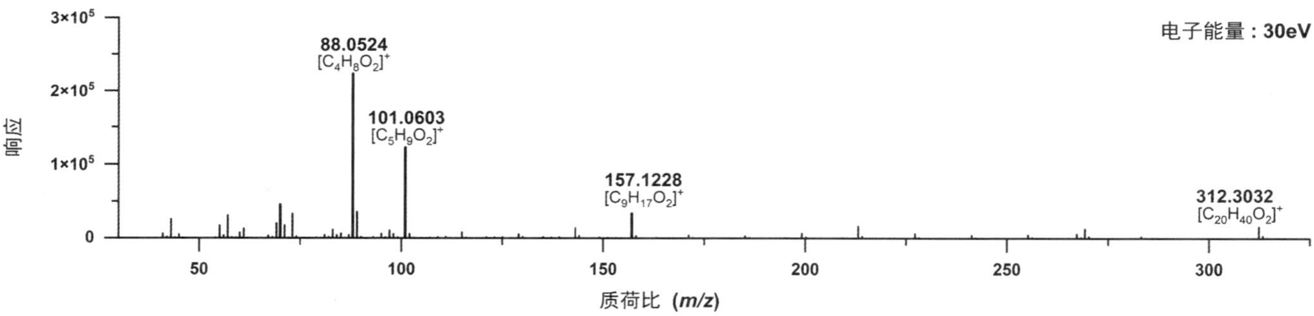

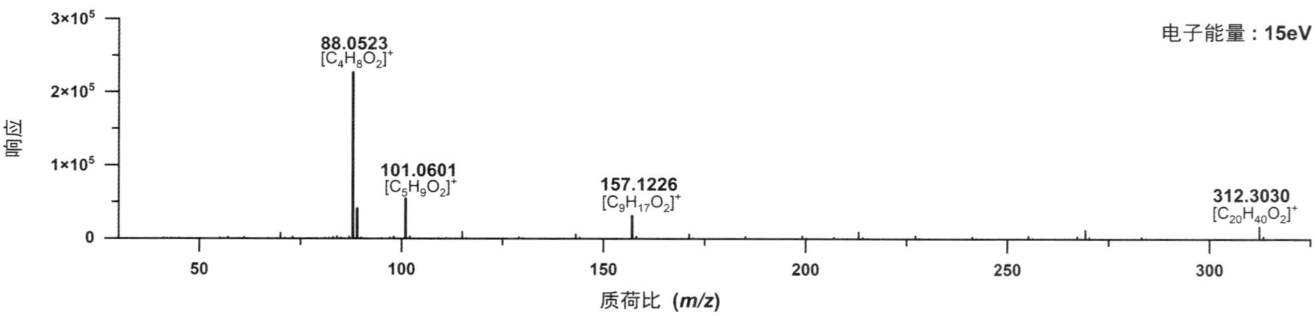

25 乙酸丙酯

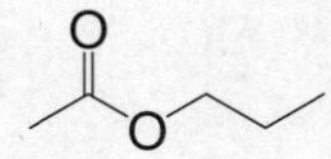

基本信息

CAS 登录号	109-60-4	分子式	$C_5H_{10}O_2$	分子量	102.0681
保留指数（极性）	978	保留指数（非极性）	700	香气描述	水果香，梨香，类似溶剂的气味

质谱图

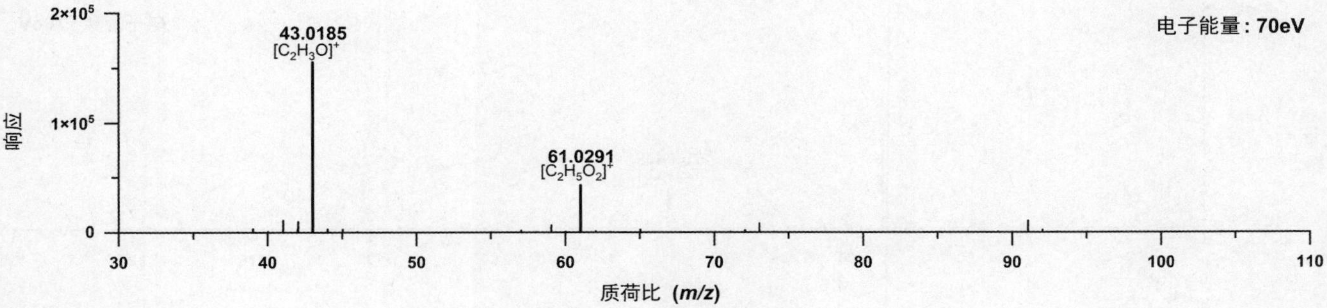

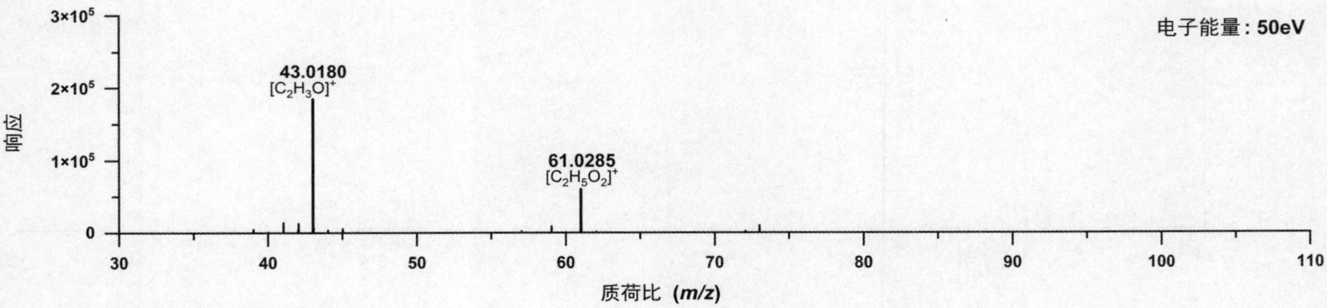

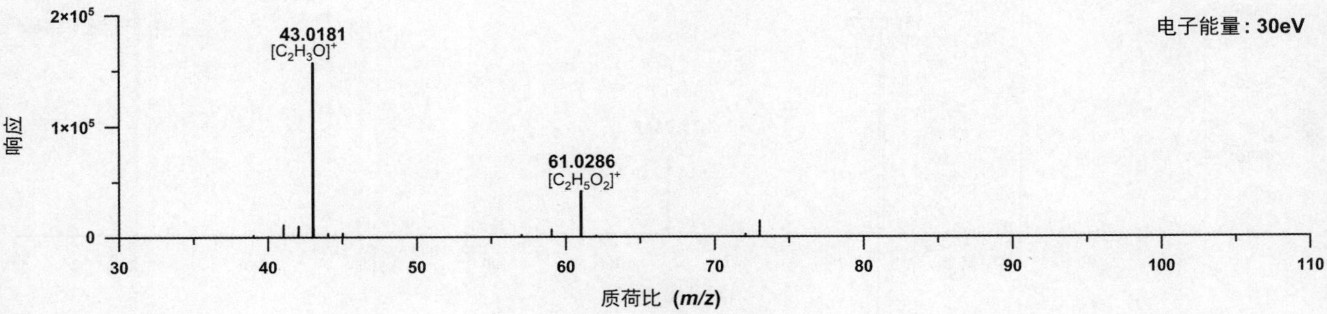

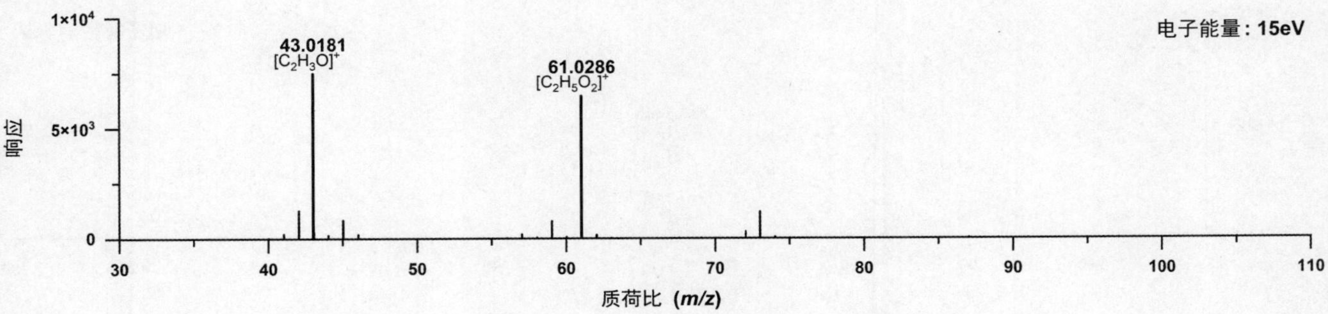

26 丙酸丙酯

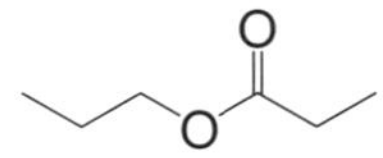

基本信息

CAS 登录号	106-36-5	分子式	$C_6H_{12}O_2$	分子量	116.0837
保留指数（极性）	1048	保留指数（非极性）	796	香气描述	水果香，甜香，凤梨香

质谱图

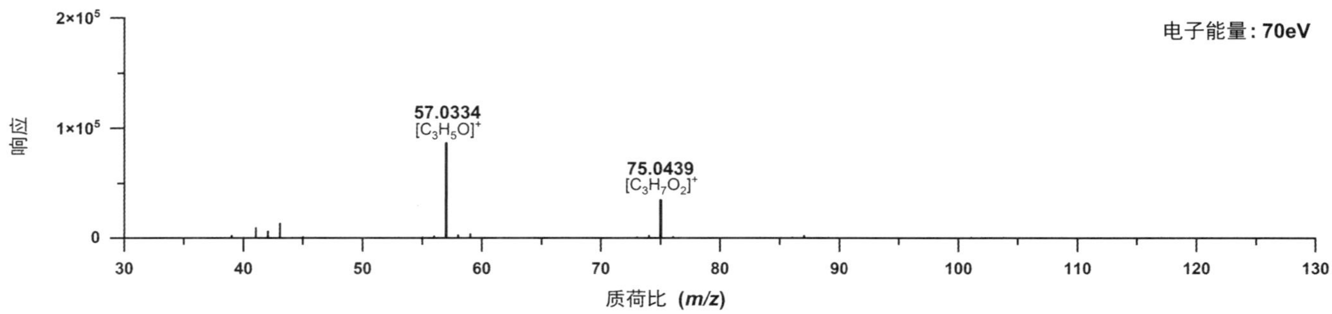

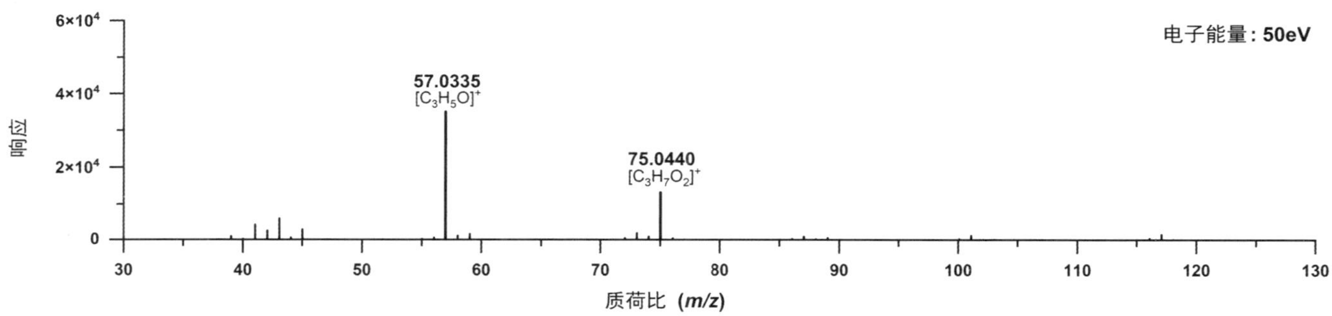

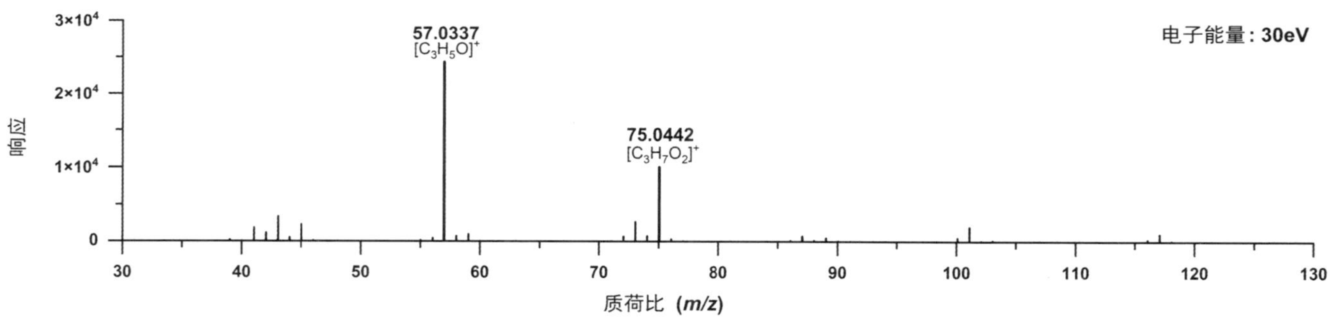

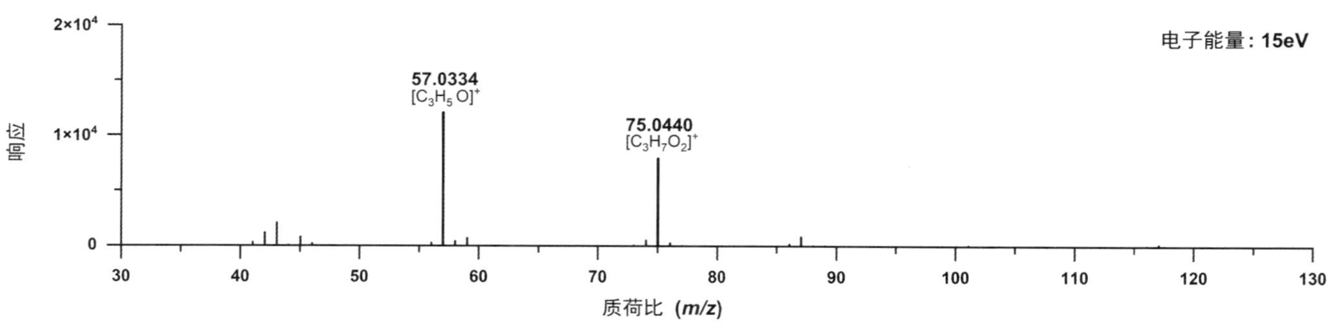

27 丁酸丙酯

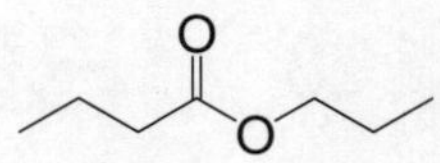

基本信息

CAS 登录号	105-66-8	分子式	$C_7H_{14}O_2$	分子量	130.0994
保留指数（极性）	1129	保留指数（非极性）	882	香气描述	水果香，甜香，凤梨香

质谱图

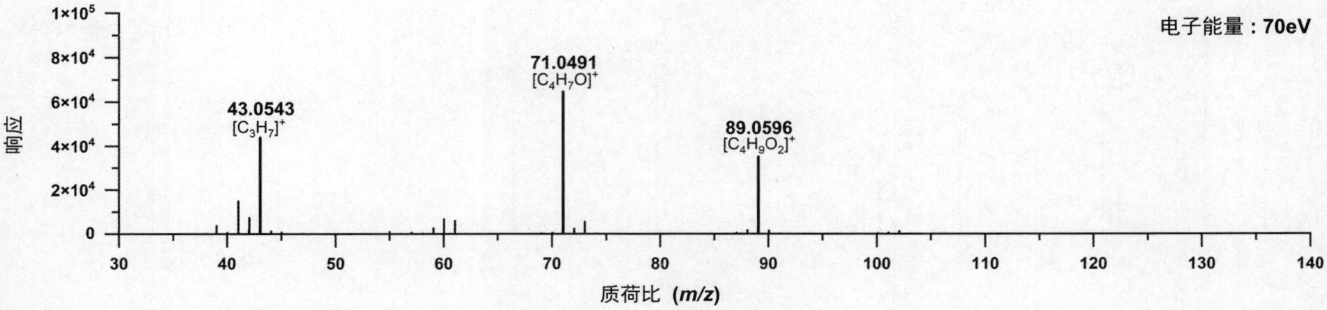

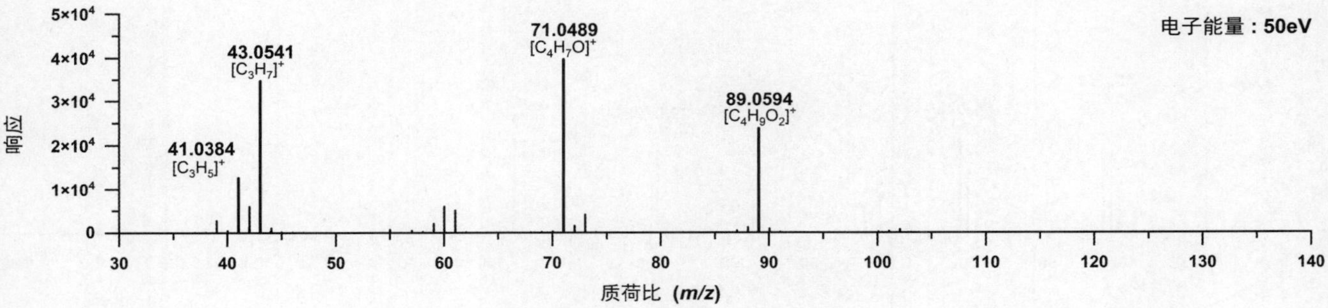

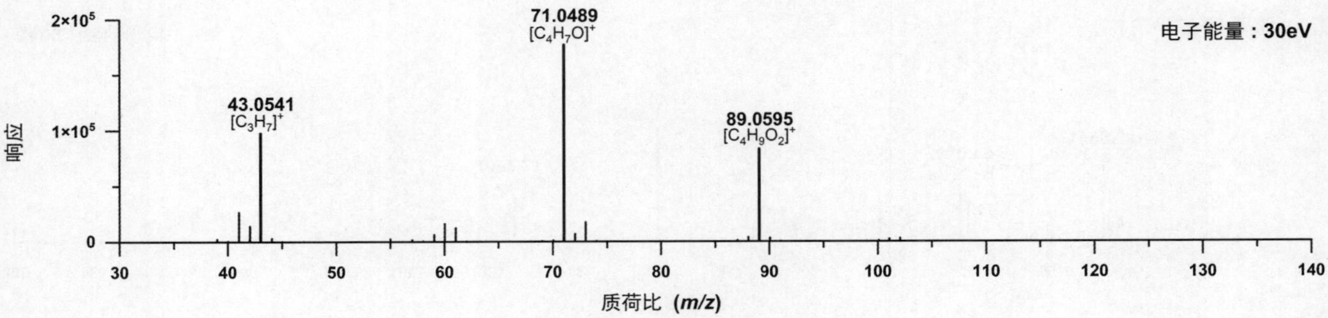

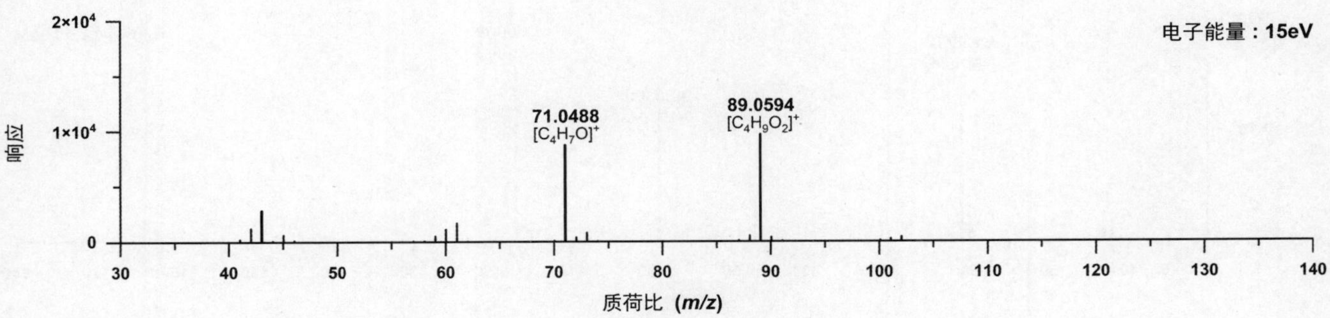

28 己酸丙酯

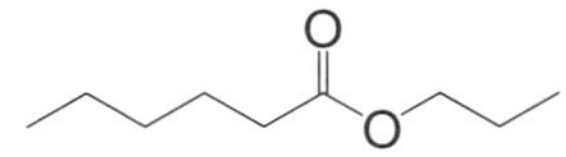

基本信息

CAS 登录号	626-77-7	分子式	$C_9H_{18}O_2$	分子量	158.1307
保留指数（极性）	1327	保留指数（非极性）	1077	香气描述	水果香，甜香，类似热带水果的香气

质谱图

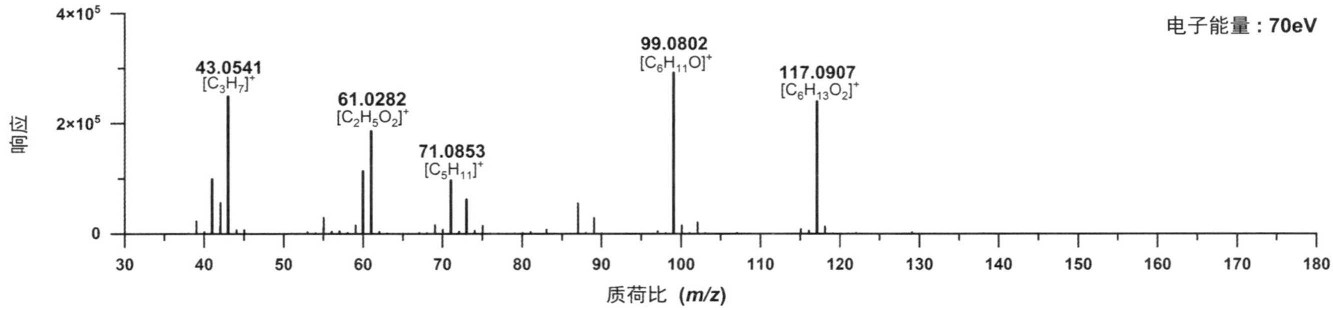

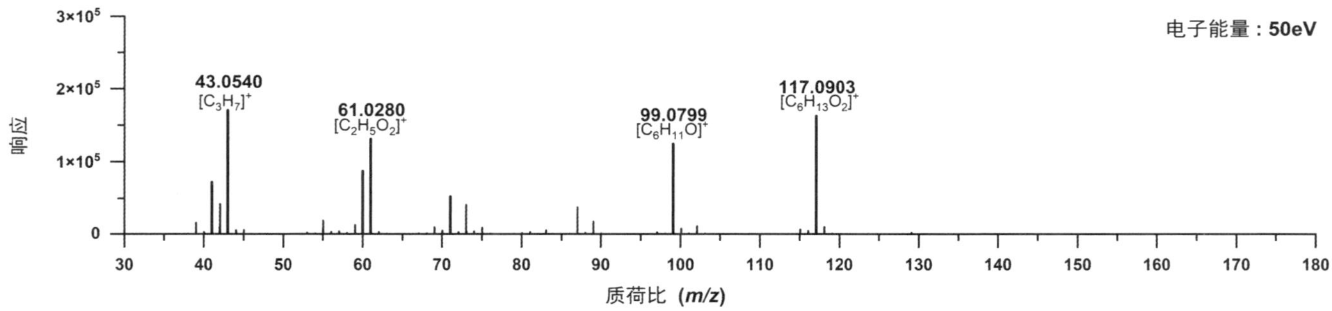

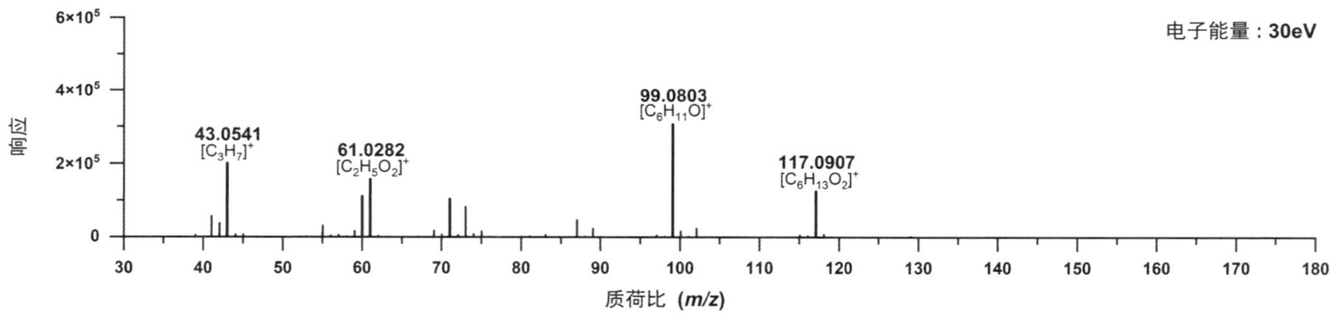

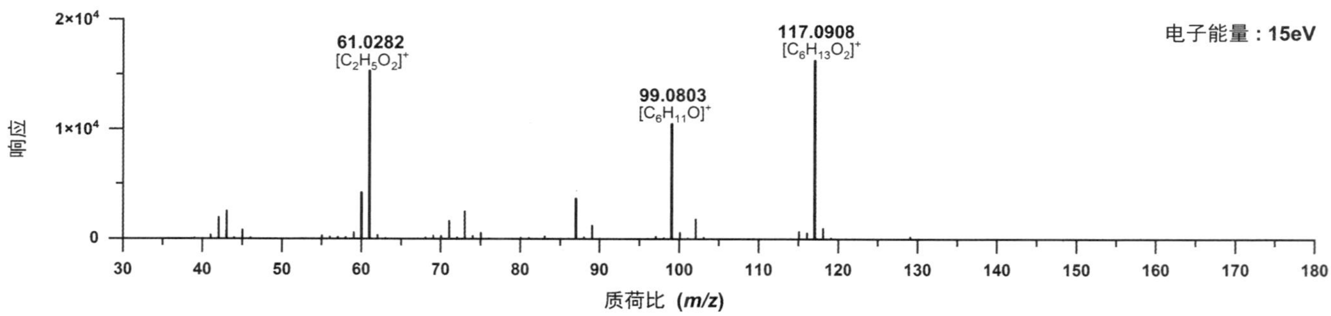

29 辛酸丙酯

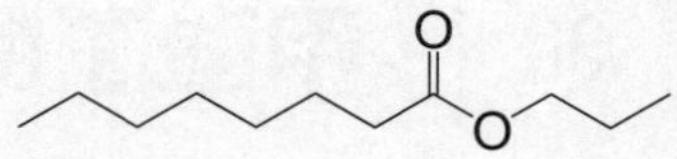

基本信息

CAS 登录号	624-13-5	分子式	$C_{11}H_{22}O_2$	分子量	186.1614
保留指数（极性）	1529	保留指数（非极性）	1275	香气描述	水果香，甜香，梨香

质谱图

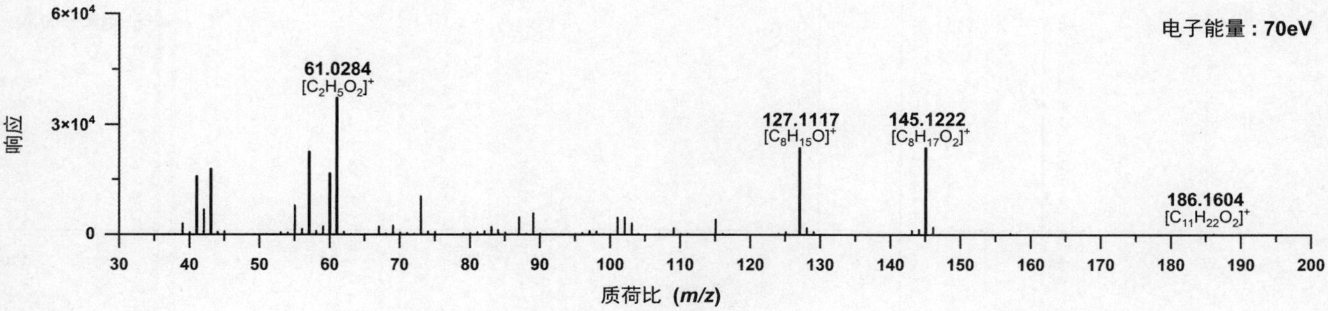

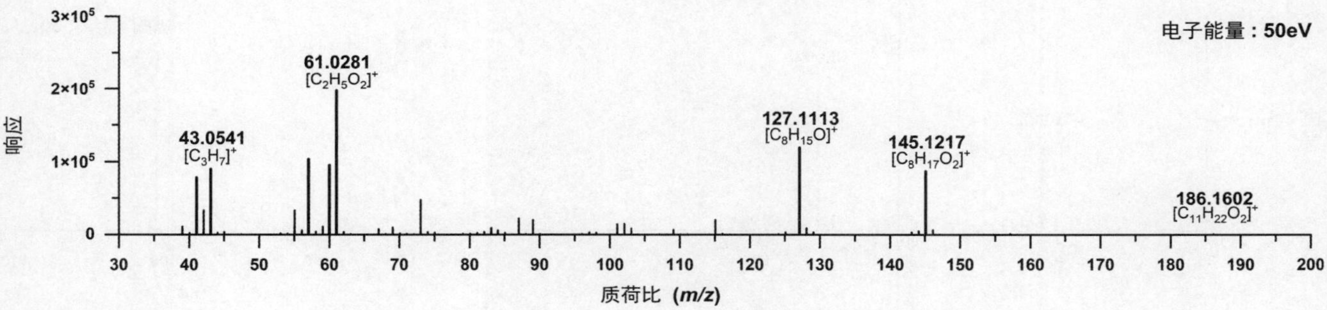

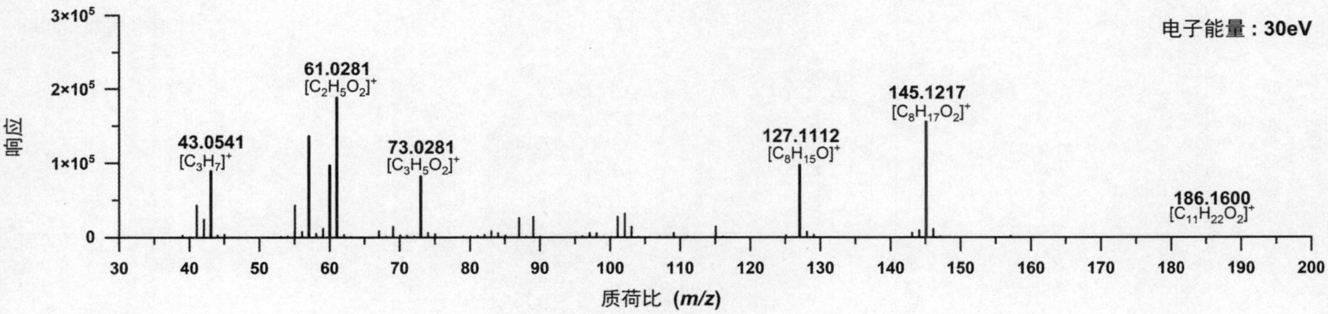

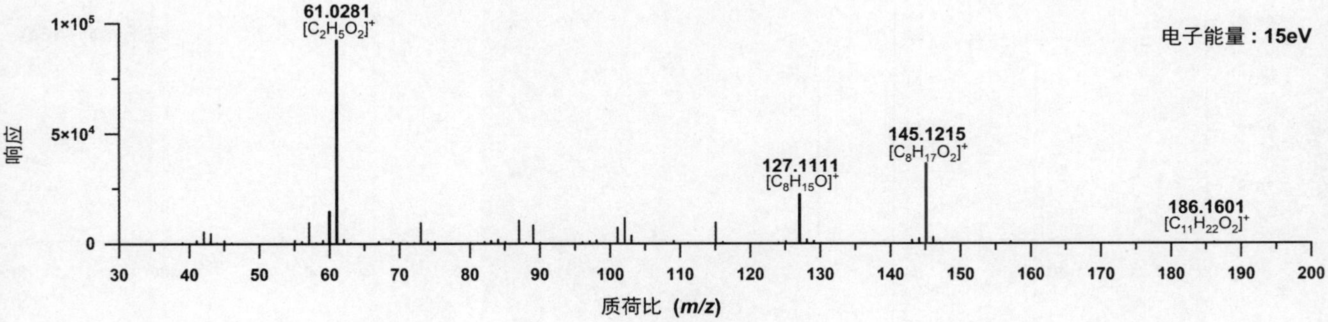

30 甲酸丁酯

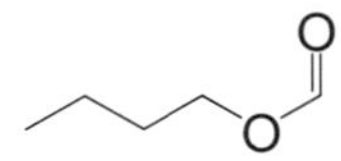

基本信息

CAS 登录号	592-84-7	分子式	$C_5H_{10}O_2$	分子量	102.0681
保留指数（极性）	1022	保留指数（非极性）	710	香气描述	水果香，甜香，类似溶剂的气味

质谱图

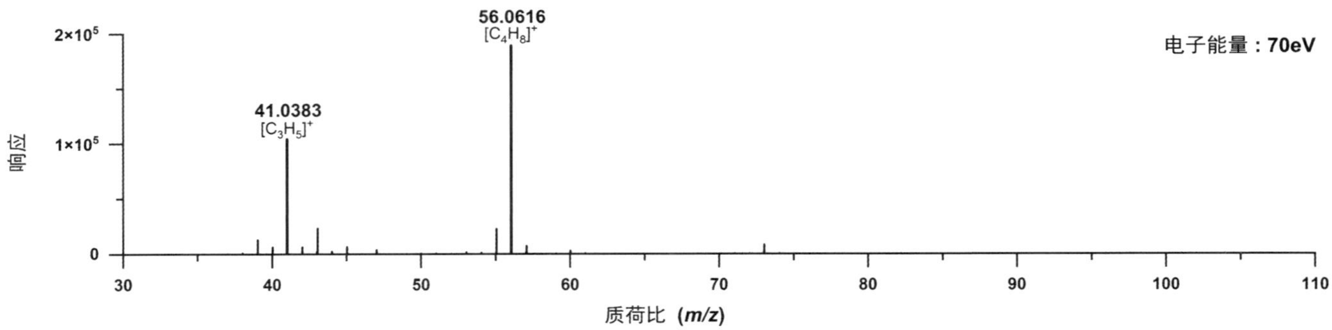

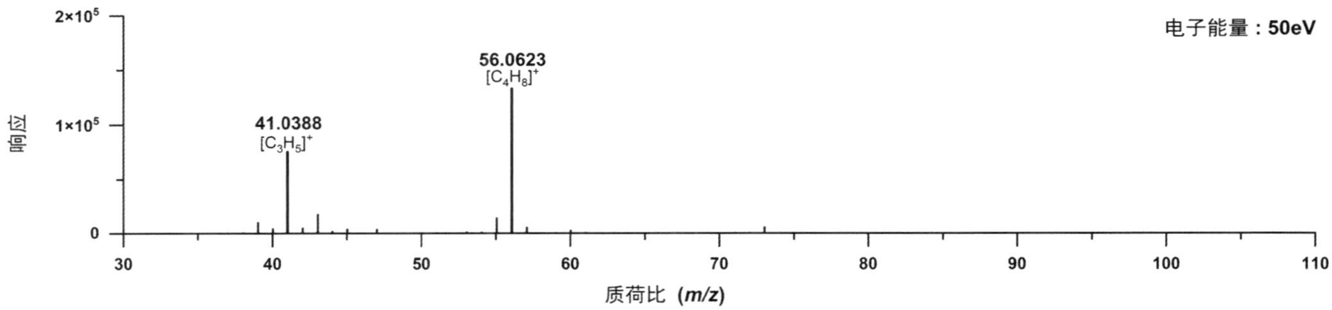

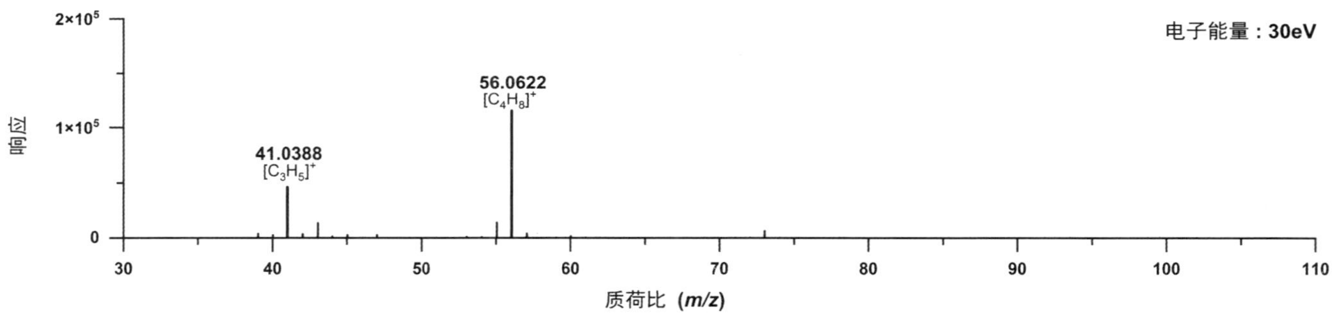

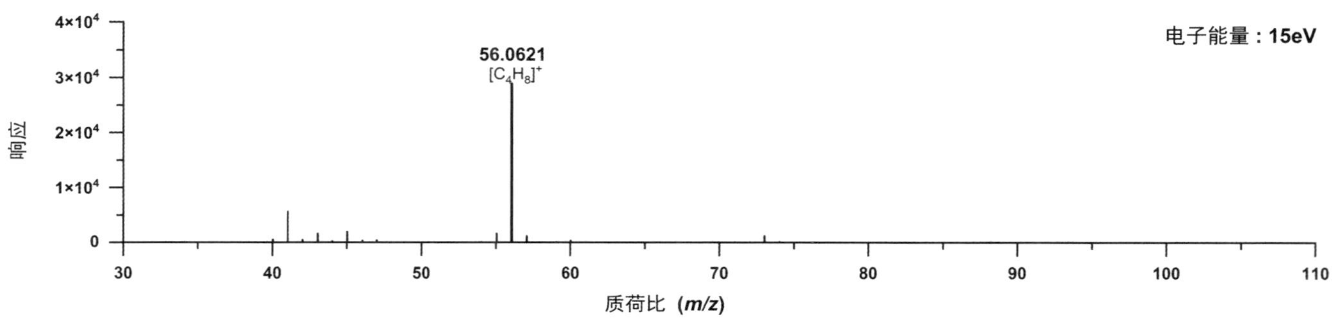

31

乙酸丁酯

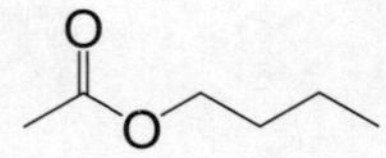

基本信息

CAS 登录号	123-86-4	分子式	$C_6H_{12}O_2$	分子量	116.0837
保留指数（极性）	1072	保留指数（非极性）	800	香气描述	水果香，甜香，类似溶剂的气味

质谱图

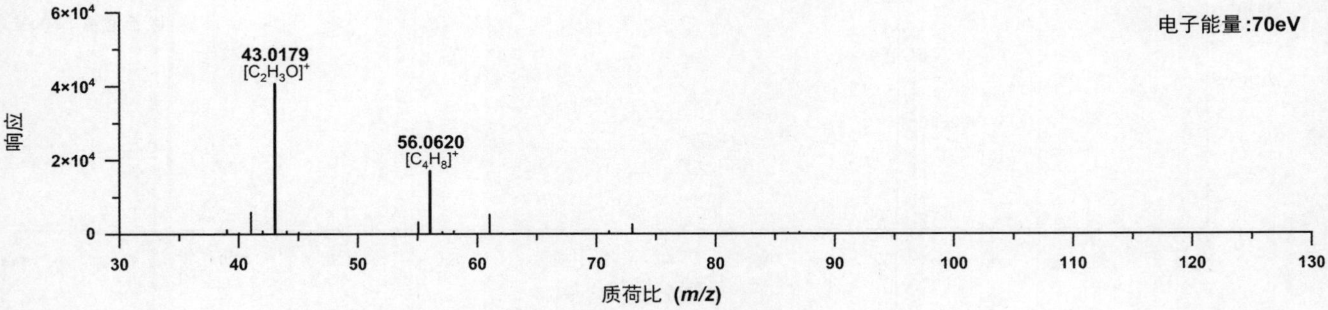

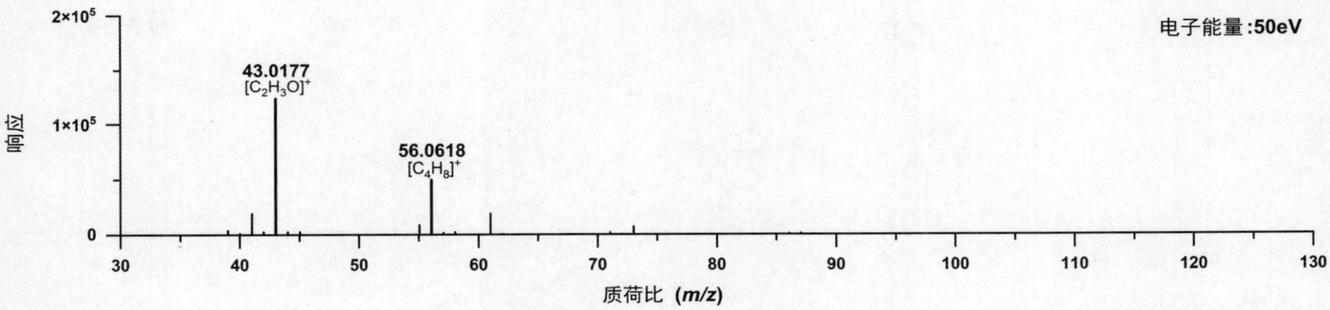

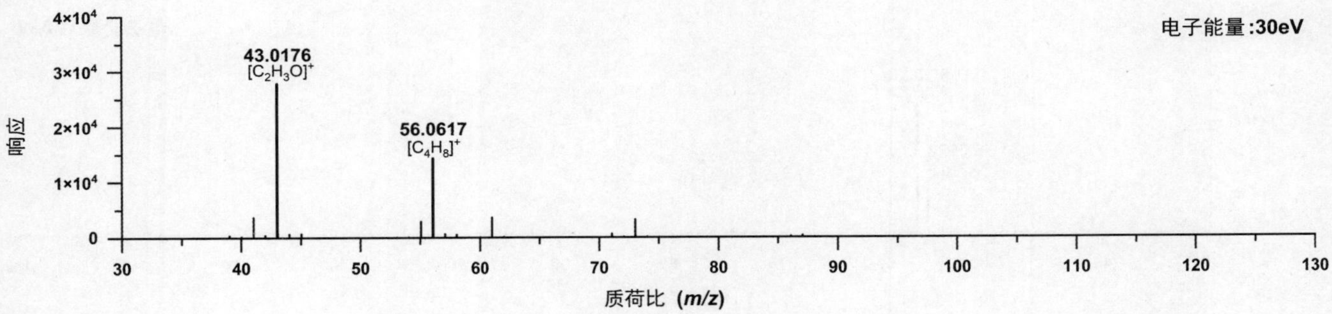

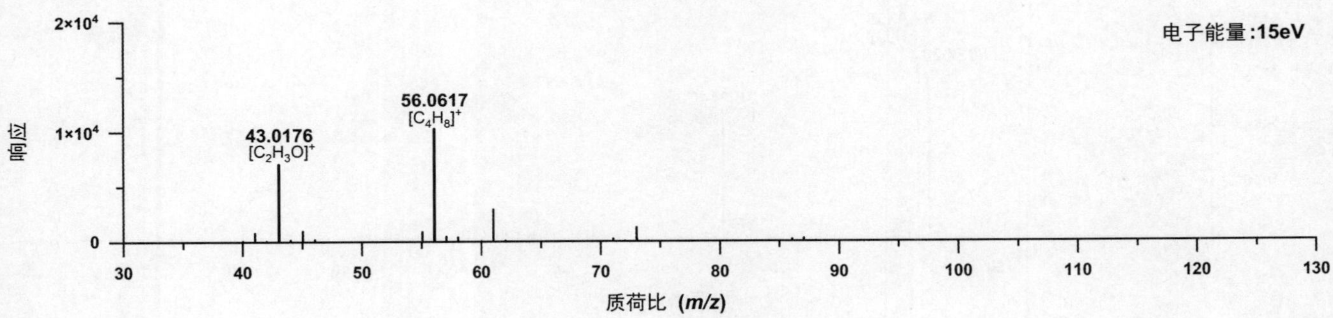

32 丙酸丁酯

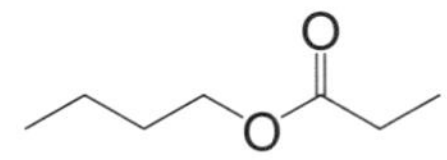

基本信息

CAS 登录号	590-01-2	分子式	$C_7H_{14}O_2$	分子量	130.0994
保留指数（极性）	1147	保留指数（非极性）	892	香气描述	水果香，凤梨香，甜香

质谱图

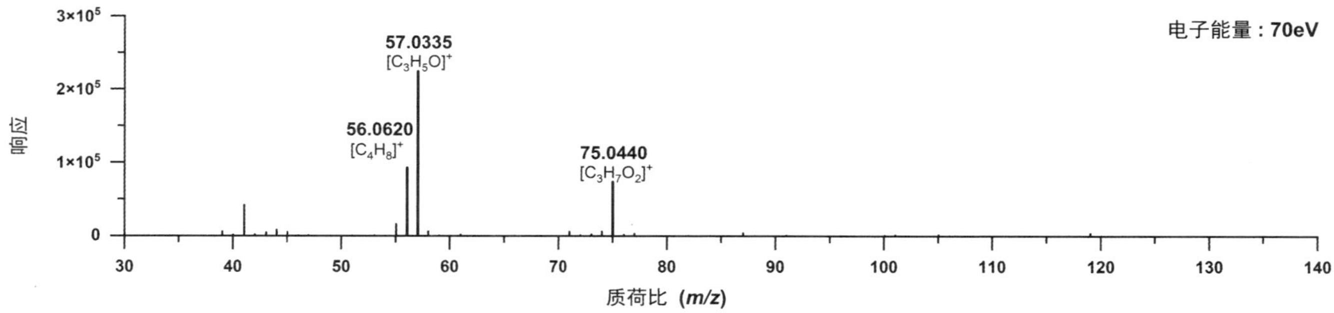

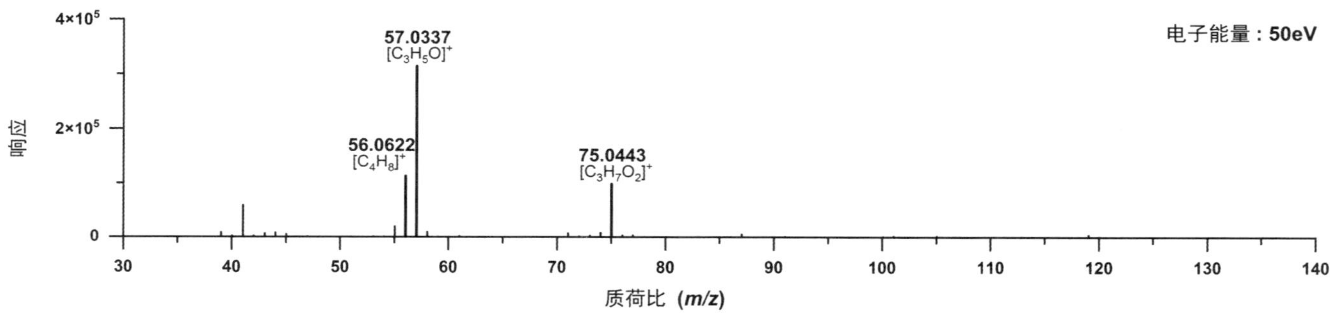

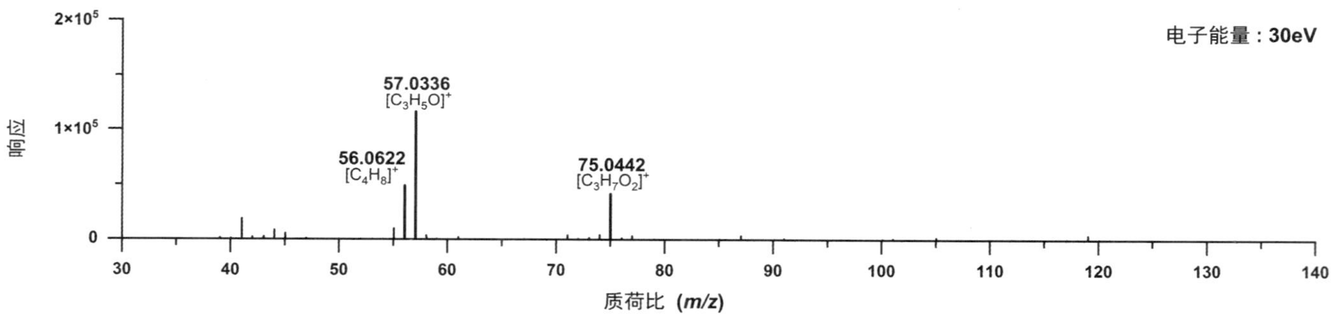

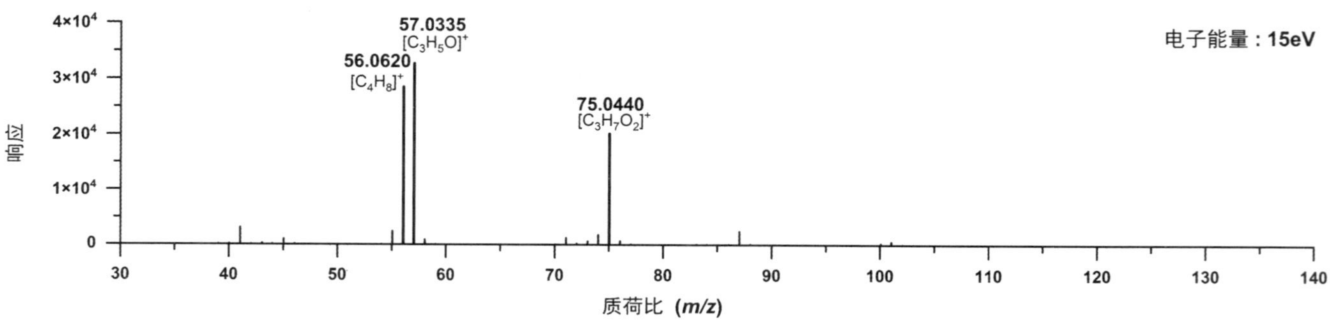

33 丁酸丁酯

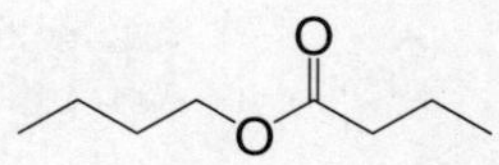

基本信息

CAS 登录号	109-21-7	分子式	$C_8H_{16}O_2$	分子量	144.1150
保留指数（极性）	1225	保留指数（非极性）	979	香气描述	水果香，甜香，凤梨香

质谱图

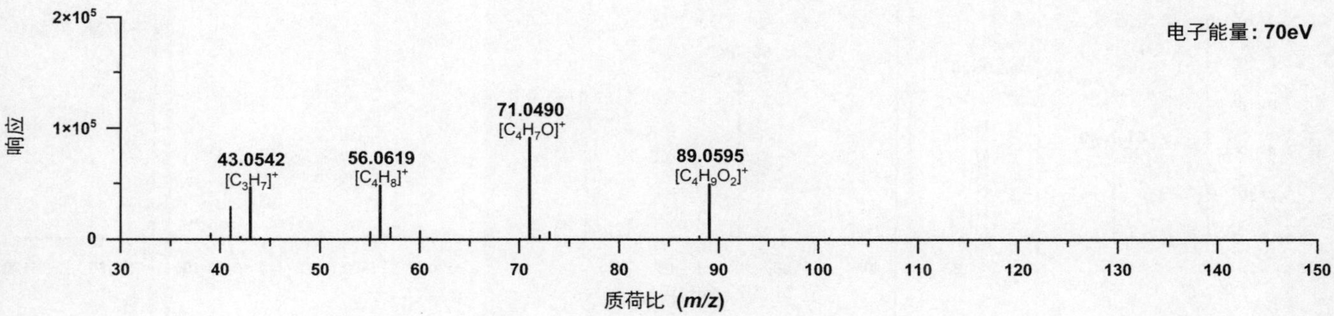

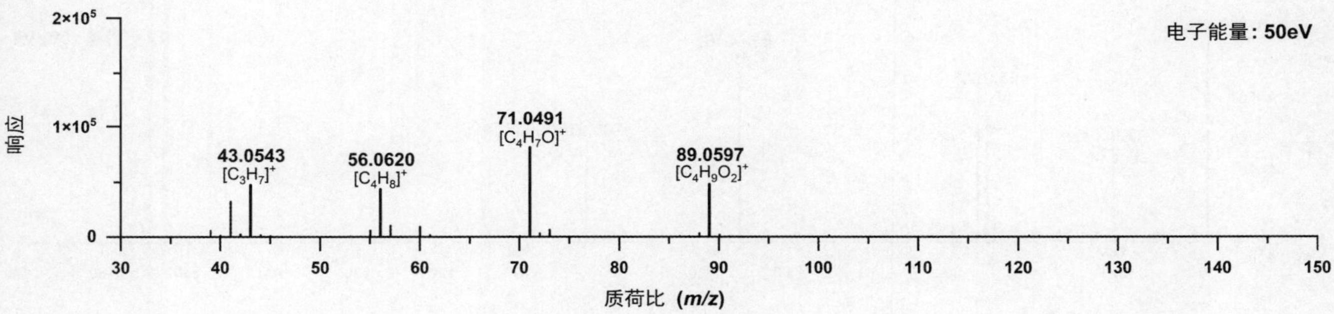

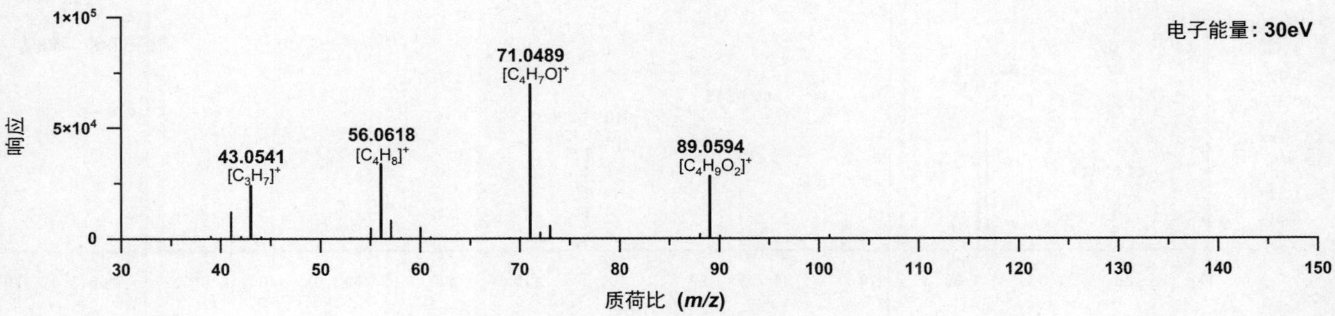

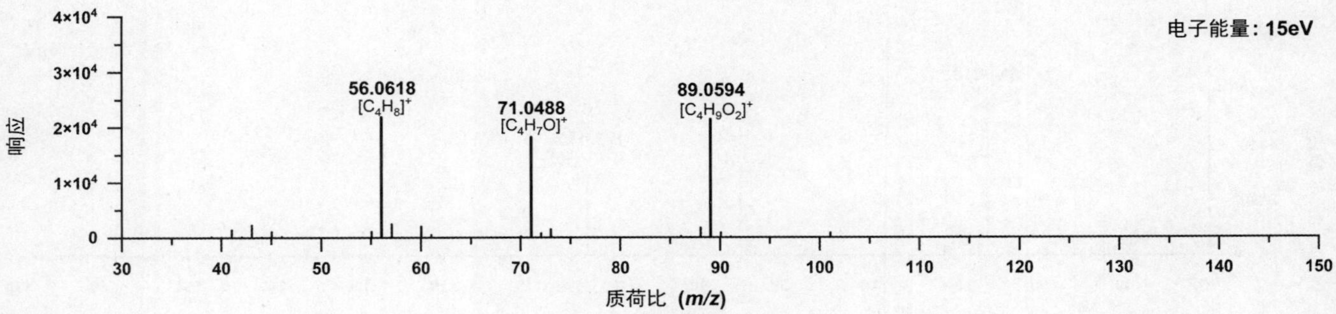

34 戊酸丁酯

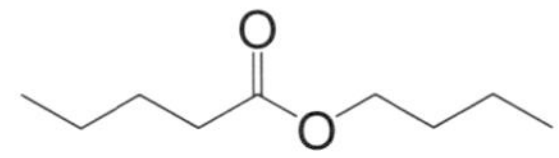

基本信息

CAS 登录号	591-68-4	分子式	$C_9H_{18}O_2$	分子量	158.1307
保留指数（极性）	1323	保留指数（非极性）	1076	香气描述	水果香，甜香，梨香

质谱图

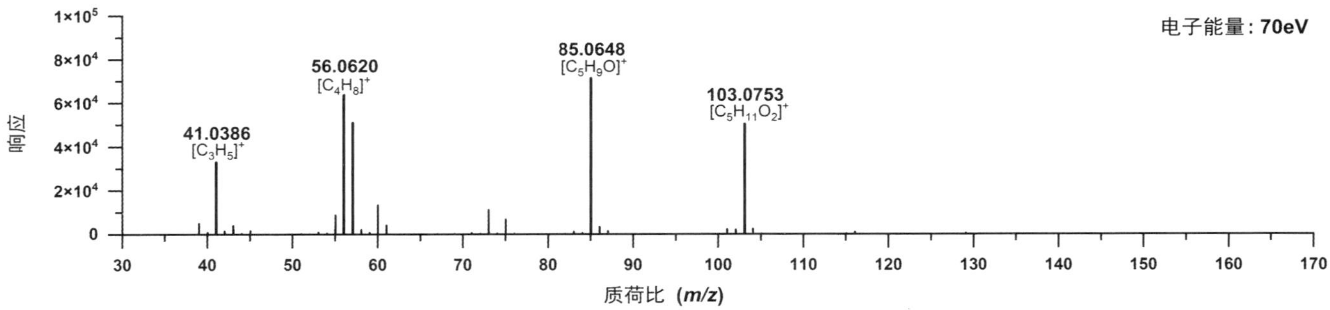

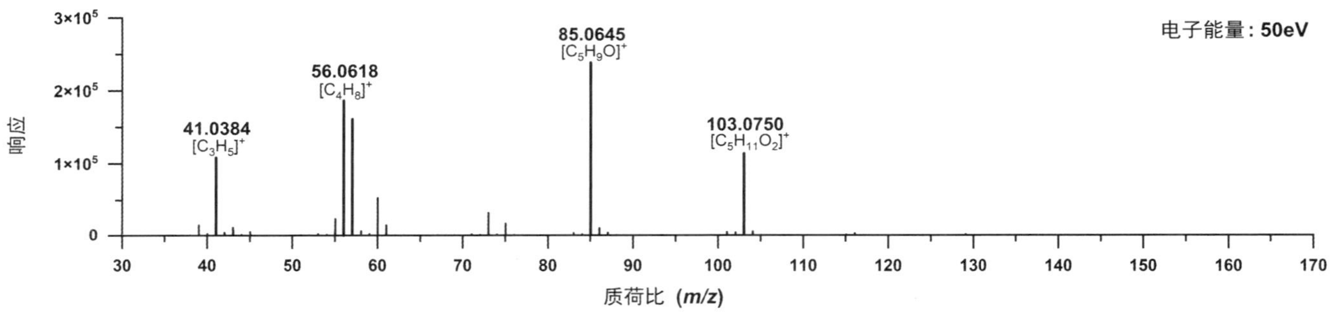

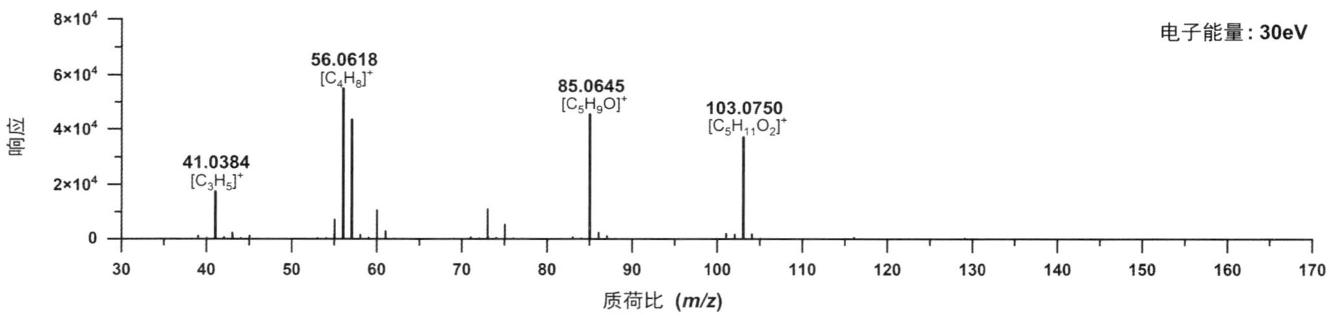

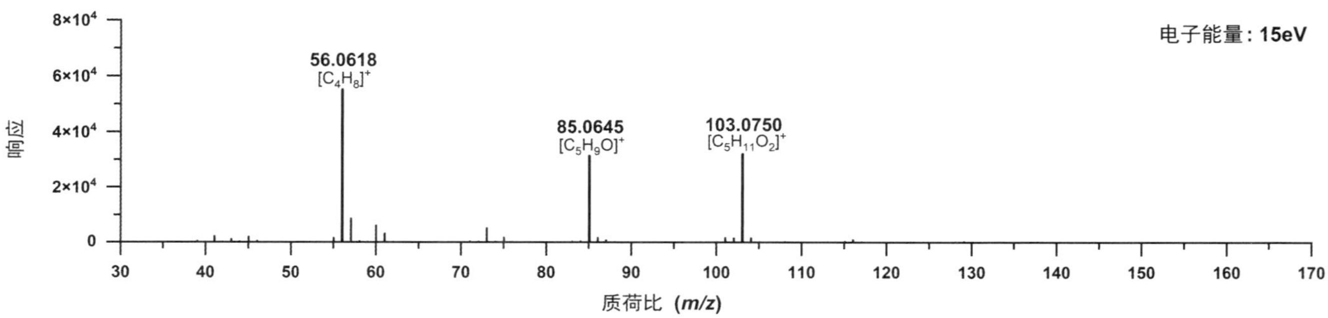

35 己酸丁酯

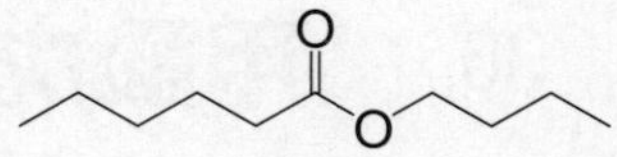

基本信息

CAS 登录号	626-82-4	分子式	$C_{10}H_{20}O_2$	分子量	172.1463
保留指数（极性）	1423	保留指数（非极性）	1173	香气描述	水果香，凤梨香，甜香

质谱图

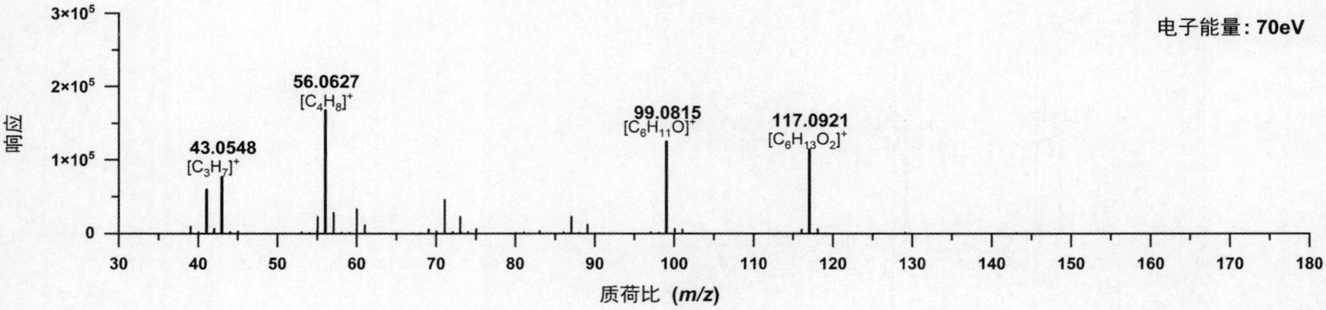

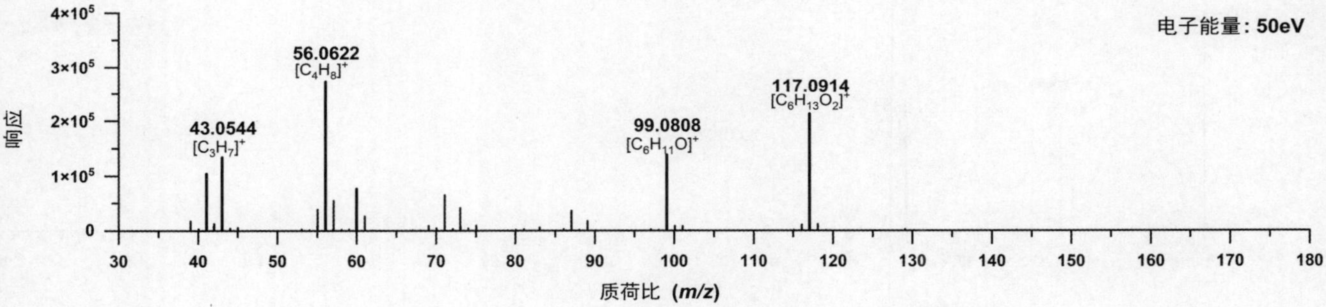

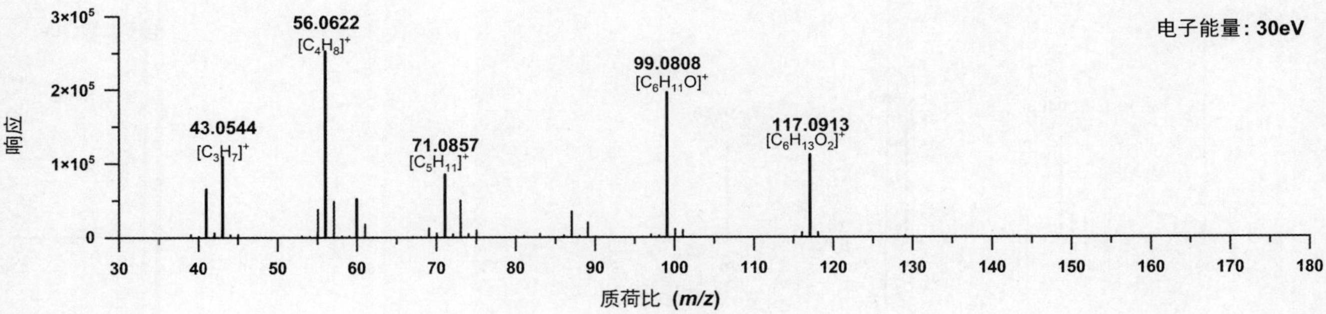

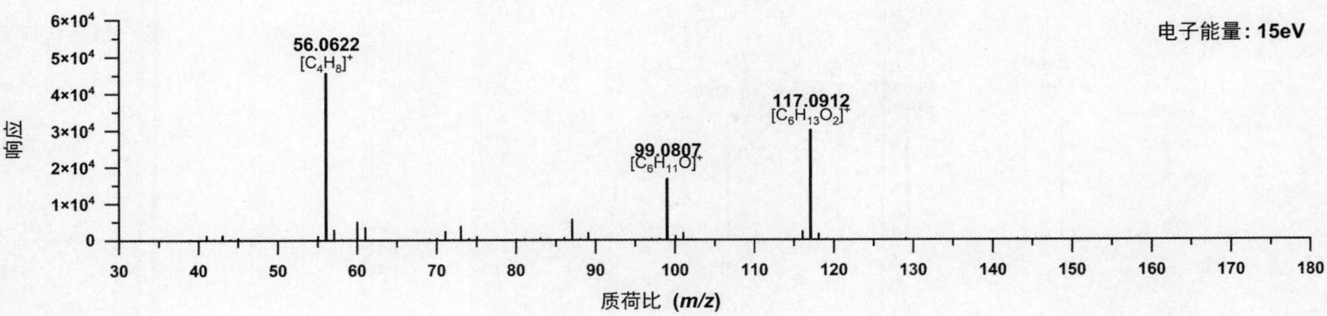

36 甲酸戊酯

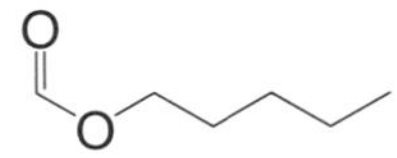

基本信息

CAS 登录号	638-49-3	分子式	$C_6H_{12}O_2$	分子量	116.0837
保留指数（极性）	1127	保留指数（非极性）	810	香气描述	水果香，甜香

质谱图

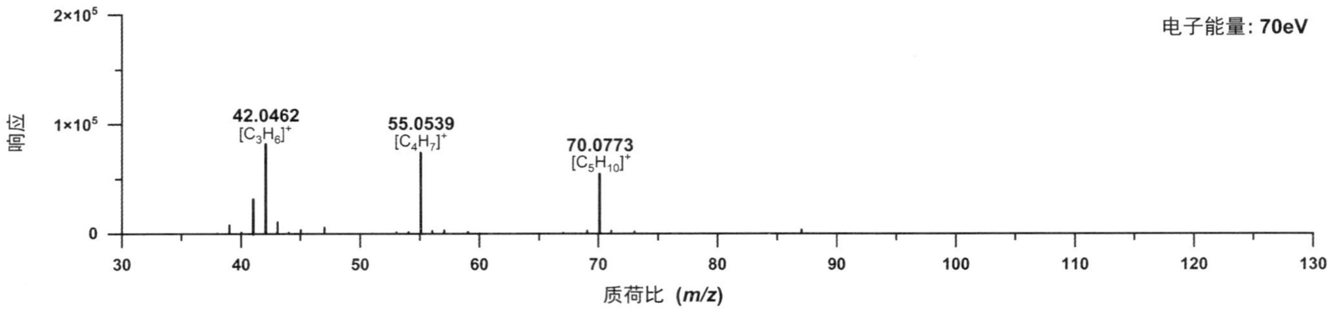

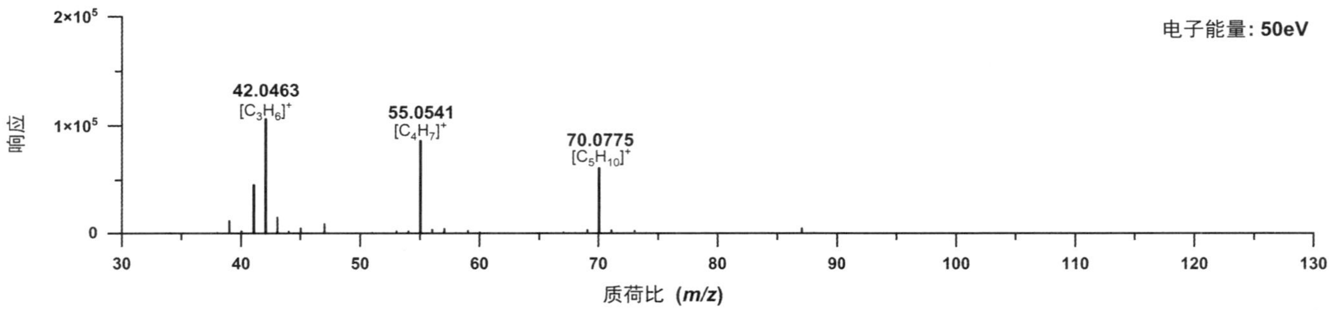

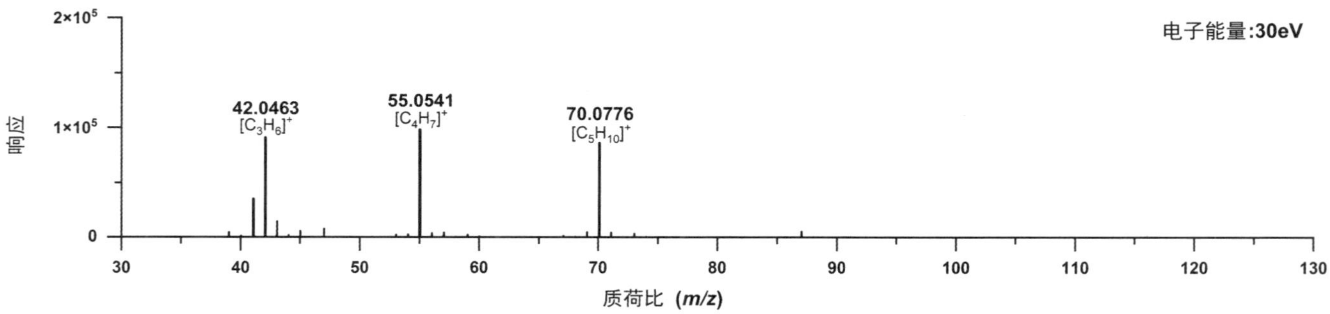

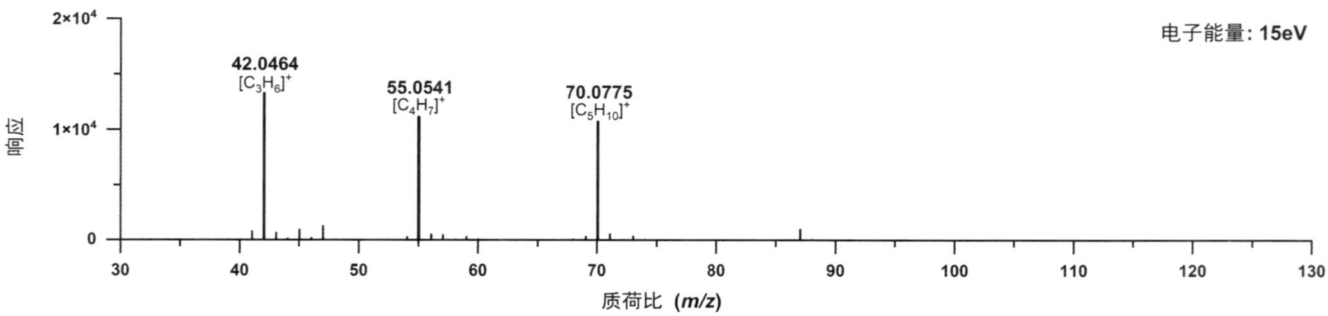

37 乙酸戊酯

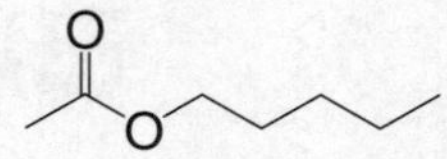

基本信息

CAS 登录号	628-63-7	分子式	$C_7H_{14}O_2$	分子量	130.0994
保留指数（极性）	1179	保留指数（非极性）	896	香气描述	水果香，甜香，梨香

质谱图

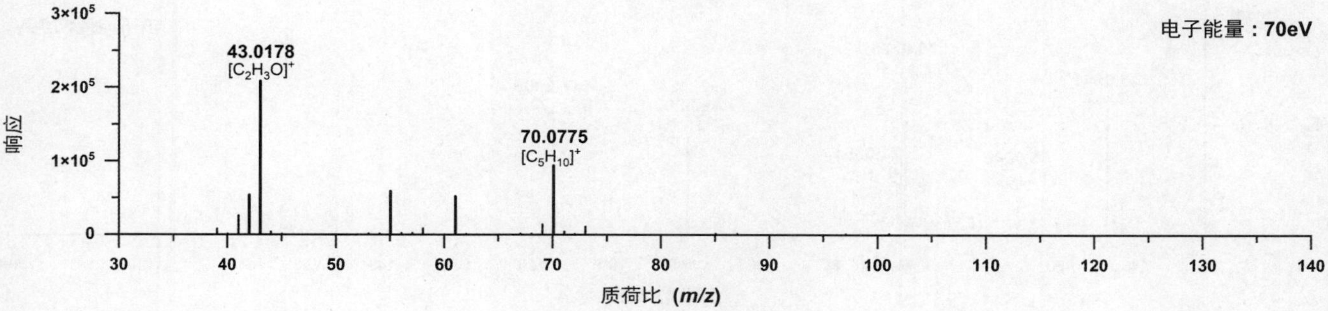

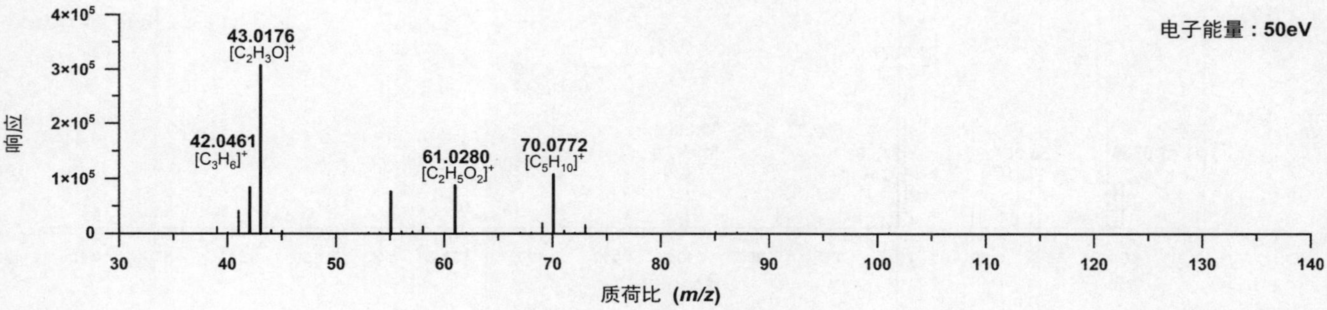

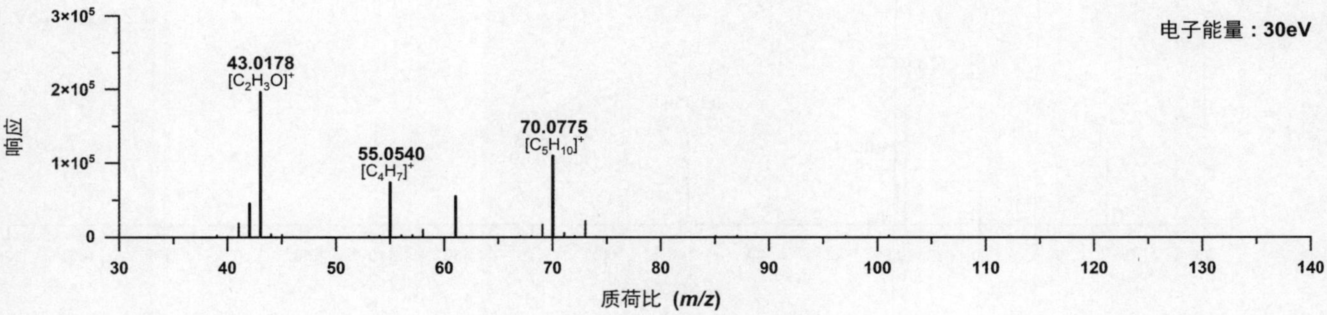

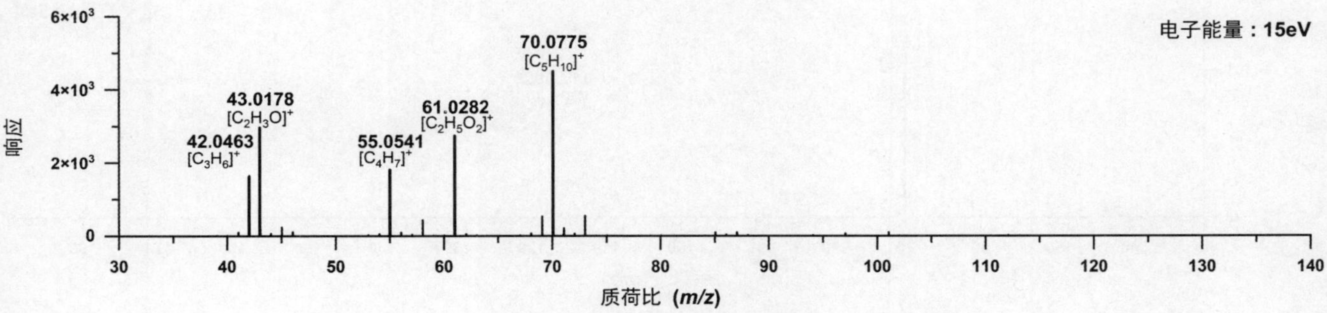

38 己酸戊酯

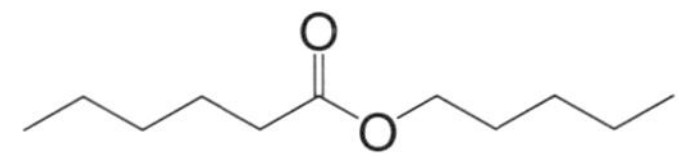

基本信息

CAS 登录号	540-07-8	分子式	$C_{11}H_{22}O_2$	分子量	186.1620
保留指数（极性）	1522	保留指数（非极性）	1270	香气描述	水果香，甜香，类似热带水果的香气

质谱图

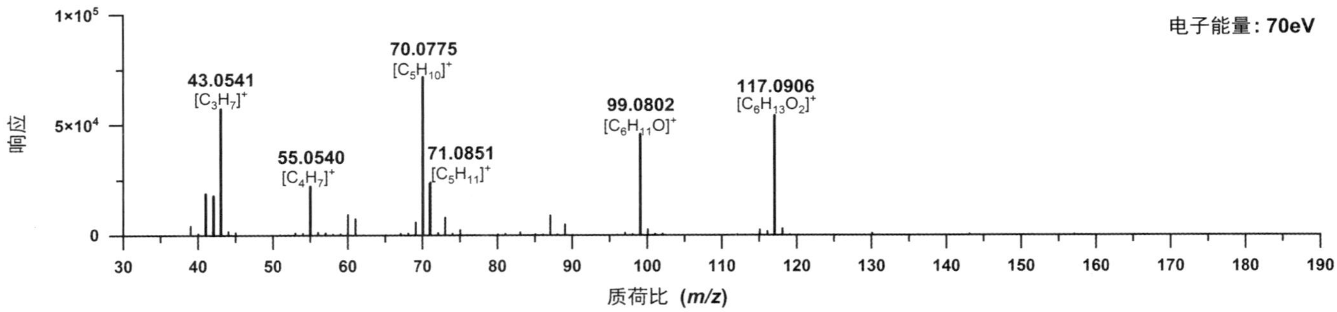

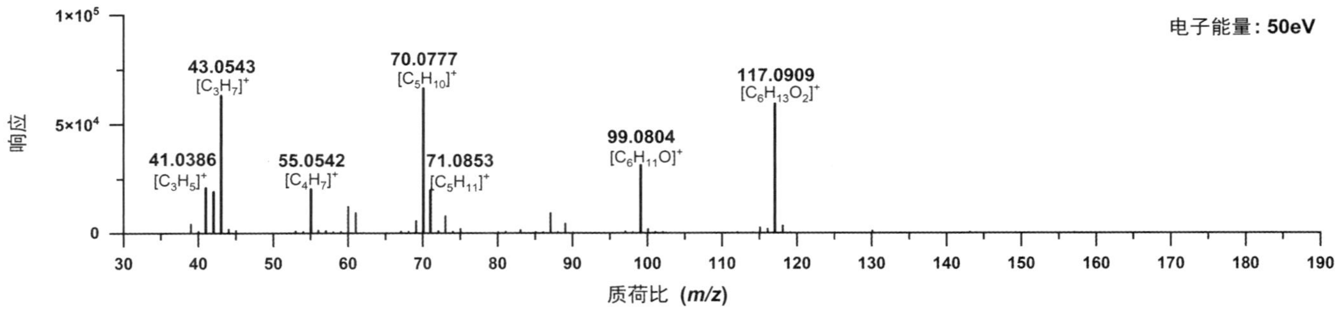

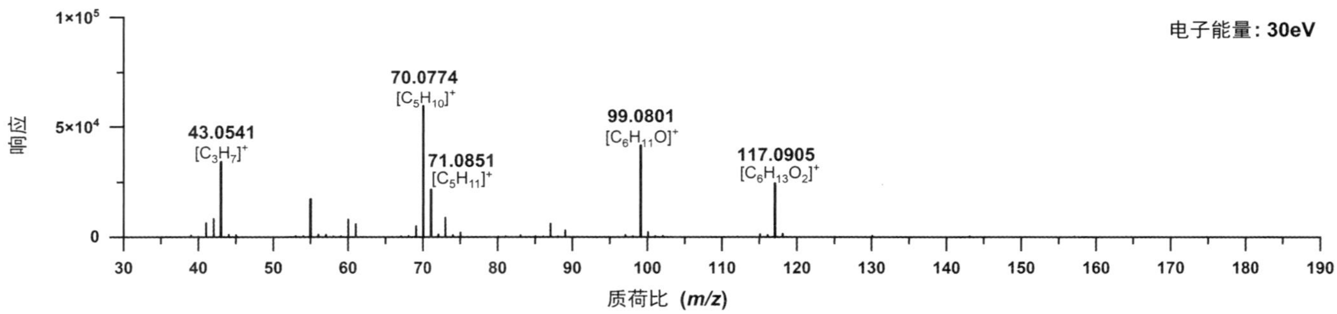

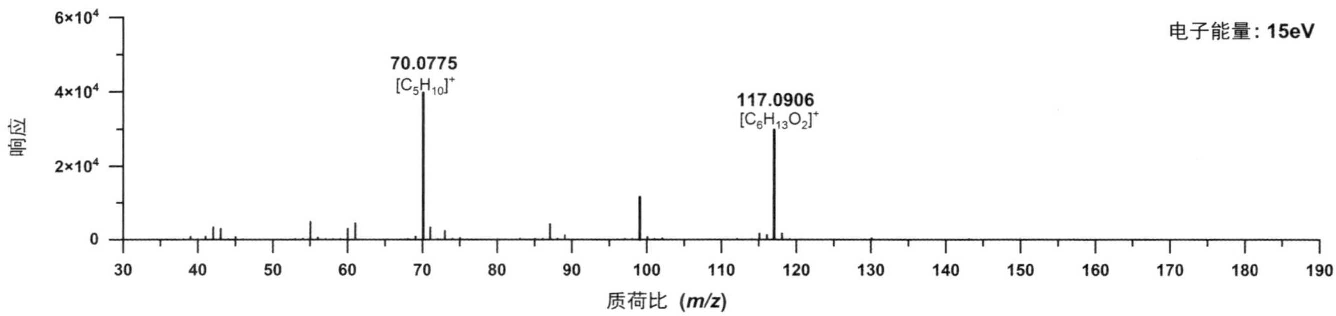

39 乙酸己酯

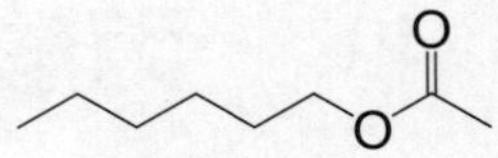

基本信息

CAS 登录号	142-92-7	分子式	$C_8H_{16}O_2$	分子量	144.1150
保留指数（极性）	1279	保留指数（非极性）	994	香气描述	水果香，甜香，成熟水果的香气

质谱图

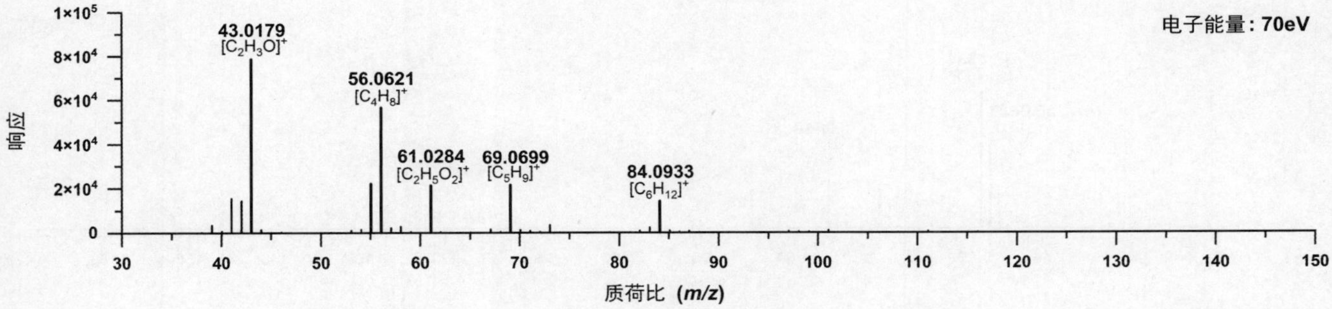

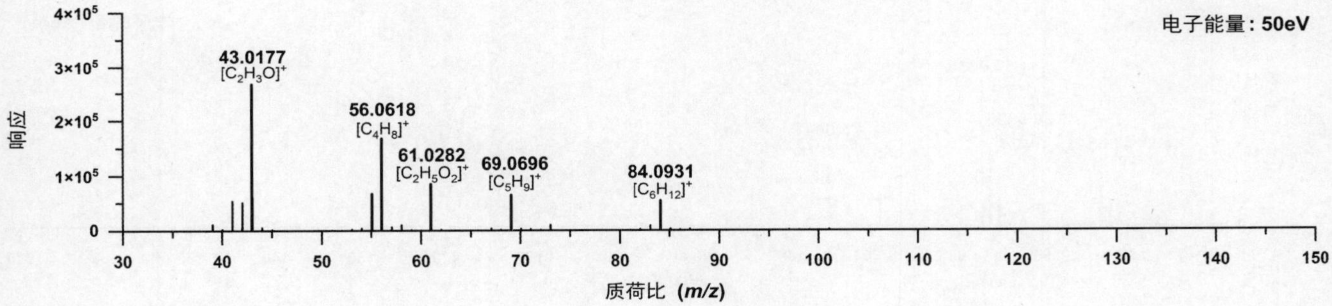

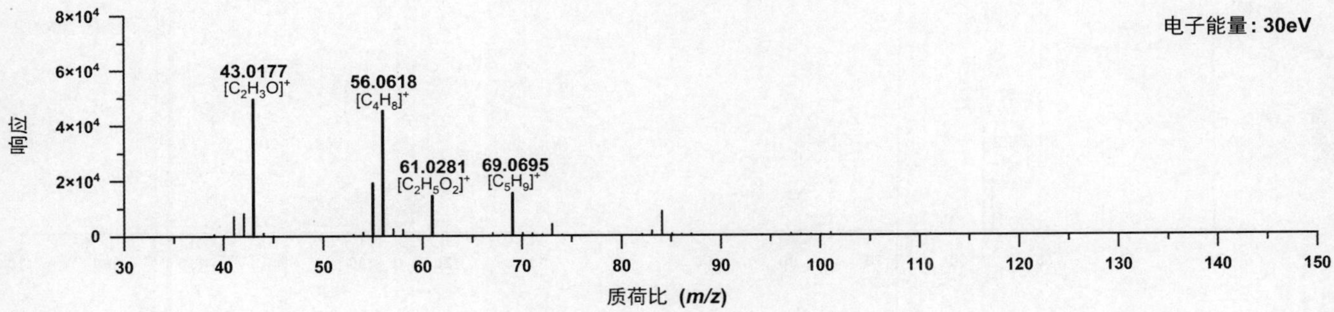

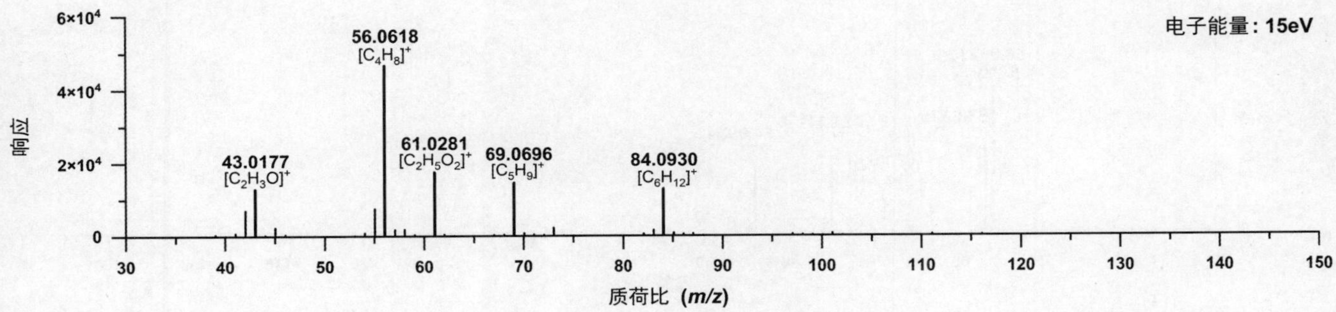

40 丙酸己酯

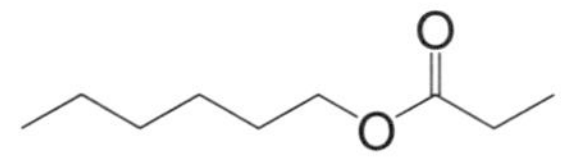

基本信息

CAS 登录号	2445-76-3	分子式	$C_9H_{18}O_2$	分子量	158.1307
保留指数（极性）	1347	保留指数（非极性）	1088	香气描述	水果香，甜香，成熟水果的香气

质谱图

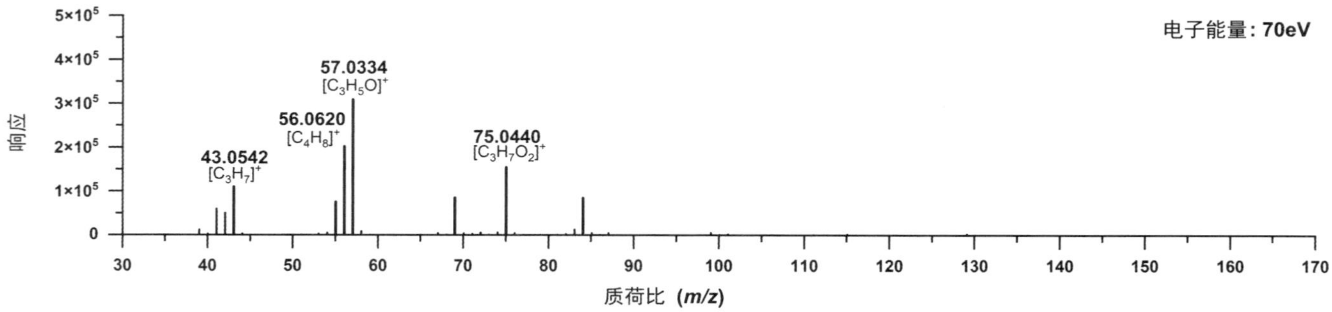

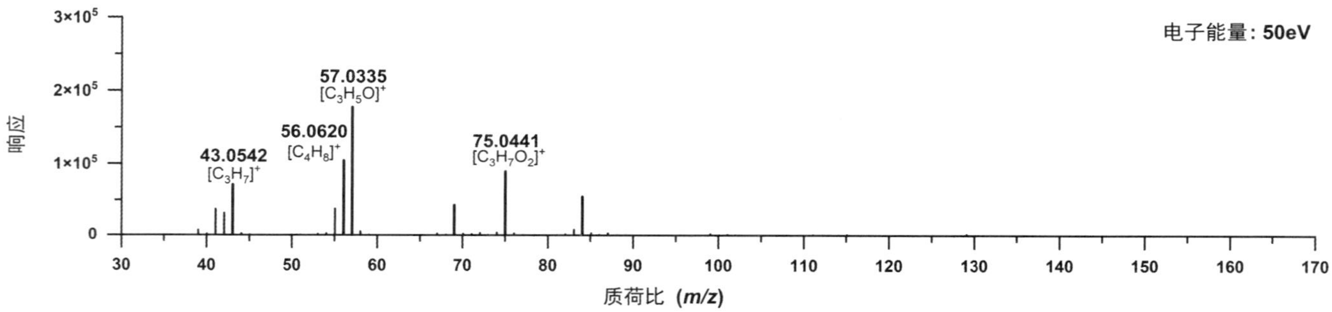

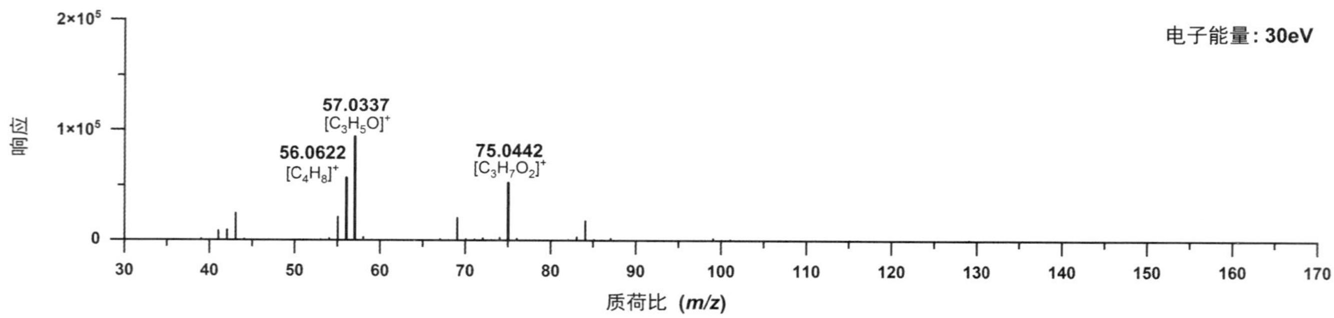

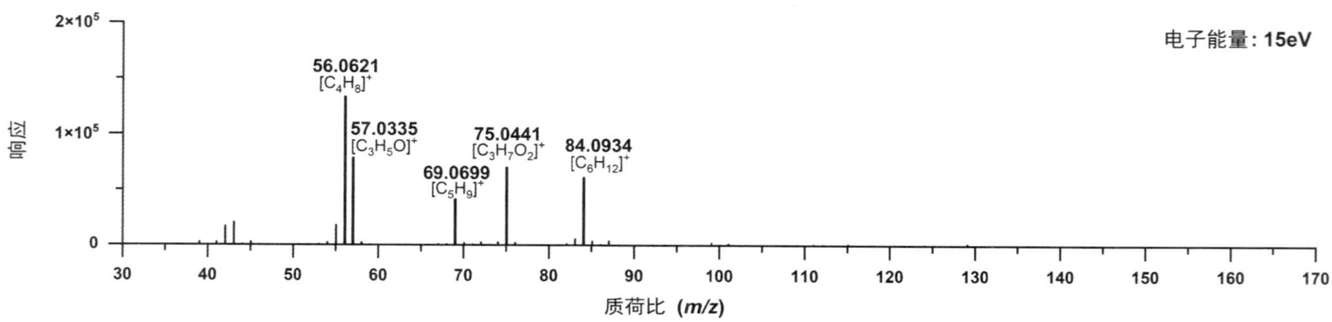

41 丁酸己酯

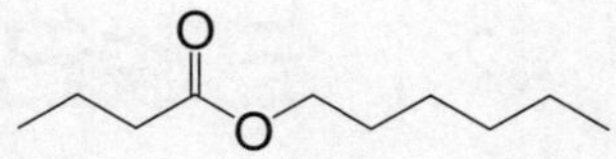

基本信息

CAS 登录号	2639-63-6	分子式	$C_{10}H_{20}O_2$	分子量	172.1463
保留指数（极性）	1425	保留指数（非极性）	1174	香气描述	水果，甜香，成熟水果的香气

质谱图

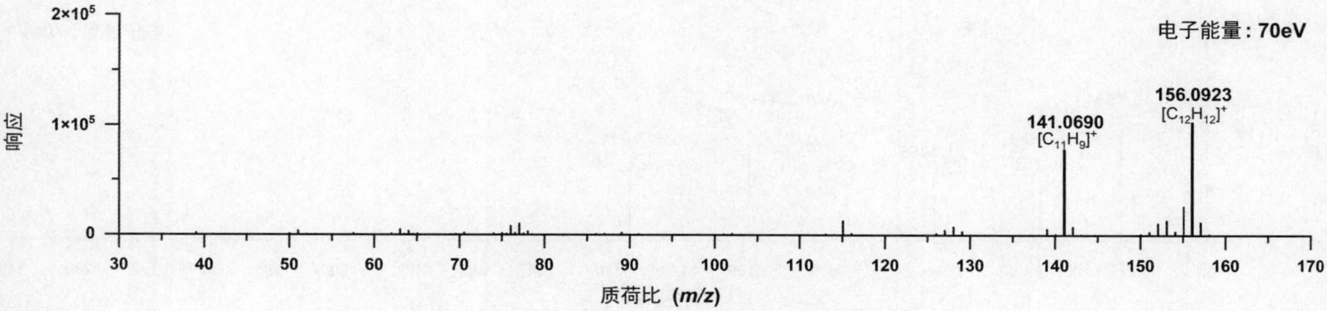

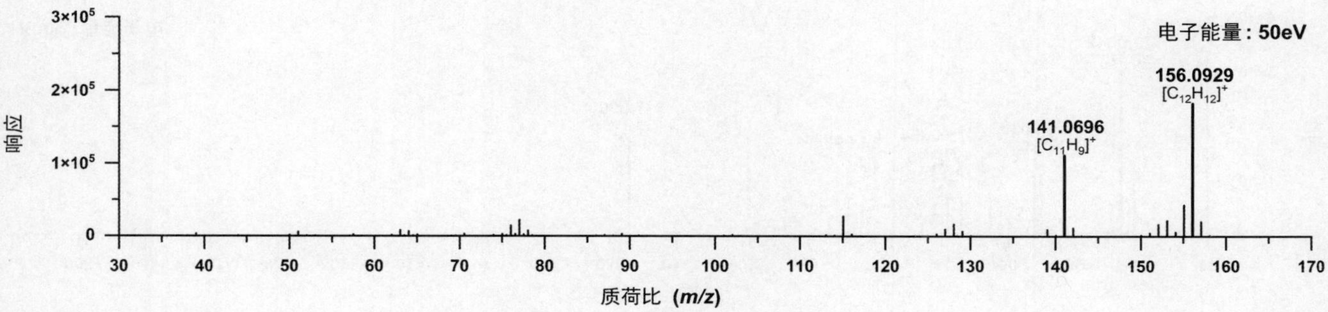

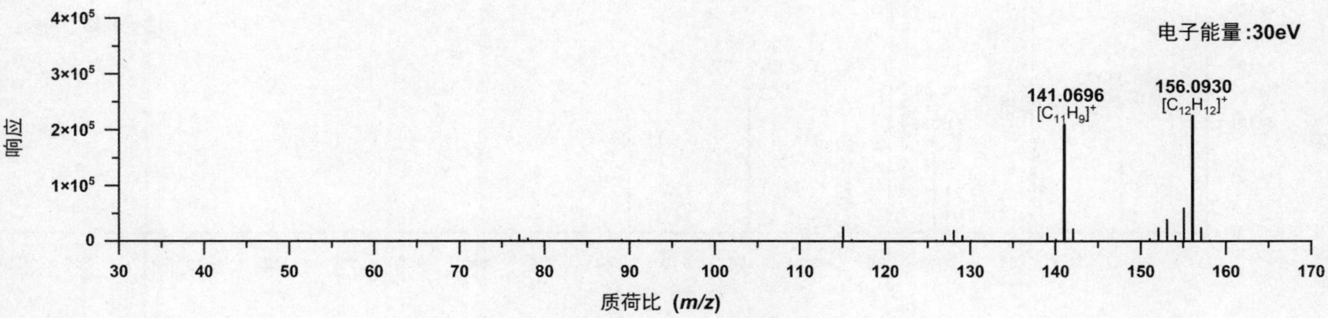

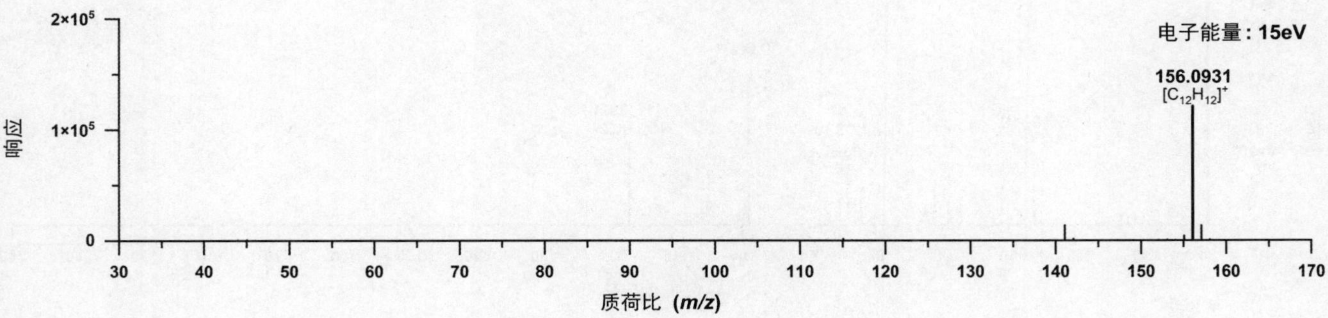

42 己酸己酯

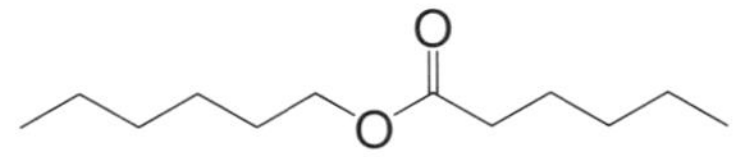

基本信息

CAS 登录号	6378-65-0	分子式	$C_{12}H_{24}O_2$	分子量	200.1776
保留指数（极性）	1618	保留指数（非极性）	1369	香气描述	水果香，甜香，成熟水果的香气

质谱图

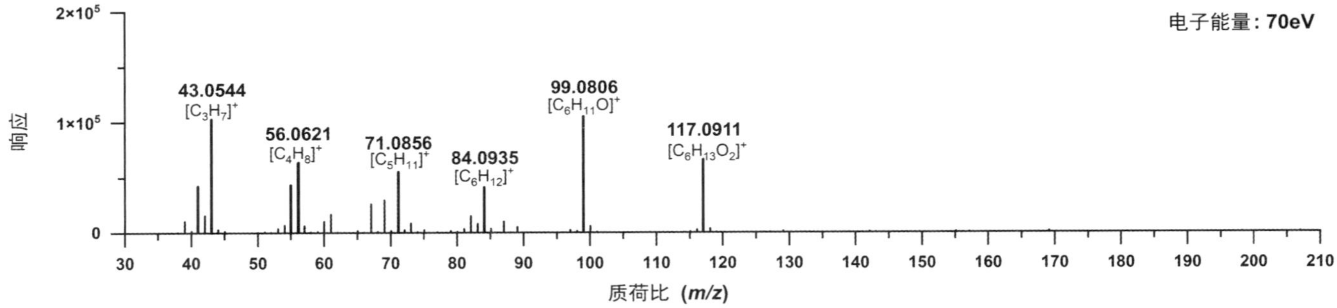

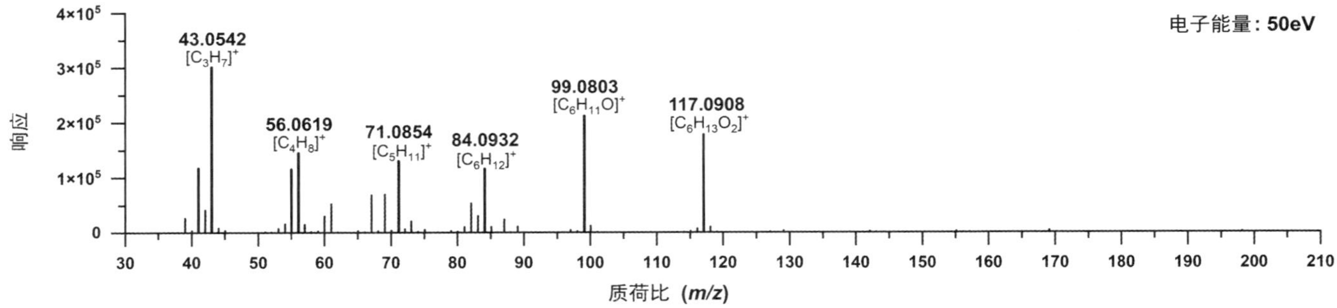

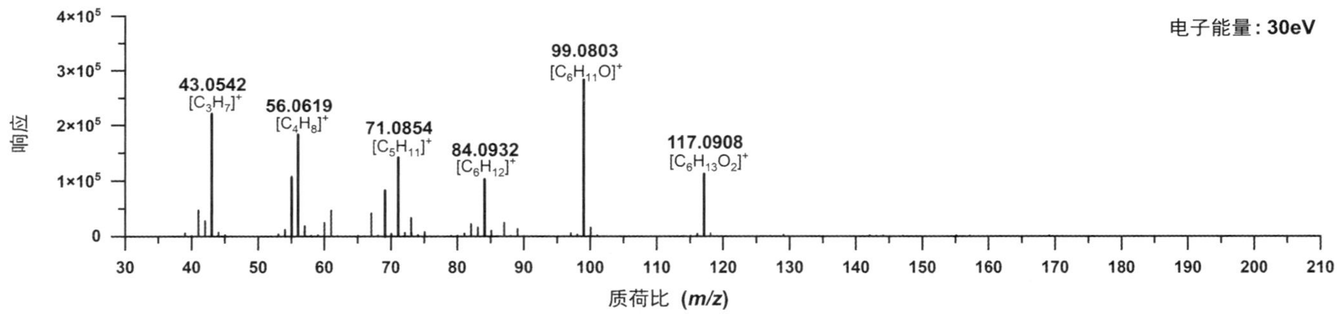

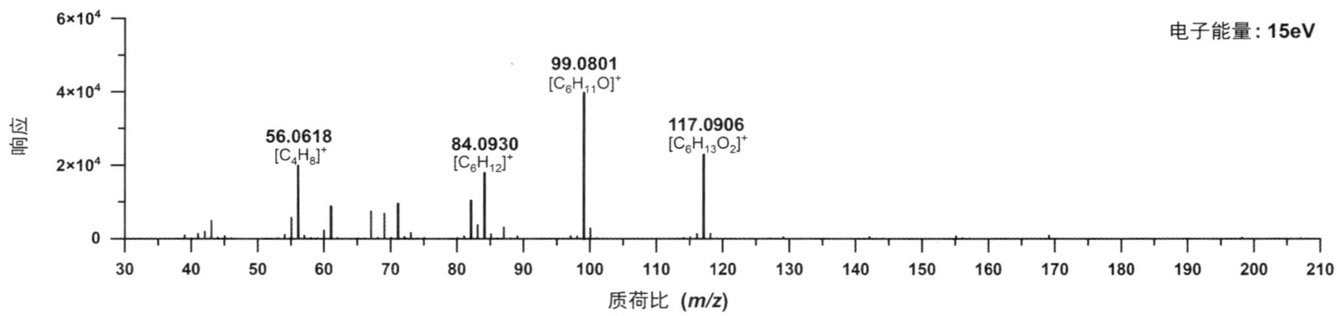

43 乙酸庚酯

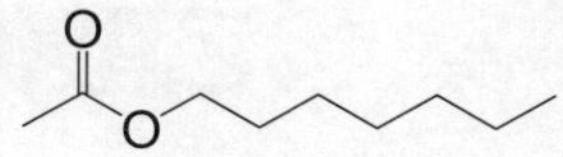

基本信息

CAS 登录号	112-06-1	分子式	$C_9H_{18}O_2$	分子量	158.1307
保留指数（极性）	1381	保留指数（非极性）	1094	香气描述	水果，甜香，梨香

质谱图

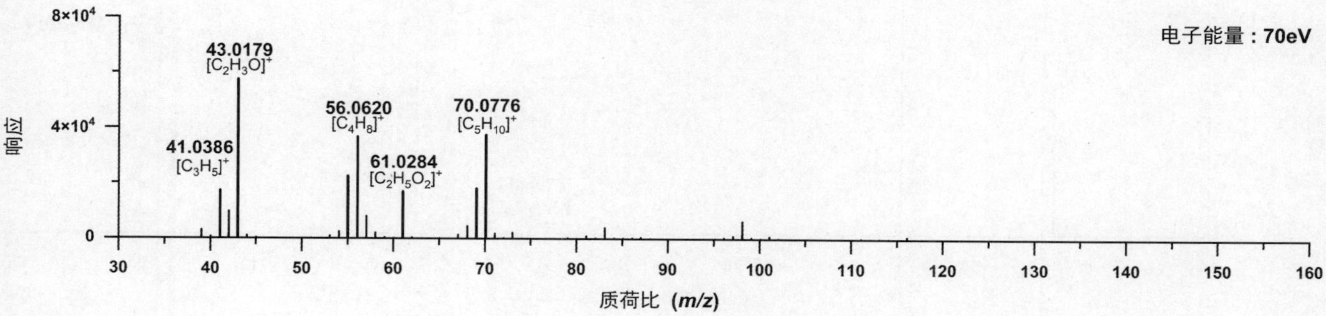

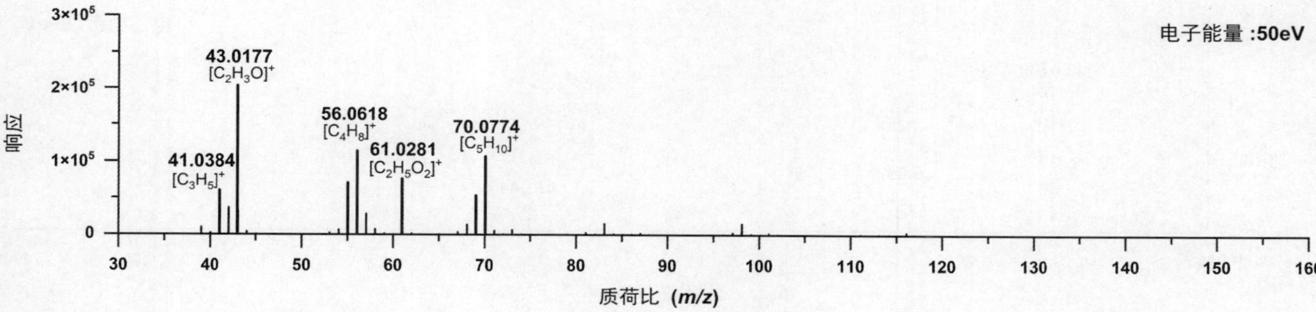

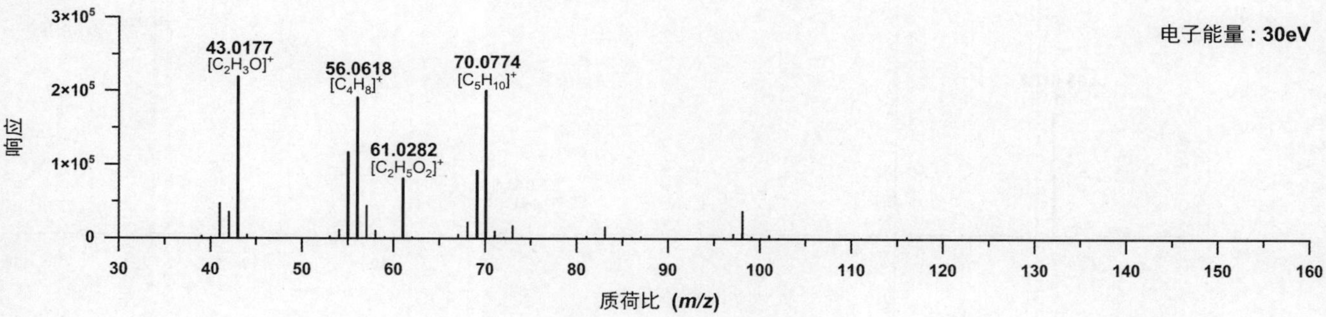

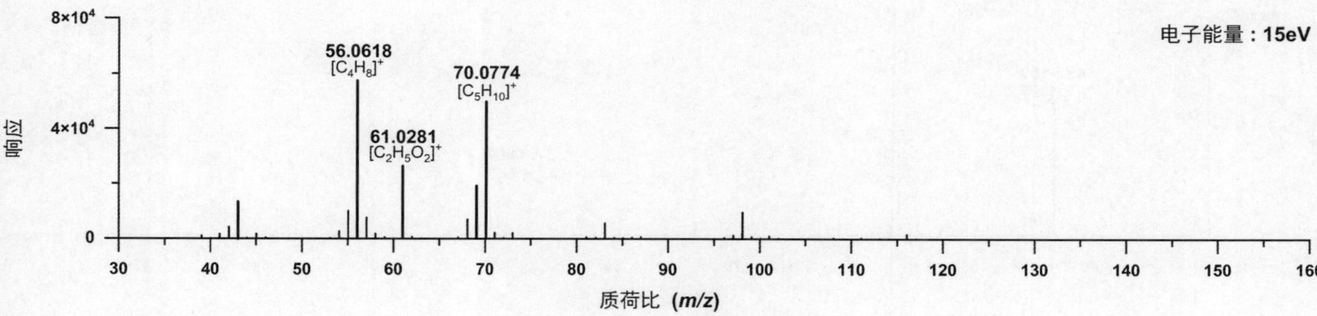

44 乙酸仲丁酯

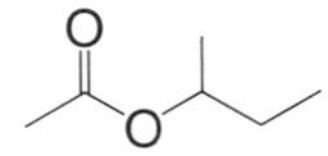

基本信息

CAS 登录号	105-46-4	分子式	$C_6H_{12}O_2$	分子量	116.0837
保留指数（极性）	990	保留指数（非极性）	747	香气描述	水果，甜香，类似溶剂的气味

质谱图

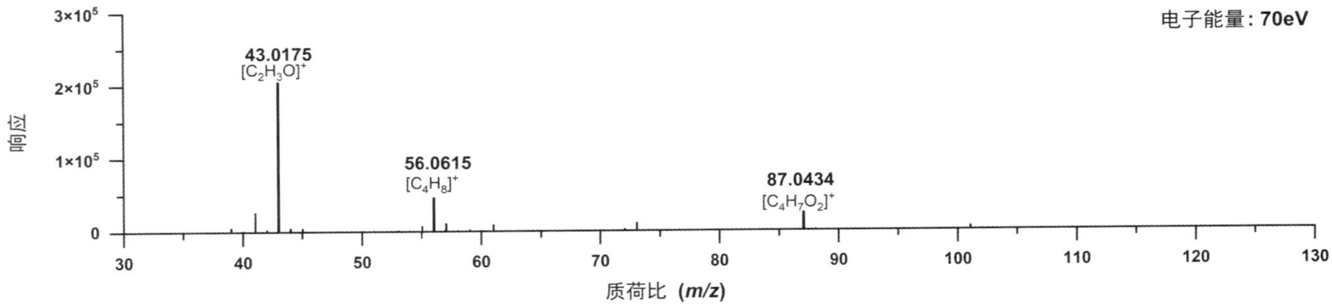

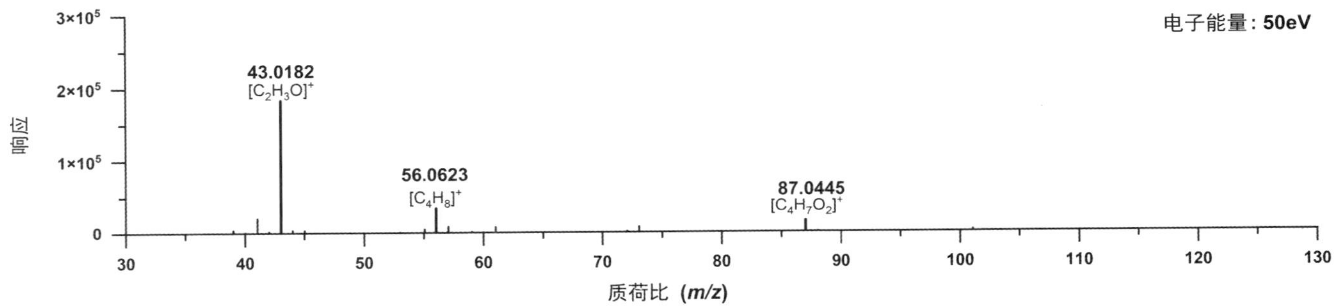

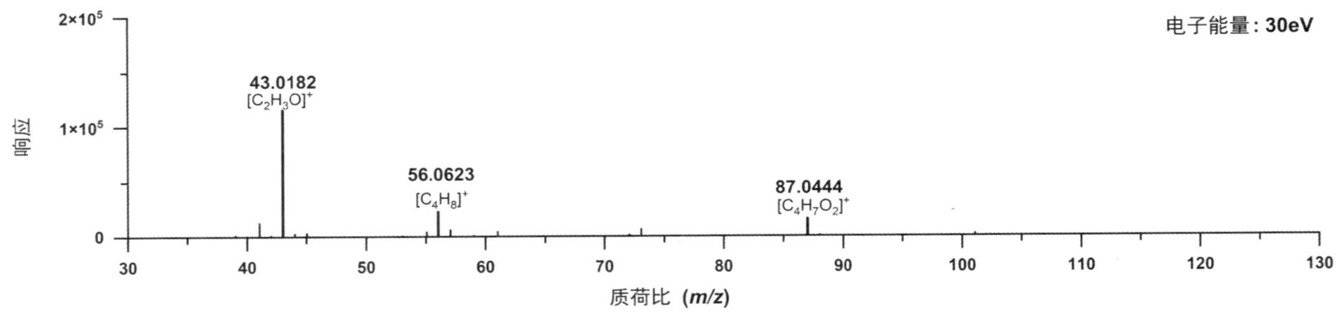

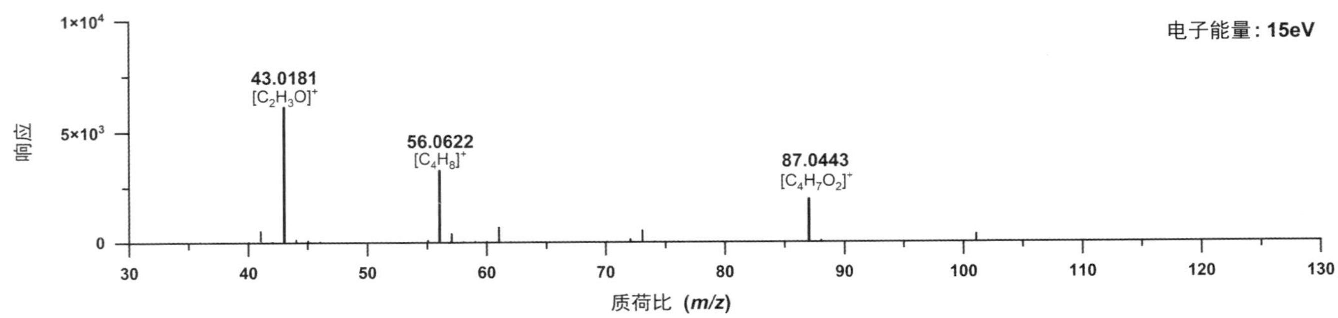

45 乙酸异丁酯

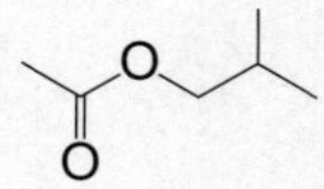

基本信息

CAS 登录号	110-19-0	分子式	$C_6H_{12}O_2$	分子量	116.0837
保留指数（极性）	1016	保留指数（非极性）	761	香气描述	水果香，甜香，梨香

质谱图

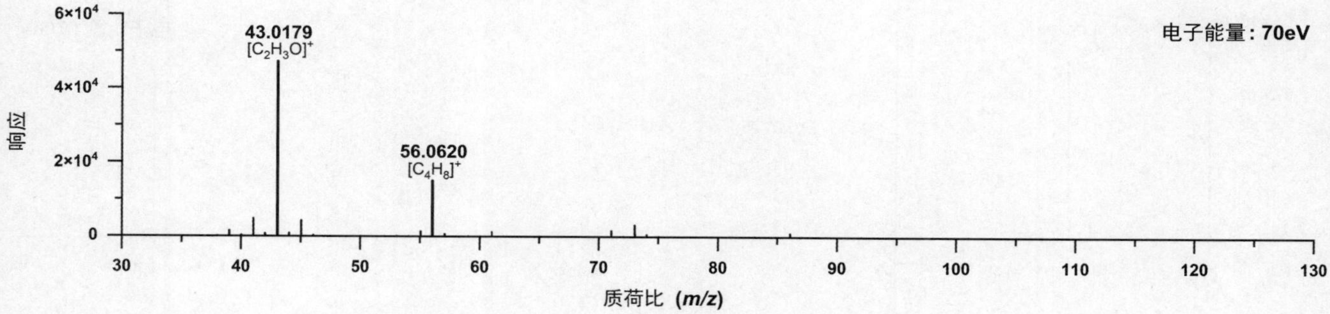

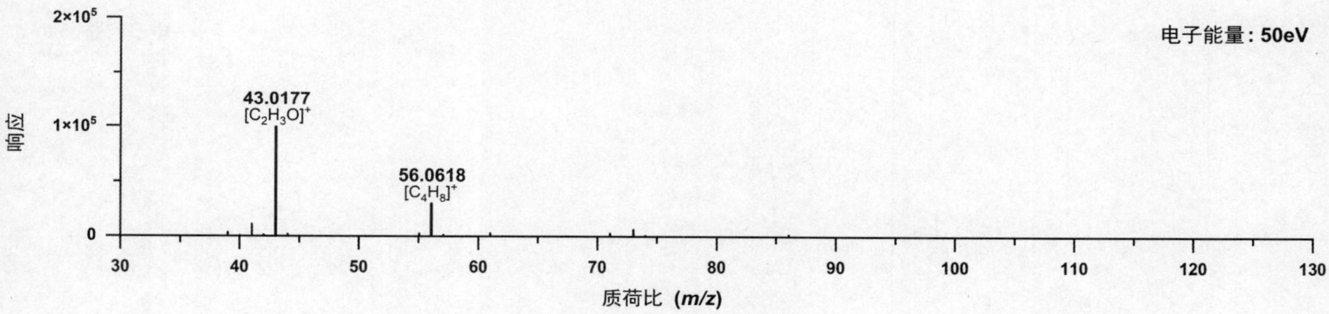

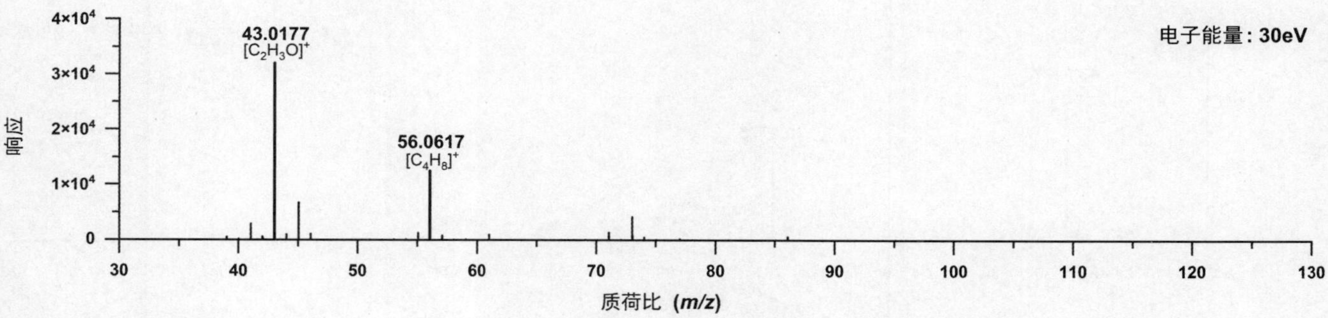

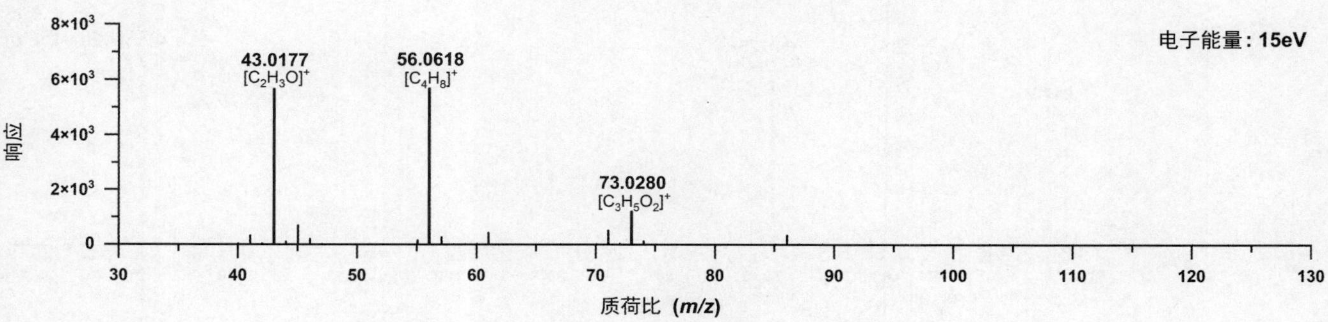

46 2-甲基丁基乙酸酯

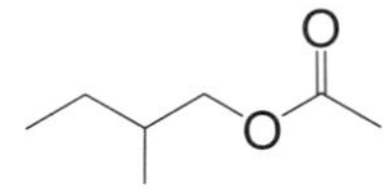

基本信息

CAS 登录号	624-41-9	分子式	$C_7H_{14}O_2$	分子量	130.0994
保留指数（极性）	1127	保留指数（非极性）	863	香气描述	水果香，甜香，梨香

质谱图

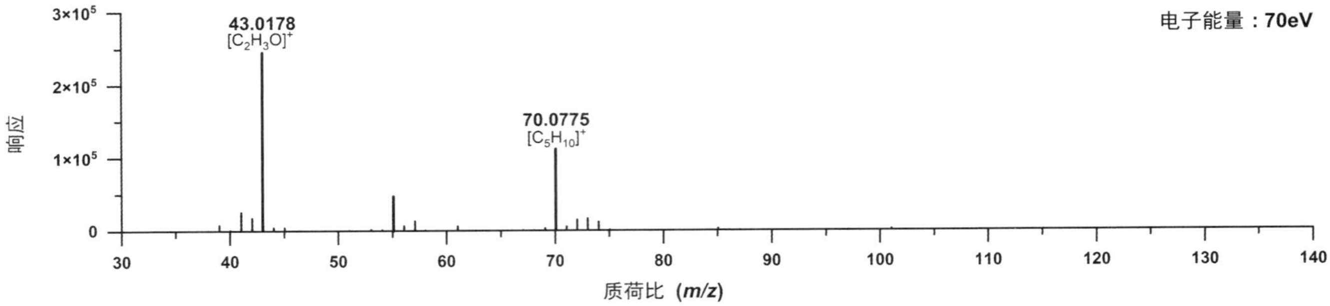

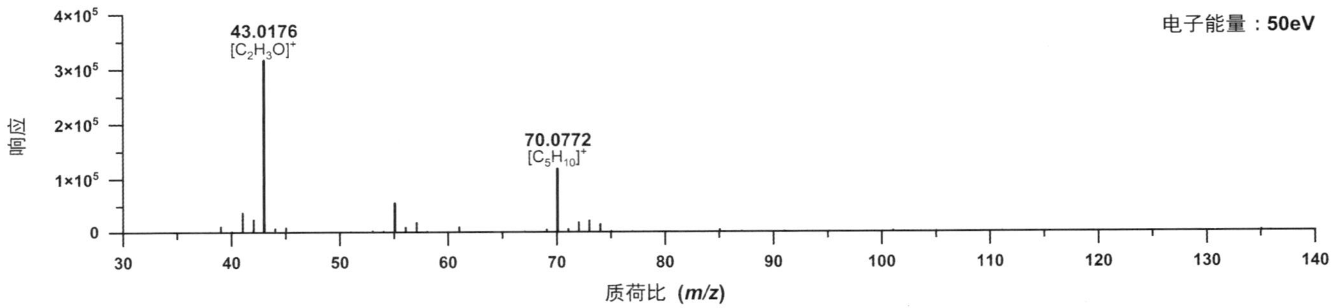

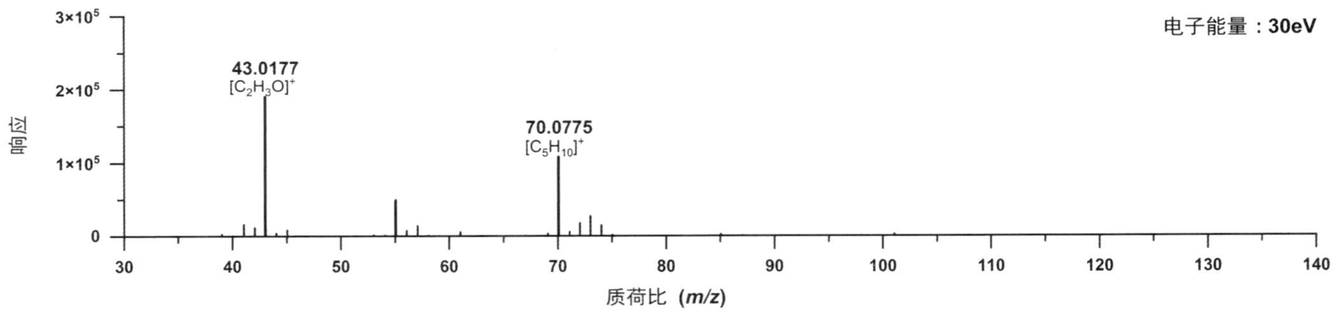

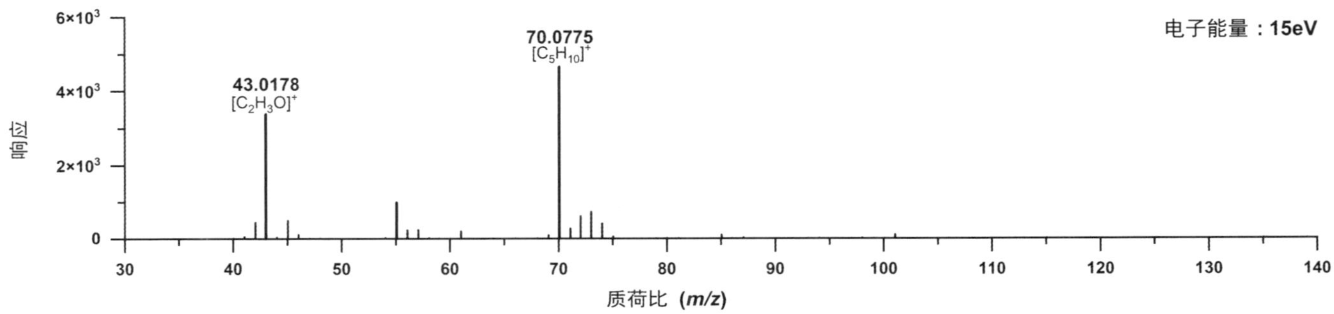

47 乙酸异戊酯

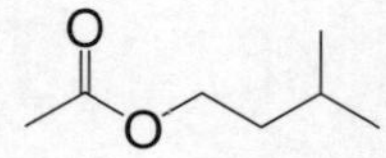

基本信息

CAS 登录号	123-92-2	分子式	$C_7H_{14}O_2$	分子量	130.0994
保留指数（极性）	1141	保留指数（非极性）	861	香气描述	水果香，香蕉香，甜香

质谱图

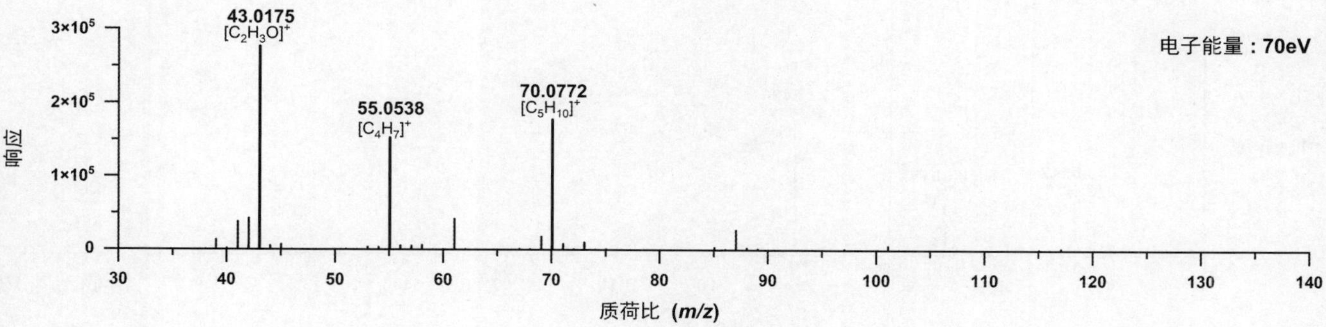

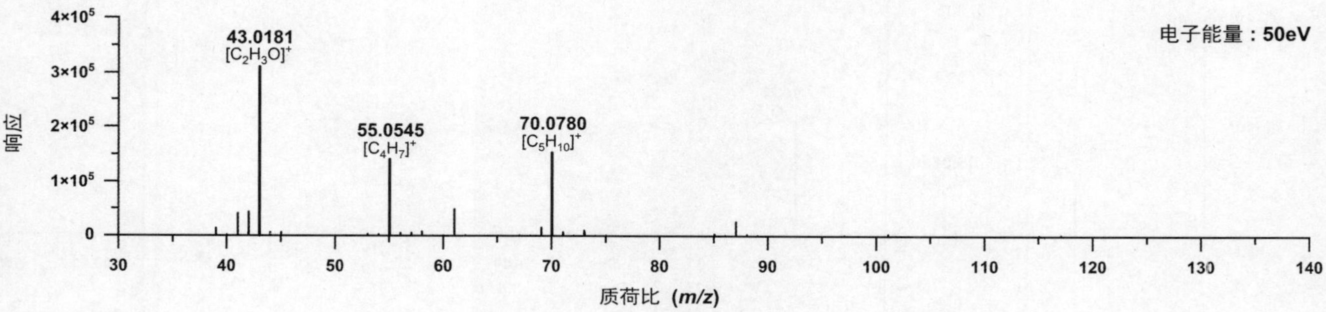

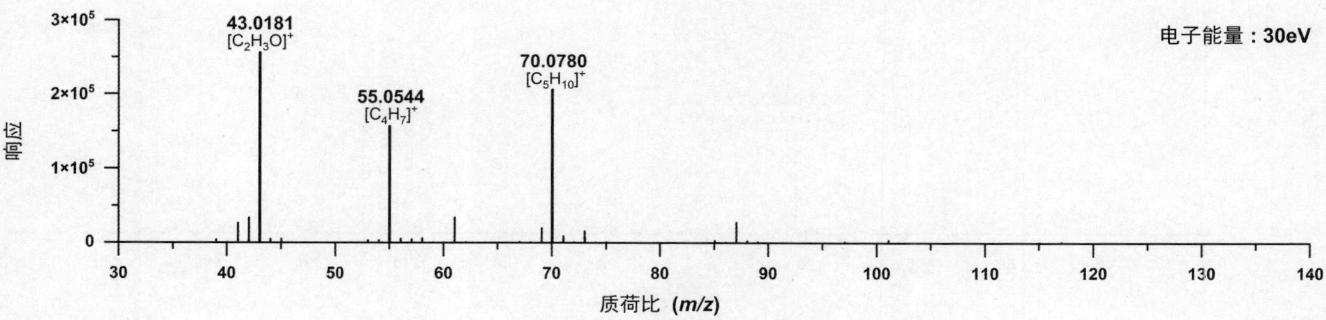

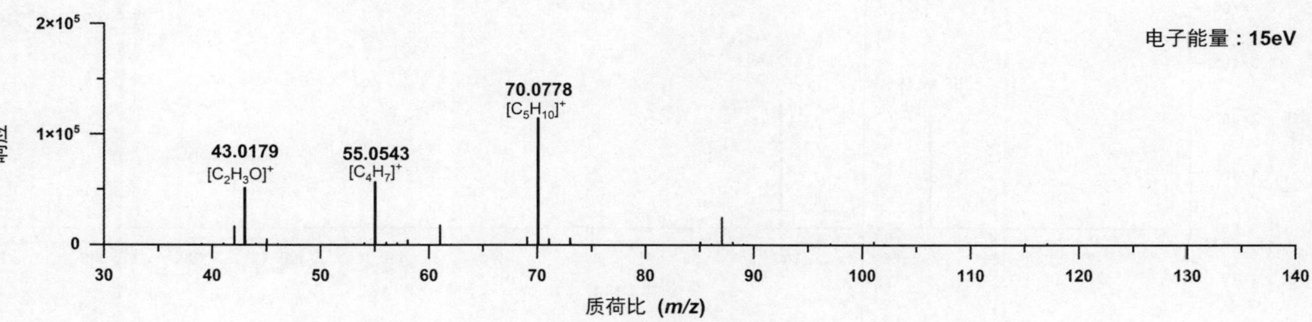

48 丁酸异丁酯

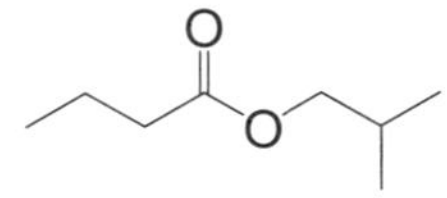

基本信息

CAS 登录号	539-90-2	分子式	$C_8H_{16}O_2$	分子量	144.1150
保留指数（极性）	1166	保留指数（非极性）	940	香气描述	水果，甜香，凤梨香

质谱图

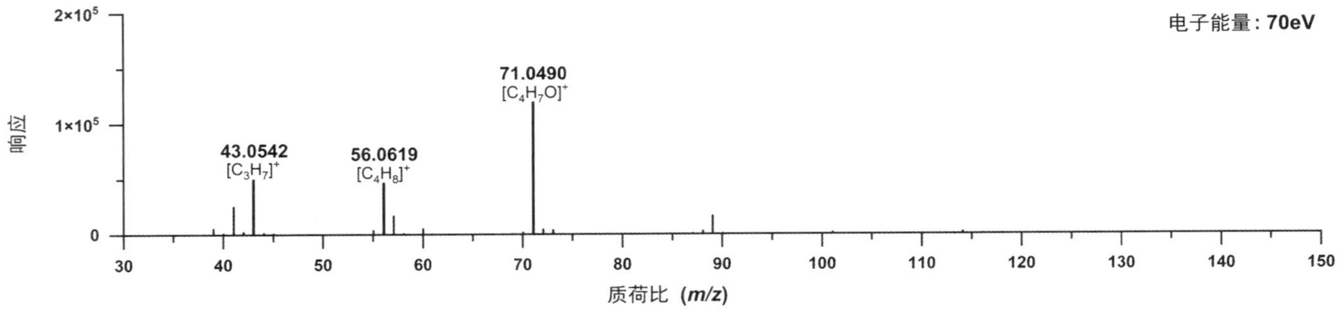

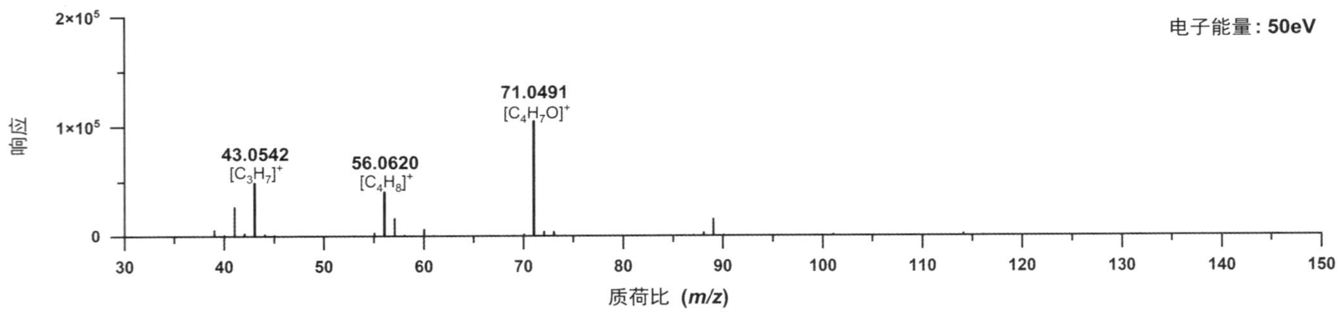

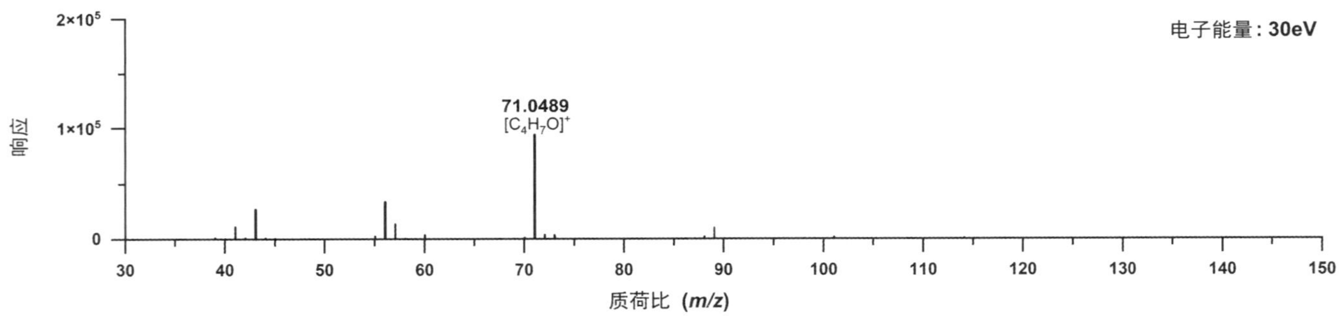

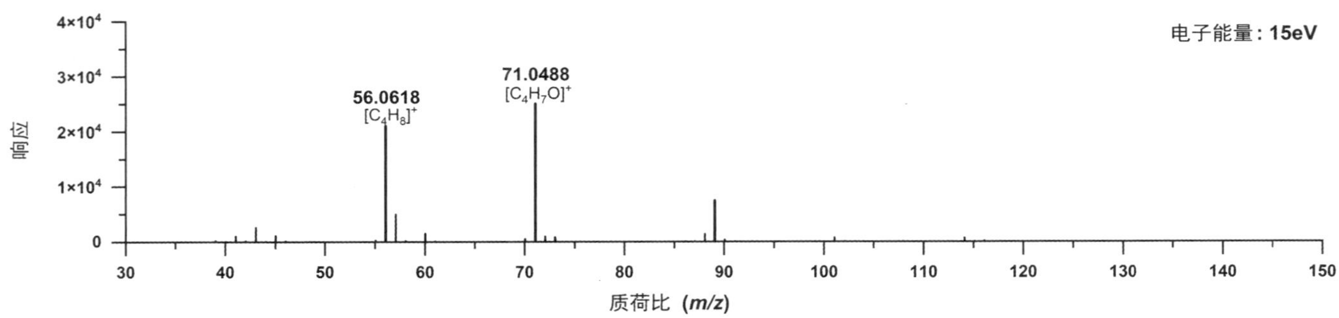

49 戊酸异丁酯

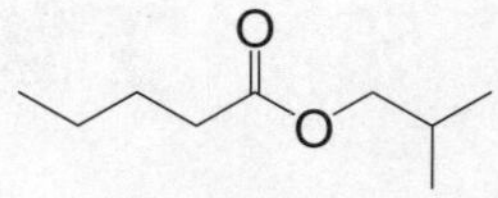

基本信息

CAS 登录号	10588-10-0	分子式	$C_9H_{18}O_2$	分子量	158.1307
保留指数（极性）	1263	保留指数（非极性）	1037	香气描述	水果，甜香，成熟水果的香气

质谱图

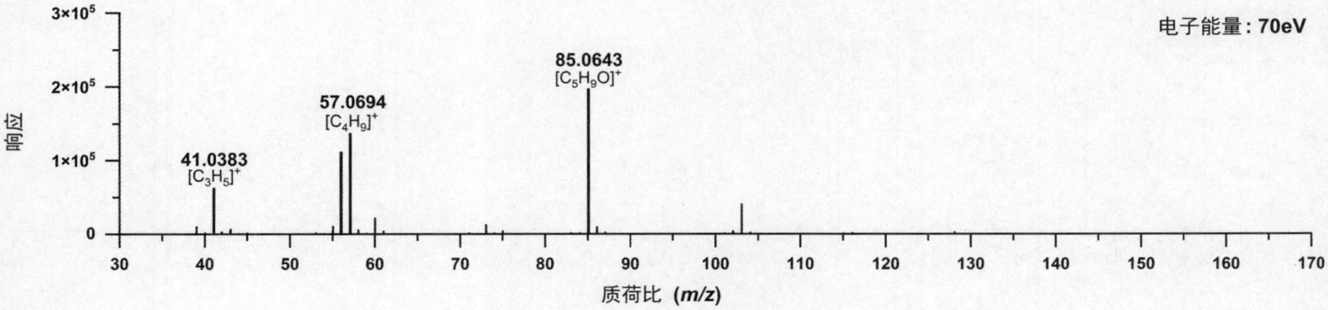

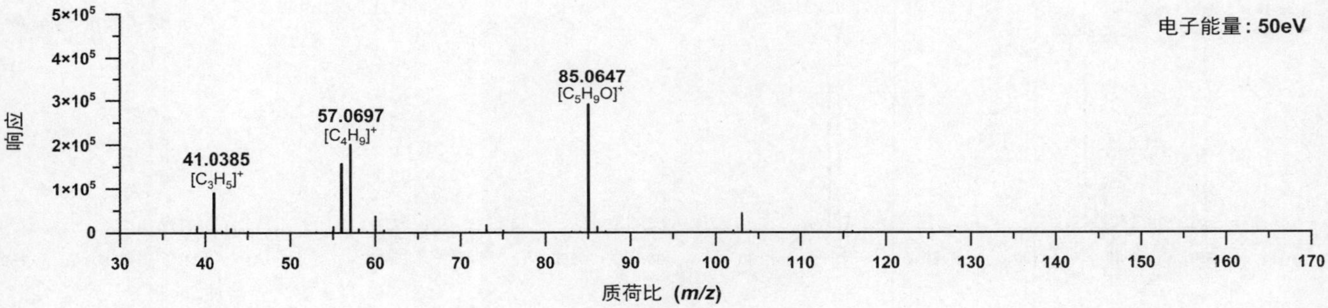

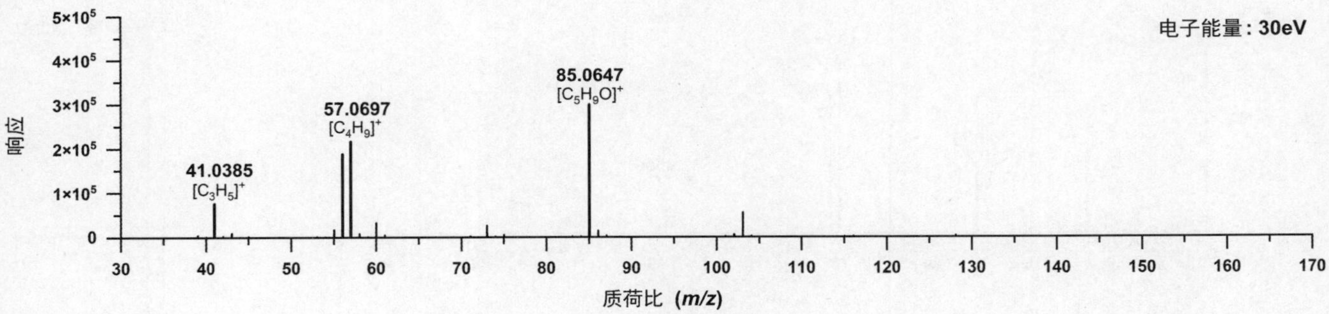

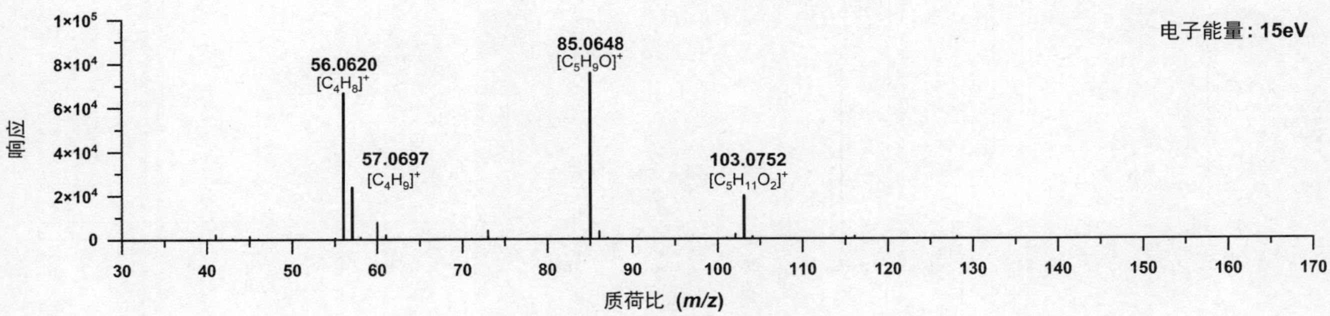

50 丁酸异戊酯

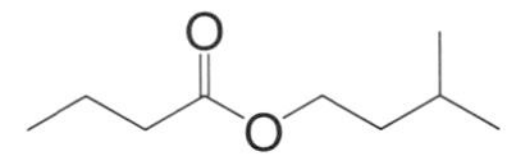

基本信息

CAS 登录号	106-27-4	分子式	$C_9H_{18}O_2$	分子量	158.1307
保留指数（极性）	1274	保留指数（非极性）	1039	香气描述	水果香，甜香，凤梨香

质谱图

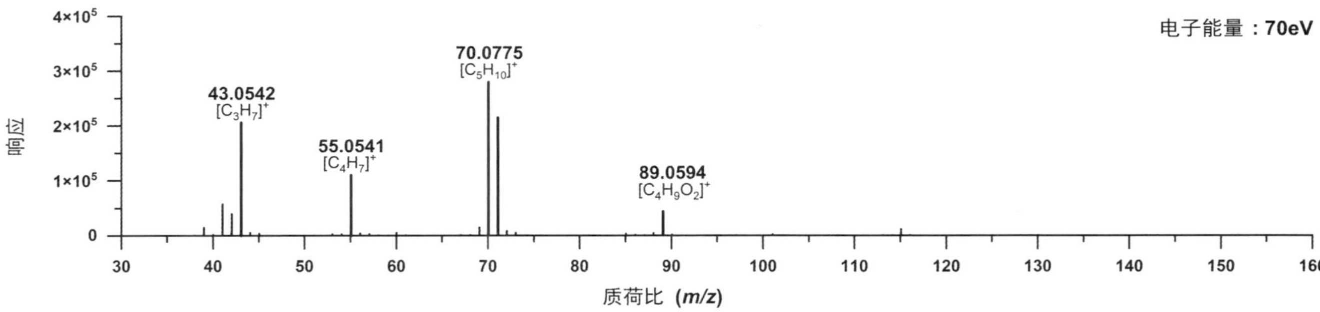

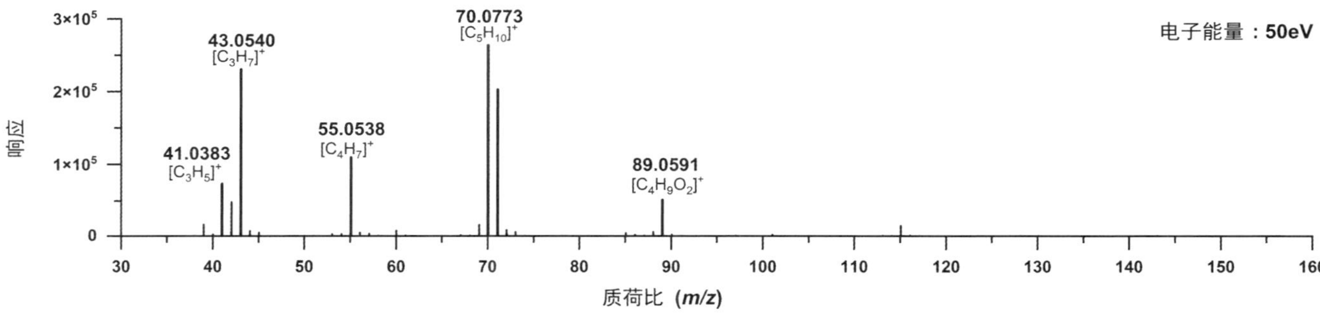

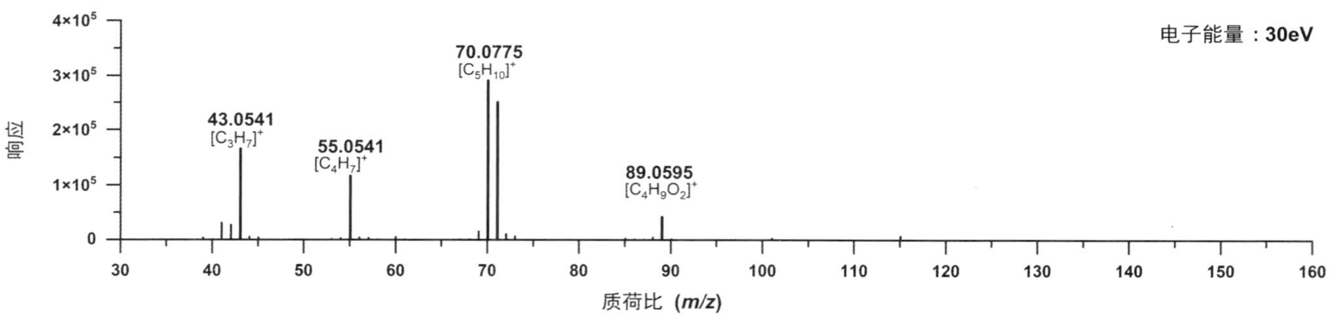

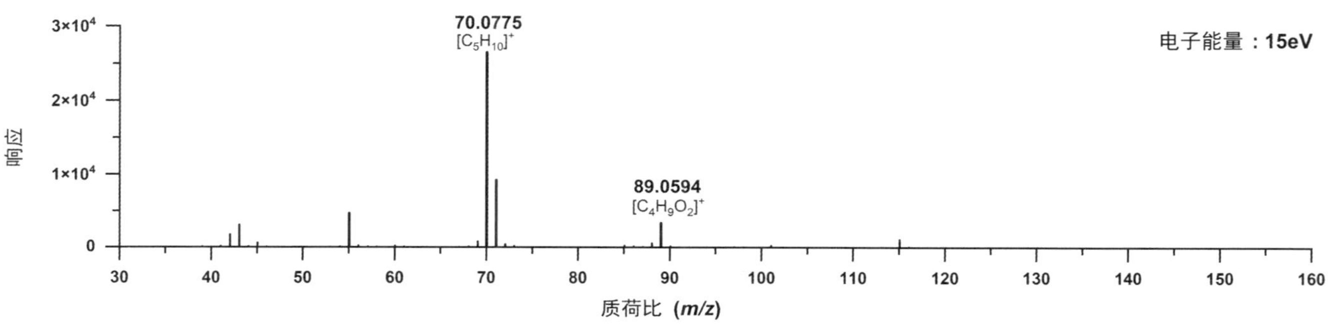

51 己酸异丁酯

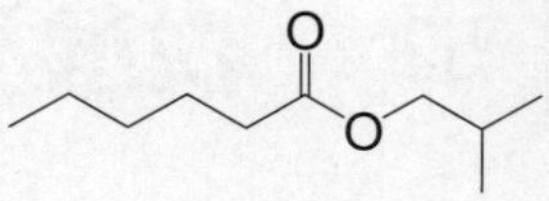

基本信息

CAS 登录号	105-79-3	分子式	$C_{10}H_{20}O_2$	分子量	172.1463
保留指数（极性）	1361	保留指数（非极性）	1135	香气描述	水果香，甜香，凤梨香

质谱图

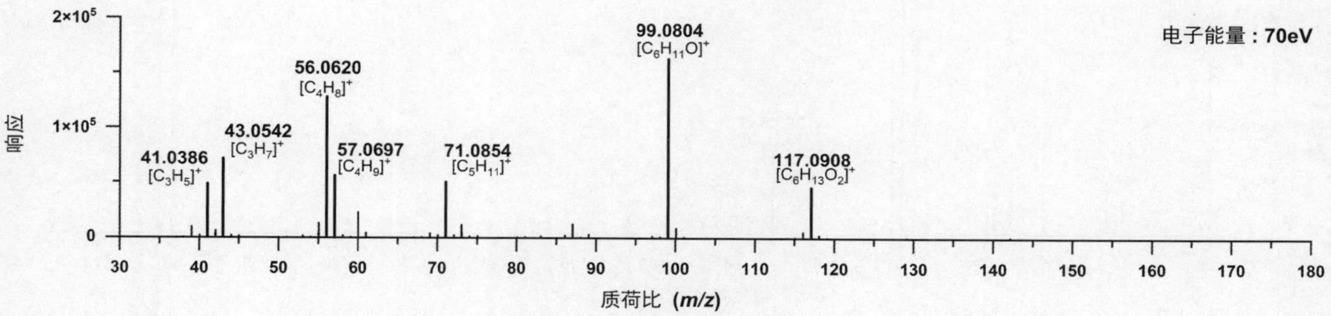

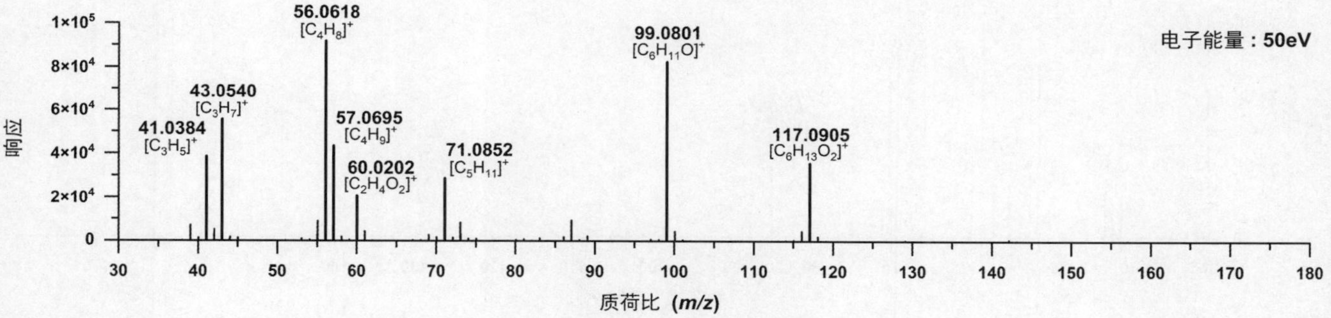

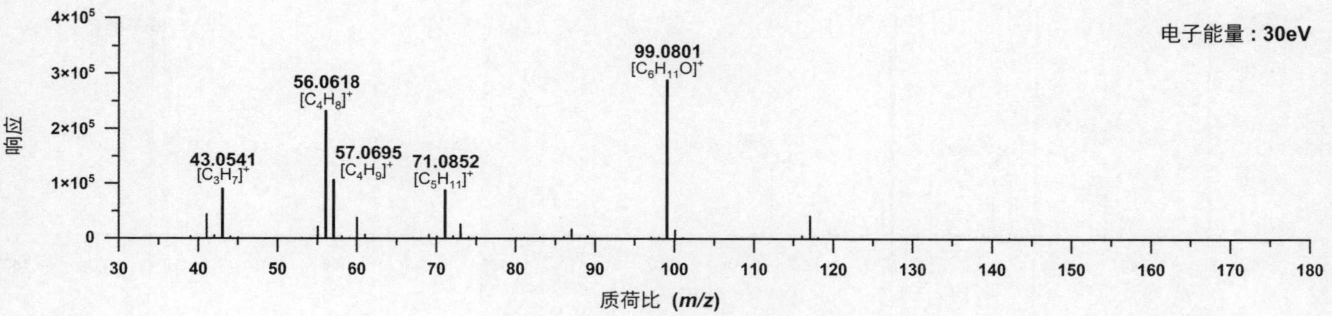

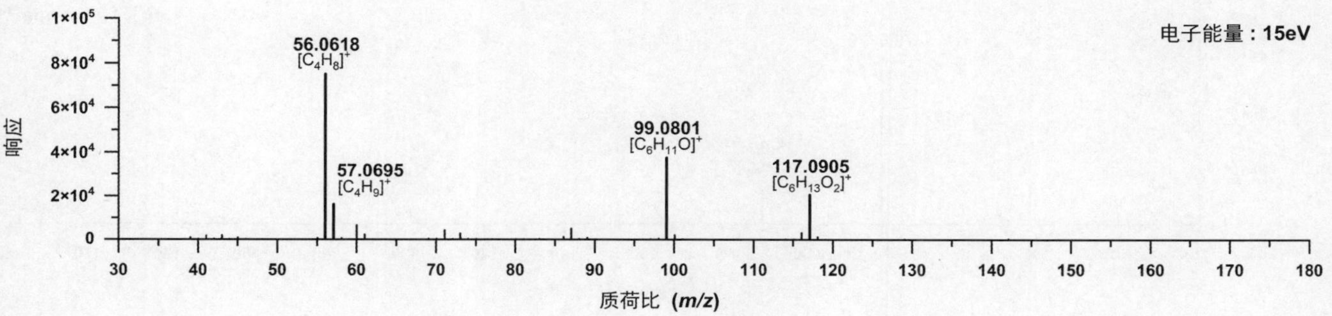

52 戊酸异戊酯

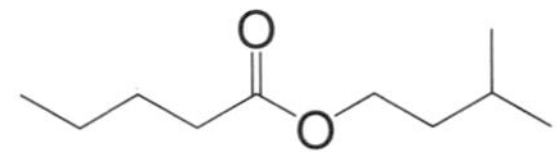

基本信息

CAS 登录号	2050-09-1	分子式	$C_{10}H_{20}O_2$	分子量	172.1463
保留指数（极性）	1371	保留指数（非极性）	1136	香气描述	水果香，甜香，凤梨香

质谱图

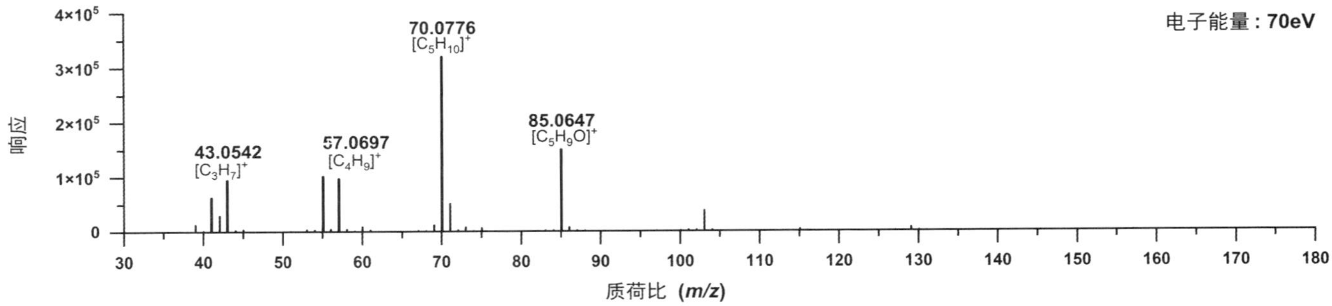

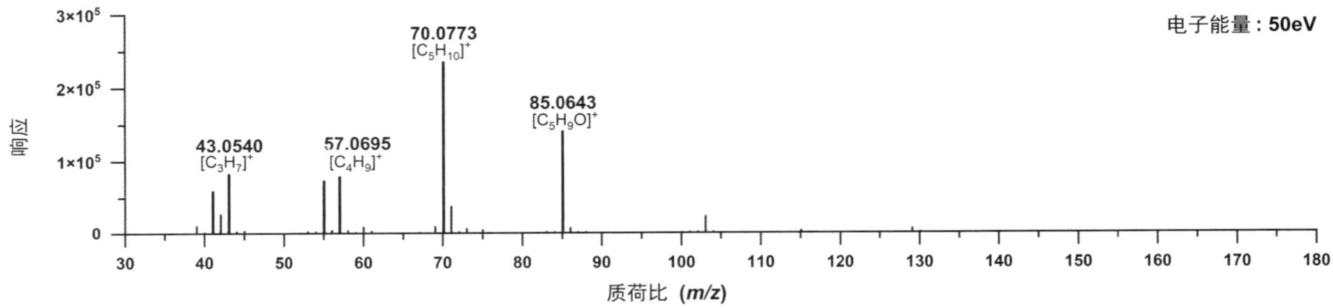

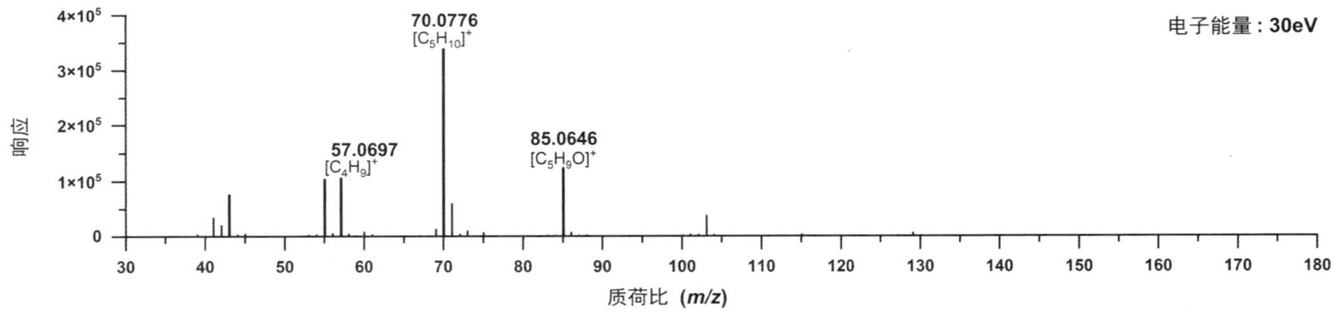

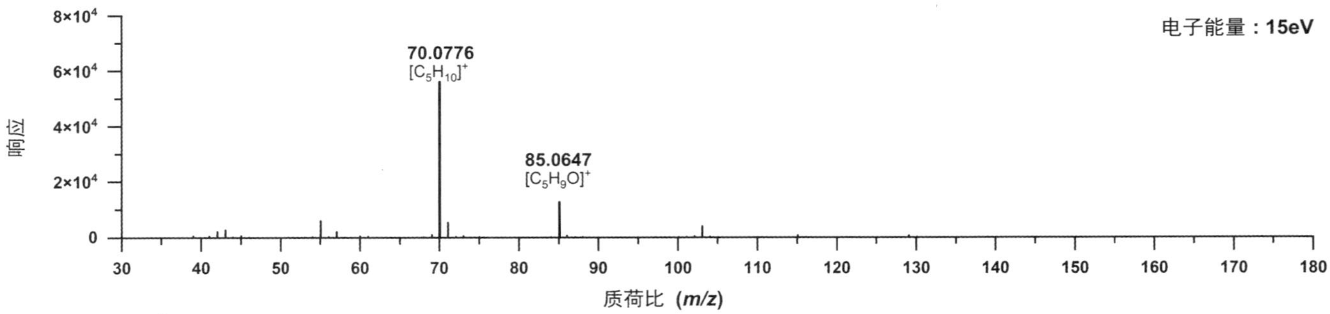

53 己酸异戊酯

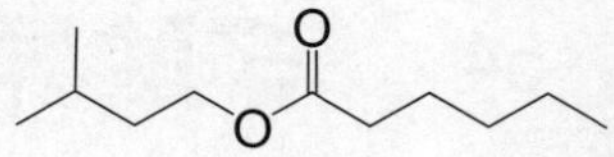

基本信息

CAS 登录号	2198-61-0	分子式	$C_{11}H_{22}O_2$	分子量	186.1620
保留指数（极性）	1469	保留指数（非极性）	1233	香气描述	水果香，香蕉香，甜香

质谱图

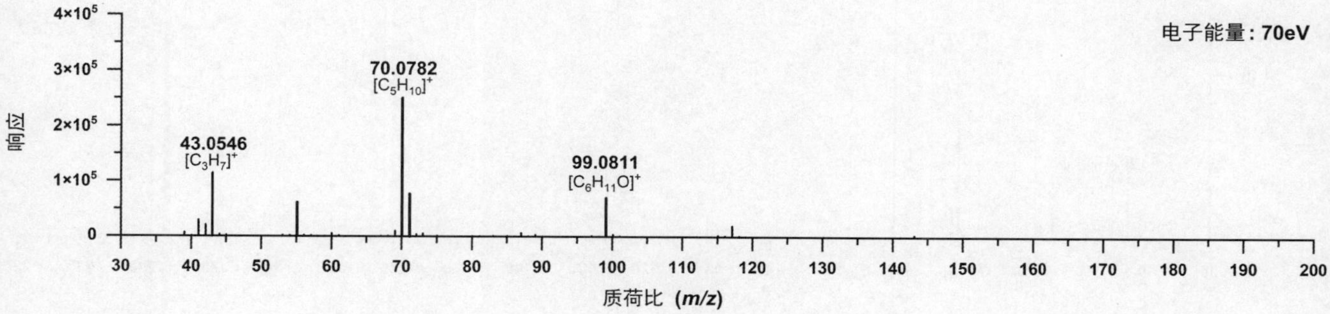

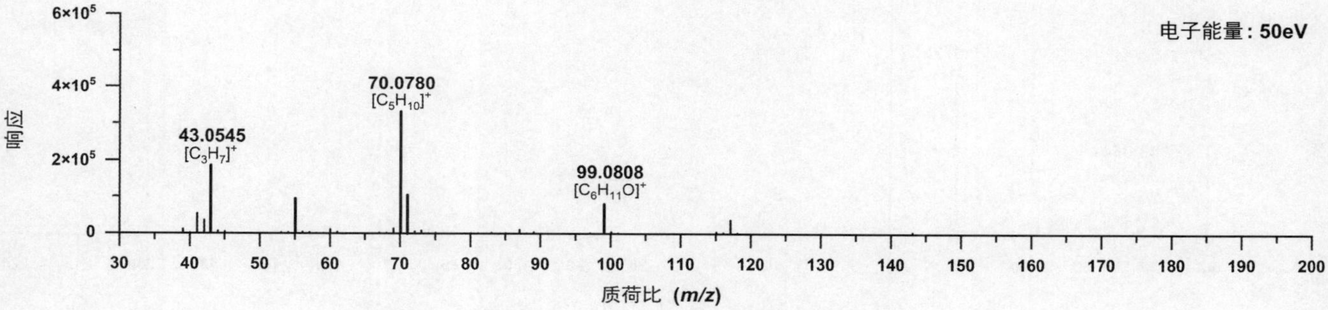

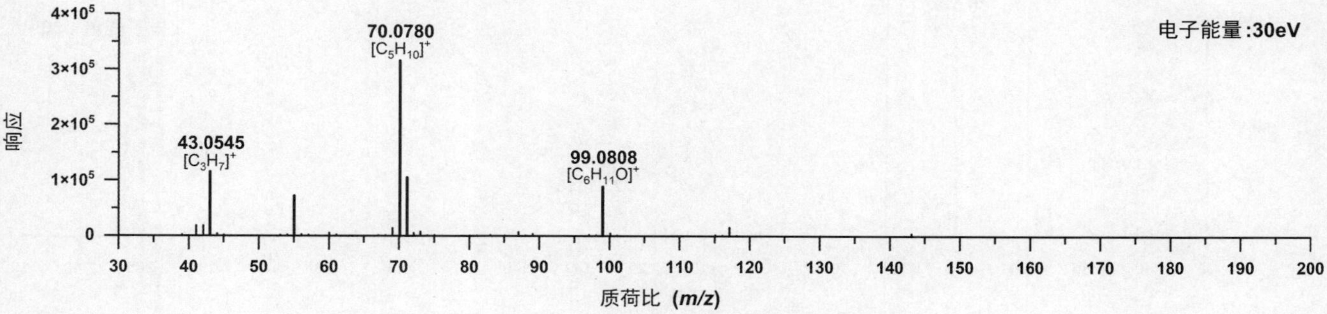

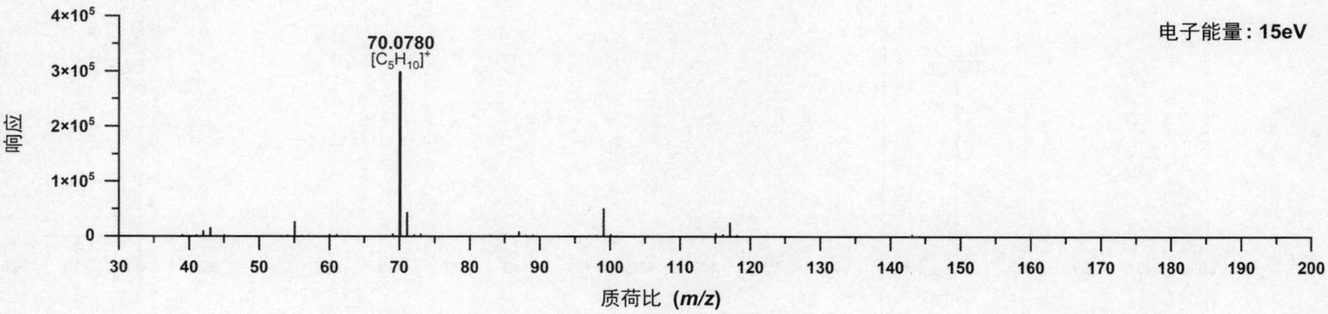

54 辛酸异戊酯

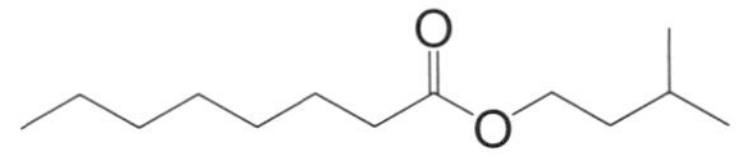

基本信息

CAS 登录号	2035-99-6	分子式	$C_{13}H_{26}O_2$	分子量	214.1933
保留指数（极性）	1670	保留指数（非极性）	1430	香气描述	水果香，甜香，香蕉香

质谱图

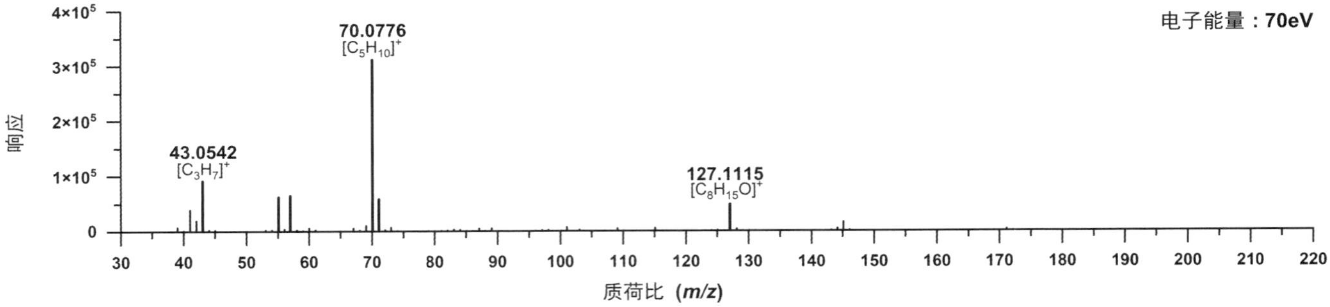

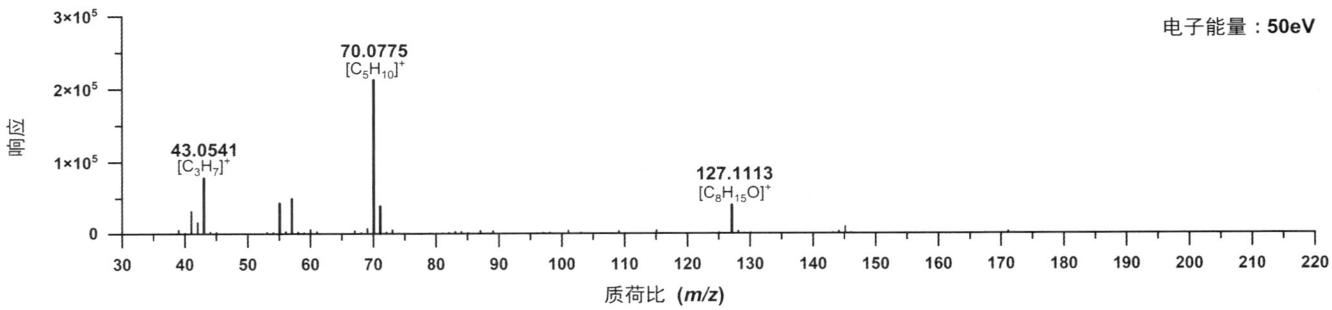

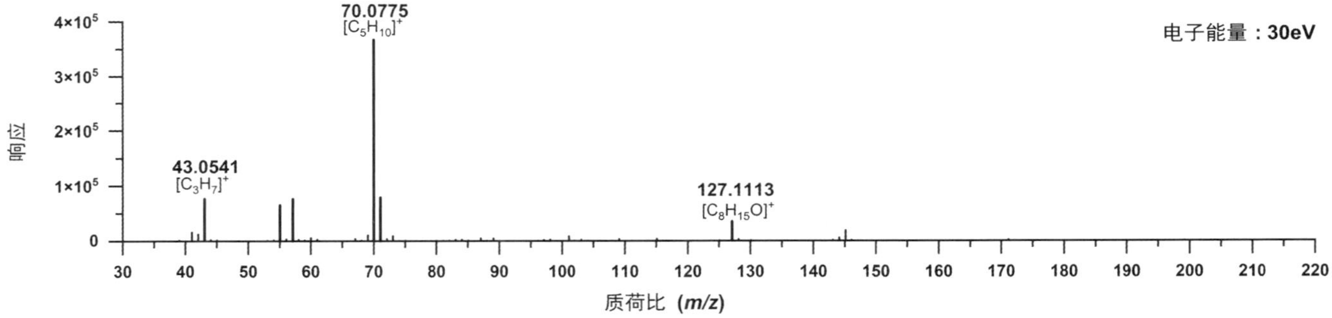

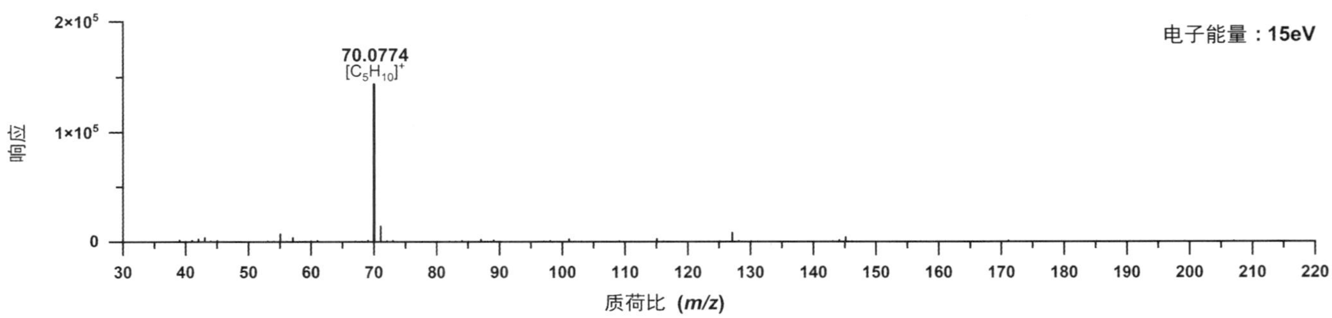

55 癸酸异丁酯

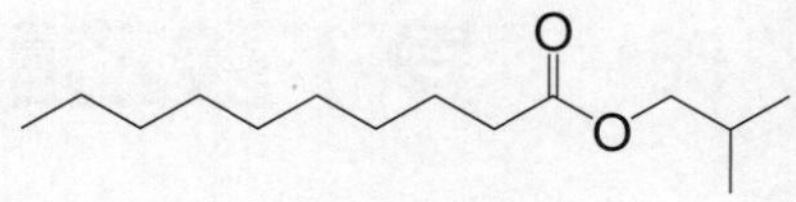

基本信息

CAS 登录号	30673-38-2	分子式	$C_{14}H_{28}O_2$	分子量	228.2084
保留指数（极性）	1765	保留指数（非极性）	1530	香气描述	水果香，甜香，蜡味

质谱图

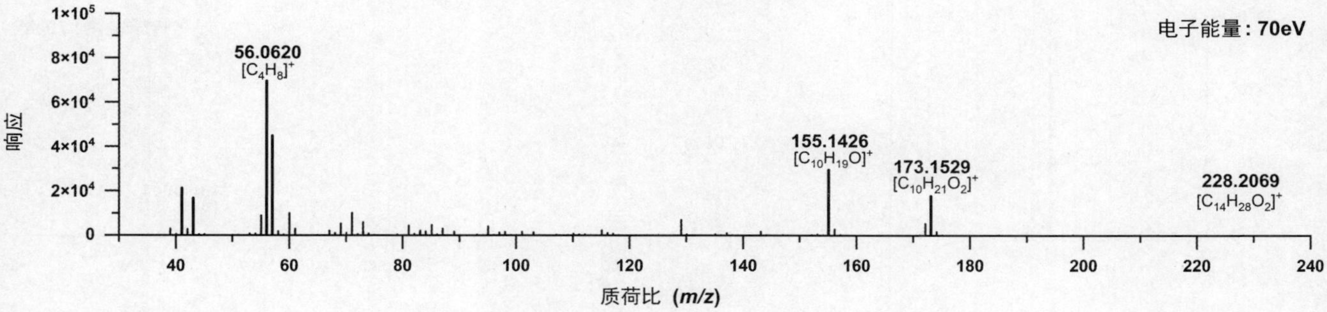

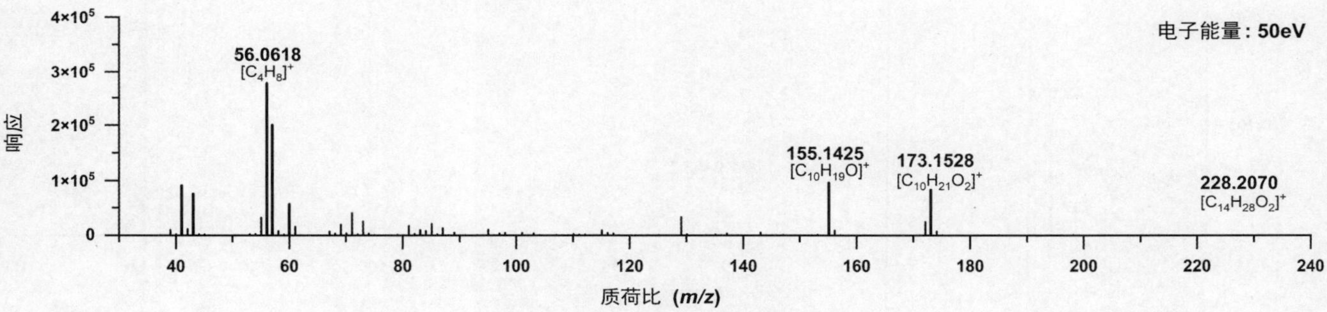

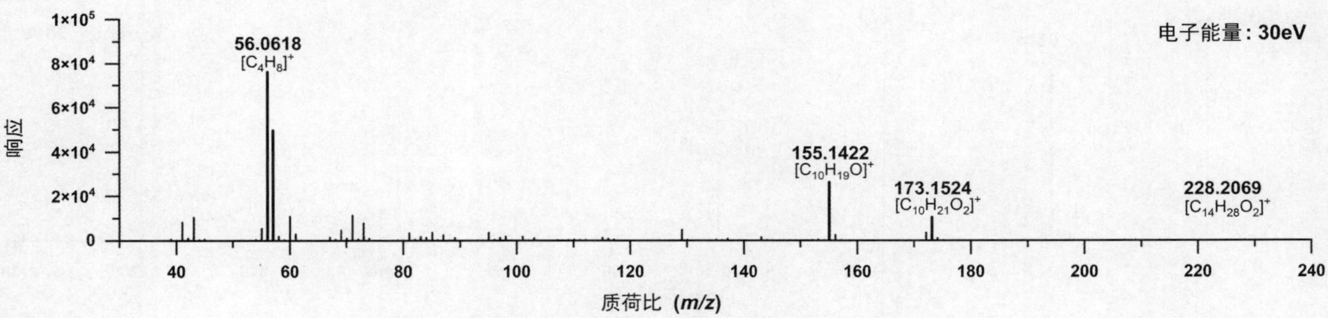

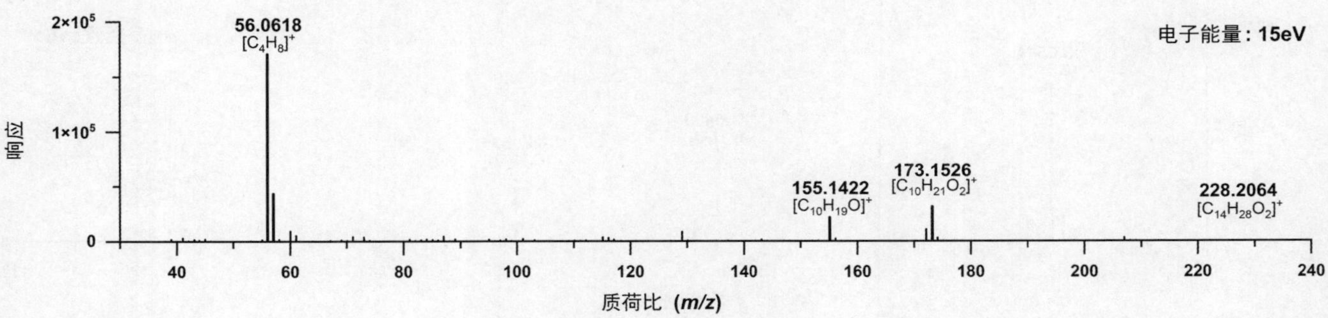

56 异丁酸乙酯

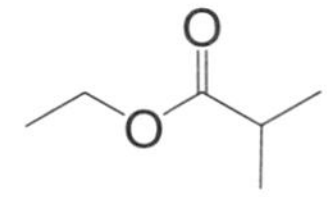

基本信息

CAS 登录号	97-62-1	分子式	$C_6H_{12}O_2$	分子量	116.0832
保留指数（极性）	971	保留指数（非极性）	749	香气描述	水果香，甜香，凤梨香

质谱图

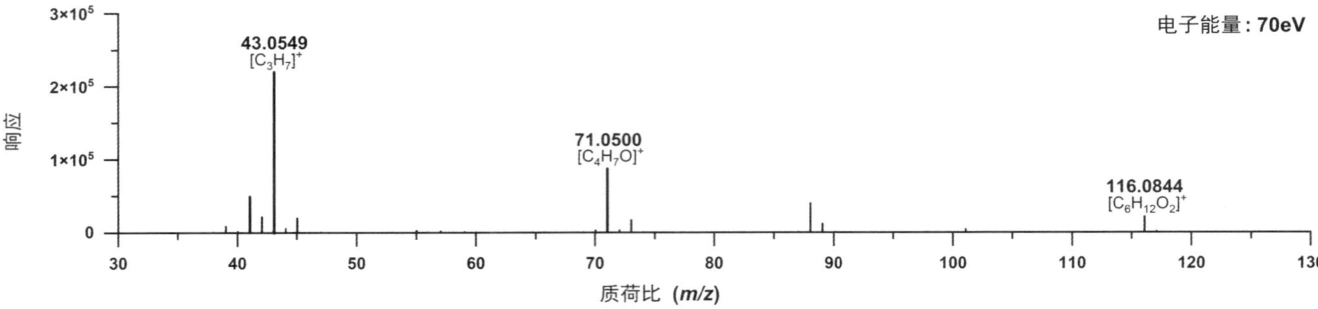

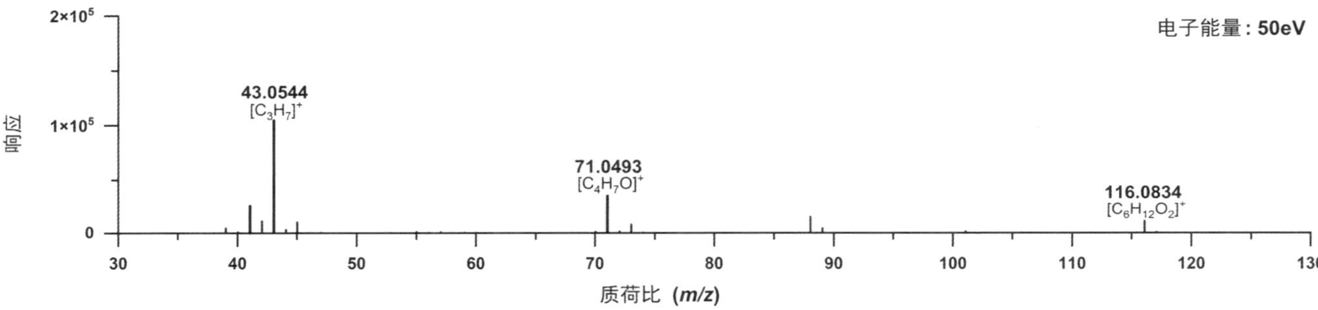

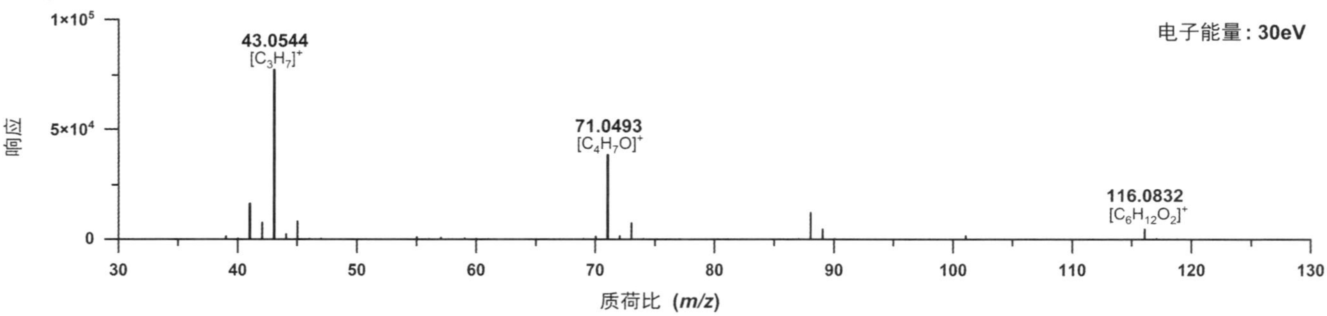

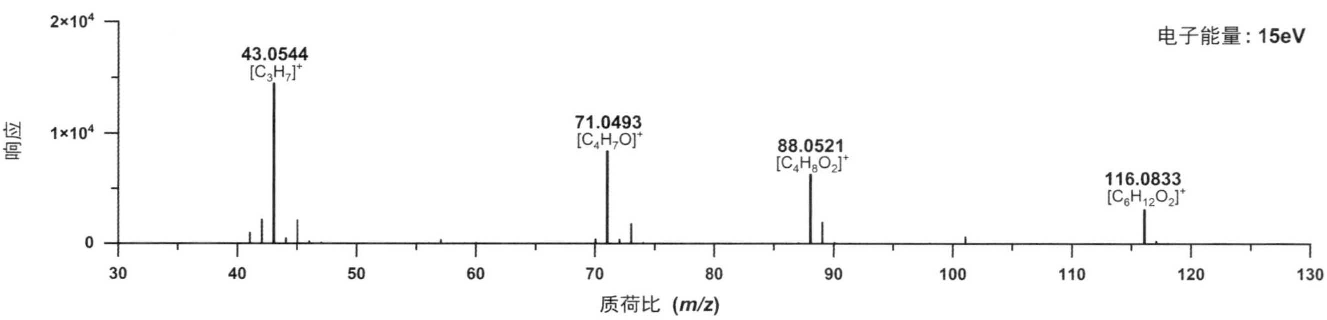

57 2-甲基丁酸甲酯

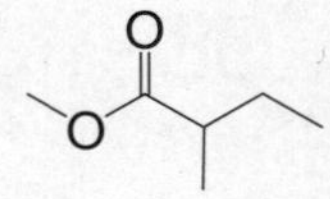

基本信息

CAS 登录号	868-57-5	分子式	$C_6H_{12}O_2$	分子量	116.0837
保留指数（极性）	1014	保留指数（非极性）	766	香气描述	水果香，甜香，梨香

质谱图

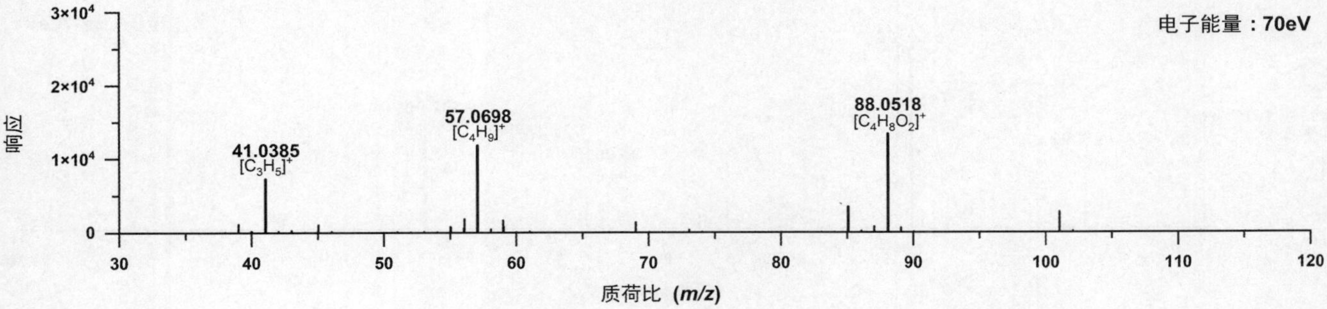

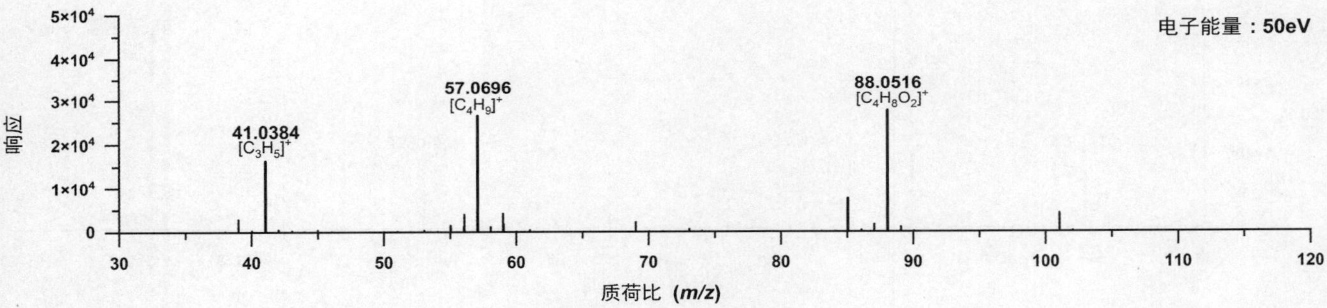

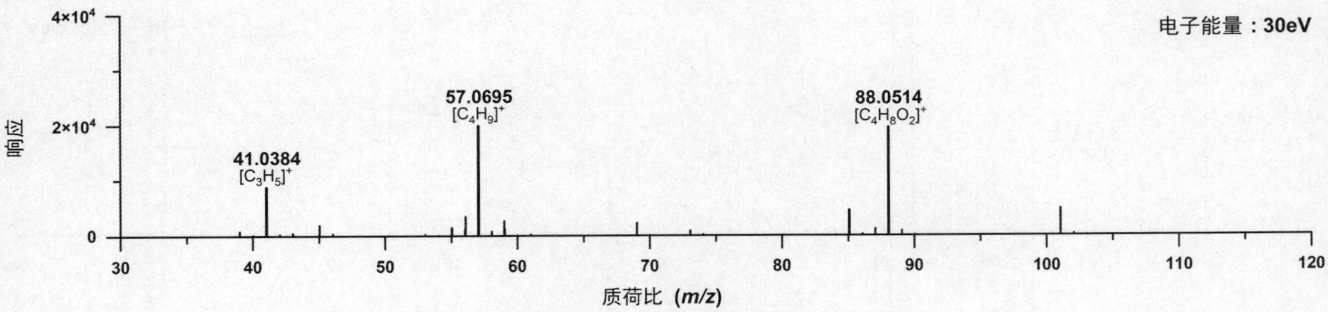

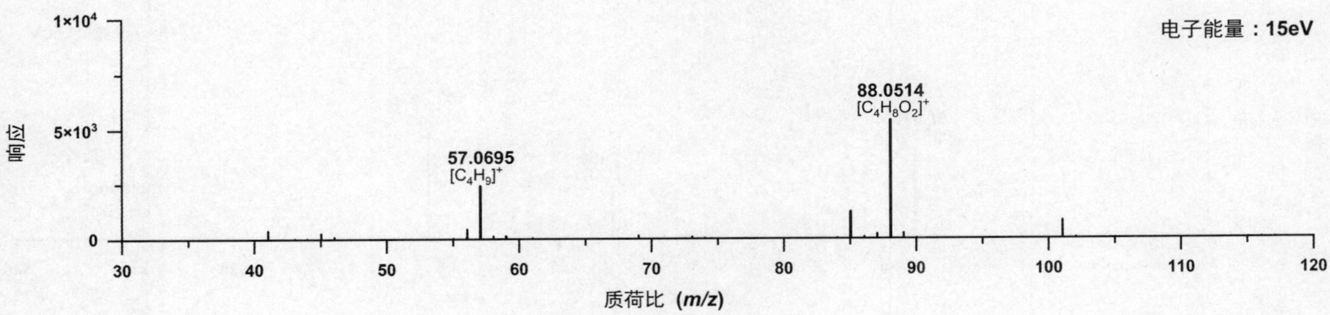

58 2-甲基丁酸乙酯

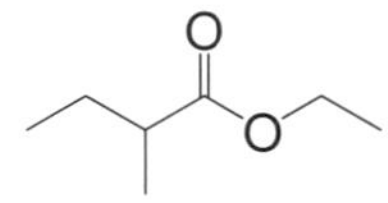

基本信息

CAS 登录号	7452-79-1	分子式	$C_7H_{14}O_2$	分子量	130.0988
保留指数（极性）	1057	保留指数（非极性）	838	香气描述	水果香，甜香，苹果香

质谱图

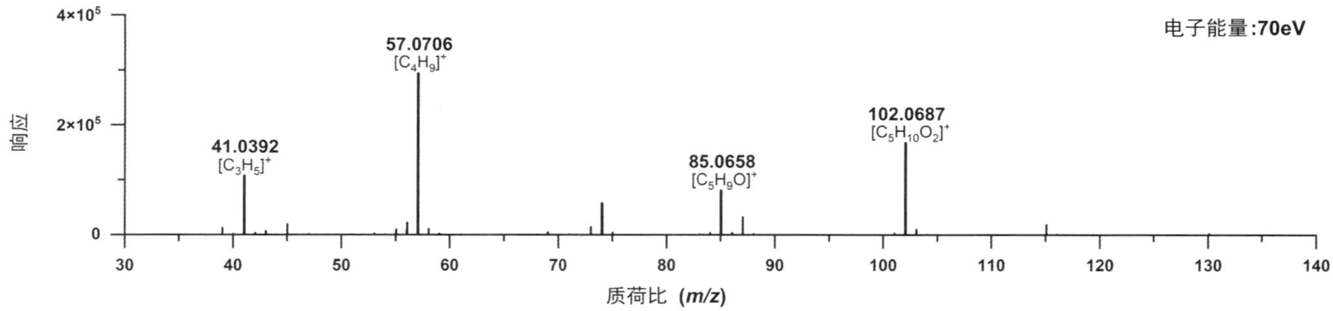

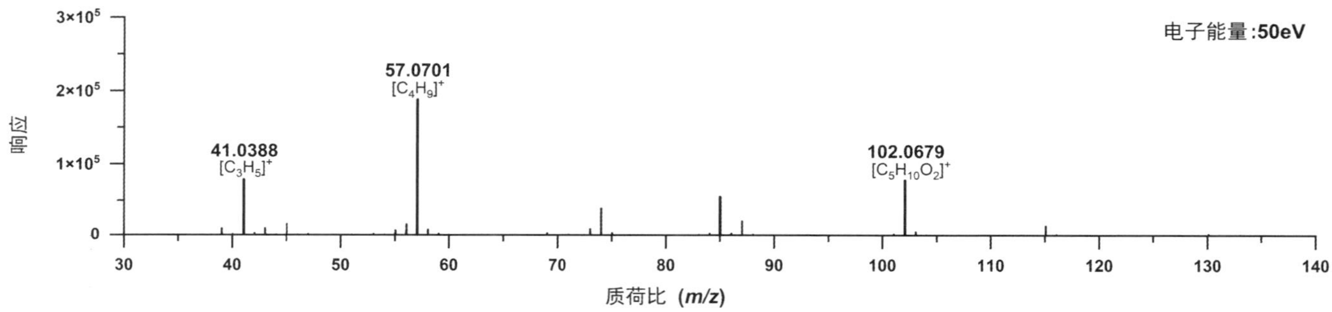

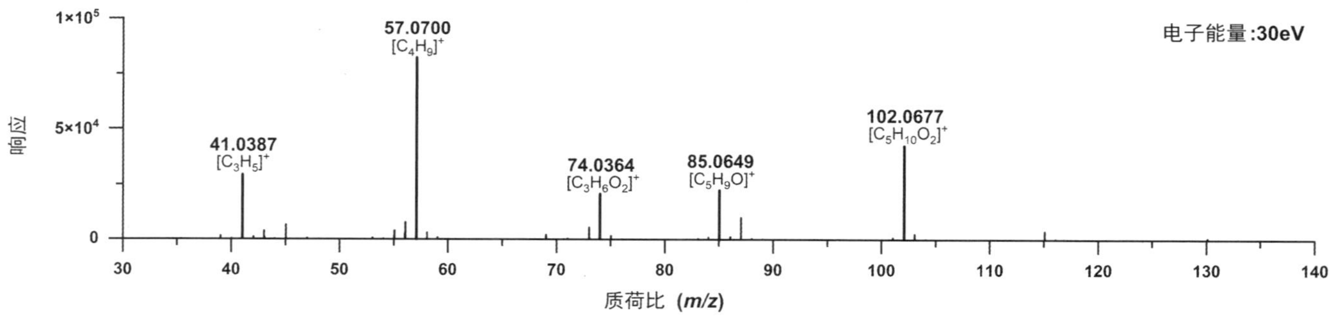

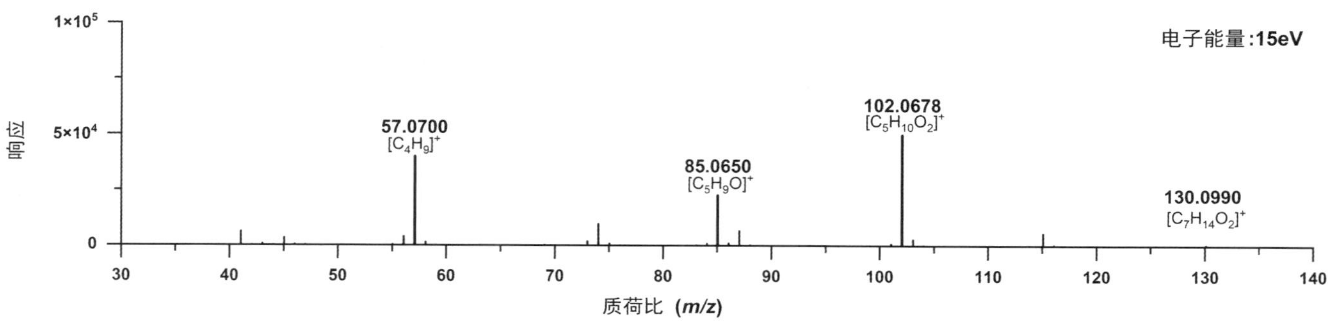

59 异戊酸乙酯

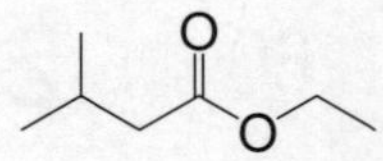

基本信息

CAS 登录号	108-64-5	分子式	$C_7H_{14}O_2$	分子量	130.0994
保留指数（极性）	1046	保留指数（非极性）	839	香气描述	水果香，甜香

质谱图

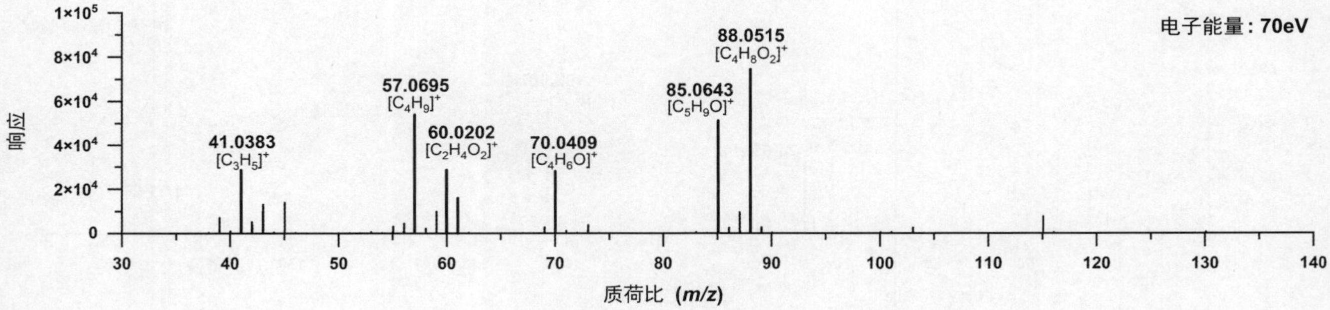

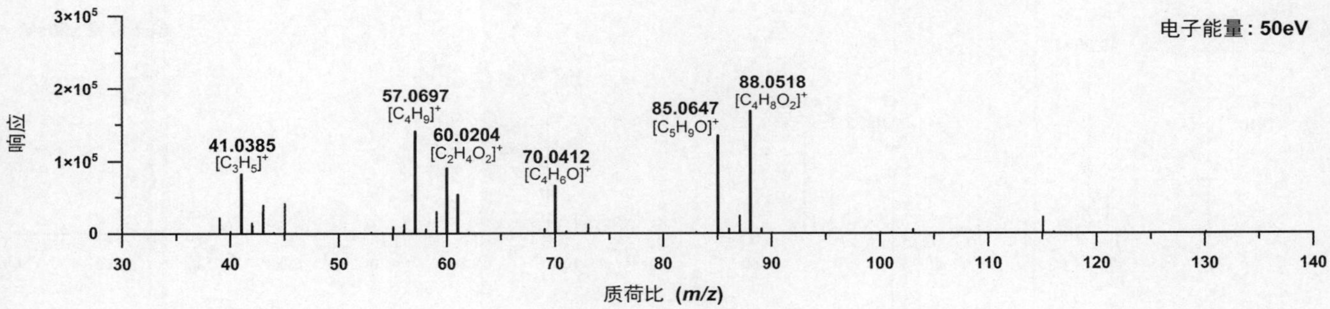

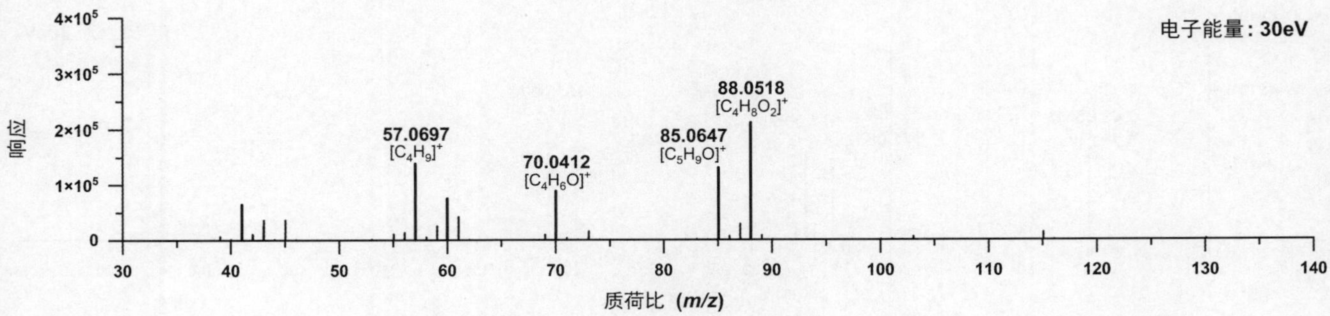

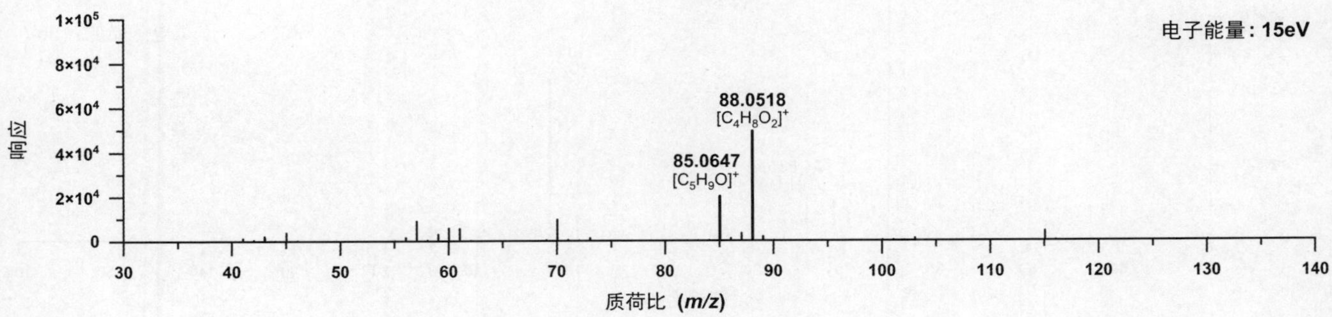

60 2-甲基戊酸乙酯

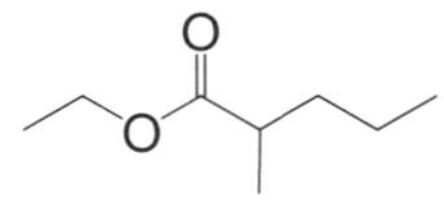

基本信息

CAS 登录号	39255-32-8	分子式	$C_8H_{16}O_2$	分子量	144.1145
保留指数（极性）	1144	保留指数（非极性）	925	香气描述	水果香，甜香

质谱图

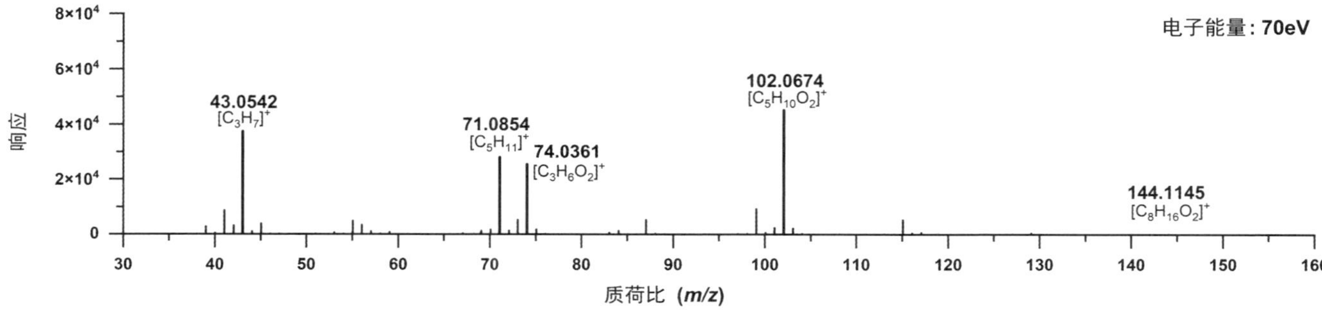

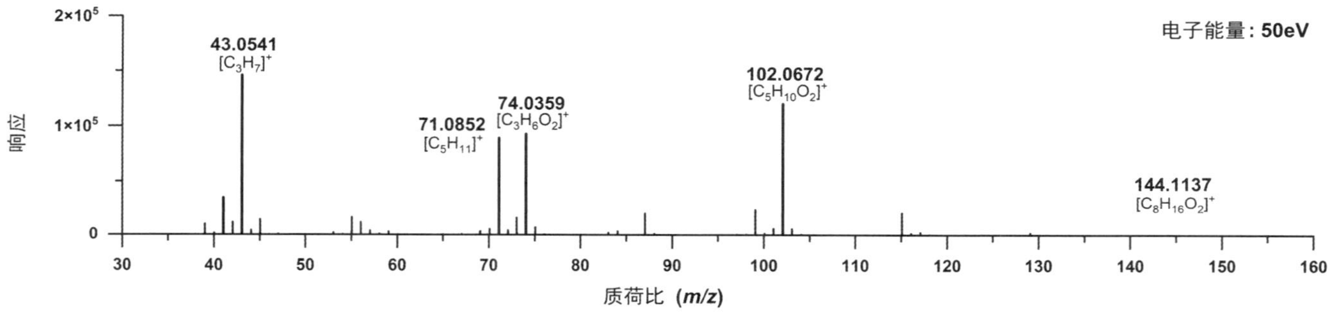

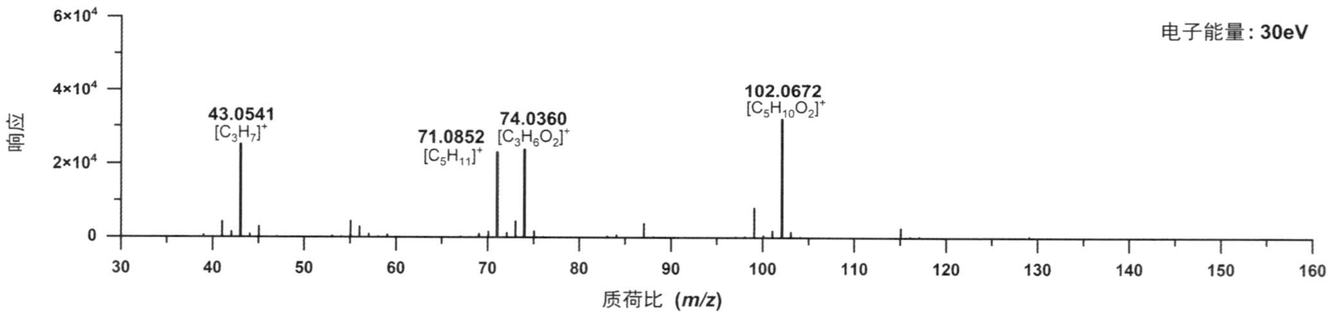

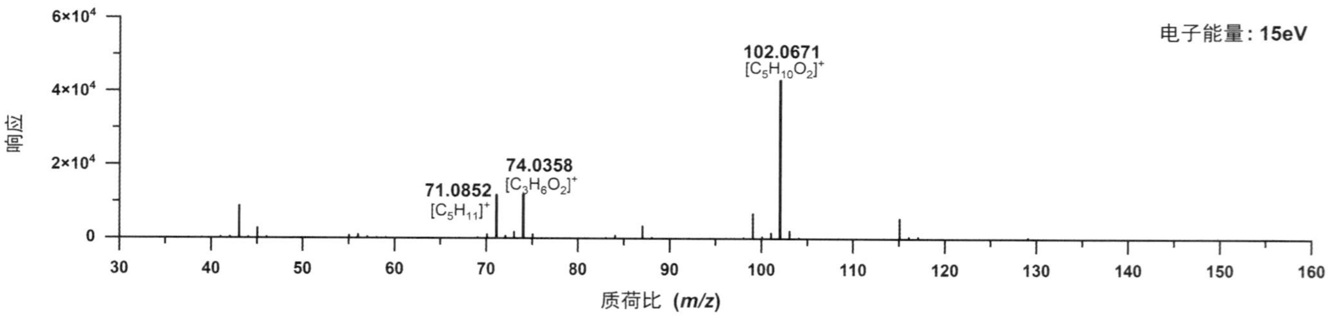

61 异己酸乙酯

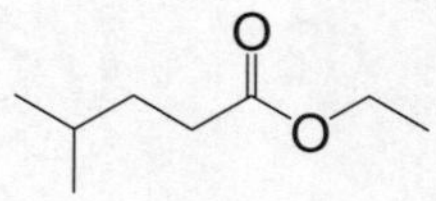

基本信息

CAS 登录号	25415-67-2	分子式	$C_8H_{16}O_2$	分子量	144.1150
保留指数（极性）	1197	保留指数（非极性）	949	香气描述	水果香，甜香，凤梨香

质谱图

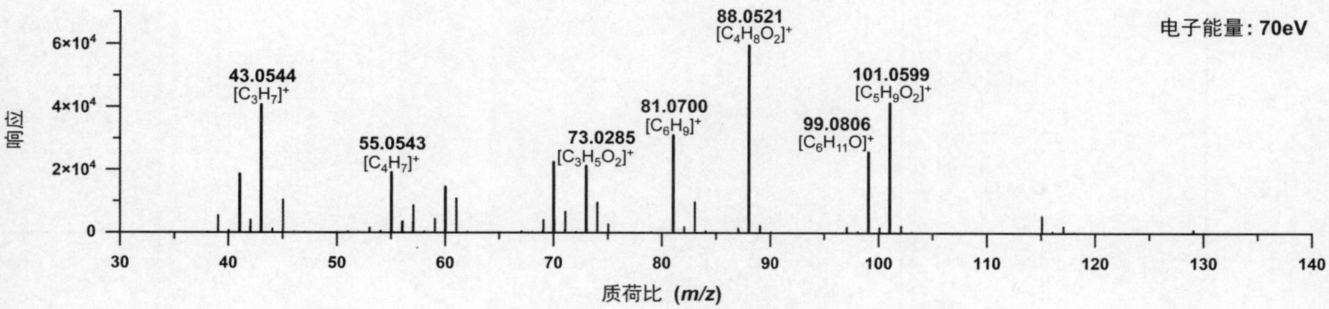

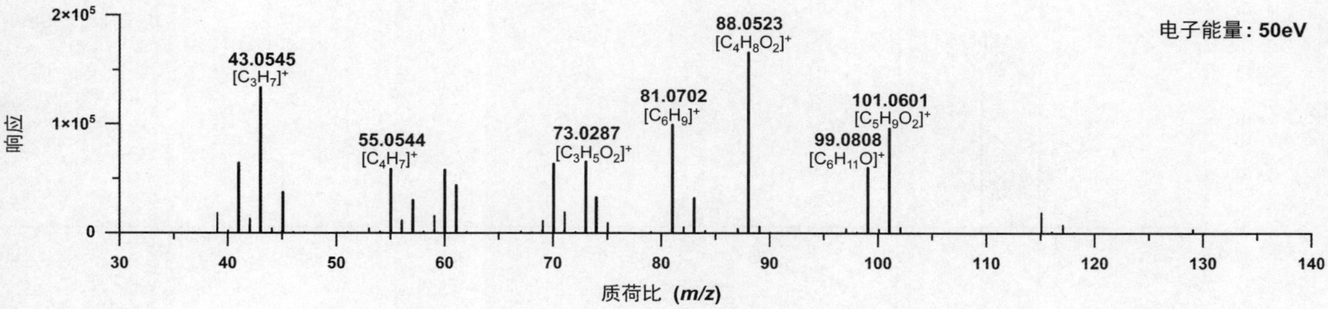

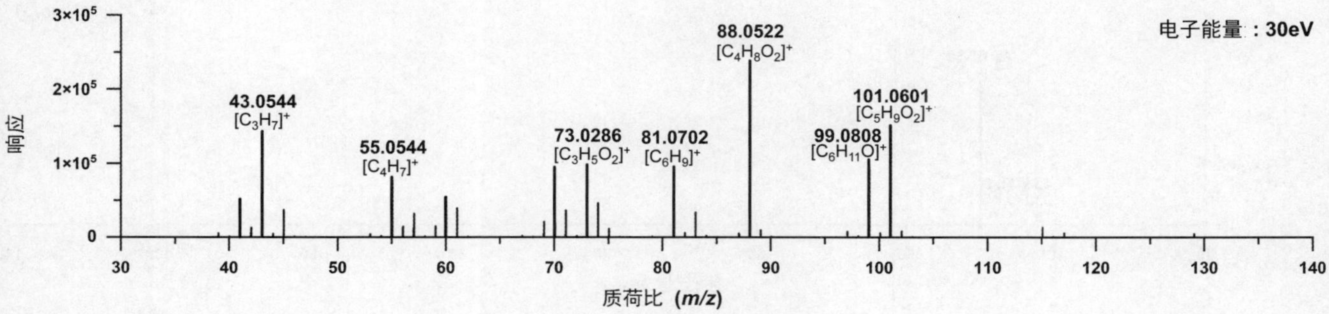

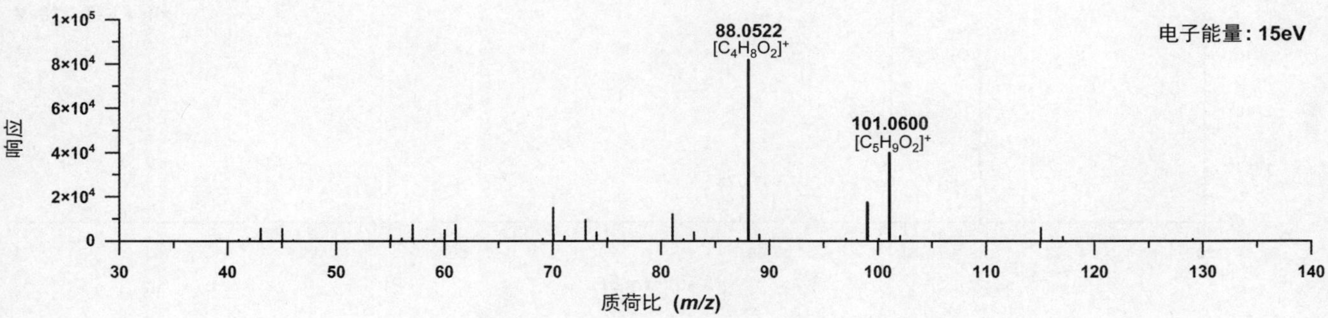

62 (*R*)-乳酸甲酯

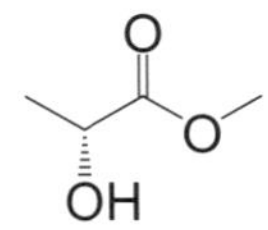

基本信息

CAS 登录号	17392-83-5	分子式	$C_4H_8O_3$	分子量	104.0473
保留指数（极性）	1326	保留指数（非极性）	720	香气描述	甜香，水果香，奶油香

质谱图

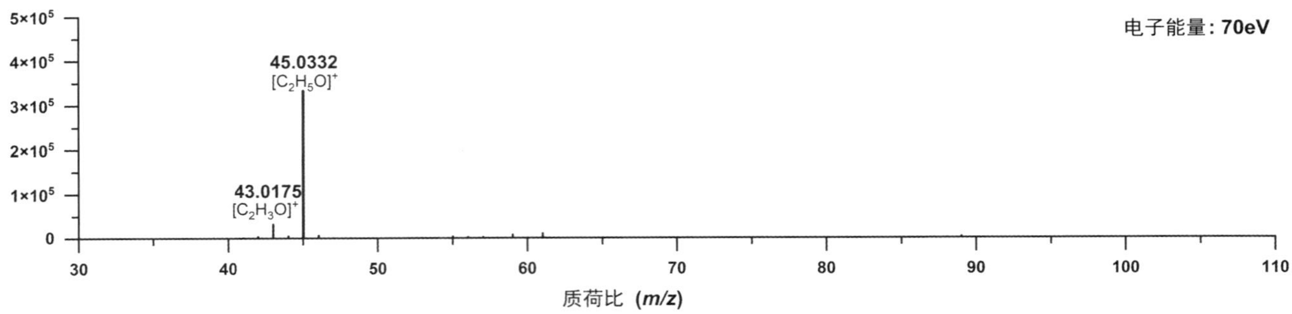

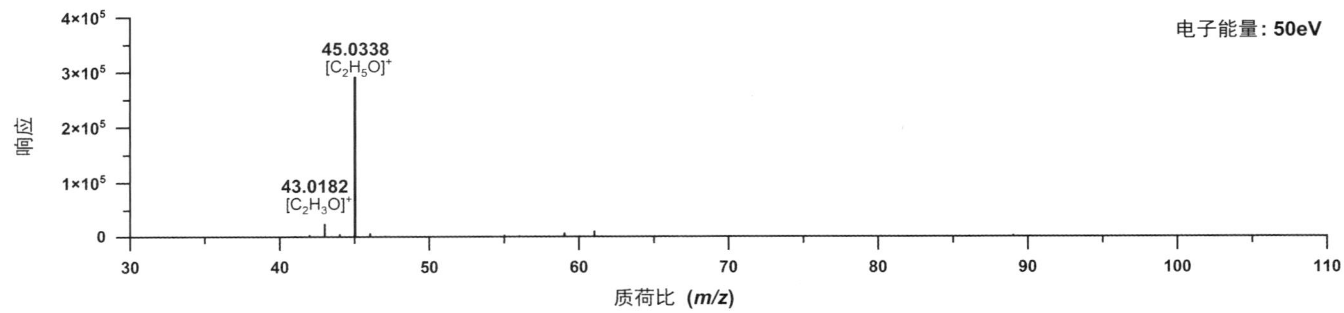

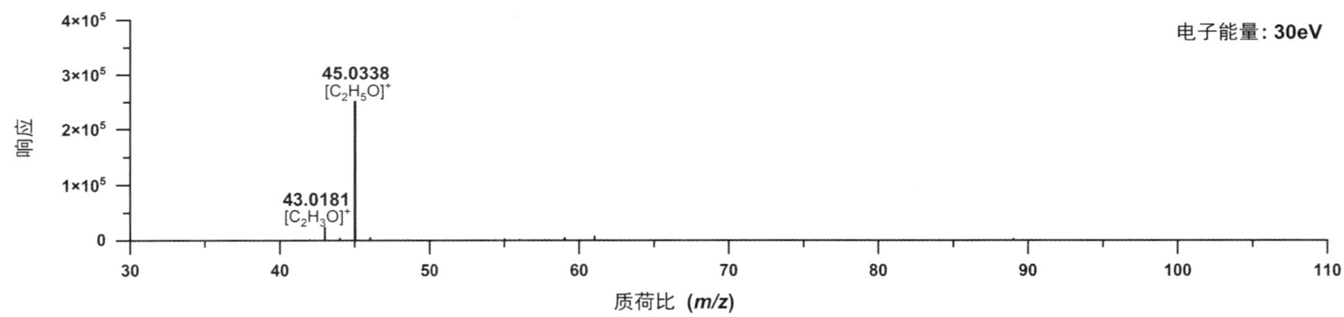

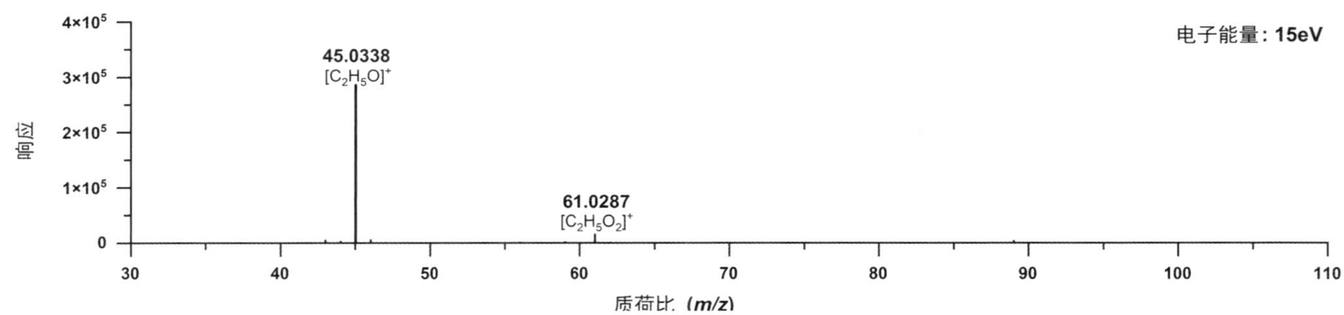

63 (*S*)-乳酸甲酯

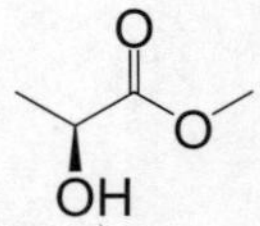

基本信息

CAS 登录号	27871-49-4	分子式	$C_4H_8O_3$	分子量	104.0473
保留指数（极性）	1326	保留指数（非极性）	720	香气描述	甜香，水果香，奶油香

质谱图

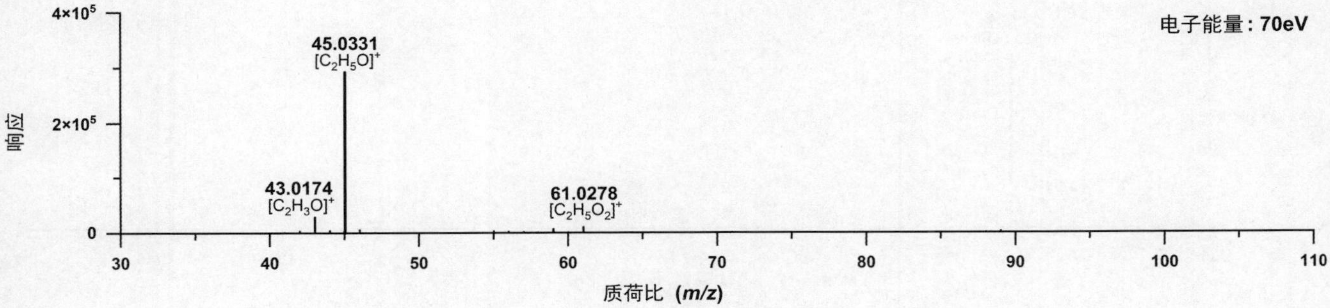

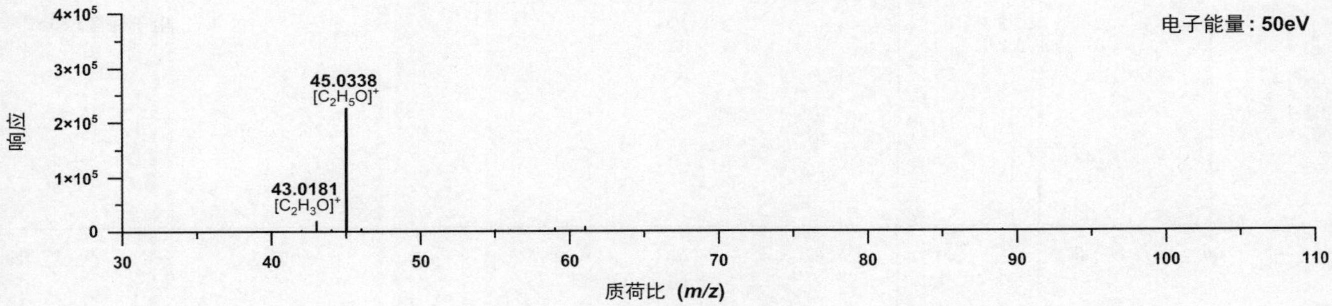

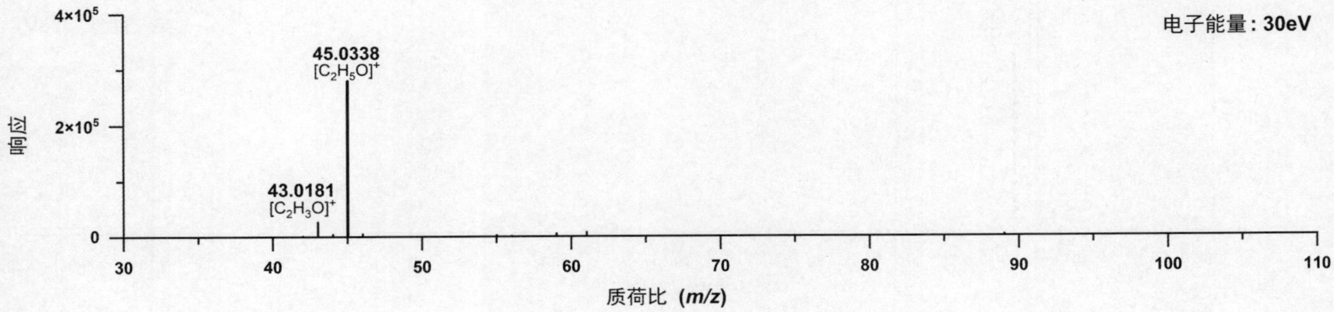

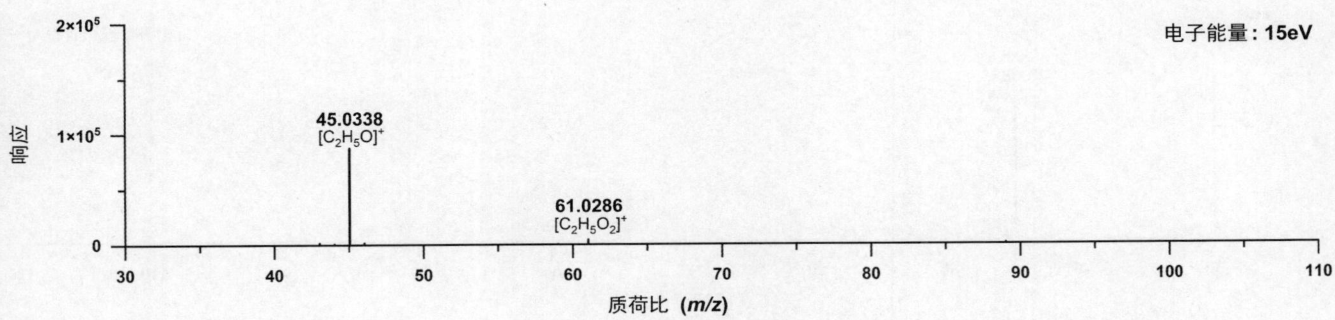

64 D-乳酸乙酯

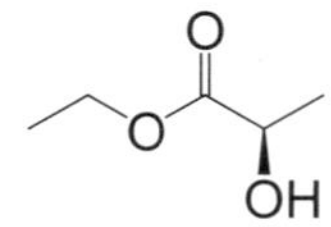

基本信息

CAS 登录号	7699-00-5	分子式	$C_5H_{10}O_3$	分子量	118.0630
保留指数（极性）	1351	保留指数（非极性）	795	香气描述	甜香，水果香，奶油香

质谱图

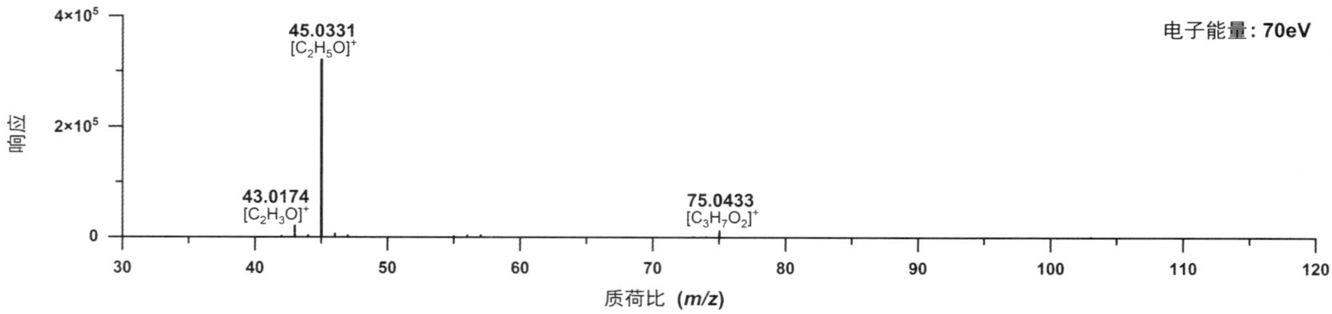

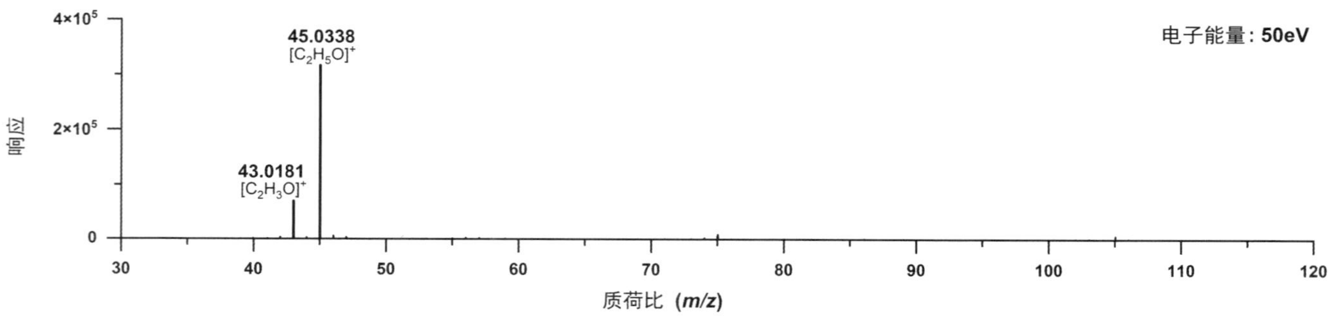

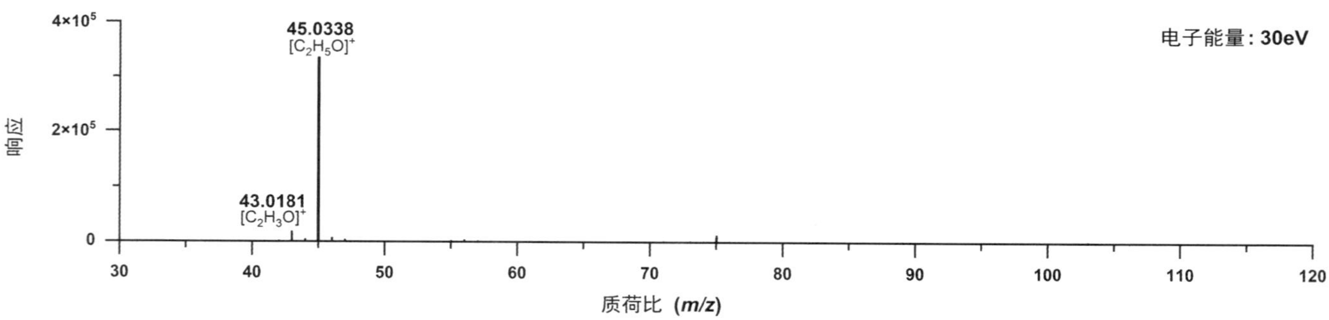

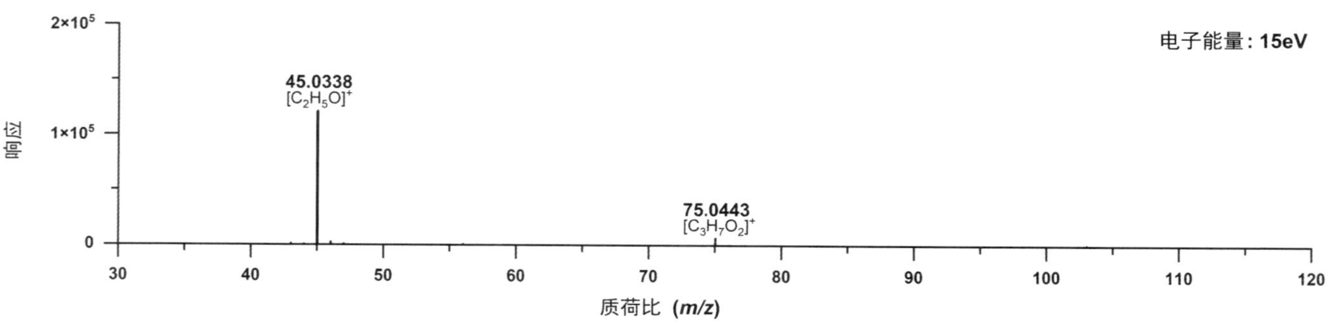

L-乳酸乙酯

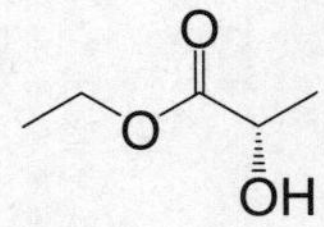

基本信息

CAS 登录号	687-47-8	分子式	$C_5H_{10}O_3$	分子量	118.0630
保留指数（极性）	1351	保留指数（非极性）	795	香气描述	水果香，甜香，奶油香

质谱图

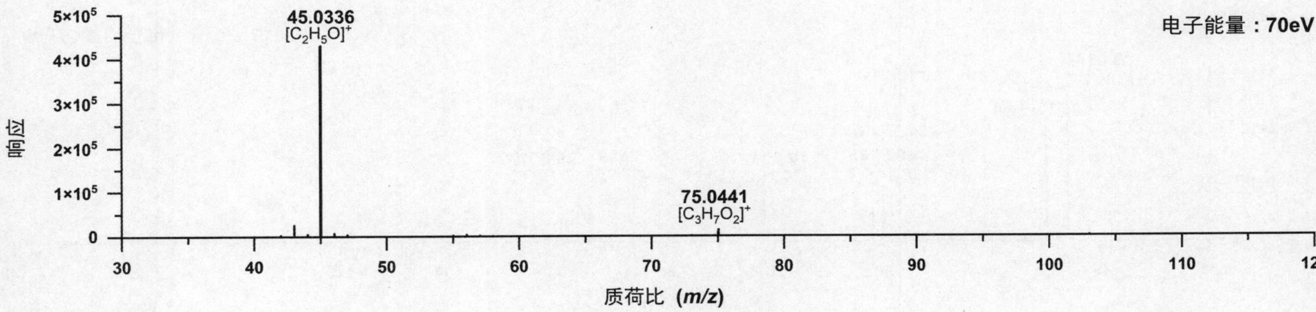

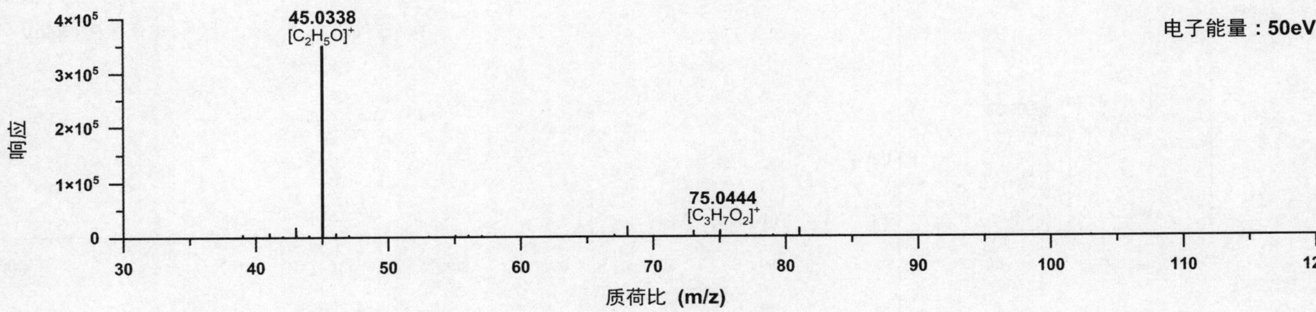

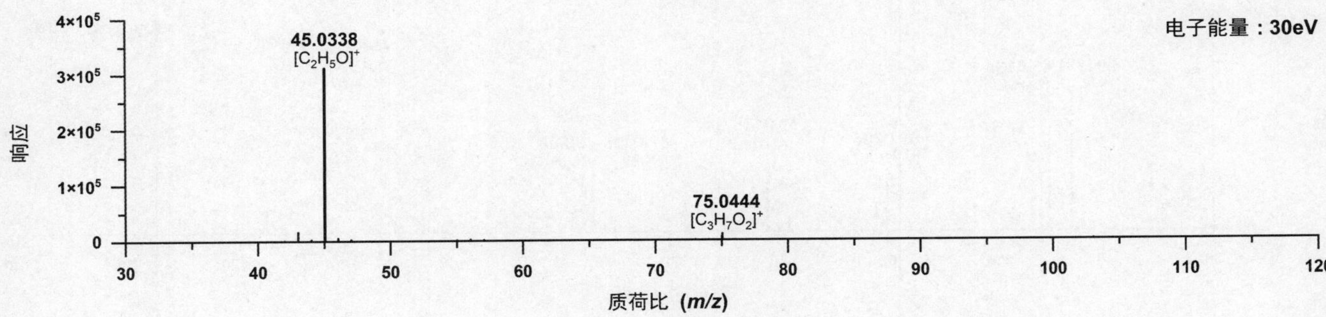

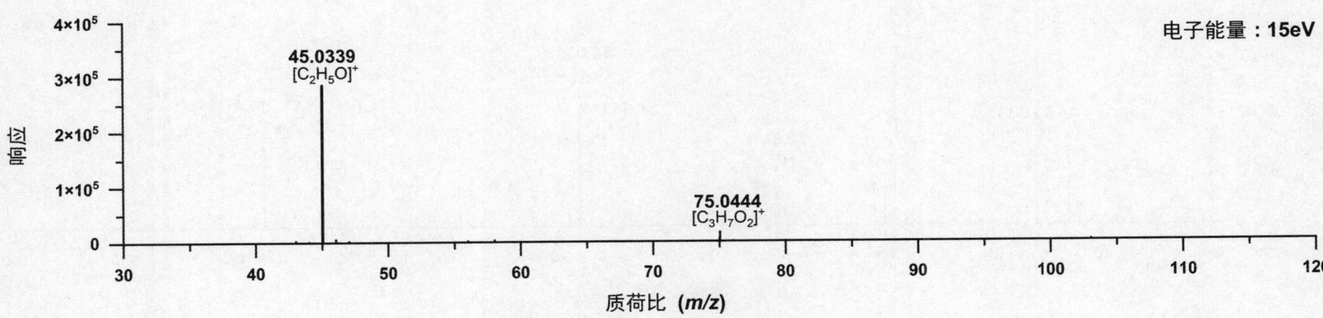

66 DL-3-羟基丁酸乙酯

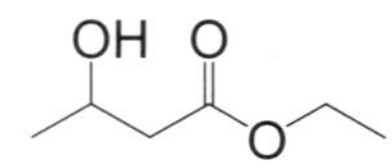

基本信息

CAS 登录号	5405-41-4	分子式	$C_6H_{12}O_3$	分子量	132.0786
保留指数（极性）	1529	保留指数（非极性）	910	香气描述	甜香，水果，奶油

质谱图

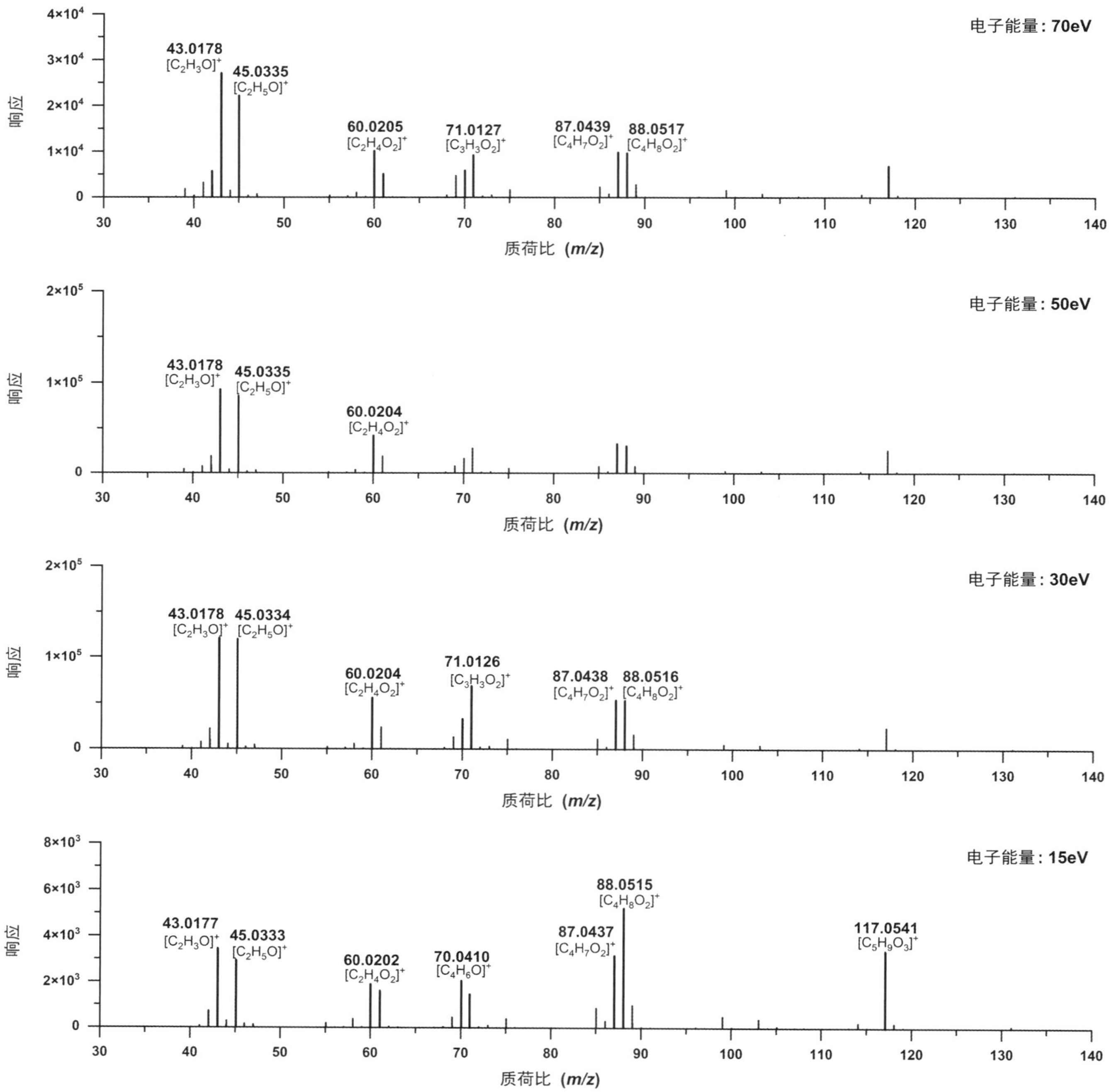

67

(*R*)-(-)-3-羟基丁酸乙酯

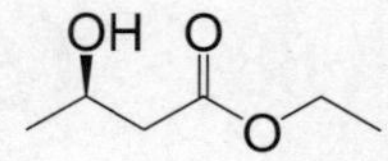

基本信息

CAS 登录号	24915-95-5	分子式	$C_6H_{12}O_3$	分子量	132.1600
保留指数（极性）	1505	保留指数（非极性）	910	香气描述	甜香，水果，奶油

质谱图

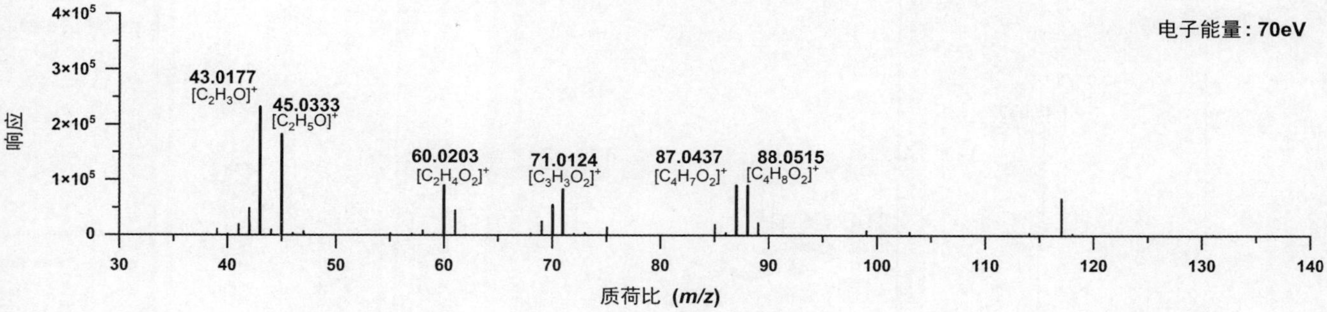

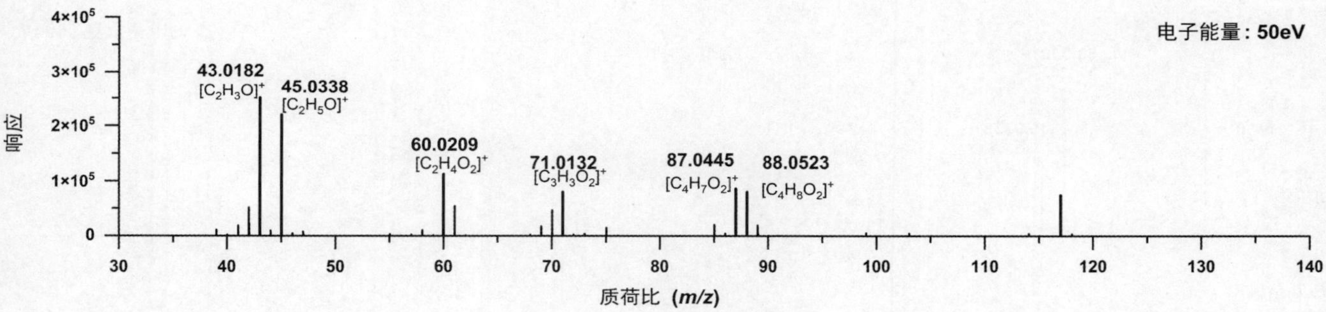

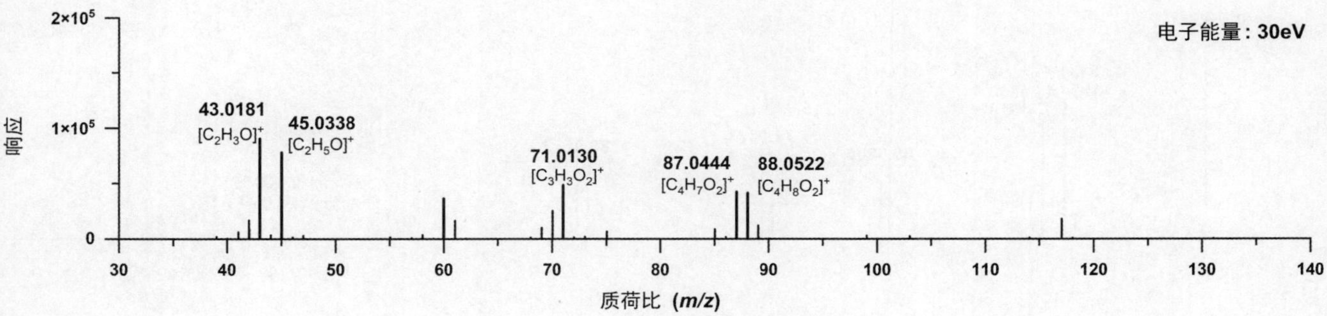

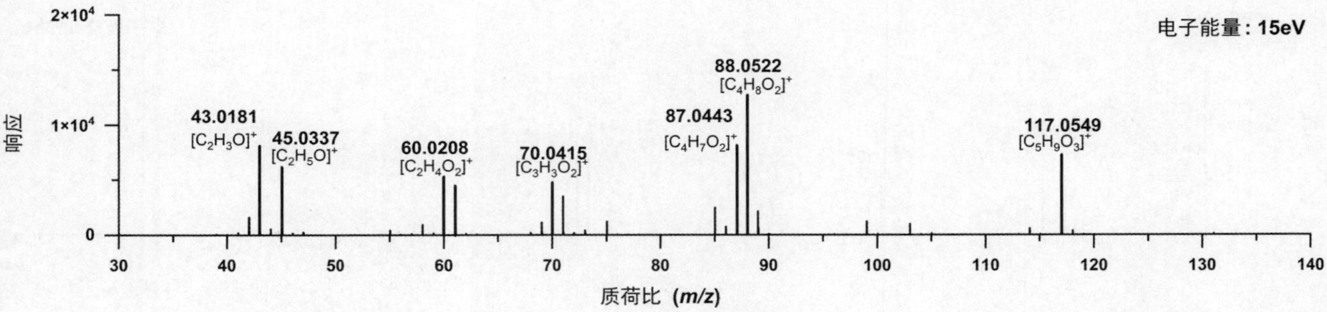

68 (*S*)-3-羟基丁酸乙酯

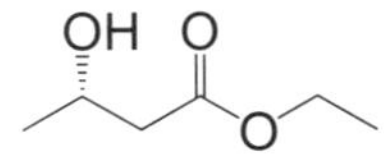

基本信息

CAS 登录号	56816-01-4	分子式	$C_6H_{12}O$	分子量	132.0786
保留指数（极性）	1532	保留指数（非极性）	909	香气描述	甜香，水果香，奶油香

质谱图

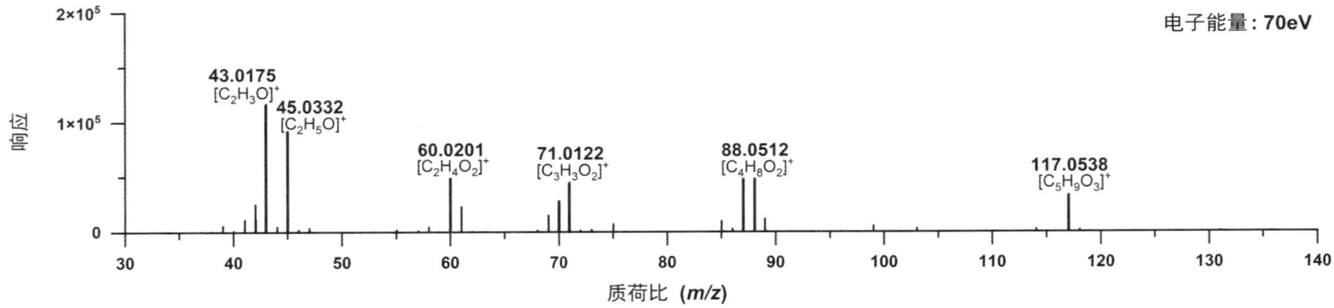

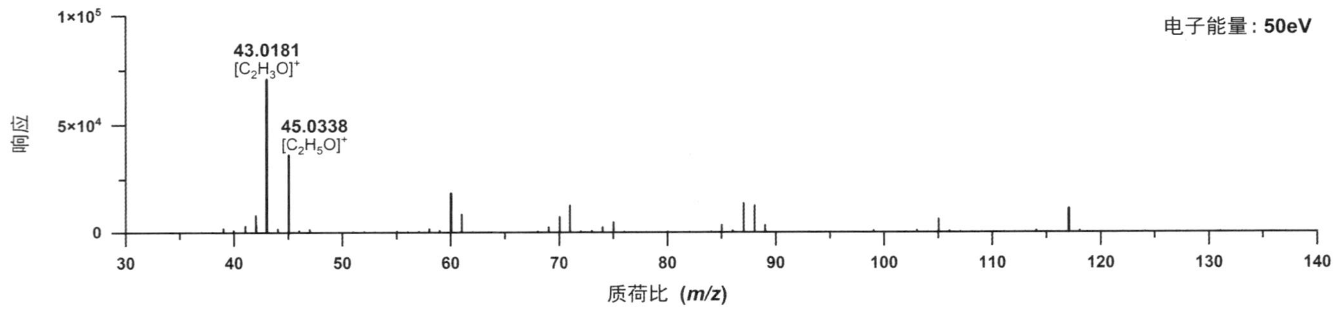

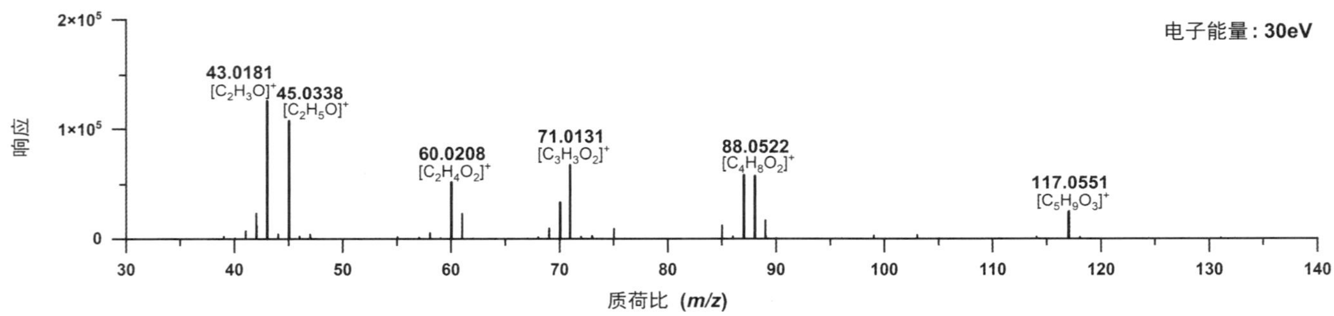

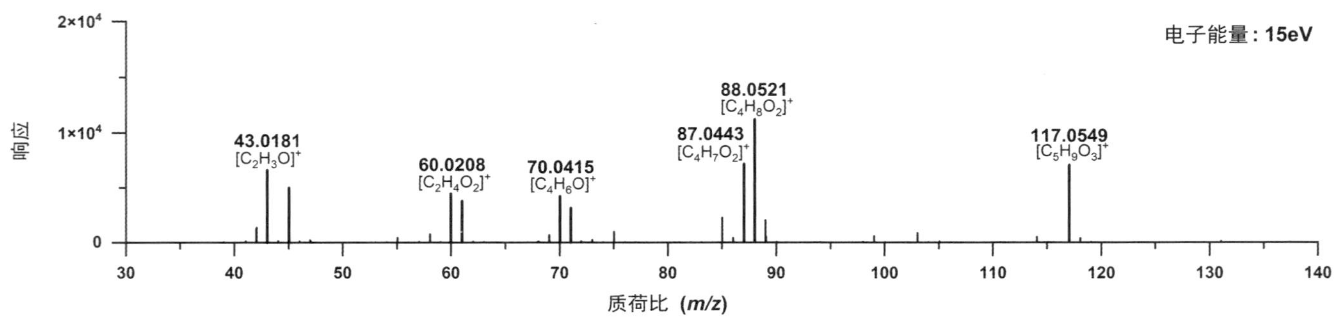

69 2-羟基丁酸乙酯

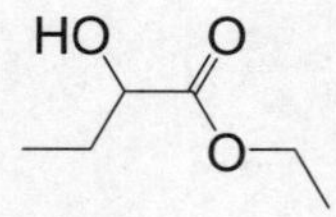

基本信息

CAS 登录号	52089-54-0	分子式	$C_6H_{12}O_3$	分子量	132.0786
保留指数（极性）	1412	保留指数（非极性）	887	香气描述	甜香，水果，奶油

质谱图

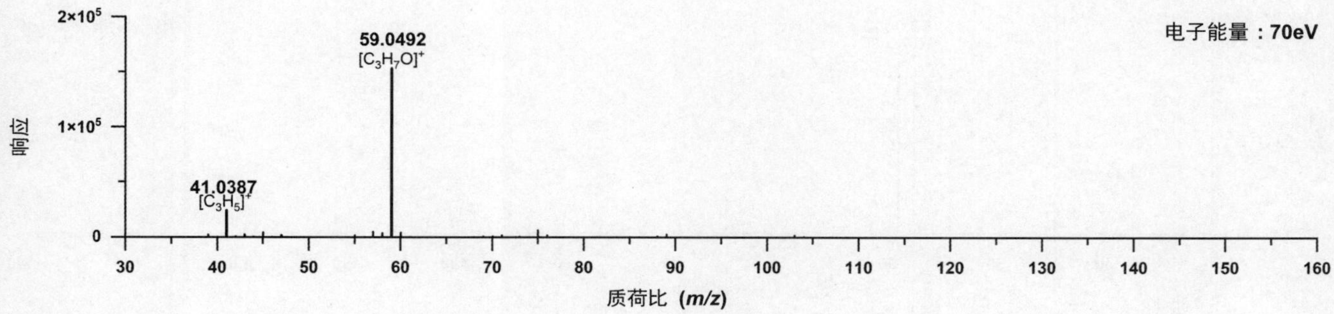

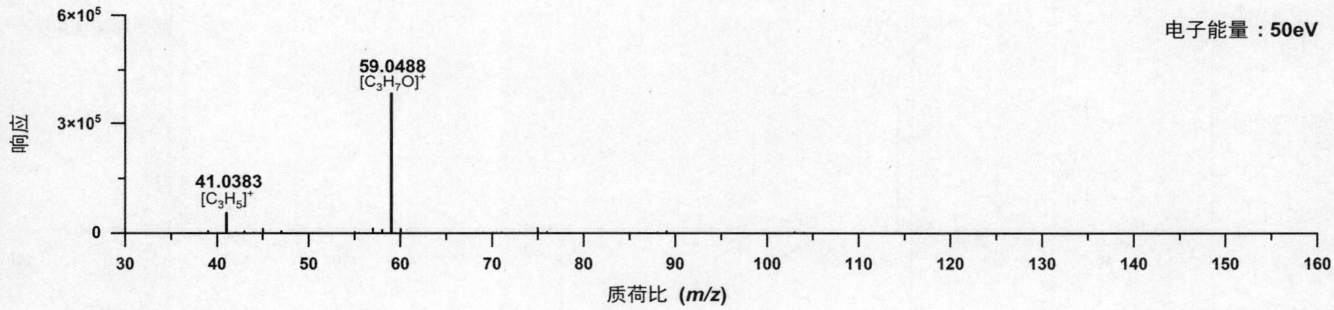

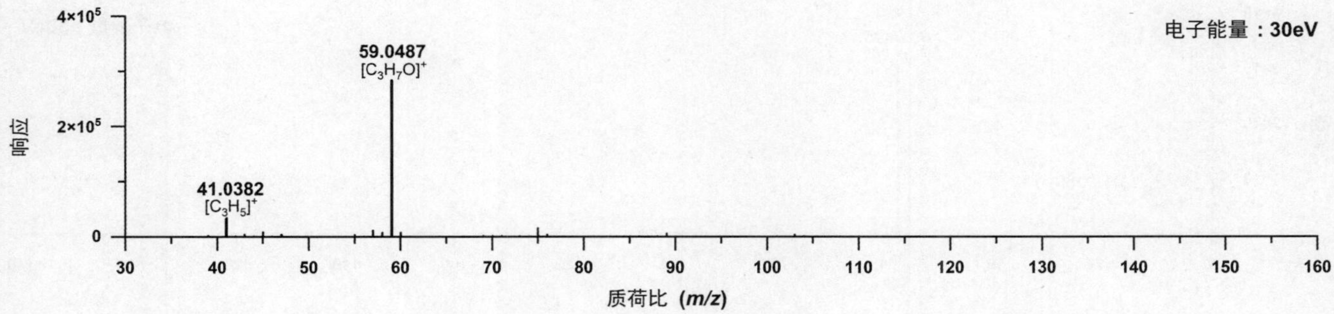

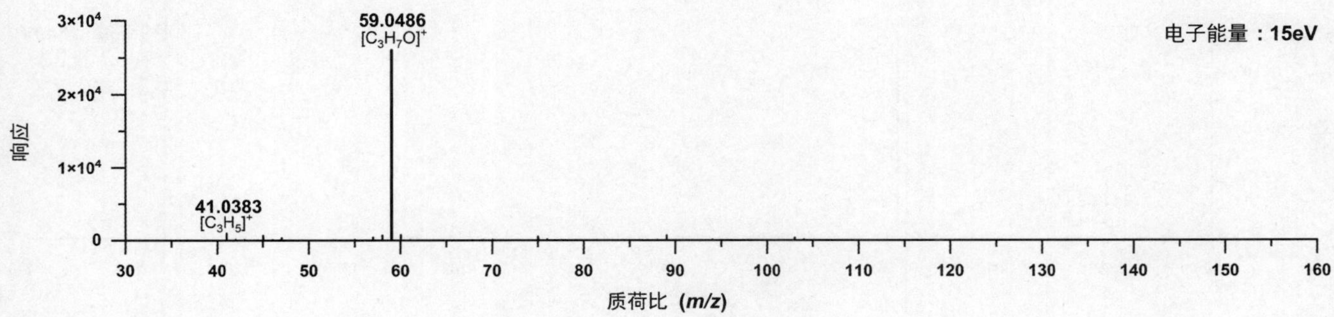

70 (*S*)-2-羟基丁酸乙酯

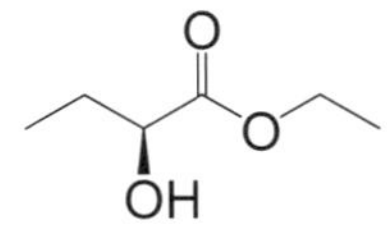

基本信息

CAS 登录号	88271-13-0	分子式	$C_6H_{12}O_3$	分子量	132.1600
保留指数（极性）	1400	保留指数（非极性）	887	香气描述	甜香，水果，奶油

质谱图

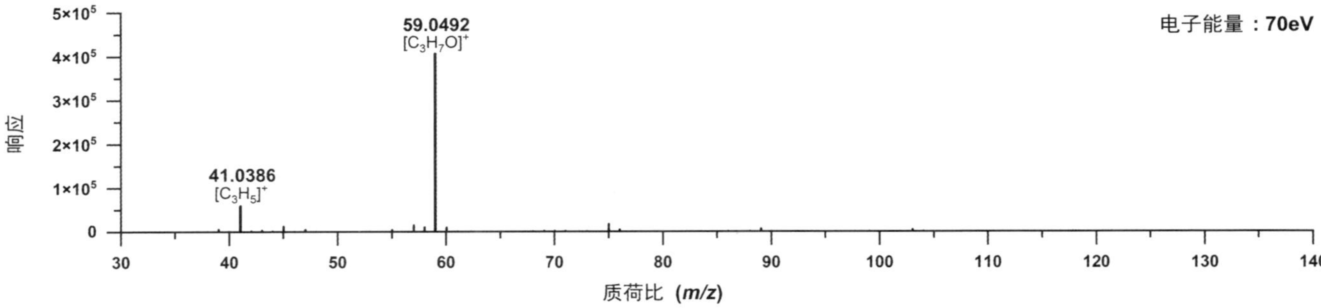

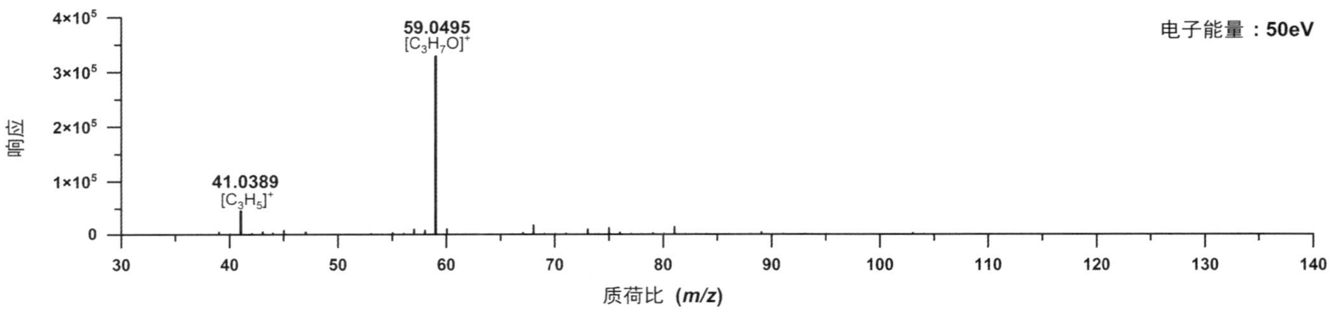

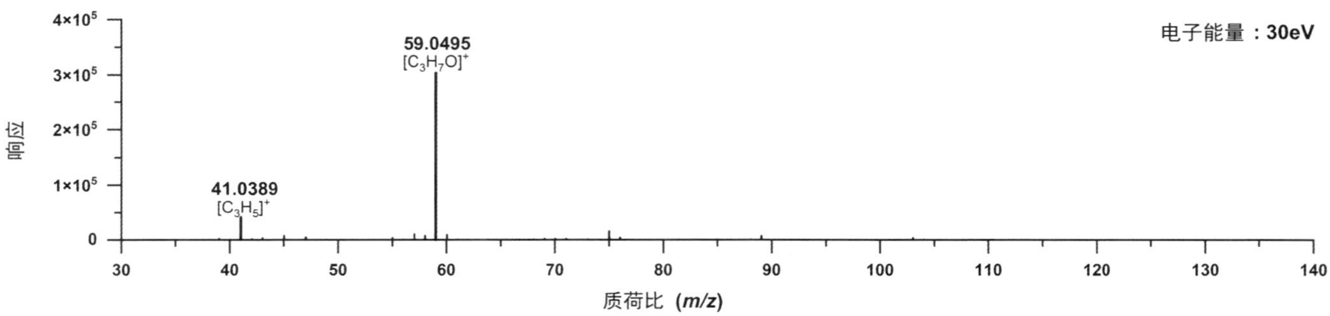

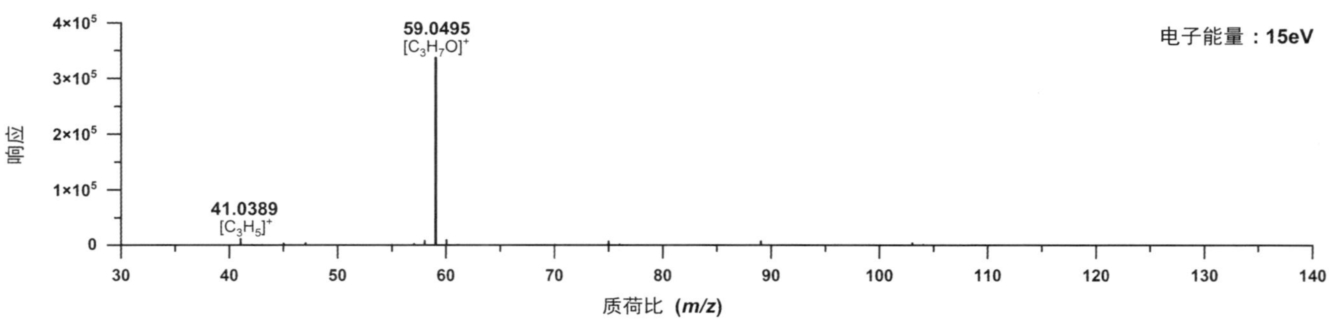

71 2-羟基戊酸乙酯

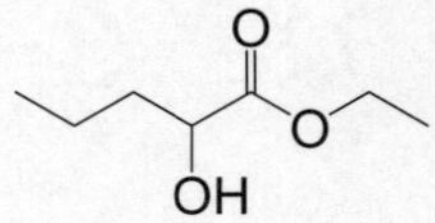

基本信息

CAS 登录号	6938-26-7	分子式	$C_7H_{14}O_3$	分子量	146.0943
保留指数（极性）	1509	保留指数（非极性）	980	香气描述	甜香，水果香，奶油香

质谱图

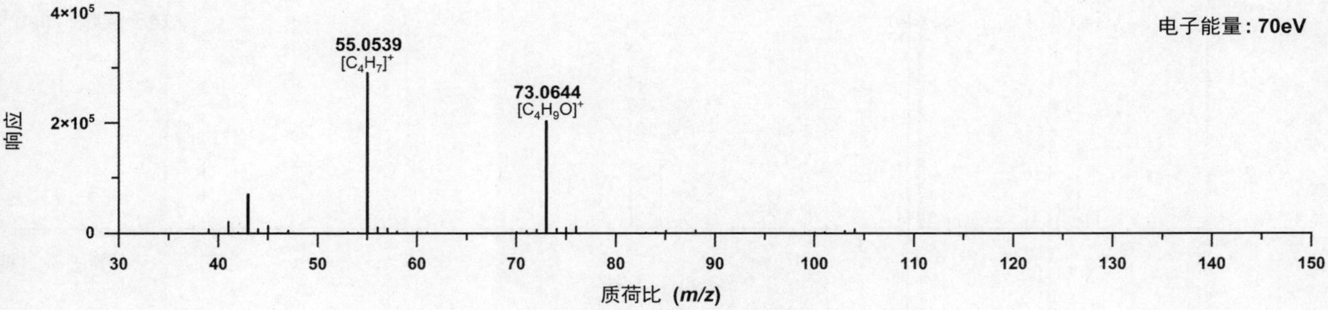

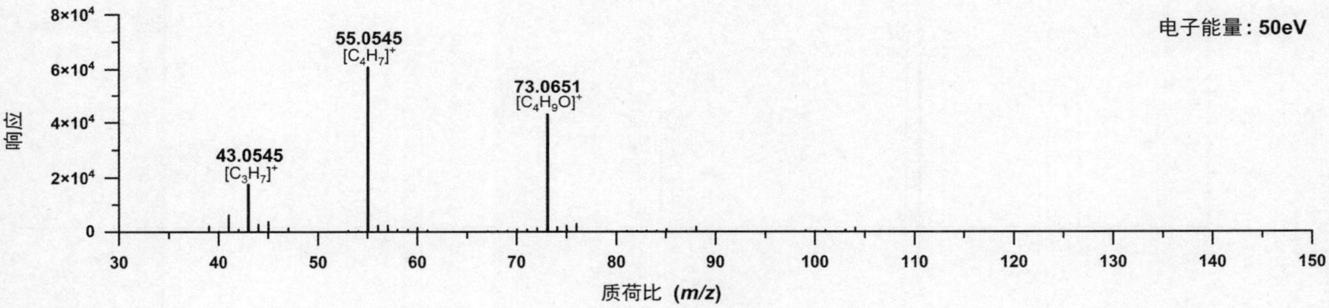

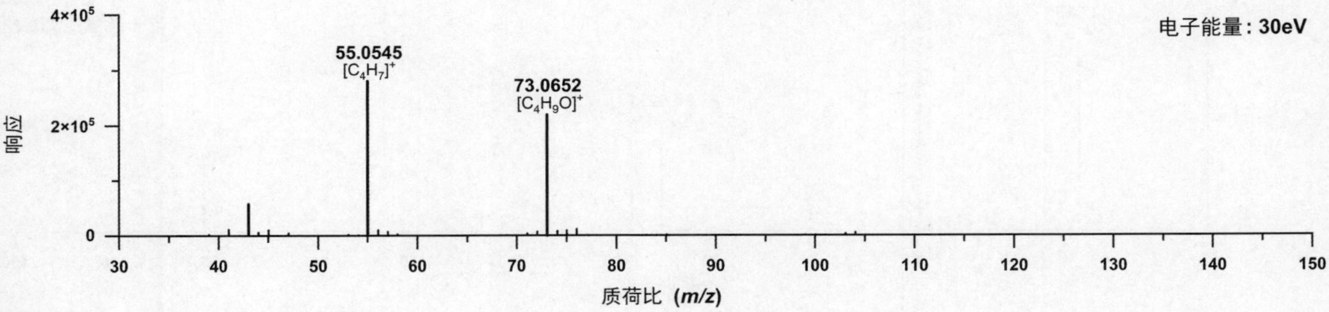

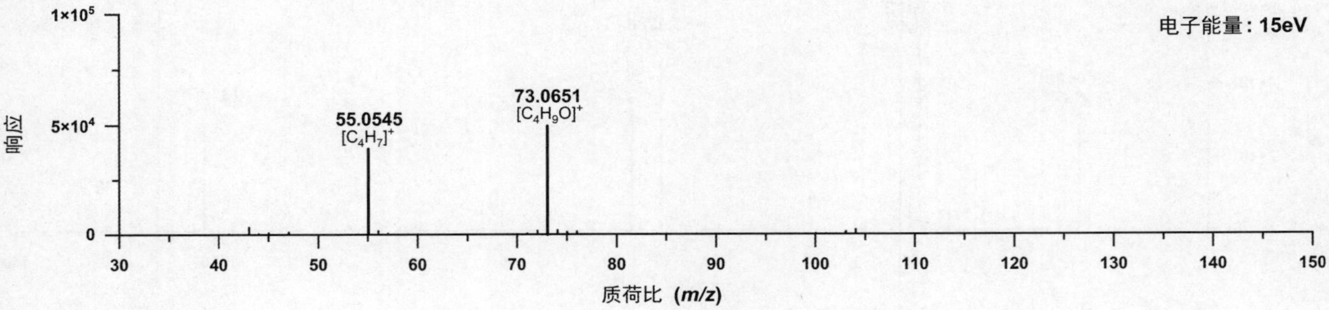

72 3-羟基-3-甲基丁酸乙酯

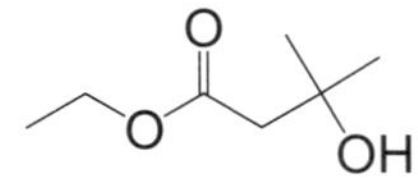

基本信息

CAS 登录号	18267-36-2	分子式	$C_7H_{14}O_3$	分子量	146.0943
保留指数（极性）	1427	保留指数（非极性）	930	香气描述	甜香，成熟水果的香气，奶油香

质谱图

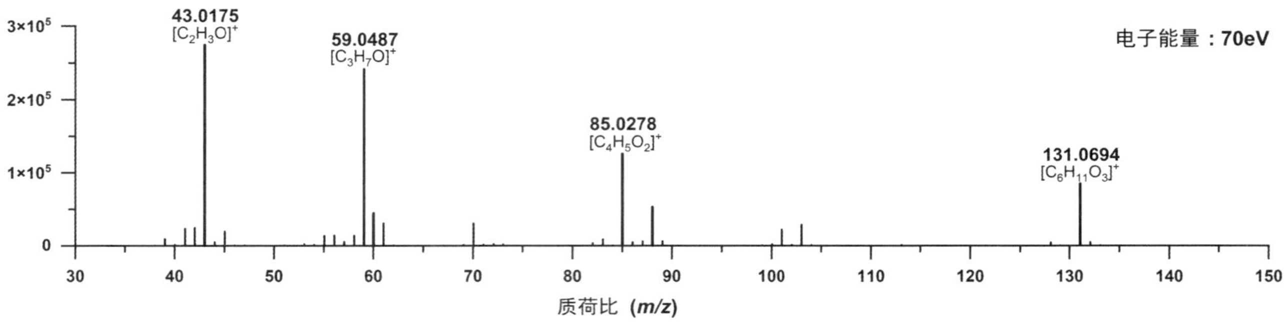

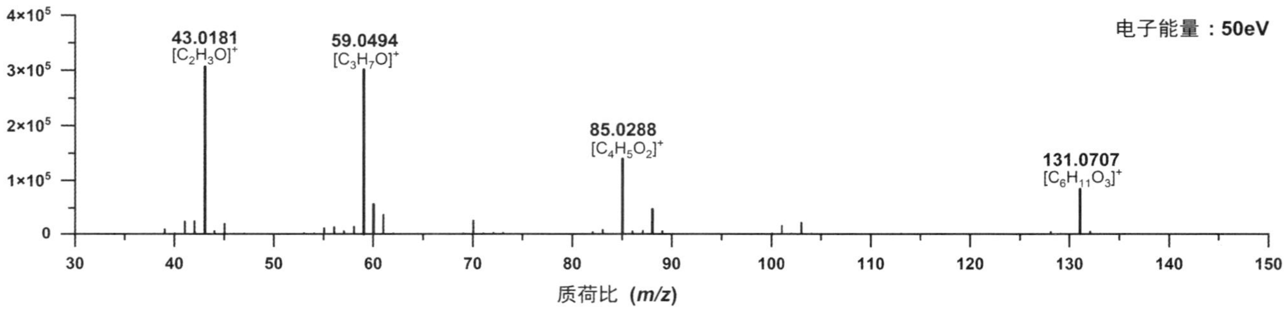

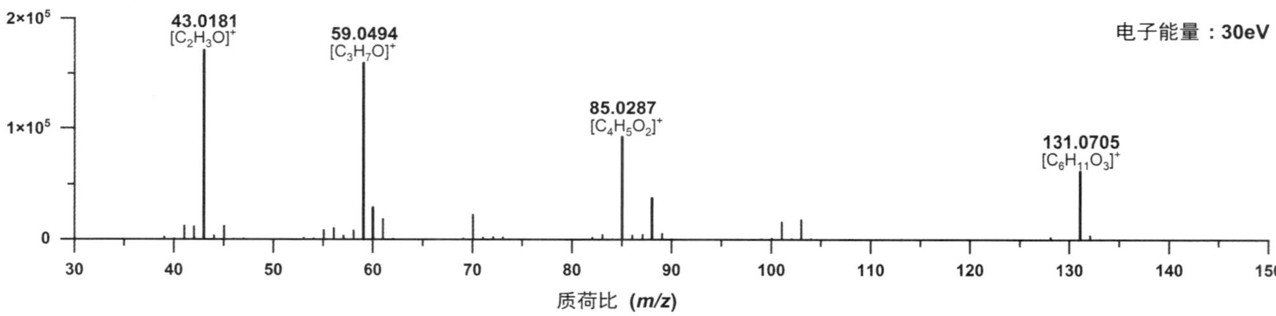

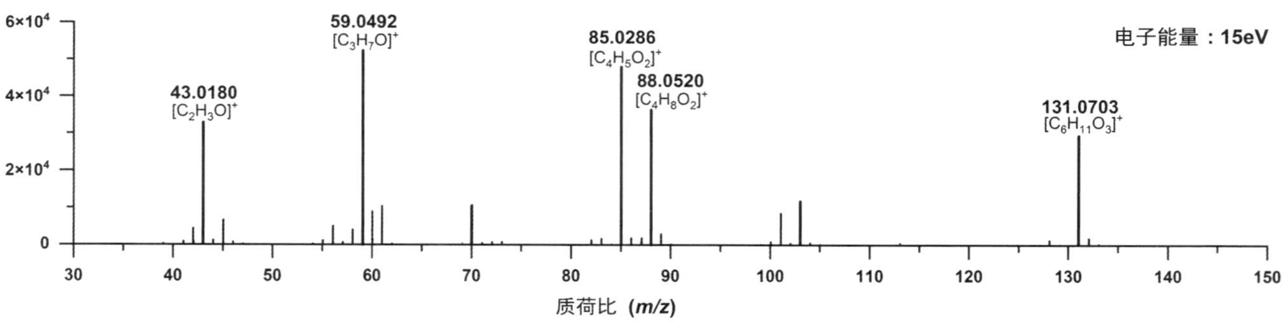

73

3-羟基己酸乙酯

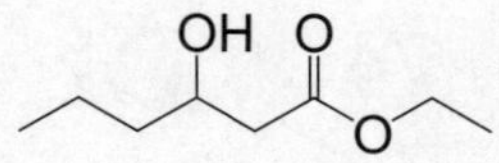

基本信息

CAS 登录号	2305-25-1	分子式	$C_8H_{16}O_3$	分子量	160.1094
保留指数（极性）	1695	保留指数（非极性）	1103	香气描述	甜香，水果香，蜡味

质谱图

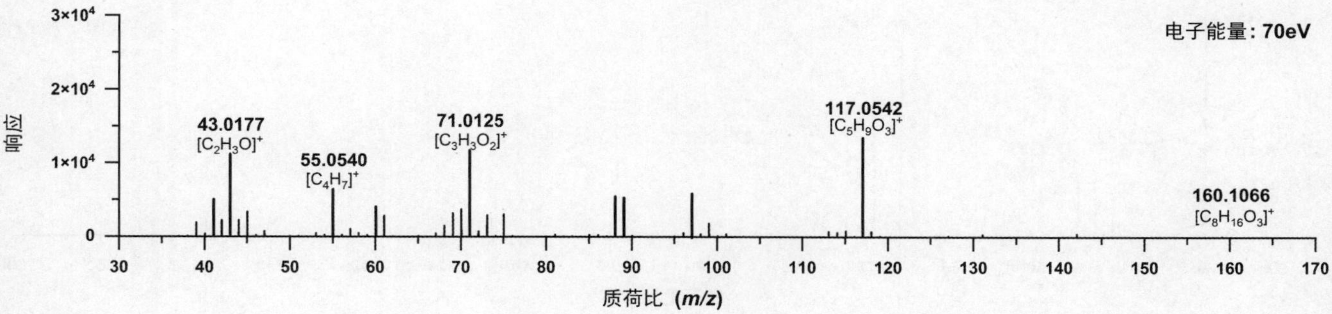

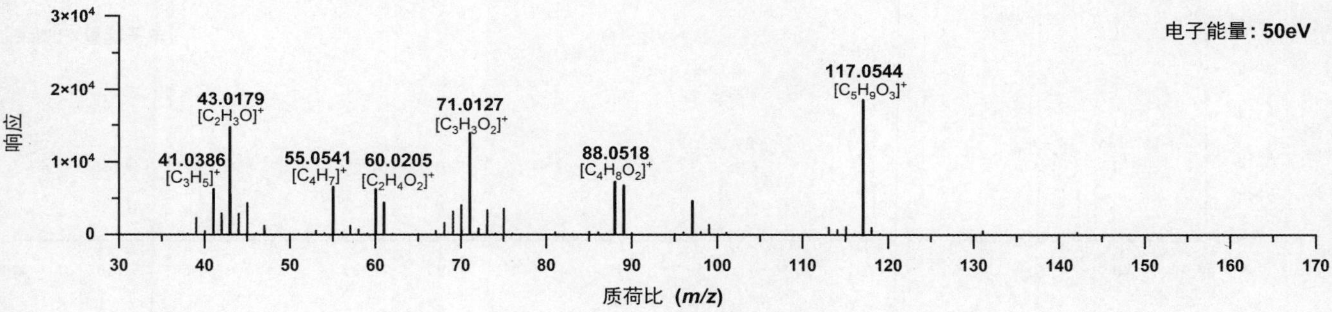

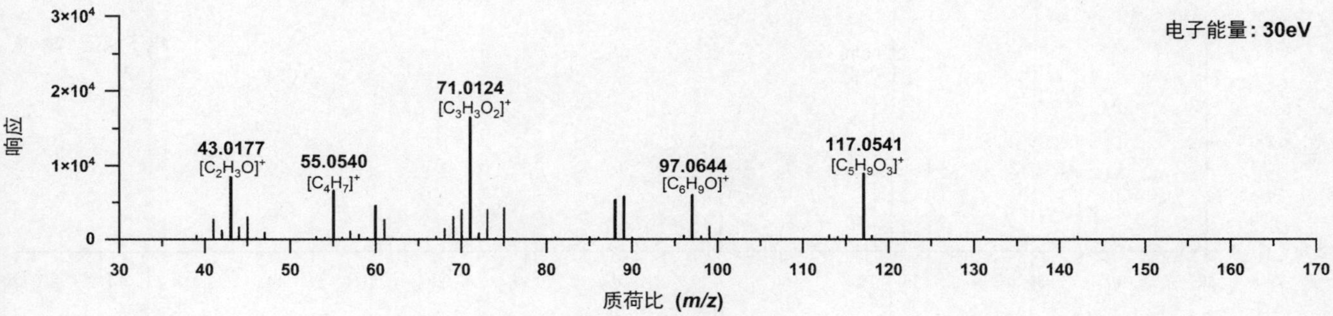

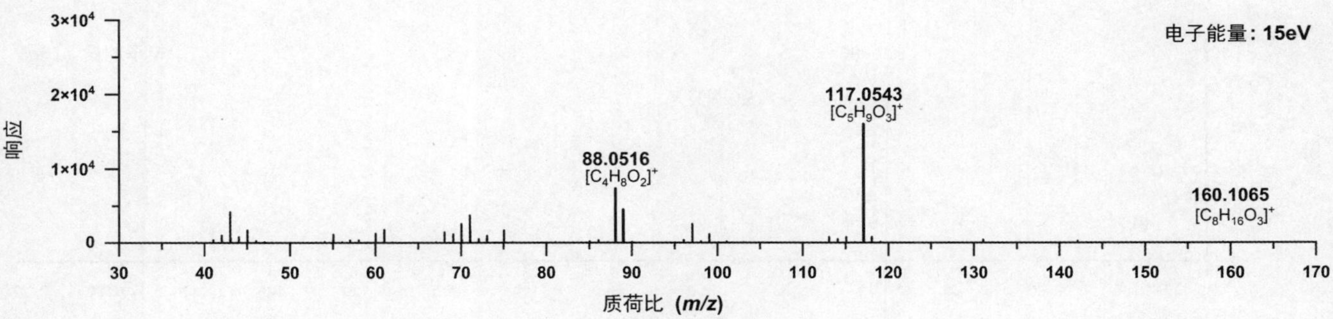

74 DL-2-羟基-4-甲基戊酸乙酯

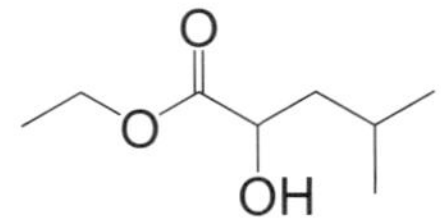

基本信息

CAS 登录号	10348-47-7	分子式	$C_8H_{16}O_3$	分子量	160.1099
保留指数（极性）	1555	保留指数（非极性）	1039	香气描述	成熟水果的香气，甜香，凤梨香

质谱图

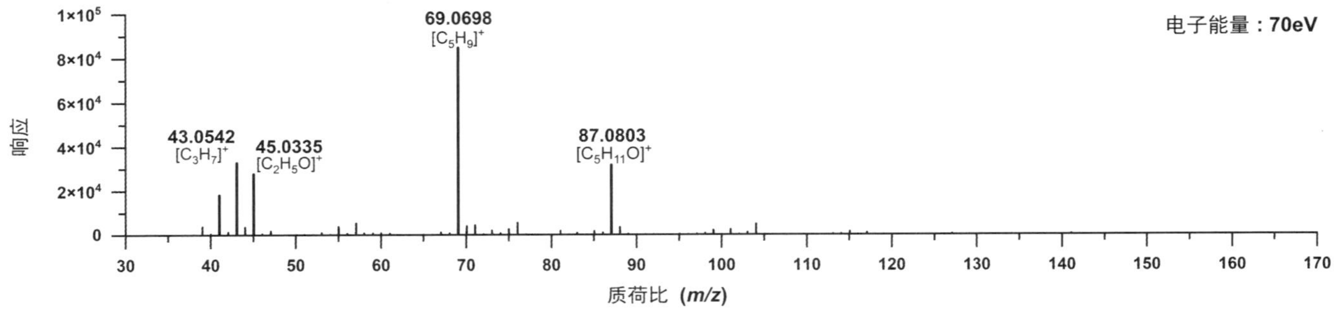

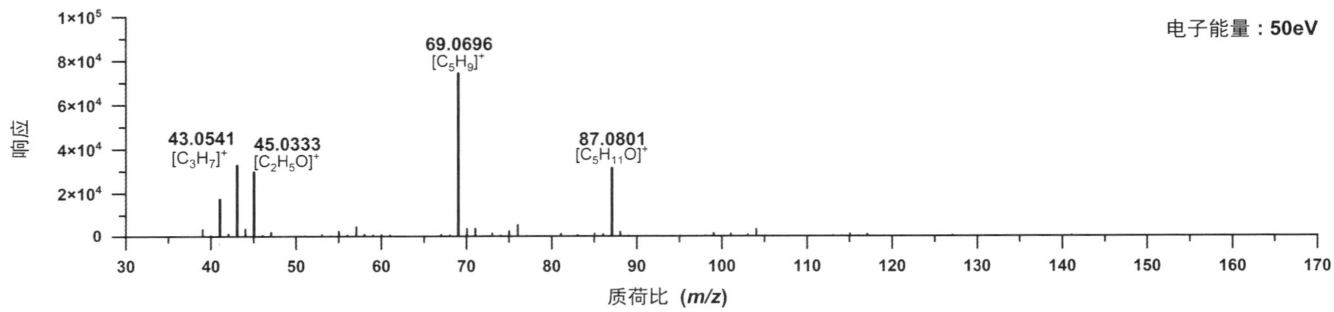

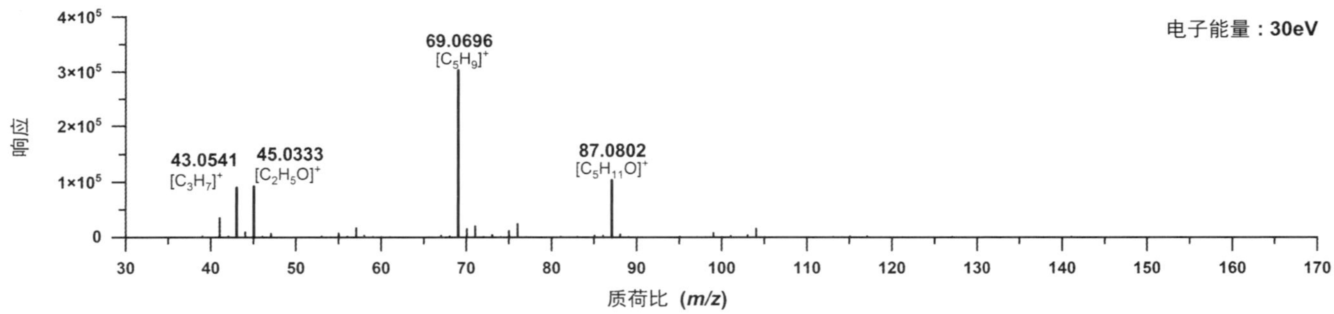

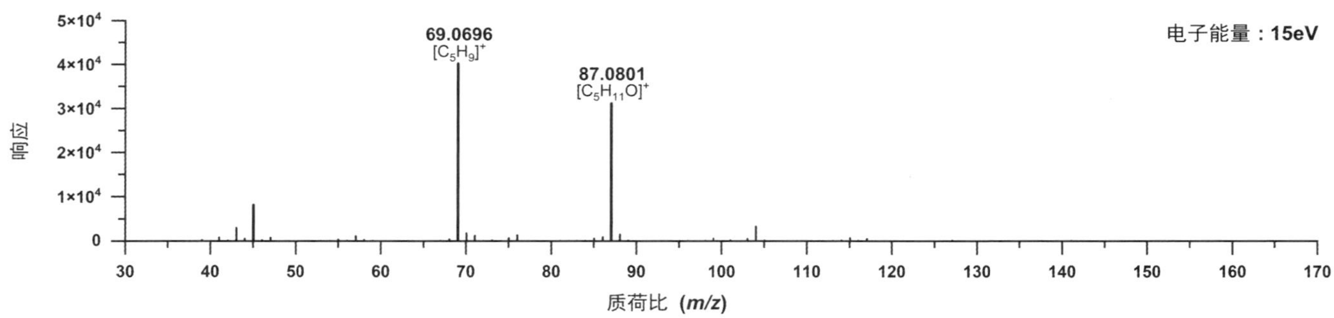

75

2-羟基己酸乙酯

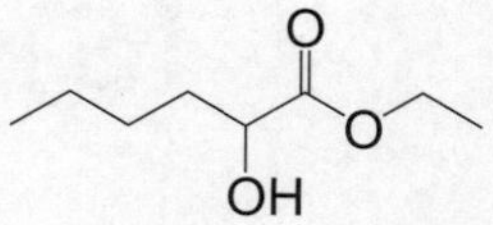

基本信息

CAS 登录号	6946-90-3	分子式	$C_8H_{16}O_3$	分子量	160.1099
保留指数（极性）	1610	保留指数（非极性）	1077	香气描述	甜香，水果香，奶油香

质谱图

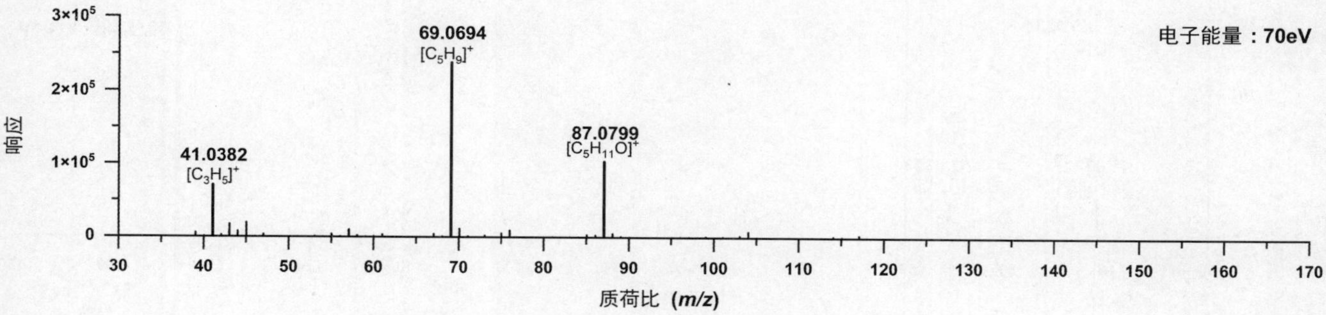

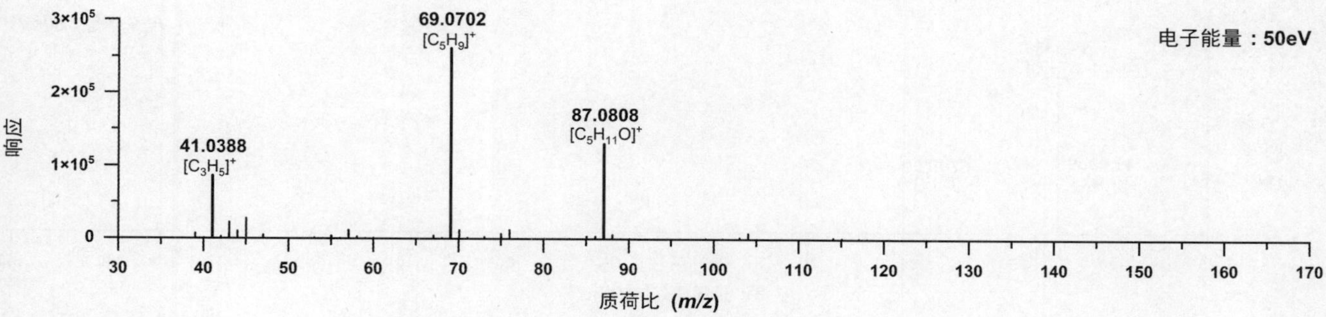

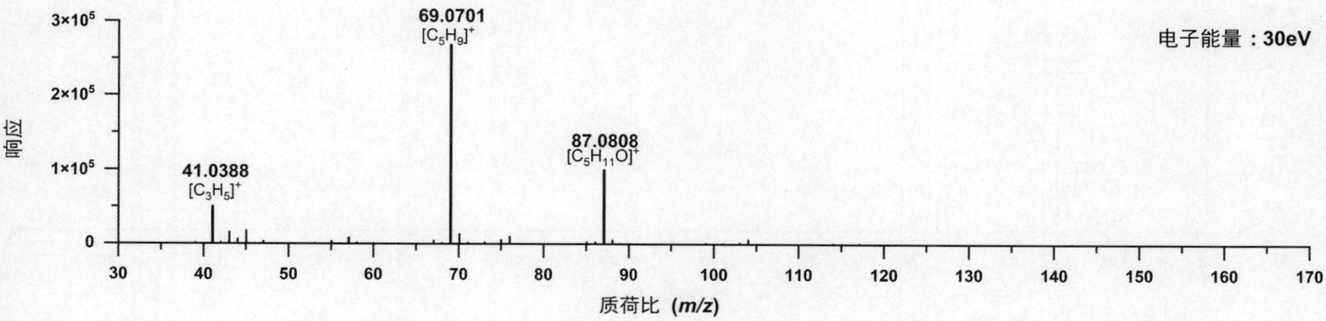

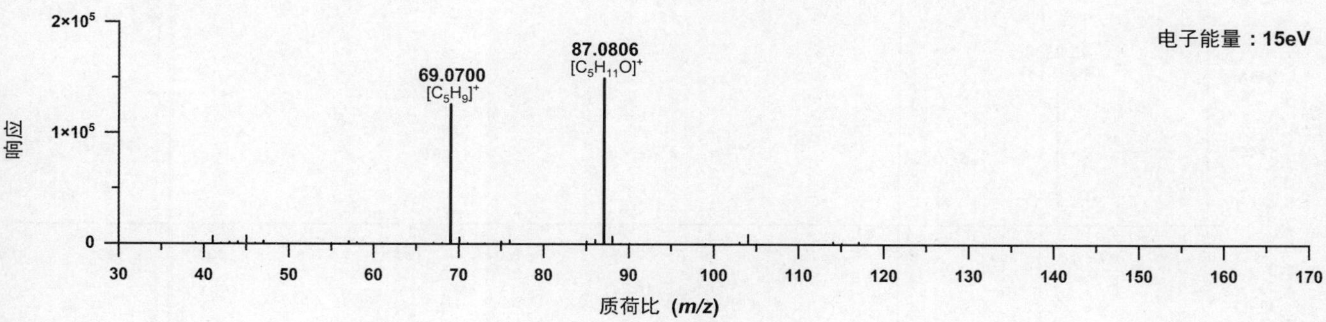

76

(*S*)-乳酸丁酯

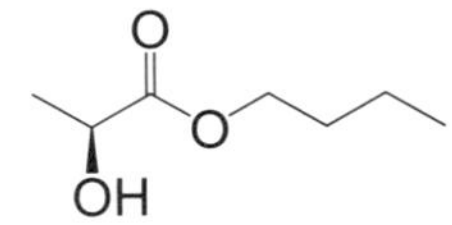

基本信息

CAS 登录号	34451-19-9	分子式	$C_7H_{14}O_3$	分子量	146.0943
保留指数（极性）	1533	保留指数（非极性）	987	香气描述	甜香，水果香，奶油香

质谱图

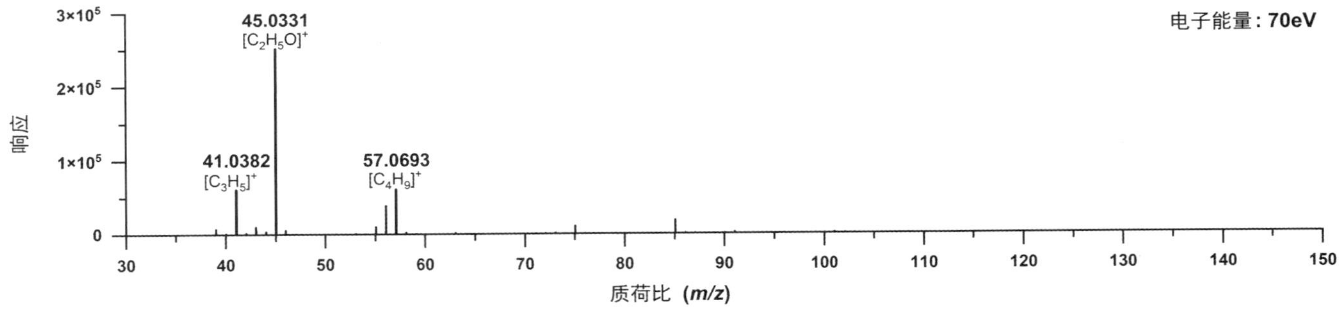

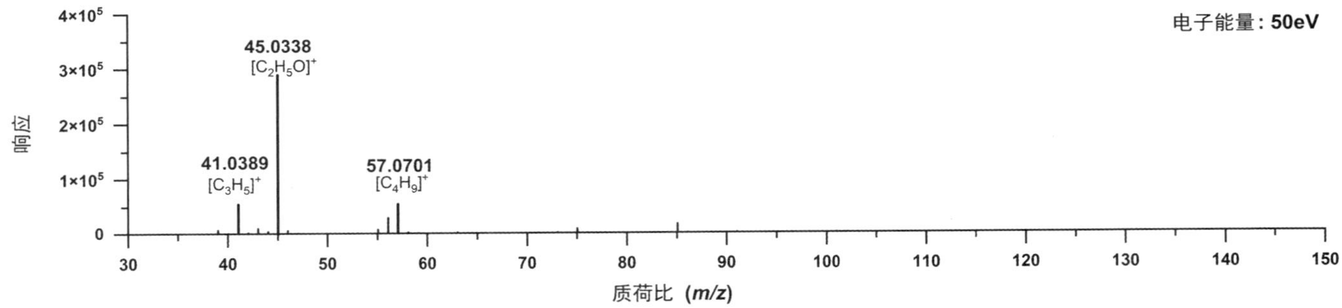

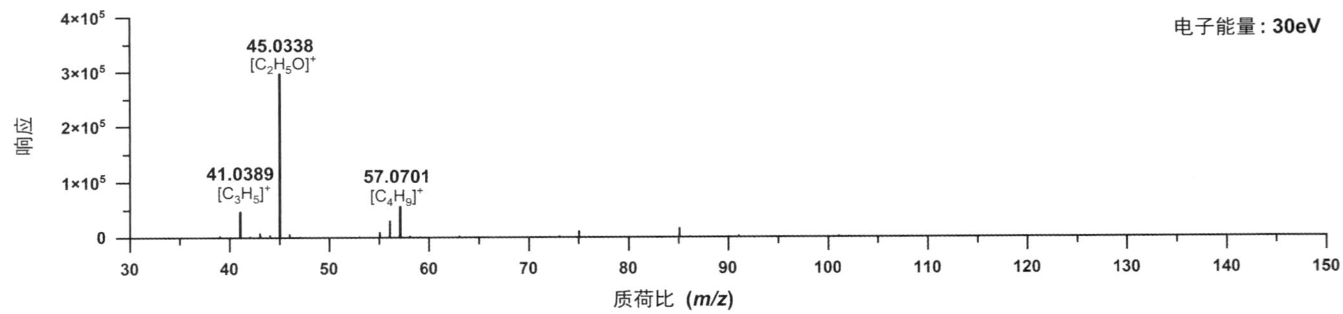

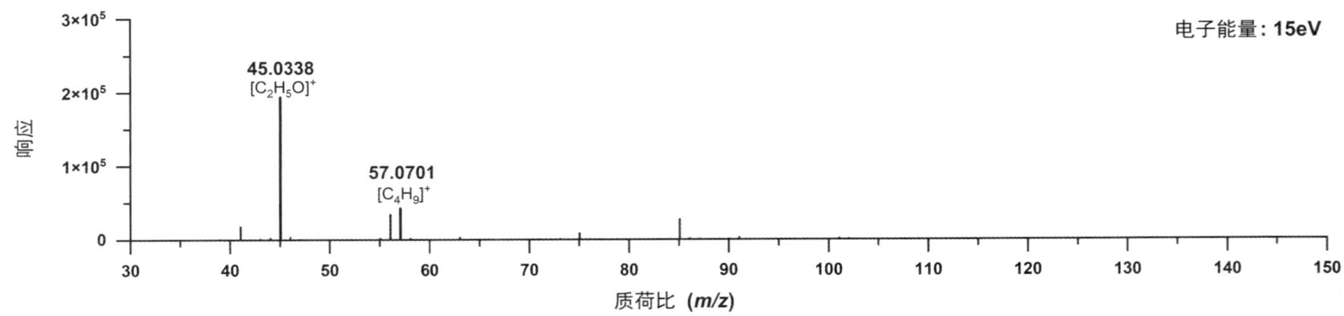

77 乳酸丁酯

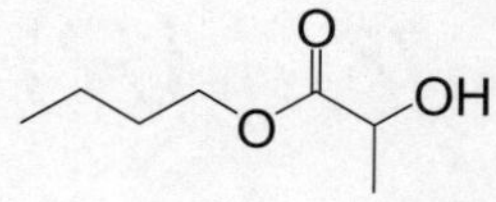

基本信息

CAS 登录号	138-22-7	分子式	$C_7H_{14}O_3$	分子量	146.0943
保留指数（极性）	1533	保留指数（非极性）	987	香气描述	甜香，水果香，类绿色植物的气味

质谱图

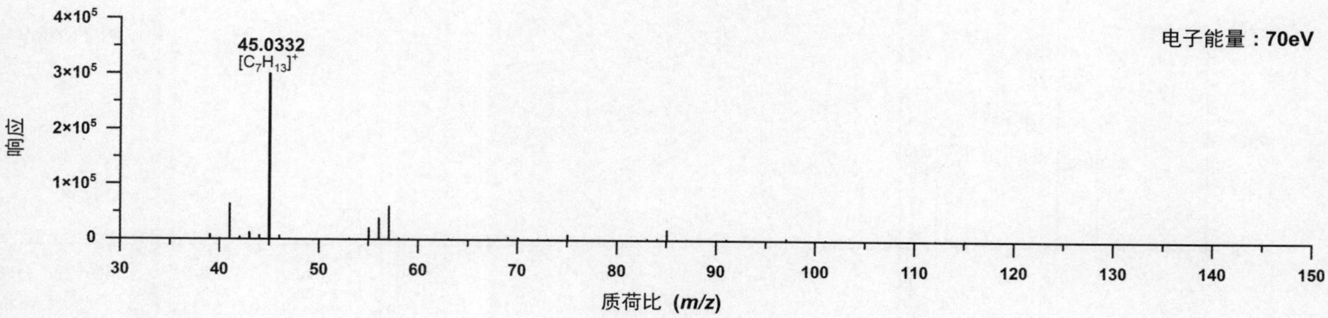

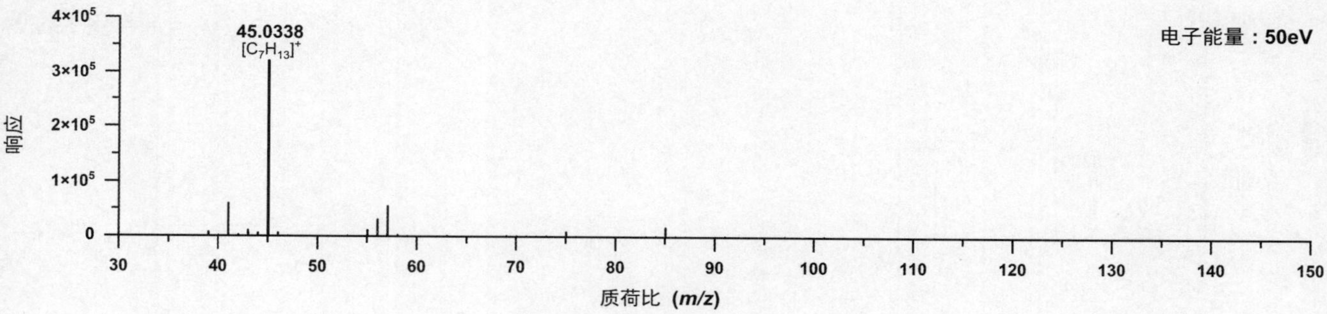

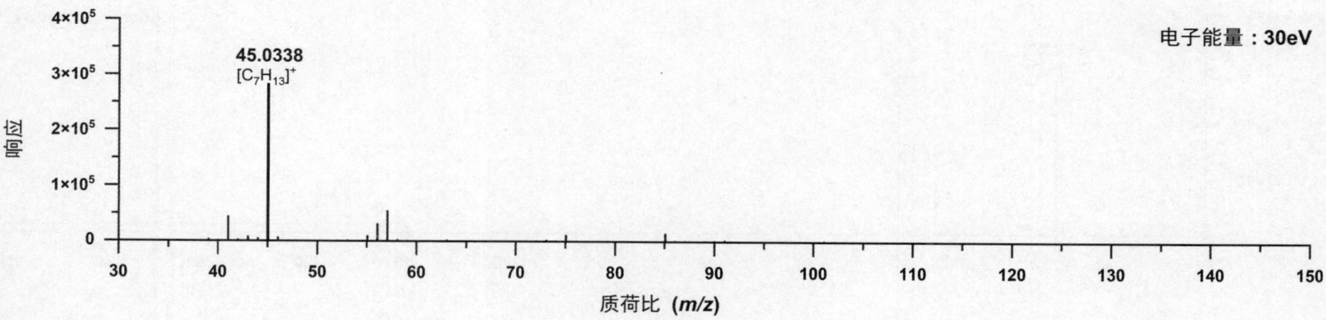

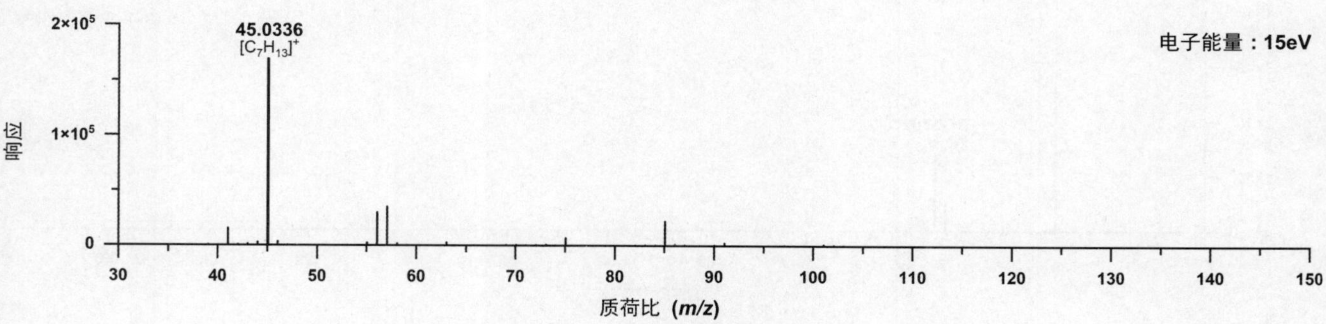

78 (*R*)-乳酸异丁酯

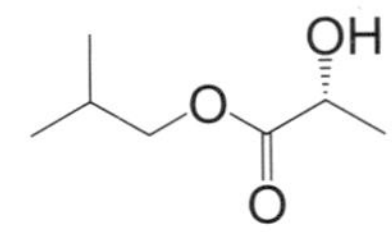

基本信息

CAS 登录号	61597-96-4	分子式	$C_7H_{14}O_3$	分子量	146.0943
保留指数（极性）	1469	保留指数（非极性）	949	香气描述	甜香，水果香，奶油香

质谱图

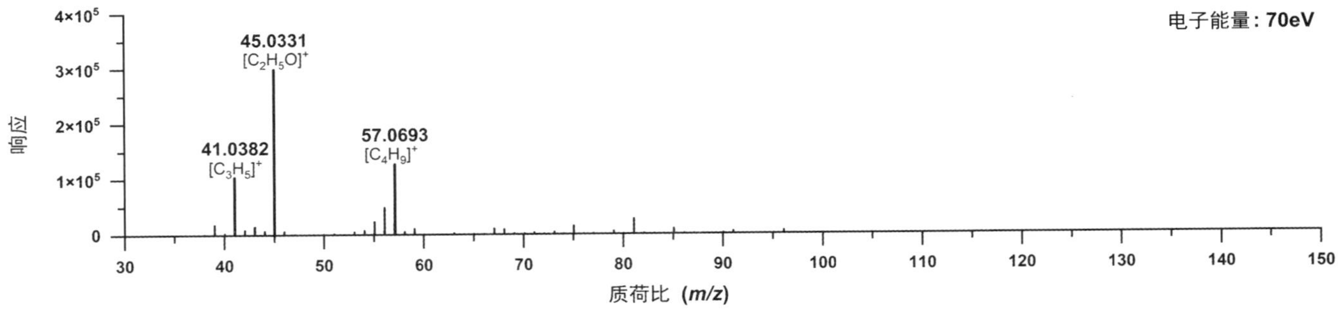

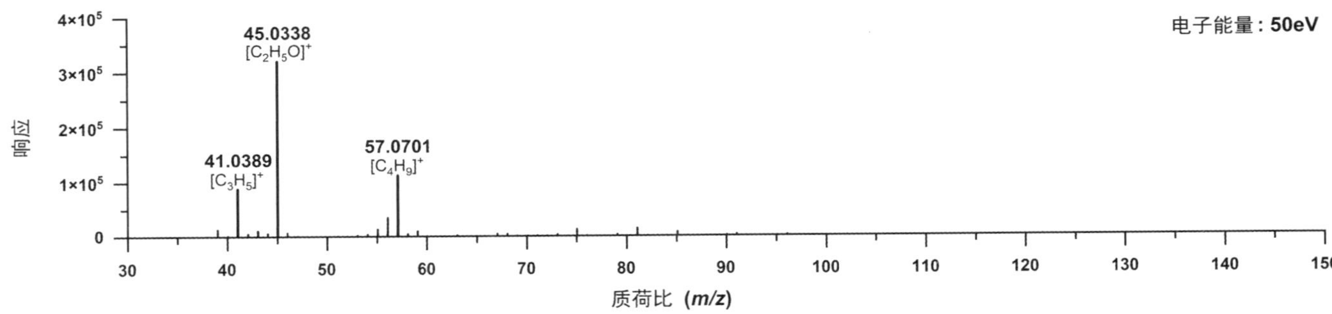

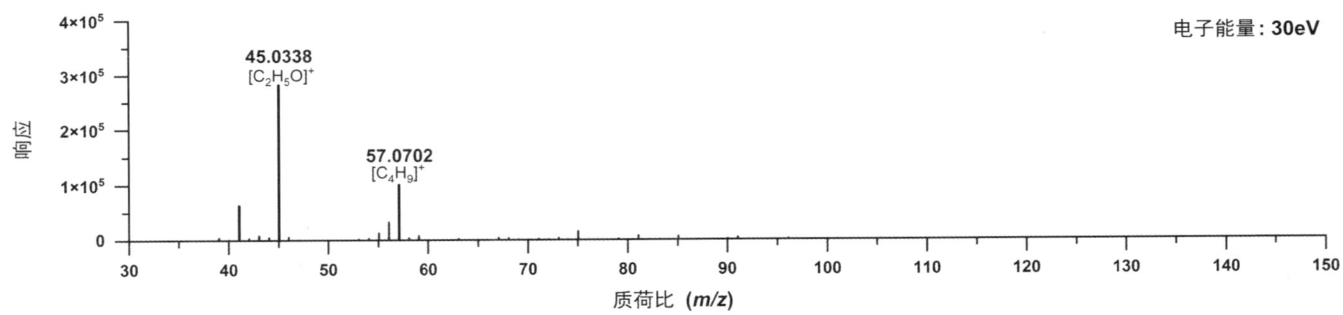

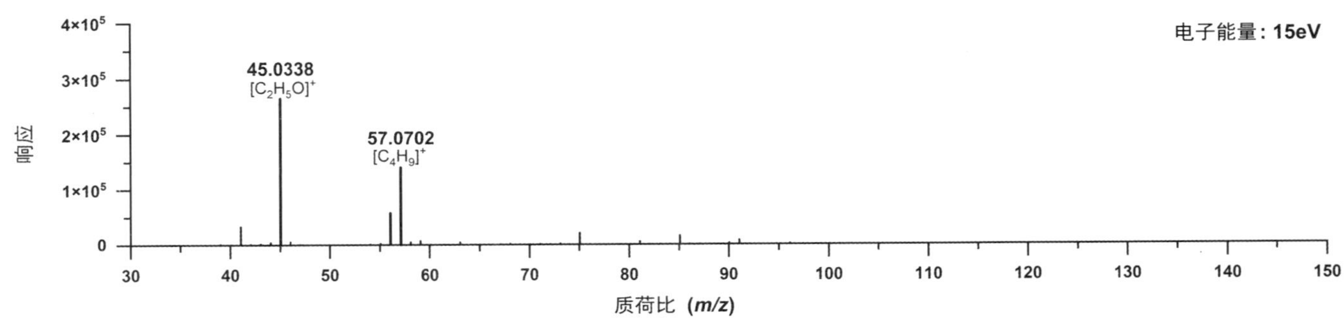

79 乳酸异戊酯

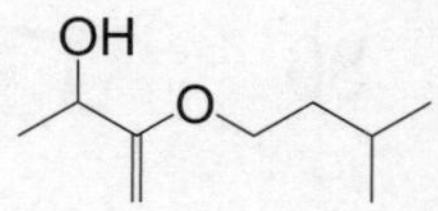

基本信息

CAS 登录号	19329-89-6	分子式	$C_8H_{16}O_3$	分子量	160.1099
保留指数（极性）	1582	保留指数（非极性）	1049	香气描述	甜香，水果香，类似绿色植物的气味

质谱图

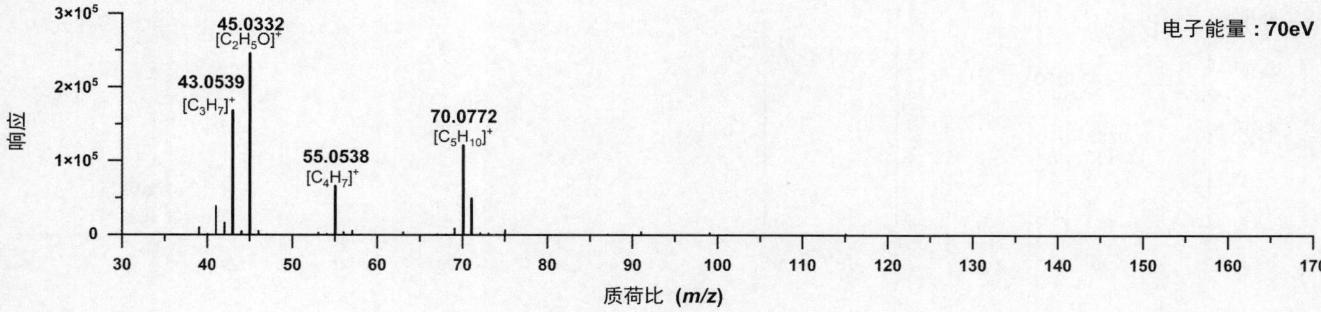

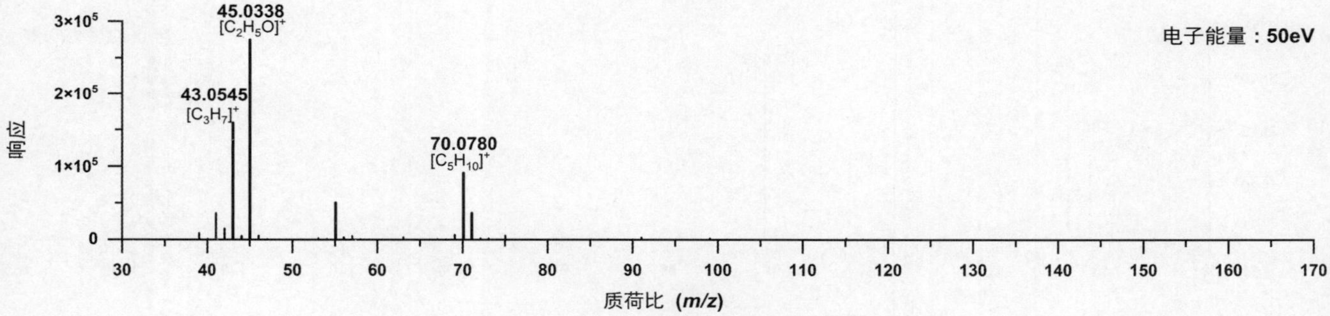

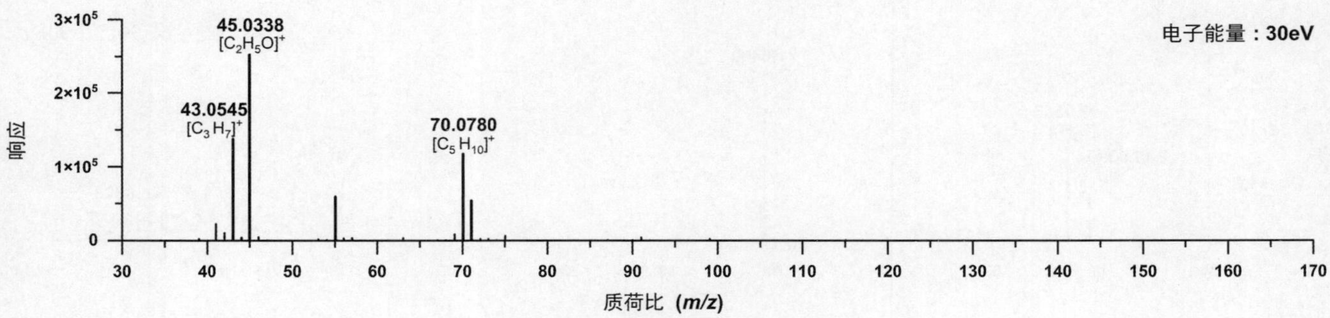

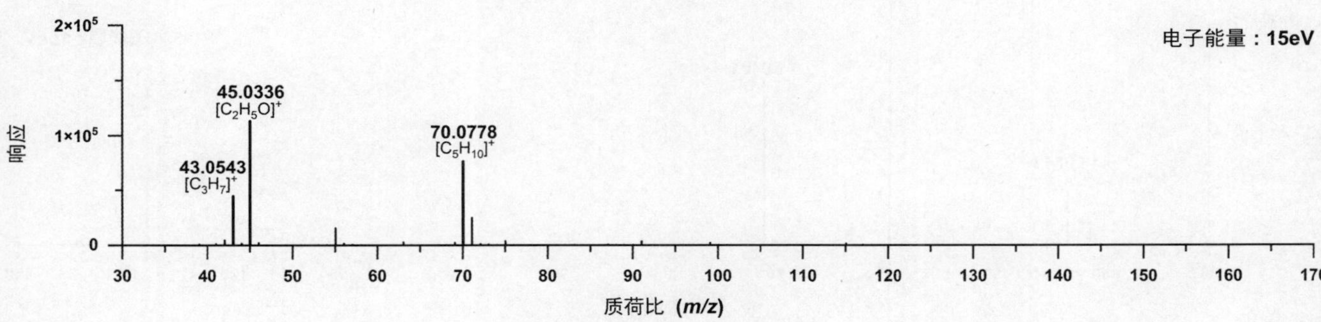

80

丁酸烯丙酯

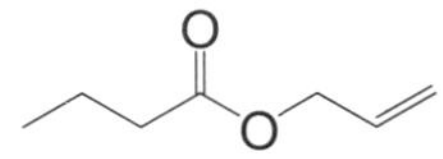

基本信息

CAS 登录号	2051-78-7	分子式	$C_7H_{12}O_2$	分子量	128.0832
保留指数（极性）	1180	保留指数（非极性）	866	香气描述	水果，甜香

质谱图

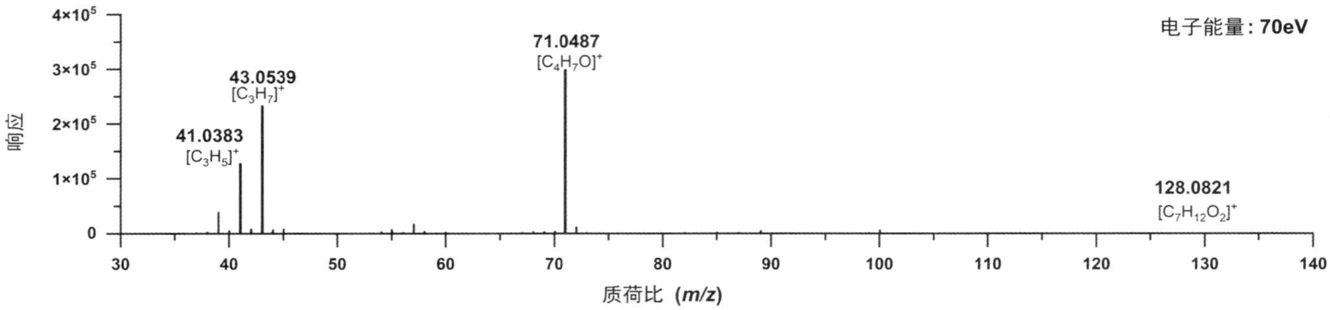

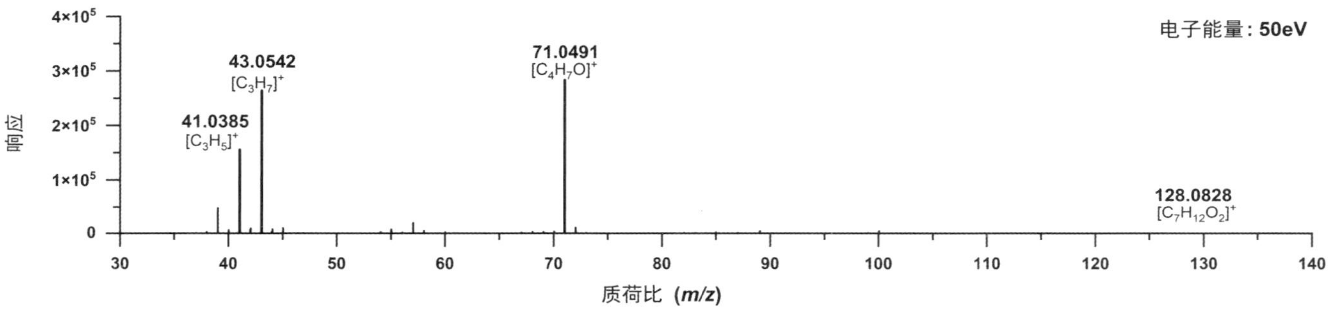

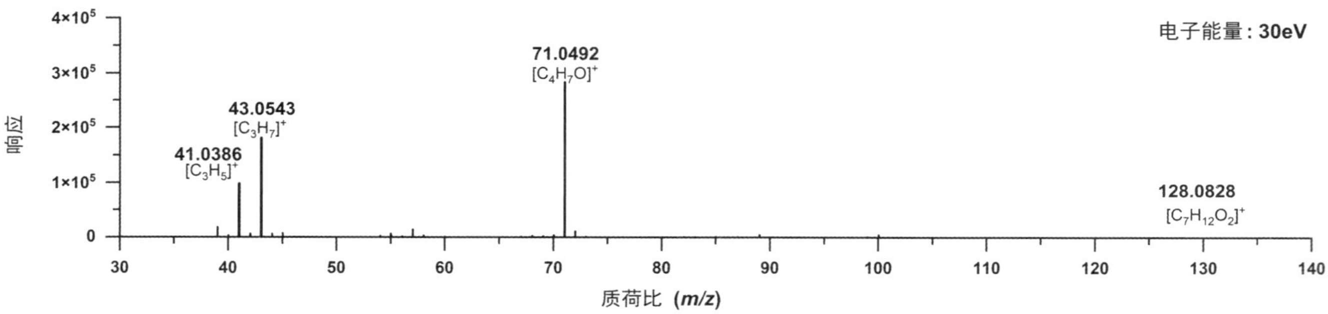

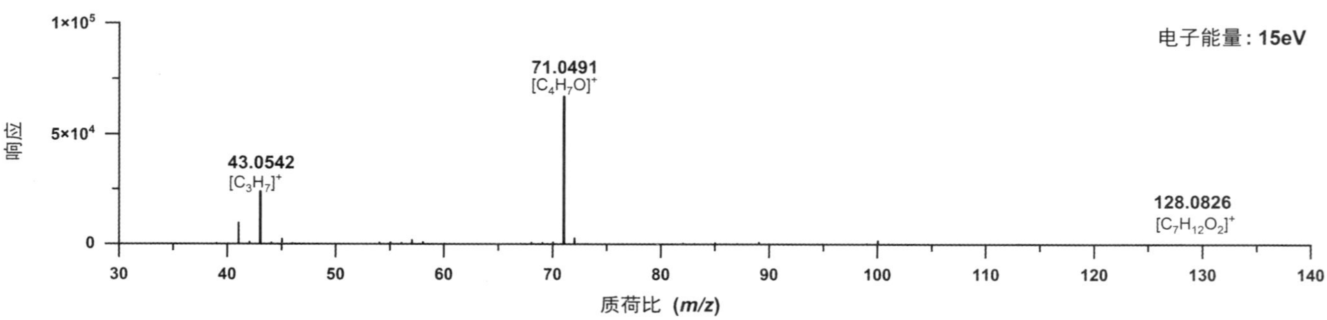

81 己酸乙烯酯

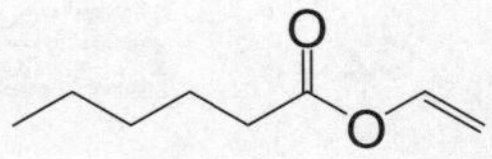

基本信息

CAS 登录号	3050-69-9	分子式	$C_8H_{14}O_2$	分子量	142.0988
保留指数（极性）	1232	保留指数（非极性）	952	香气描述	成熟的水果香，甜香

质谱图

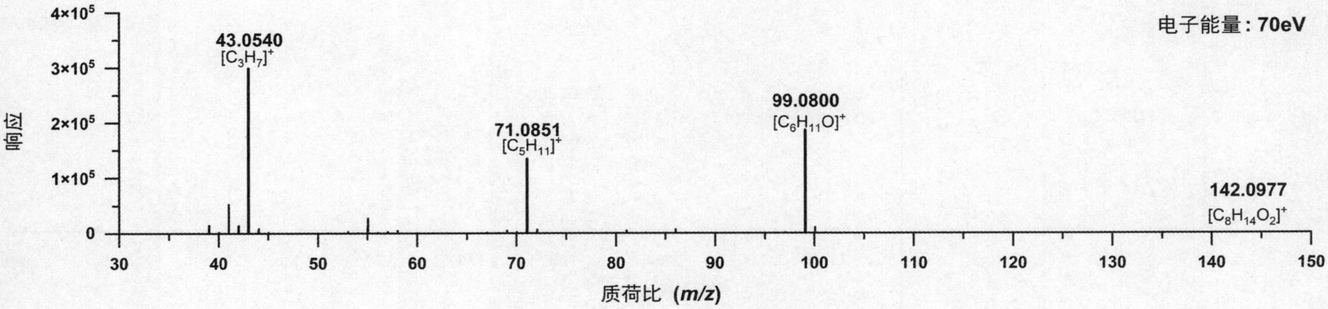

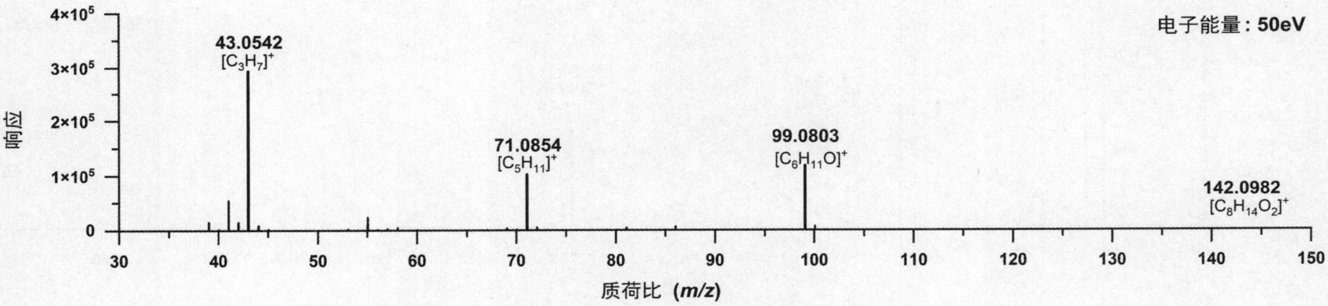

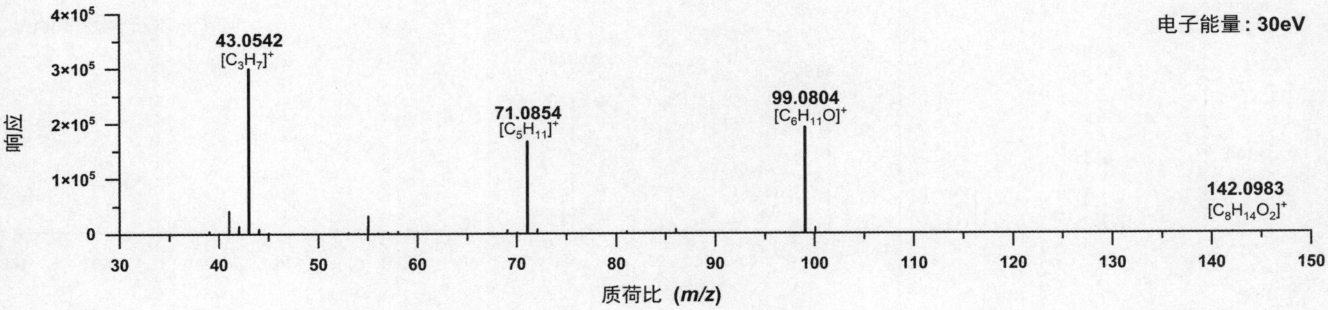

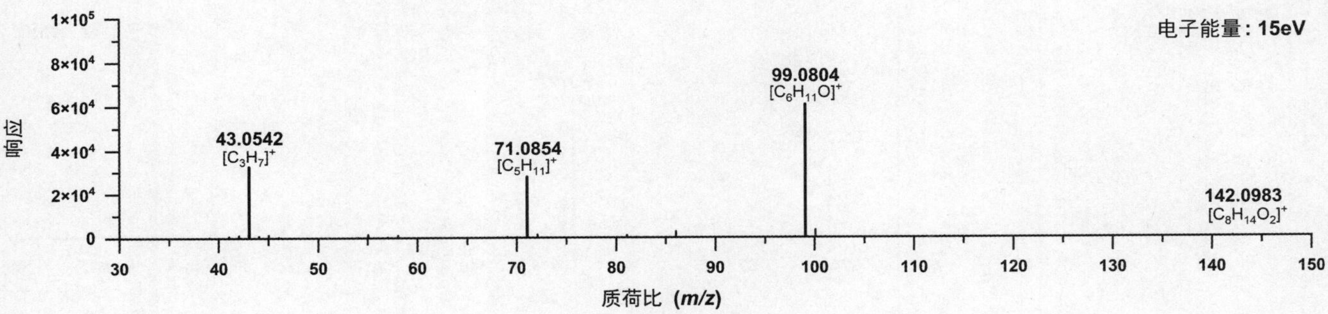

82 己酸烯丙酯

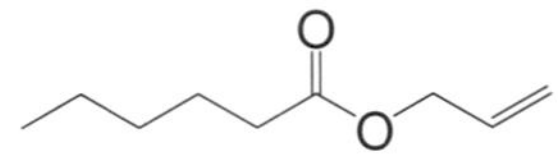

基本信息

CAS 登录号	123-68-2	分子式	$C_9H_{16}O_2$	分子量	156.1150
保留指数（极性）	1378	保留指数（非极性）	1062	香气描述	水果香，甜香，凤梨香

质谱图

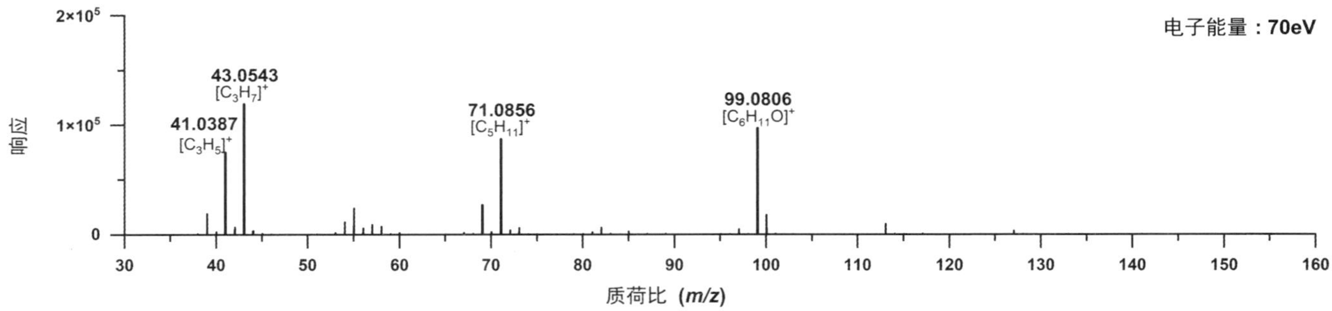

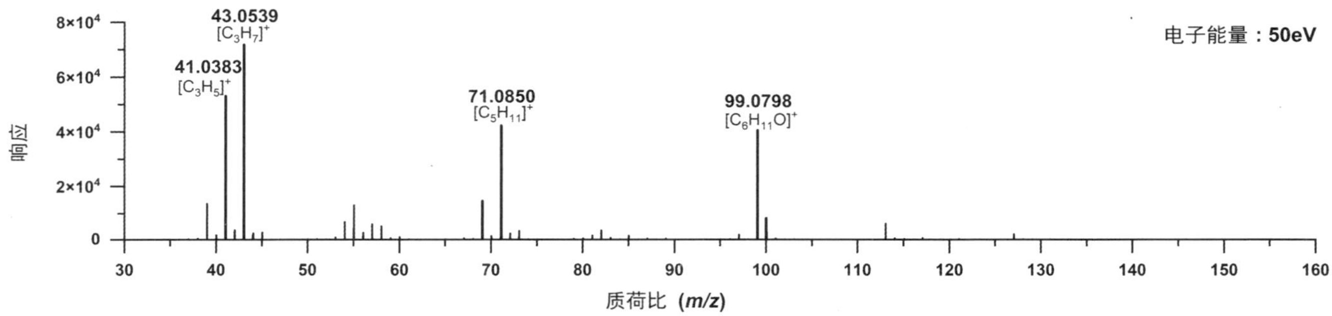

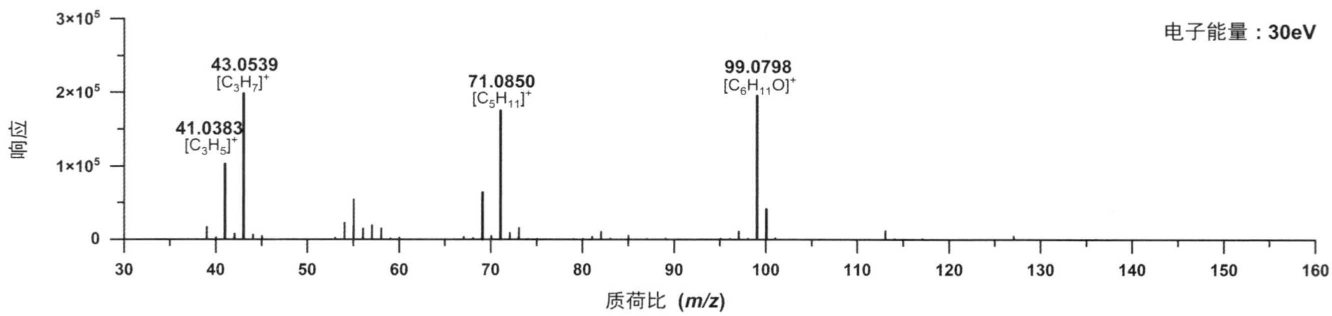

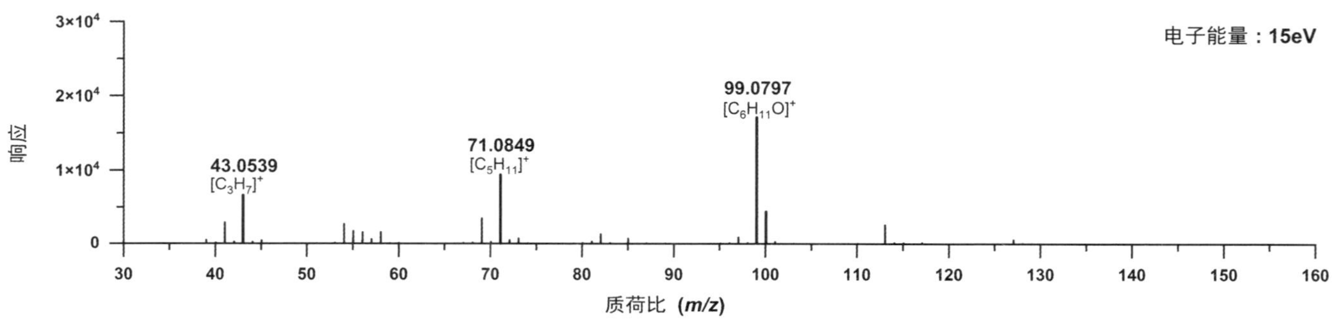

83

(*E*)-2-己烯基己酸

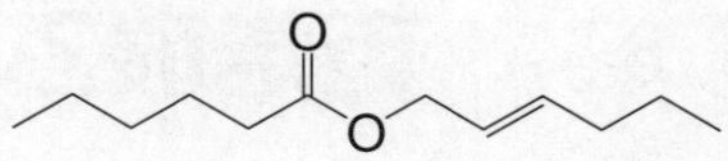

基本信息

CAS 登录号	53398-86-0	分子式	$C_{12}H_{22}O_2$	分子量	198.1614
保留指数（极性）	1680	保留指数（非极性）	1368	香气描述	类似绿色植物的气味，水果香，苹果香

质谱图

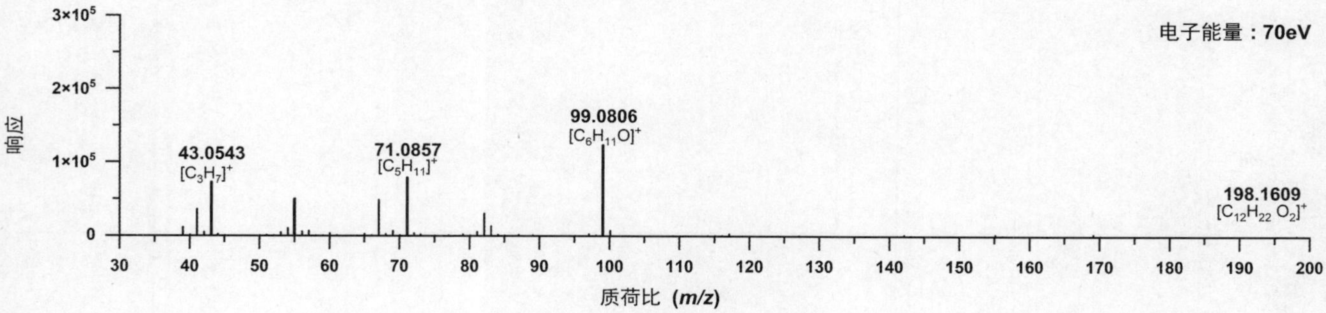

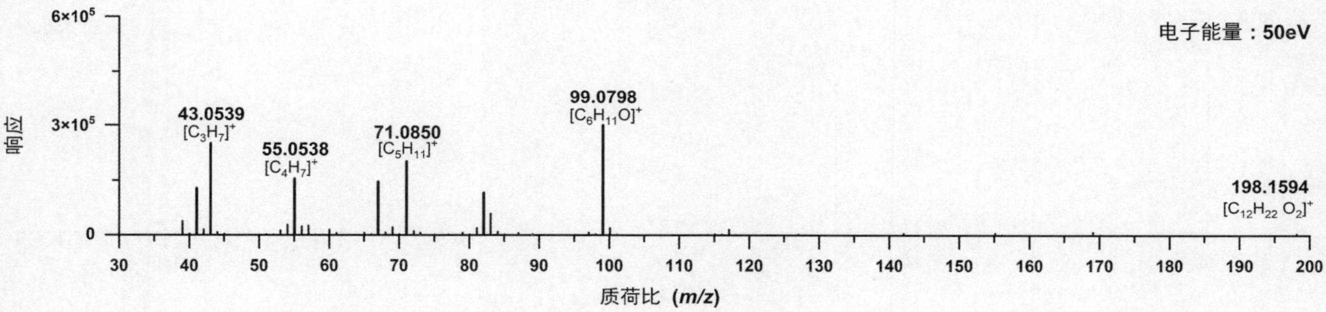

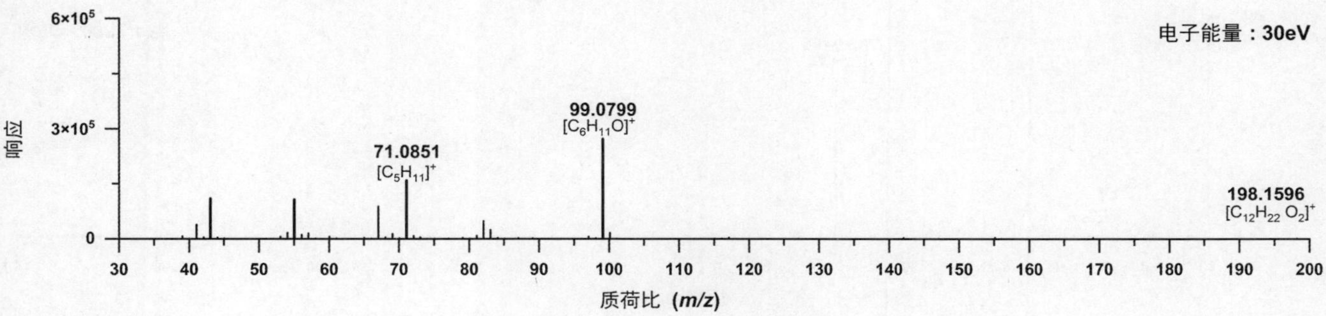

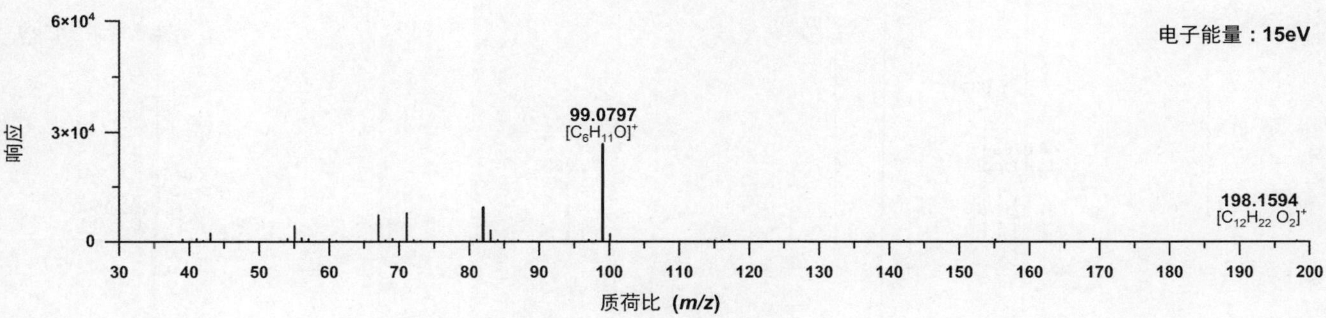

84 丙烯酸乙酯

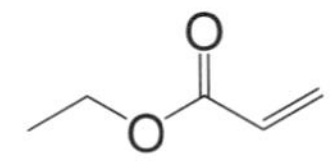

基本信息

CAS 登录号	140-88-5	分子式	$C_5H_8O_2$	分子量	100.0524
保留指数（极性）	1009	保留指数（非极性）	679	香气描述	水果香，甜香，金属的气味

质谱图

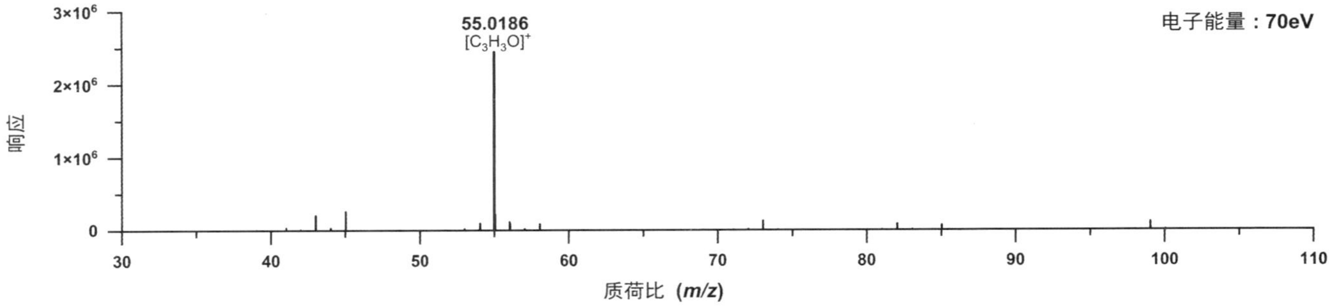

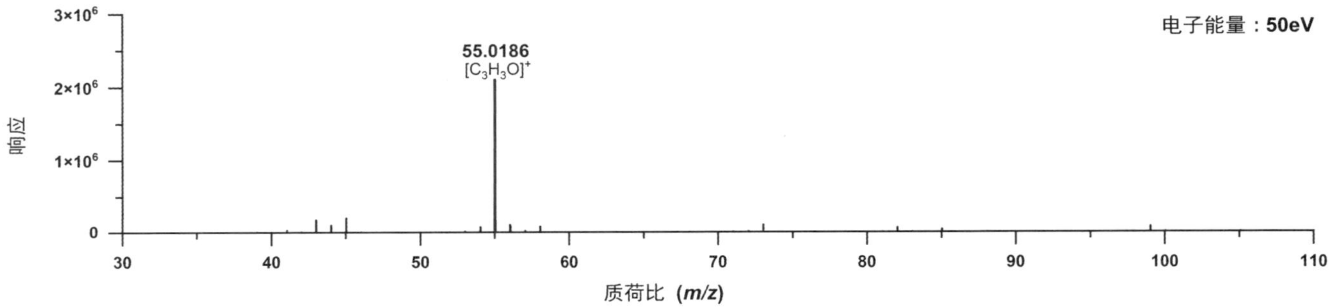

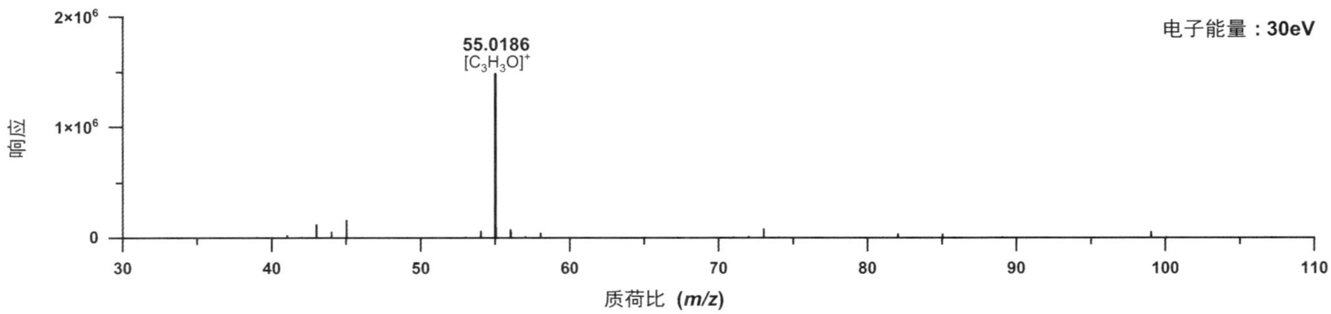

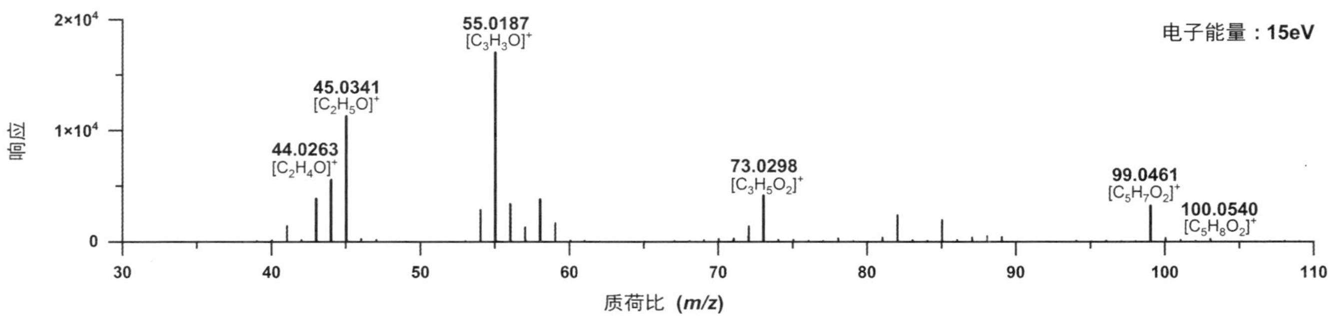

85 (*E*)-4-癸烯酸乙酯

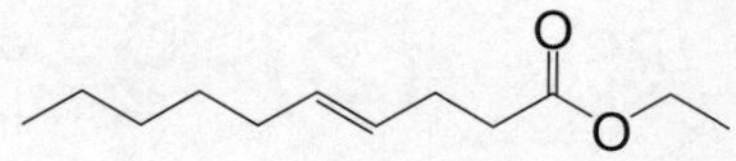

基本信息

CAS 登录号	76649-16-6	分子式	$C_{12}H_{22}O_2$	分子量	198.1614
保留指数（极性）	1675	保留指数（非极性）	1363	香气描述	水果香，甜香，蜡味

质谱图

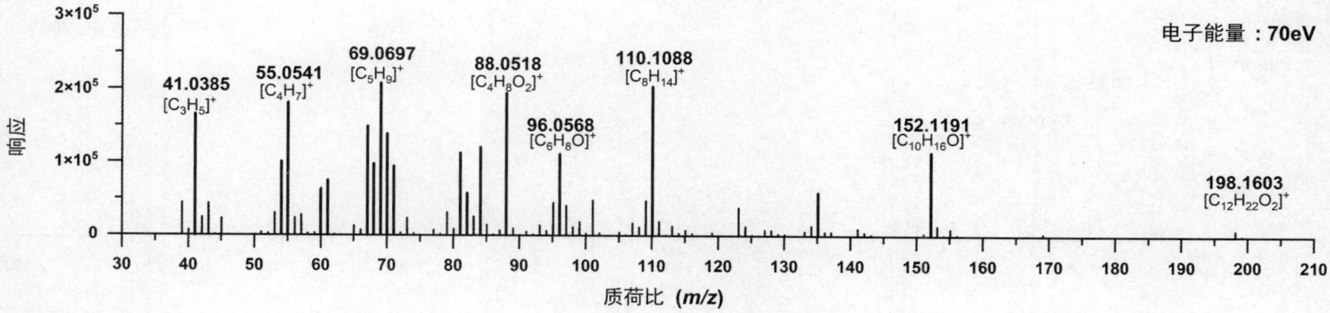

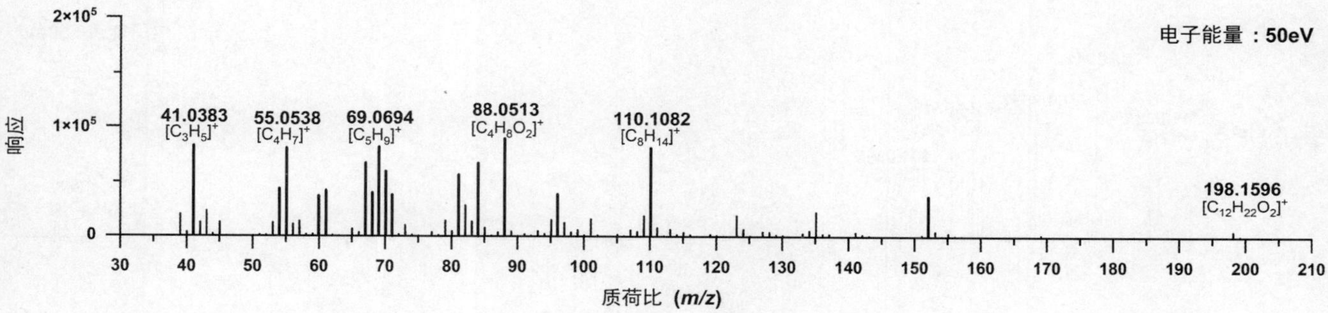

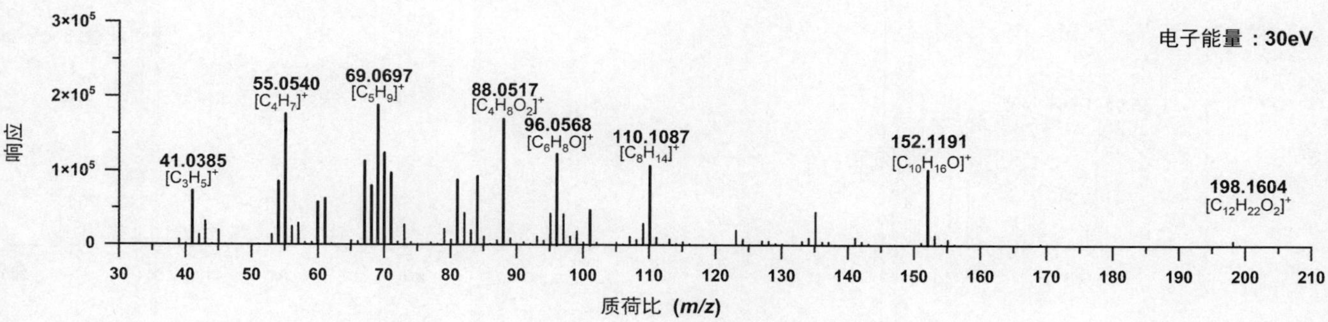

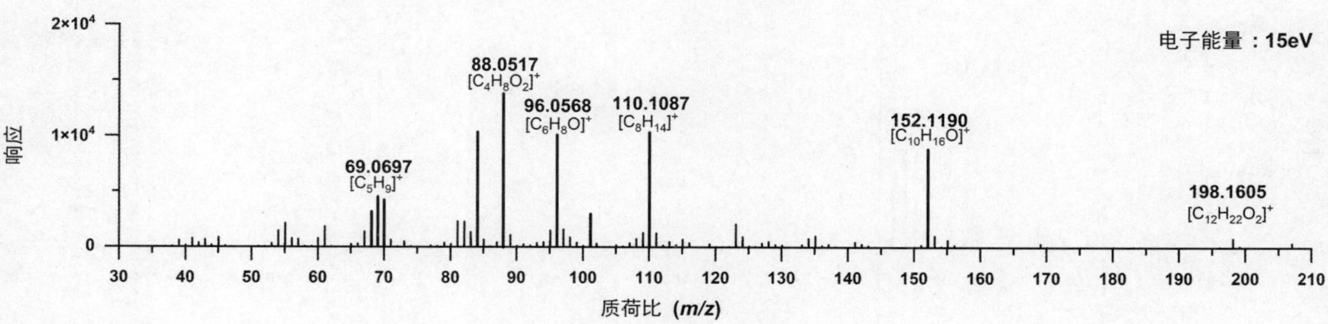

86

(*Z*)-9-十六碳烯酸乙酯

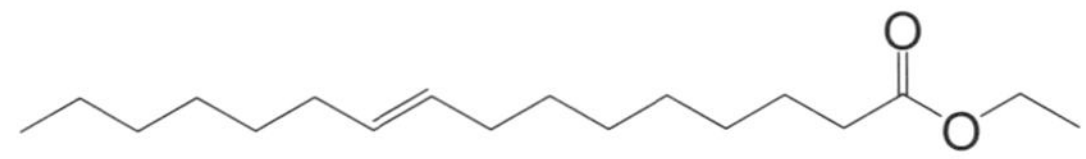

基本信息

CAS 登录号	56219-10-4	分子式	$C_{18}H_{34}O_2$	分子量	282.2553
保留指数（极性）	2296	保留指数（非极性）	1953	香气描述	水果香，甜香，蜡味

质谱图

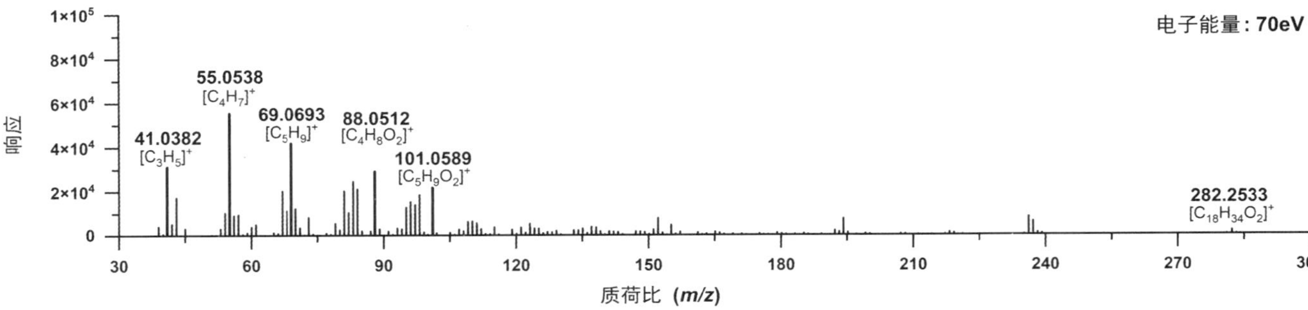

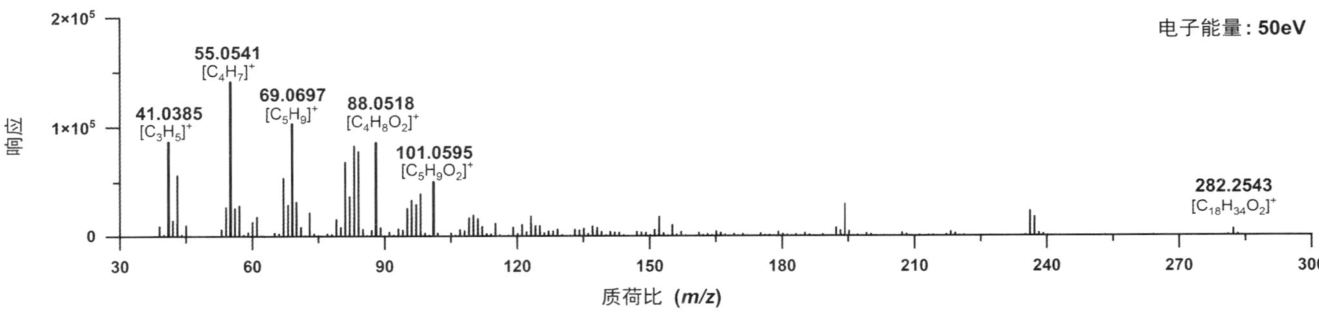

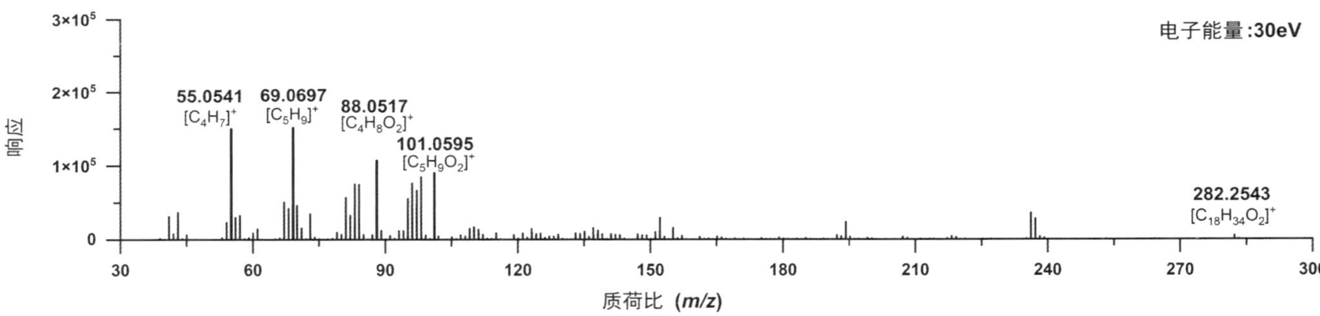

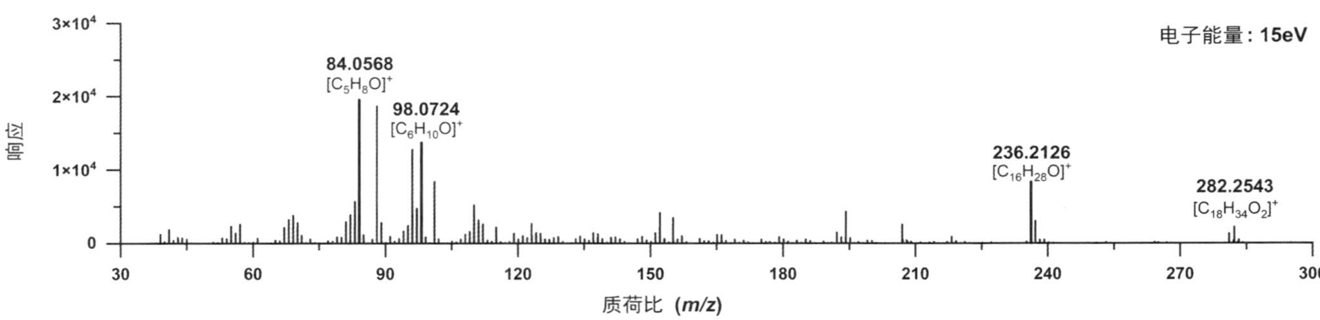

87 亚油酸甲酯

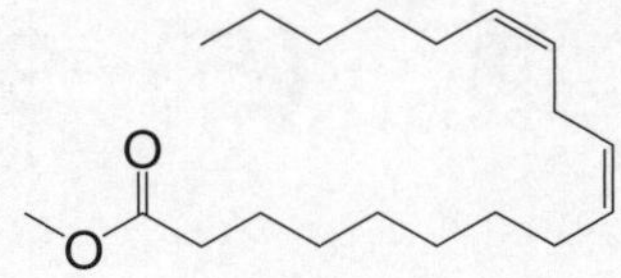

基本信息

CAS 登录号	112-63-0	分子式	$C_{19}H_{34}O_2$	分子量	294.2553
保留指数（极性）	>2400	保留指数（非极性）	2070	香气描述	水果香，甜香，蜡味

质谱图

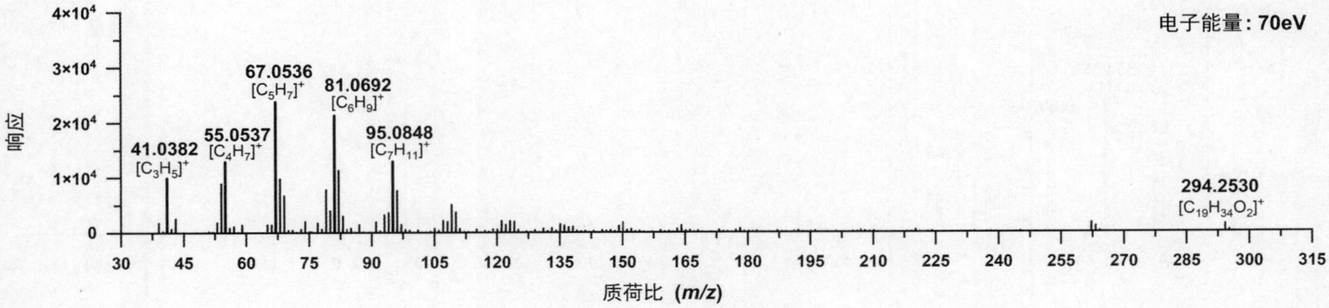

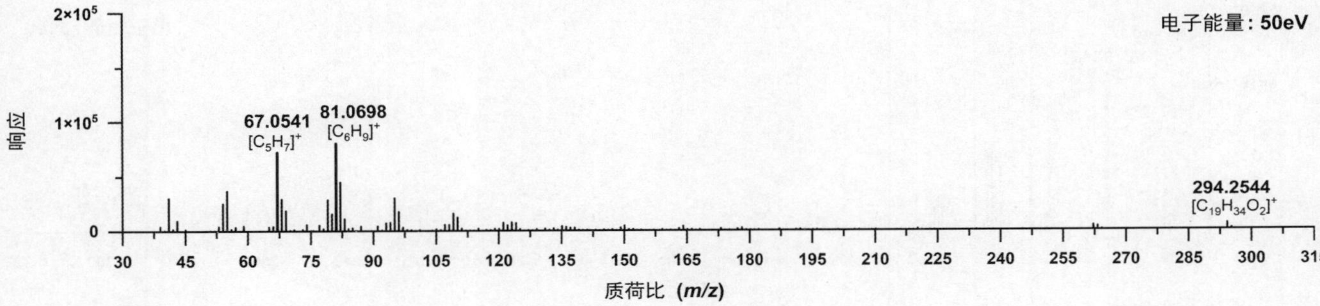

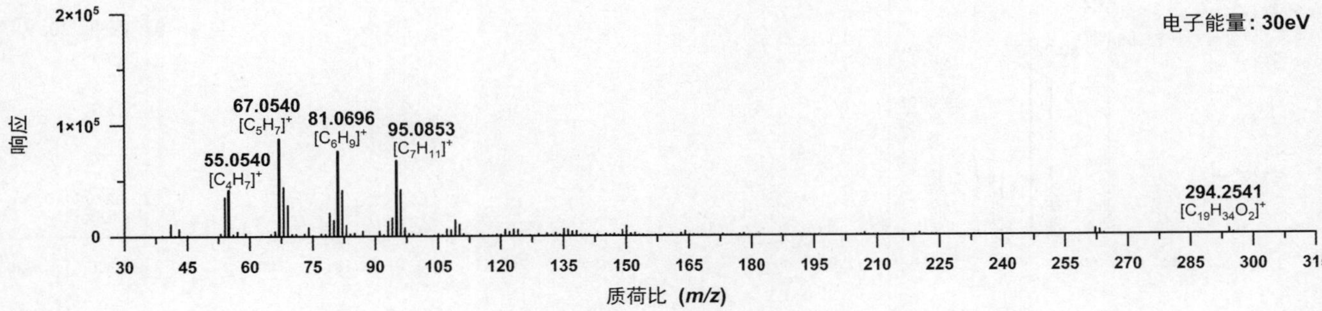

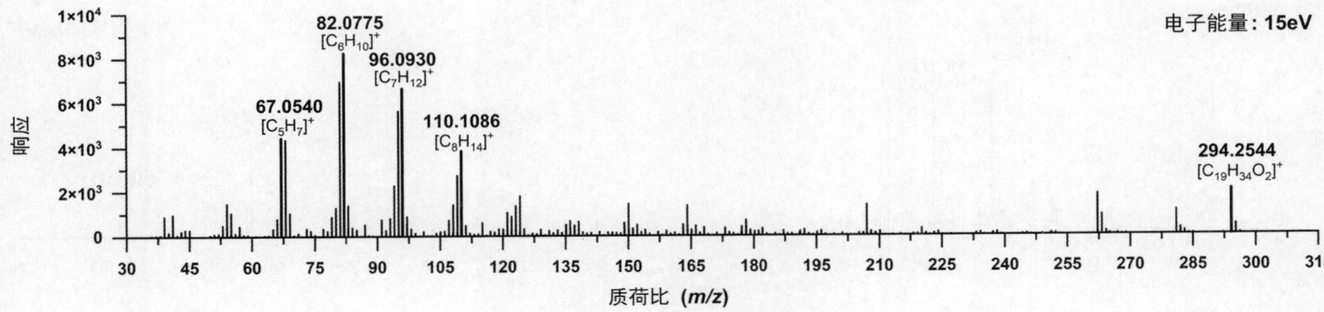

88 (*E*)-9-十八碳烯酸甲酯

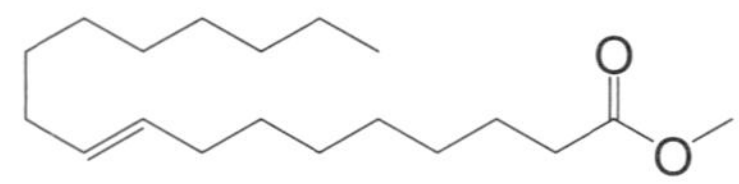

基本信息

CAS 登录号	1937-62-8	分子式	$C_{19}H_{36}O_2$	分子量	296.2710
保留指数（极性）	>2400	保留指数（非极性）	2086	香气描述	水果香，类似脂肪的气味，蜡味

质谱图

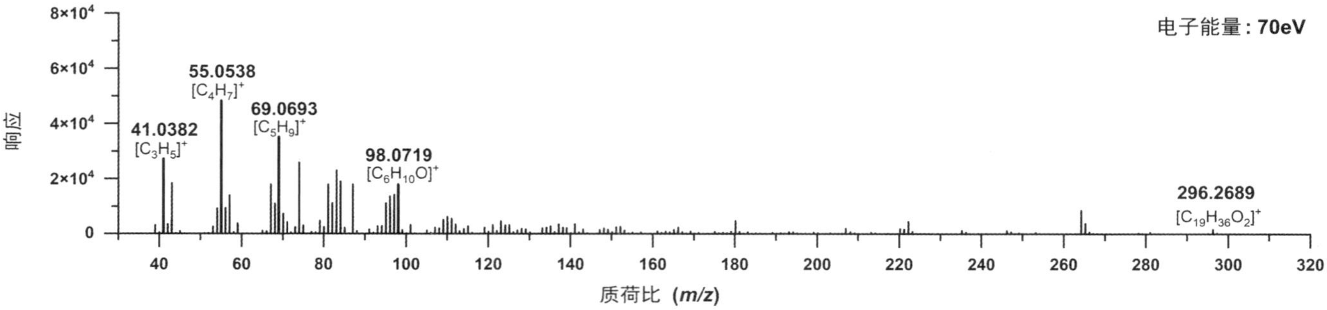

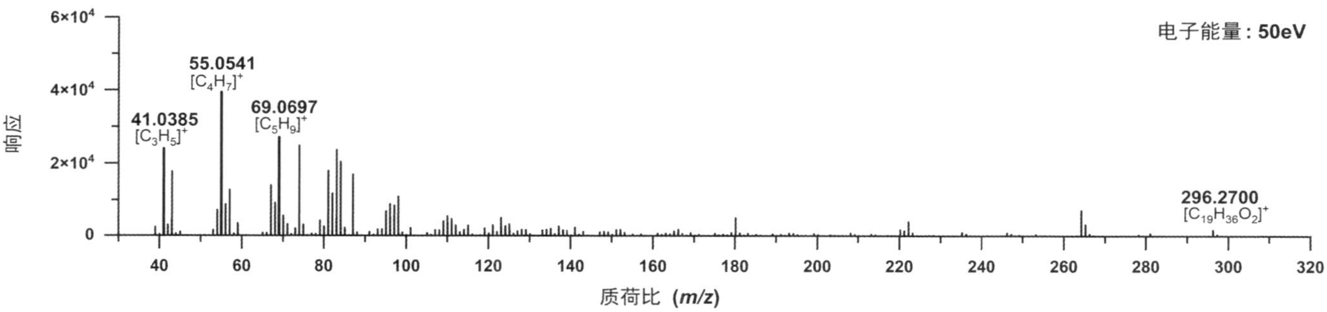

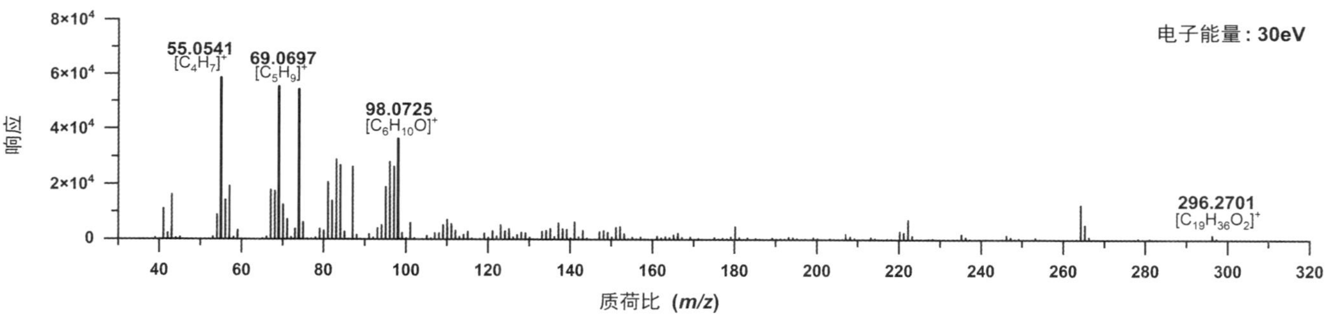

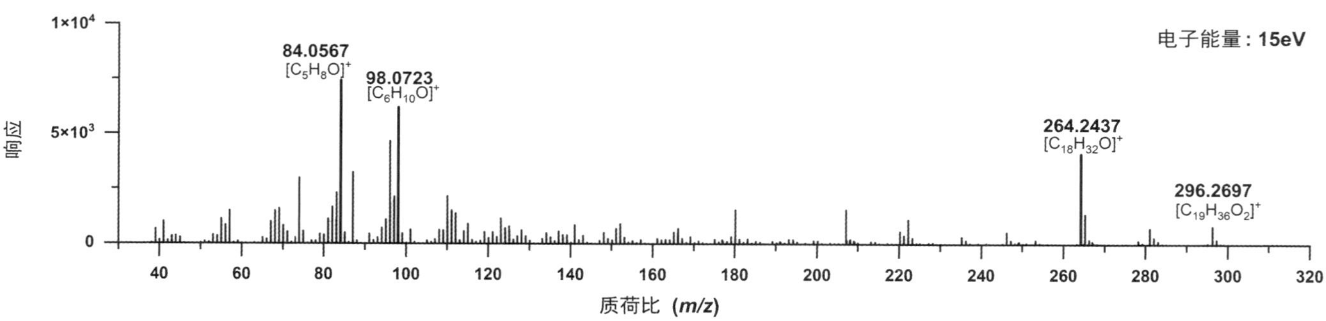

89 亚油酸乙酯

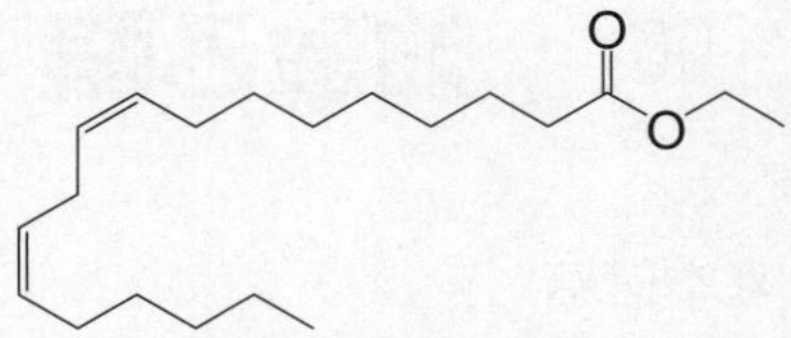

基本信息

CAS 登录号	544-35-4	分子式	$C_{20}H_{36}O_2$	分子量	308.2710
保留指数（极性）	>2400	保留指数（非极性）	2137	香气描述	水果香，类似脂肪的气味，蜡味

质谱图

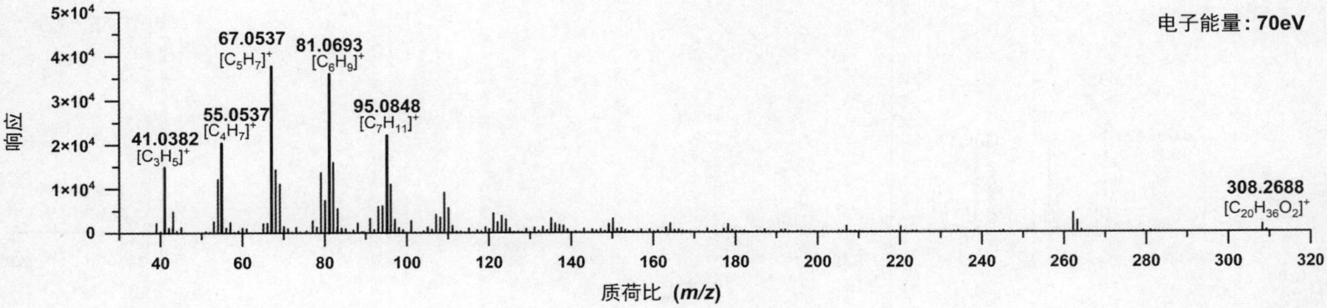

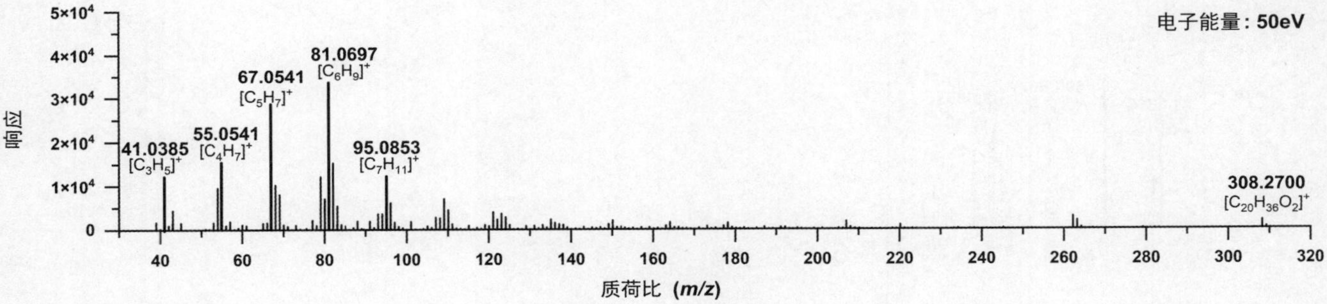

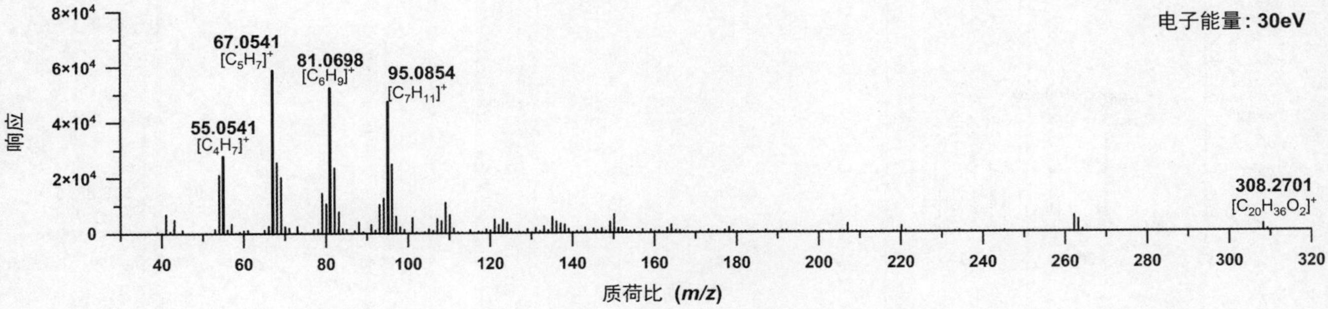

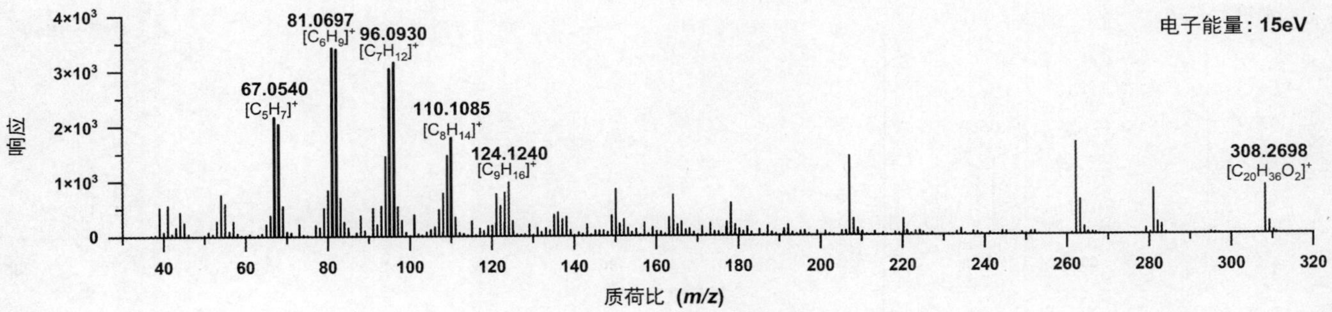

90 油酸乙酯

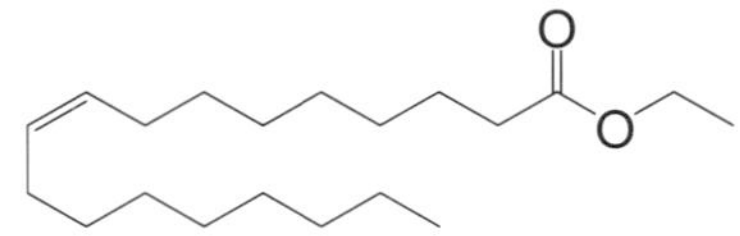

基本信息

CAS 登录号	111-62-6	分子式	$C_{20}H_{38}O_2$	分子量	310.2866
保留指数（极性）	>2400	保留指数（非极性）	2146	香气描述	水果香，类似脂肪的气味，蜡味

质谱图

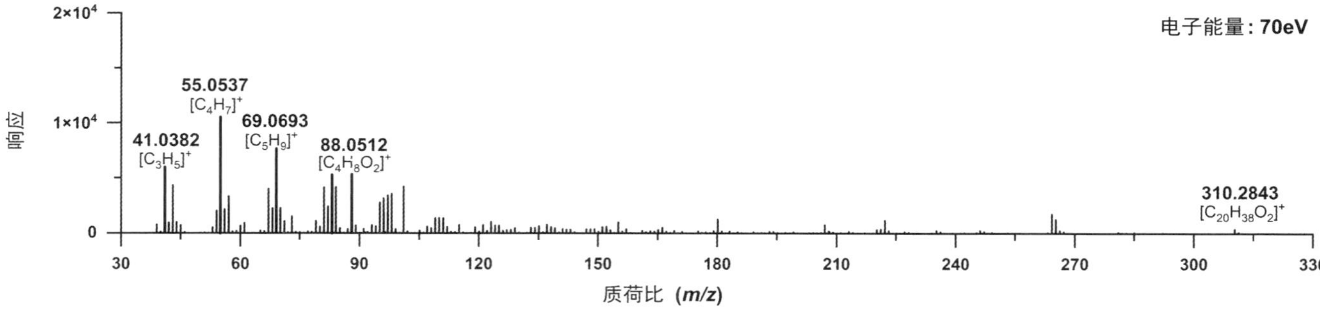

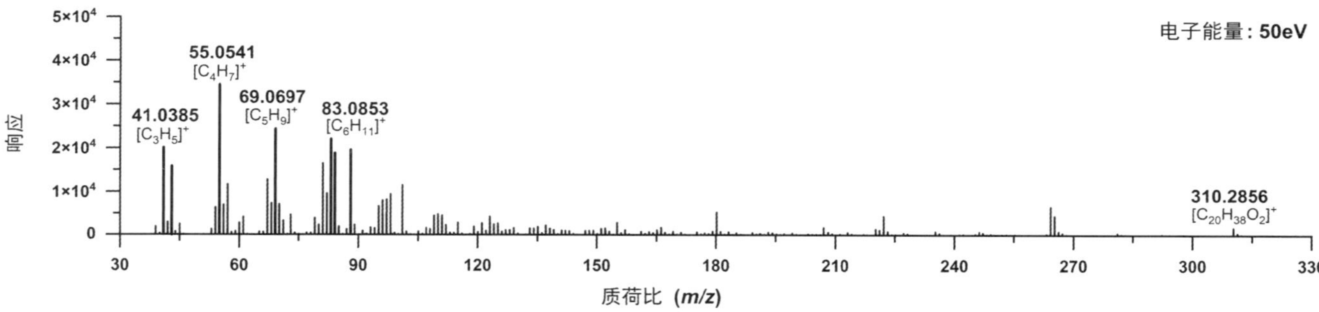

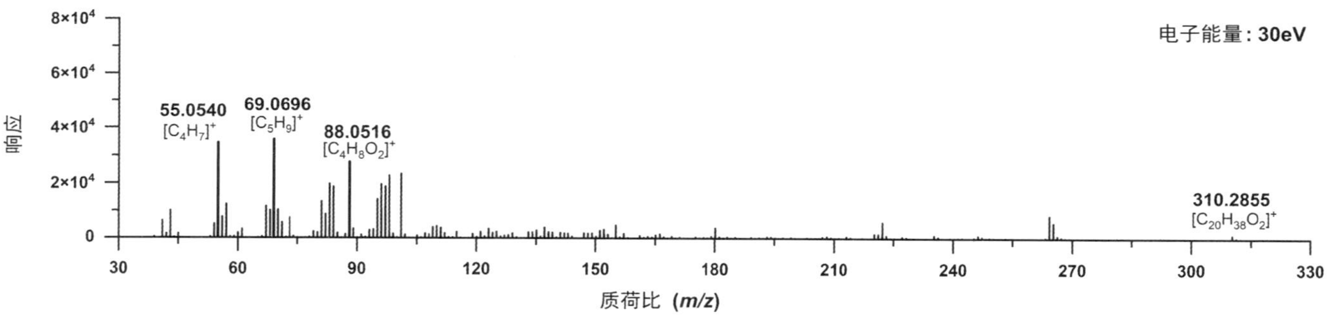

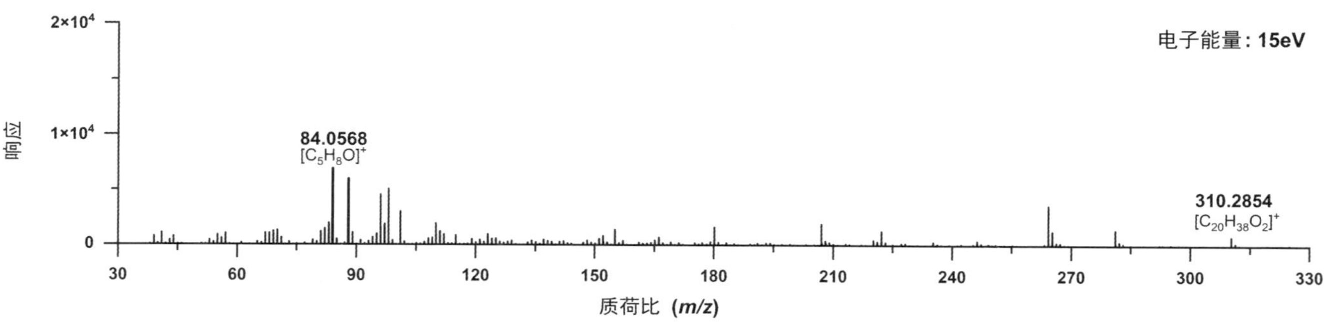

91 乙酰丙酸甲酯

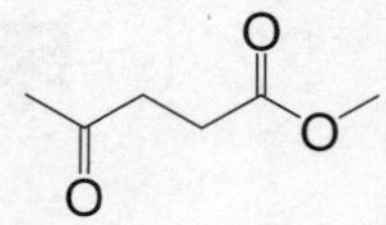

基本信息

CAS 登录号	624-45-3	分子式	$C_6H_{10}O_3$	分子量	130.0624
保留指数（极性）	1587	保留指数（非极性）	948	香气描述	水果香，甜香，类似指甲油的气味

质谱图

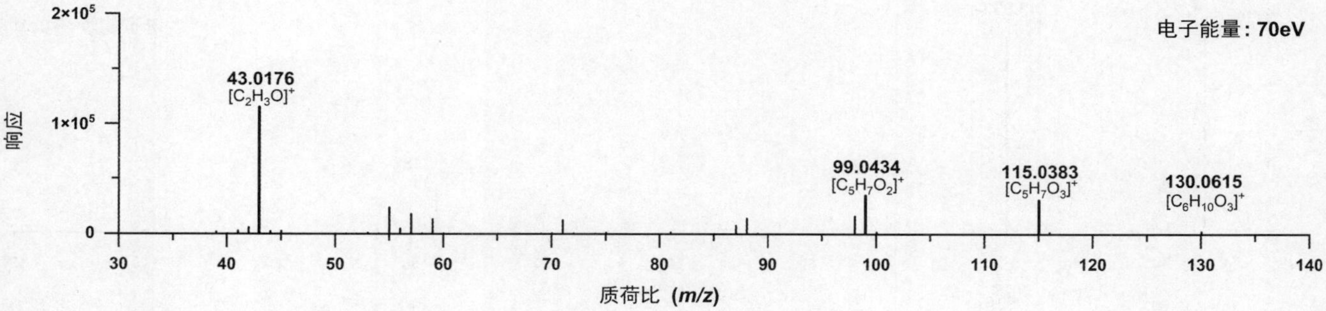

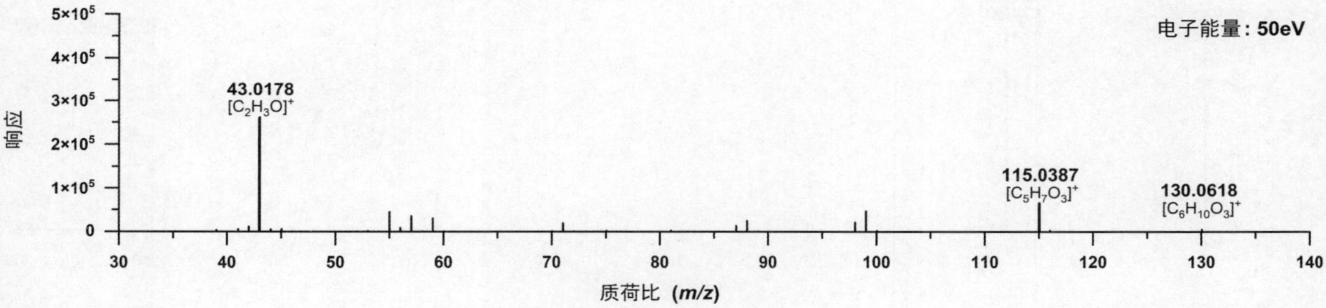

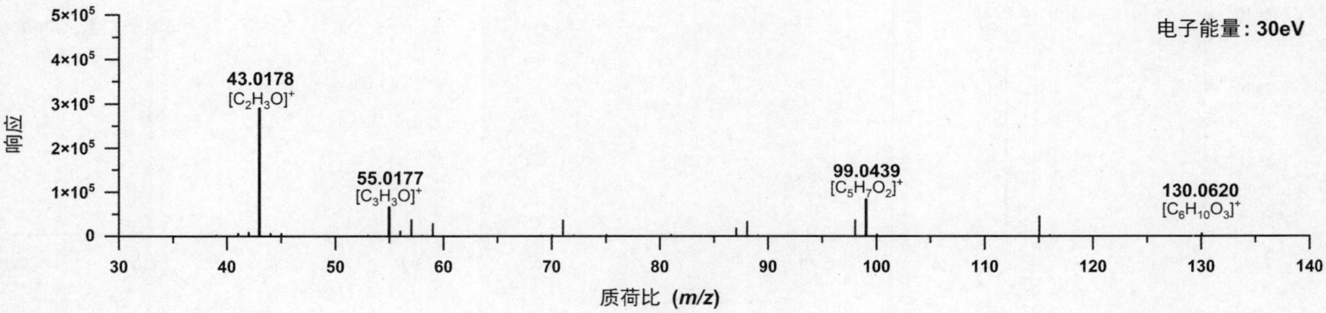

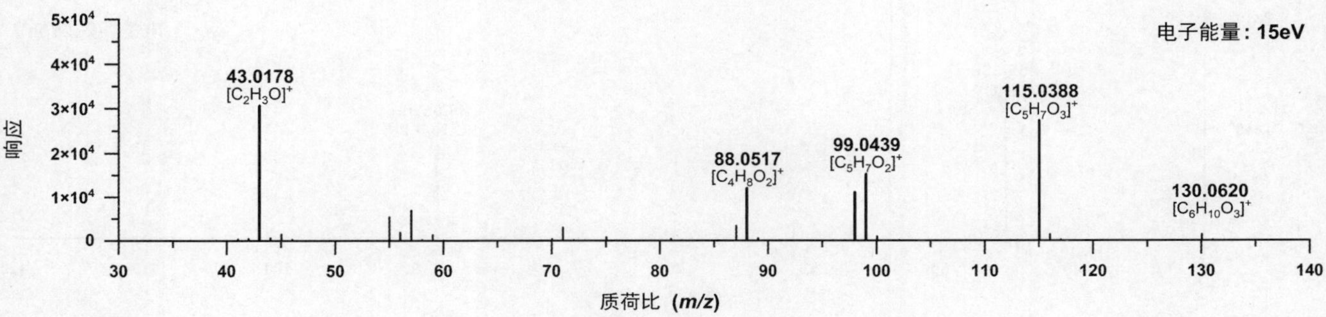

92 甲氧基乙酸乙酯

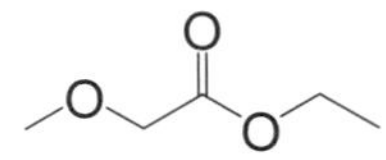

基本信息

CAS 登录号	3938-96-3	分子式	$C_5H_{10}O_3$	分子量	118.0630
保留指数（极性）	1250	保留指数（非极性）	819	香气描述	甜香，水果香，像乙醚的气味

质谱图

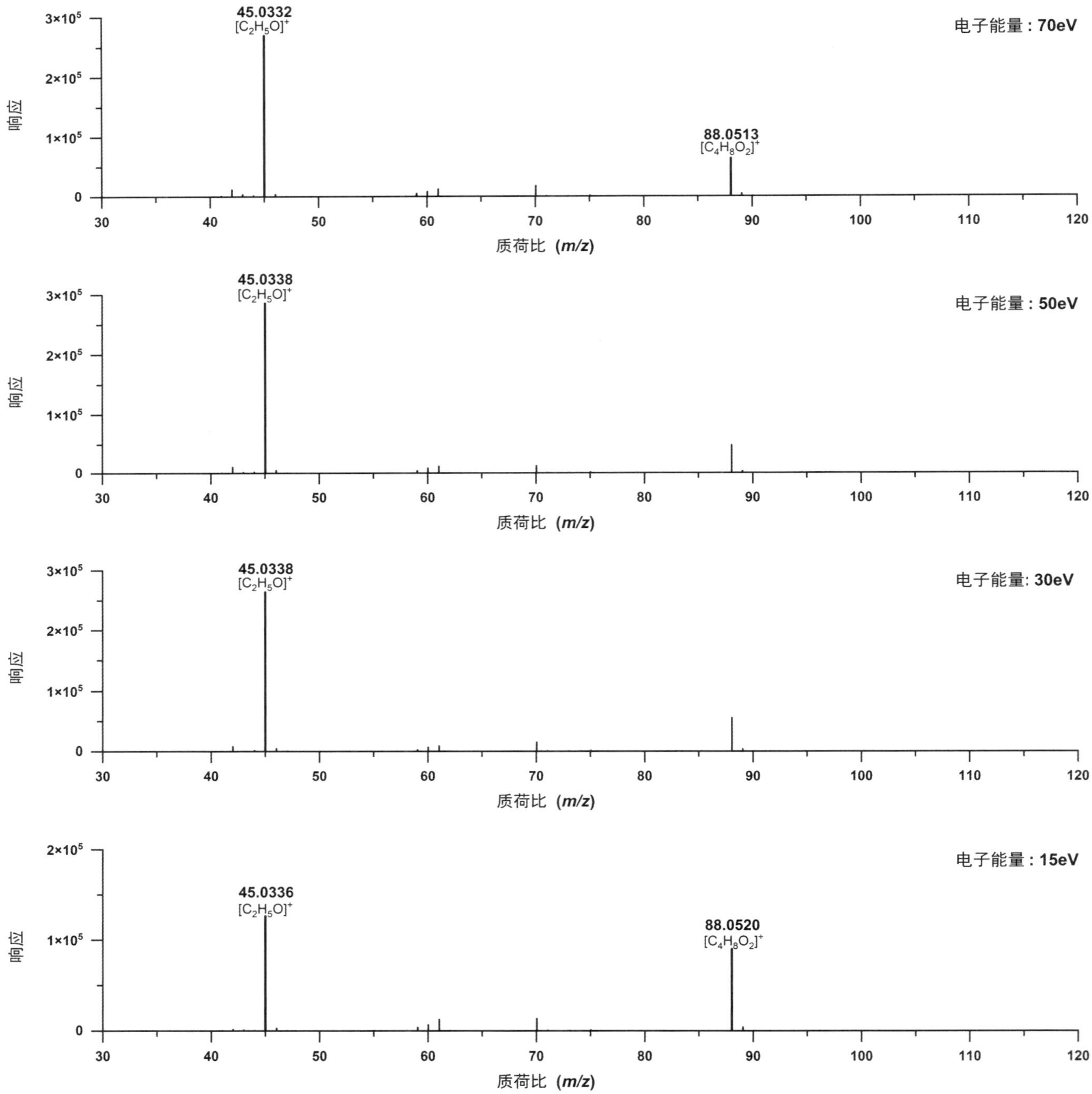

93 乙酰乙酸乙酯

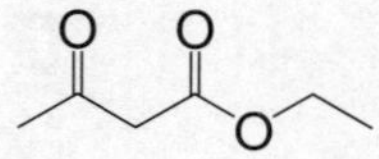

基本信息

CAS 登录号	141-97-9	分子式	$C_6H_{10}O_3$	分子量	130.0624
保留指数（极性）	1472	保留指数（非极性）	912	香气描述	水果香，甜香，类似指甲油的气味

质谱图

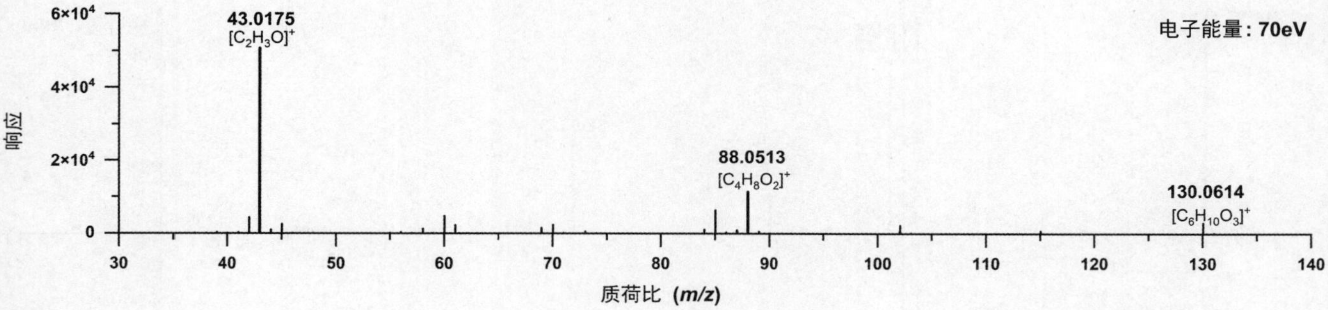

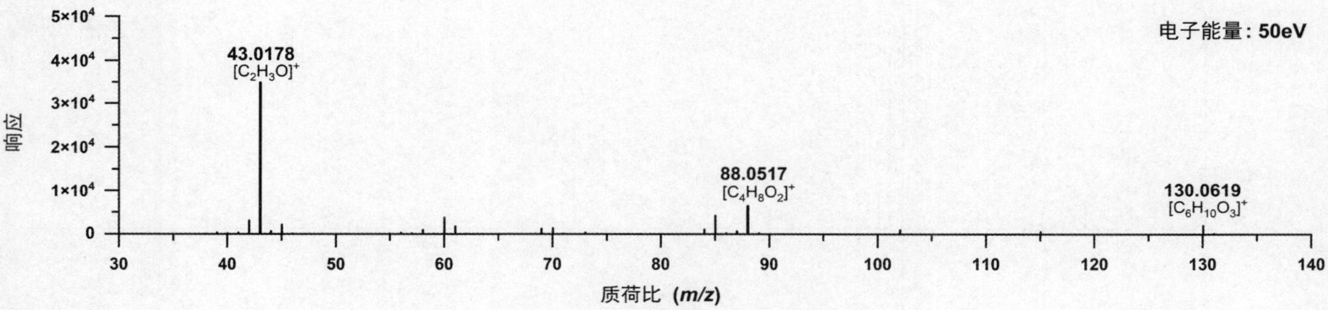

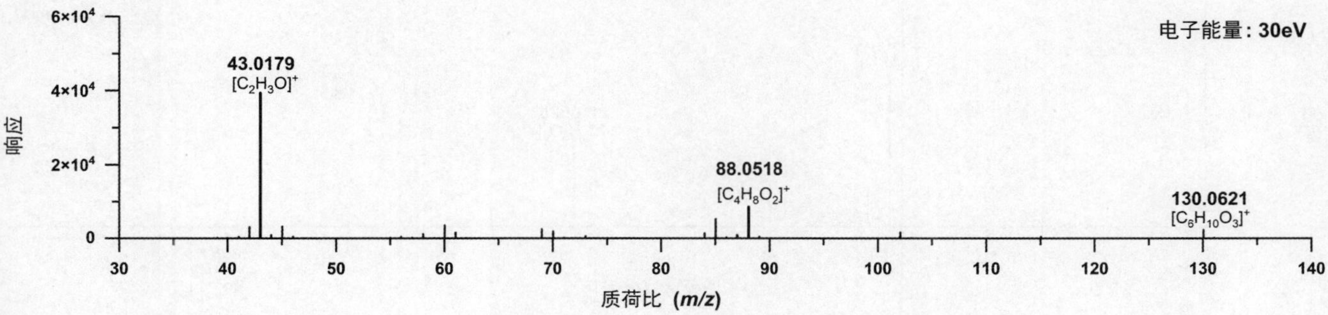

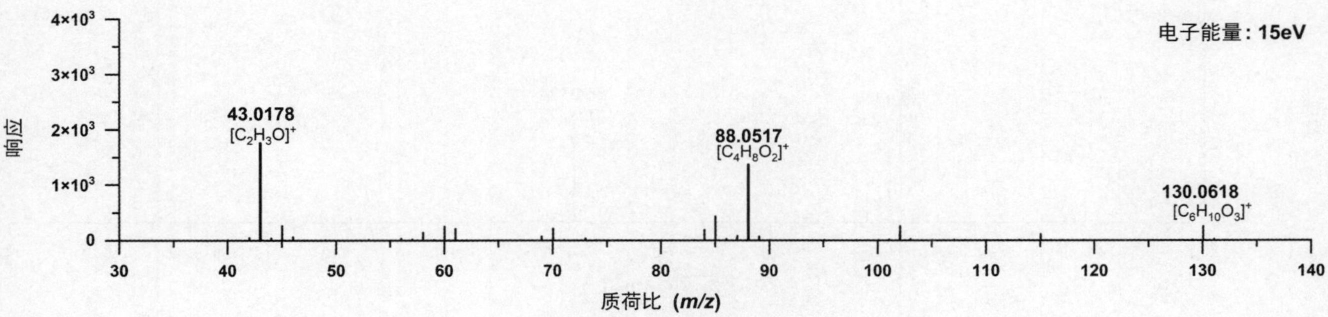

94 2-乙氧基乙酸乙酯

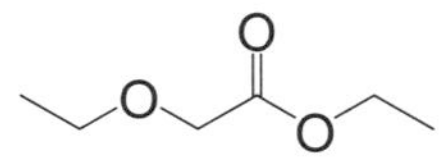

基本信息

CAS 登录号	817-95-8	分子式	$C_6H_{12}O_3$	分子量	132.0786
保留指数（极性）	1294	保留指数（非极性）	888	香气描述	水果香，甜香，类似溶剂的气味

质谱图

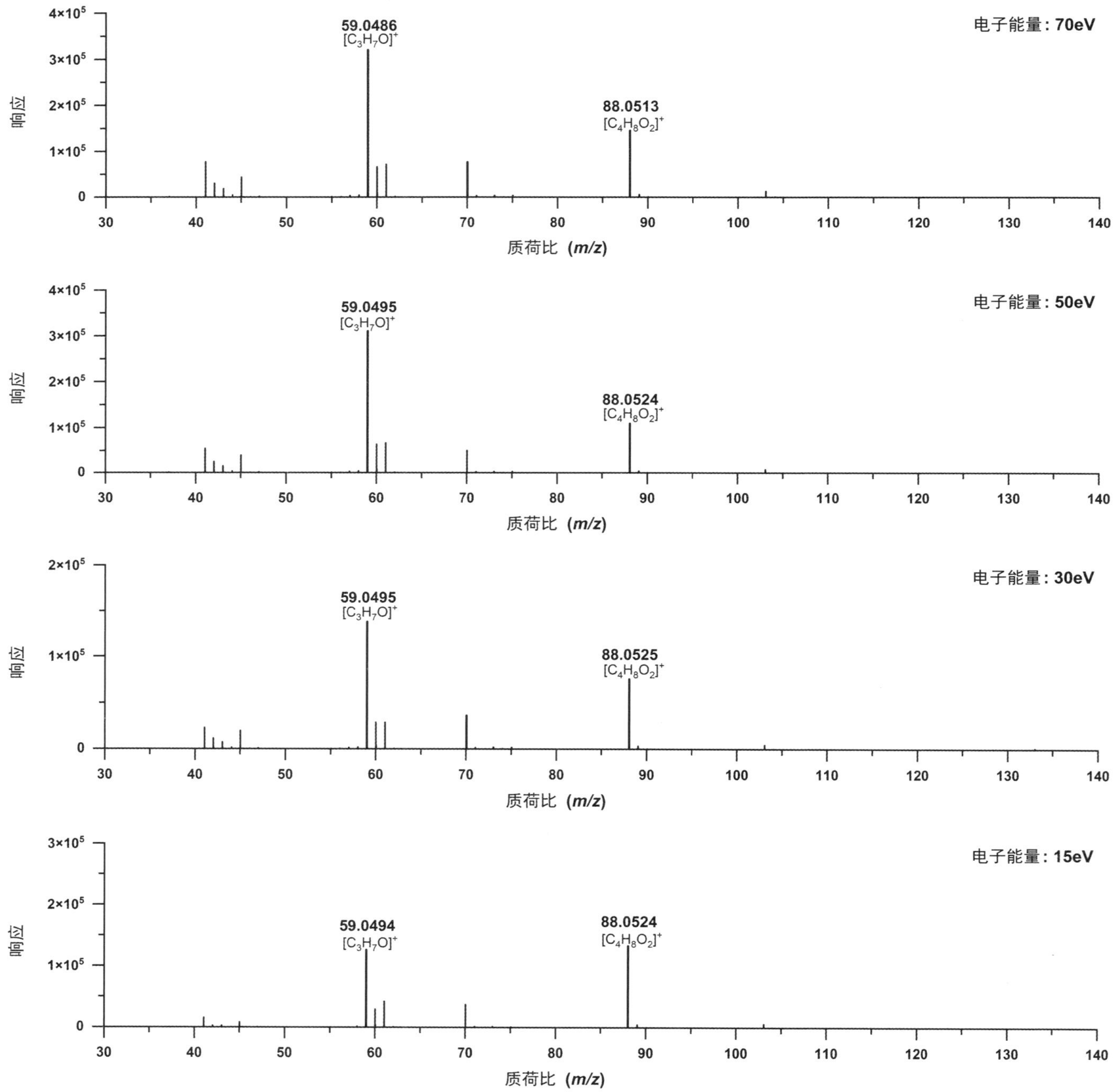

95 乙酰丙酸乙酯

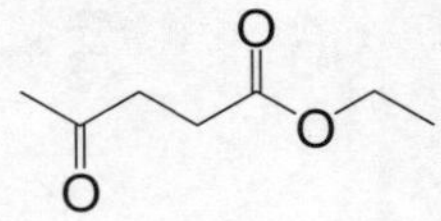

基本信息

CAS 登录号	539-88-8	分子式	$C_7H_{12}O_3$	分子量	144.0781
保留指数（极性）	1627	保留指数（非极性）	1023	香气描述	水果香，甜香，蜡味

质谱图

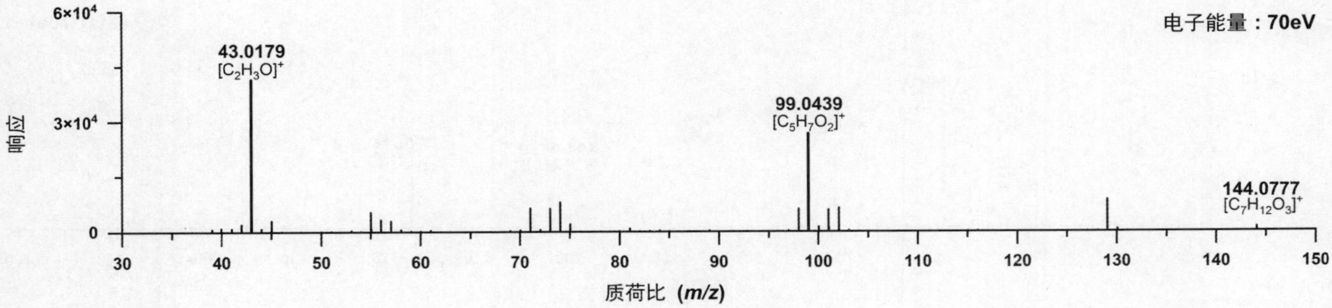

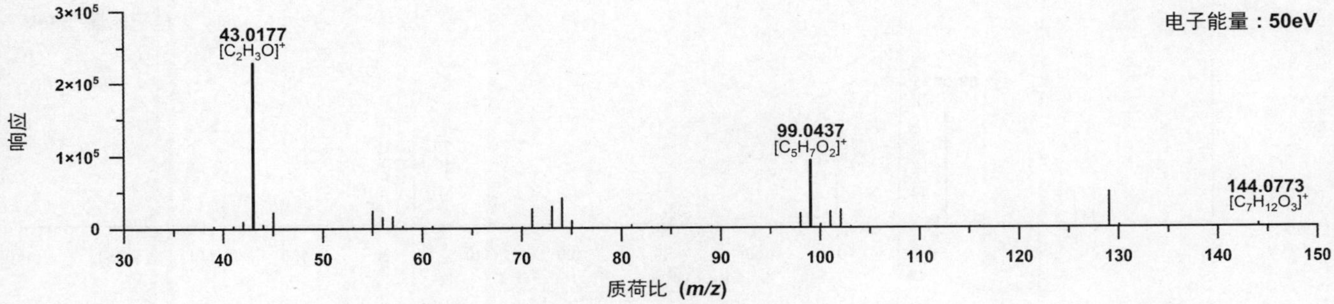

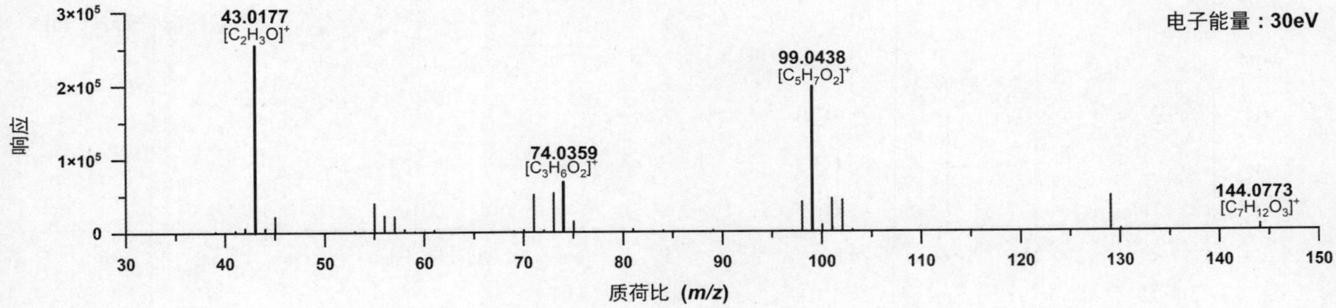

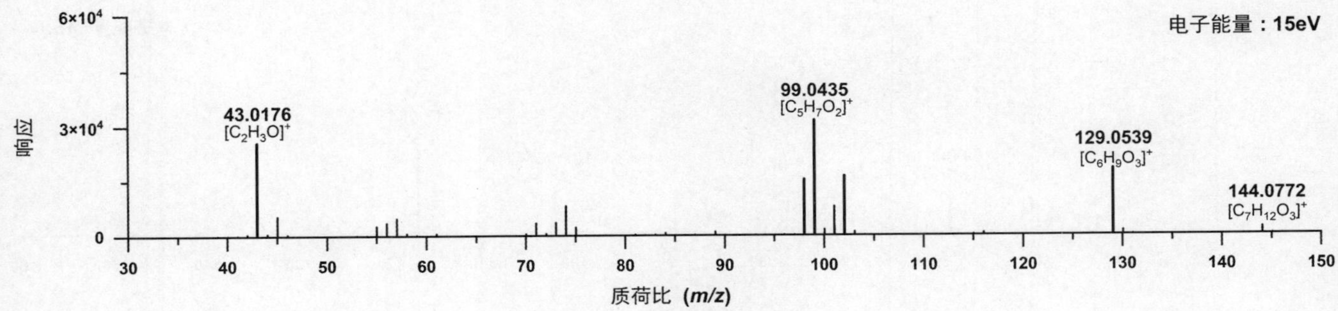

96 3-乙氧基丙酸乙酯

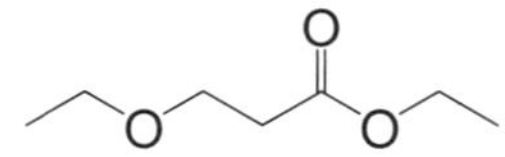

基本信息

CAS 登录号	763-69-9	分子式	$C_7H_{14}O_3$	分子量	146.0943
保留指数（极性）	1338	保留指数（非极性）	963	香气描述	甜香，水果，像乙醚的气味

质谱图

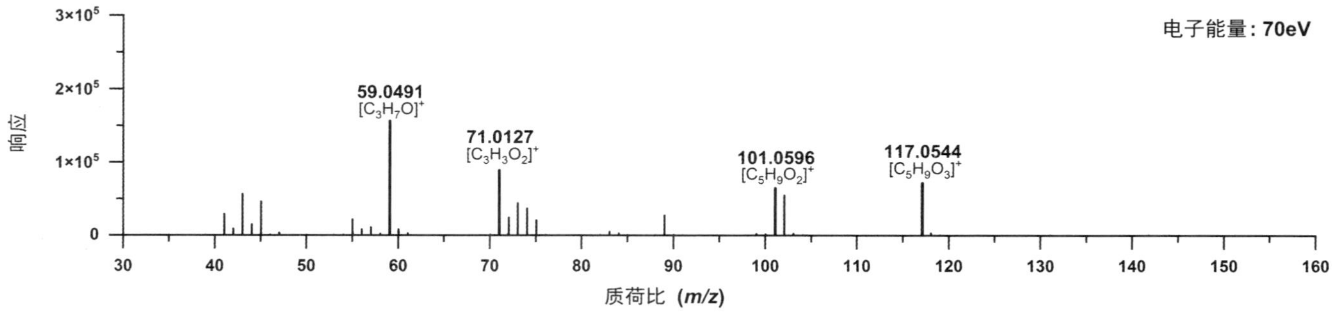

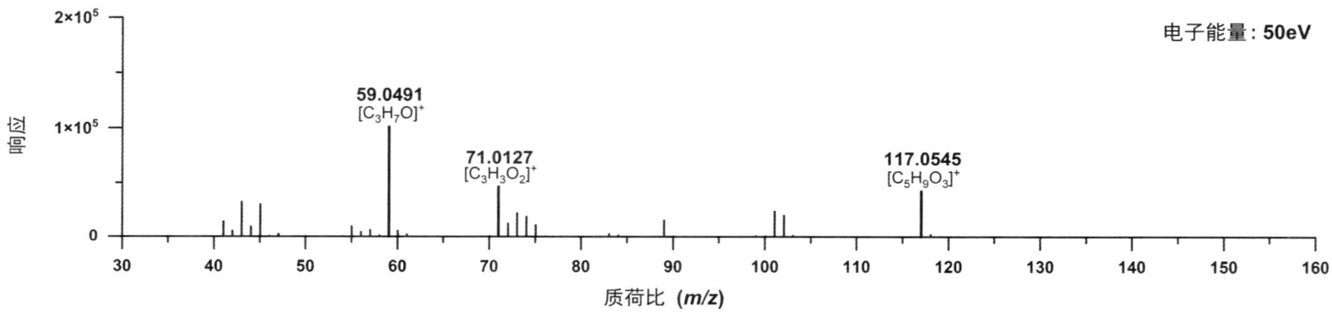

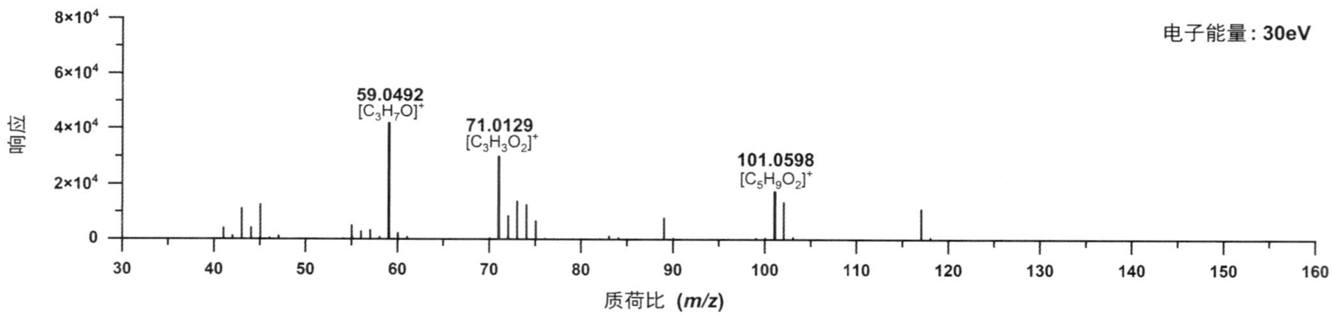

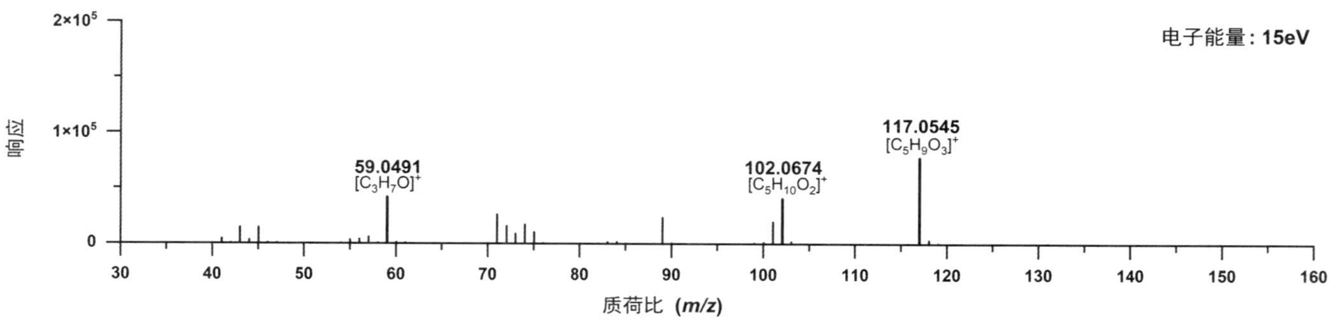

97

4-乙酰基丁酸乙酯

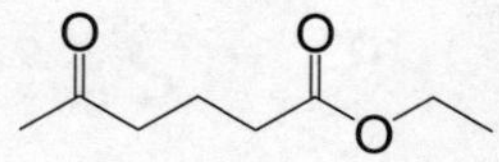

基本信息

CAS 登录号	13984-57-1	分子式	$C_8H_{14}O_3$	分子量	158.0937
保留指数（极性）	1747	保留指数（非极性）	1129	香气描述	水果香，甜香，类似乙醚的气味

质谱图

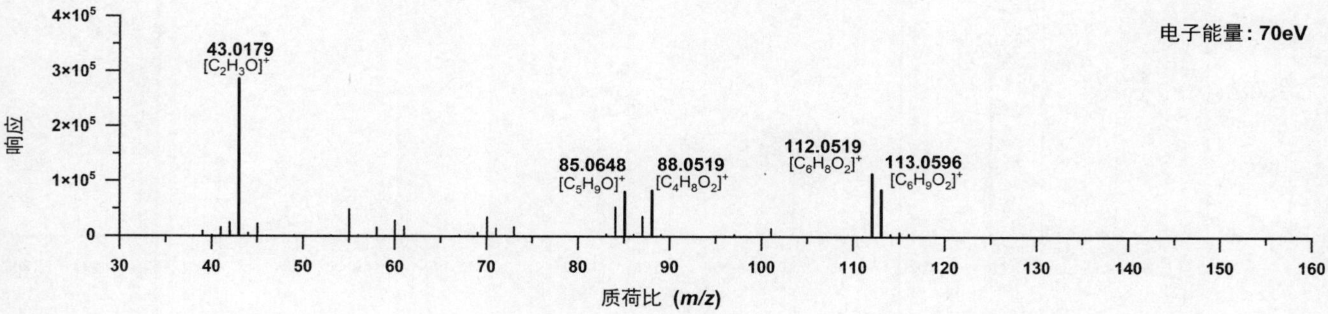

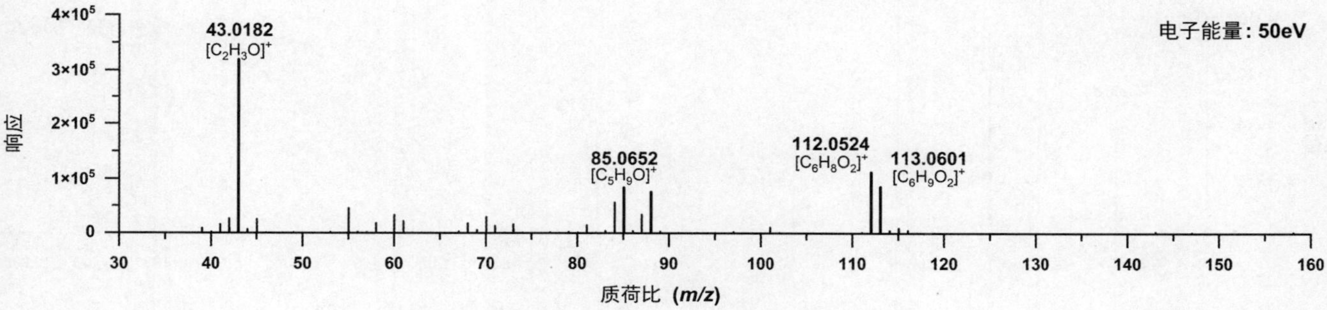

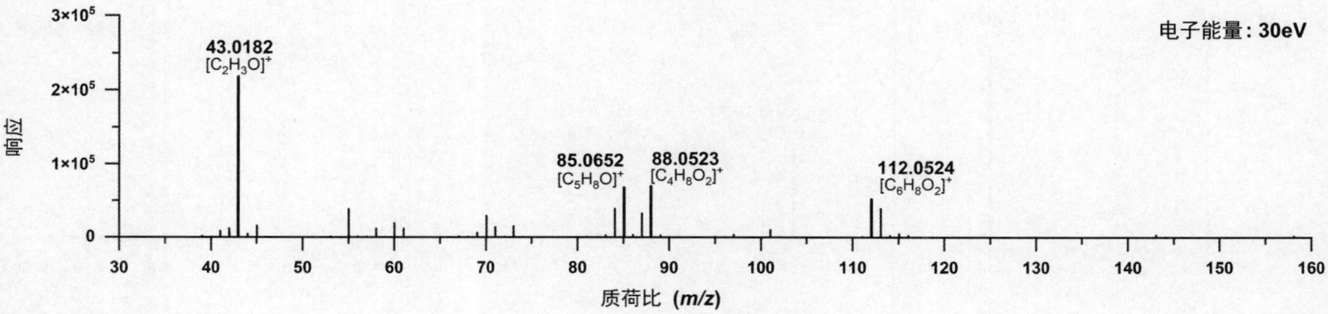

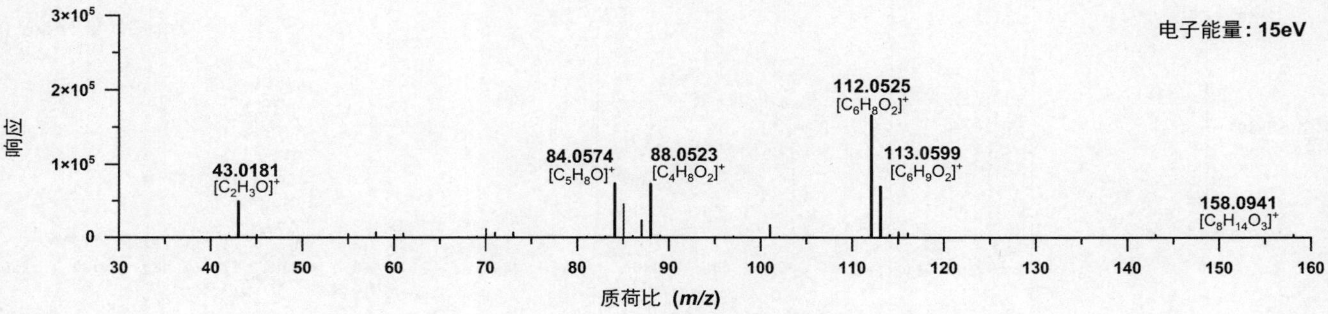

98

2,2-二乙氧基丙酸乙酯

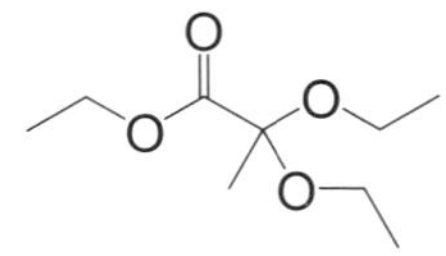

基本信息

CAS 登录号	7476-20-2	分子式	$C_9H_{18}O_4$	分子量	190.1205
保留指数（极性）	1427	保留指数（非极性）	1081	香气描述	甜香，水果香，乙醚的气味

质谱图

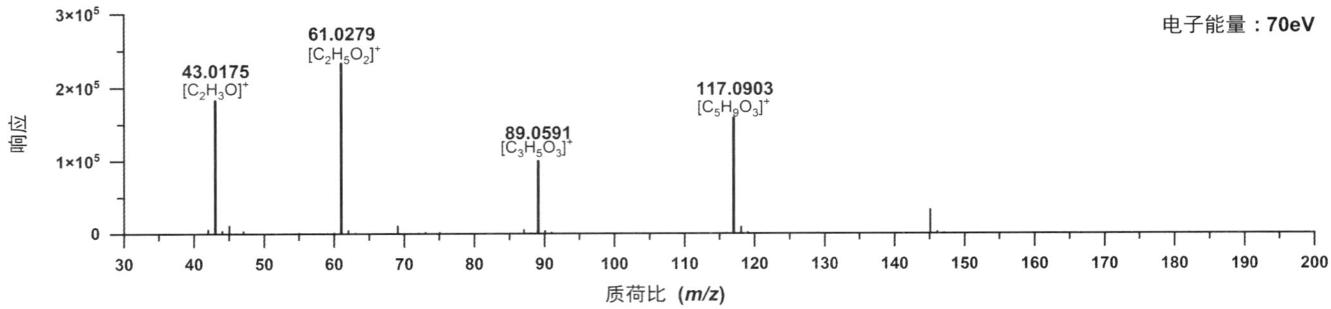

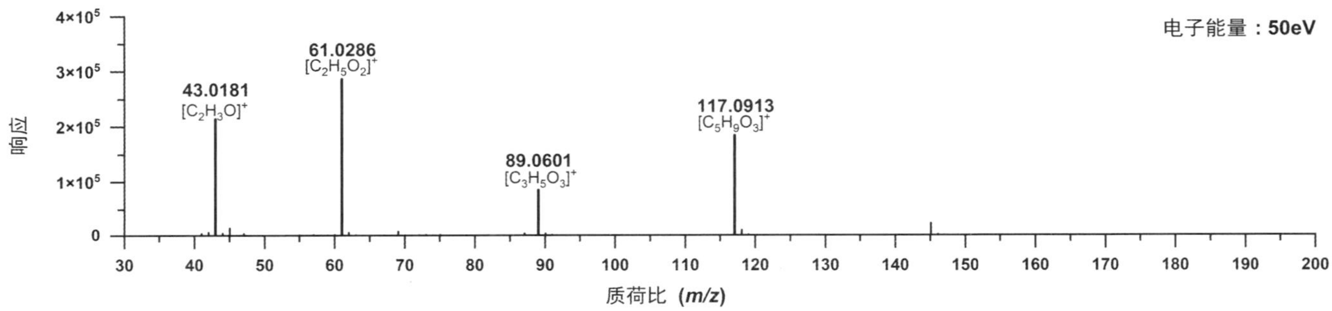

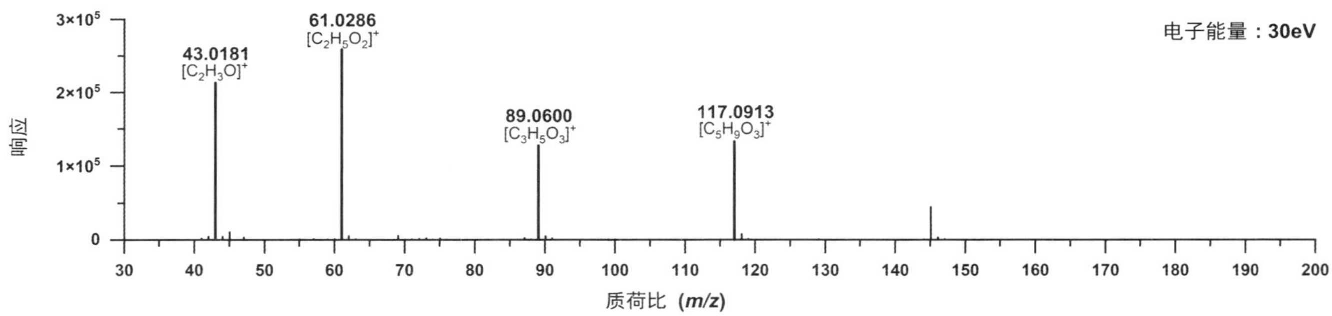

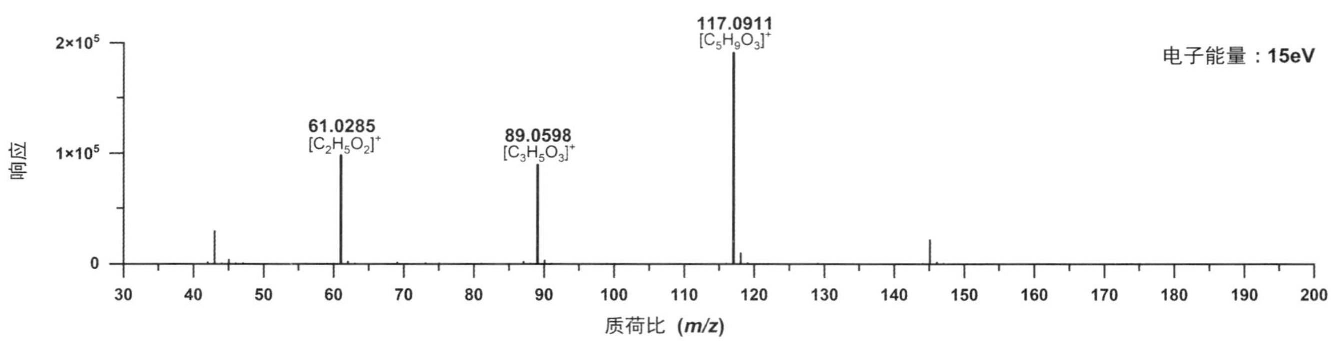

99 3,3–二乙氧基丙酸乙酯

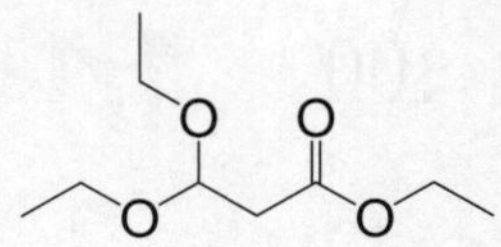

基本信息

CAS 登录号	10601-80-6	分子式	$C_9H_{18}O_4$	分子量	190.1205
保留指数（极性）	1526	保留指数（非极性）	1138	香气描述	甜香，水果香，乙醚的气味

质谱图

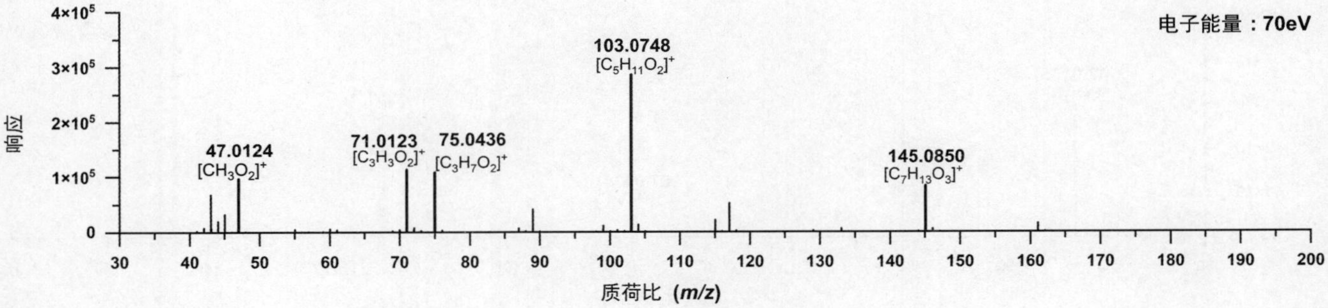

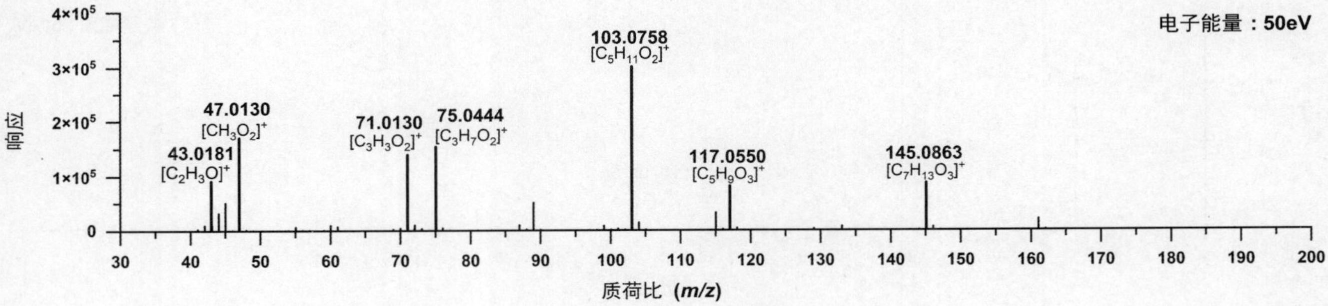

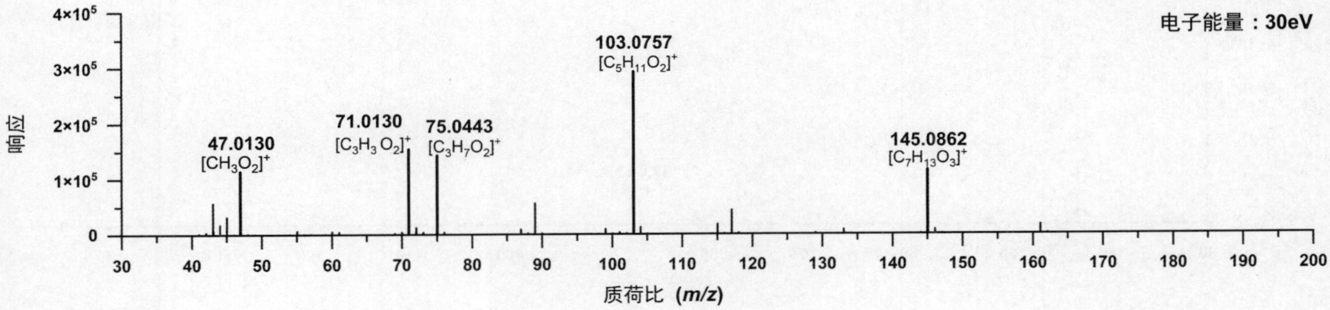

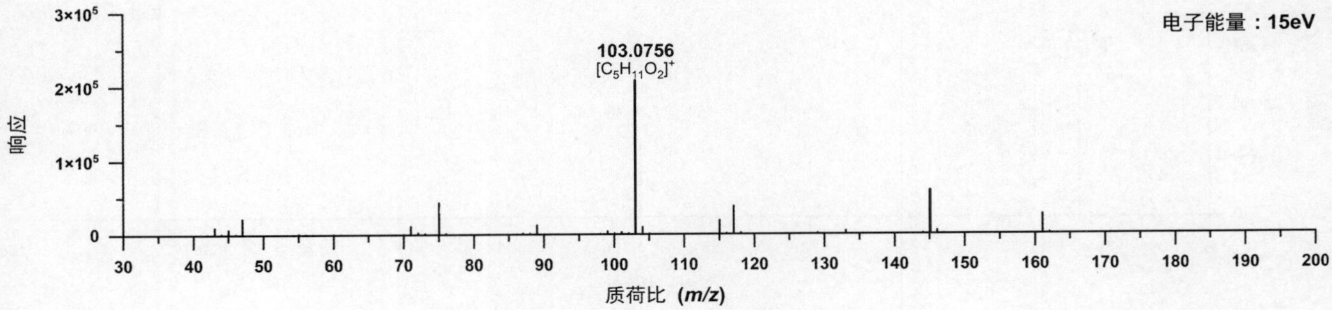

100 1,1-乙二醇二乙酸酯

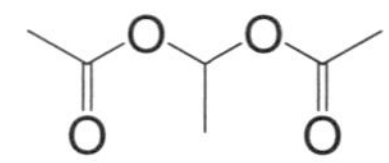

基本信息

CAS 登录号	542-10-9	分子式	$C_6H_{10}O_4$	分子量	146.0579
保留指数（极性）	1376	保留指数（非极性）	880	香气描述	甜香，水果香，类似溶剂的气味

质谱图

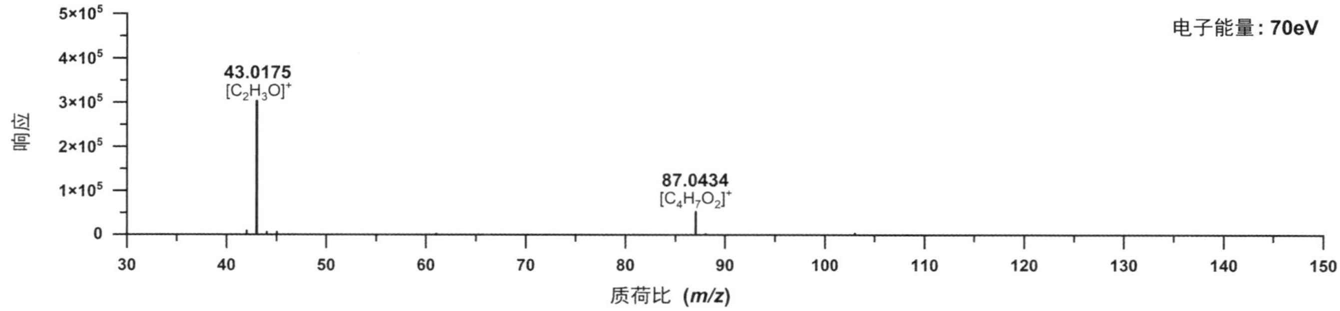

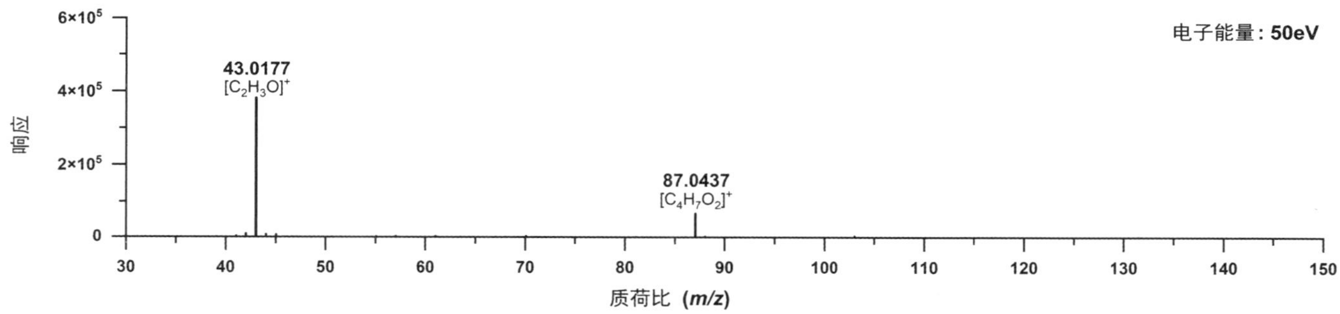

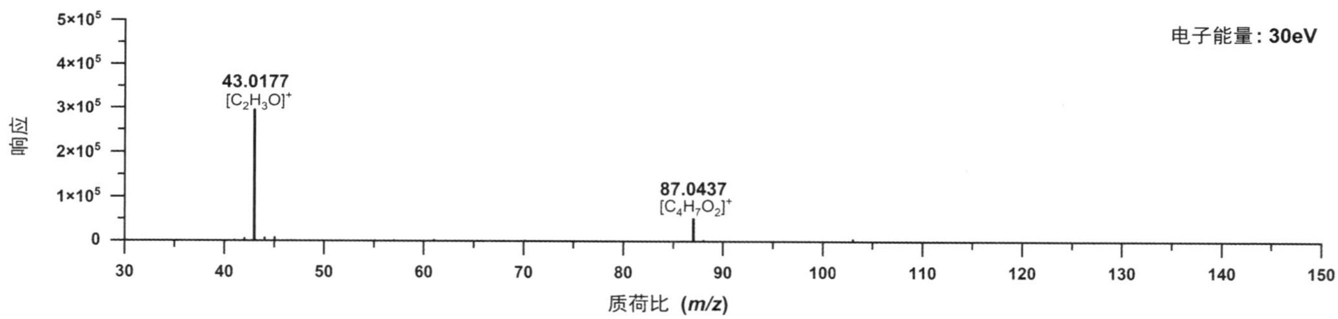

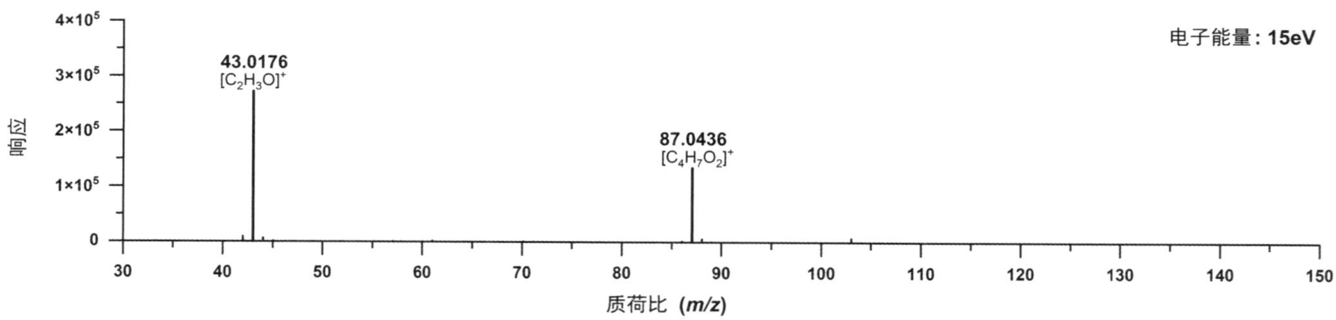

101 丙二酸二乙酯

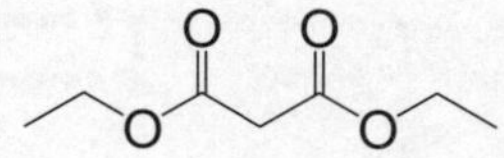

基本信息

CAS 登录号	105-53-3	分子式	$C_7H_{12}O_4$	分子量	160.0730
保留指数（极性）	1583	保留指数（非极性）	1036	香气描述	甜香，水果香

质谱图

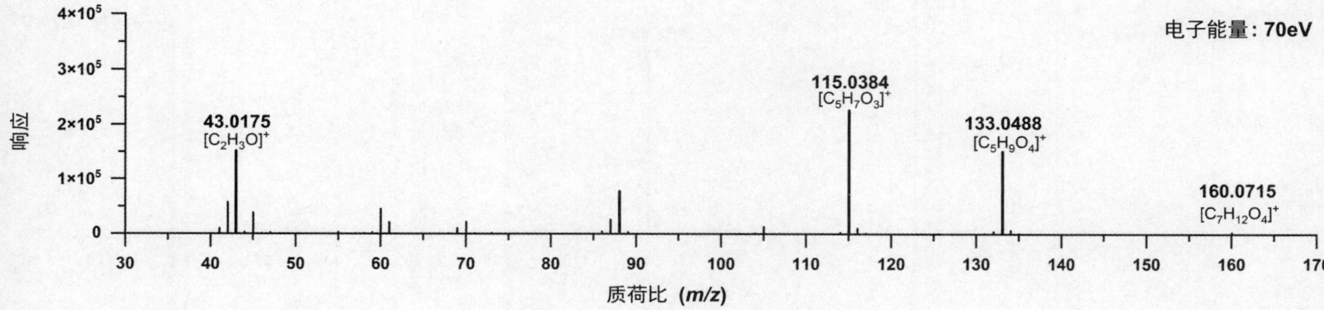

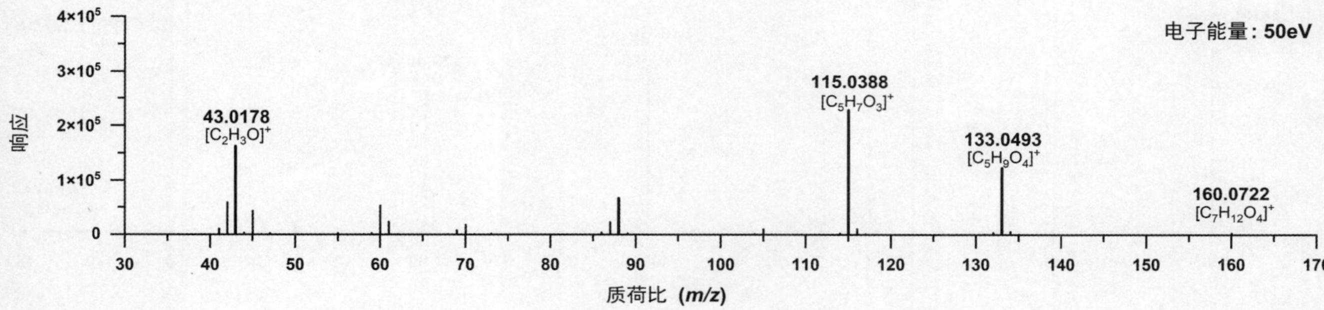

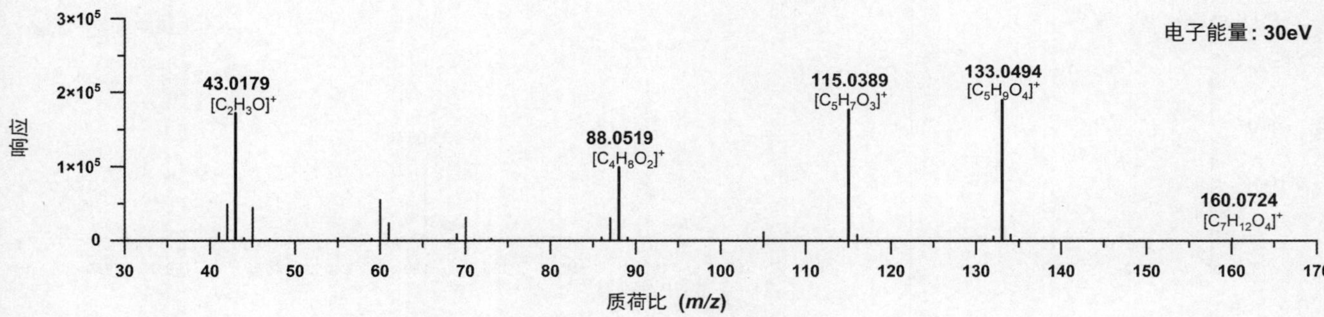

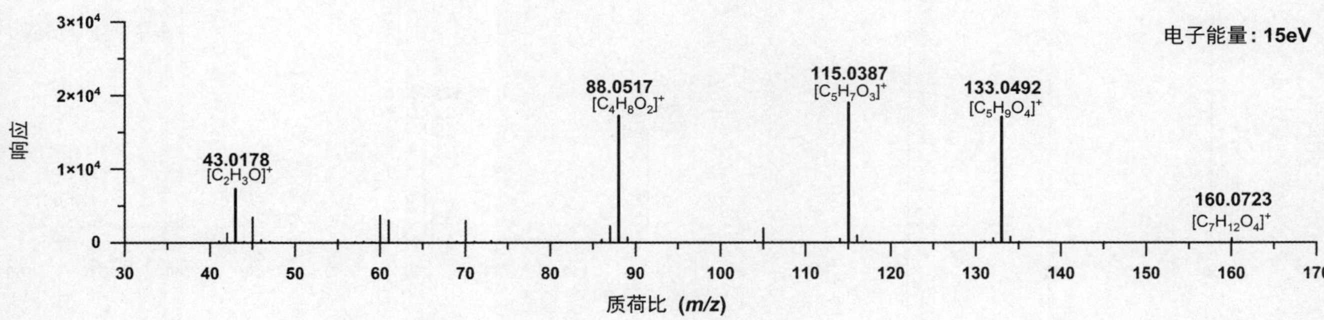

102 丁二酸二乙酯

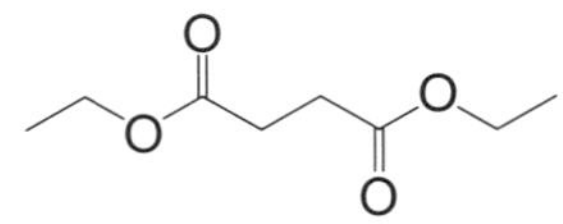

基本信息

CAS 登录号	123-25-1	分子式	$C_8H_{14}O_4$	分子量	174.0887
保留指数（极性）	1686	保留指数（非极性）	1147	香气描述	水果香，甜香，蜡味

质谱图

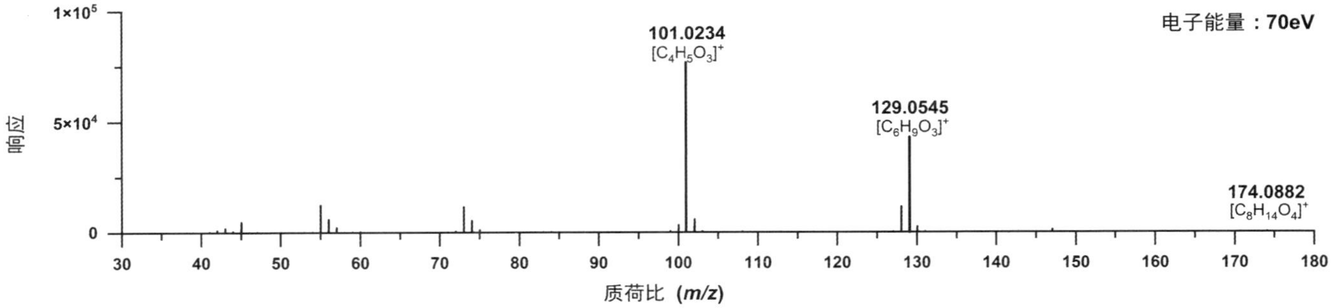

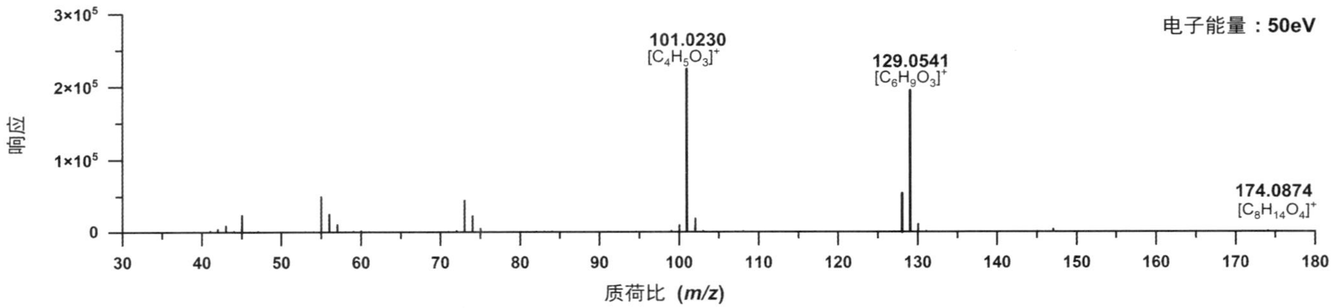

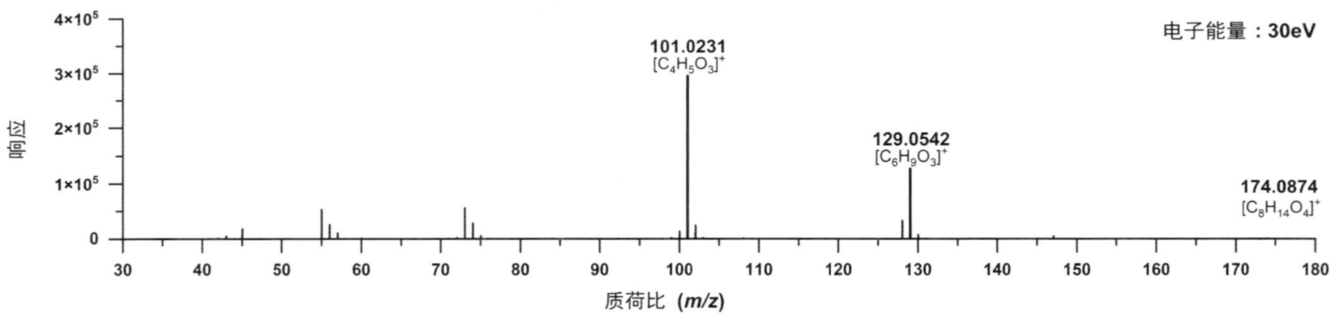

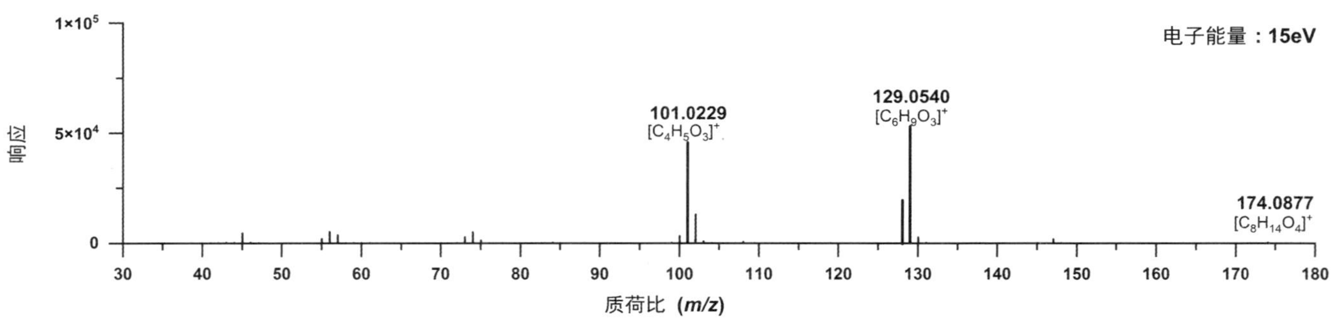

103 烟酸乙酯

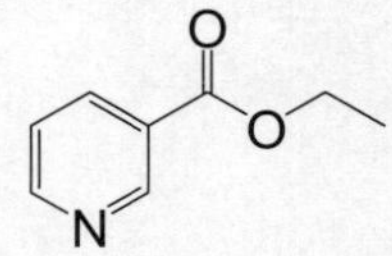

基本信息

CAS 登录号	614-18-6	分子式	$C_8H_9NO_2$	分子量	151.0628
保留指数（极性）	1856	保留指数（非极性）	1182	香气描述	类似烟草的气味，甜香，水果香

质谱图

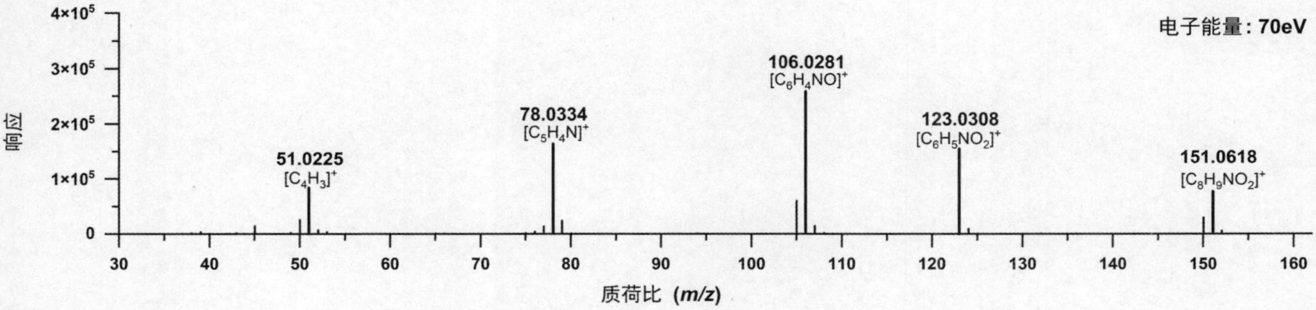

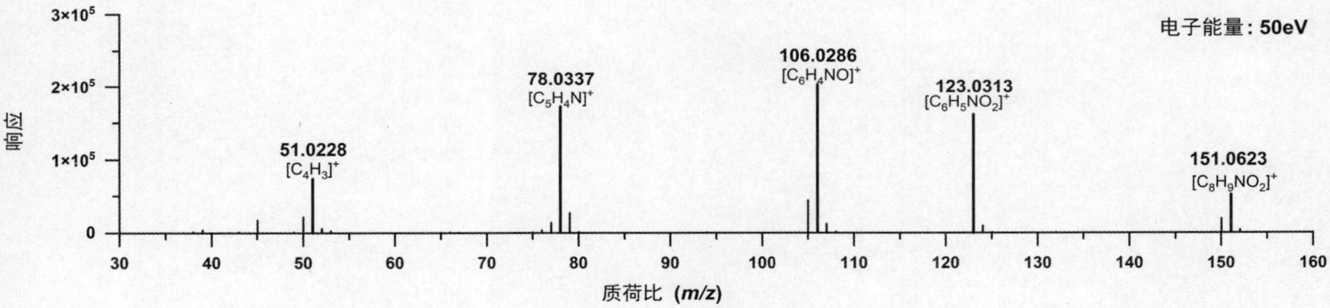

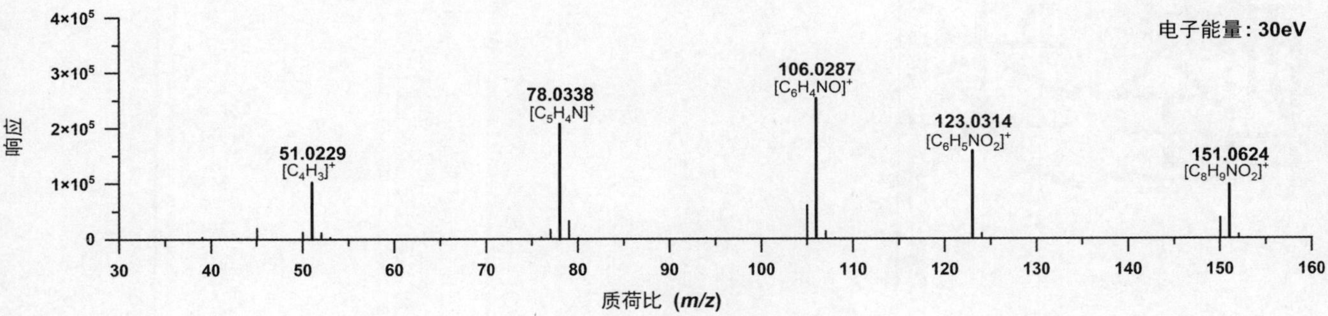

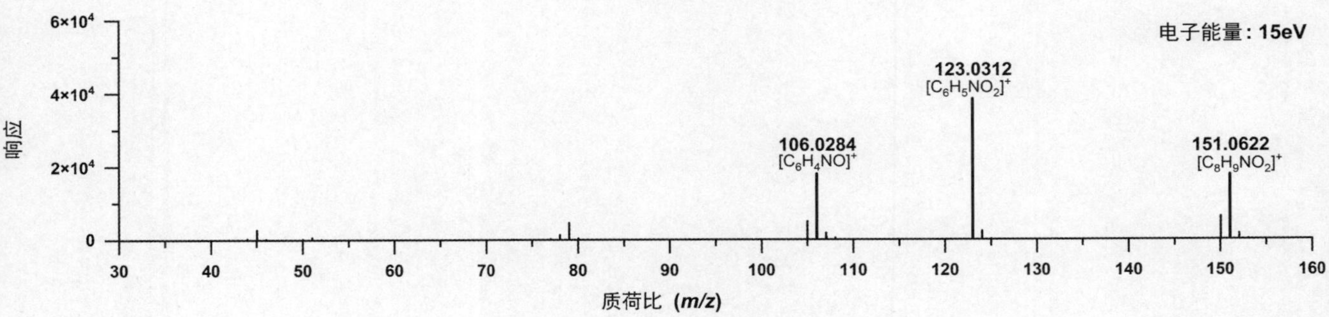

醛类

1 乙醛

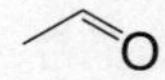

基本信息

CAS 登录号	75-07-0	分子式	C_2H_4O	分子量	44.0257
保留指数（极性）	712	保留指数（非极性）	441	香气描述	刺激性气味，类似绿色植物的气味

质谱图

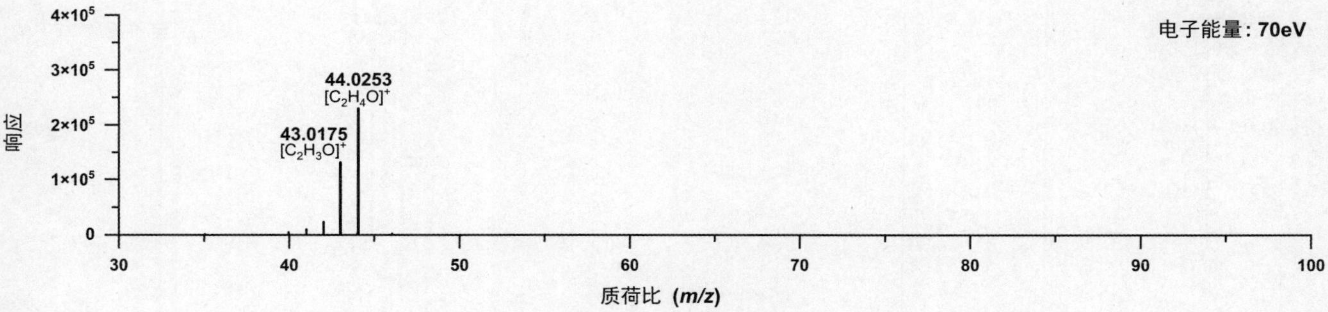

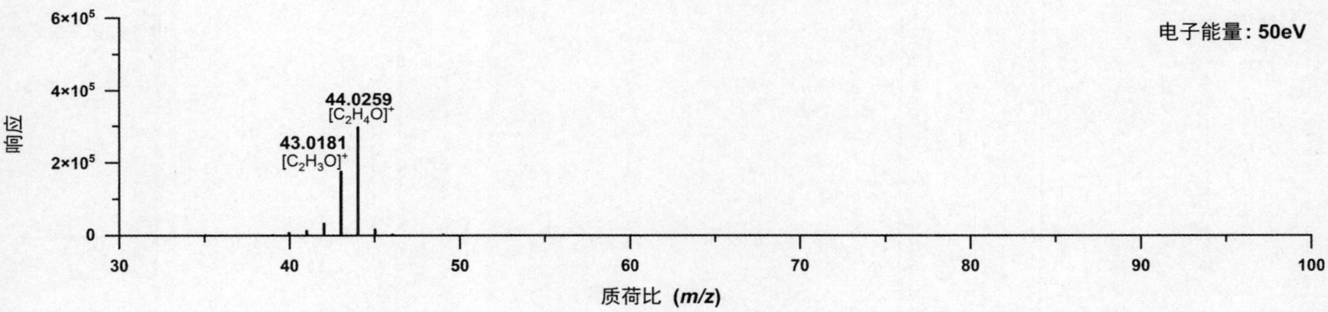

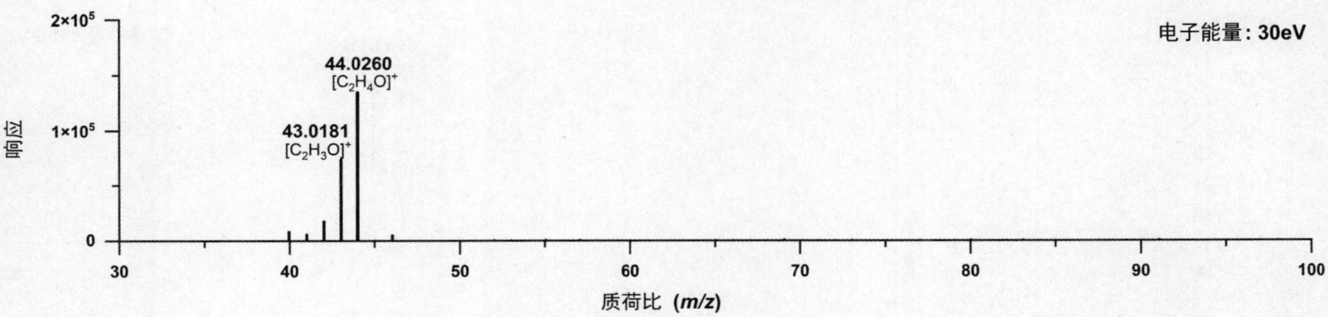

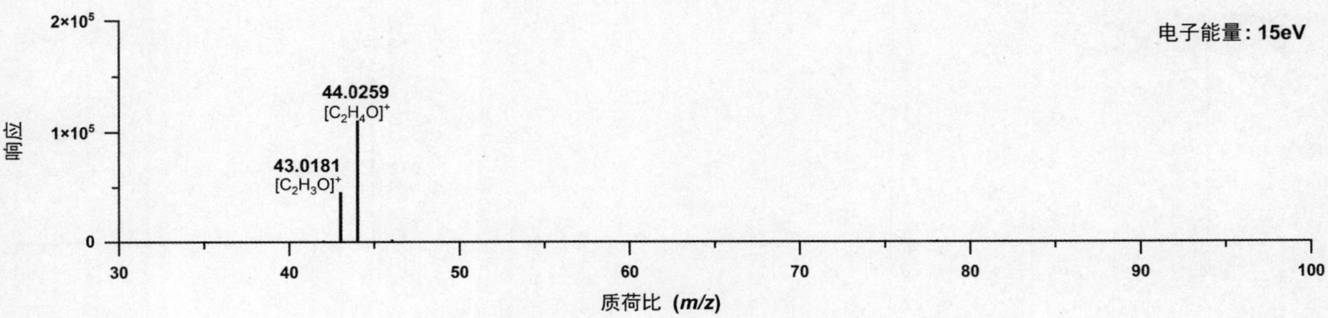

2 丙醛

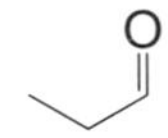

基本信息

CAS 登录号	123-38-6	分子式	C_3H_6O	分子量	58.0413
保留指数（极性）	796	保留指数（非极性）	486	香气描述	刺激性味道，醛味

质谱图

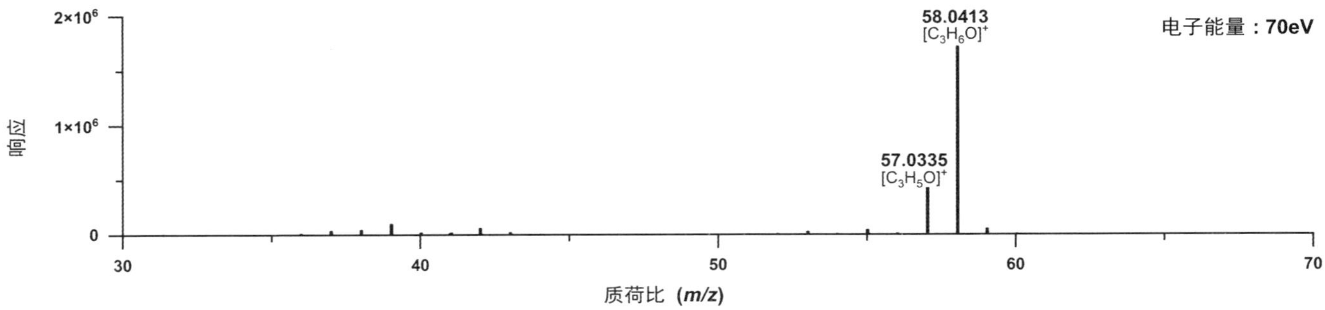

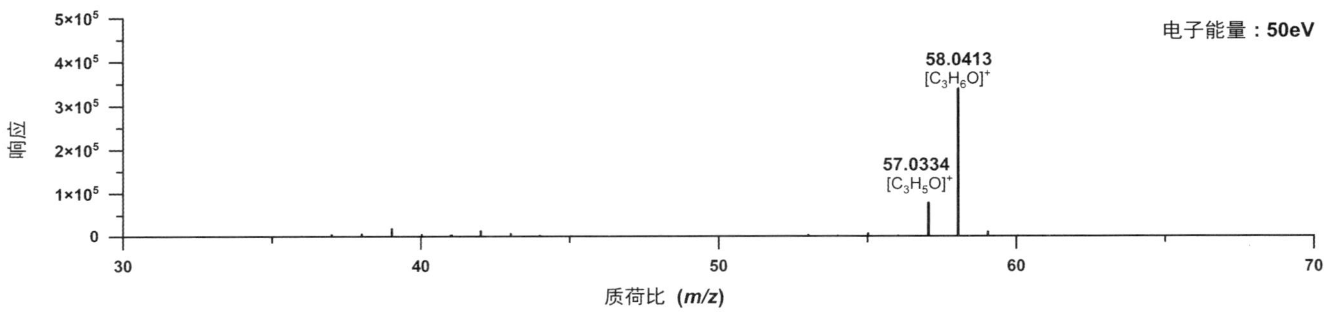

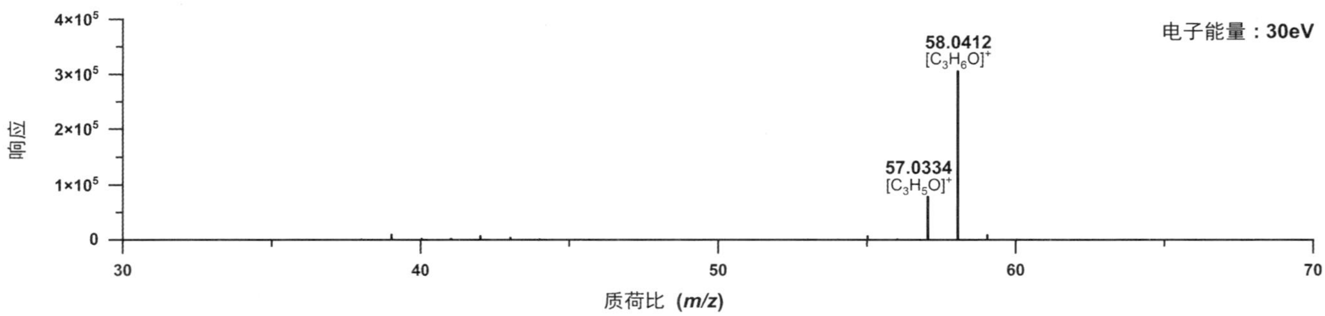

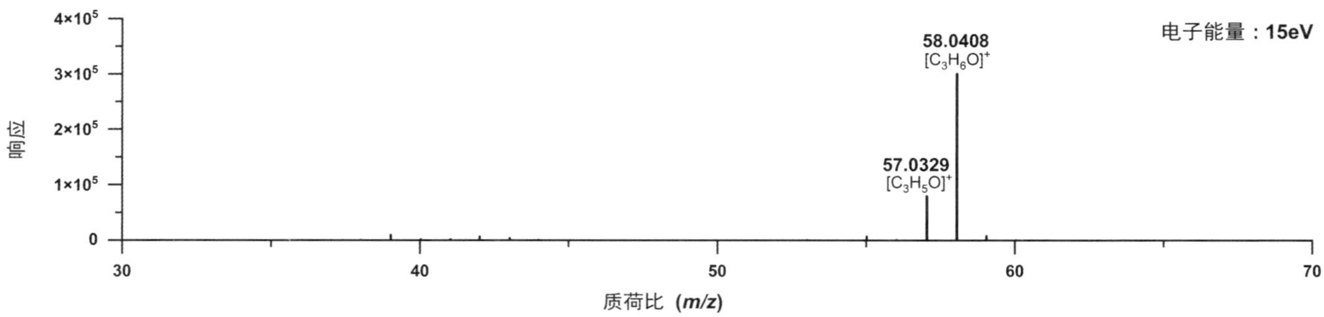

3 丁醛

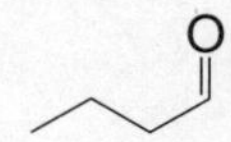

基本信息

CAS 登录号	123-72-8	分子式	C_4H_8O	分子量	72.0570
保留指数（极性）	879	保留指数（非极性）	564	香气描述	醛味，水果香，刺激性气味

质谱图

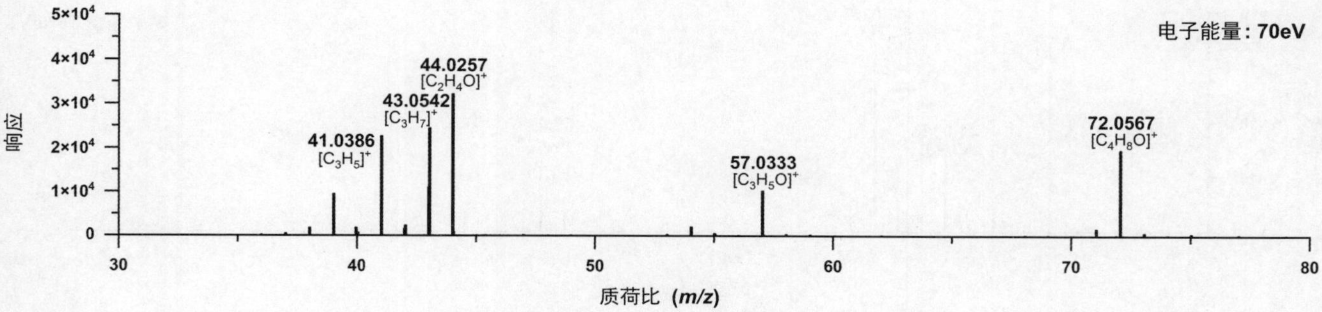

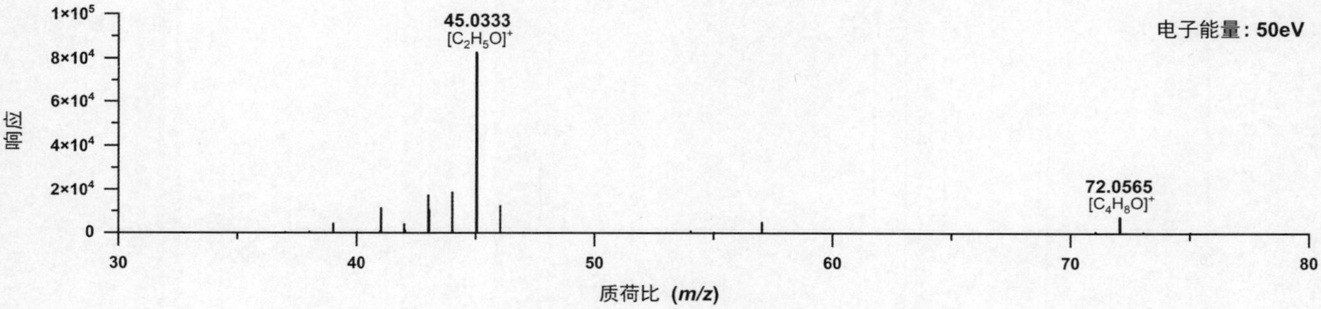

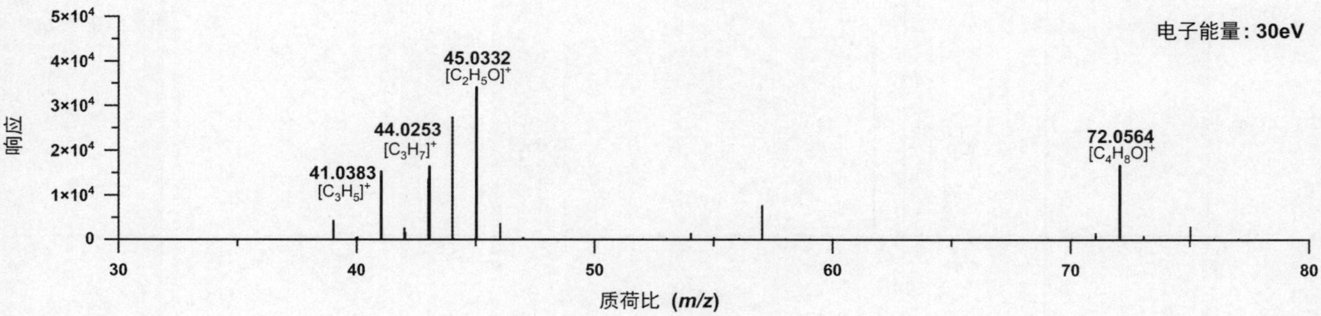

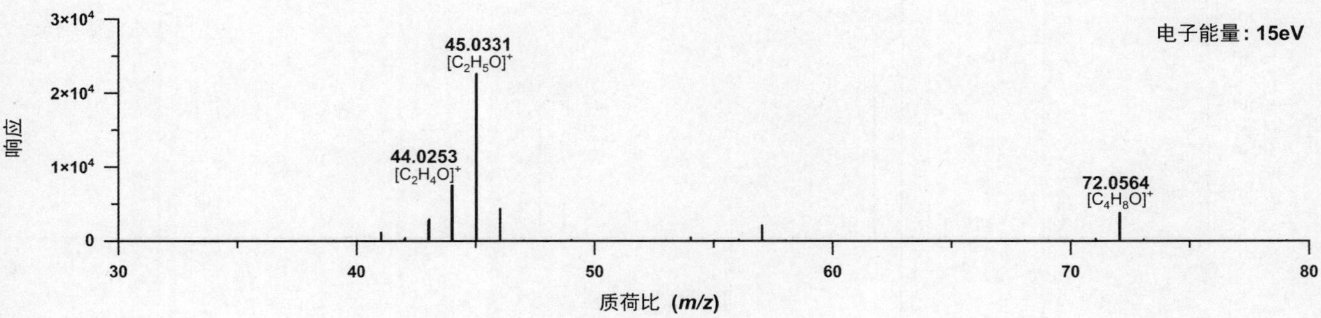

4 戊醛

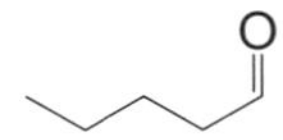

基本信息

CAS 登录号	110-62-3	分子式	$C_5H_{10}O$	分子量	86.0732
保留指数（极性）	985	保留指数（非极性）	672	香气描述	青草香，醛香，类似绿色植物的气味

质谱图

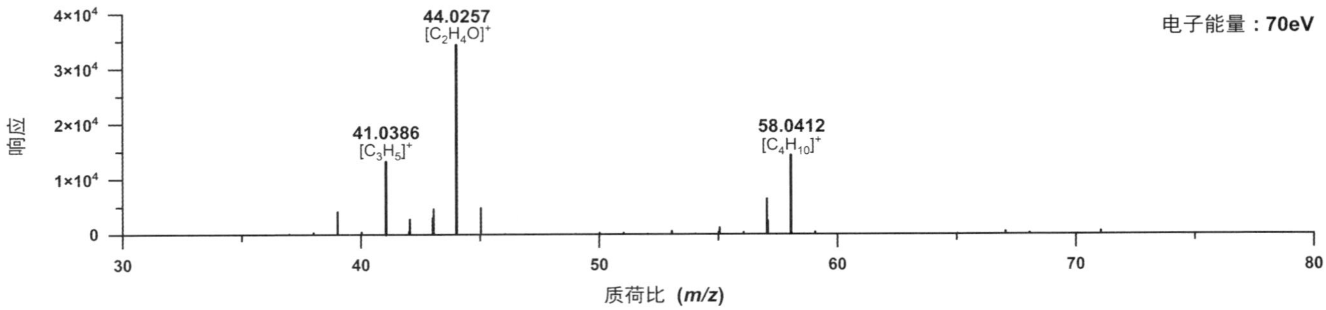

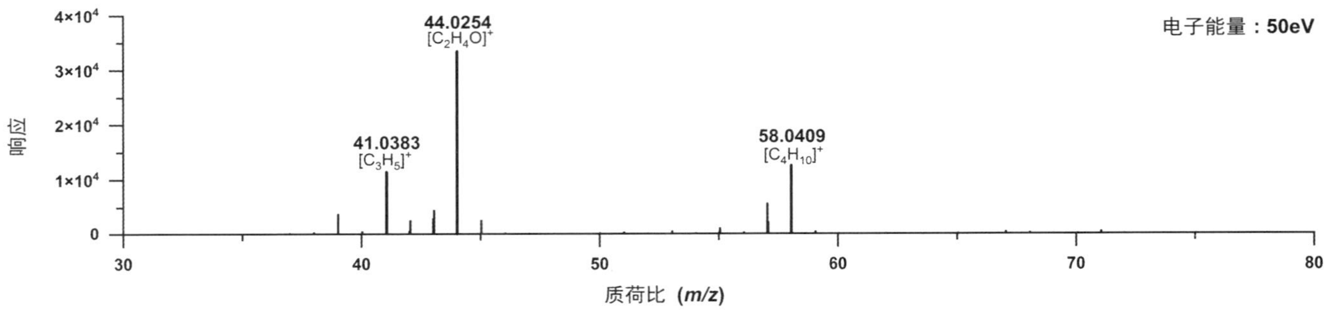

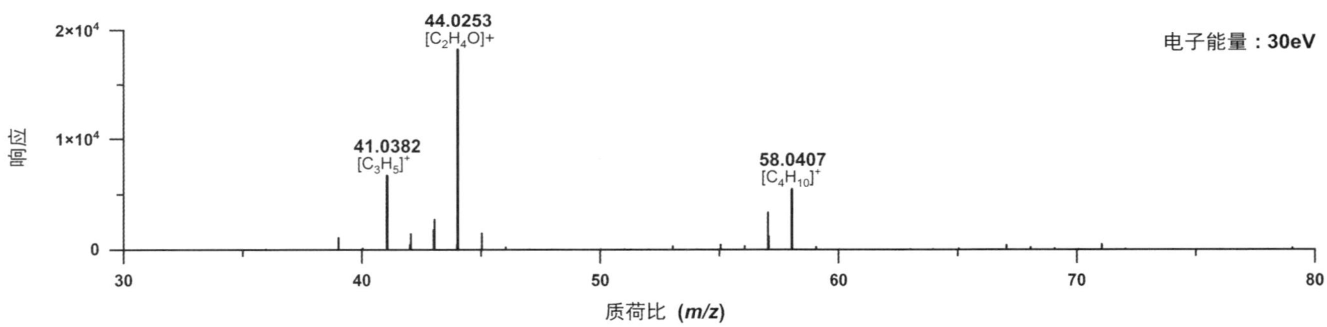

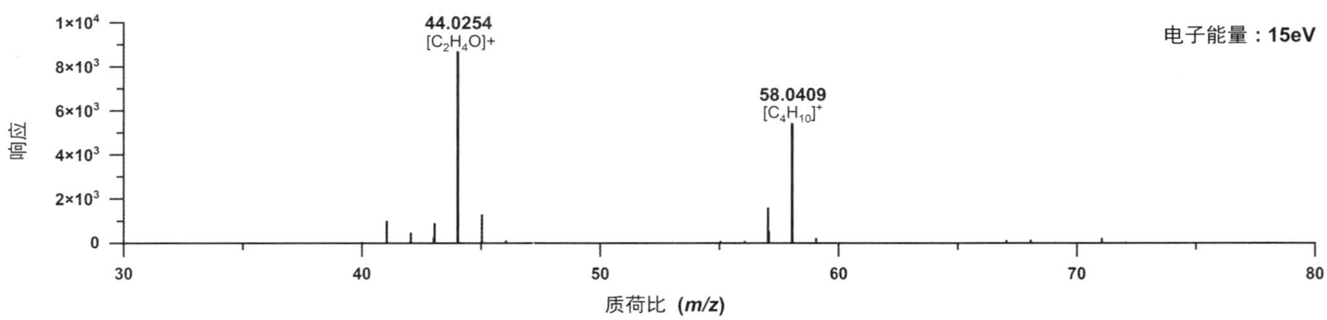

5 己醛

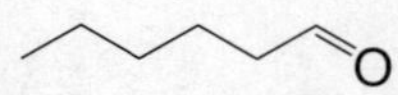

基本信息

CAS 登录号	66-25-1	分子式	$C_6H_{12}O$	分子量	100.0883
保留指数（极性）	1063	保留指数（非极性）	776	香气描述	醛香，绿色植物的气味，青草香

质谱图

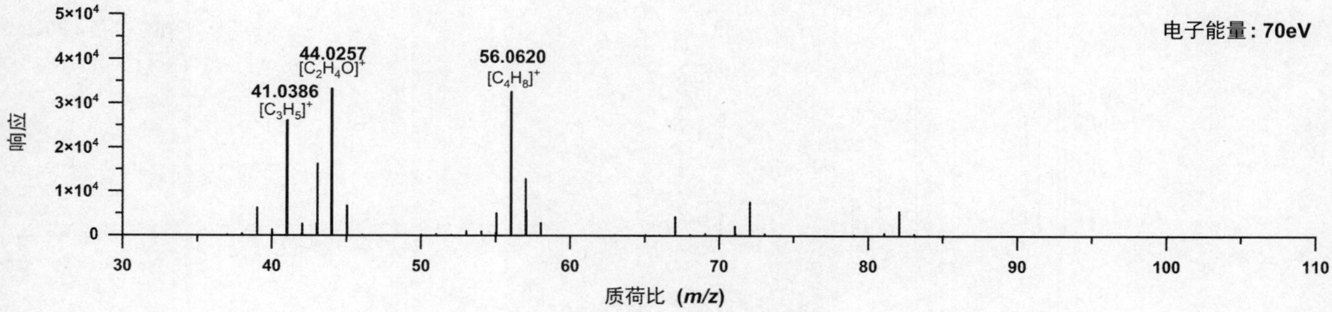

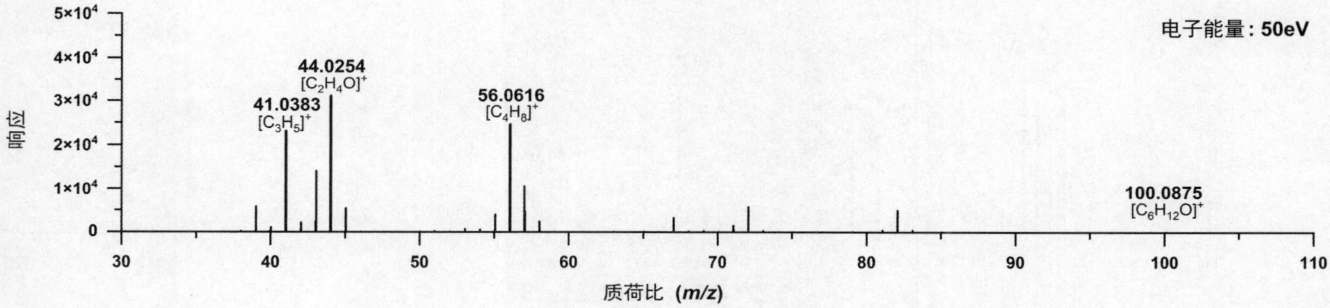

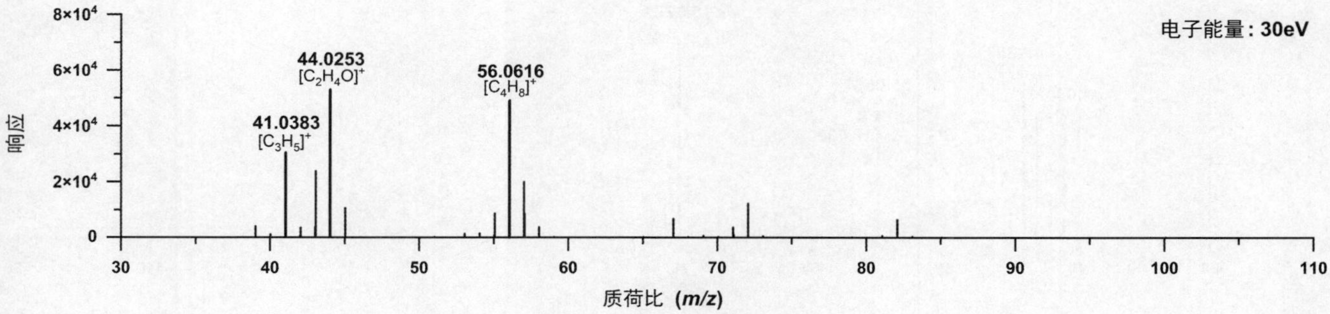

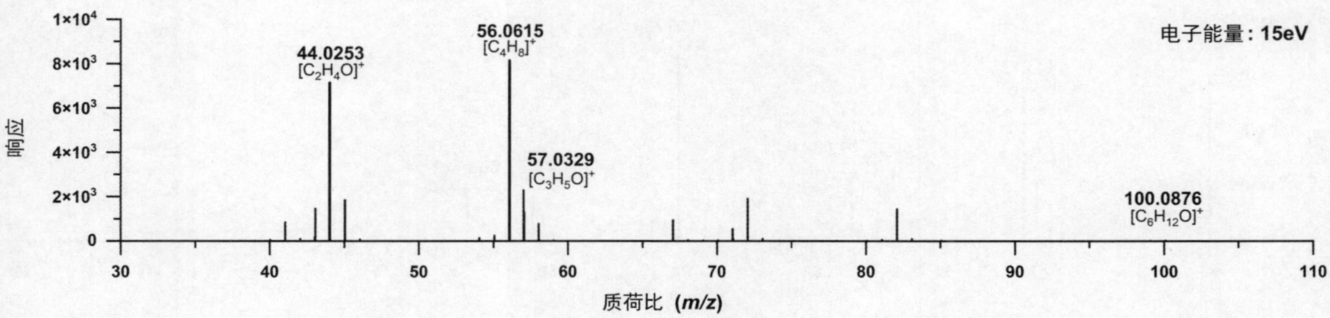

6 庚醛

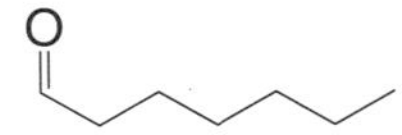

基本信息

CAS 登录号	111-71-7	分子式	$C_7H_{14}O$	分子量	114.1045
保留指数（极性）	1195	保留指数（非极性）	879	香气描述	青草味，甜香，醛香

质谱图

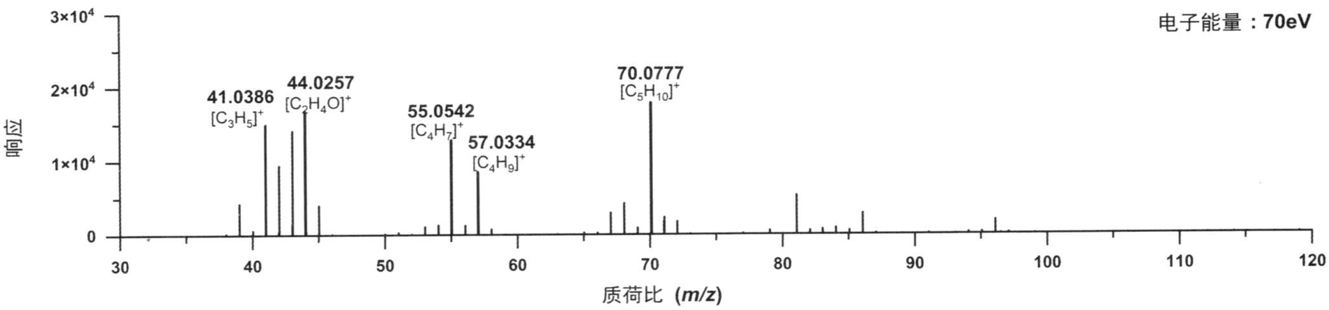

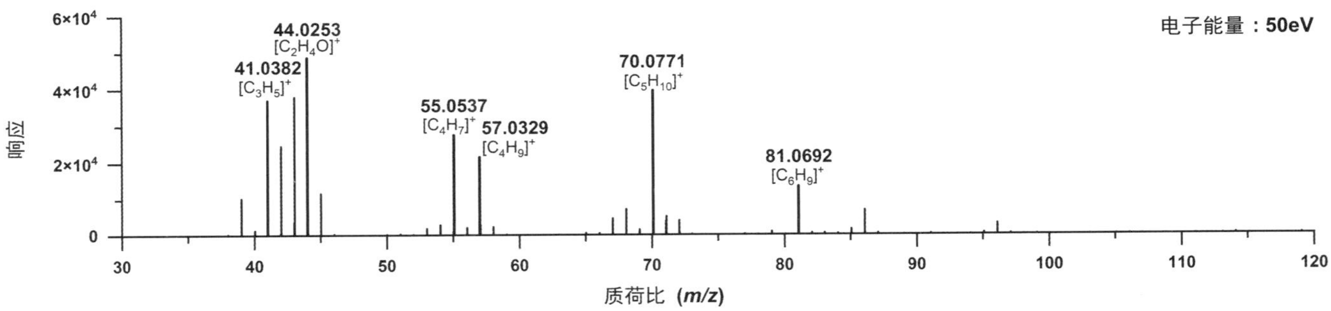

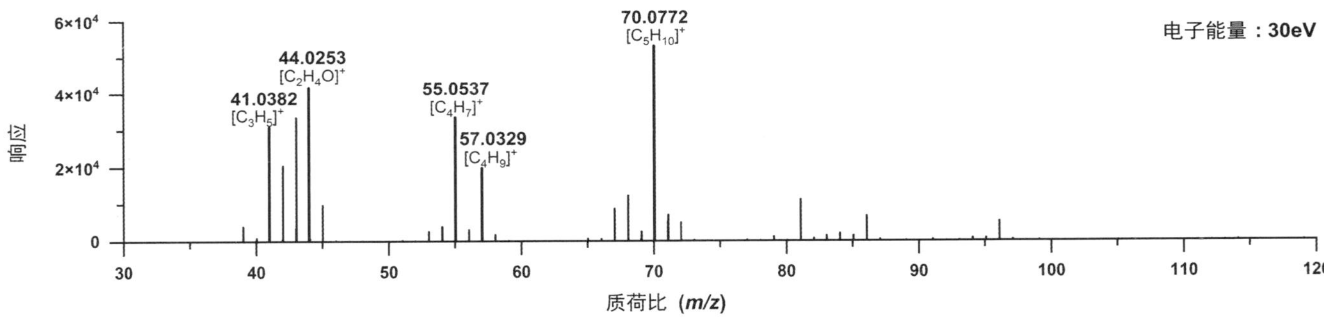

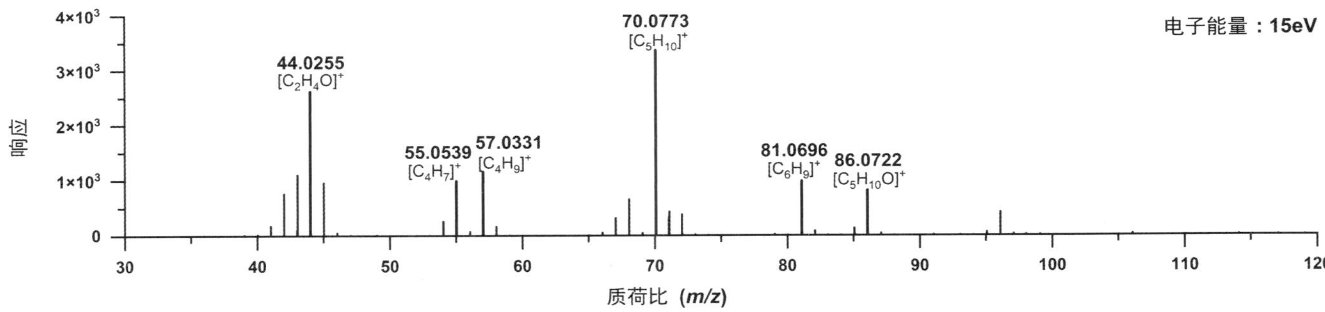

7

辛醛

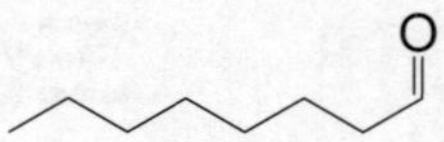

基本信息

CAS 登录号	124-13-0	分子式	$C_8H_{16}O$	分子量	128.1201
保留指数（极性）	1300	保留指数（非极性）	981	香气描述	橘子味，醛味，蜡味

质谱图

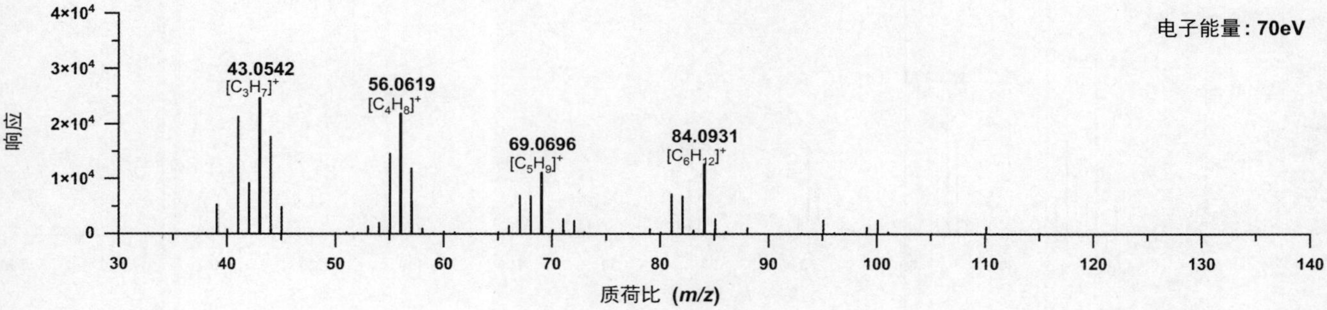

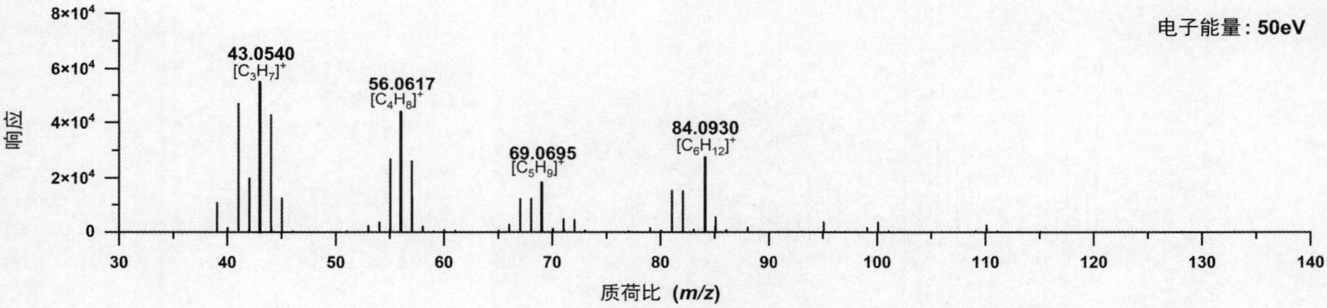

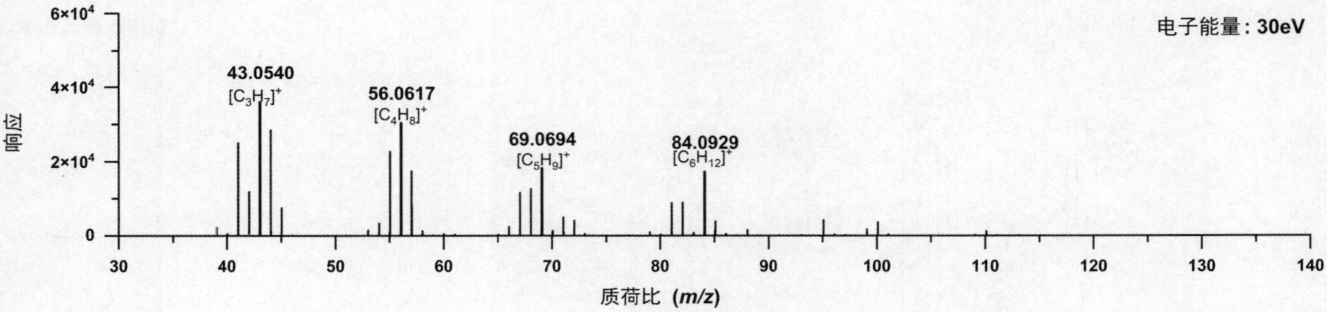

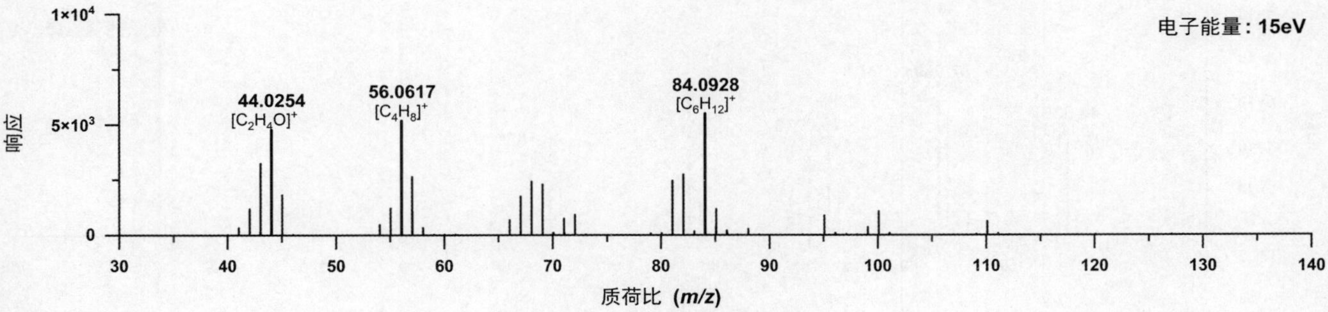

8 壬醛

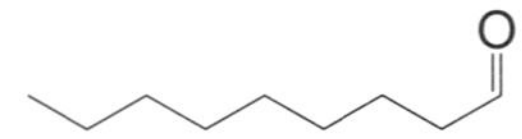

基本信息

CAS 登录号	124-19-6	分子式	$C_9H_{18}O$	分子量	142.1358
保留指数（极性）	1407	保留指数（非极性）	1083	香气描述	橘子味，醛味，蜡味

质谱图

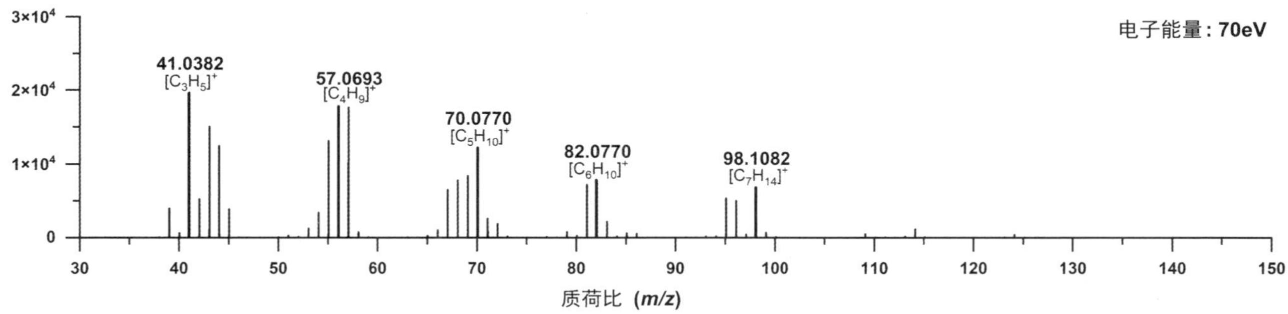

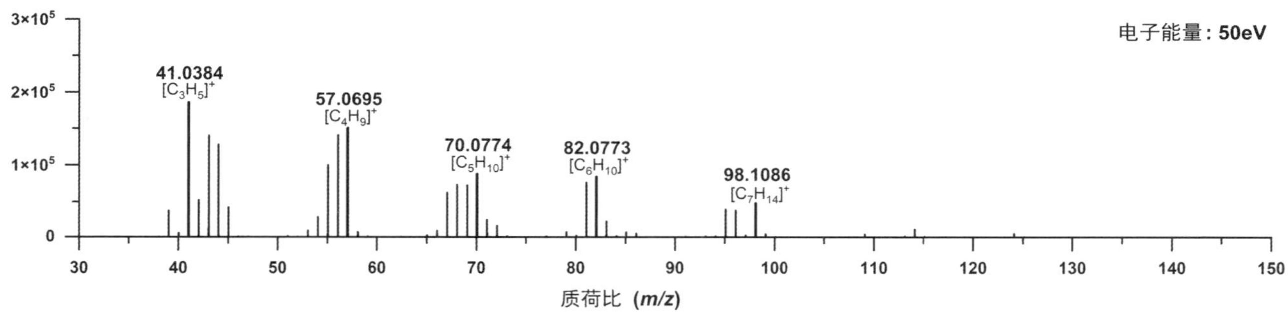

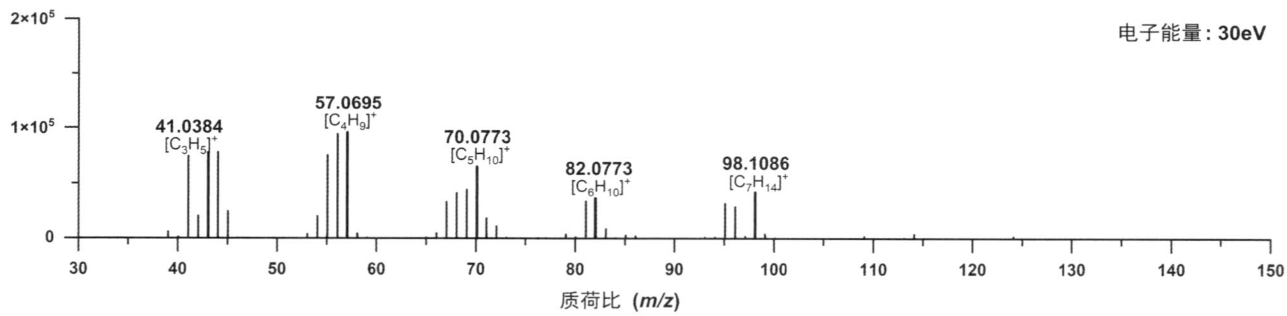

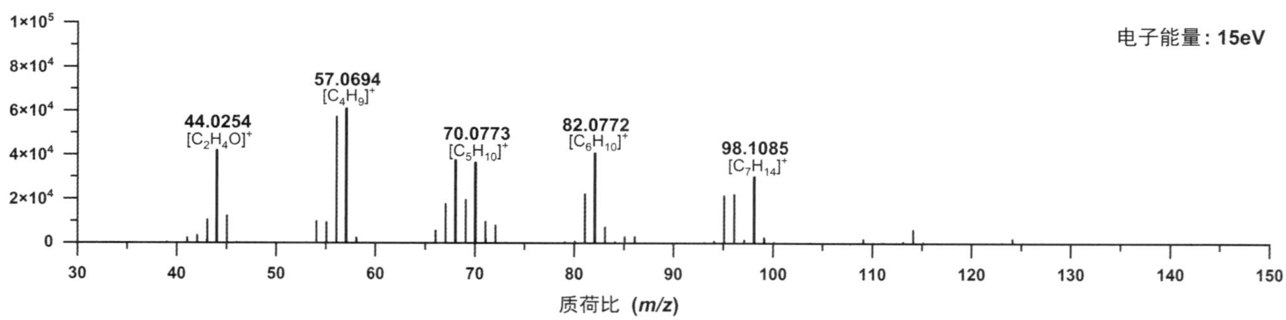

9 癸醛

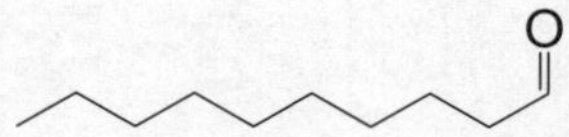

基本信息

CAS 登录号	112-31-2	分子式	$C_{10}H_{20}O$	分子量	156.1514
保留指数（极性）	1514	保留指数（非极性）	1185	香气描述	类似脂肪的气味，醛味，蜡味

质谱图

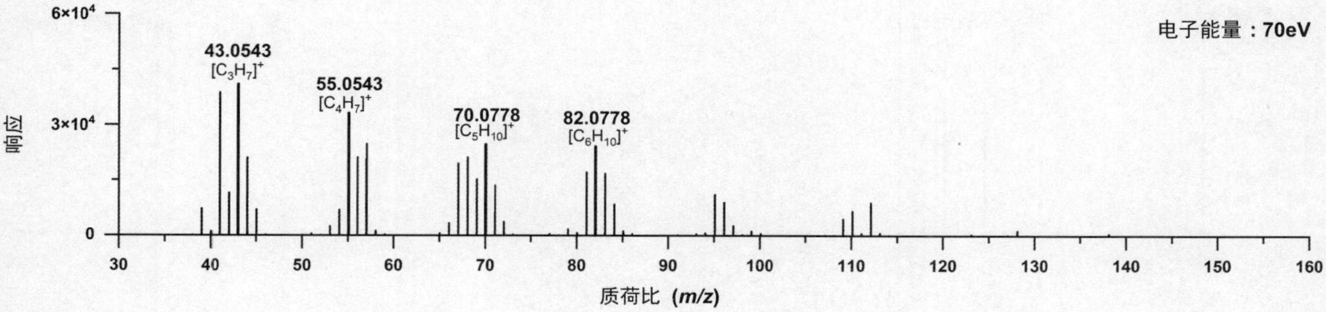

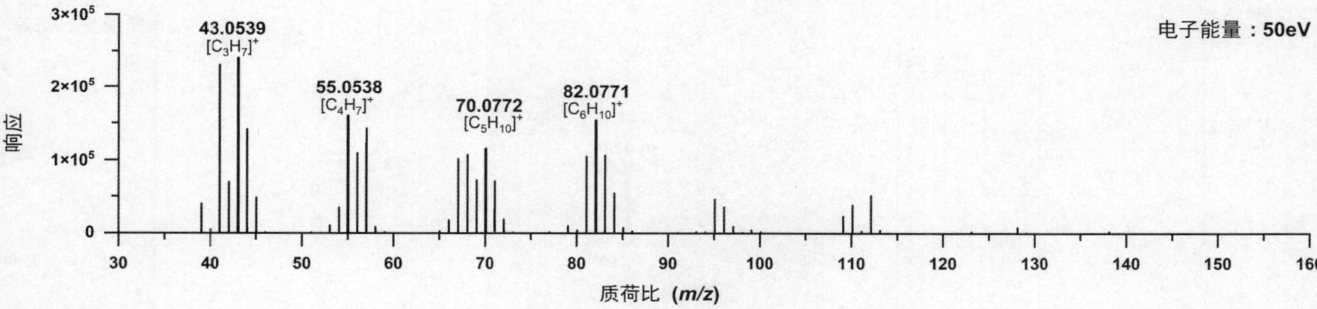

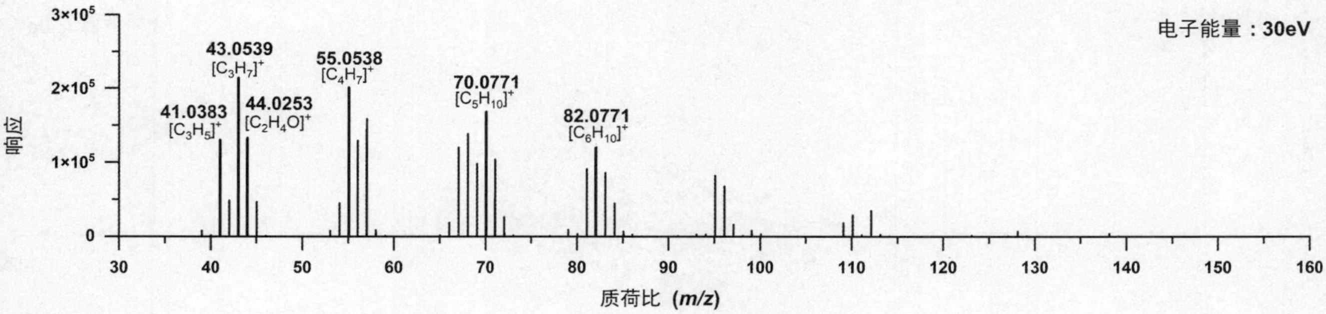

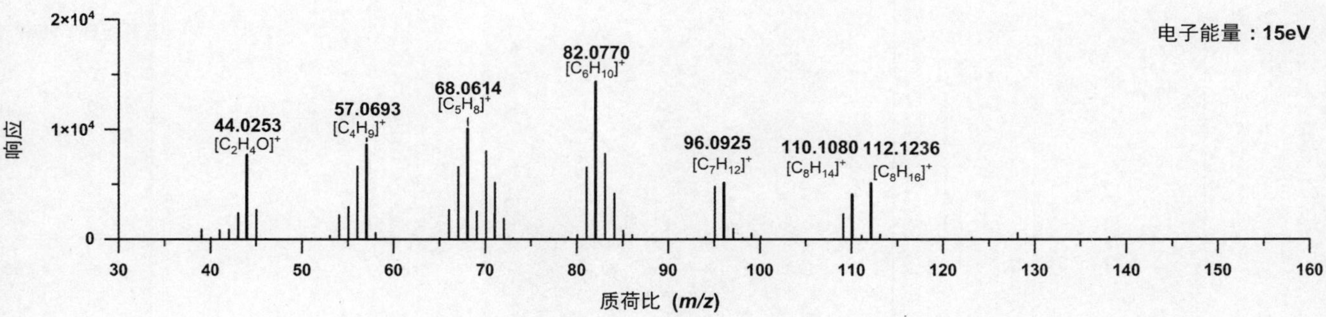

10 2-甲基丙醛

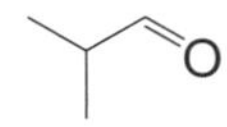

基本信息

CAS 登录号	78-84-2	分子式	C_4H_8O	分子量	72.0570
保留指数（极性）	826	保留指数（非极性）	530	香气描述	刺激性气味，甜香，绿色植物的气味

质谱图

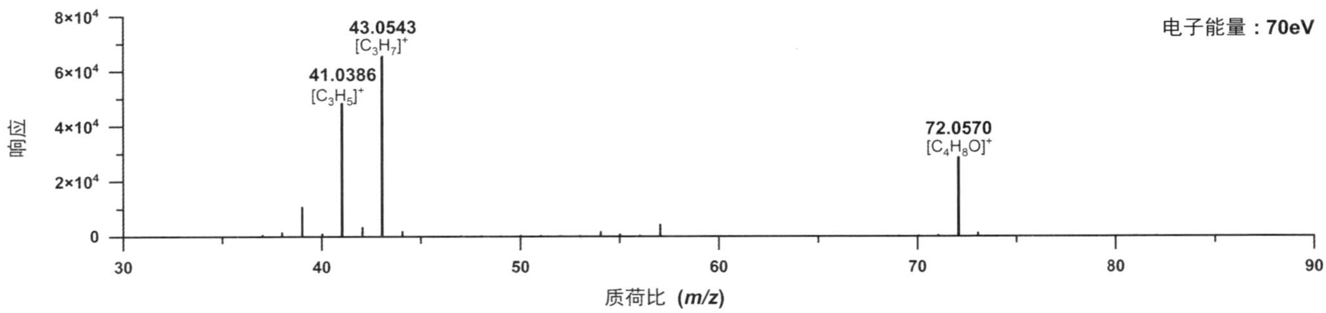

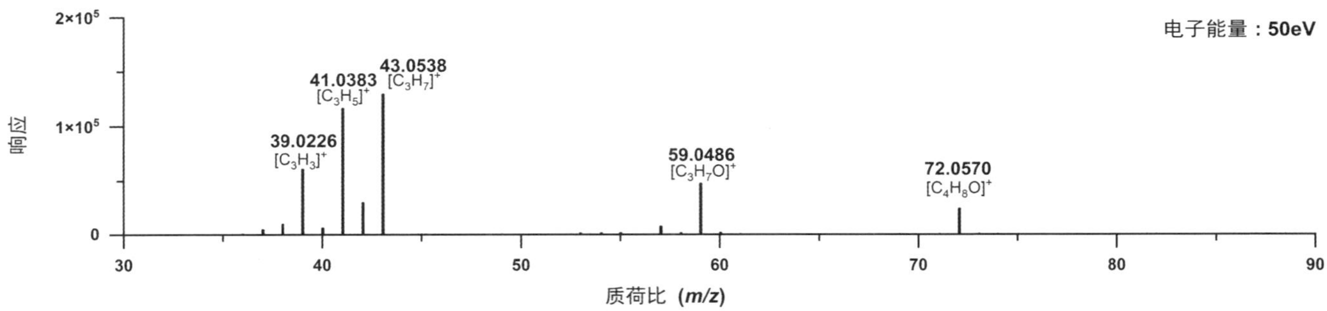

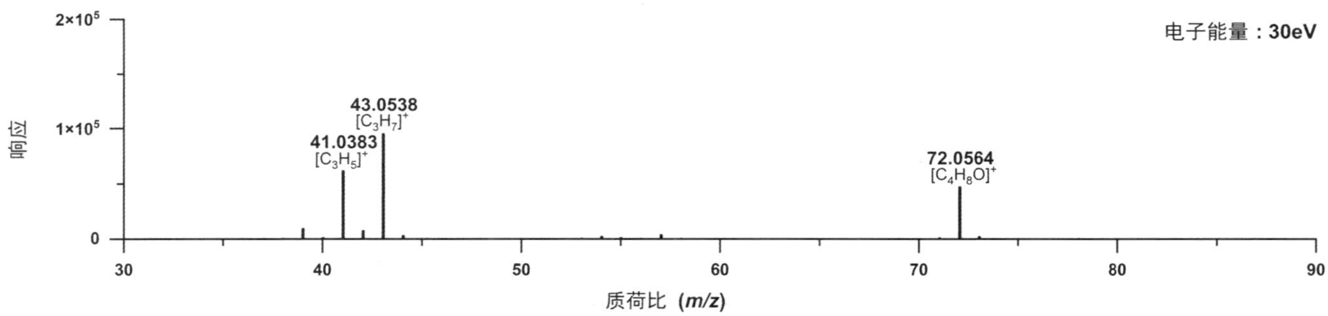

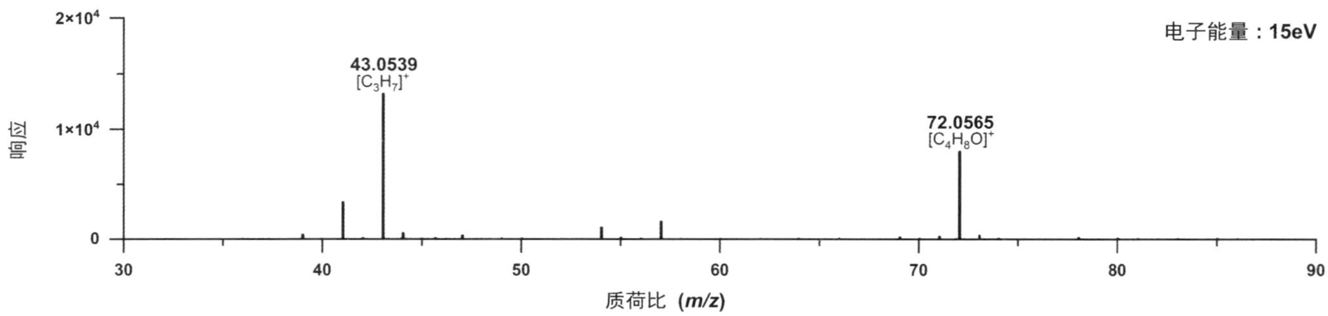

11

2-甲基丁醛

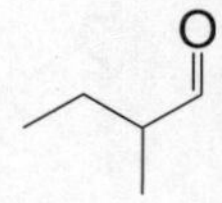

基本信息

CAS 登录号	96-17-3	分子式	$C_5H_{10}O$	分子量	86.0726
保留指数（极性）	920	保留指数（非极性）	641	香气描述	青草味，醛味，刺激性气味

质谱图

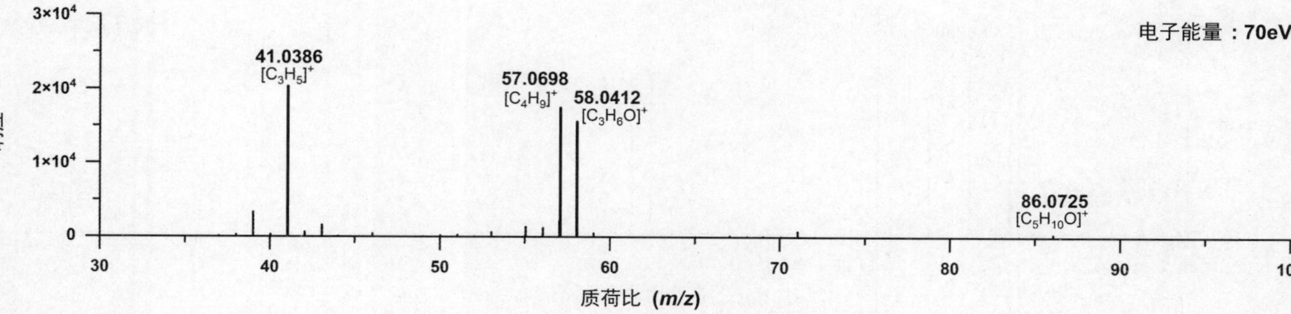

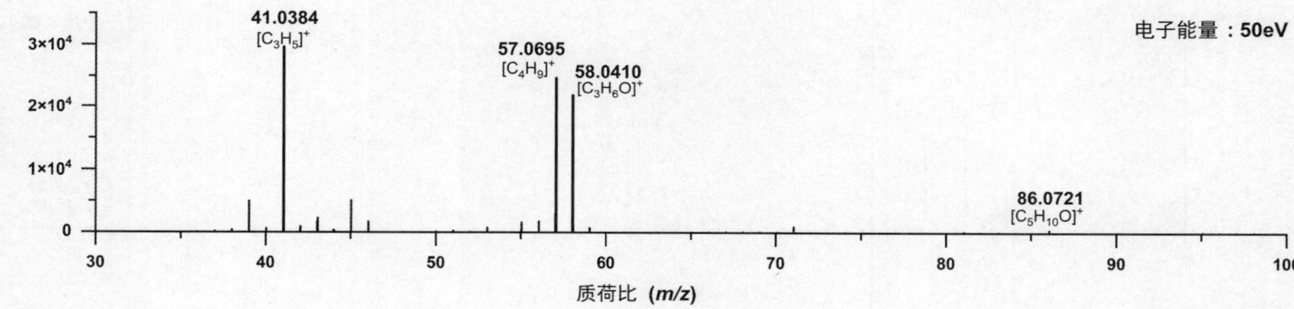

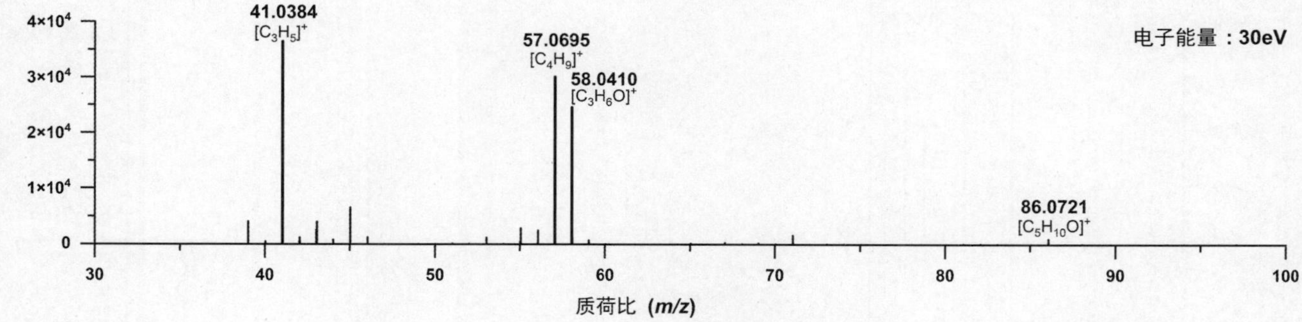

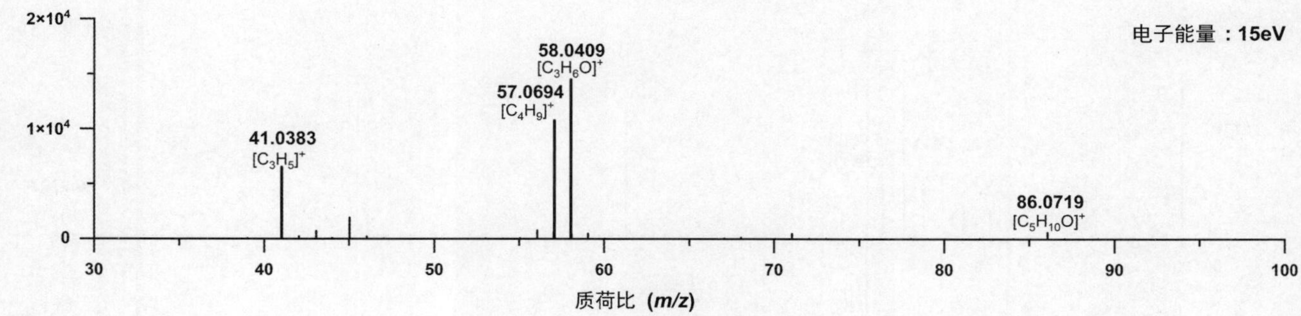

12 3-甲基丁醛

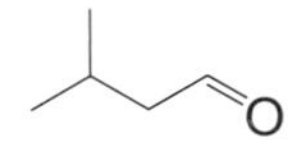

基本信息

CAS 登录号	590-86-3	分子式	$C_5H_{10}O$	分子量	86.0726
保留指数（极性）	927	保留指数（非极性）	630	香气描述	青草味，刺激性气味，类似绿色植物的气味

质谱图

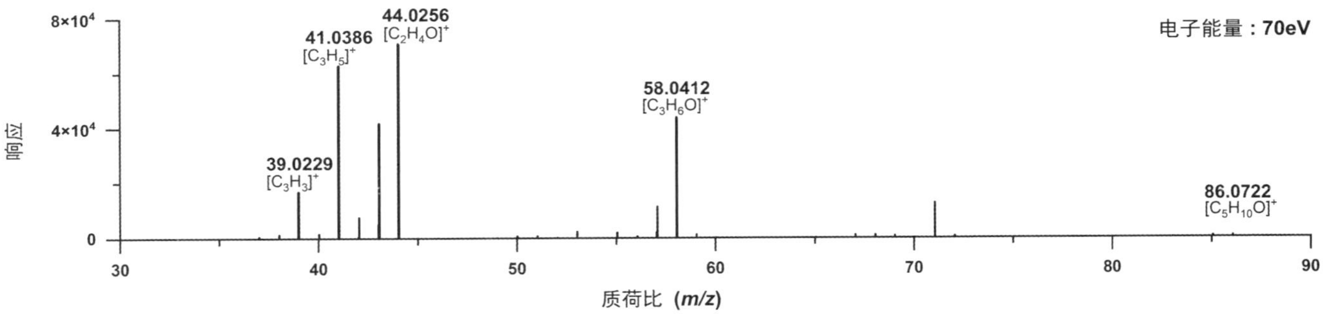

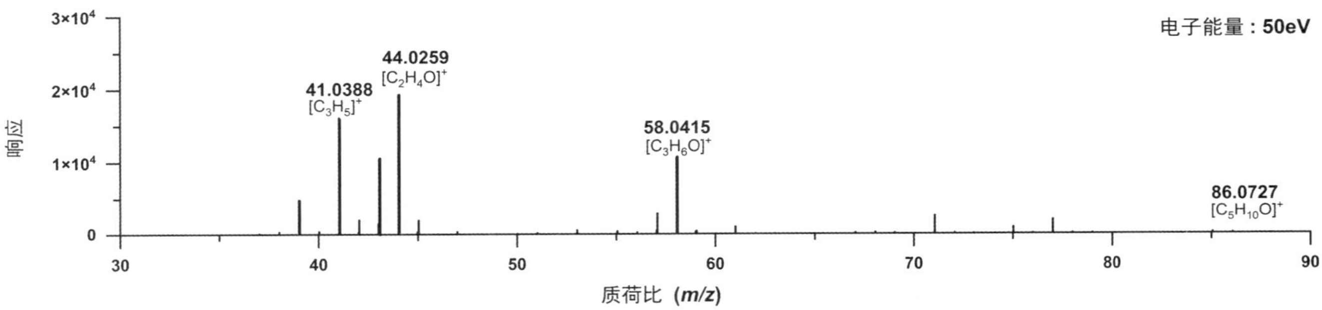

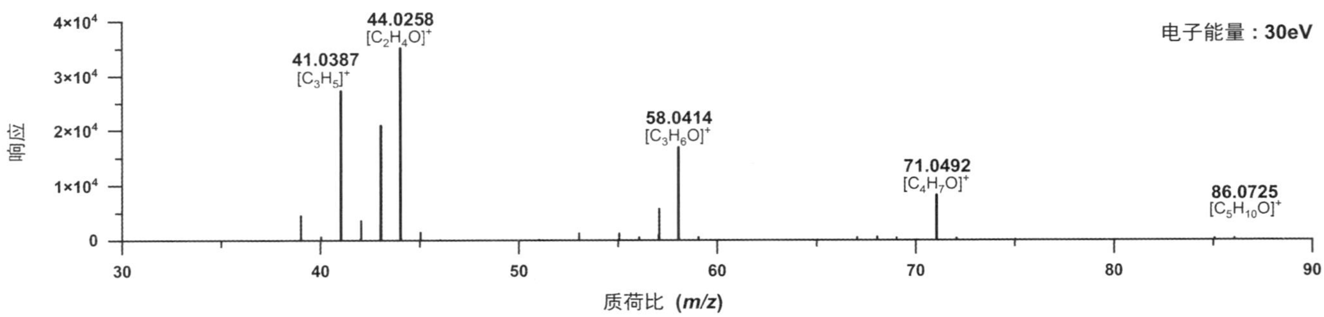

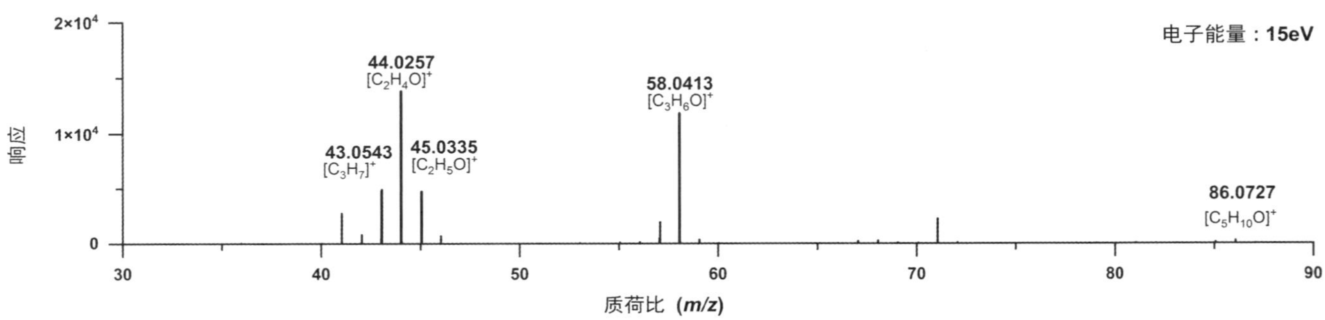

13 2-甲基戊醛

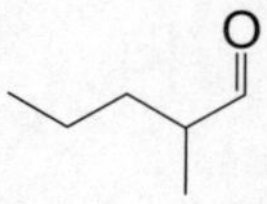

基本信息

CAS 登录号	123-15-9	分子式	$C_6H_{12}O$	分子量	100.0883
保留指数（极性）	1011	保留指数（非极性）	741	香气描述	绿色植物的味道，醛味

质谱图

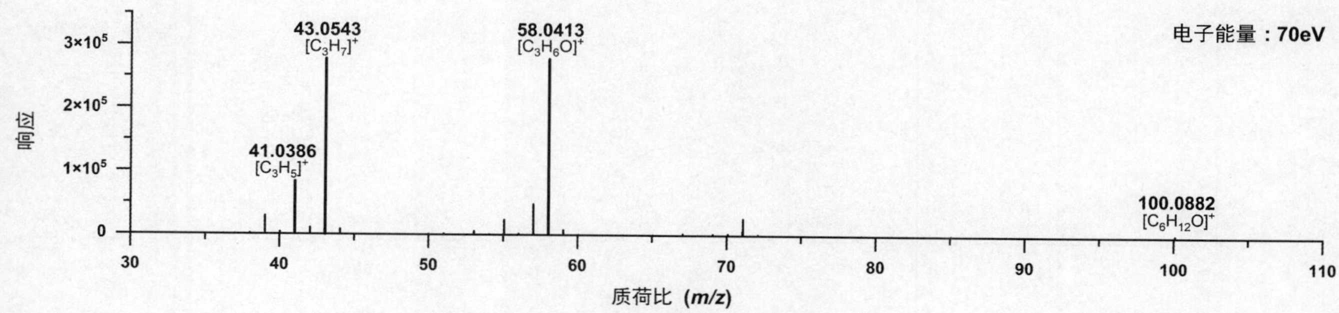

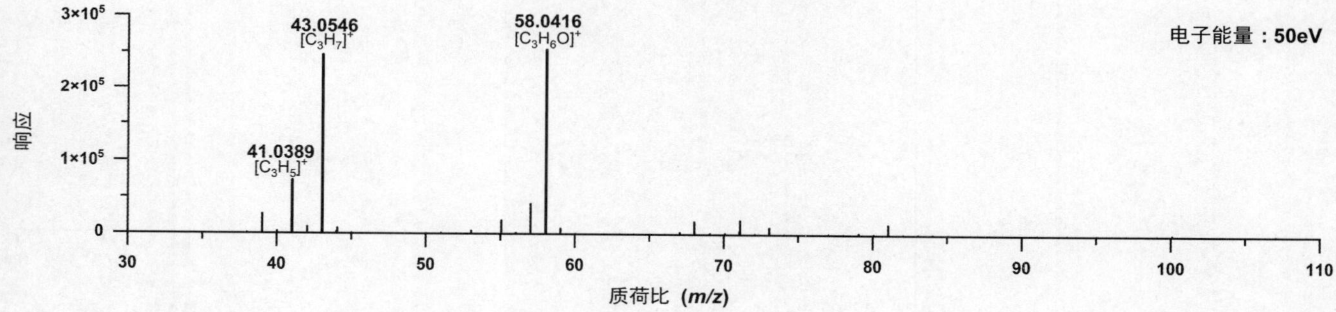

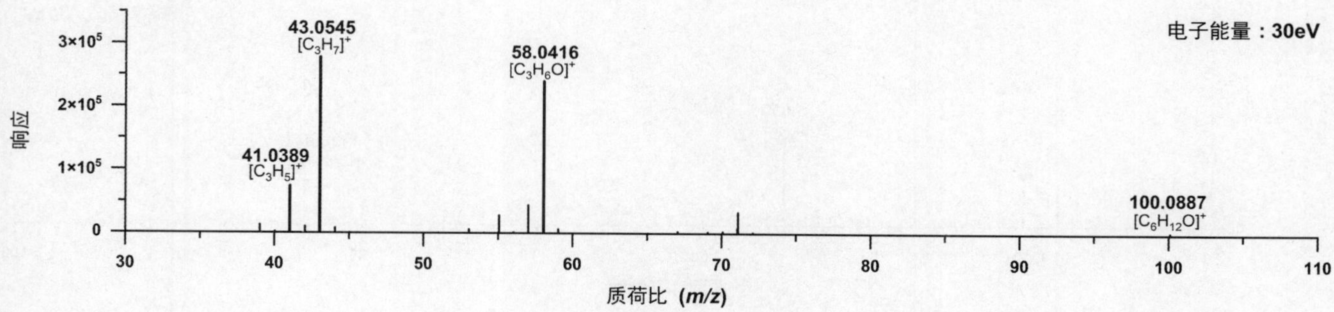

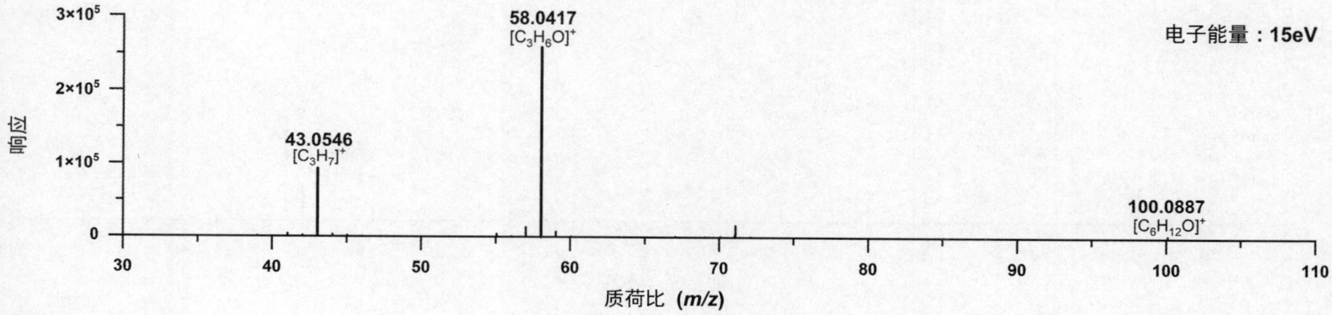

14 3-甲基-2-丁烯醛

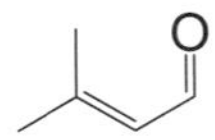

基本信息

CAS 登录号	107-86-8	分子式	C_5H_8O	分子量	84.0570
保留指数（极性）	1211	保留指数（非极性）	756	香气描述	绿色植物的气味，青草味

质谱图

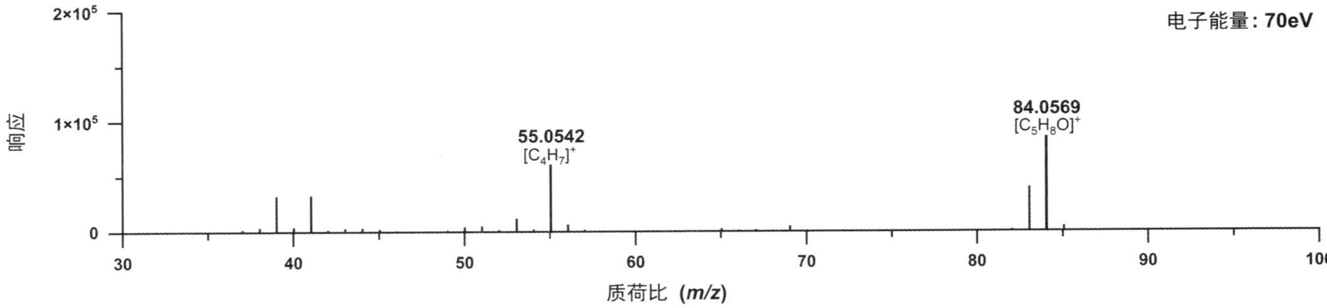

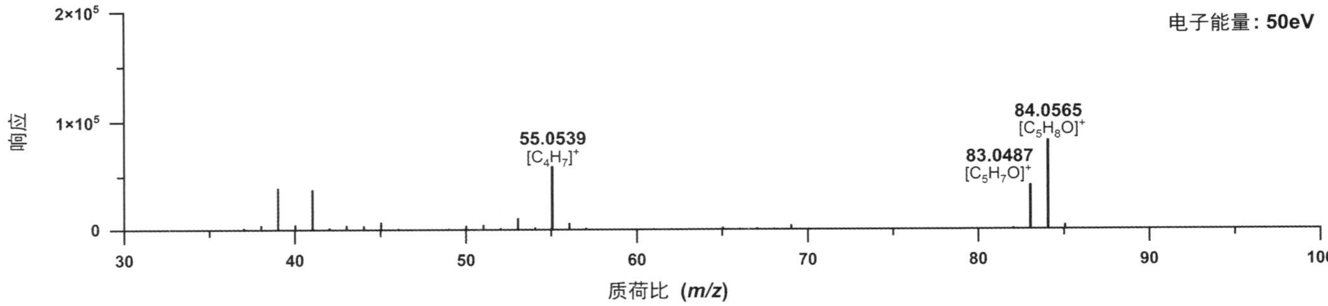

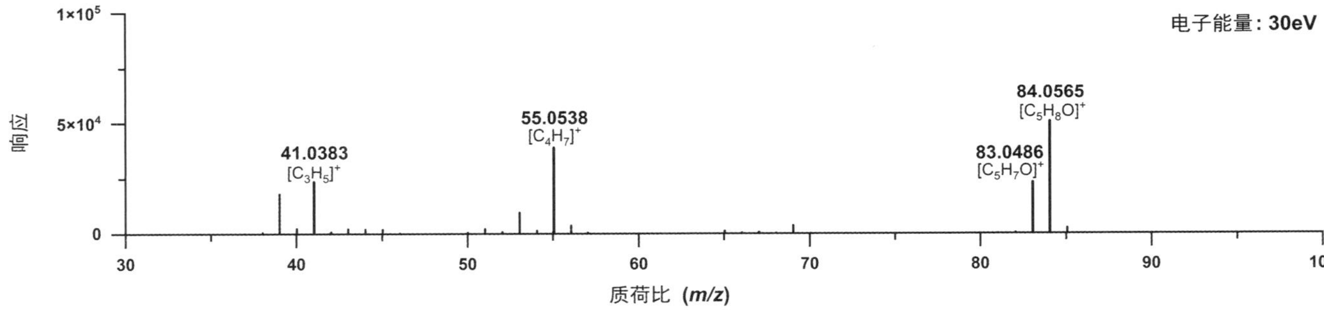

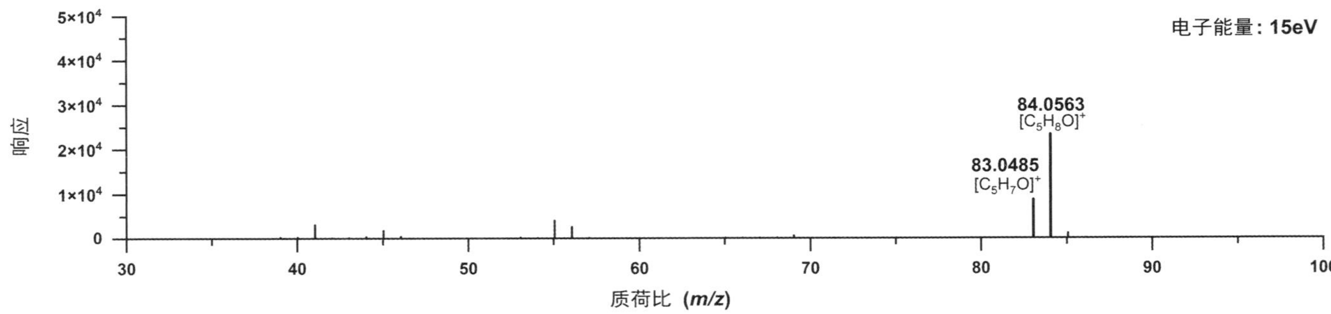

15 (*E*)-2-戊烯醛

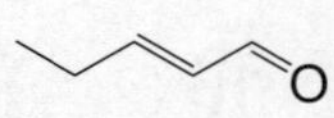

基本信息

CAS 登录号	1576-87-0	分子式	C_5H_8O	分子量	84.0570
保留指数（极性）	1138	保留指数（非极性）	731	香气描述	橘子味，绿色植物的气味，醛味

质谱图

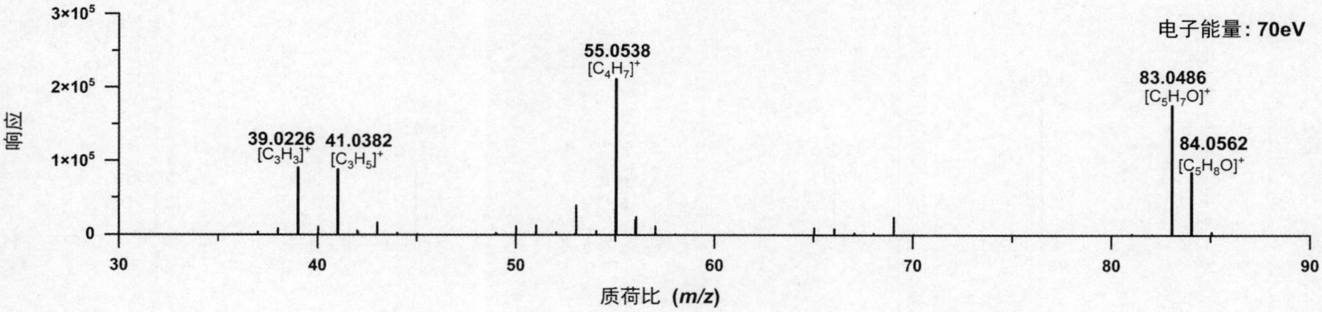

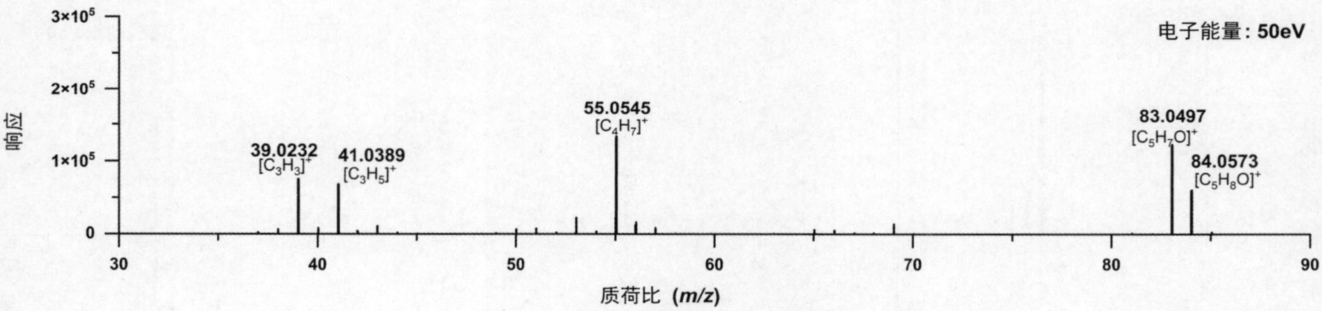

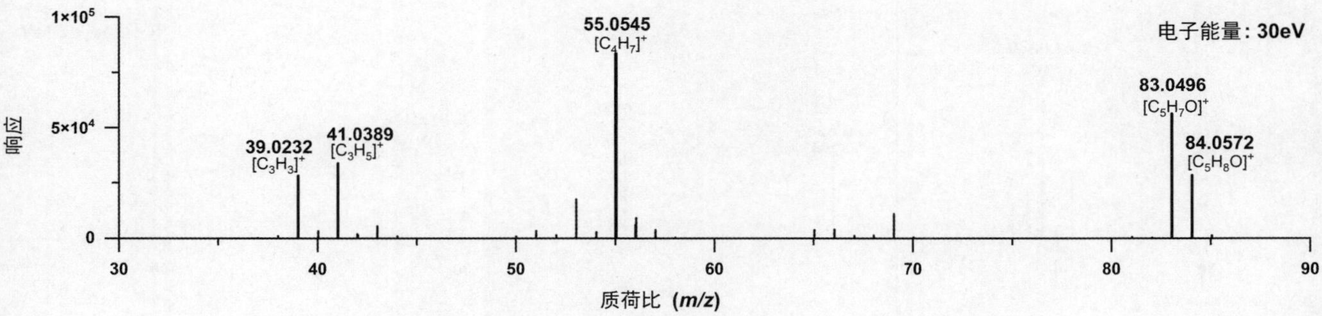

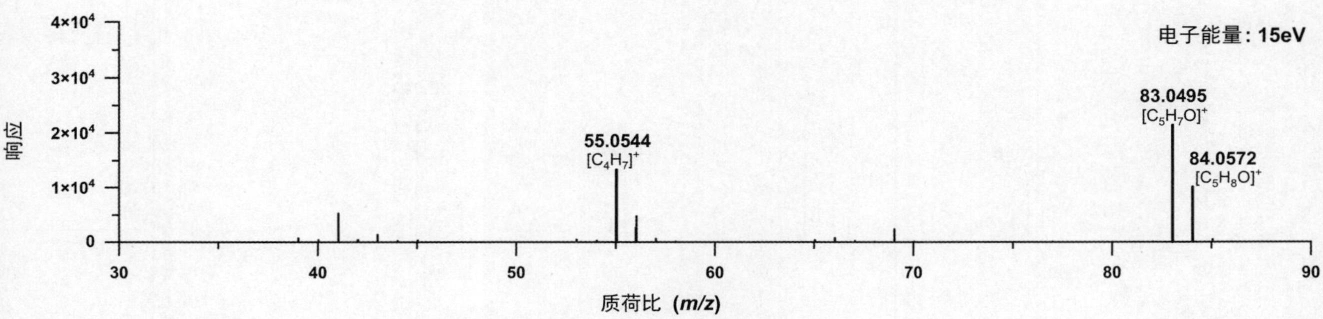

16

(*E*)-2-己烯醛

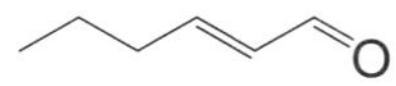

基本信息

CAS 登录号	6728-26-3	分子式	$C_6H_{10}O$	分子量	98.0726
保留指数（极性）	1232	保留指数（非极性）	828	香气描述	类似树叶的气味，青草味，橘子味

质谱图

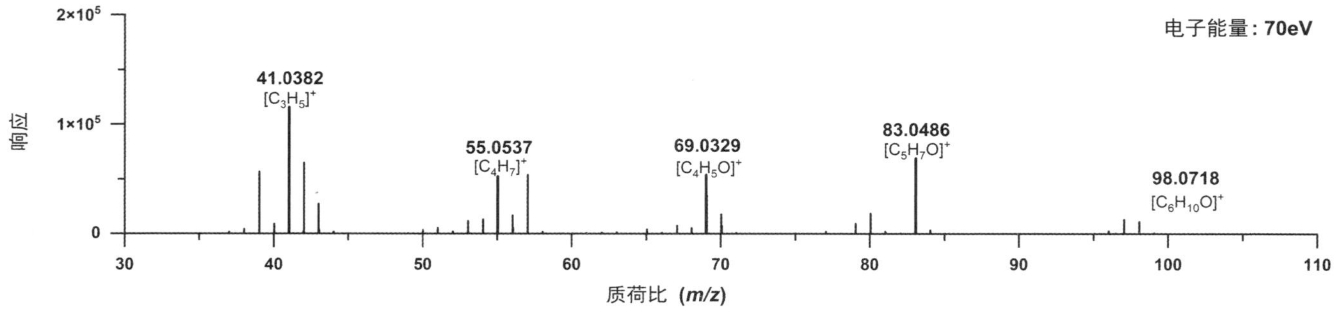

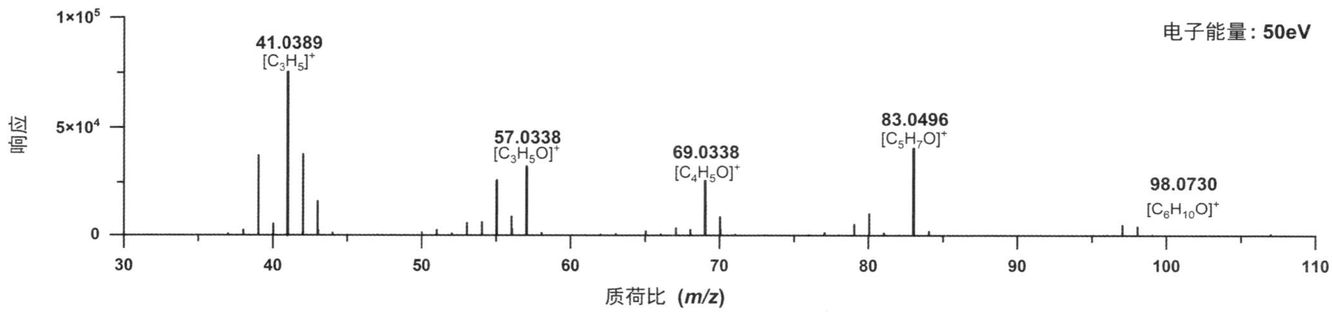

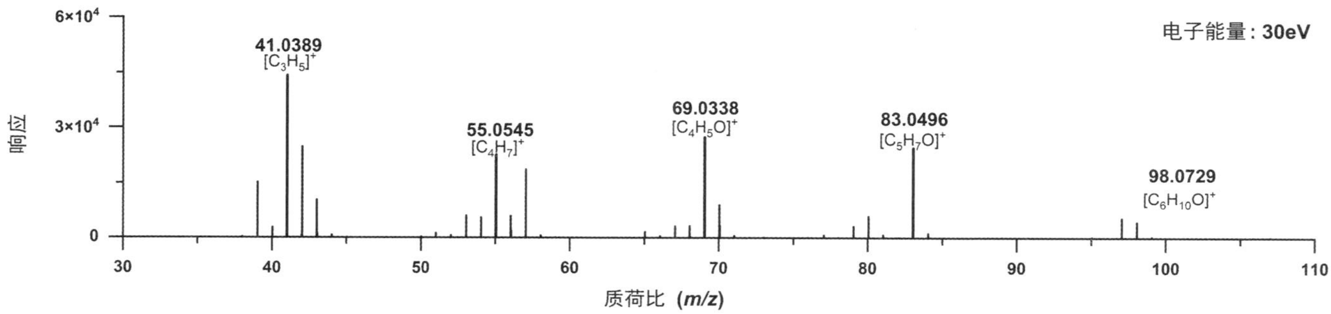

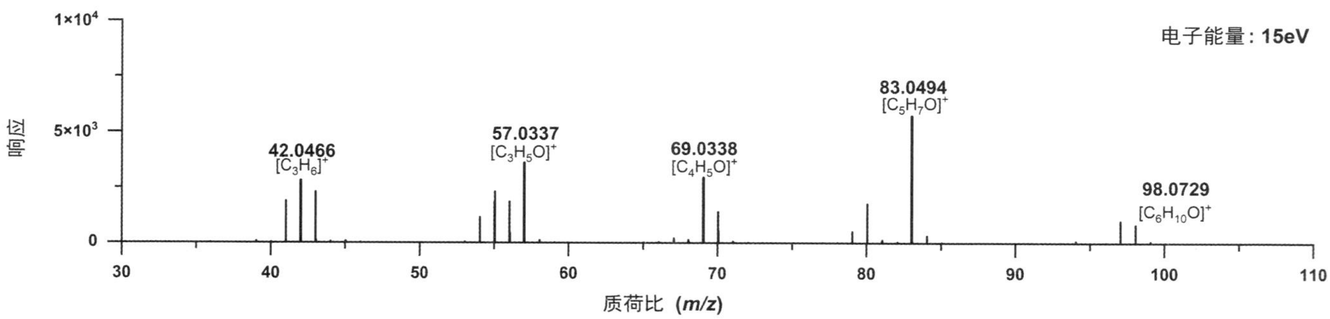

17 (*Z*)-4-庚烯醛

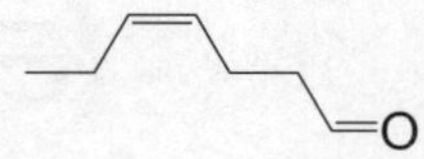

基本信息

CAS 登录号	6728-31-0	分子式	$C_7H_{12}O$	分子量	112.0883
保留指数（极性）	1253	保留指数（非极性）	875	香气描述	绿色植物的气味，青草味，甜香

质谱图

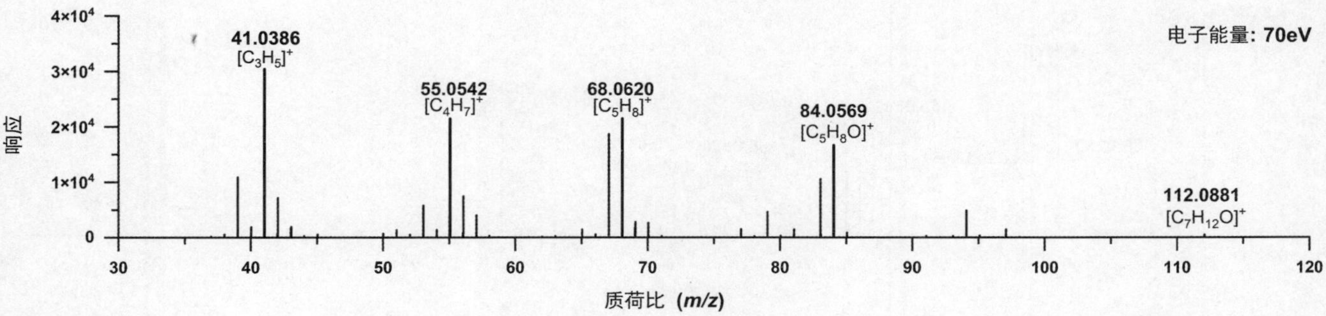

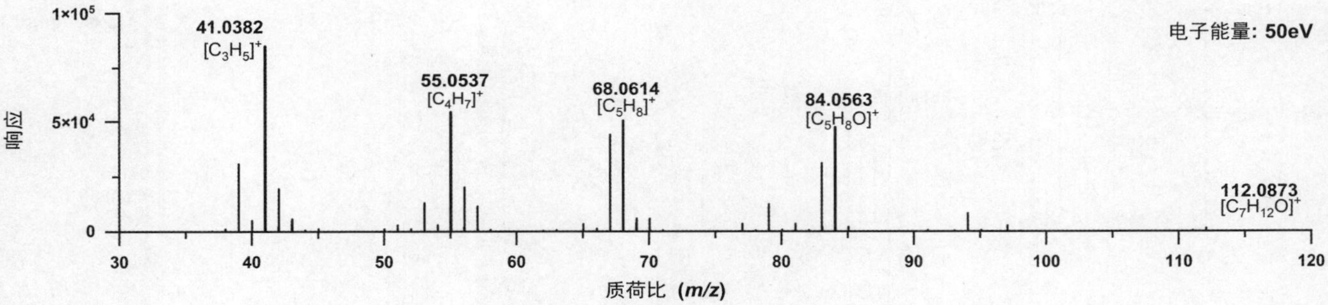

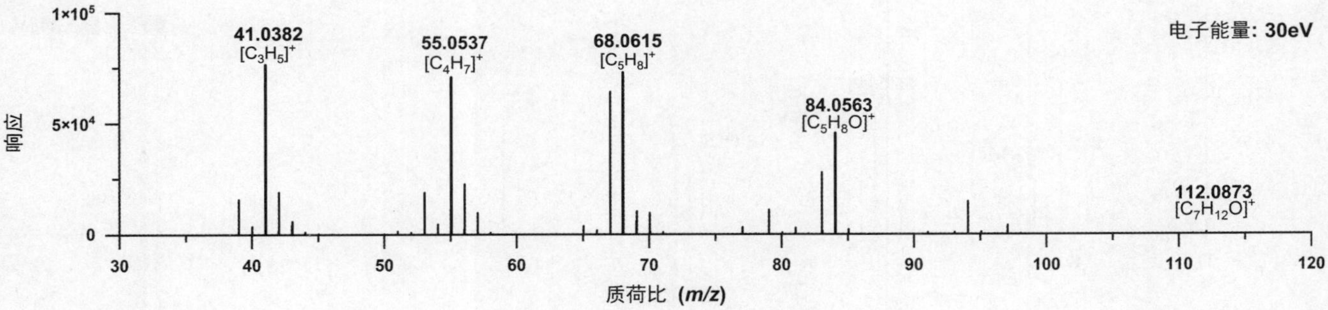

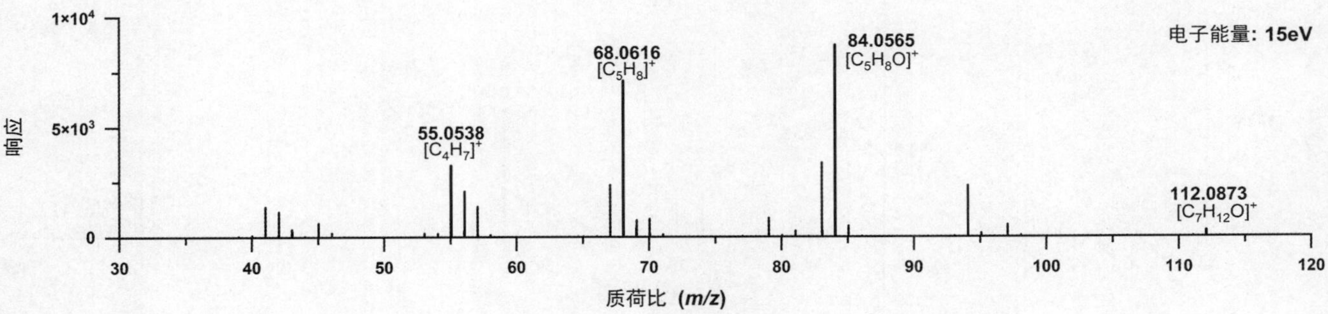

18 (*E*)-2-庚烯醛

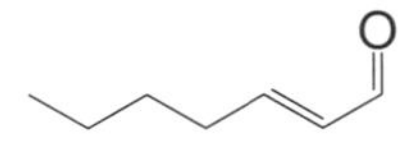

基本信息

CAS 登录号	18829-55-5	分子式	$C_7H_{12}O$	分子量	112.0883
保留指数（极性）	1342	保留指数（非极性）	930	香气描述	绿色植物的气味，青草味，橘子味

质谱图

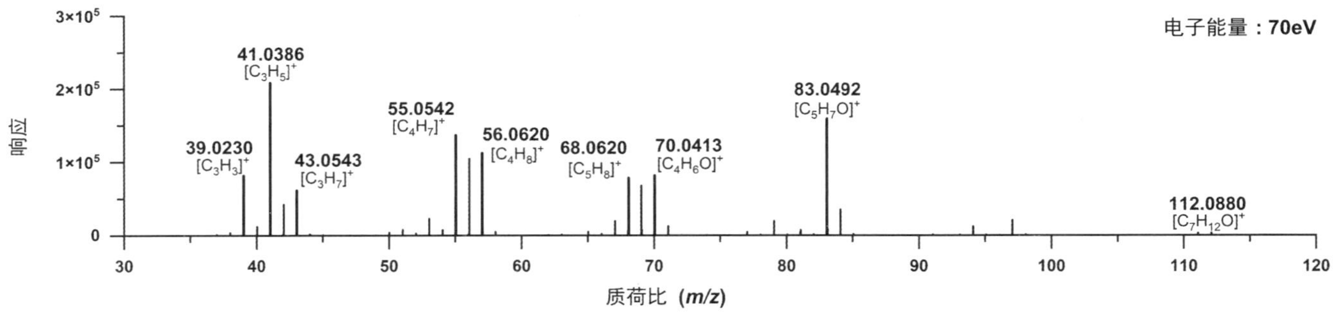

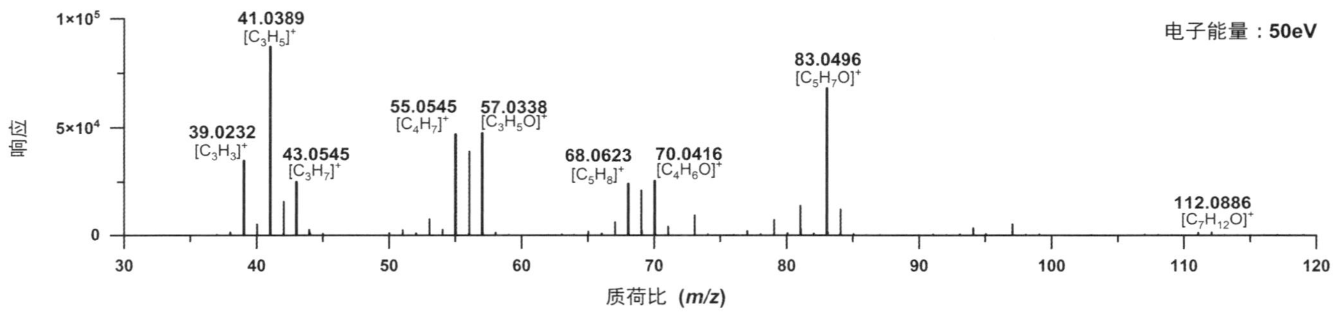

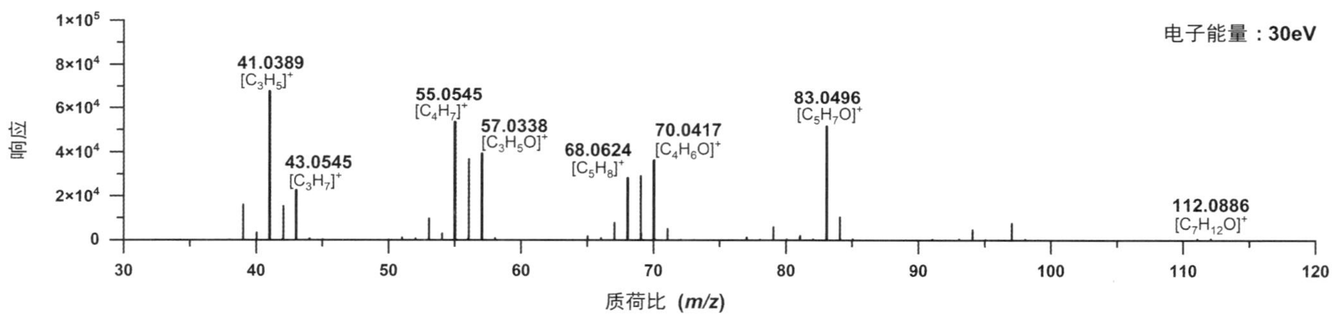

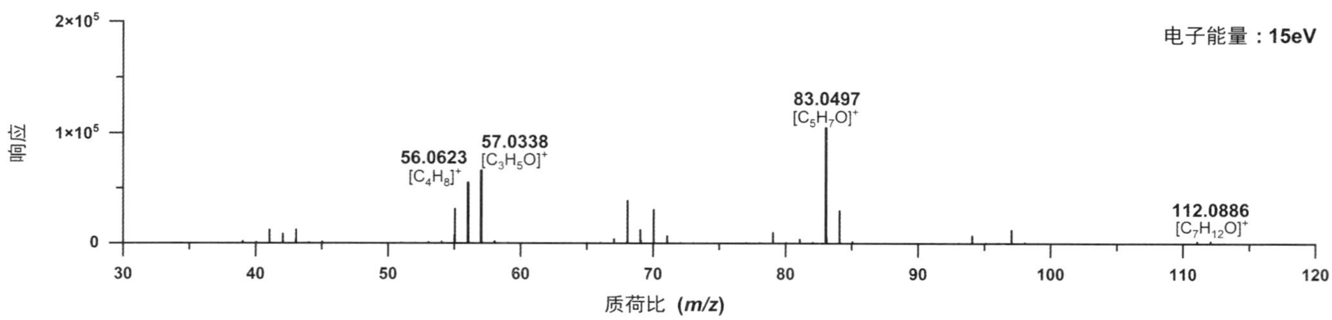

19 (*E*)-2-辛烯醛

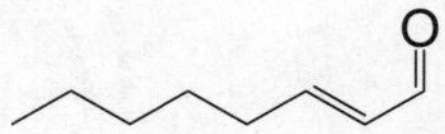

基本信息

CAS 登录号	2548-87-0	分子式	$C_8H_{14}O$	分子量	126.1045
保留指数（极性）	1450	保留指数（非极性）	1032	香气描述	绿色植物的气味，橘子味，醛味

质谱图

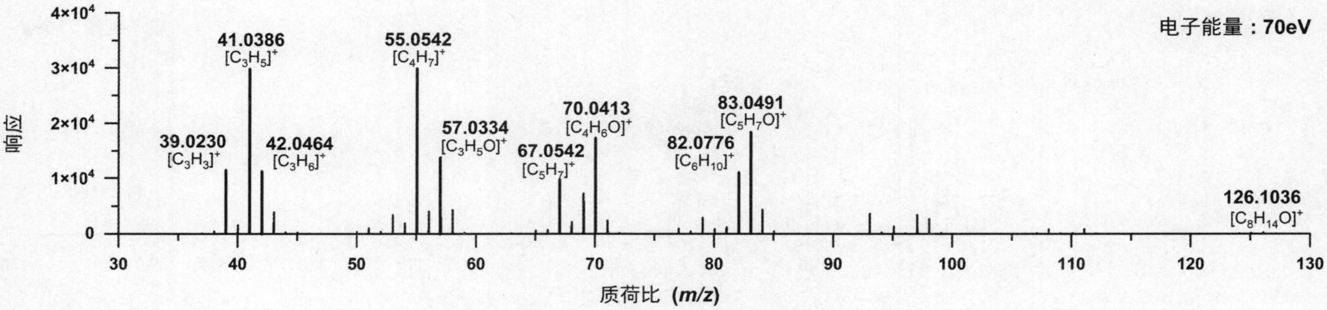

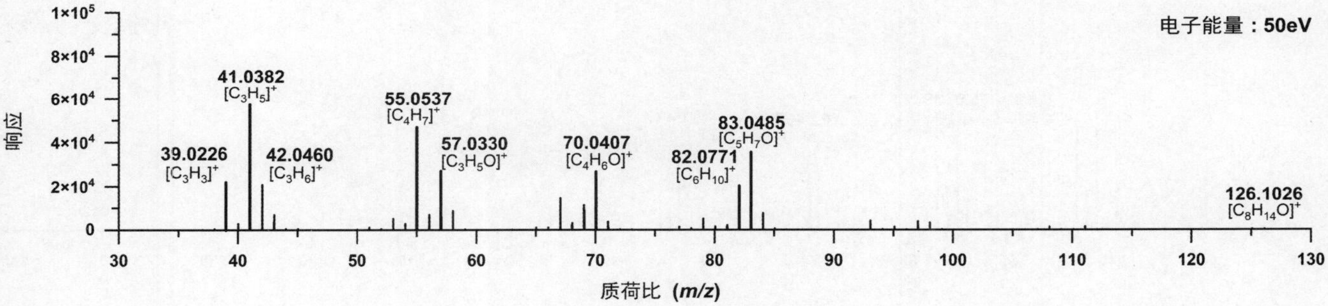

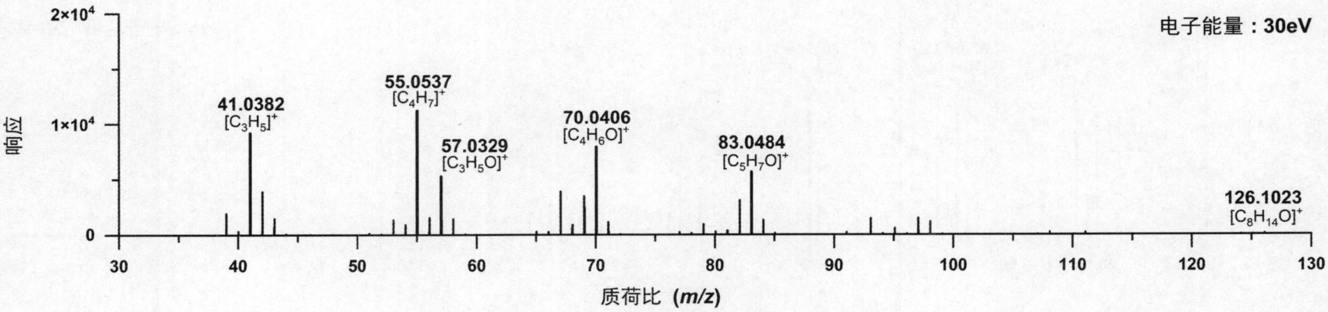

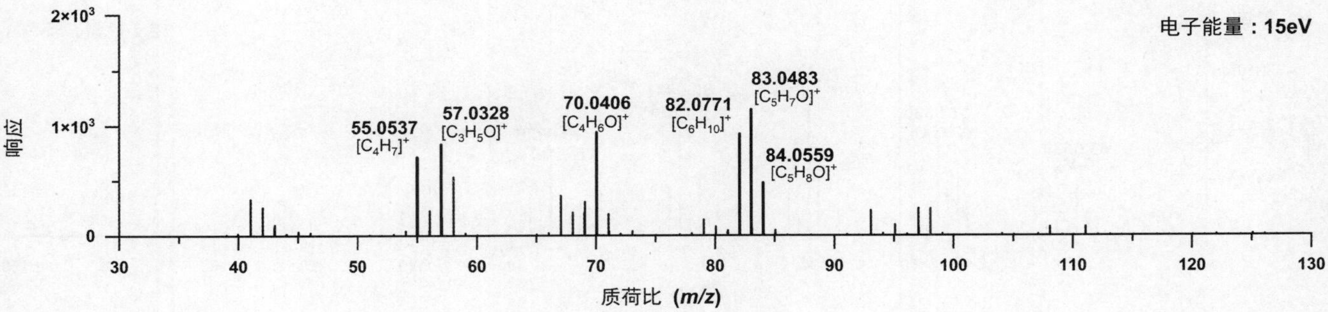

20 (*E*)-2-壬烯醛

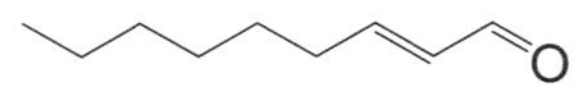

基本信息

CAS 登录号	18829-56-6	分子式	$C_9H_{16}O$	分子量	140.1196
保留指数（极性）	1558	保留指数（非极性）	1135	香气描述	绿色植物的气味，醛味，蜡味

质谱图

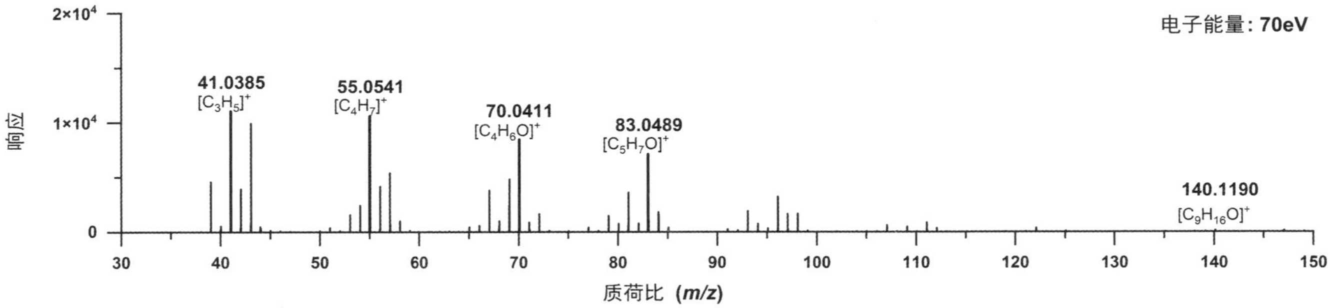

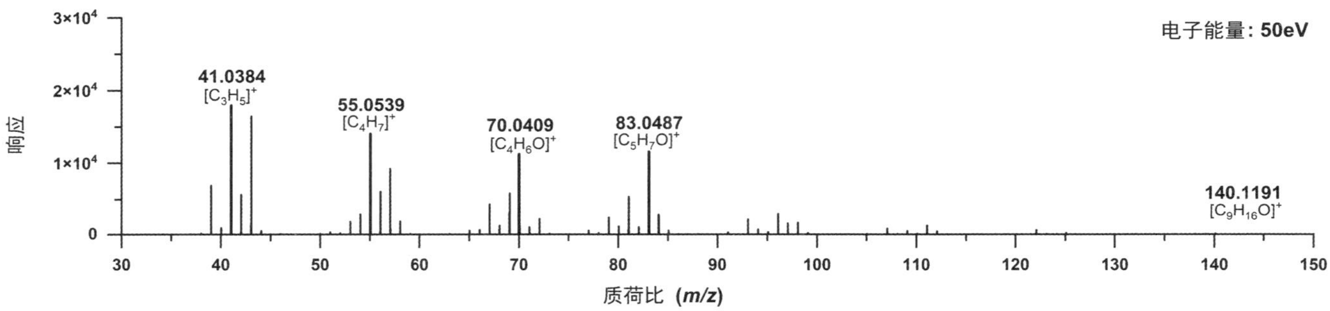

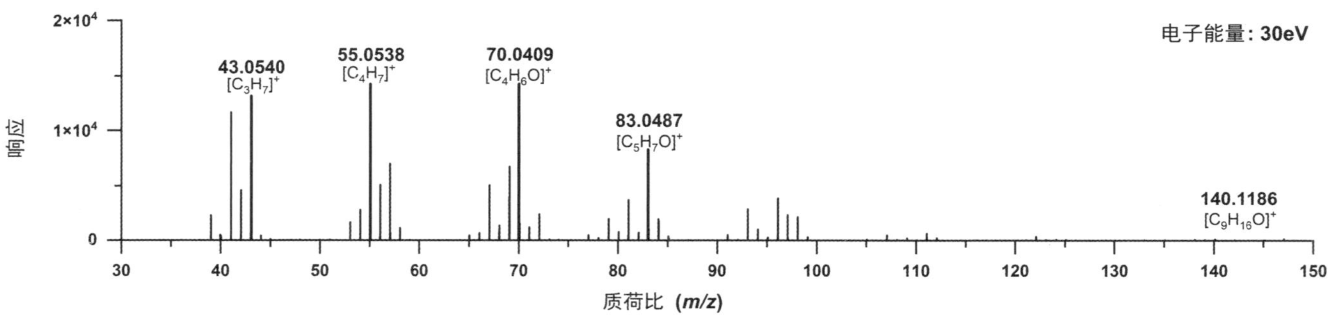

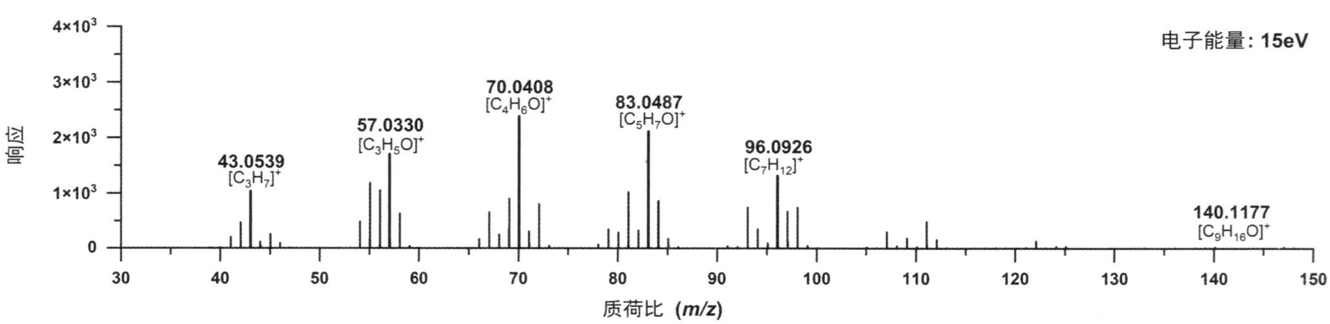

21 (*E*)-2-癸烯醛

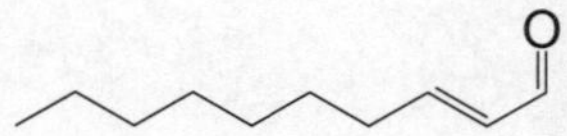

基本信息

CAS 登录号	3913-81-3	分子式	$C_{10}H_{18}O$	分子量	154.1352
保留指数（极性）	1667	保留指数（非极性）	1238	香气描述	醛味，蜡味

质谱图

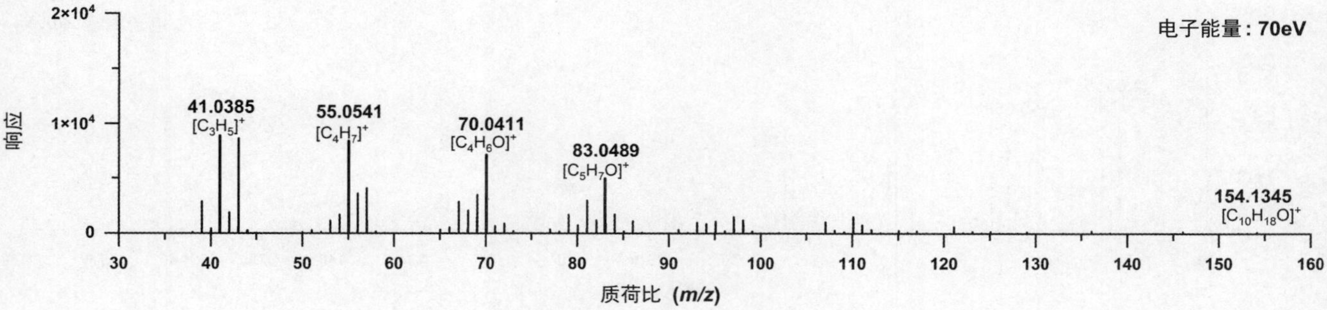

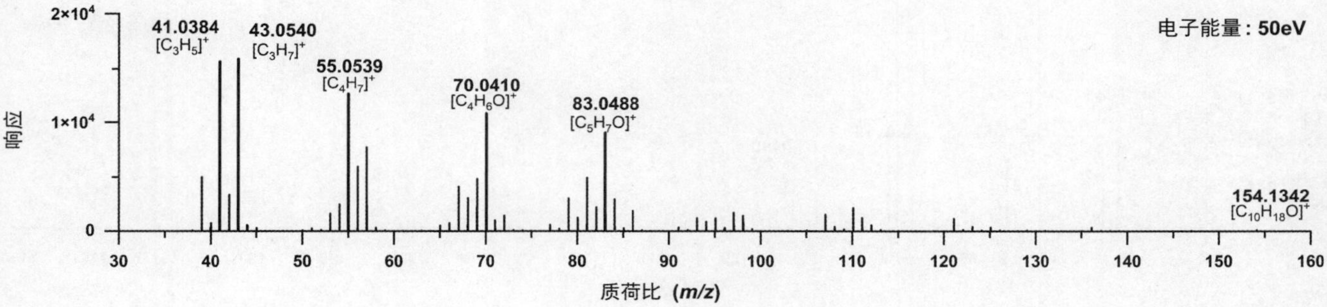

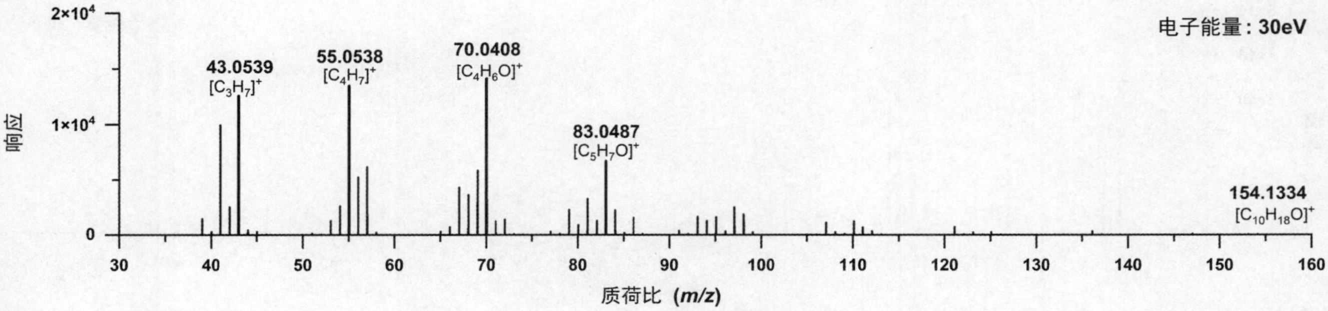

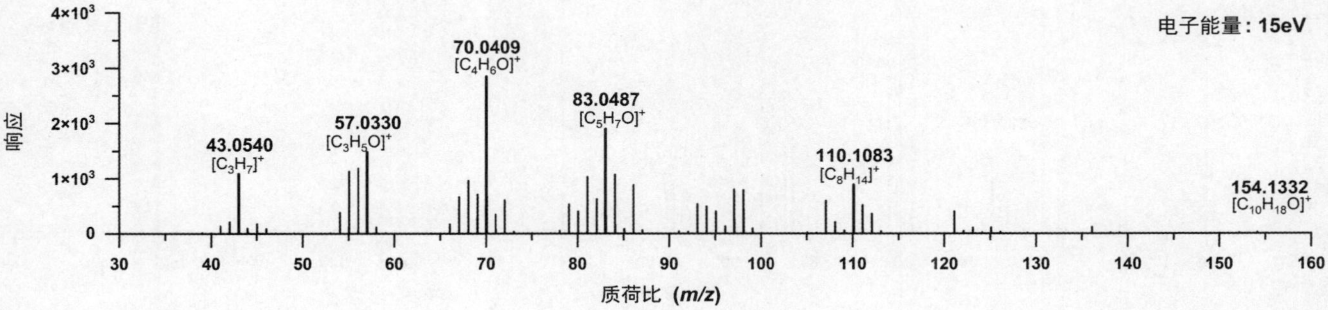

22 (*E*)-2-十一烯醛

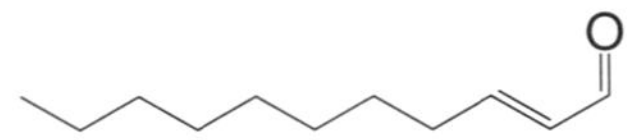

基本信息

CAS 登录号	53448-07-0	分子式	$C_{11}H_{20}O$	分子量	168.1514
保留指数（极性）	1754	保留指数（非极性）	1341	香气描述	醛味，蜡味

质谱图

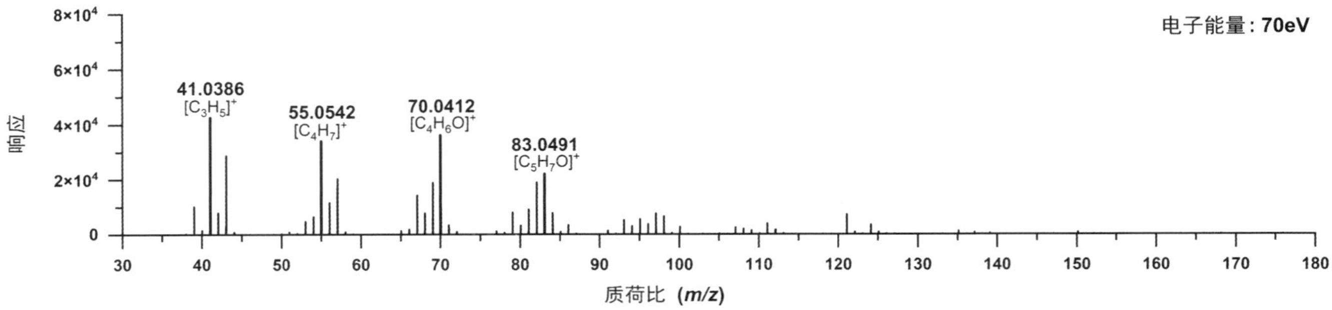

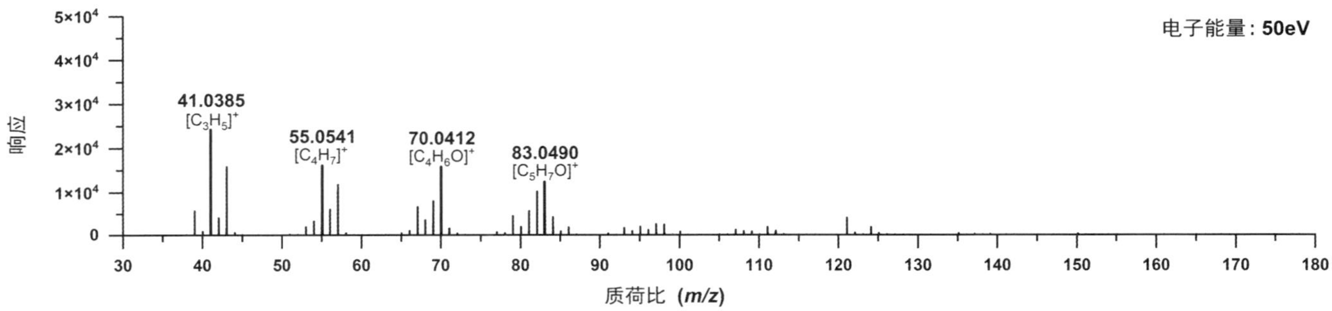

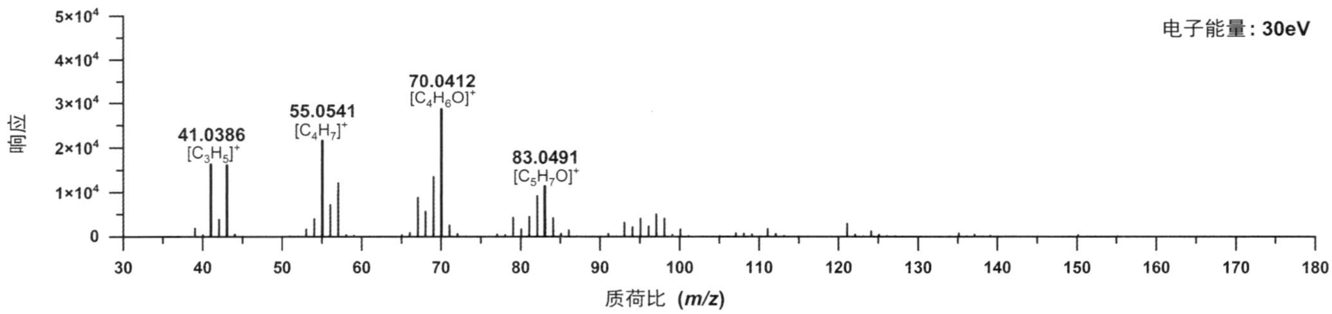

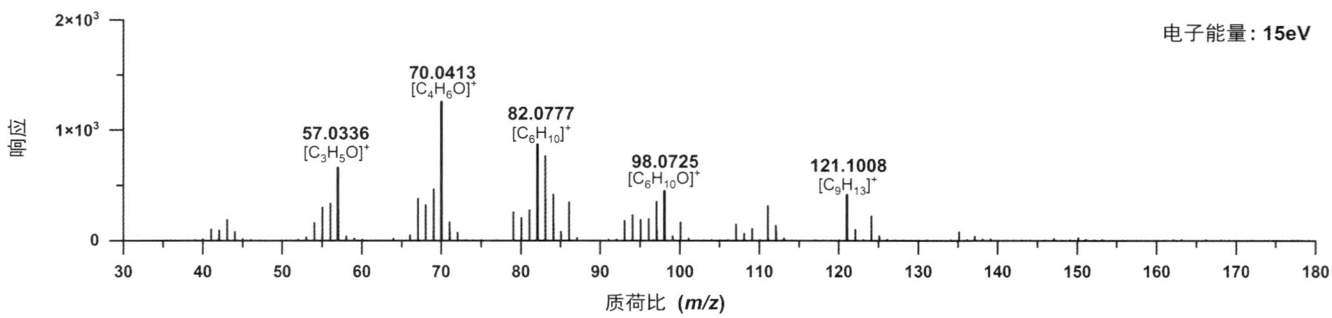

23 (2*E*)-3-(3-戊基-2-环氧乙烷基)丙烯醛

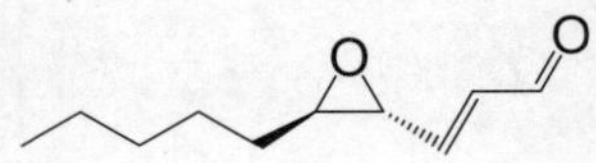

基本信息

CAS 登录号	134454-31-2	分子式	$C_{10}H_{16}O_2$	分子量	168.2300
保留指数（极性）	2021	保留指数（非极性）	1343	香气描述	醛味，豆腥味，金属味

质谱图

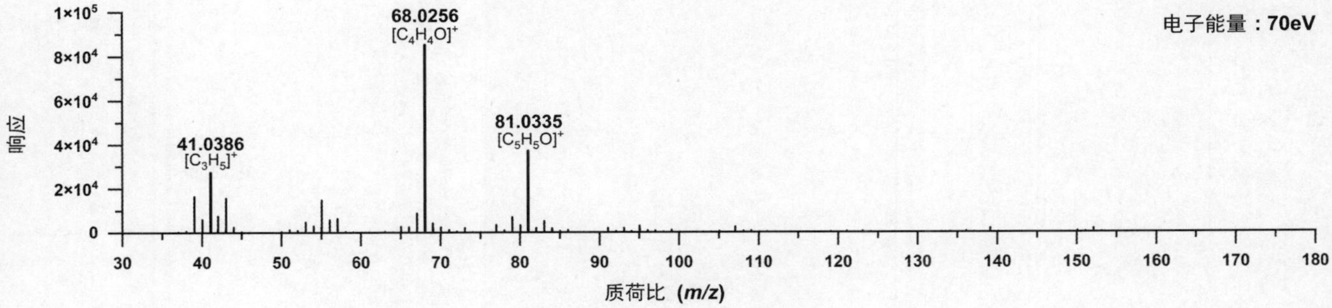

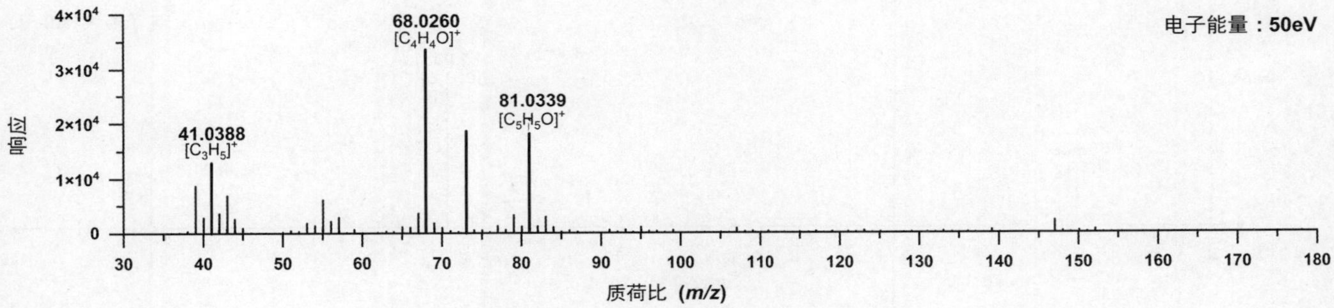

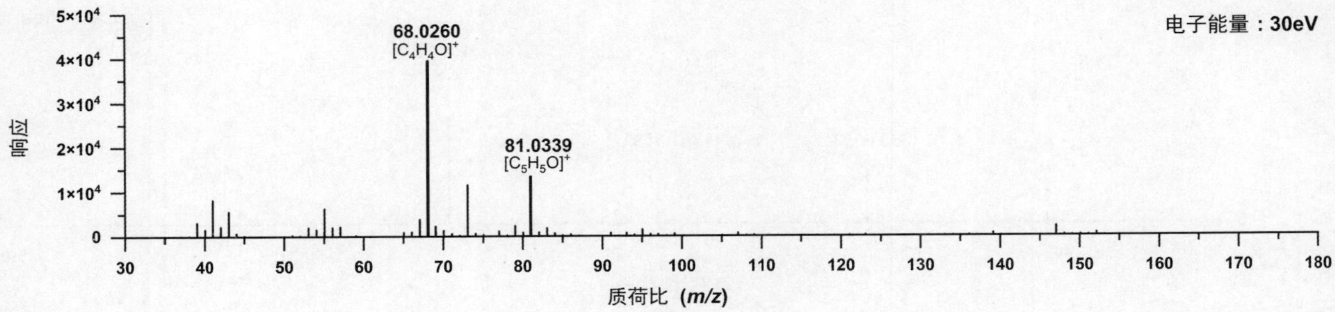

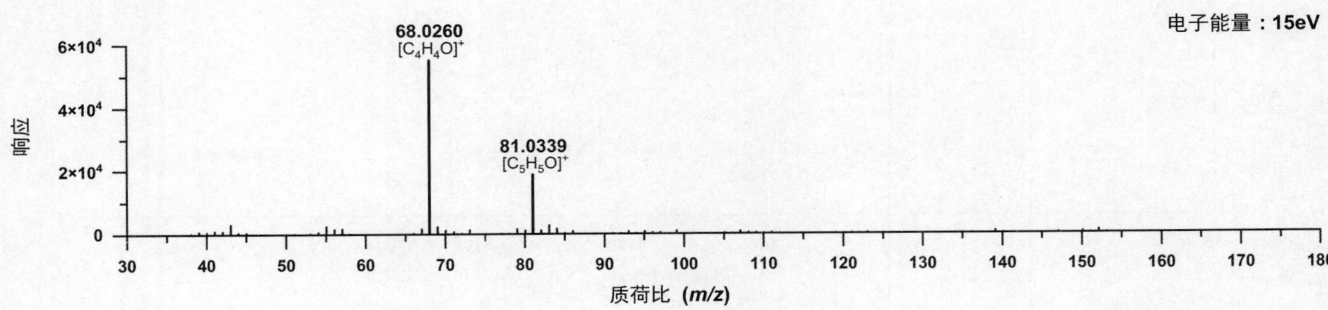

24 (*E*,*E*)-2,4-己二烯醛

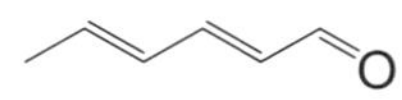

基本信息

CAS 登录号	142-83-6	分子式	C_6H_8O	分子量	96.0570
保留指数（极性）	1422	保留指数（非极性）	881	香气描述	甜香，橘子味，青草味

质谱图

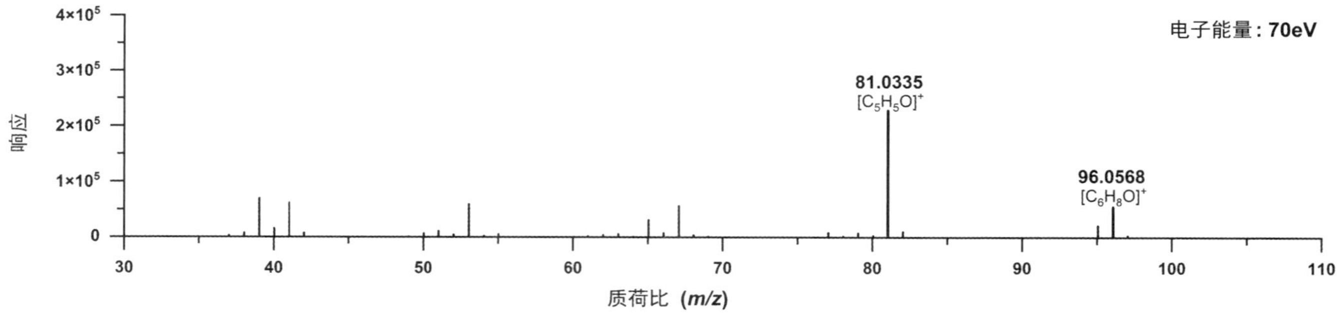

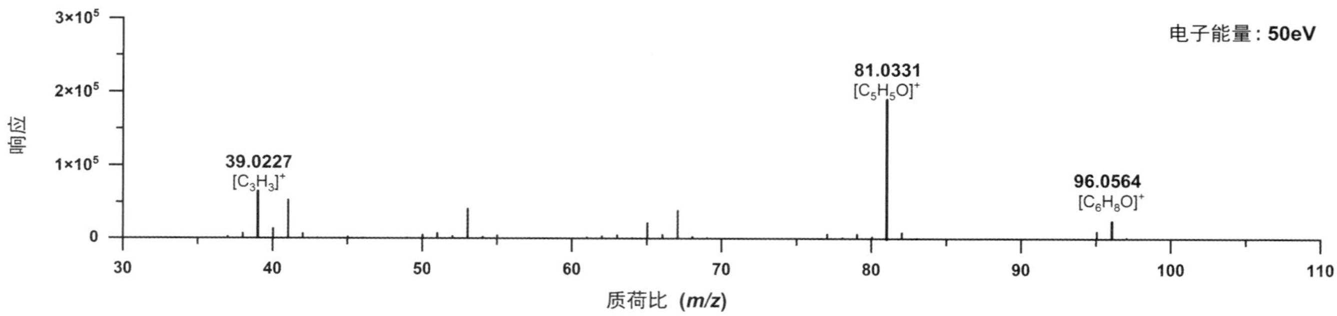

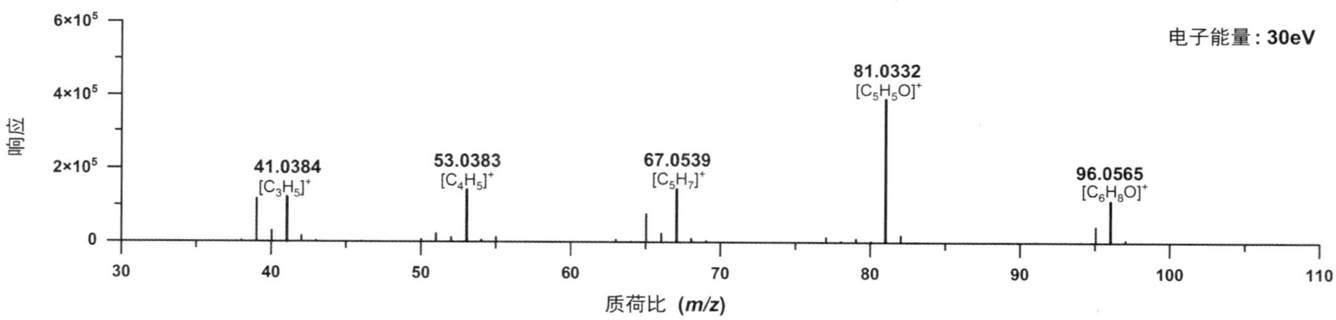

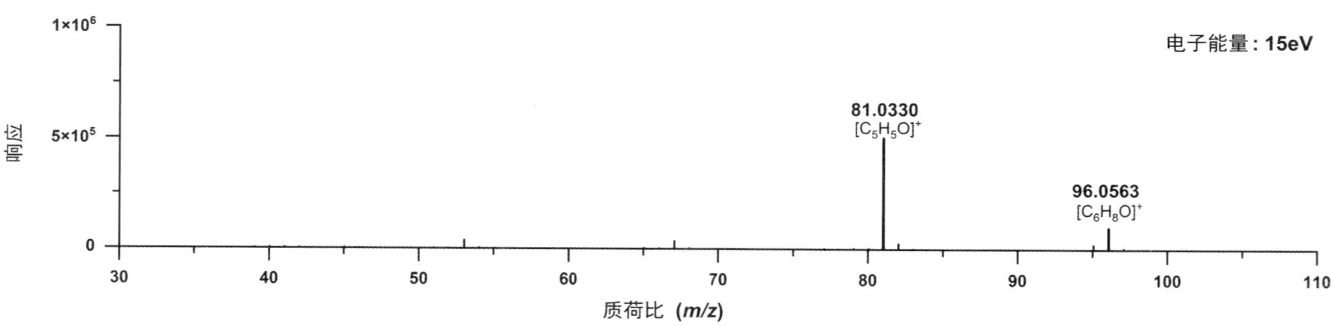

25 (*E*,*E*)-2,4-庚二烯醛

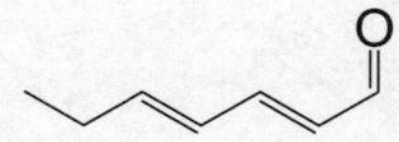

基本信息

CAS 登录号	4313-03-5	分子式	$C_7H_{10}O$	分子量	110.0726
保留指数（极性）	1516	保留指数（非极性）	981	香气描述	甜香，柑橘味，青草味

质谱图

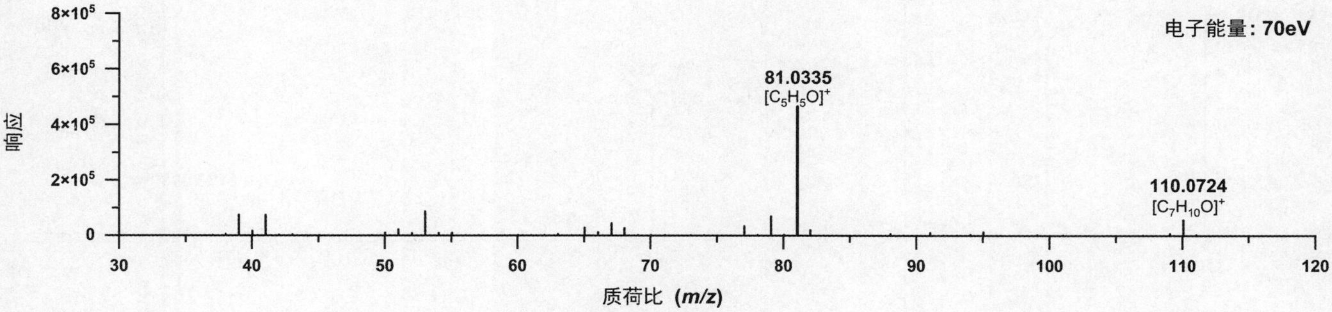

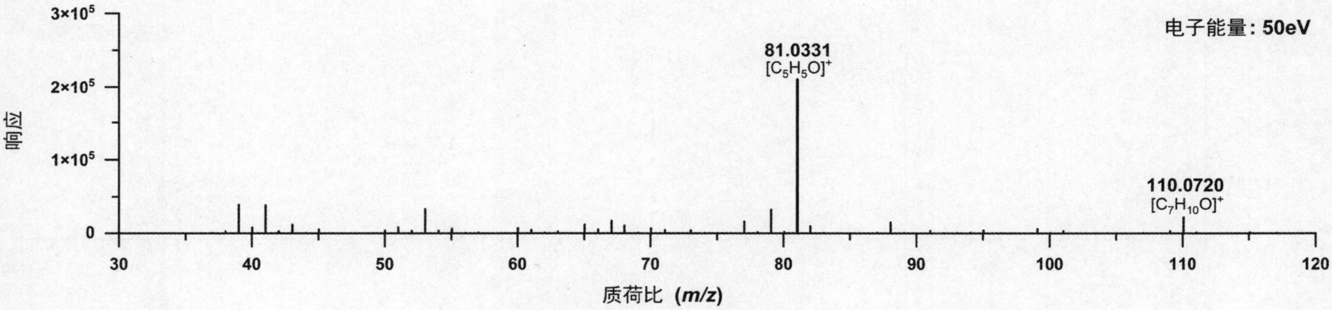

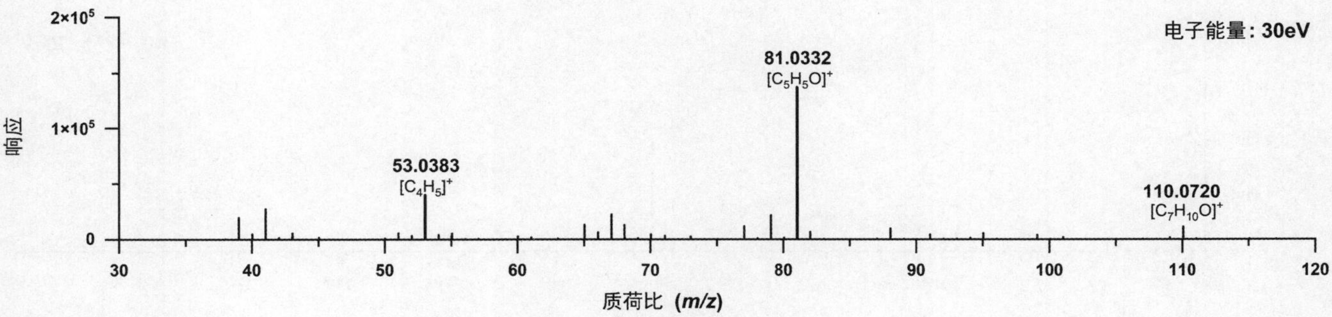

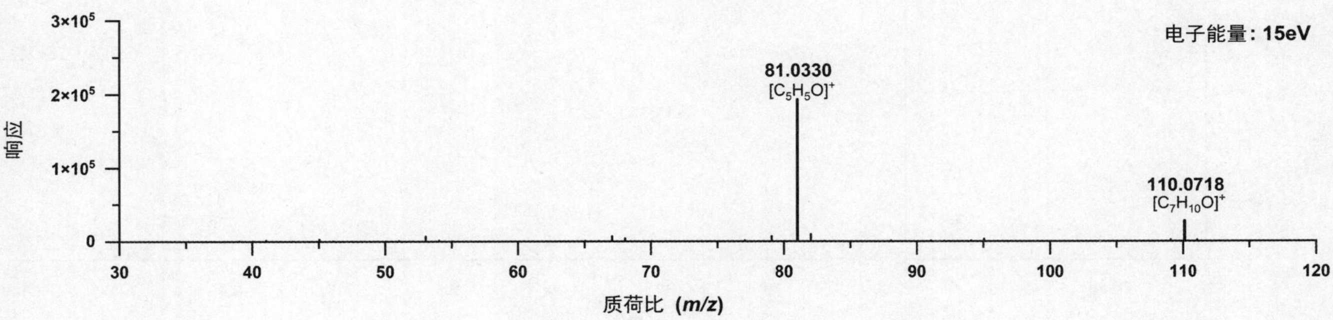

26 (2*E*,4*E*)-2,4-辛二烯醛

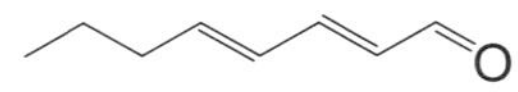

基本信息

CAS 登录号	30361-28-5	分子式	$C_8H_{12}O$	分子量	124.0883
保留指数（极性）	1615	保留指数（非极性）	1080	香气描述	米饭香，甜香，橘子味

质谱图

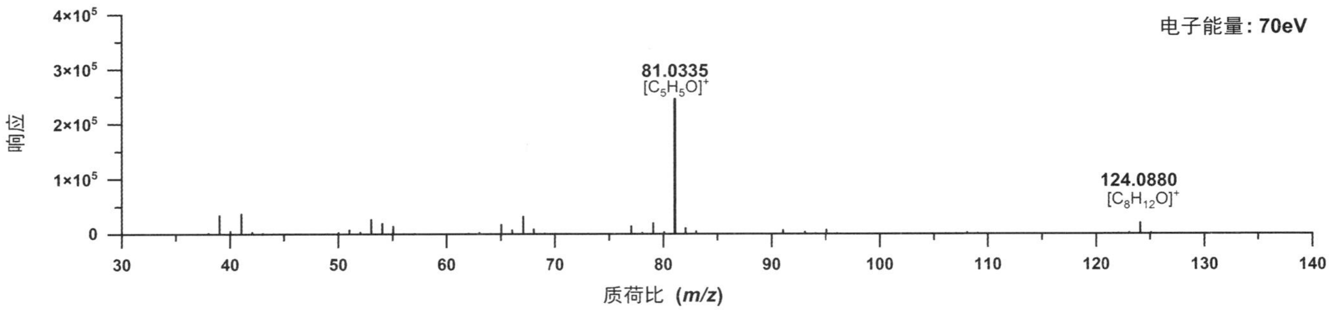

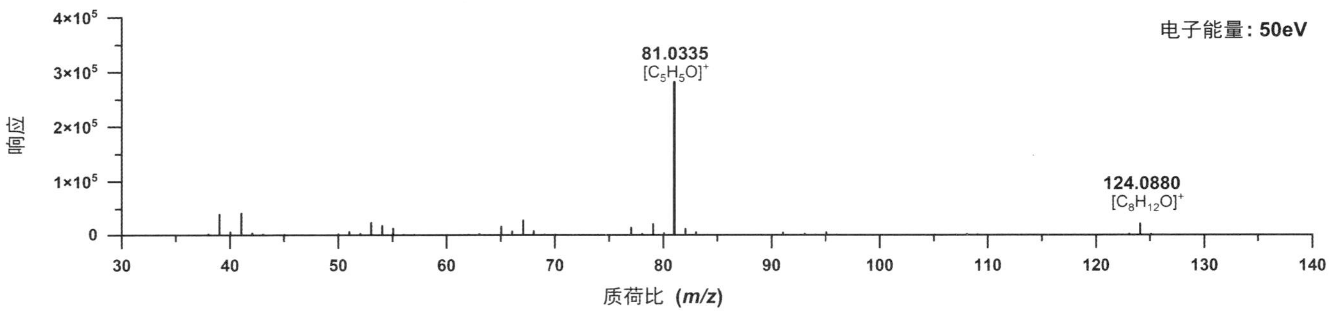

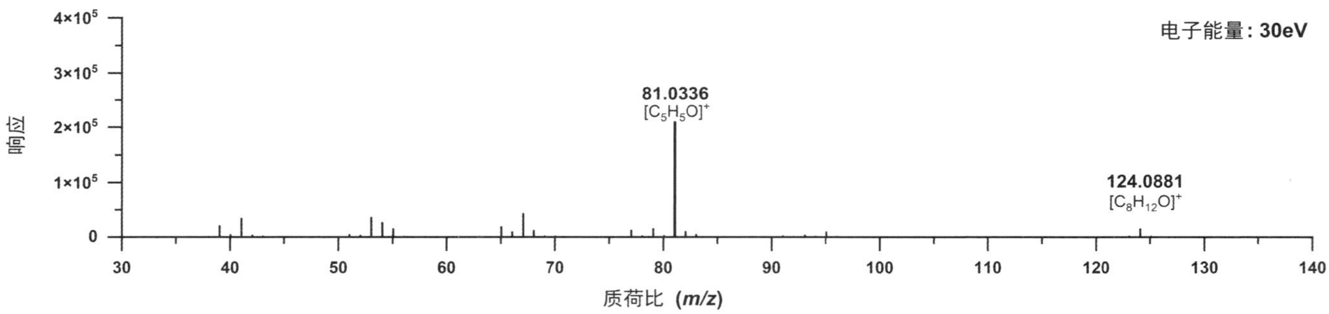

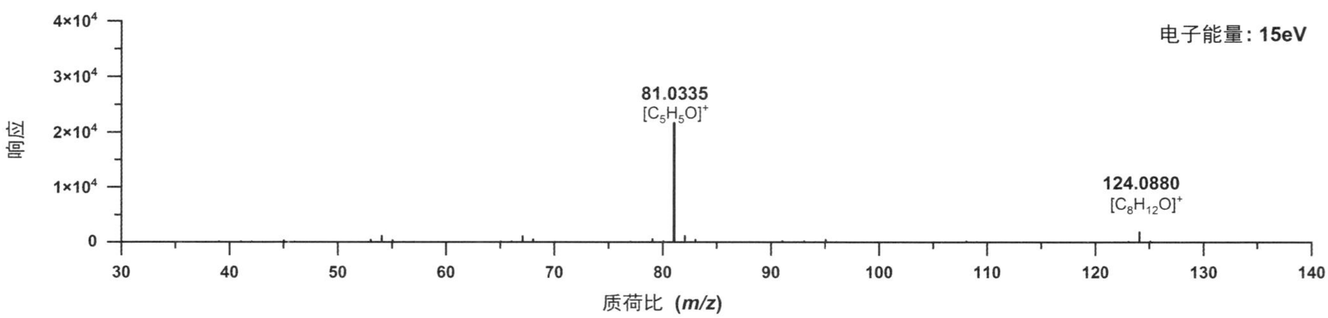

27 (*E*,*E*)-2,4-壬二烯醛

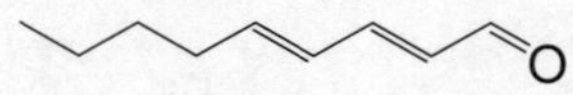

基本信息

CAS 登录号	5910-87-2	分子式	$C_9H_{14}O$	分子量	138.1039
保留指数（极性）	1729	保留指数（非极性）	1186	香气描述	米饭香，甜香

质谱图

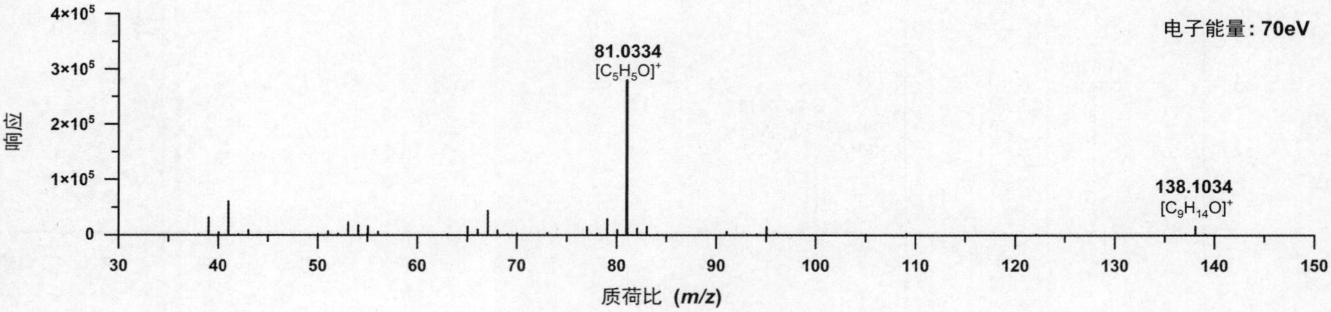

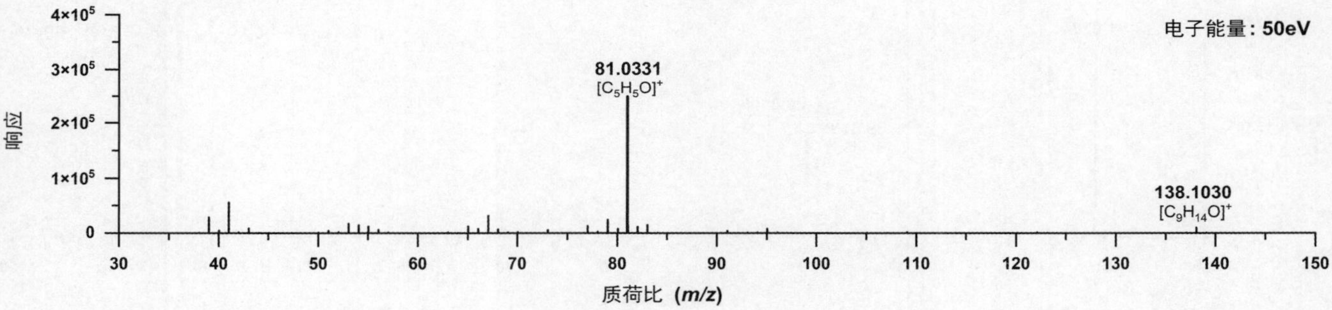

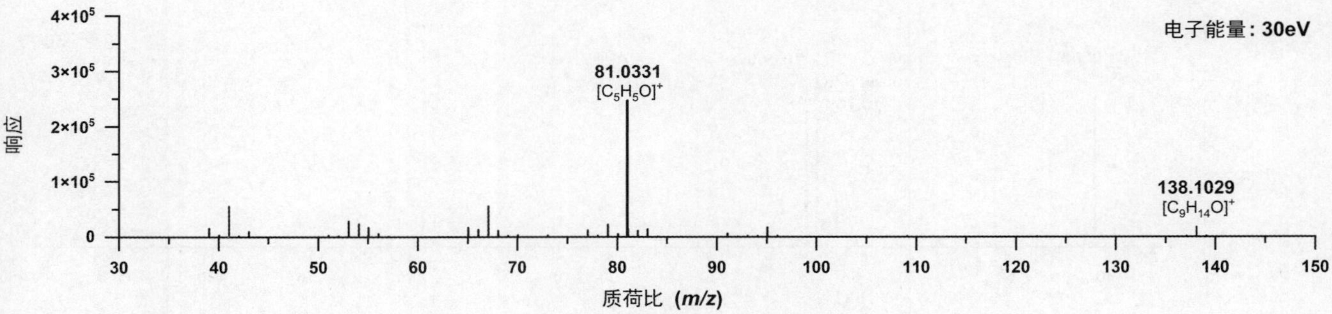

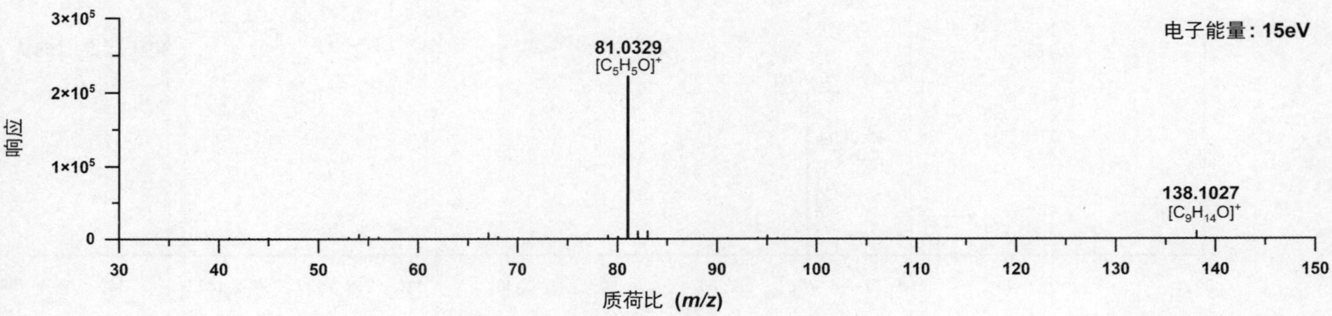

28 (*E*,*Z*)-2,6-壬二烯醛

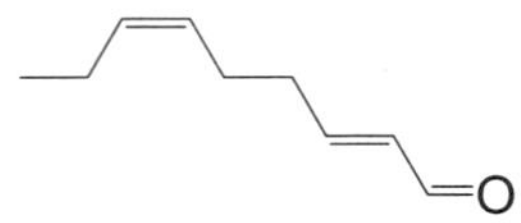

基本信息

CAS 登录号	557-48-2	分子式	$C_9H_{14}O$	分子量	138.1045
保留指数（极性）	1610	保留指数（非极性）	1126	香气描述	米饭香，甜香，油脂味

质谱图

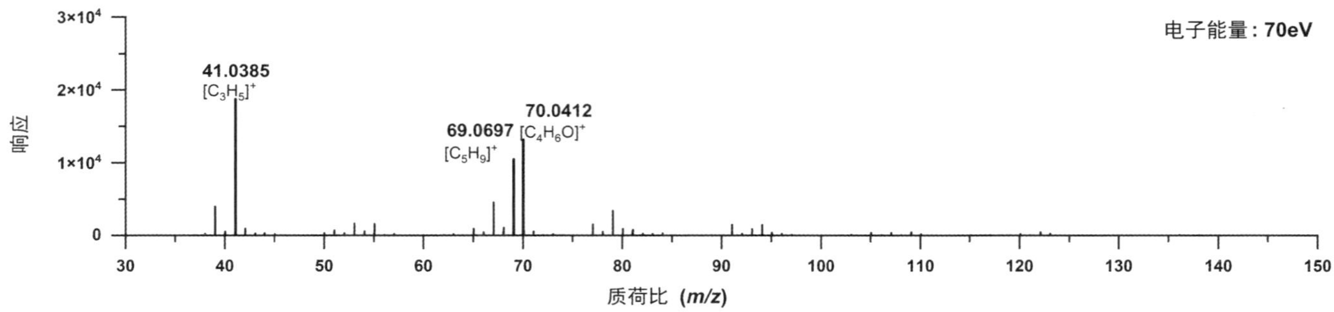

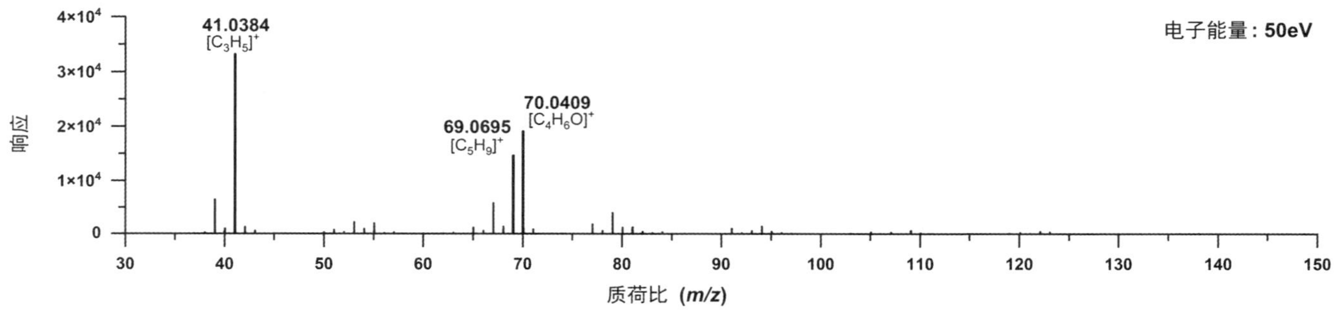

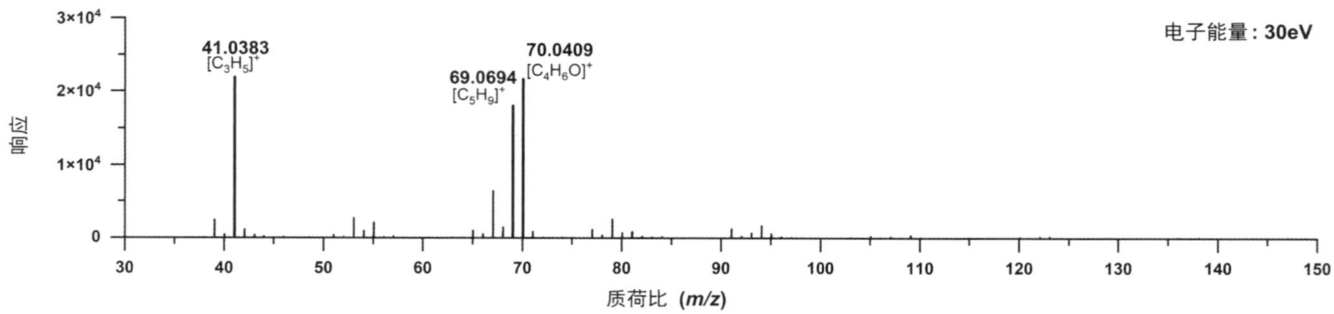

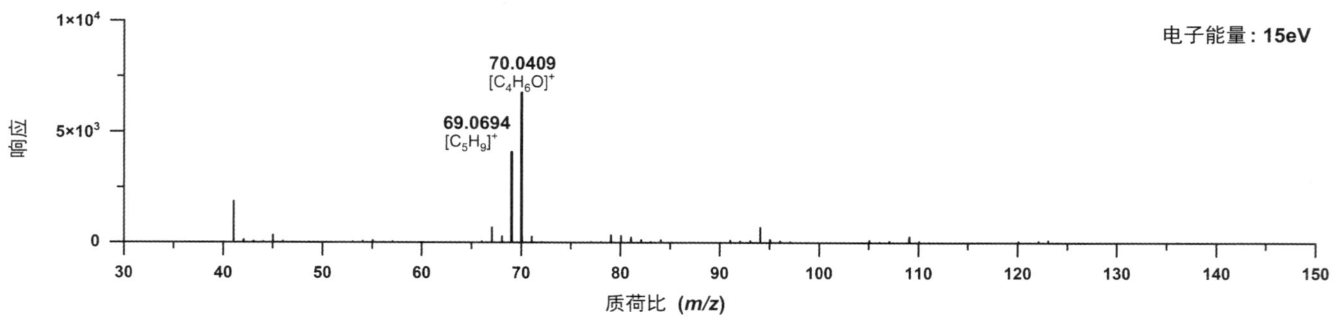

29 (*E*,*E*)-2,4-癸二烯醛

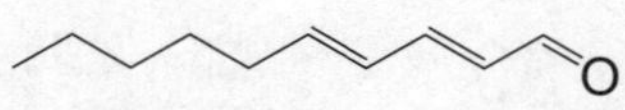

基本信息

CAS 登录号	25152-84-5	分子式	$C_{10}H_{16}O$	分子量	152.1196
保留指数（极性）	1839	保留指数（非极性）	1290	香气描述	米饭香，甜香，油脂味

质谱图

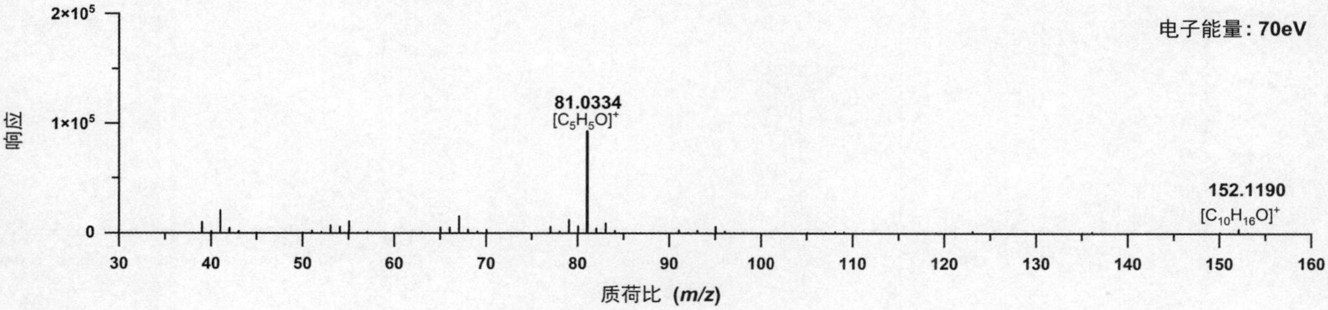

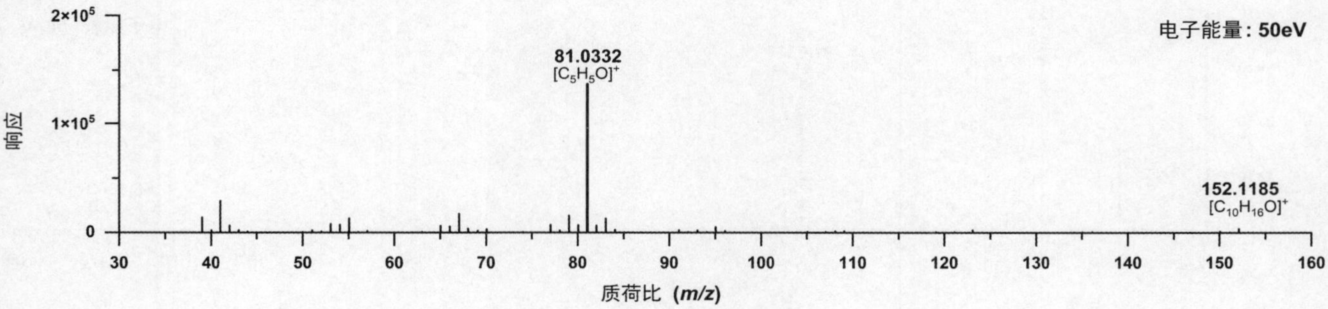

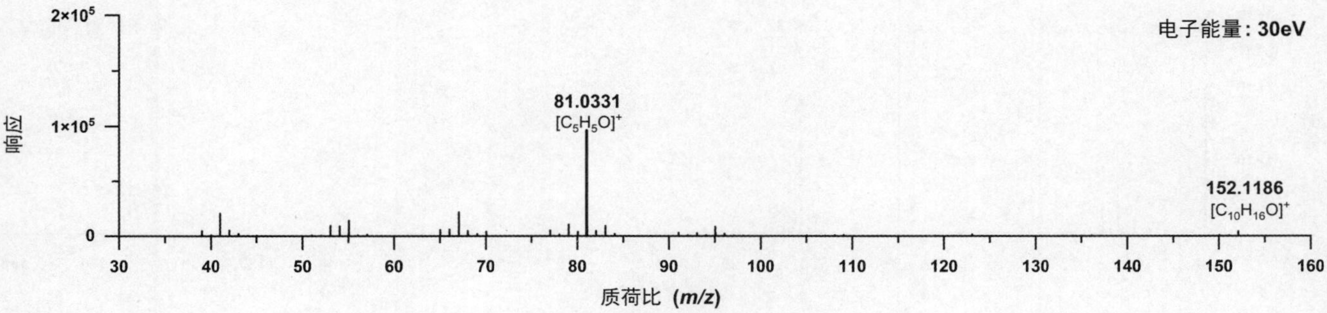

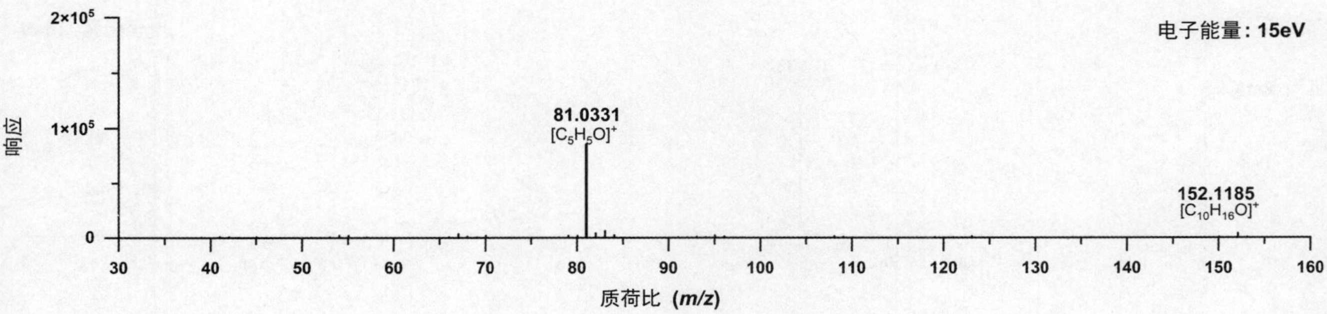

30 (*E*,*E*)-2,4-十一碳二烯醛

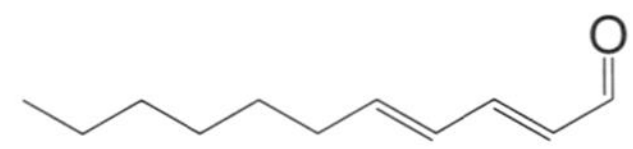

基本信息

CAS 登录号	30361-29-6	分子式	$C_{11}H_{18}O$	分子量	166.1352
保留指数（极性）	1949	保留指数（非极性）	1394	香气描述	醛味，蜡味，金属味

质谱图

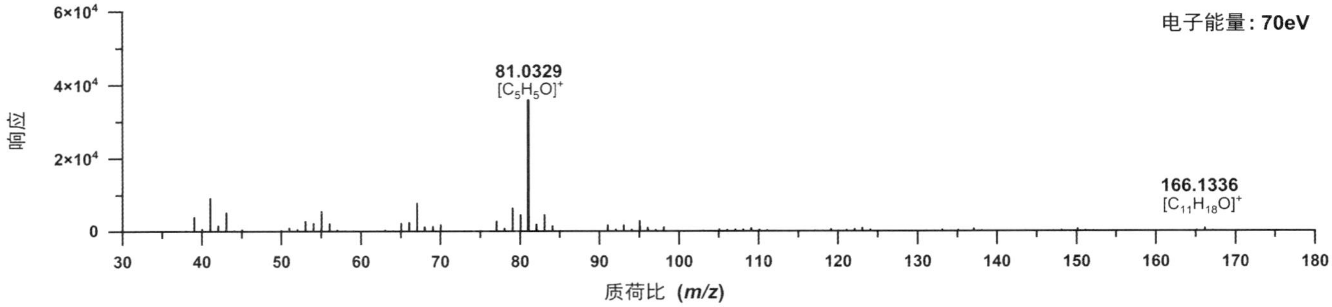

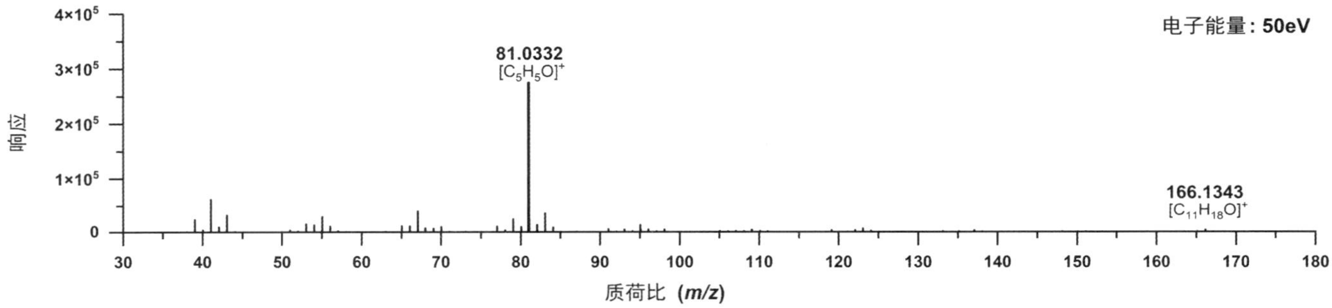

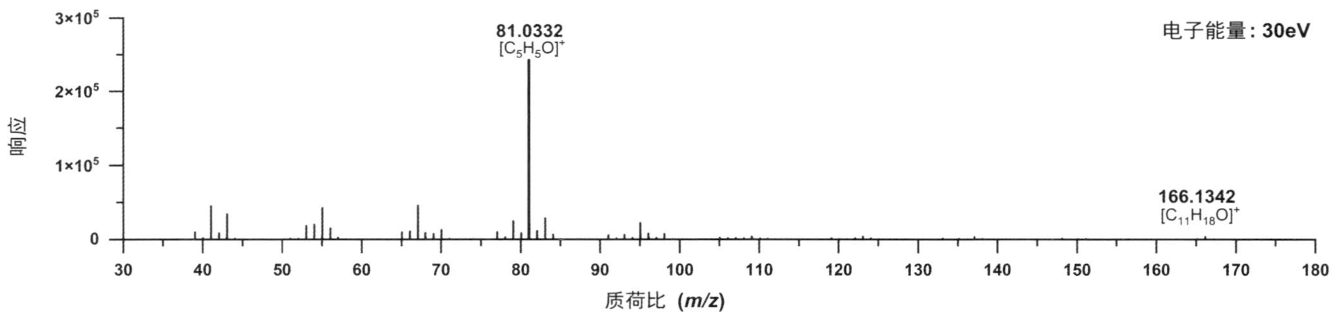

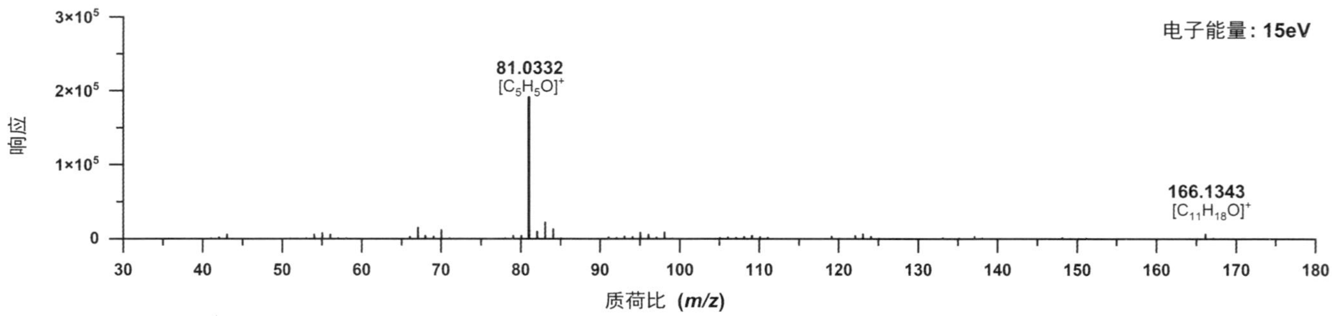

31 2,4,6-三甲基-1,3,5-三氧杂环己烷

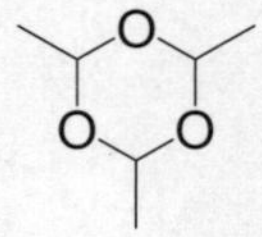

基本信息

CAS 登录号	123-63-7	分子式	$C_6H_{12}O_3$	分子量	132.0786
保留指数（极性）	1092	保留指数（非极性）	769	香气描述	刺激性气味，醛味

质谱图

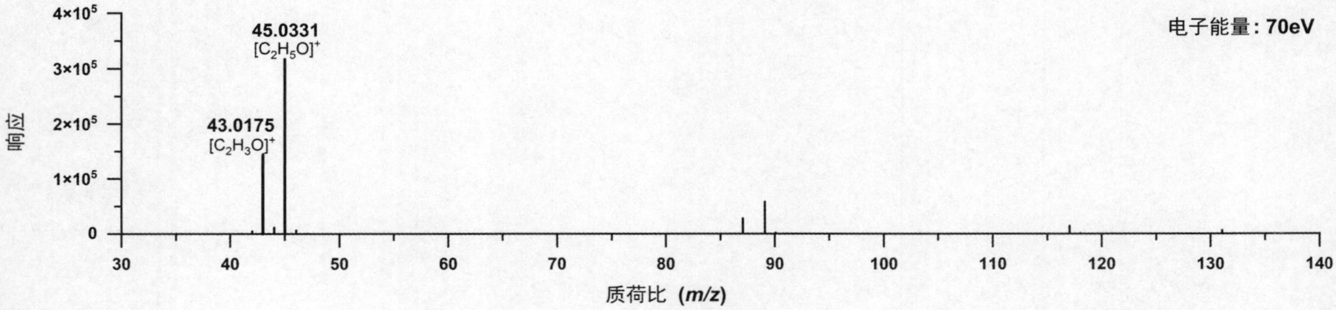

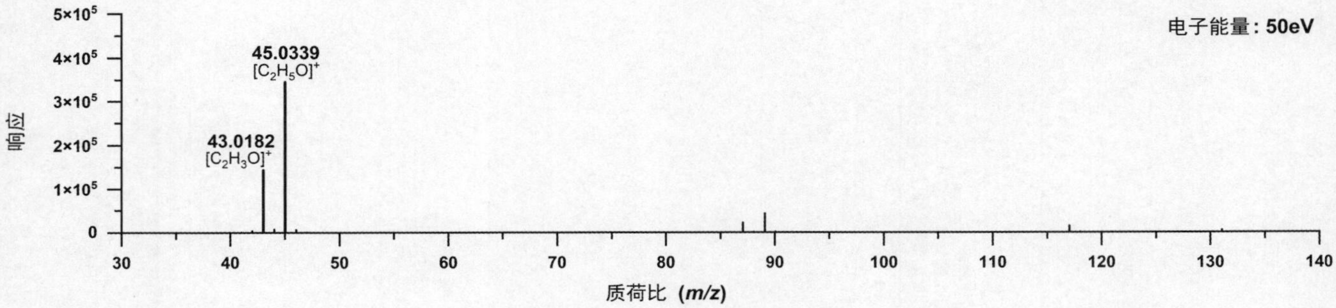

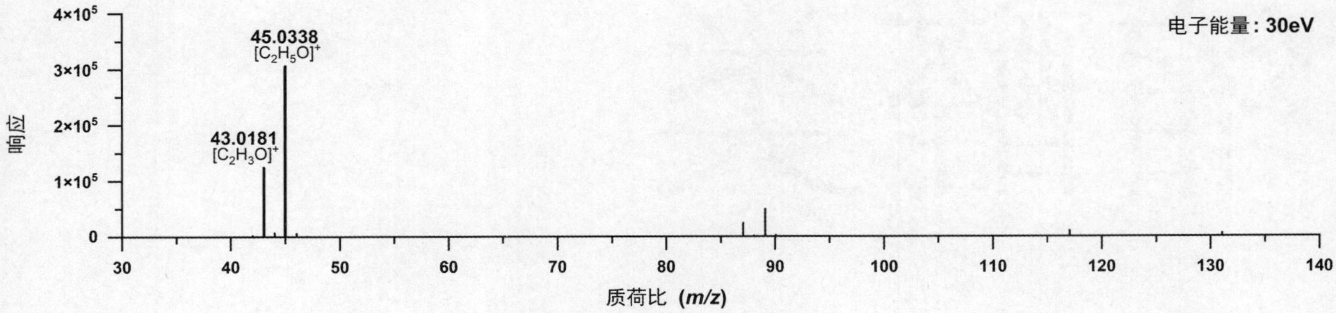

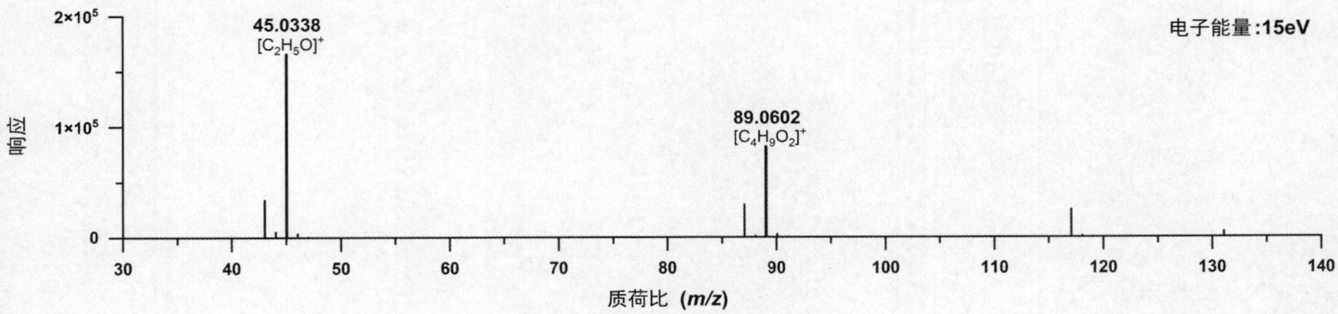

缩醛类

1　1,1-二乙氧基甲烷

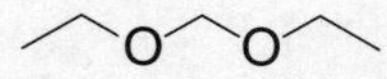

基本信息

CAS 登录号	462-95-3	分子式	$C_5H_{12}O_2$	分子量	104.0837
保留指数（极性）	856	保留指数（非极性）	661	香气描述	甜香，水果香，类似溶剂的气味

质谱图

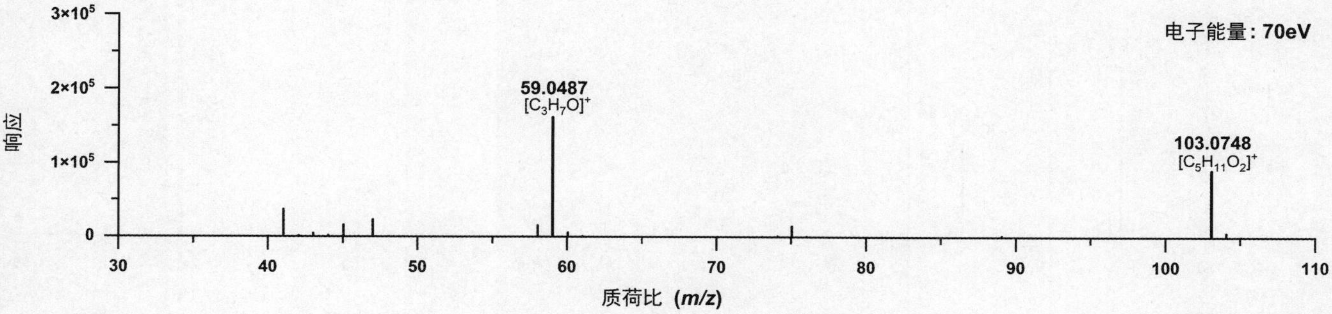

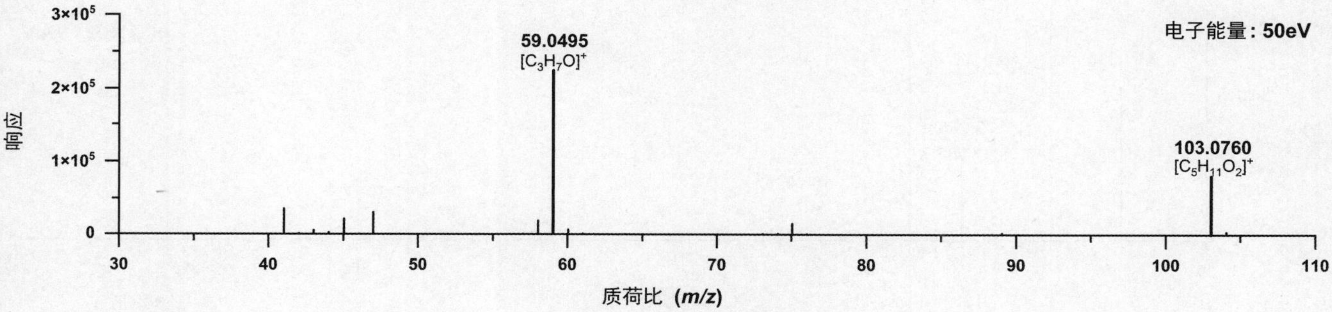

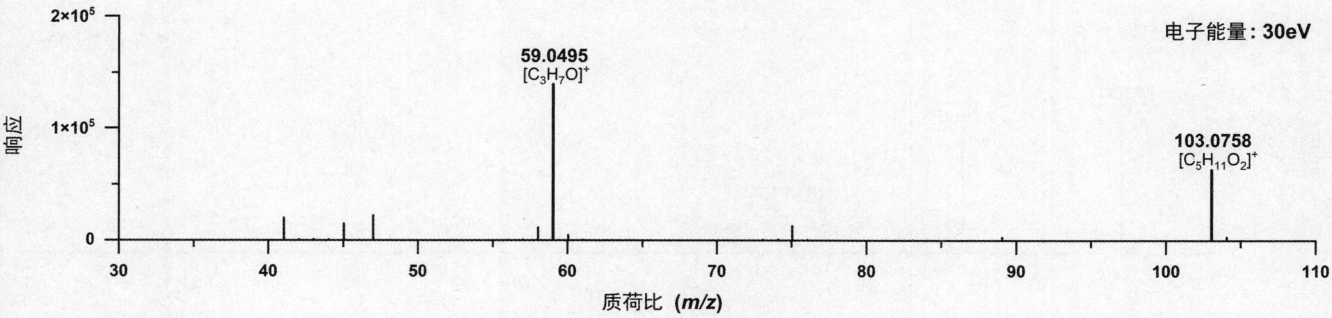

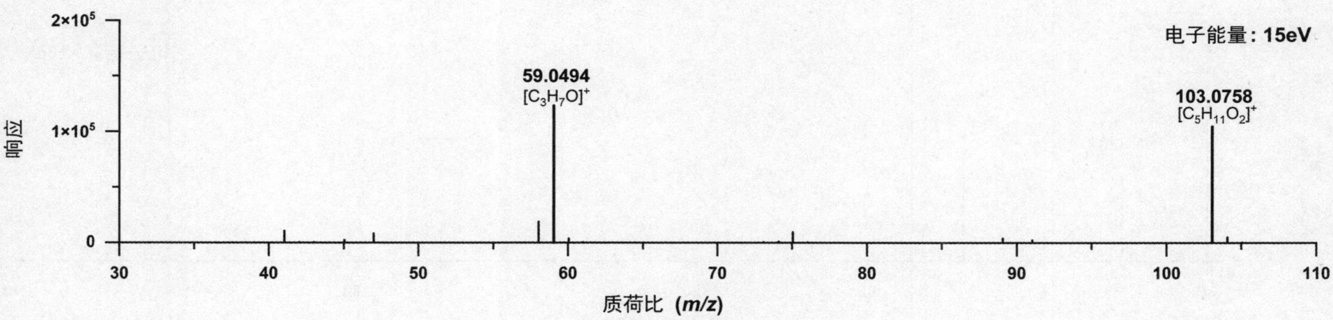

2 1,1-二乙氧基乙烷

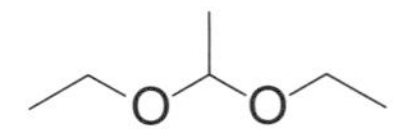

基本信息

CAS 登录号	105-57-7	分子式	$C_6H_{14}O_2$	分子量	118.0994
保留指数（极性）	899	保留指数（非极性）	723	香气描述	甜香，类似醚的气味，水果香

质谱图

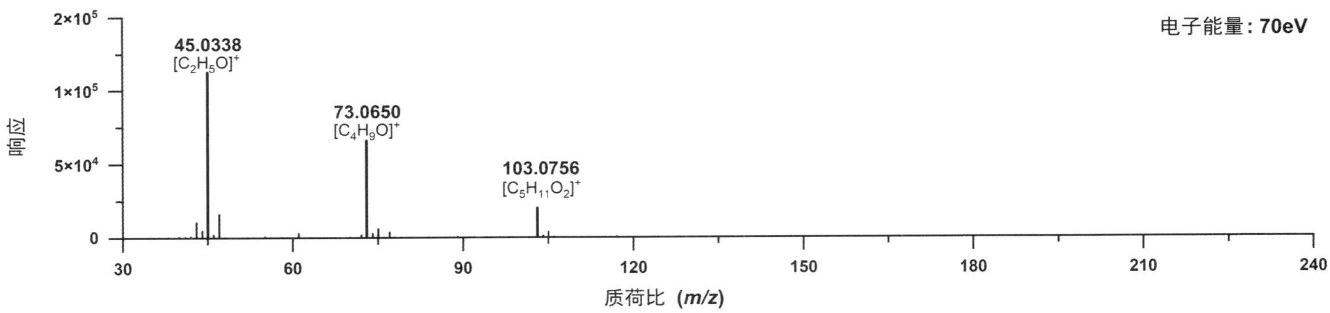

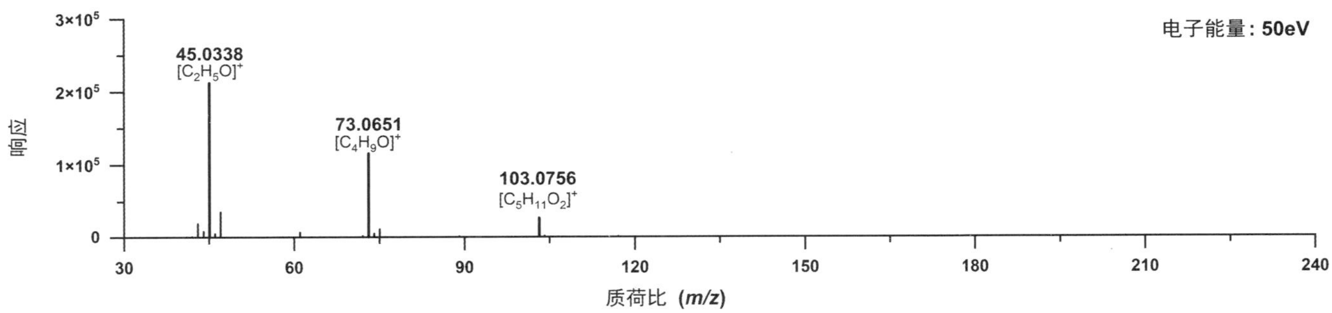

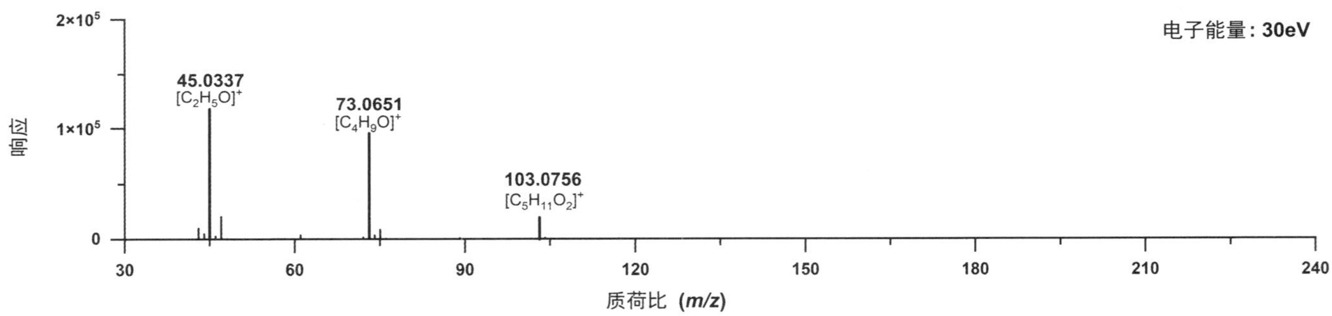

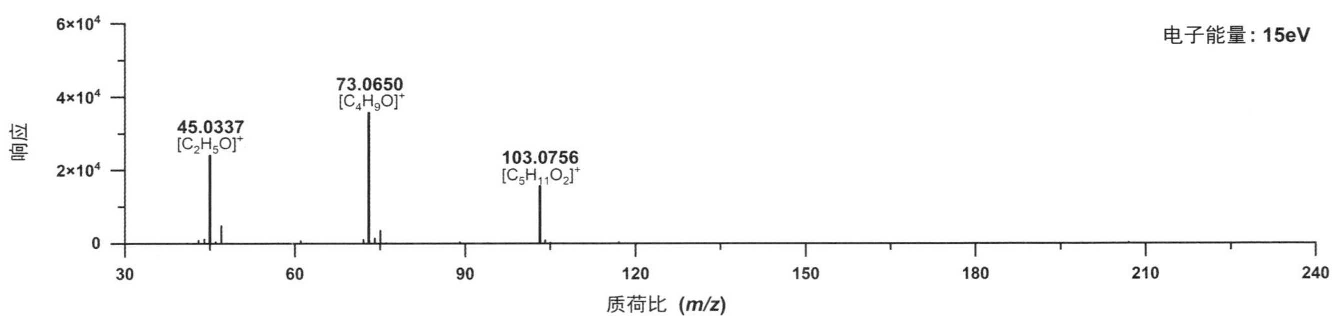

3 1,1–二乙氧基丙烷

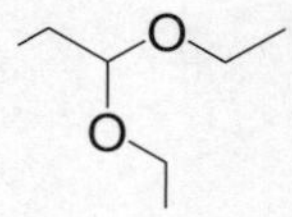

基本信息

CAS 登录号	4744-08-5	分子式	$C_7H_{16}O_2$	分子量	132.1150
保留指数（极性）	961	保留指数（非极性）	807	香气描述	甜香，类似醚的气味，水果香

质谱图

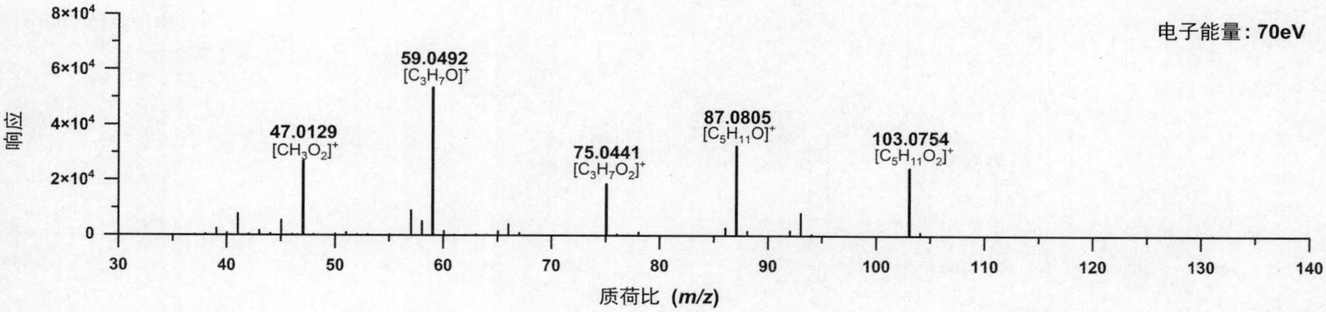

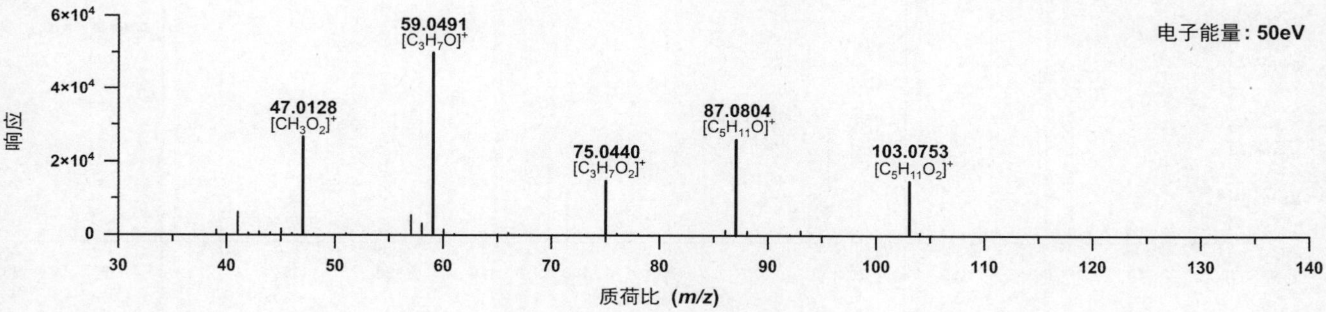

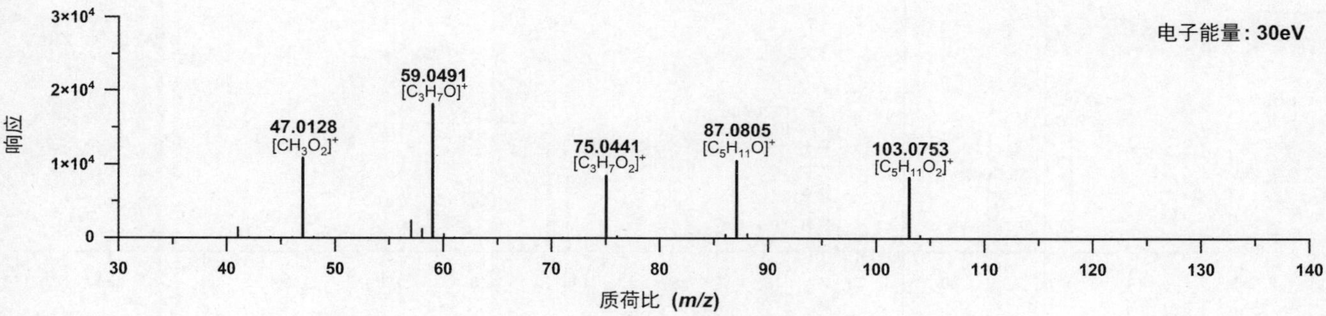

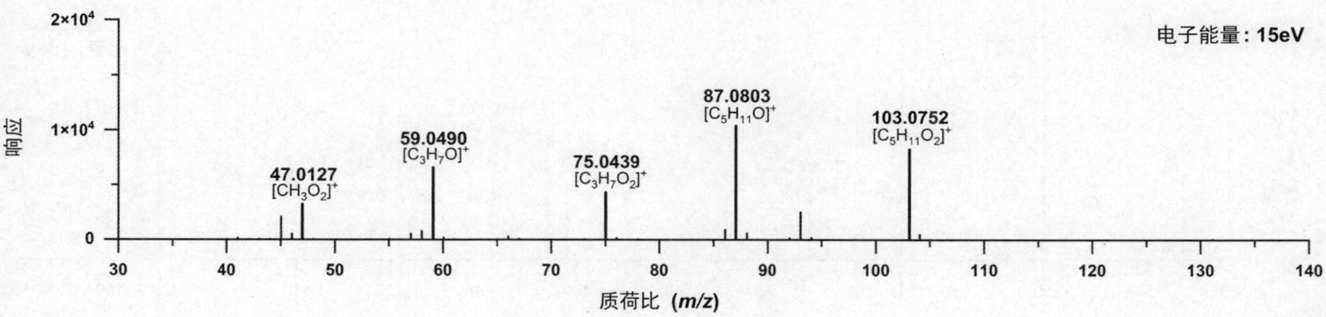

4 2-甲基-1,1-二乙氧基丙烷

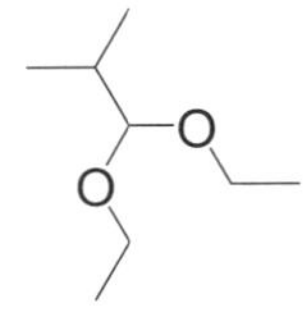

基本信息

CAS 登录号	1741-41-9	分子式	$C_8H_{18}O_2$	分子量	146.1307
保留指数（极性）	981	保留指数（非极性）	854	香气描述	甜香，类似醚的气味，水果香

质谱图

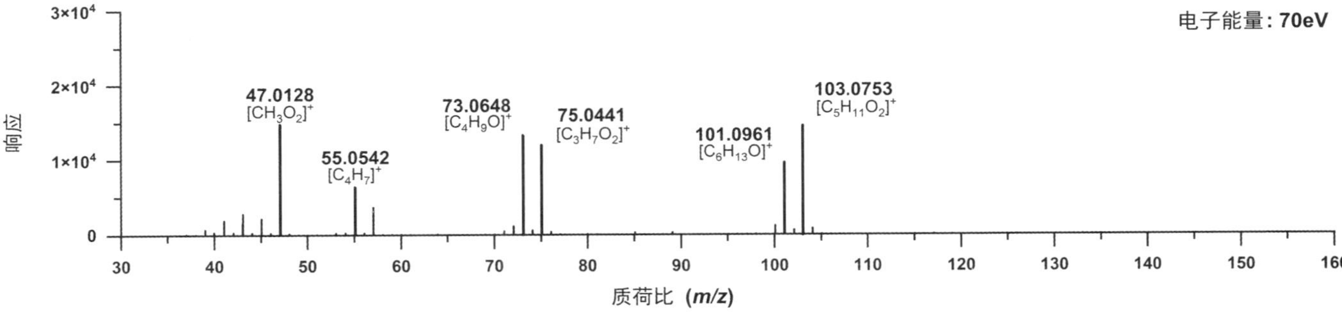

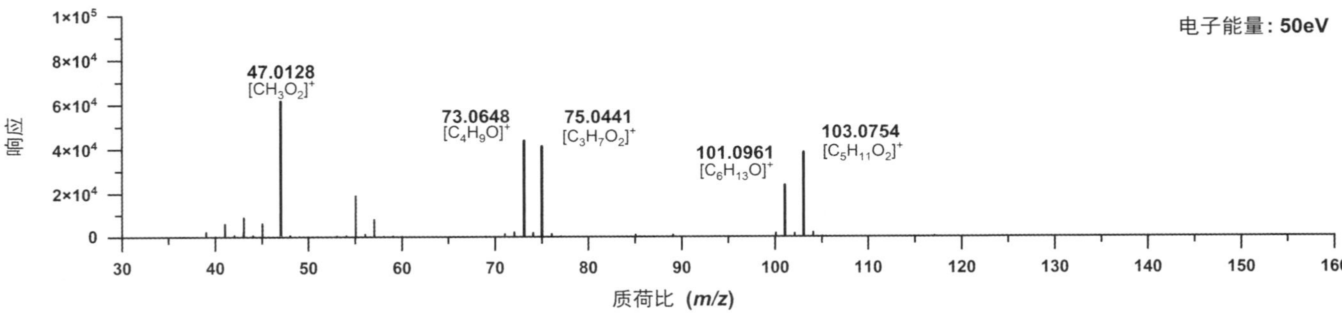

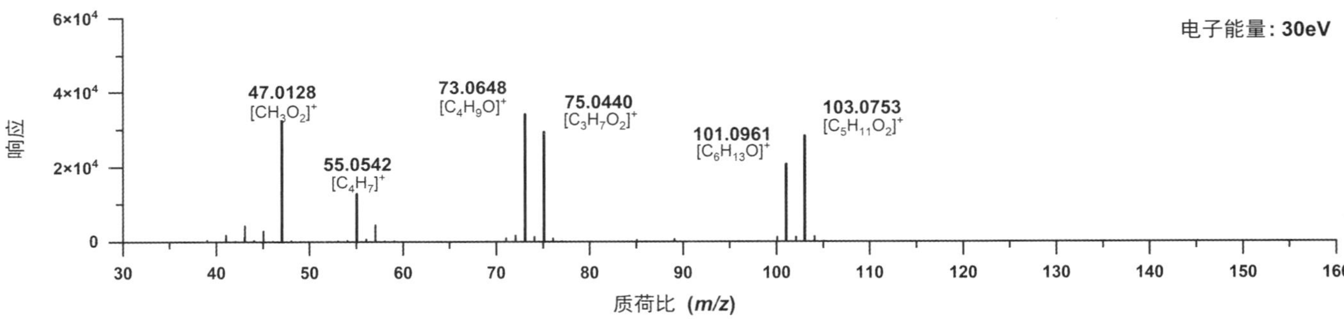

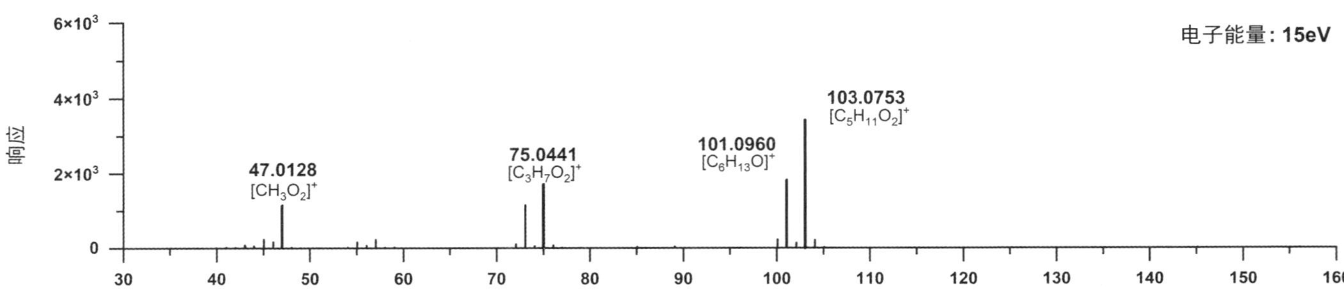

5 1,1-二乙氧基乙烷

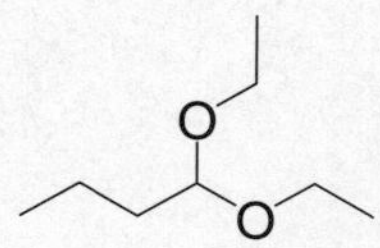

基本信息

CAS 登录号	3658-95-5	分子式	$C_8H_{18}O_2$	分子量	146.1307
保留指数（极性）	1045	保留指数（非极性）	895	香气描述	甜香，类似醚的气味，水果香

质谱图

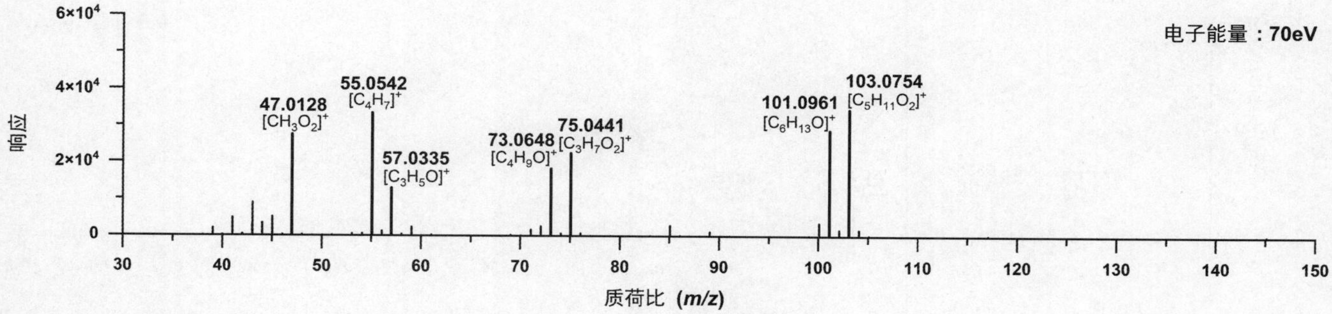

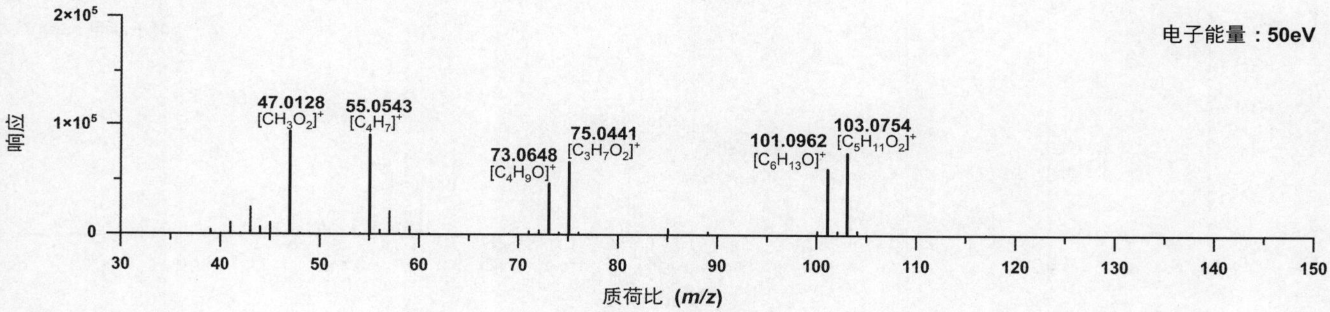

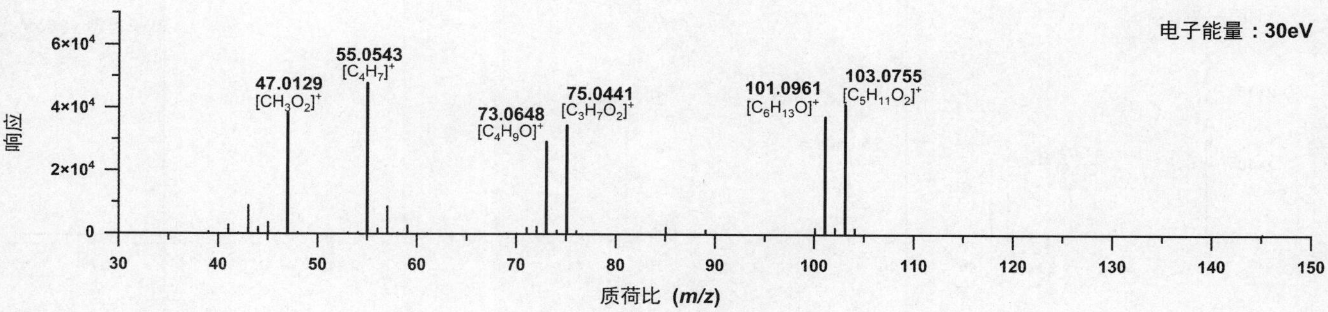

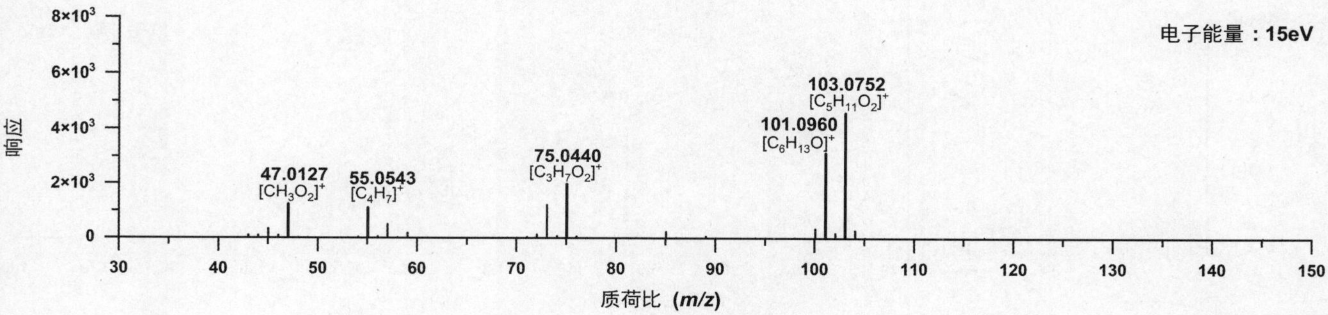

6 1,1-二乙氧基己烷

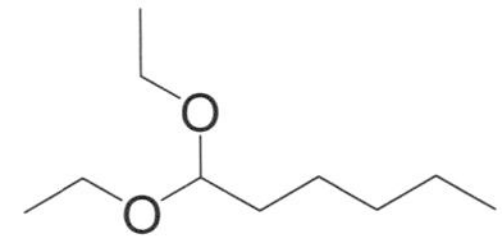

基本信息

CAS 登录号	3658-93-3	分子式	$C_{10}H_{22}O_2$	分子量	174.1620
保留指数（极性）	1235	保留指数（非极性）	1083	香气描述	甜香，类似醚的气味，水果香

质谱图

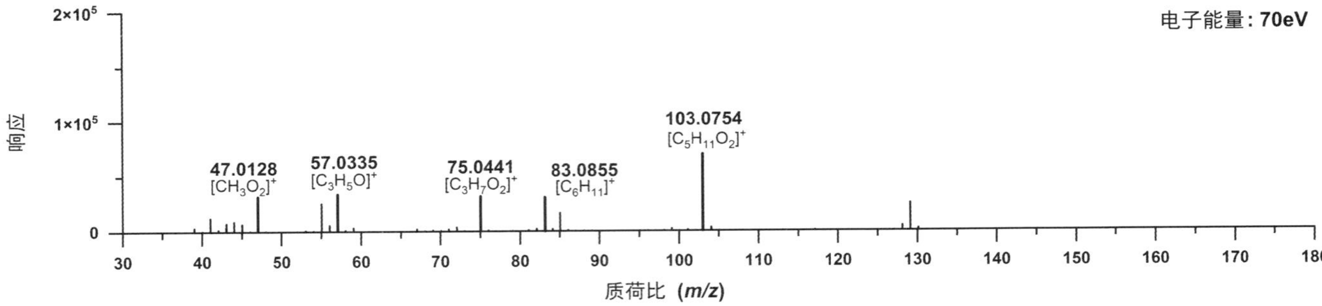

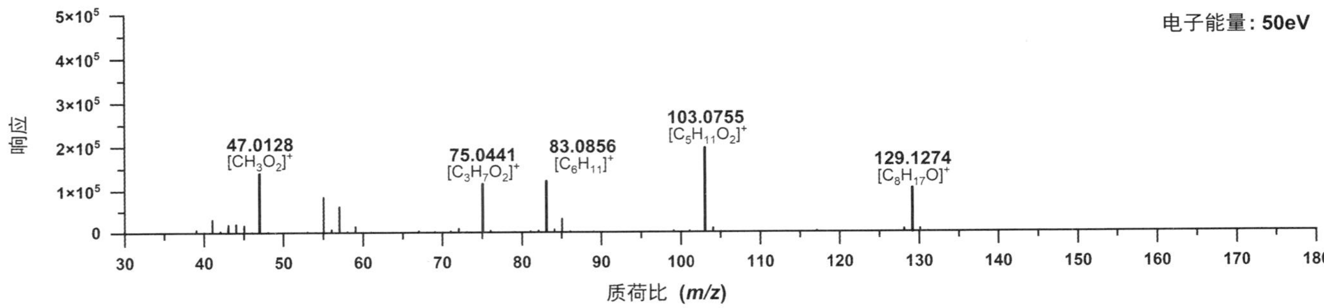

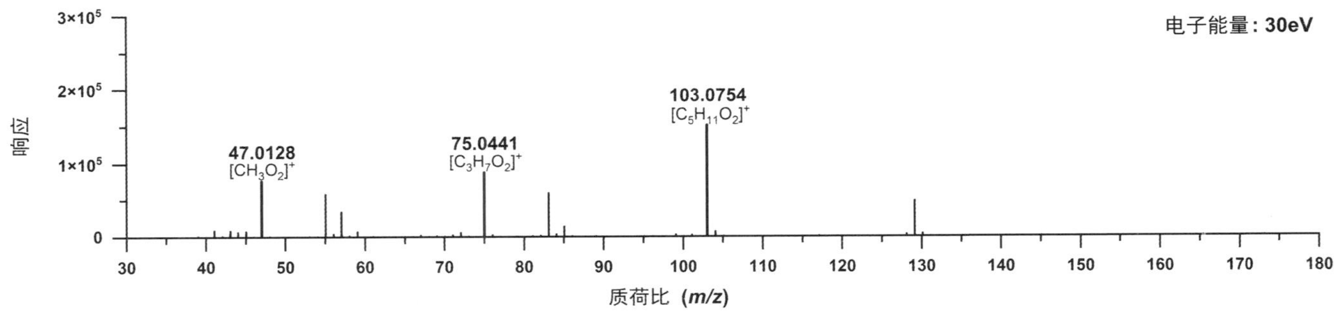

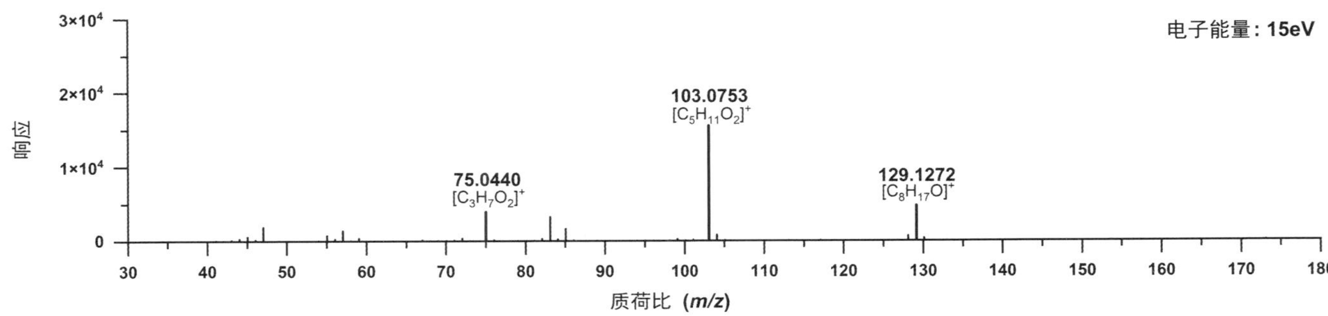

7

1,1-二乙氧基辛烷

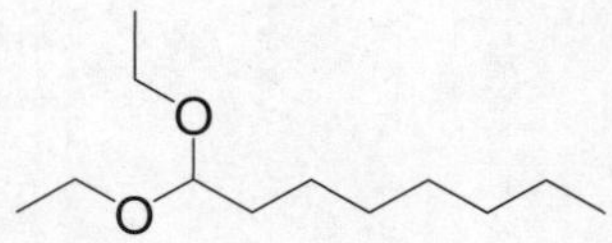

基本信息

CAS 登录号	54889-48-4	分子式	$C_{12}H_{26}O_2$	分子量	202.1933
保留指数（极性）	1424	保留指数（非极性）	1276	香气描述	甜香，类似醚的气味

质谱图

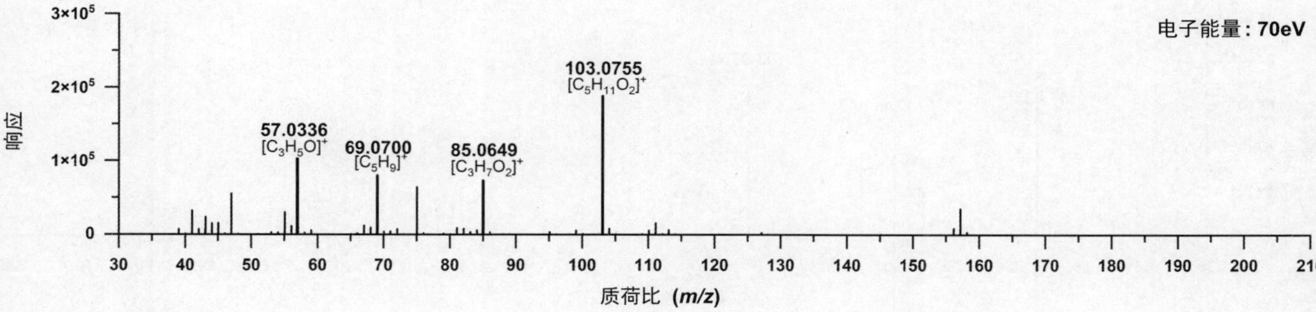

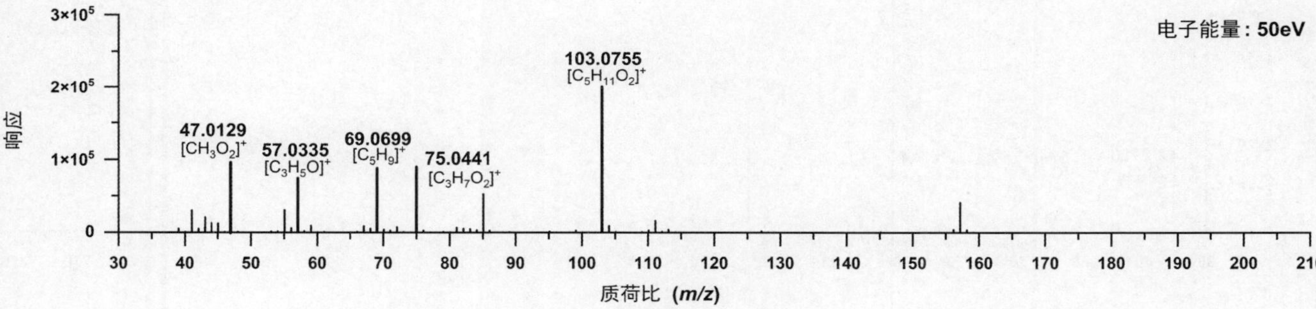

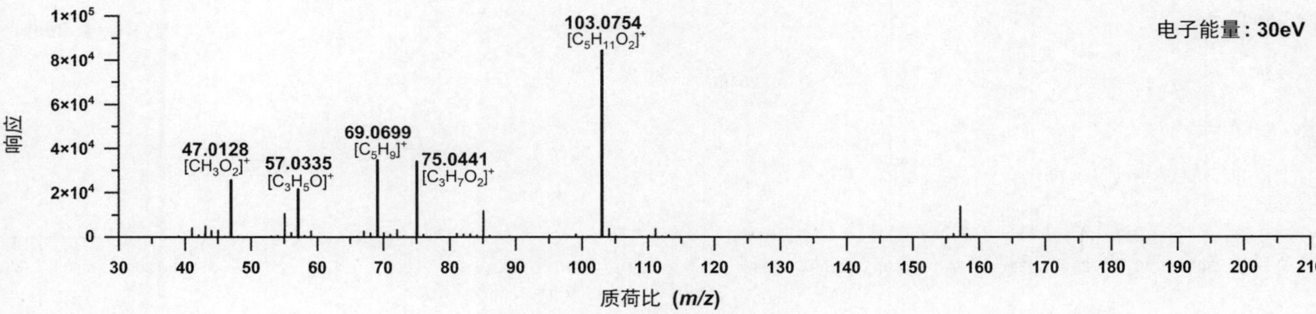

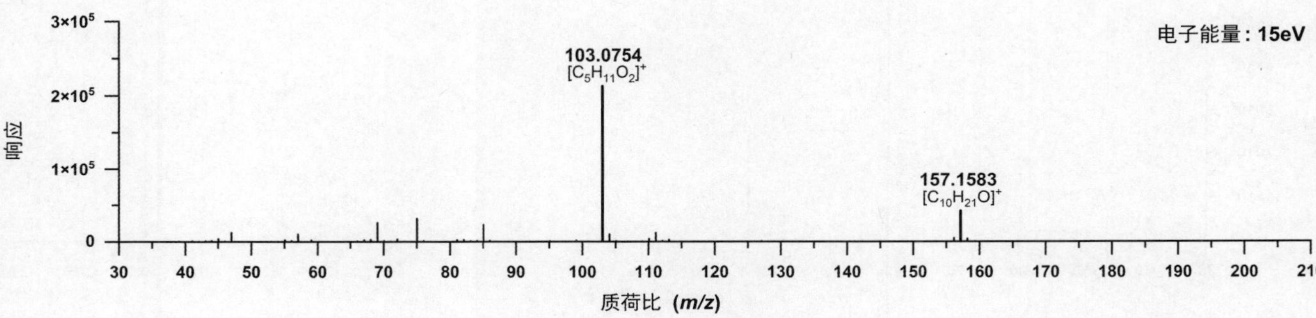

8 1,1-二乙氧基壬烷

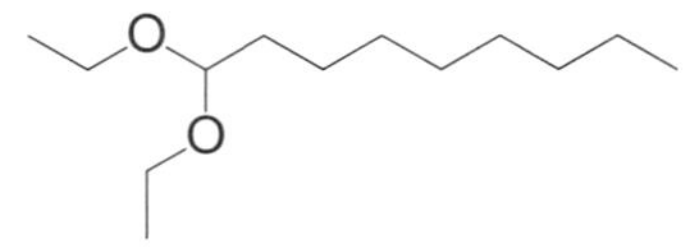

基本信息

CAS 登录号	54815-13-3	分子式	$C_{13}H_{28}O_2$	分子量	216.2090
保留指数（极性）	1528	保留指数（非极性）	1373	香气描述	甜香，类似醚的气味，蜡味

质谱图

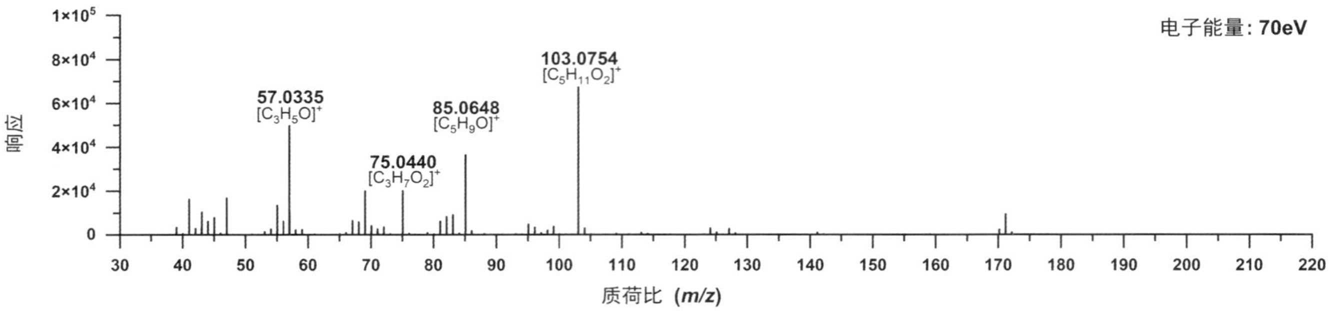

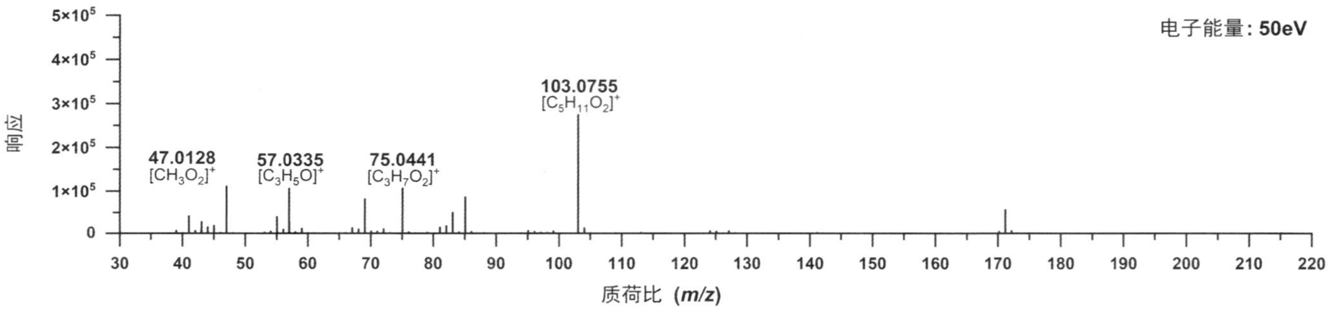

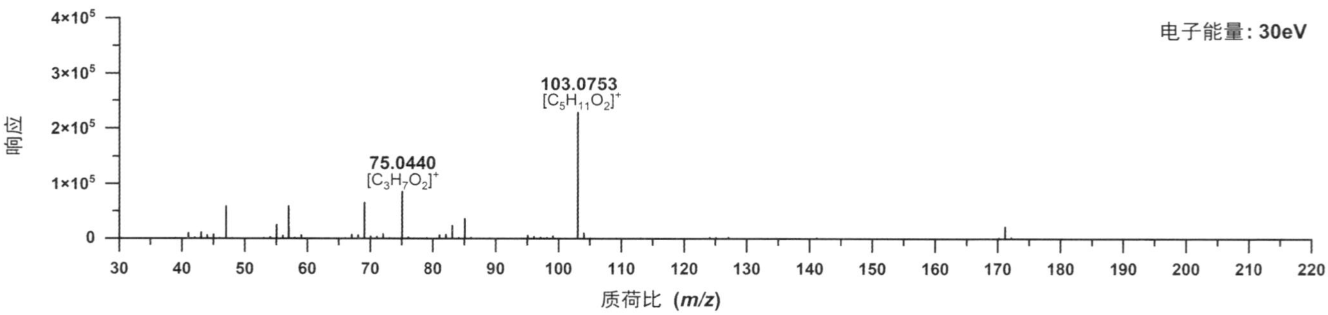

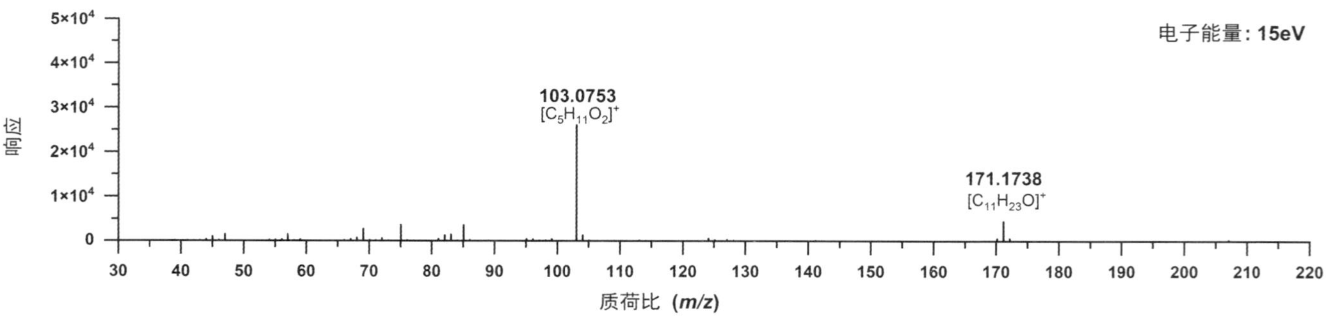

9 1,1-二乙氧基癸烷

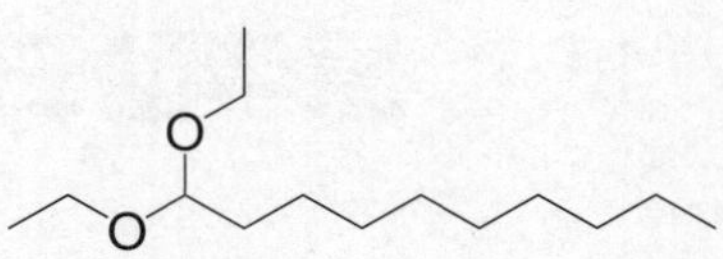

基本信息

CAS 登录号	34764-02-8	分子式	$C_{14}H_{30}O_2$	分子量	230.2246
保留指数（极性）	1626	保留指数（非极性）	1470	香气描述	甜香，醚的气味，啦味

质谱图

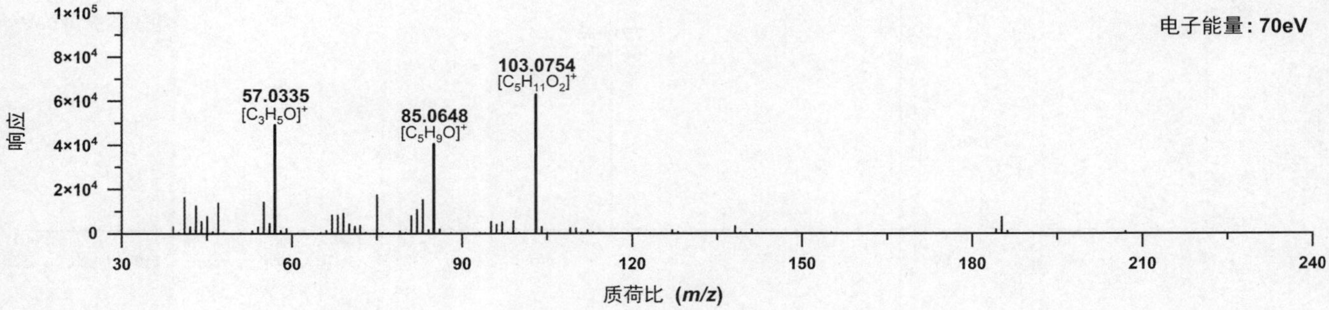

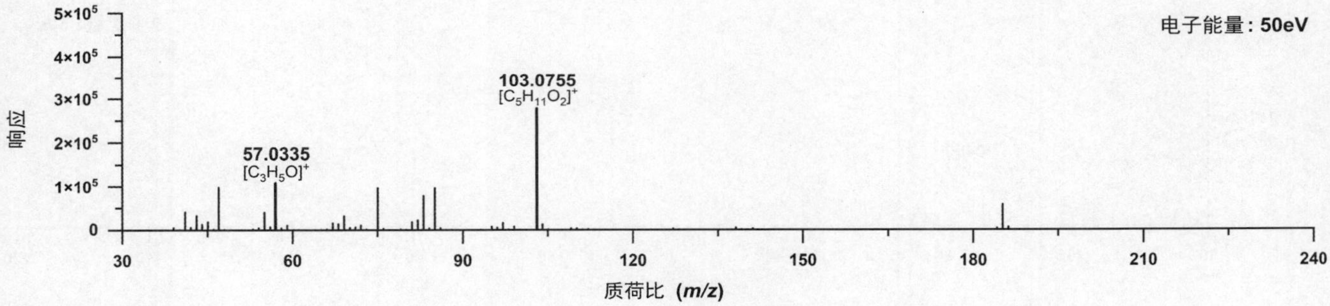

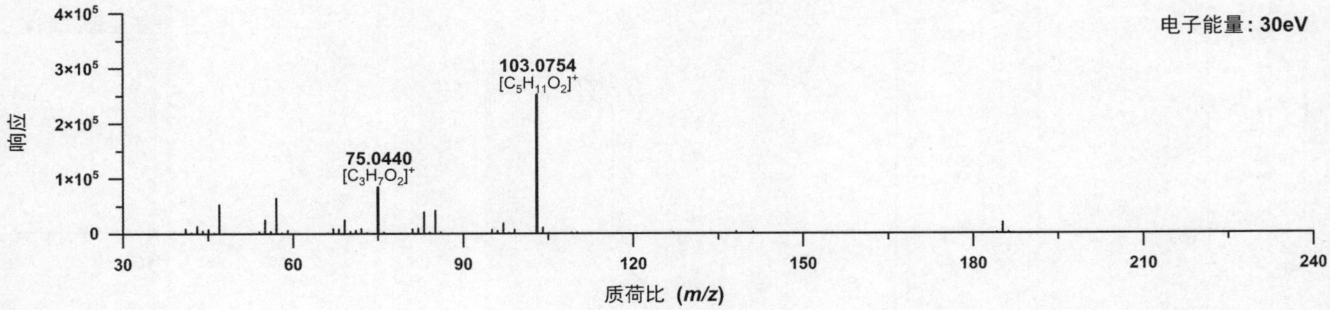

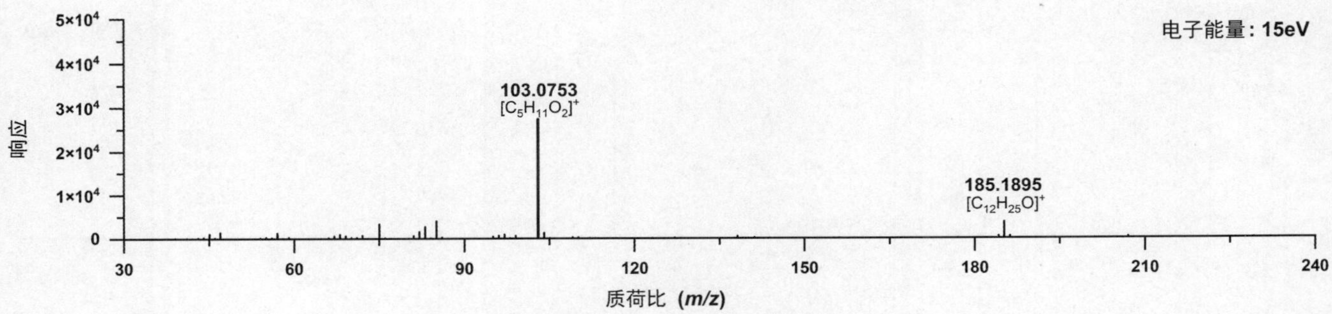

10 原甲酸三甲酯

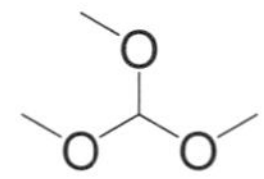

基本信息

CAS 登录号	149-73-5	分子式	$C_4H_{10}O_3$	分子量	106.0581
保留指数（极性）	1003	保留指数（非极性）	681	香气描述	甜香，溶剂的气味

质谱图

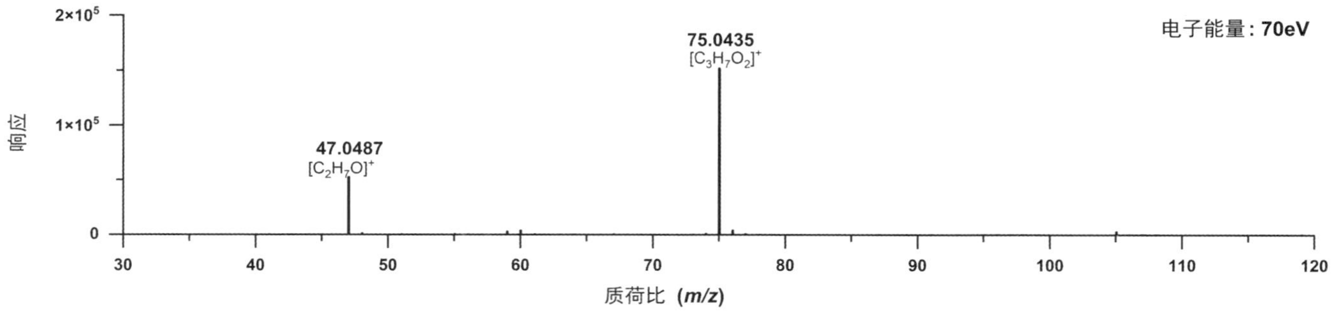

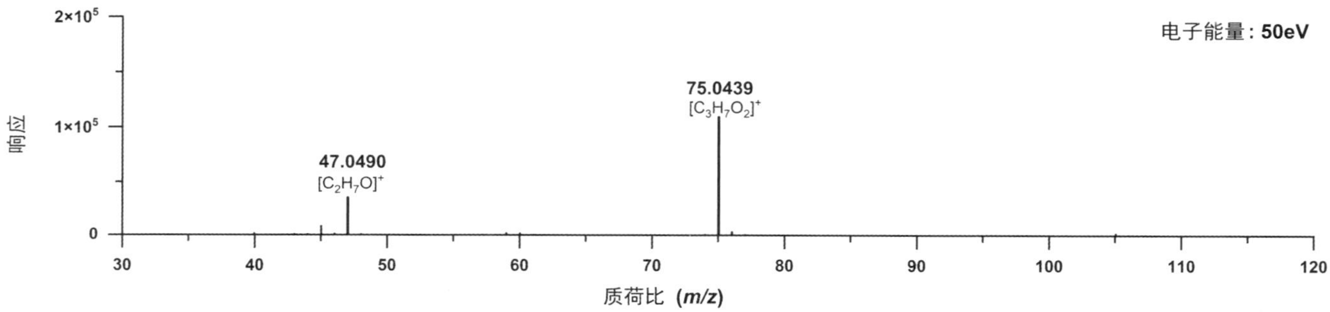

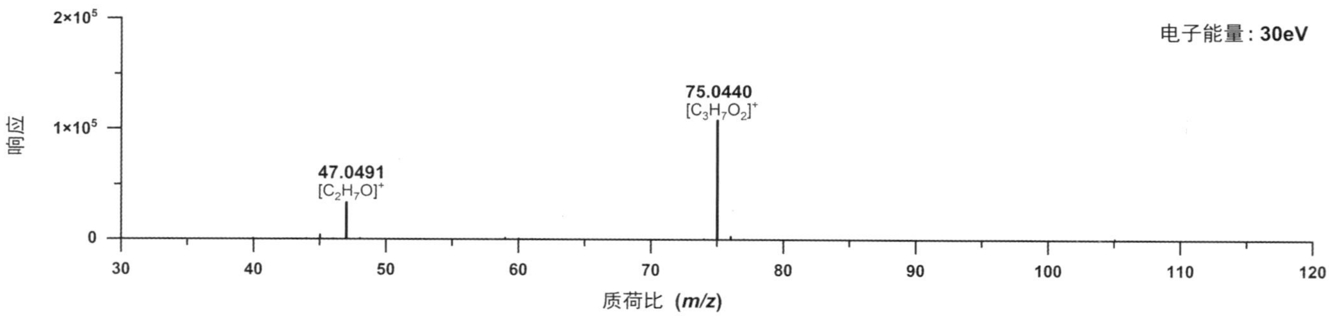

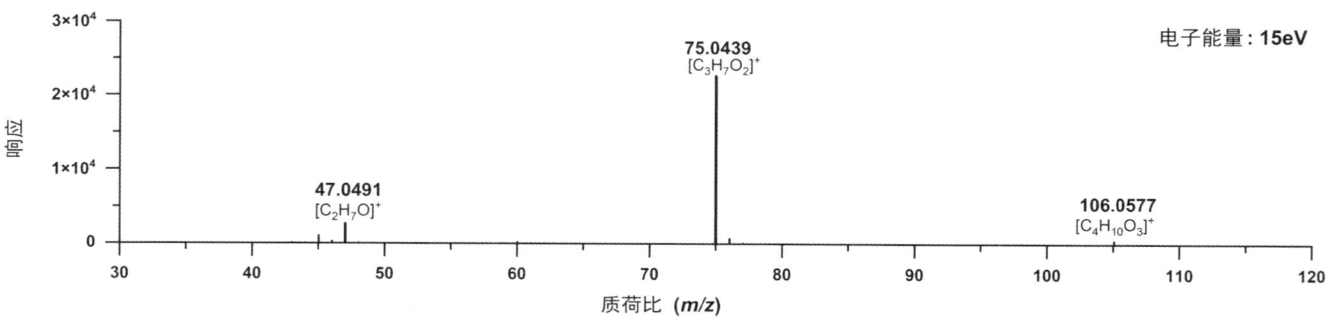

11 3,3-二乙氧基-1-丙醇

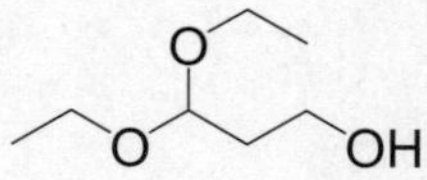

基本信息

CAS 登录号	16777-87-0	分子式	$C_7H_{16}O_3$	分子量	148.1099
保留指数（极性）	1618	保留指数（非极性）	1022	香气描述	甜香，类似醚的气味，水果香

质谱图

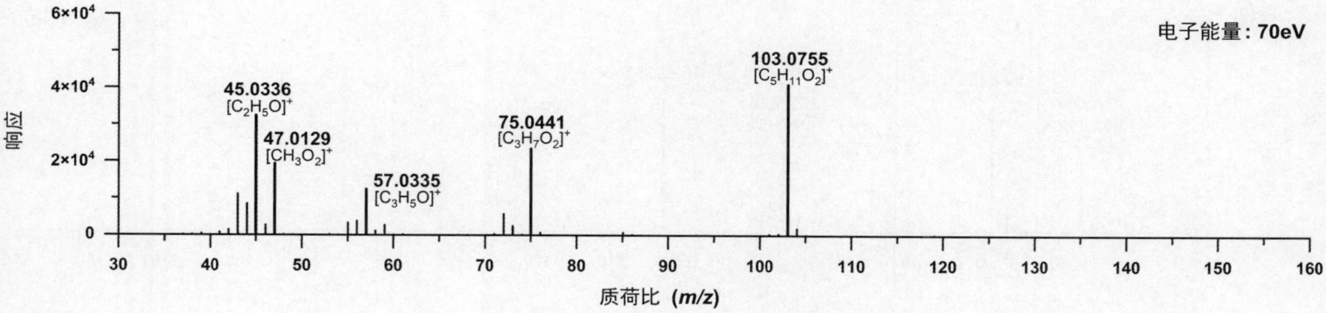

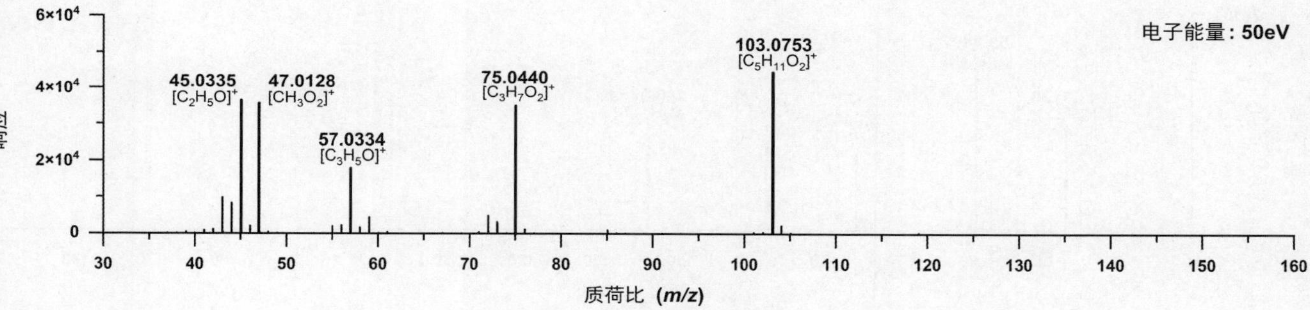

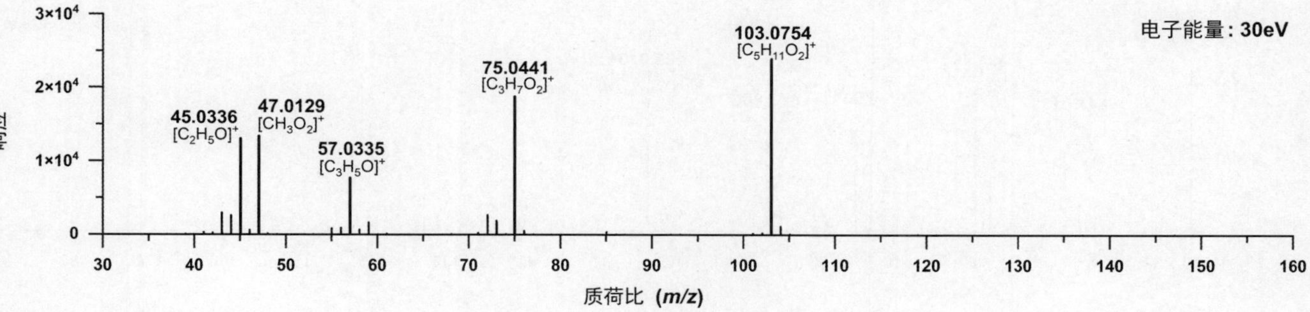

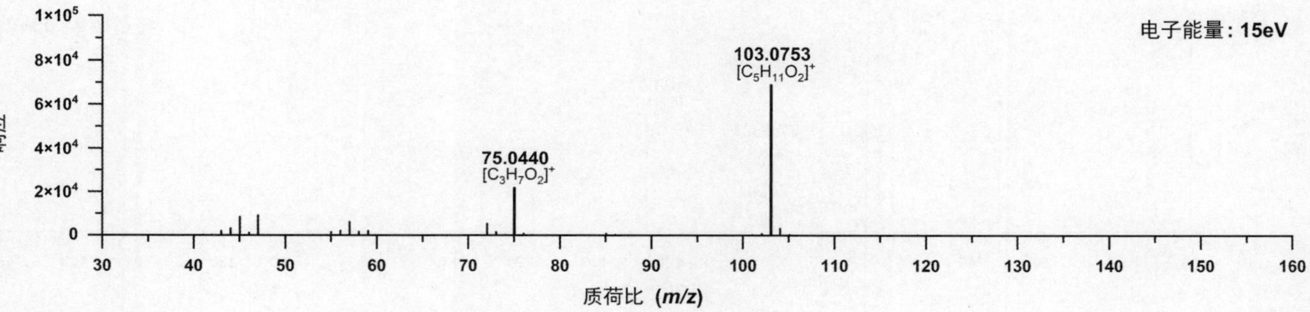

12 1,1,3-三乙氧基丙烷

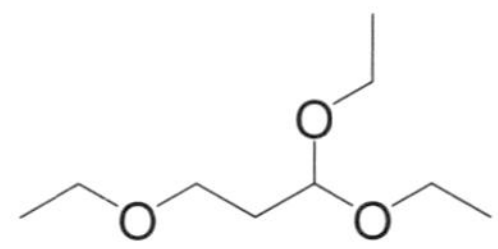

基本信息

CAS 登录号	7789-92-6	分子式	$C_9H_{20}O_3$	分子量	176.1412
保留指数（极性）	1309	保留指数（非极性）	1061	香气描述	甜香，类似醚的气味

质谱图

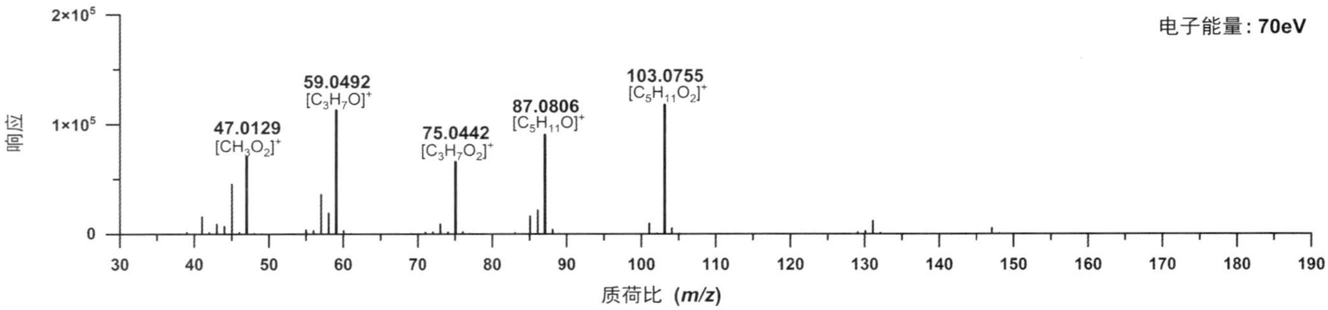

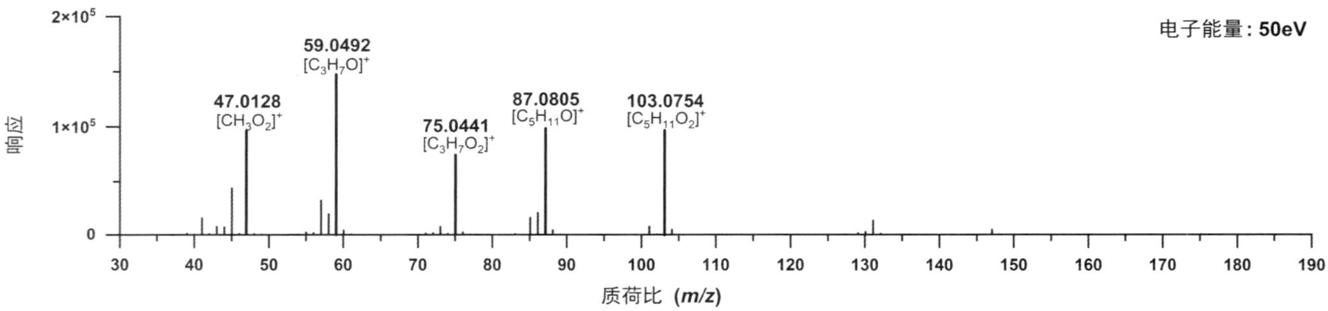

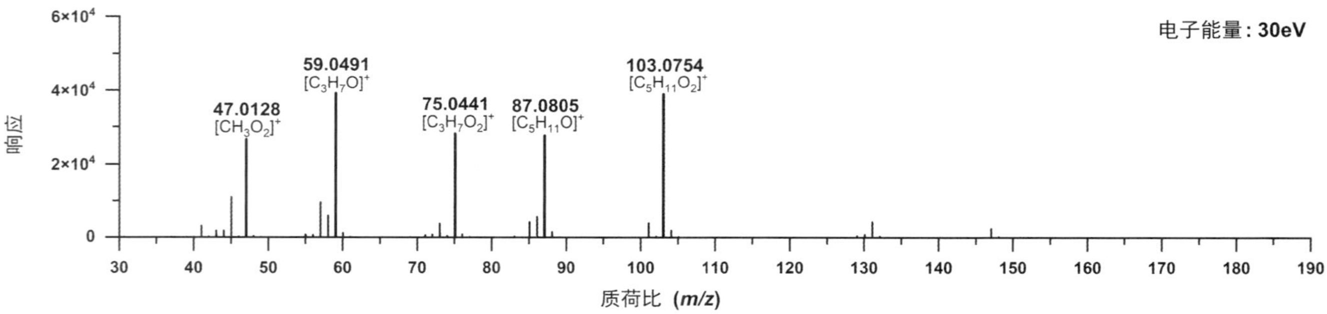

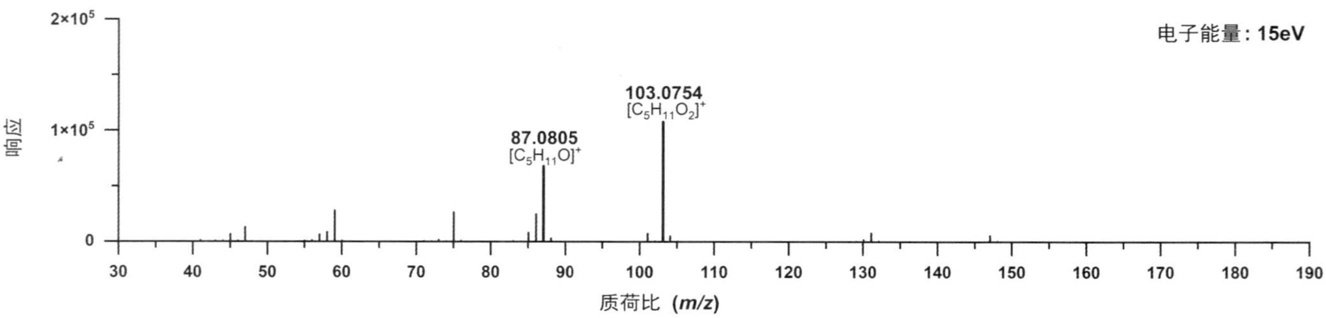

酮类

1 2-戊酮

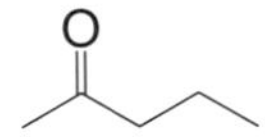

基本信息

CAS 登录号	107-87-9	分子式	$C_5H_{10}O$	分子量	86.0726
保留指数（极性）	983	保留指数（非极性）	663	香气描述	水果香，类似溶剂的气味，金属味

质谱图

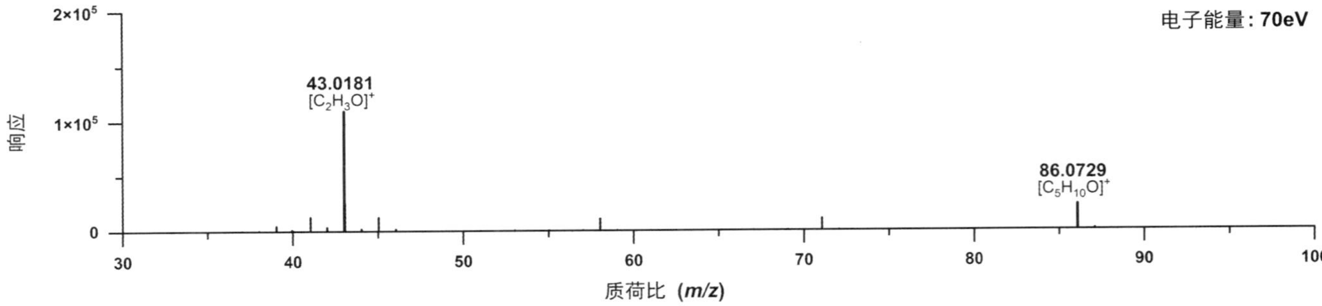

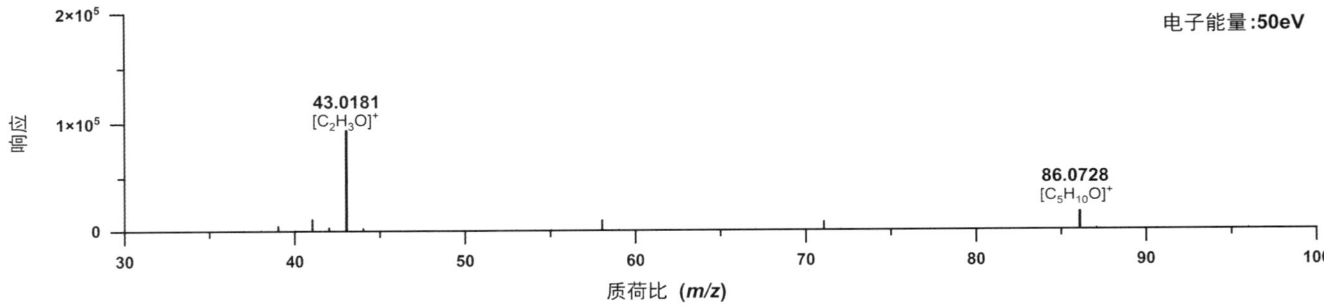

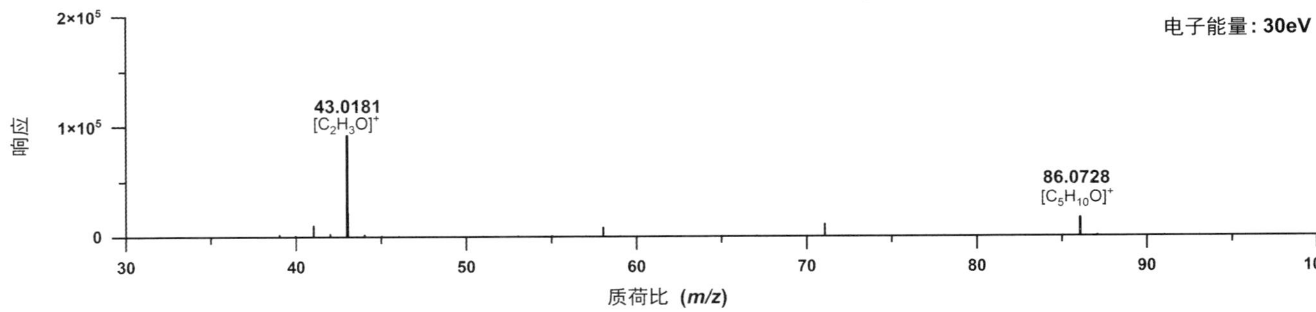

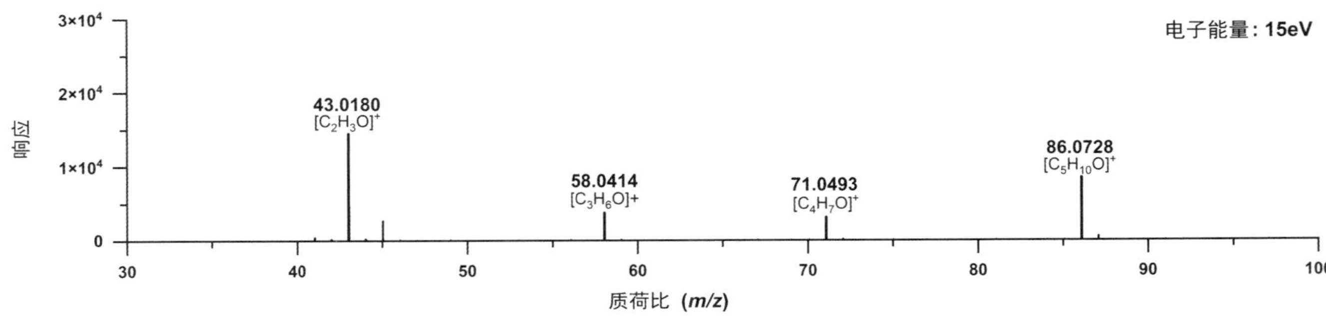

2 2-己酮

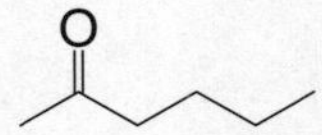

基本信息

CAS 登录号	591-78-6	分子式	$C_6H_{12}O$	分子量	100.0883
保留指数（极性）	1088	保留指数（非极性）	769	香气描述	金属味，类似溶剂的气味

质谱图

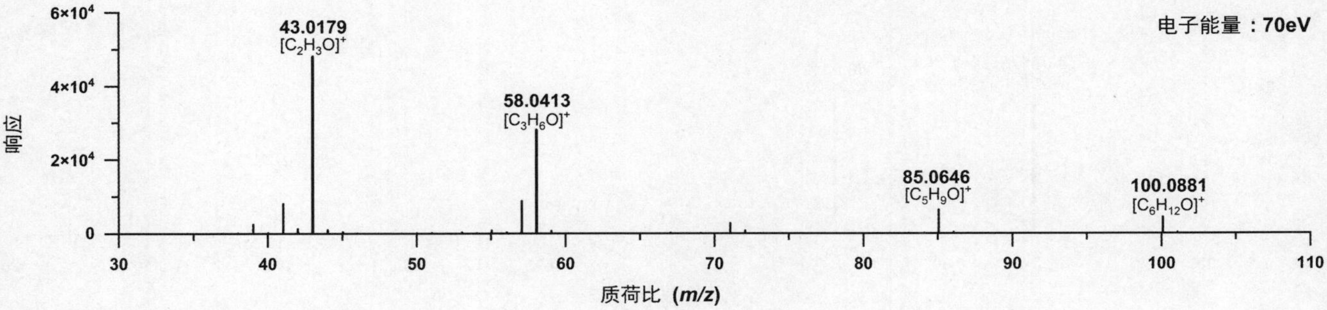

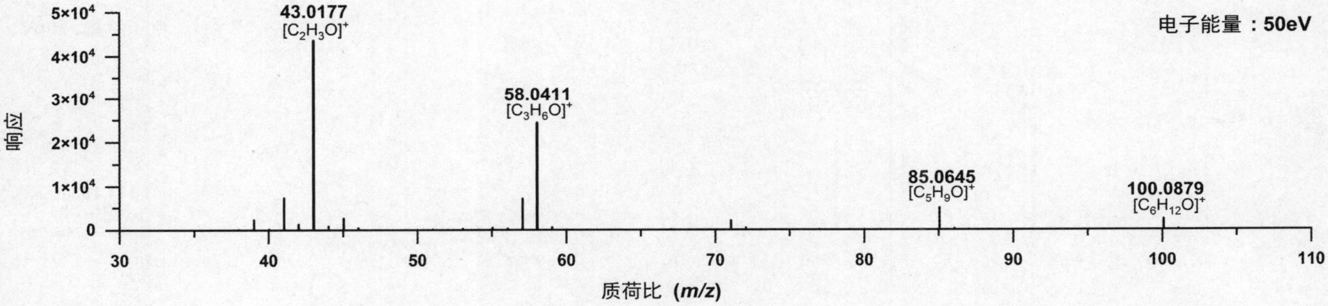

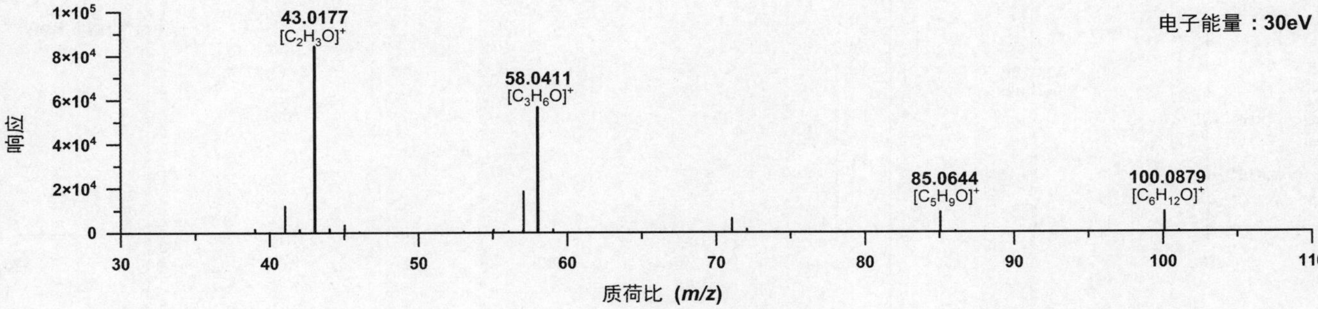

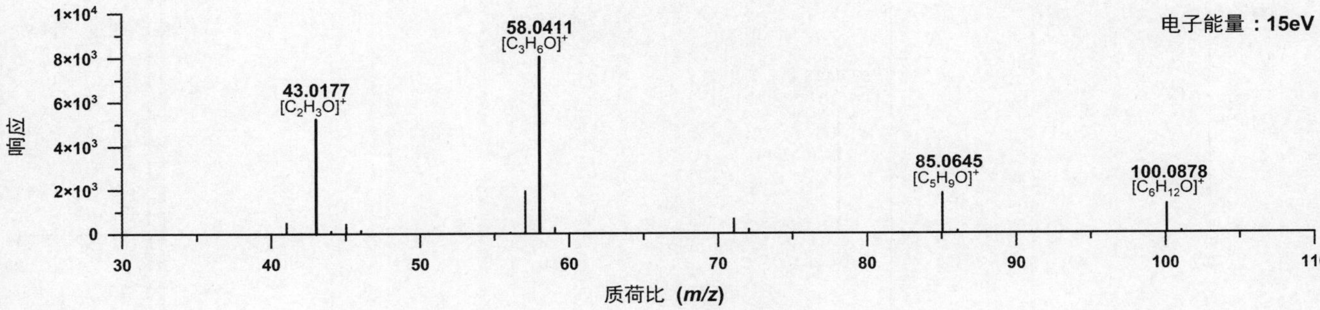

3 2-庚酮

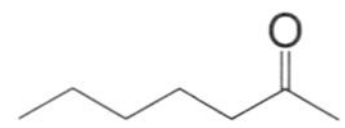

基本信息

CAS 登录号	110-43-0	分子式	$C_7H_{14}O$	分子量	114.1039
保留指数（极性）	1191	保留指数（非极性）	869	香气描述	水果味，甜香，类似溶剂的气味

质谱图

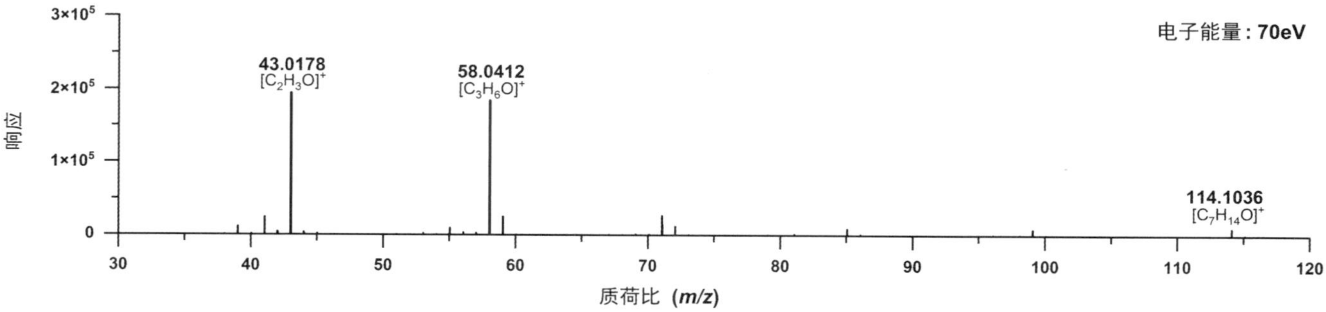

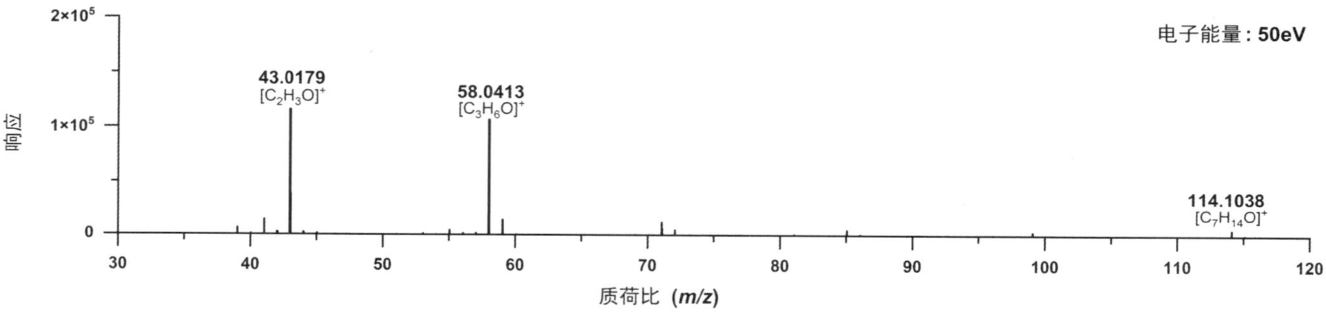

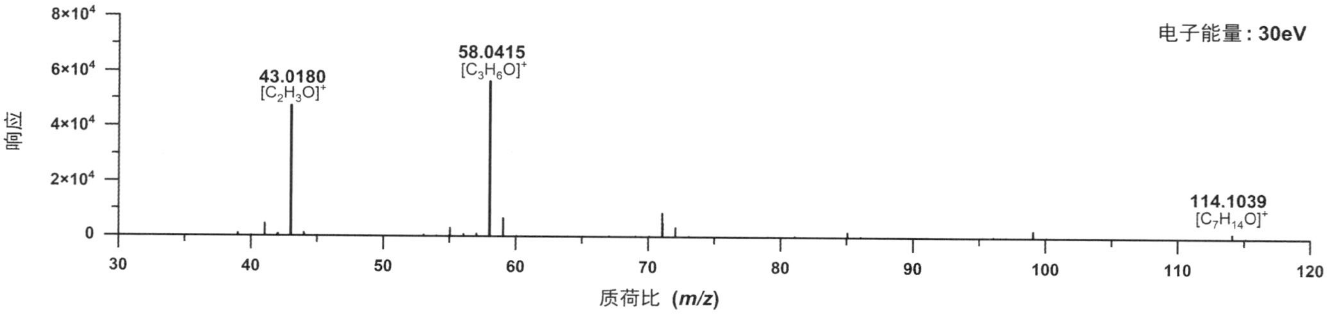

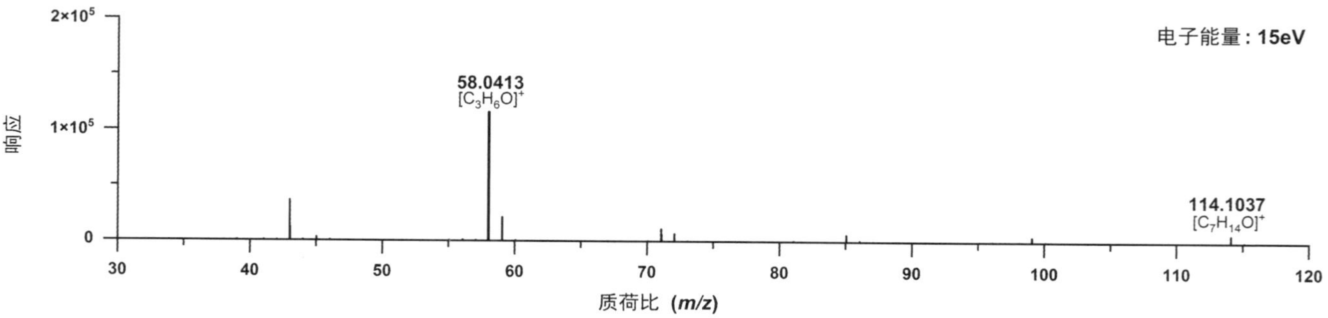

4 2-辛酮

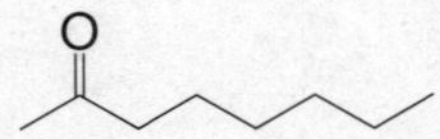

基本信息

CAS 登录号	111-13-7	分子式	$C_8H_{16}O$	分子量	128.1196
保留指数（极性）	1296	保留指数（非极性）	969	香气描述	金属味，类似溶剂的气味

质谱图

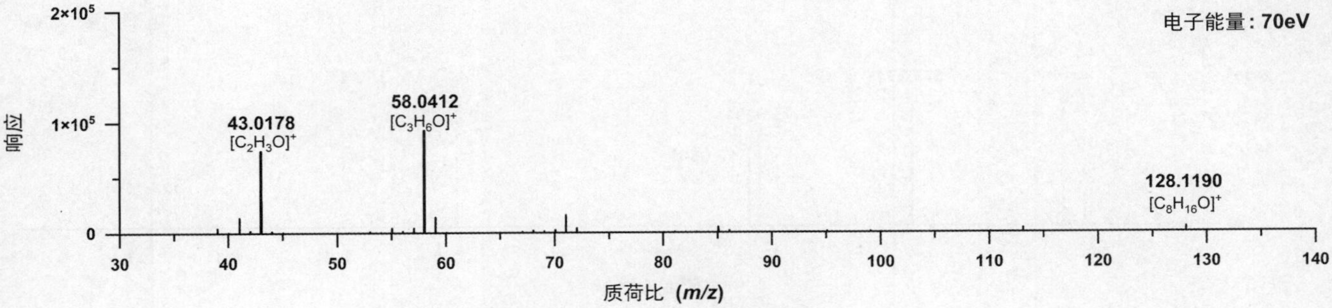

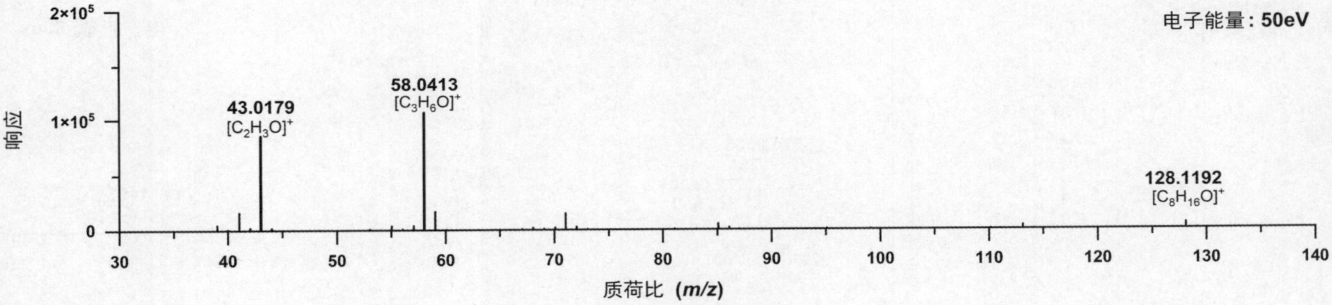

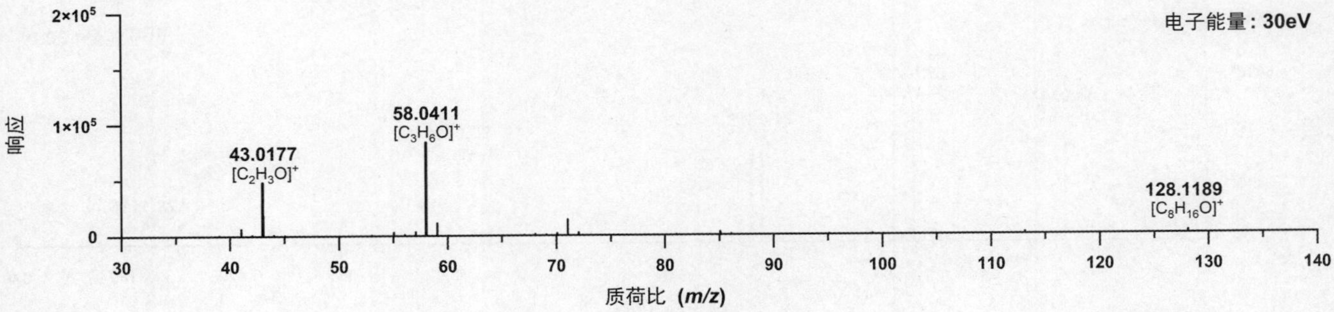

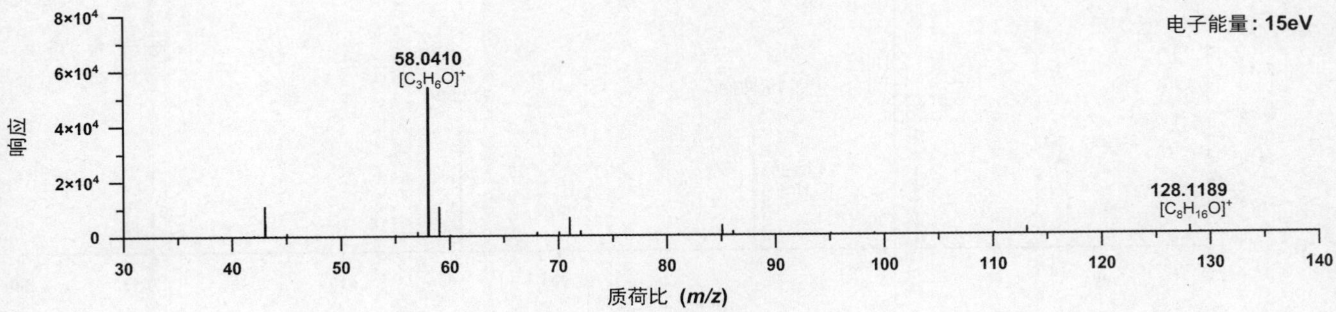

5 3-辛酮

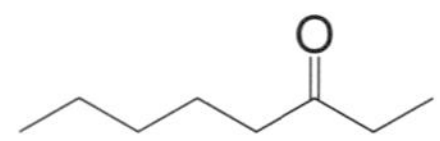

基本信息

CAS 登录号	106-68-3	分子式	$C_8H_{16}O$	分子量	128.1196
保留指数（极性）	1266	保留指数（非极性）	966	香气描述	金属味，类似溶剂的味道

质谱图

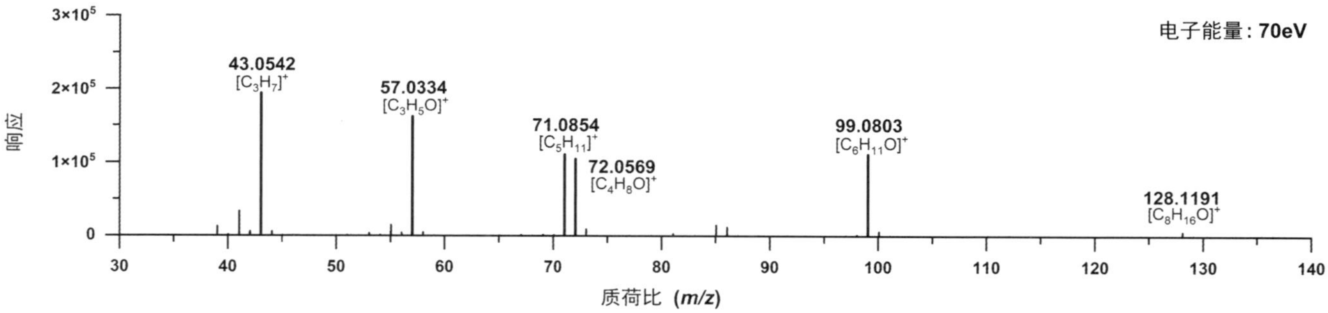

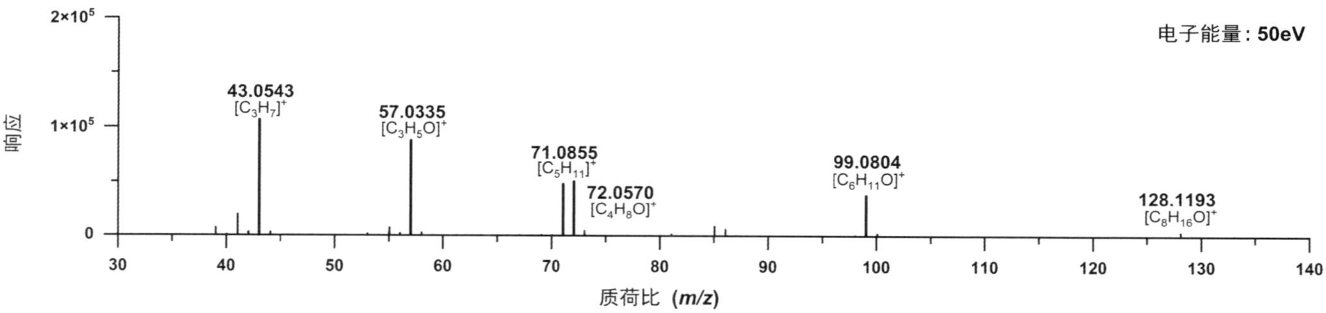

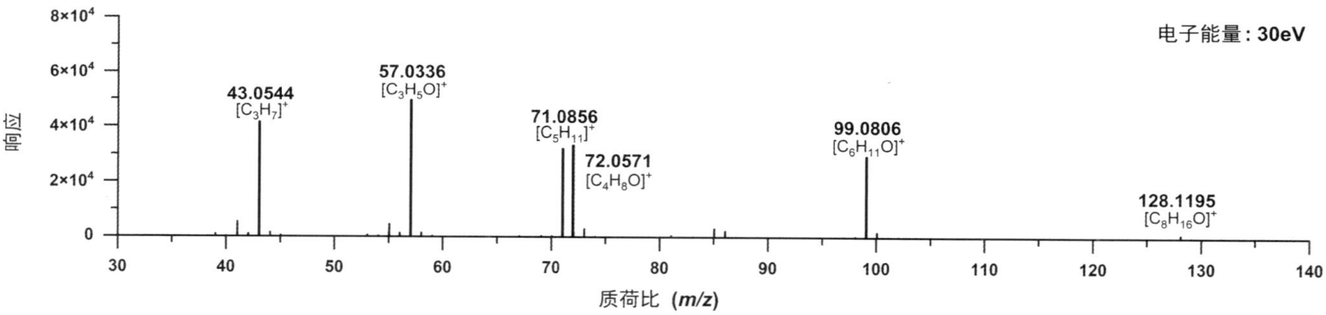

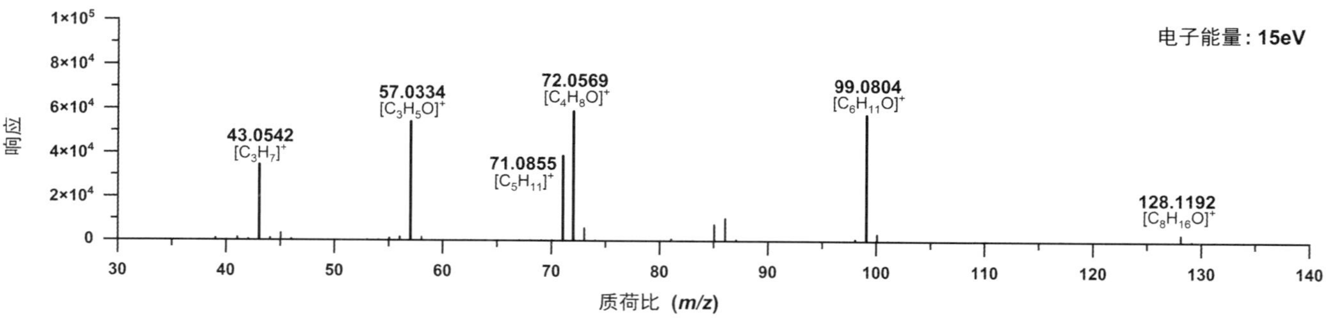

6 4-辛酮

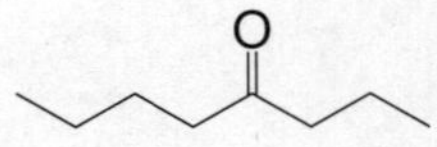

基本信息

CAS 登录号	589-63-9	分子式	$C_8H_{16}O$	分子量	128.1196
保留指数（极性）	1251	保留指数（非极性）	954	香气描述	甜香，金属味

质谱图

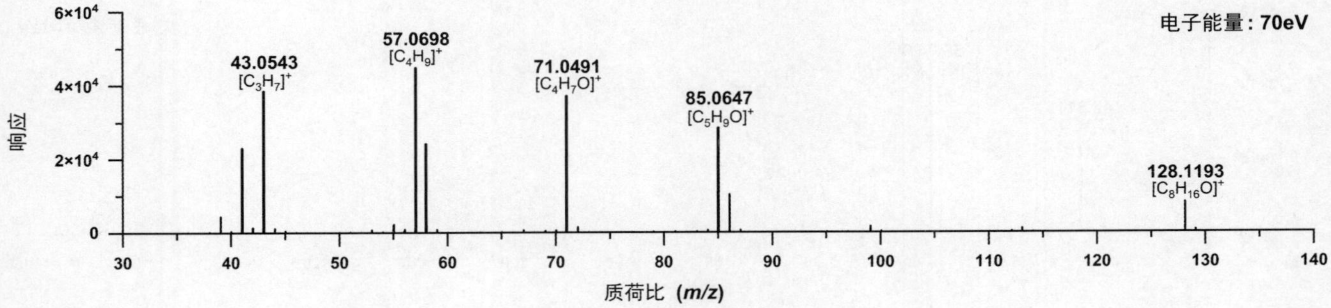

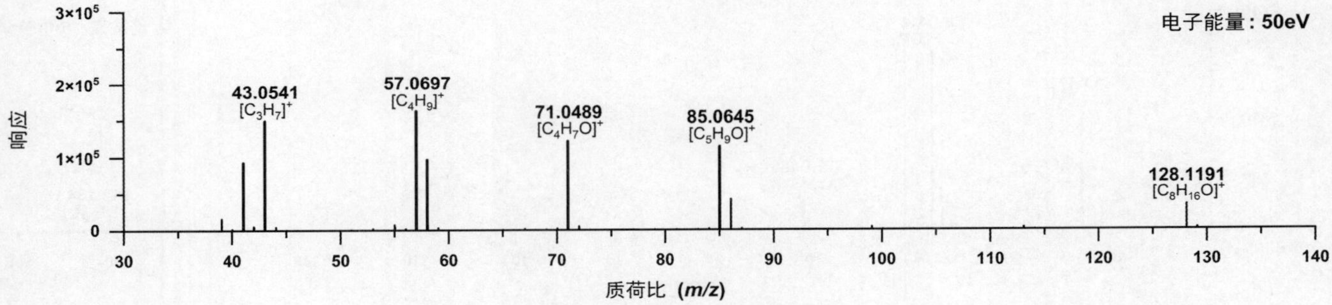

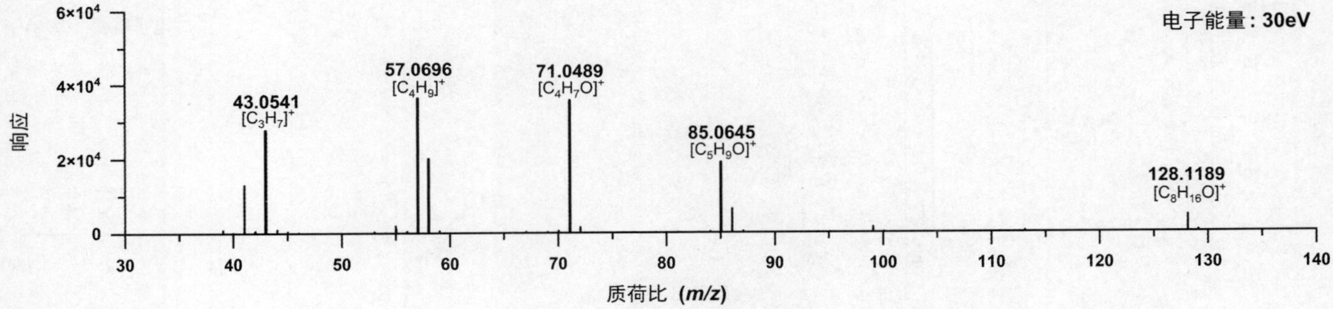

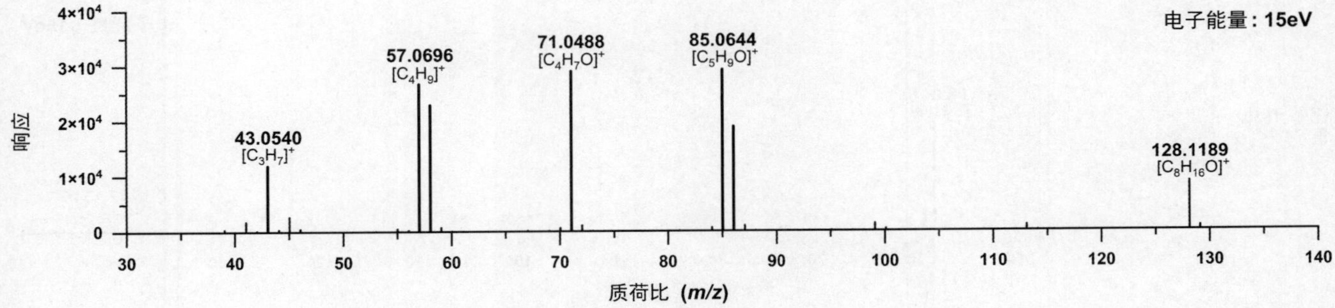

7

2-壬酮

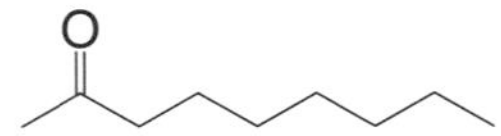

基本信息

CAS 登录号	821-55-6	分子式	$C_9H_{18}O$	分子量	142.1352
保留指数（极性）	1402	保留指数（非极性）	1071	香气描述	金属味，甜香，类似溶剂的气味

质谱图

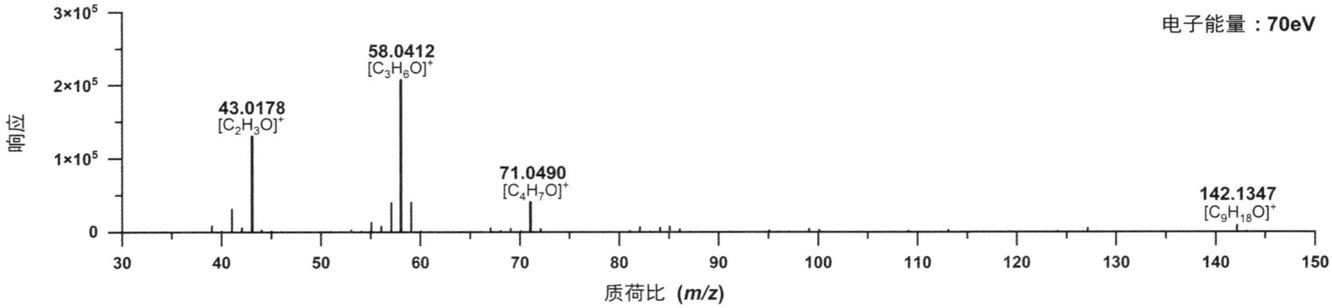

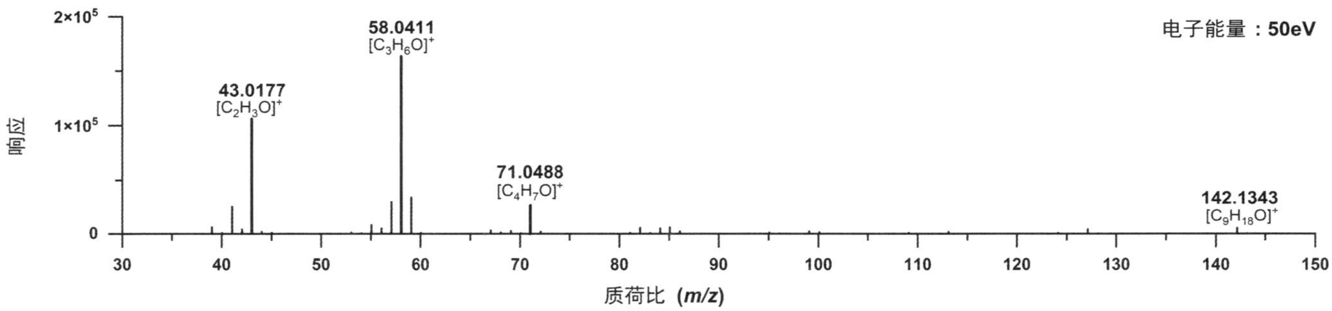

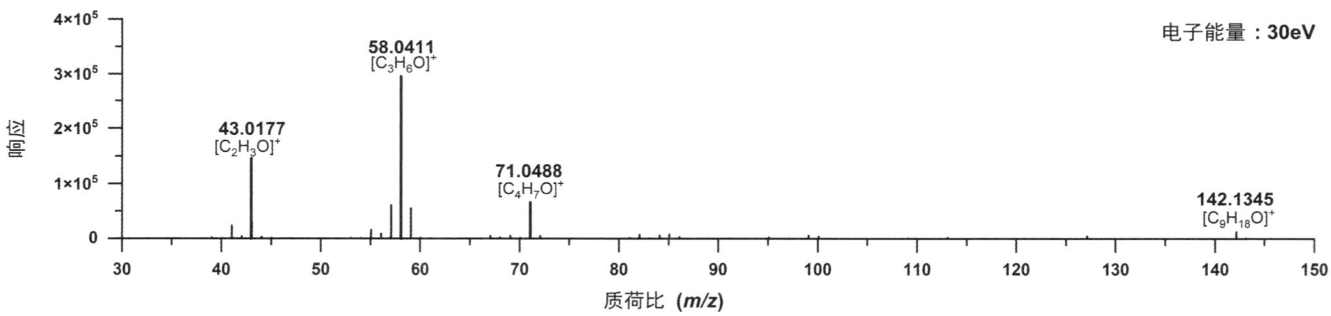

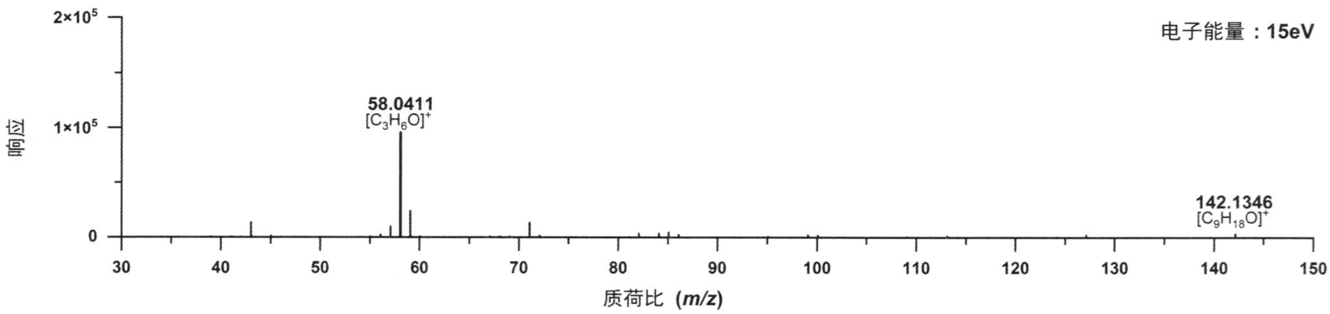

8

4-十一酮

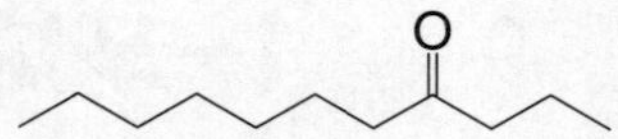

基本信息

CAS 登录号	14476-37-0	分子式	$C_{11}H_{22}O$	分子量	170.1665
保留指数（极性）	1548	保留指数（非极性）	1256	香气描述	甜香，金属味，蜡味

质谱图

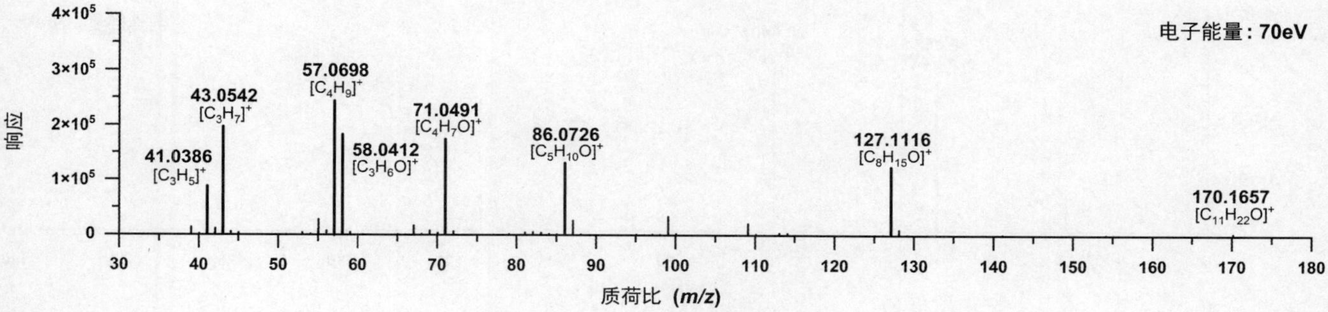

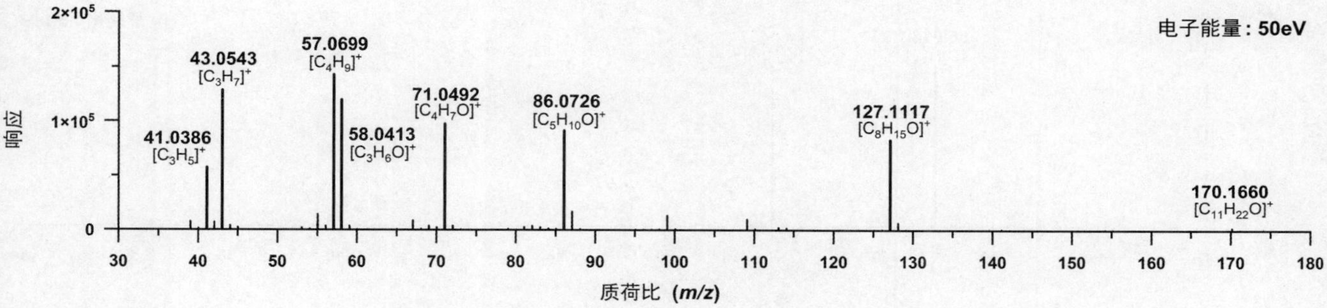

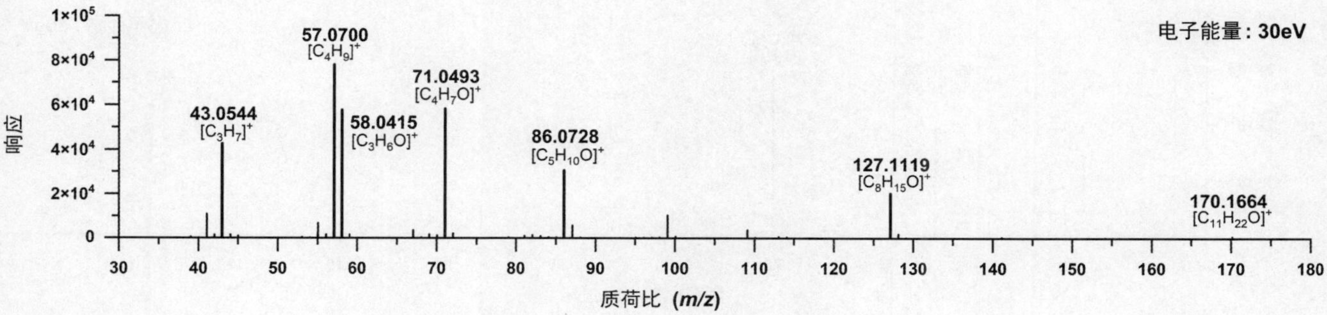

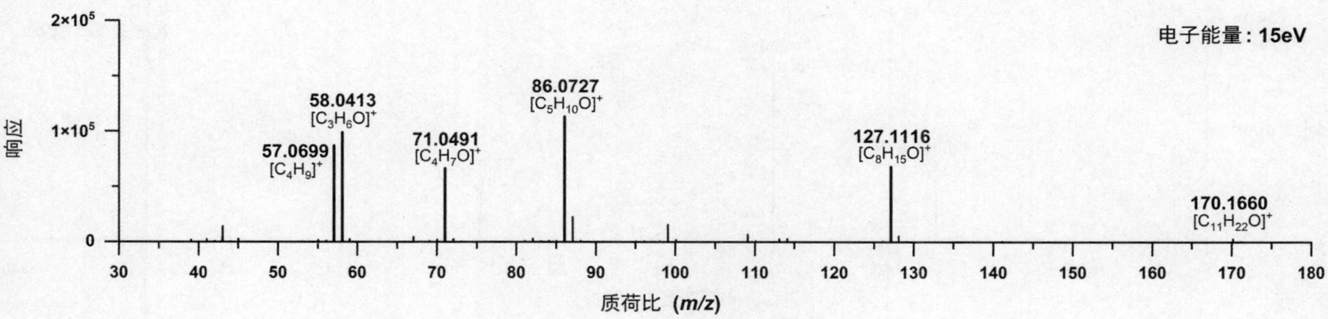

9 1-辛烯-3-酮

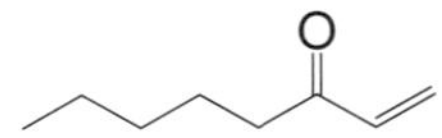

基本信息

CAS 登录号	4312-99-6	分子式	$C_8H_{14}O$	分子量	126.1045
保留指数（极性）	1313	保留指数（非极性）	957	香气描述	蘑菇味，泥土味，甜香

质谱图

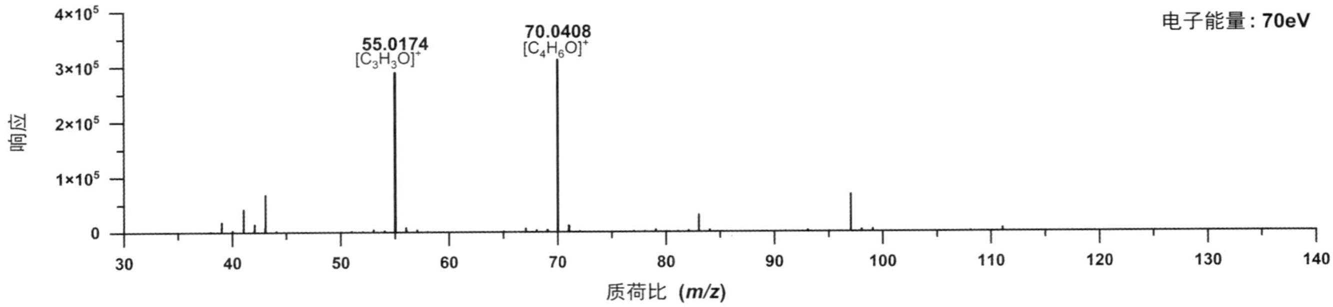

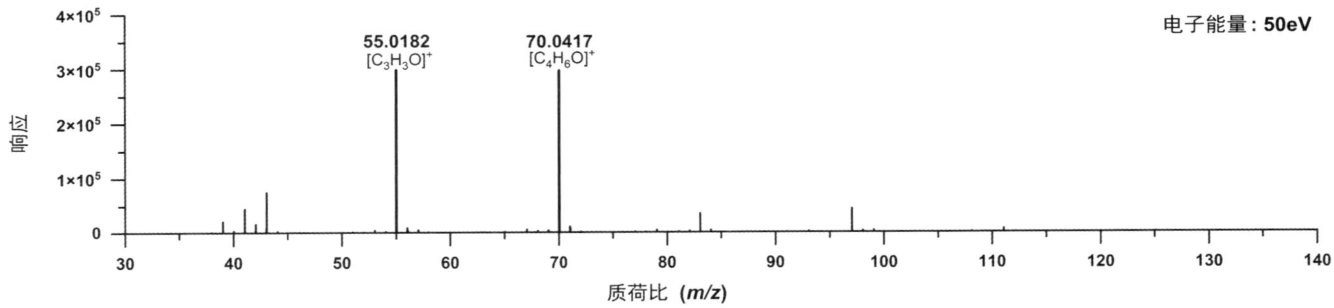

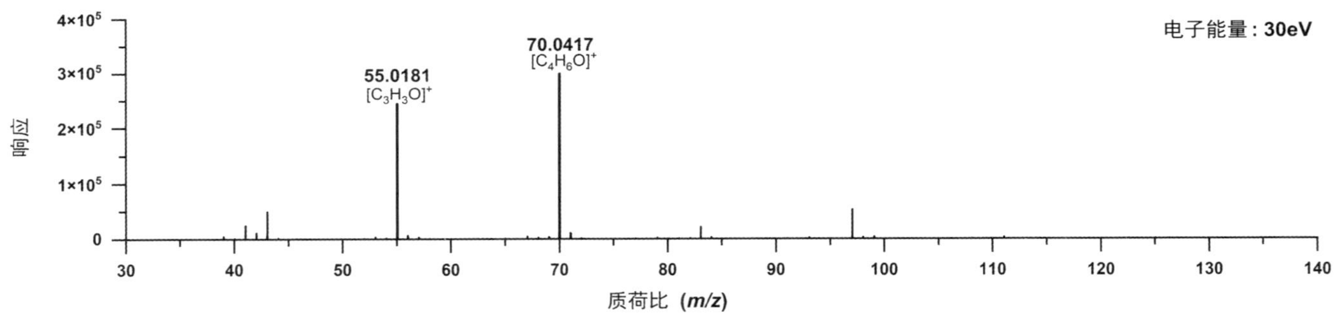

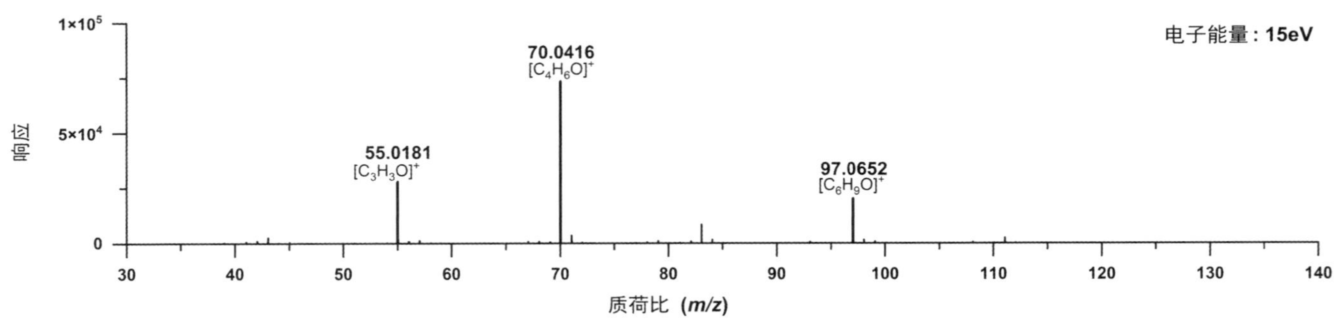

10 3-辛烯-2-酮

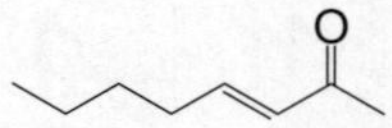

基本信息

CAS 登录号	1669-44-9	分子式	$C_8H_{14}O$	分子量	126.1039
保留指数（极性）	1425	保留指数（非极性）	1014	香气描述	蘑菇味，泥土味，金属味

质谱图

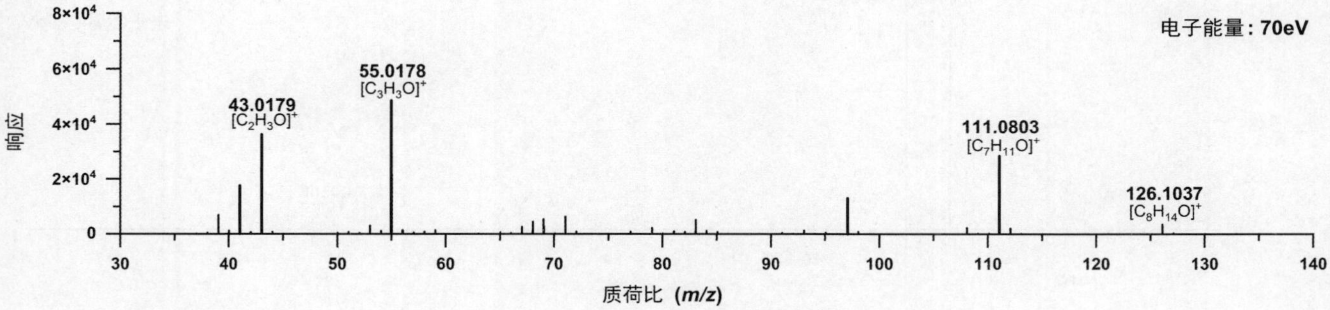

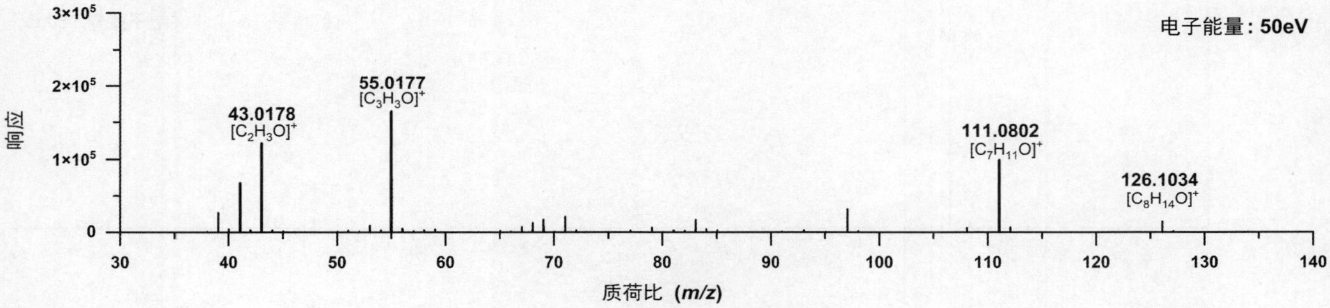

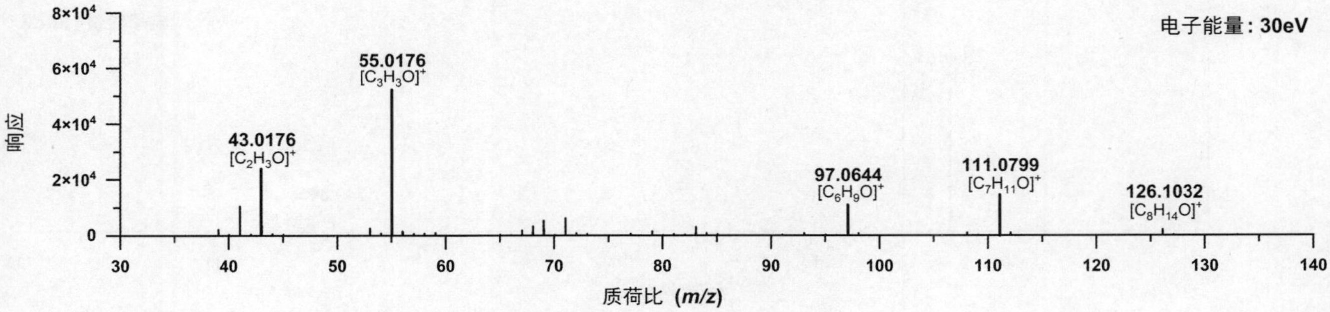

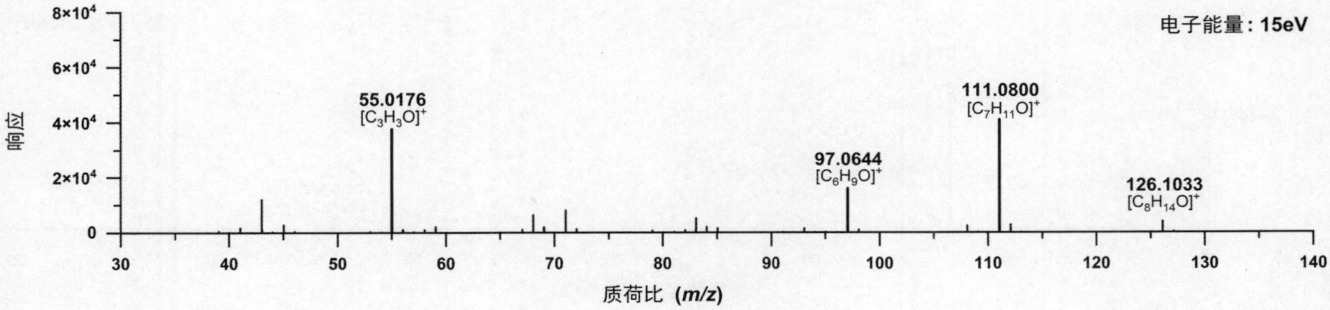

11 1-羟基丙酮

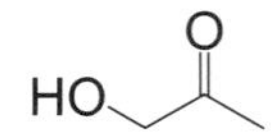

基本信息

CAS 登录号	116-09-6	分子式	$C_3H_6O_2$	分子量	74.0362
保留指数（极性）	1308	保留指数（非极性）	636	香气描述	甜香，奶油味

质谱图

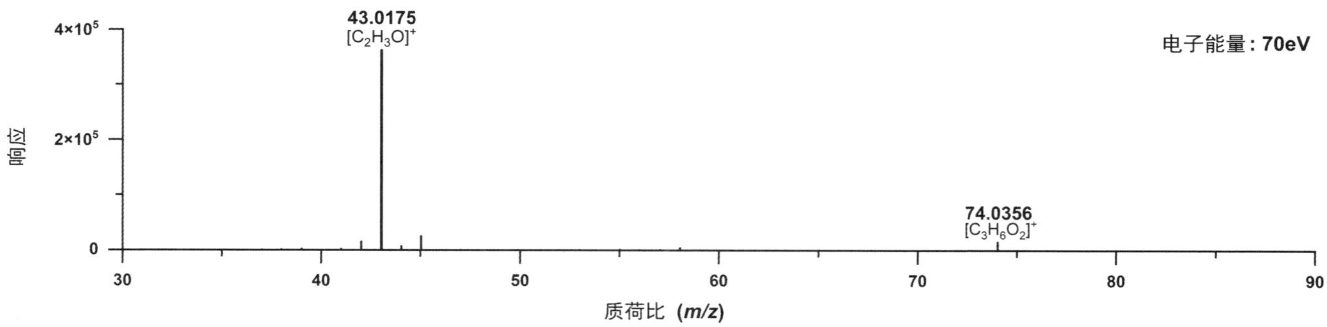

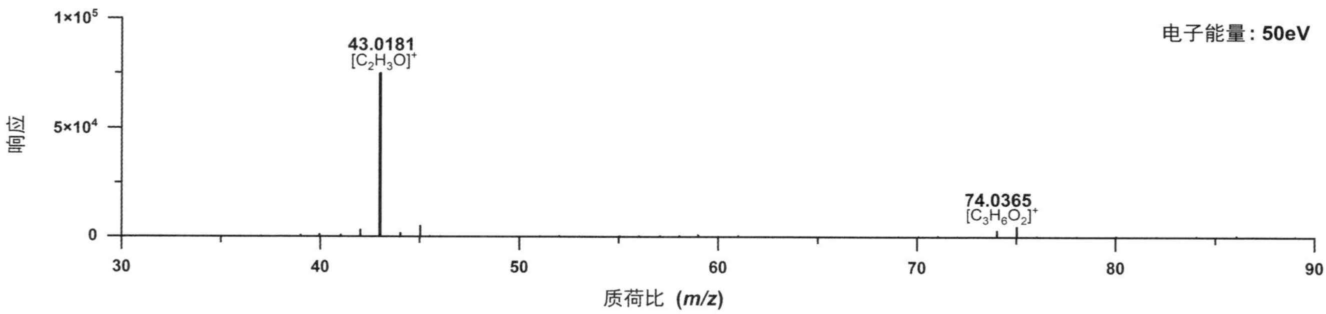

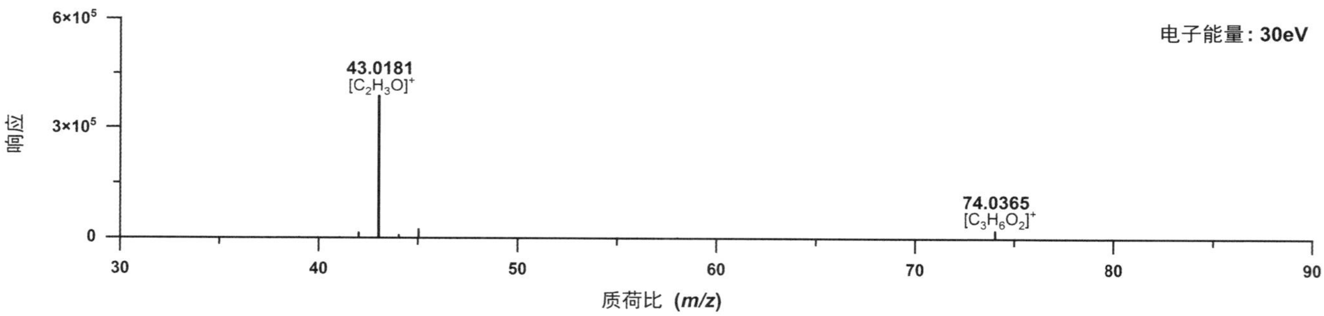

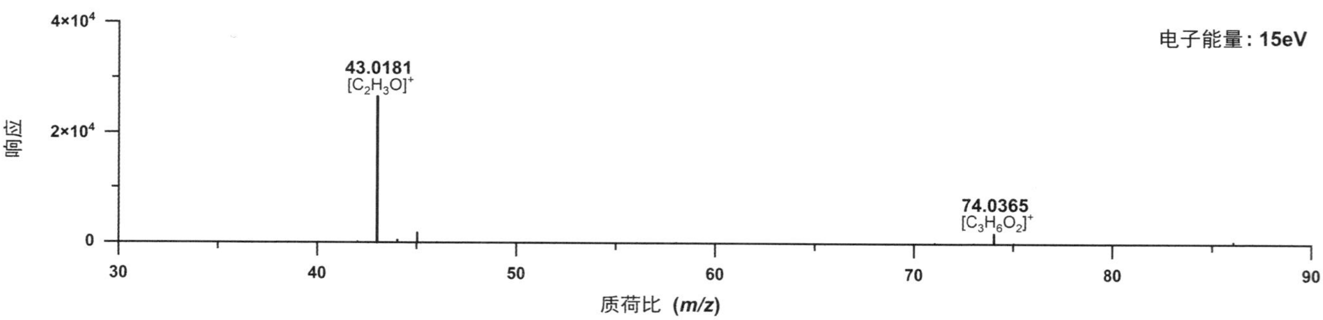

12 乙偶姻

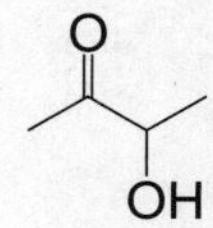

基本信息

CAS 登录号	513-86-0	分子式	$C_4H_8O_2$	分子量	88.0519
保留指数（极性）	1302	保留指数（非极性）	680	香气描述	甜香，黄油味，奶油味

质谱图

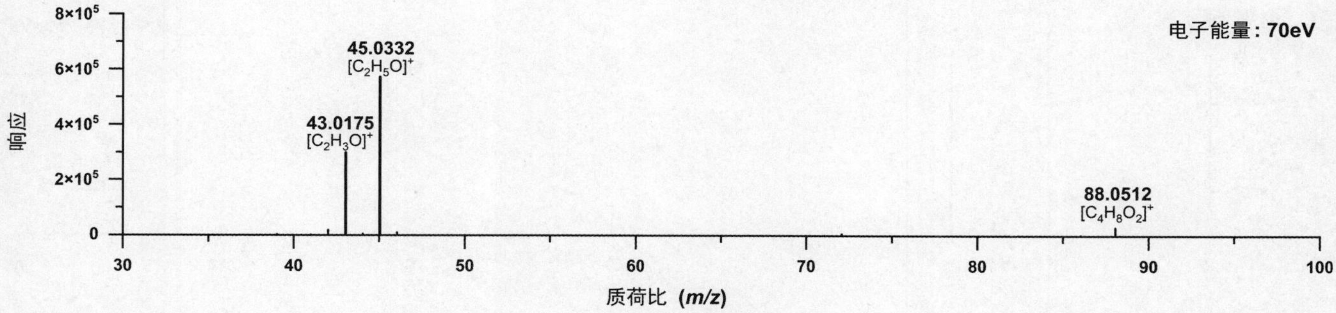

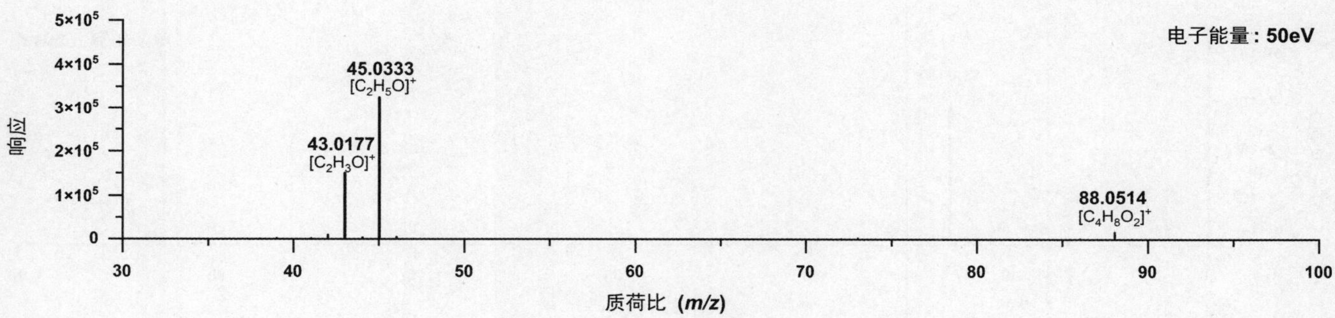

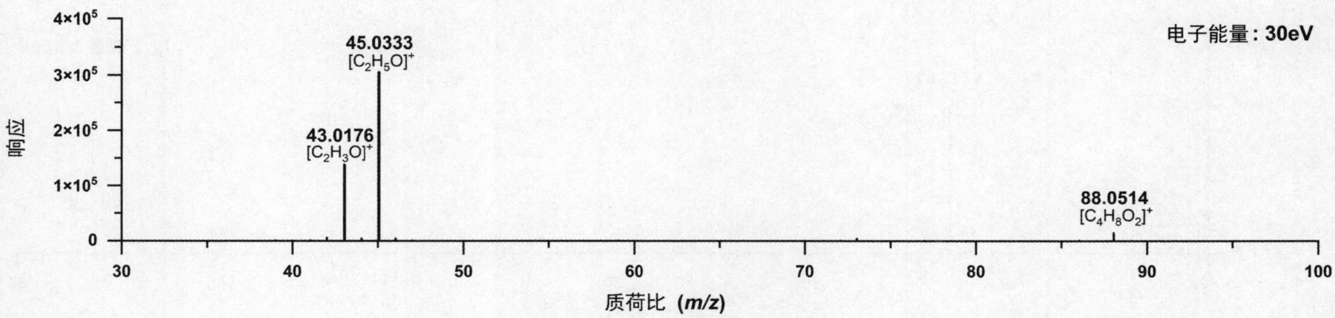

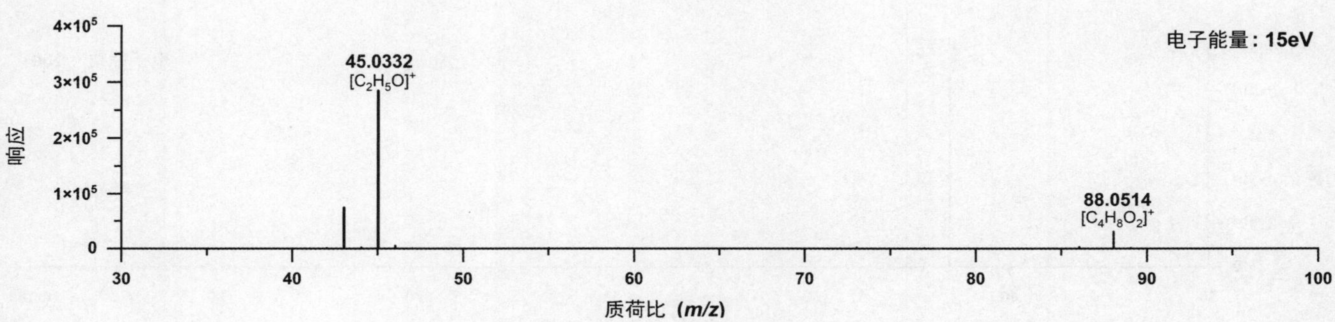

13 2,3-丁二酮/双乙酰

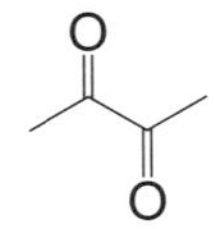

基本信息

CAS 登录号	431-03-8	分子式	$C_4H_6O_2$	分子量	86.0362
保留指数（极性）	977	保留指数（非极性）	578	香气描述	黄油味，奶油味，馊味

质谱图

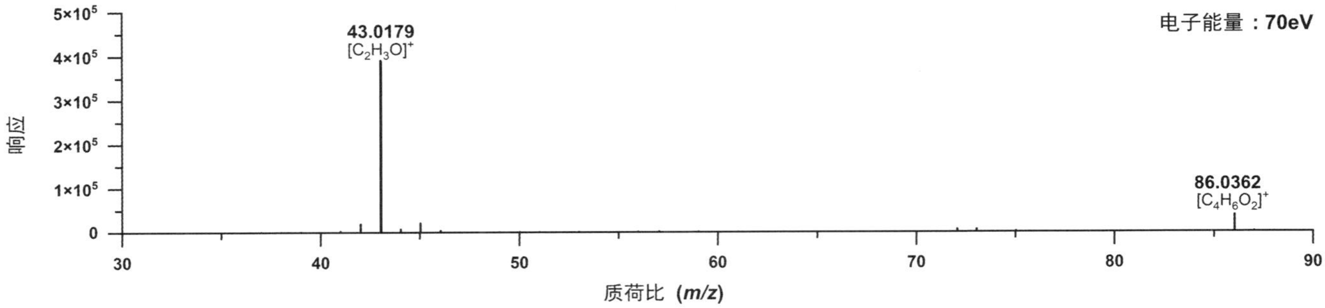

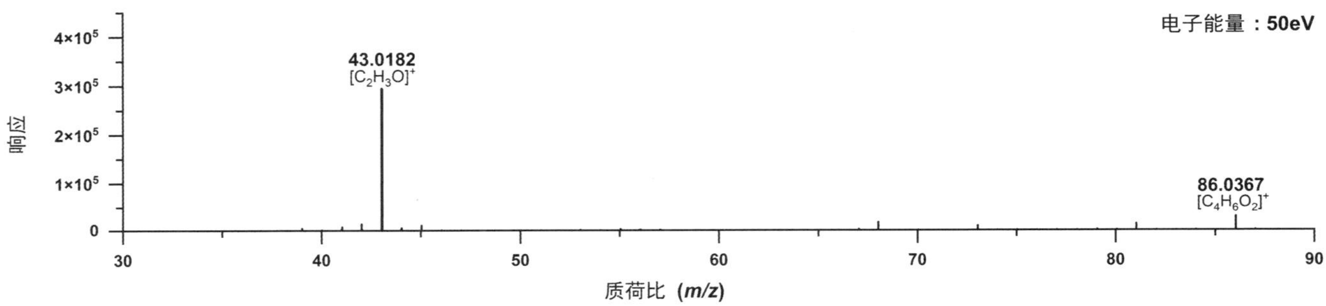

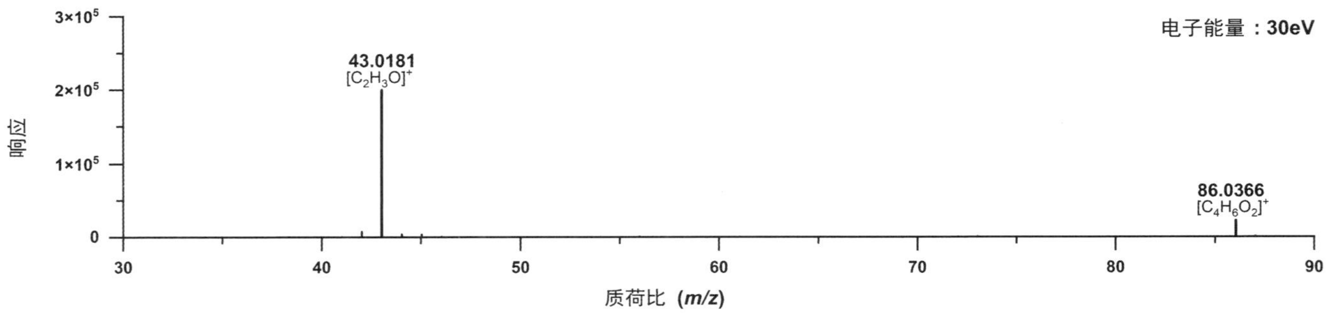

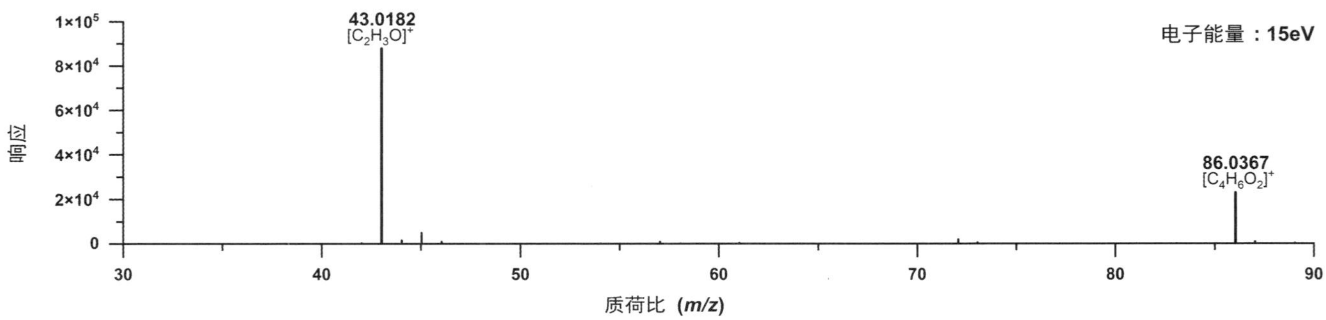

14 麦芽醇

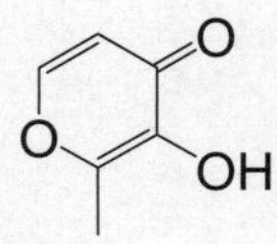

基本信息

CAS 登录号	118-71-8	分子式	$C_6H_6O_3$	分子量	126.0311
保留指数（极性）	2005	保留指数（非极性）	1074	香气描述	焦糖味，甜香，枫糖味

质谱图

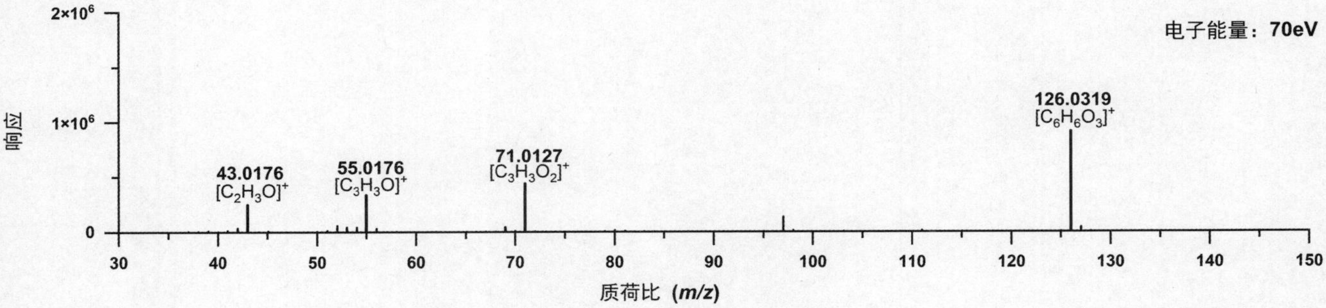

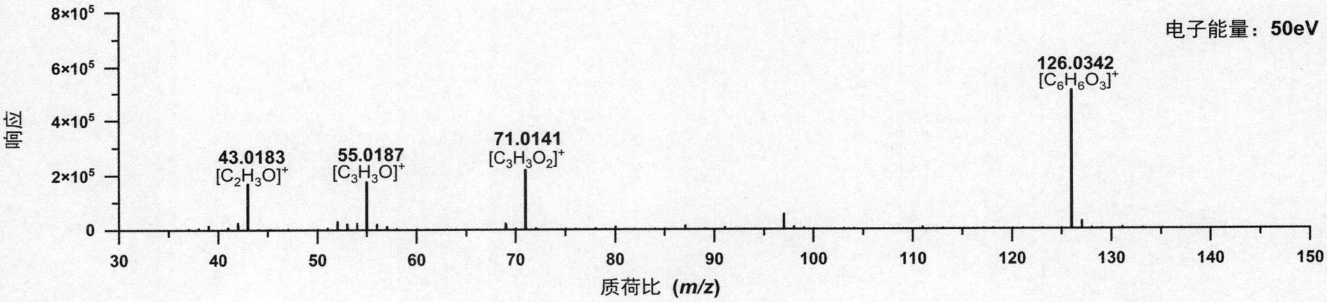

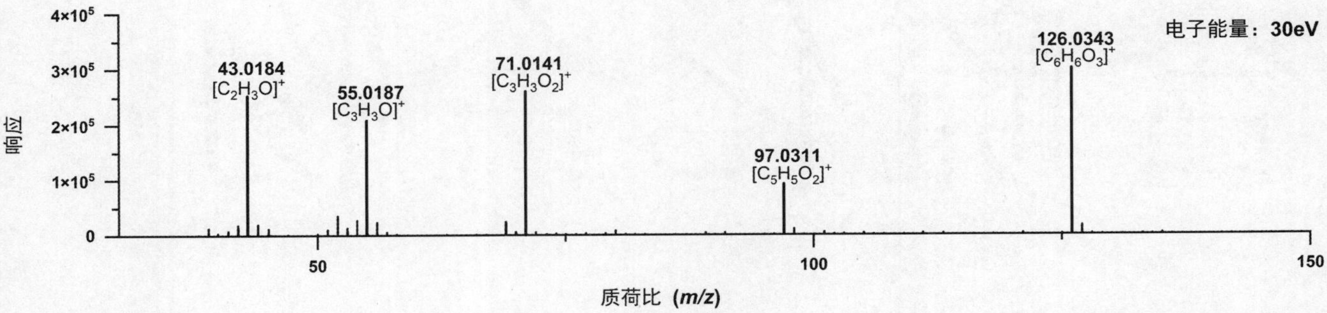

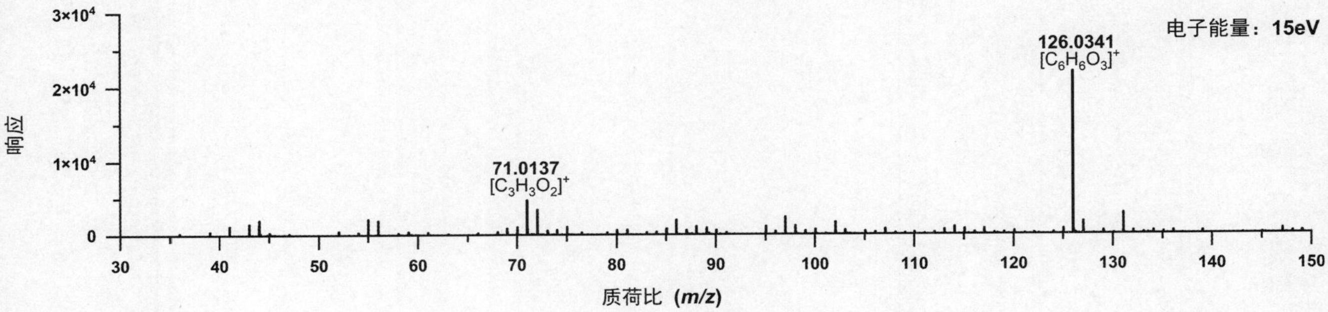

含硫化合物

1 二甲基硫醚

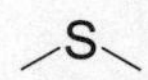

基本信息

CAS 登录号	75-18-3	分子式	C_2H_6S	分子量	62.0185
保留指数（极性）	752	保留指数（非极性）	506	香气描述	令人不愉快的气味，腐烂的气味，硫的气味

质谱图

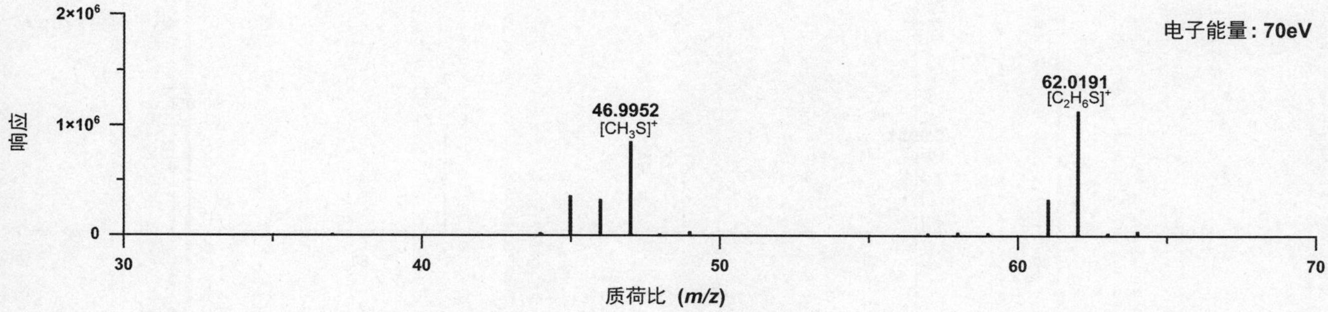

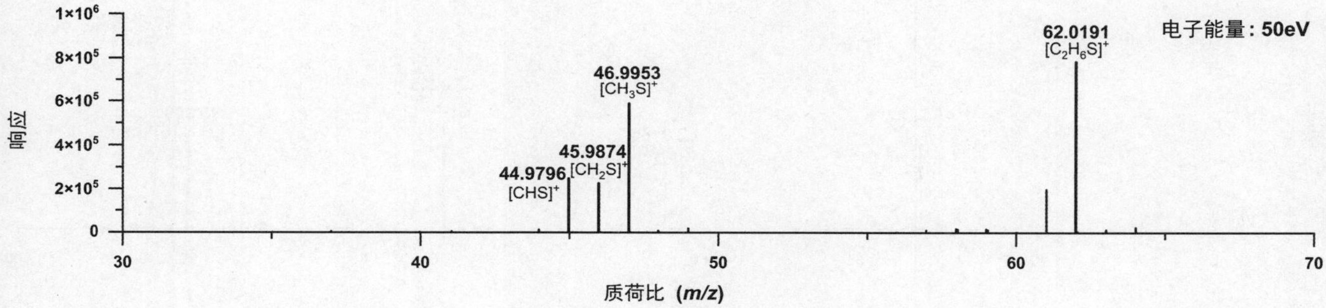

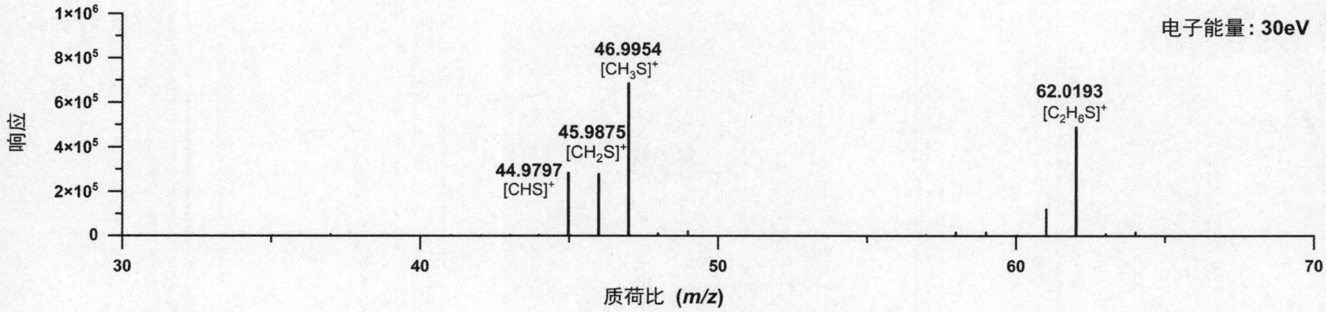

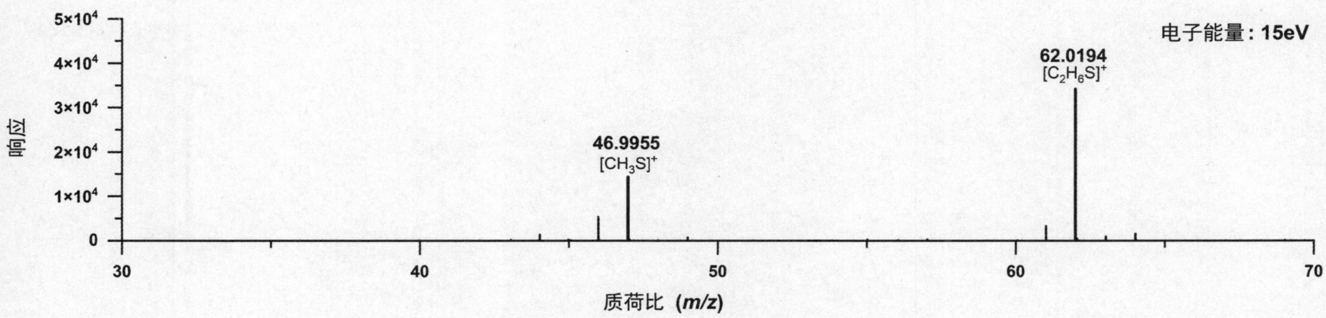

2 二乙基硫醚

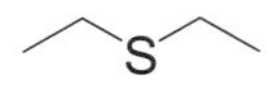

基本信息

CAS 登录号	352-93-2	分子式	$C_4H_{10}S$	分子量	90.0498
保留指数（极性）	905	保留指数（非极性）	684	香气描述	令人不愉快的气味，腐烂的气味，硫的气味

质谱图

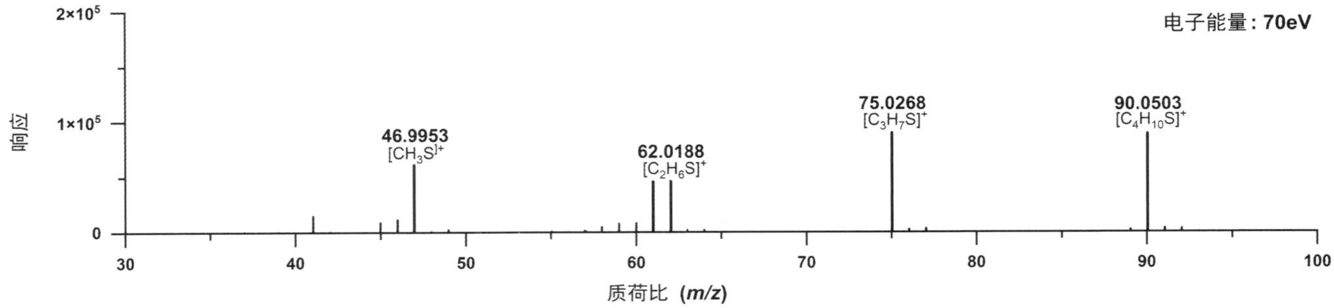

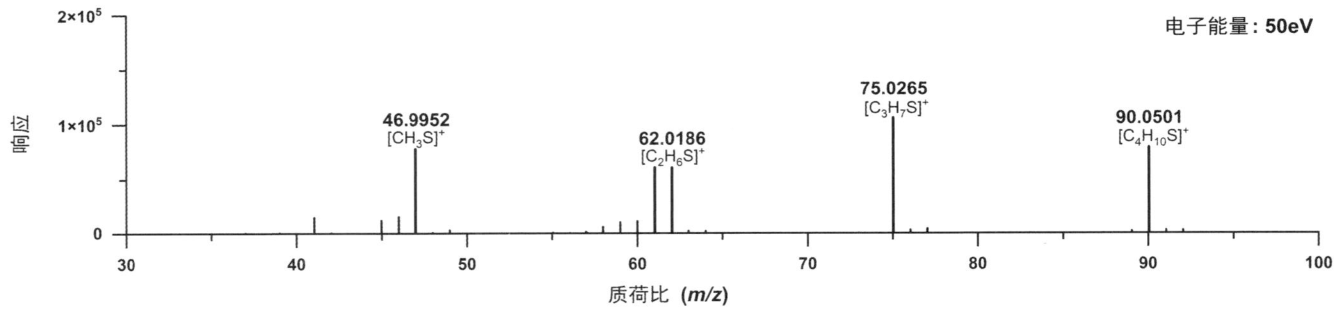

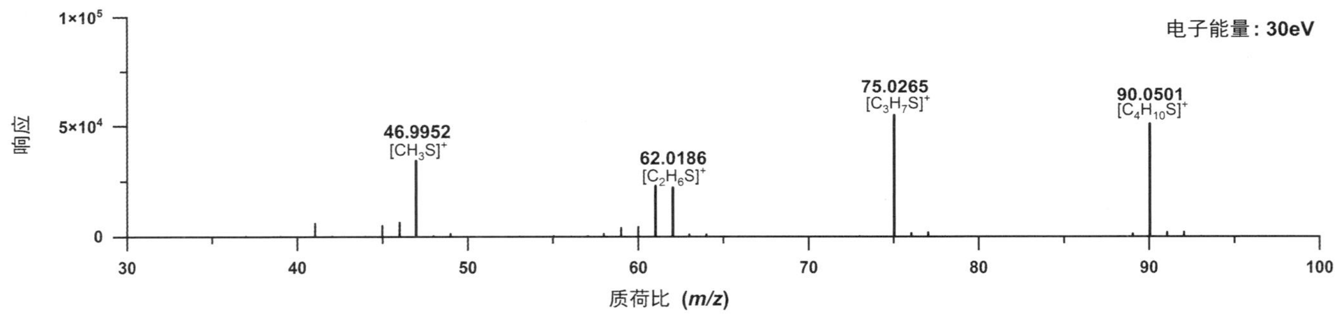

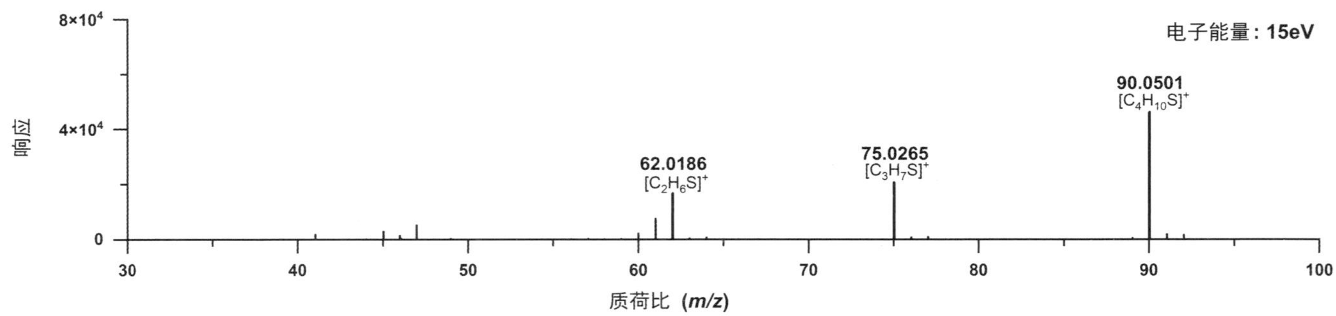

3　3-甲硫基丙醛

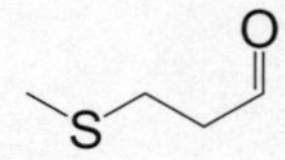

基本信息

CAS 登录号	3268-49-3	分子式	C_4H_8OS	分子量	104.0290
保留指数（极性）	1476	保留指数（非极性）	865	香气描述	硫的气味，像土豆的气味，煮熟的卷心菜气味

质谱图

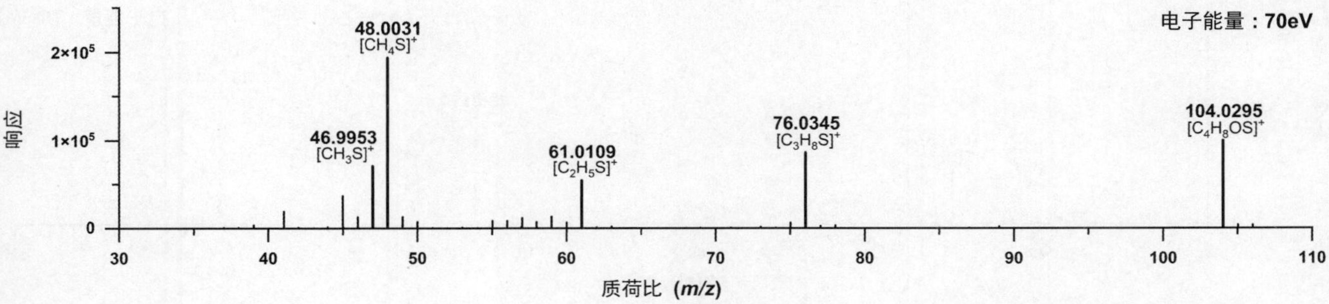

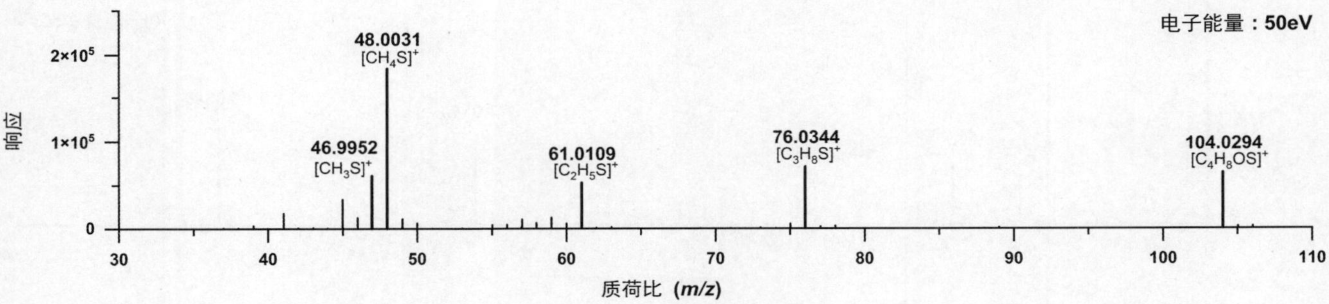

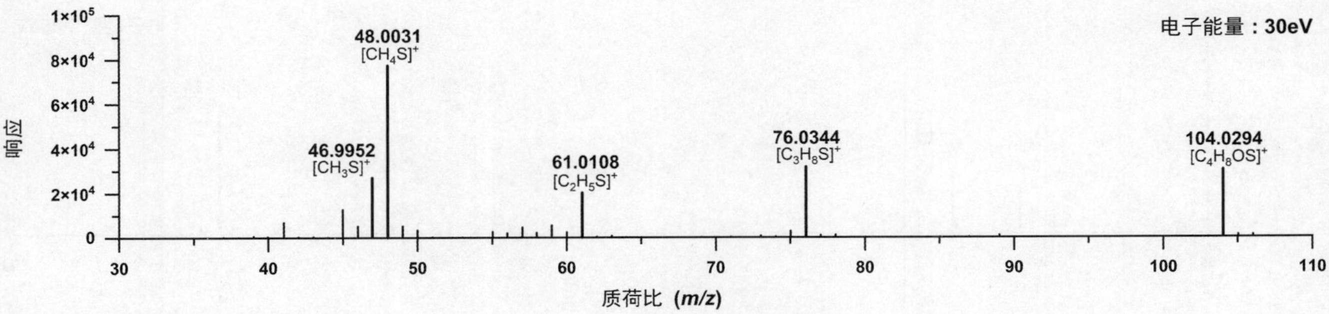

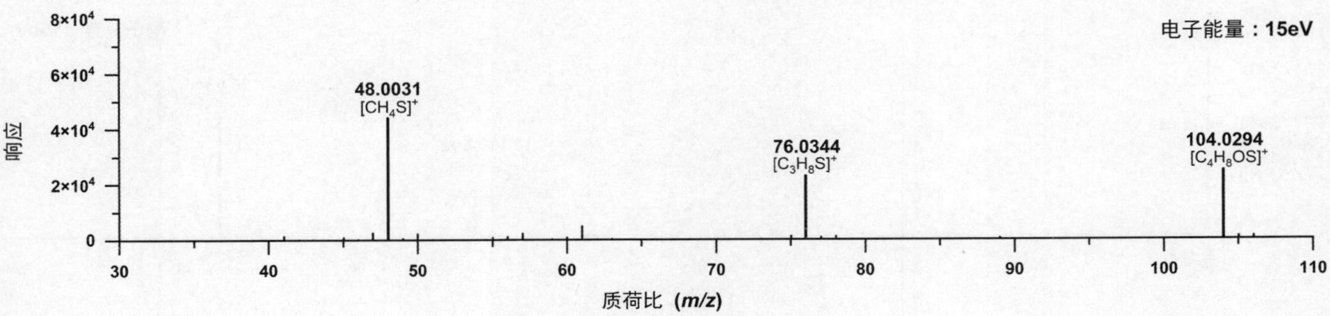

4 烯丙基甲硫醚

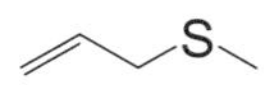

基本信息

CAS 登录号	10152-76-8	分子式	C_4H_8S	分子量	88.0341
保留指数（极性）	963	保留指数（非极性）	678	香气描述	令人不愉快的气味，腐烂的气味，硫的气味

质谱图

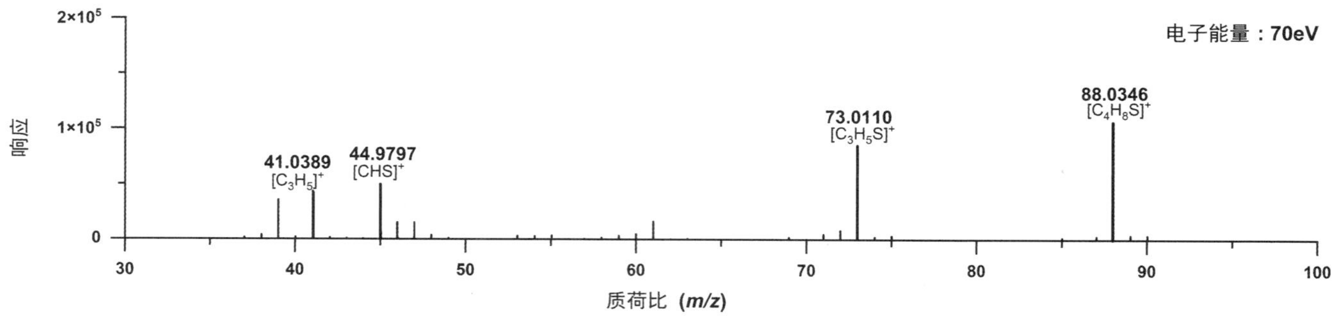

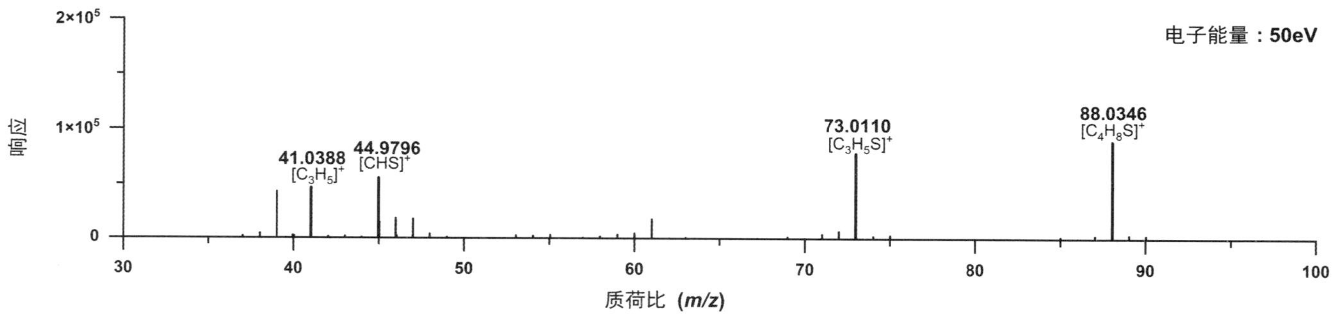

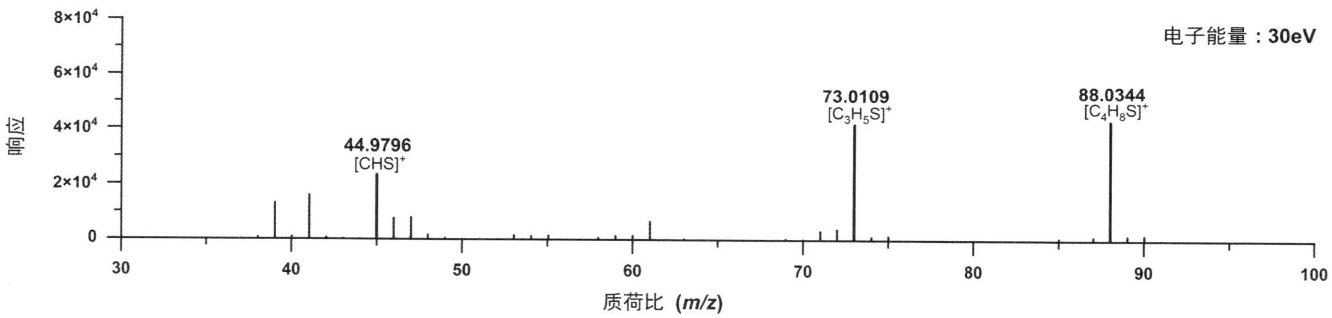

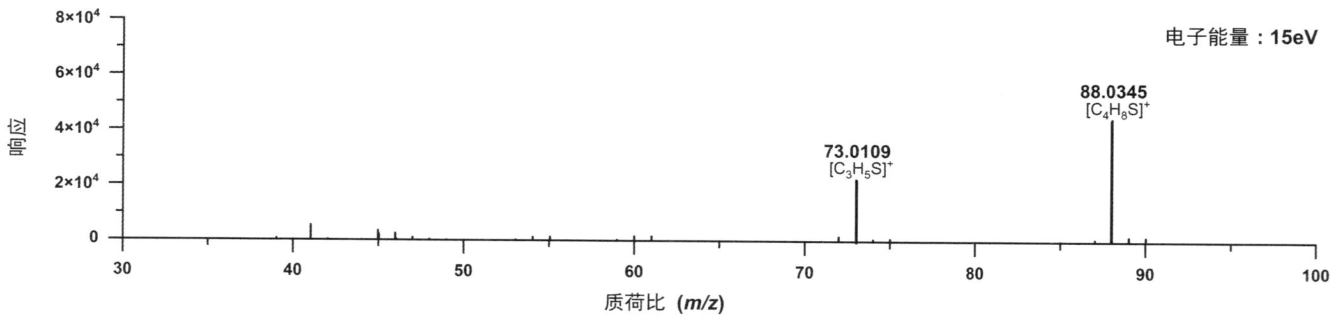

5 3-甲硫基丁醛

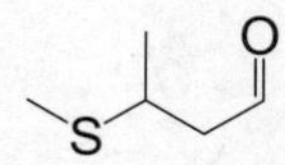

基本信息

CAS 登录号	16630-52-7	分子式	$C_5H_{10}OS$	分子量	118.0447
保留指数（极性）	1474	保留指数（非极性）	914	香气描述	硫的气味，烘烤味，坚果味

质谱图

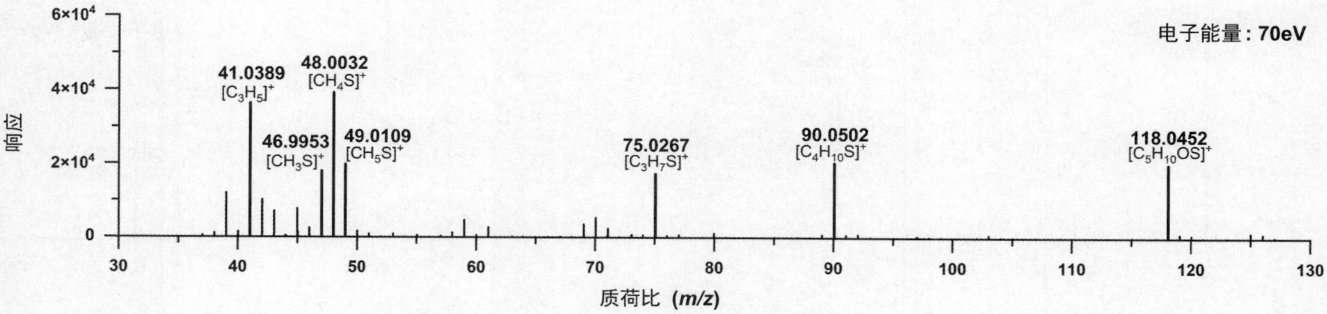

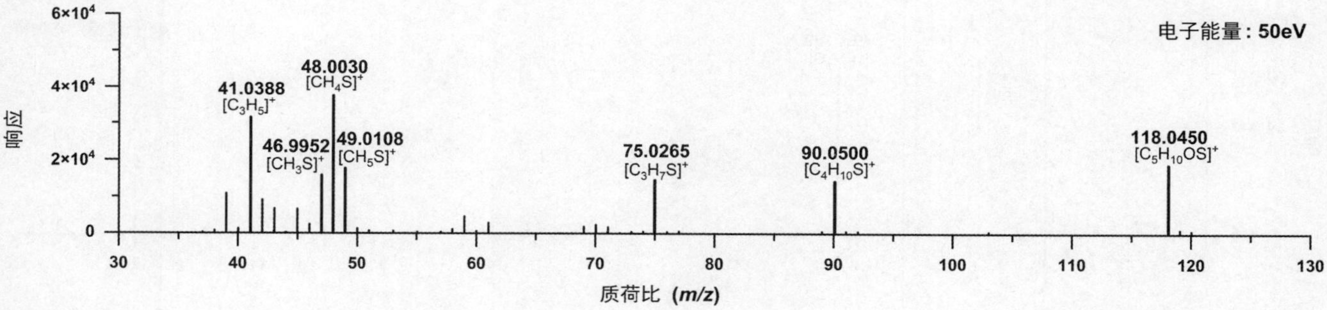

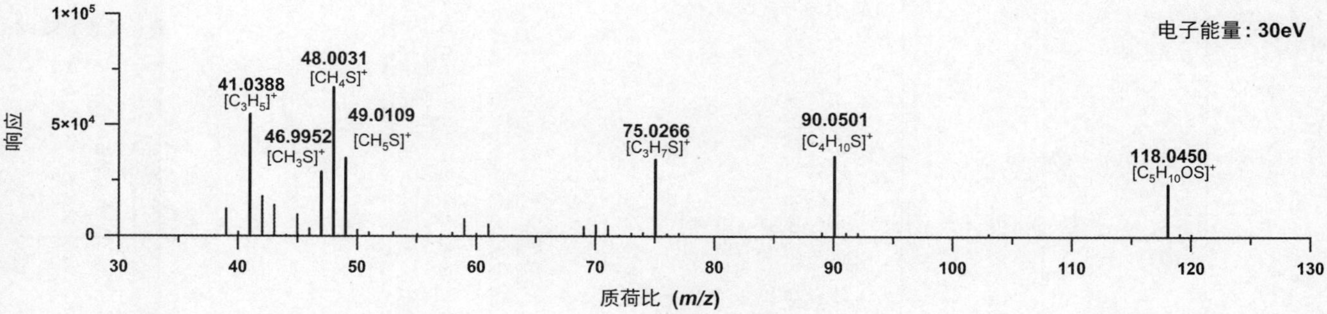

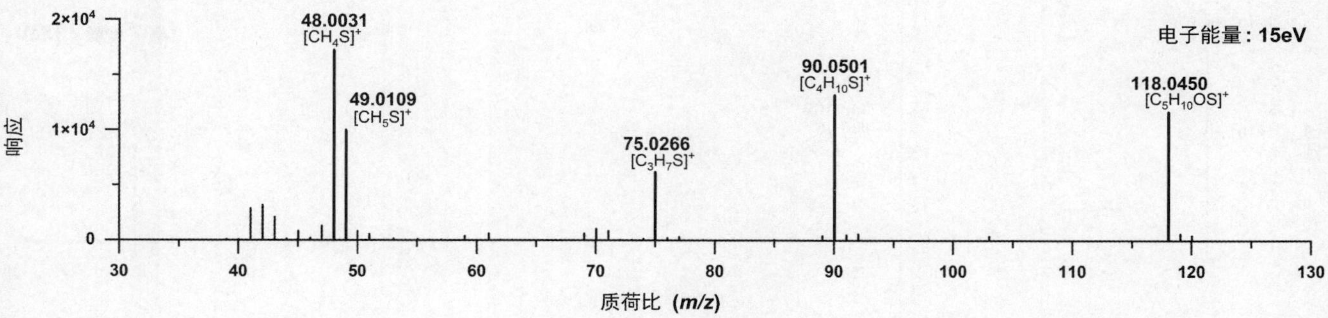

6 4-甲硫基-1-丁醇

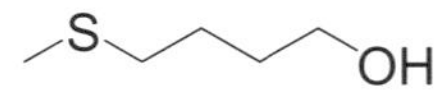

基本信息

CAS 登录号	20582-85-8	分子式	$C_5H_{12}OS$	分子量	120.0603
保留指数（极性）	1863	保留指数（非极性）	1058	香气描述	硫的气味，烘烤味，坚果味

质谱图

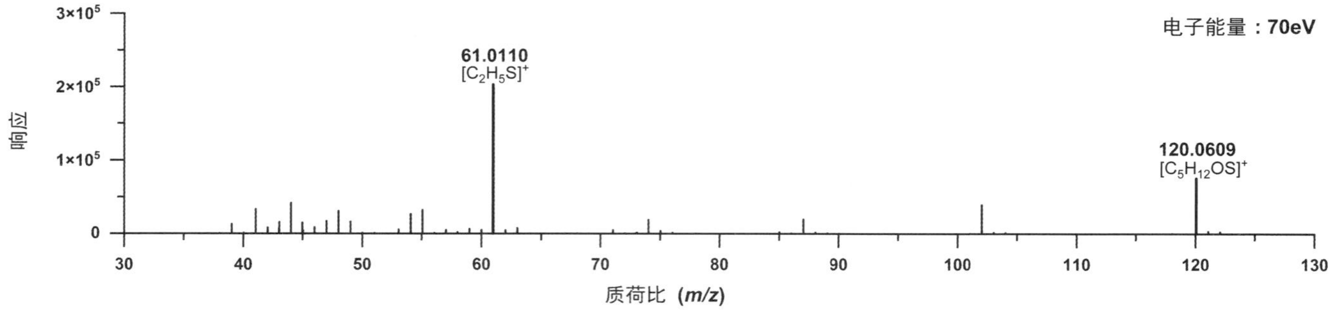

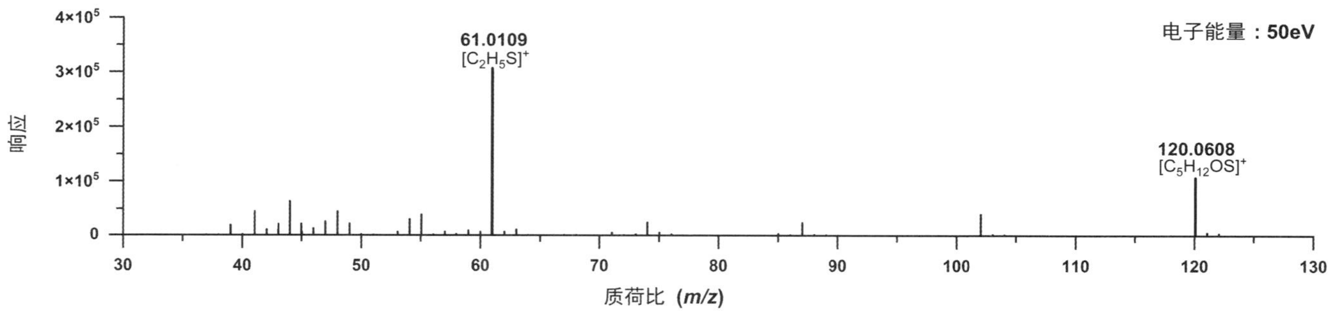

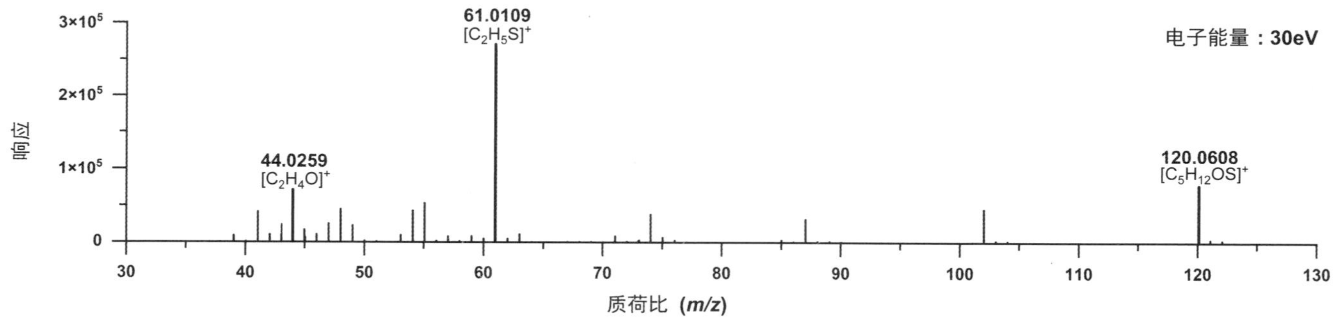

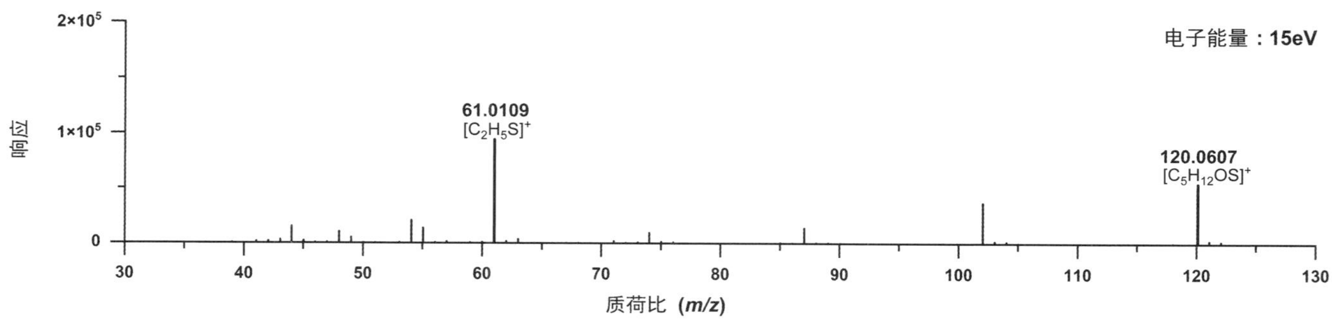

7 2-甲基-3-甲硫基呋喃

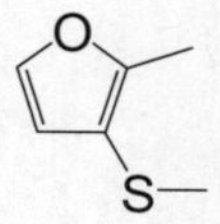

基本信息

CAS 登录号	63012-97-5	分子式	C_6H_8OS	分子量	128.0290
保留指数（极性）	1364	保留指数（非极性）	932	香气描述	硫的气味，烘烤味，咖啡味

质谱图

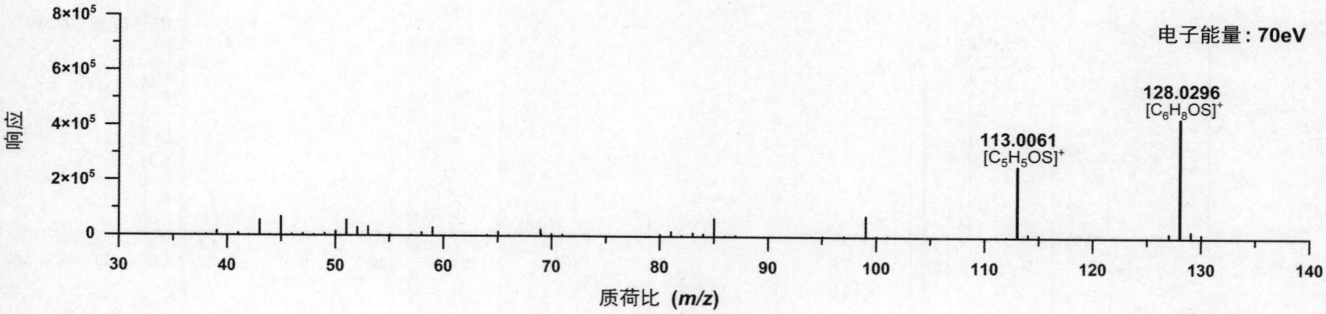

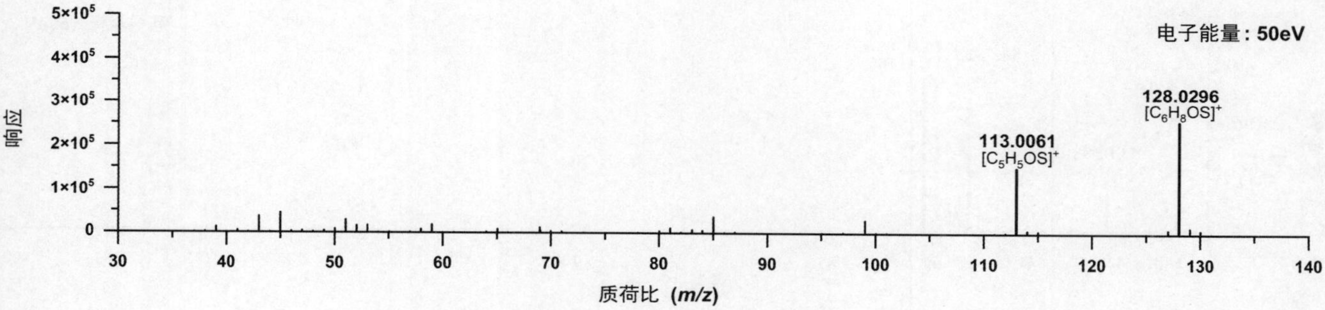

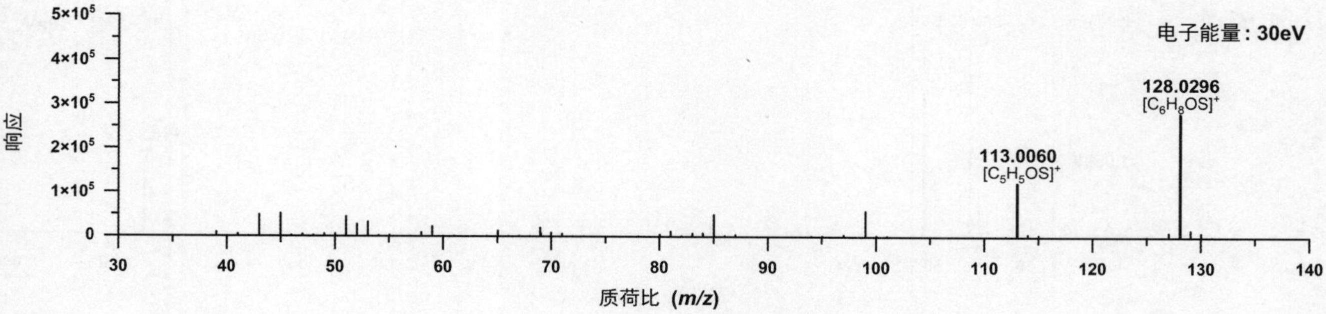

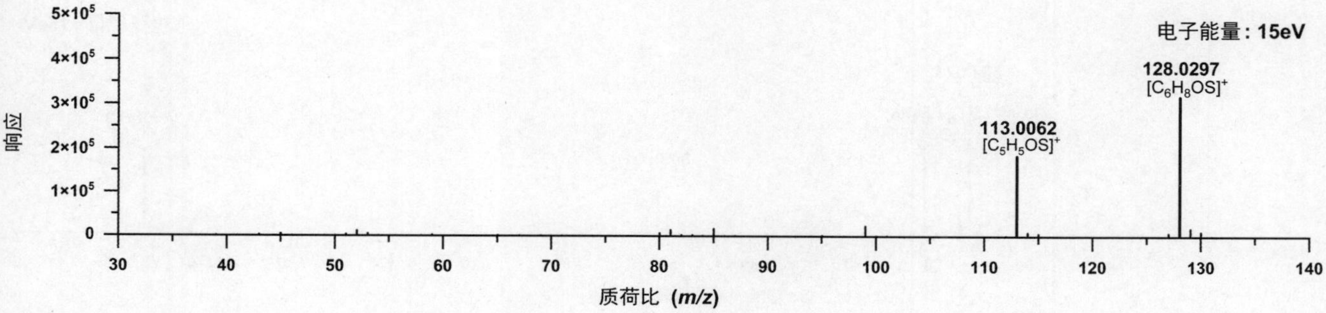

8 二丁基硫醚

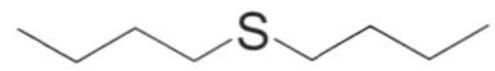

基本信息

CAS 登录号	544-40-1	分子式	$C_8H_{18}S$	分子量	146.1124
保留指数（极性）	1278	保留指数（非极性）	1075	香气描述	令人不愉快的气味，腐烂的气味，硫的气味

质谱图

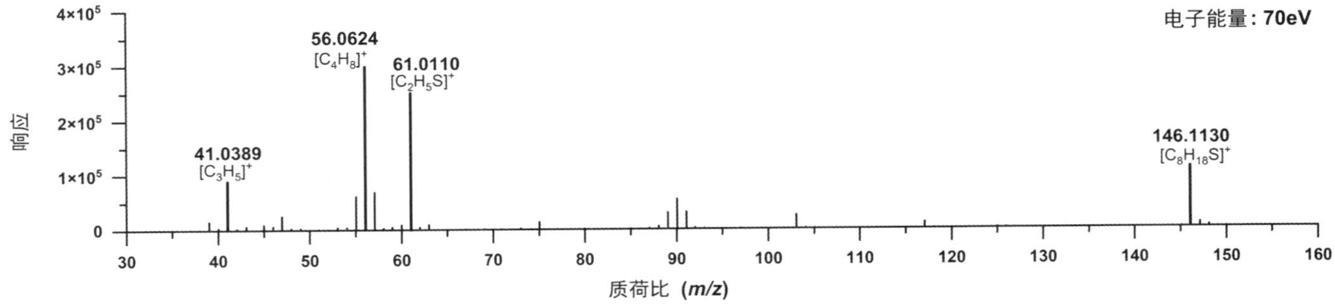

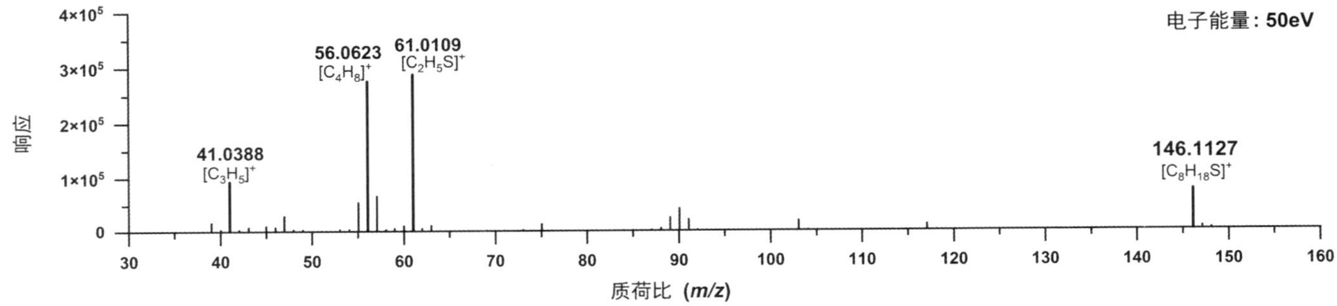

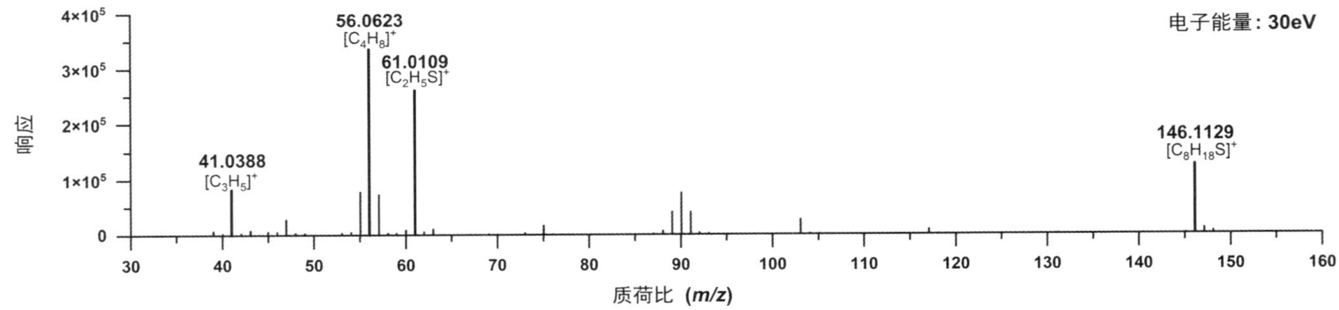

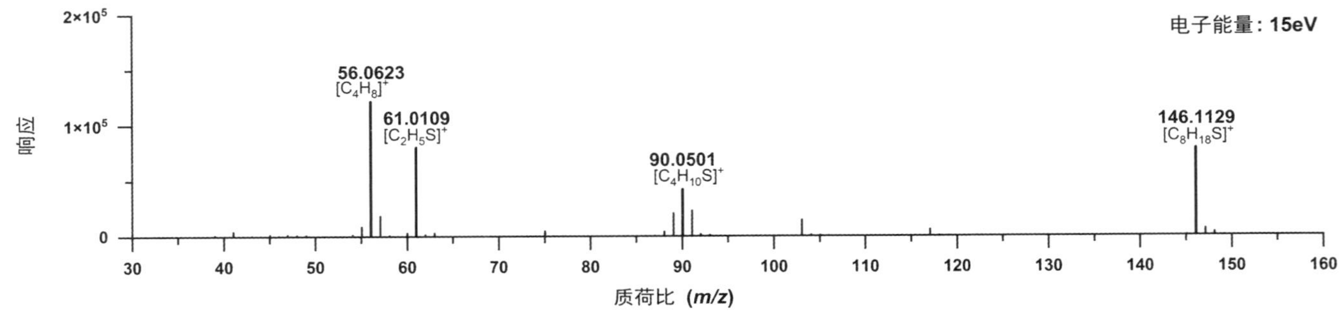

9 二甲基二硫醚

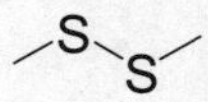

基本信息

CAS 登录号	624-92-0	分子式	$C_2H_6S_2$	分子量	93.9905
保留指数（极性）	1084	保留指数（非极性）	724	香气描述	令人不愉快的气味，腐烂的气味，硫的气味

质谱图

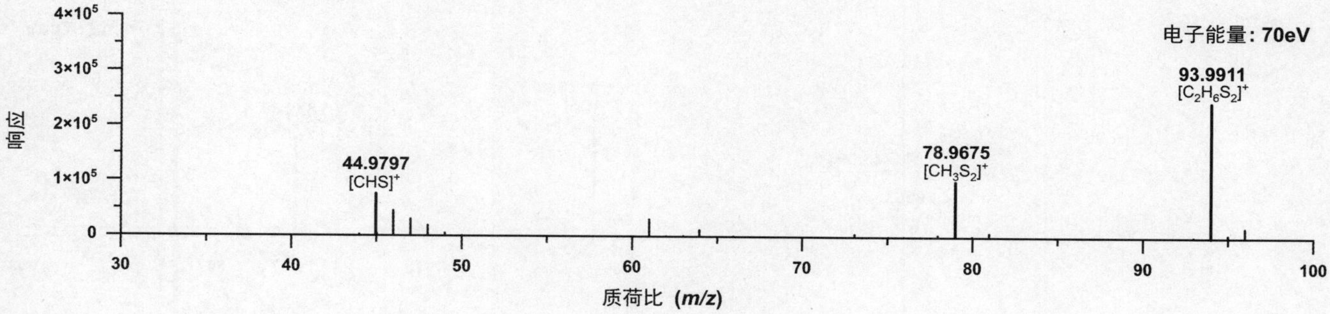

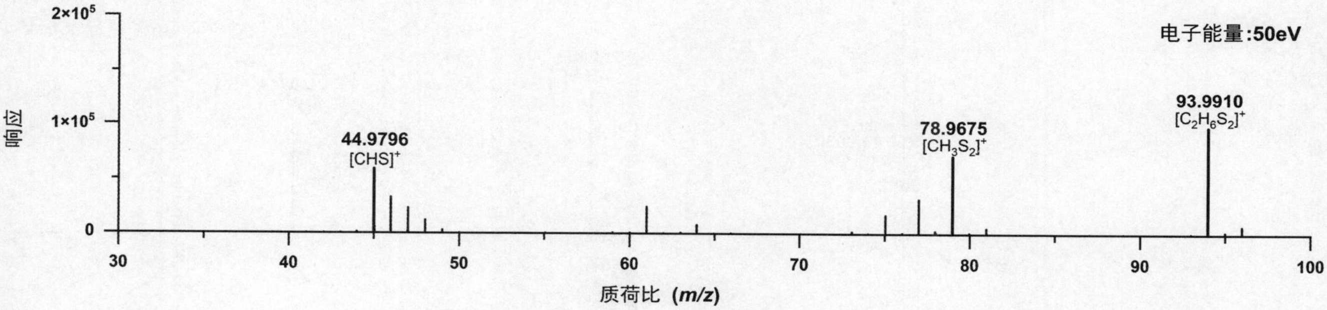

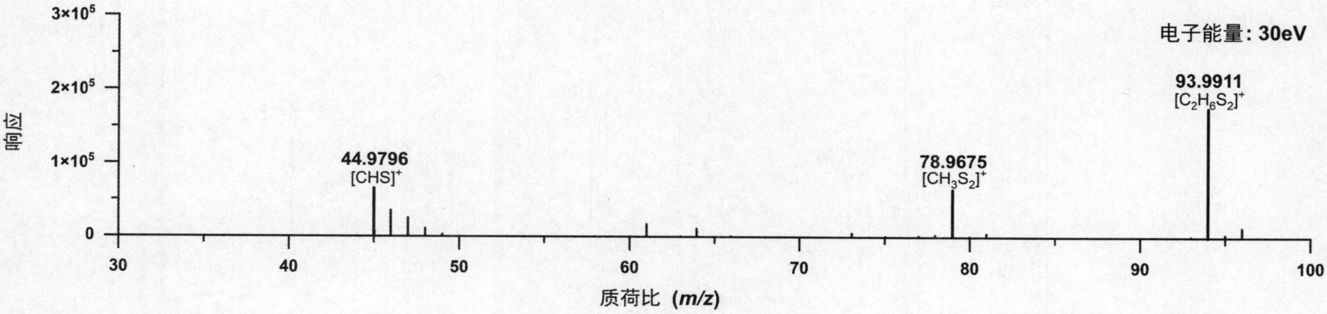

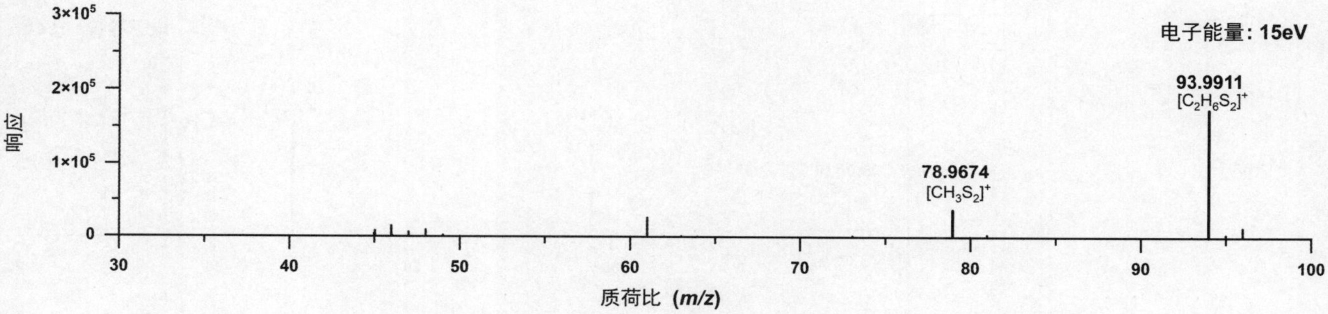

10 甲基乙基硫醚

基本信息

CAS 登录号	624-89-5	分子式	C_3H_8S	分子量	76.0341
保留指数（极性）	833	保留指数（非极性）	602	香气描述	硫的气味，蒜味，甜香

质谱图

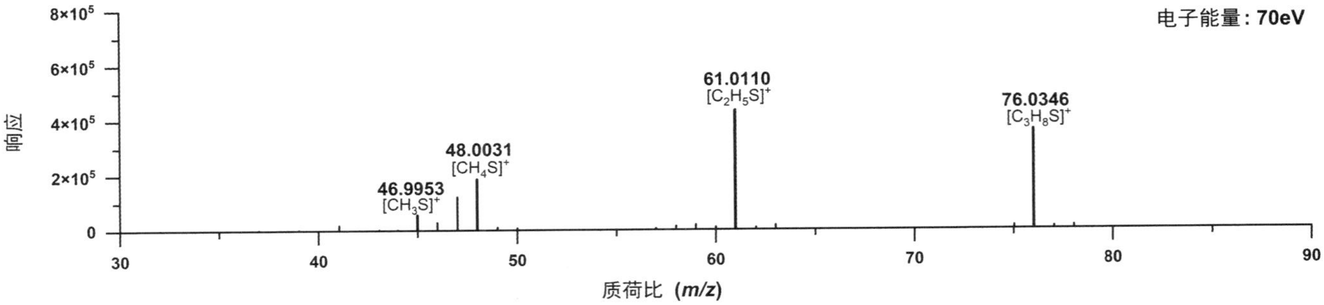

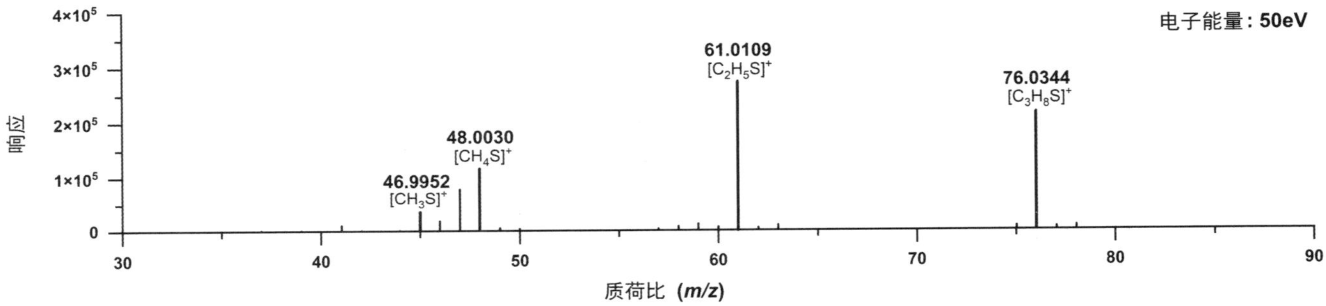

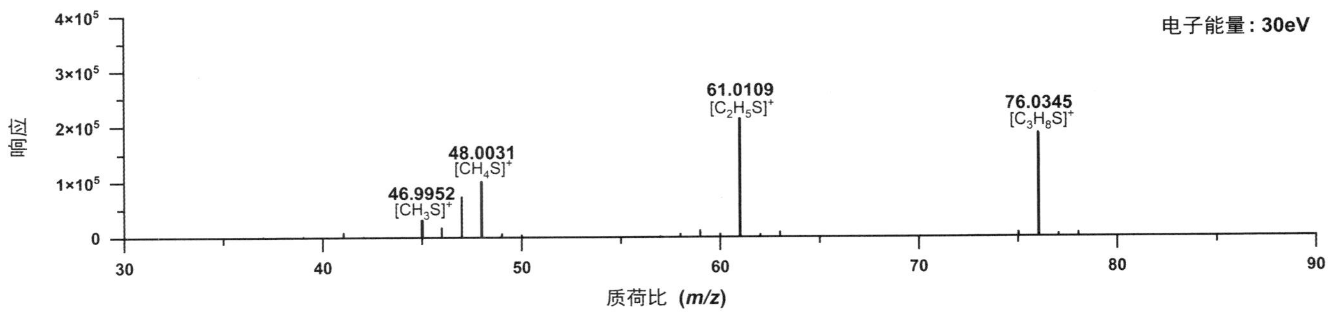

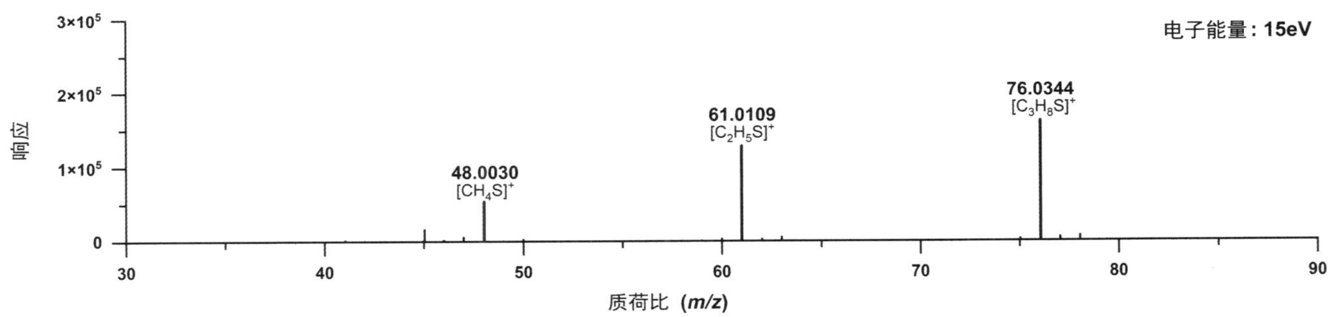

11 二乙基二硫醚

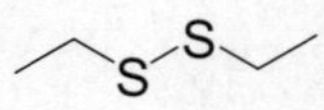

基本信息

CAS 登录号	110-81-6	分子式	$C_4H_{10}S_2$	分子量	122.0218
保留指数（极性）	1232	保留指数（非极性）	903	香气描述	令人不愉快的气味，腐烂的气味，硫的气味

质谱图

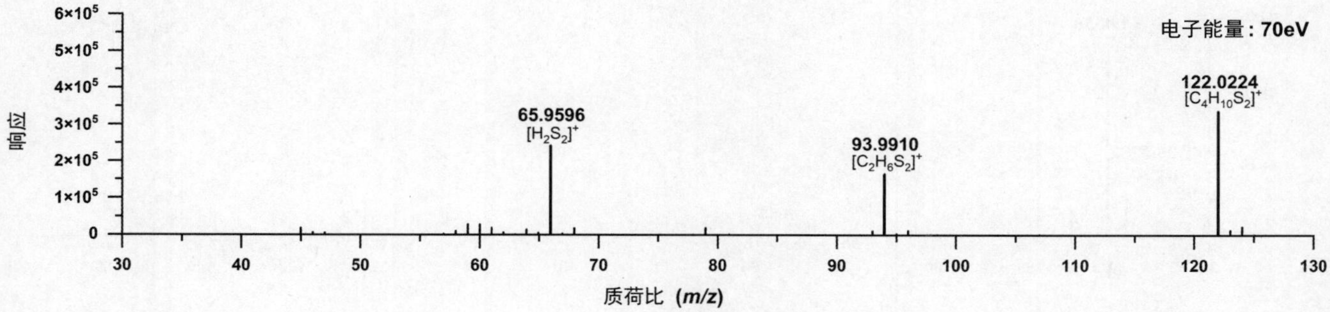

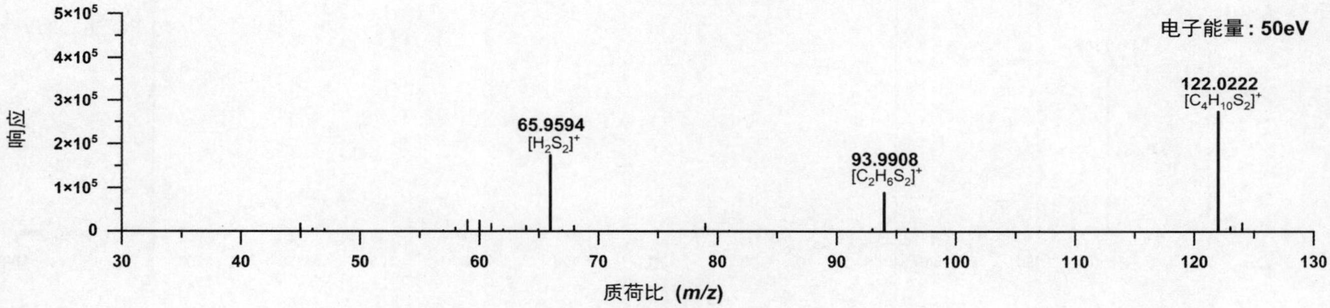

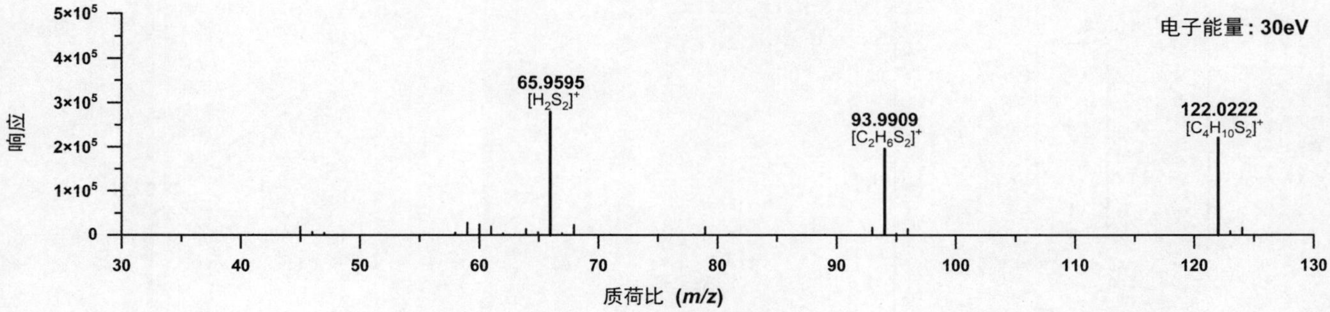

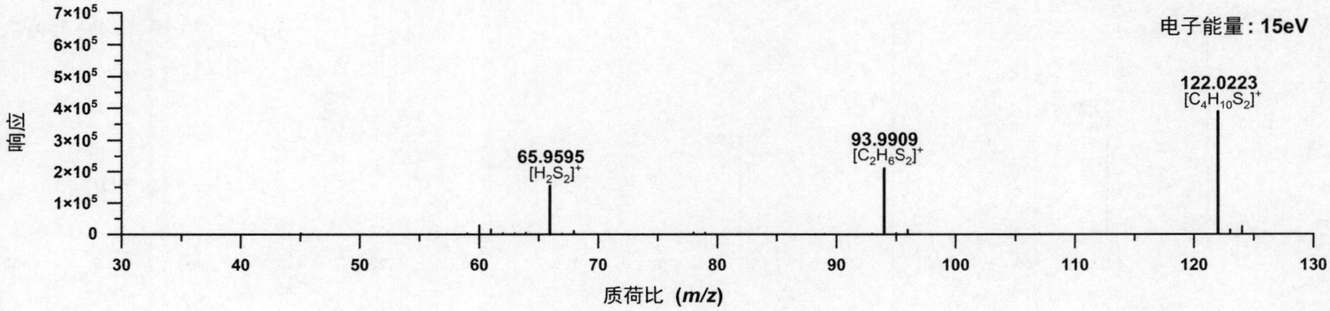

12 二烯丙基二硫醚

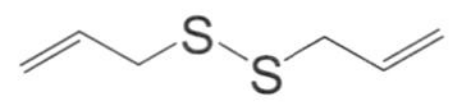

基本信息

CAS 登录号	2179-57-9	分子式	$C_6H_{10}S_2$	分子量	146.0218
保留指数（极性）	1506	保留指数（非极性）	1059	香气描述	令人不愉快的气味，腐烂的气味，硫的气味

质谱图

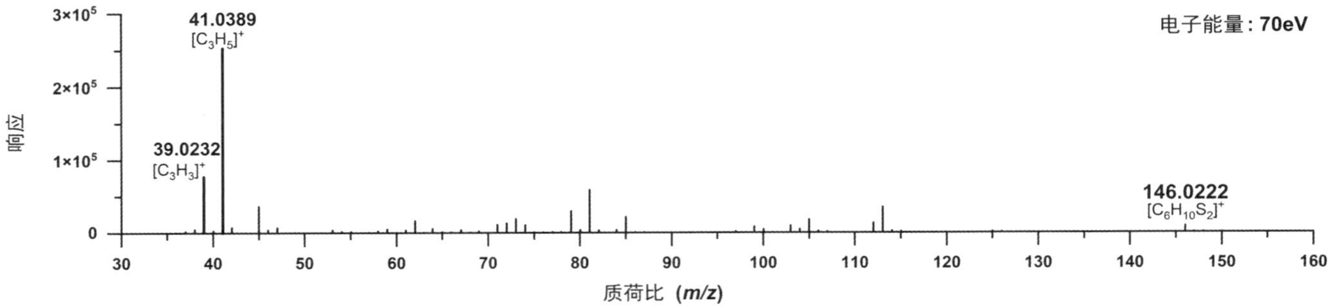

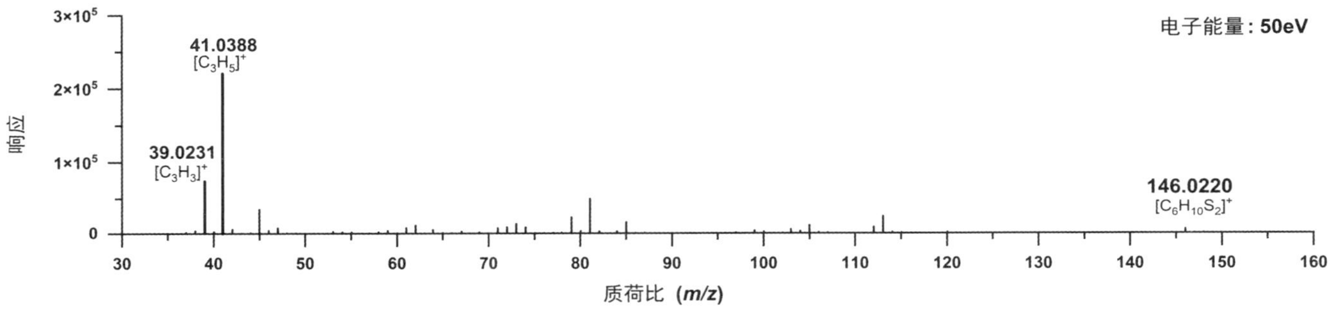

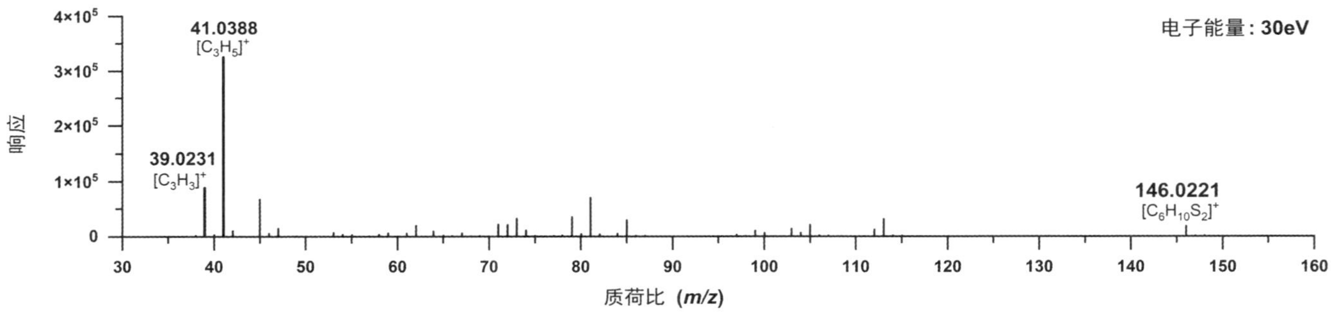

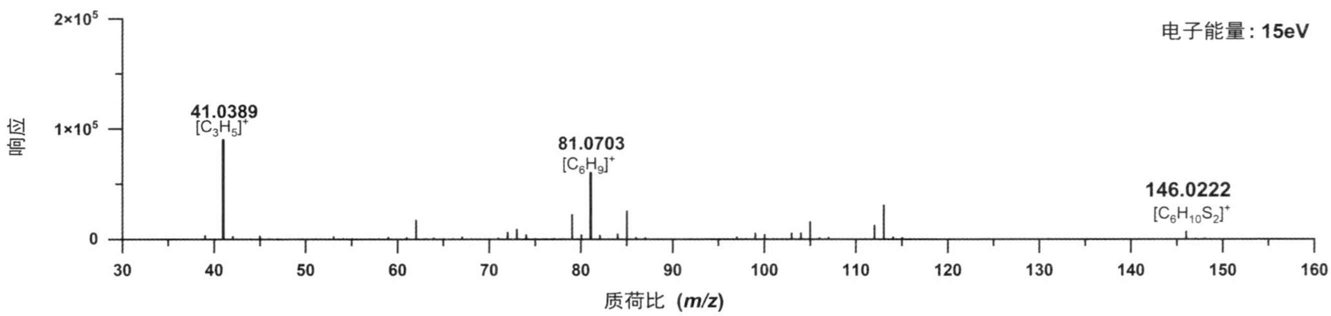

13 丙烯基丙基二硫醚

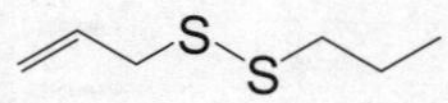

基本信息

CAS 登录号	2179-59-1	分子式	$C_6H_{12}S_2$	分子量	148.0375
保留指数（极性）	1454	保留指数（非极性）	1075	香气描述	令人不愉快的气味，腐烂的气味，硫的气味

质谱图

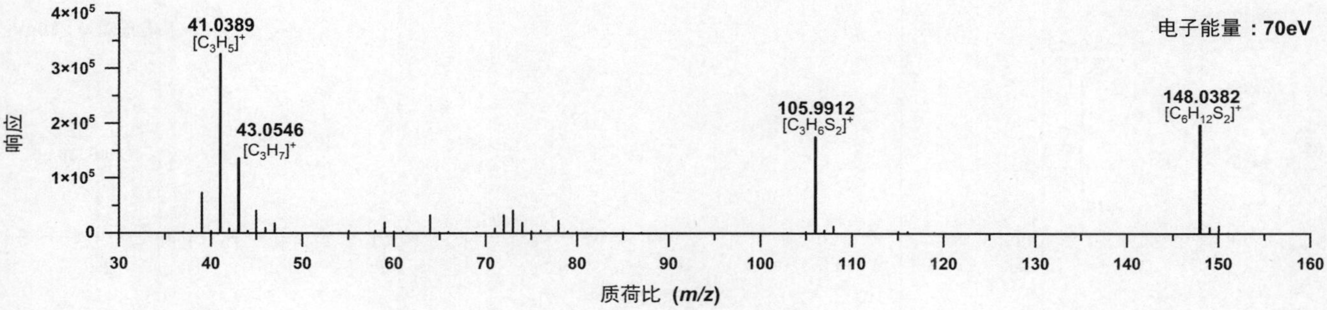

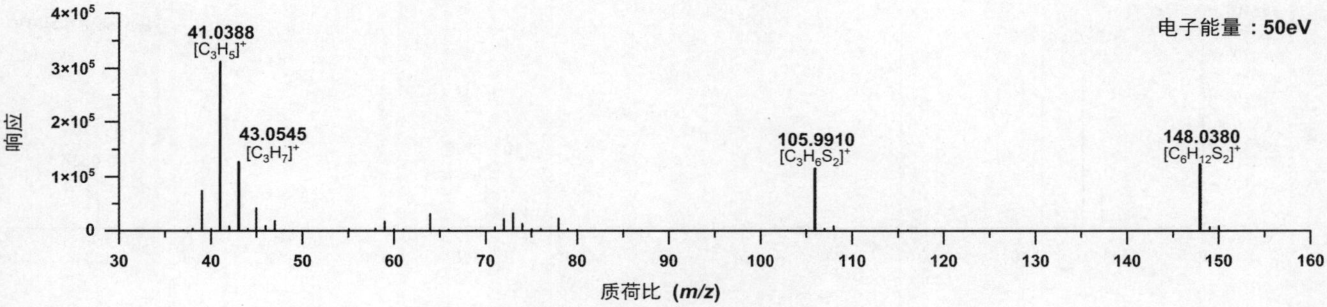

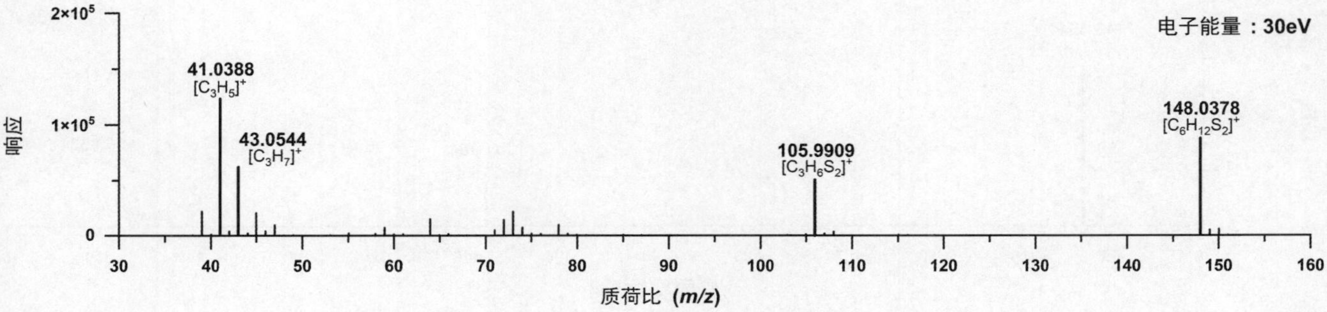

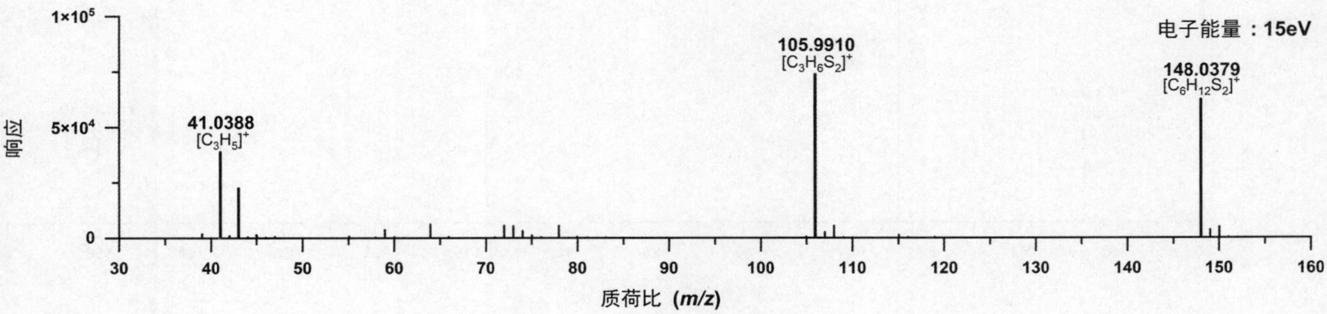

14 二异丙基二硫醚

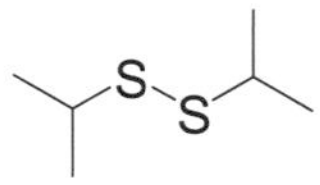

基本信息

CAS 登录号	4253-89-8	分子式	$C_6H_{14}S_2$	分子量	150.0531
保留指数（极性）	1273	保留指数（非极性）	1005	香气描述	令人不愉快的气味，腐烂的气味，硫的气味

质谱图

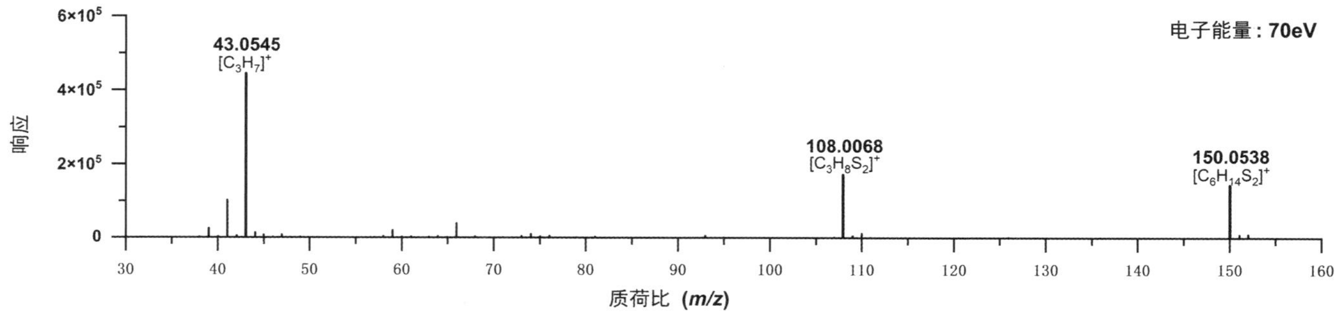

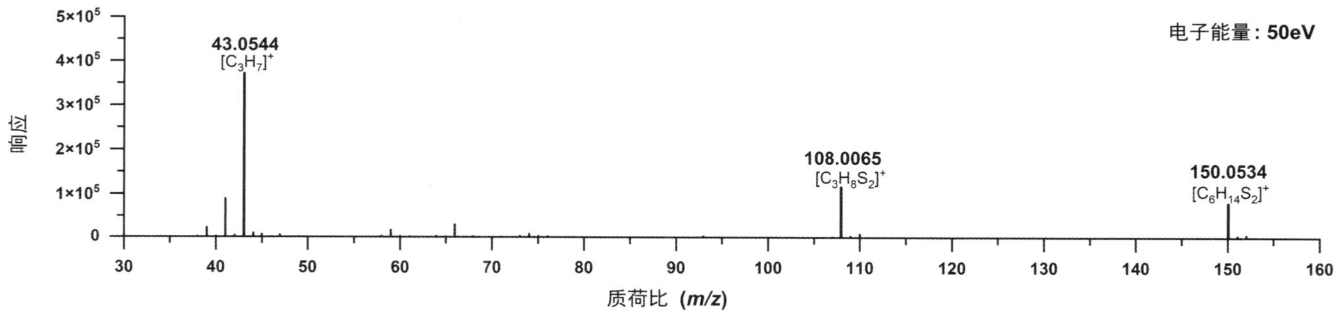

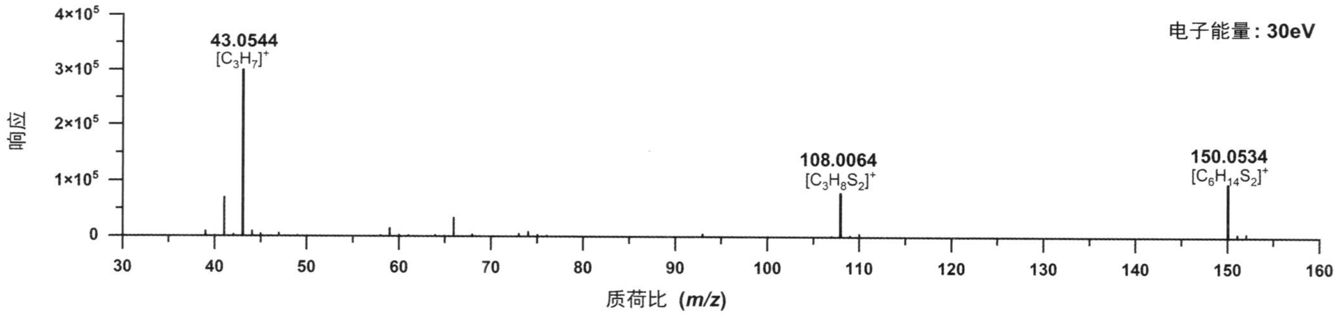

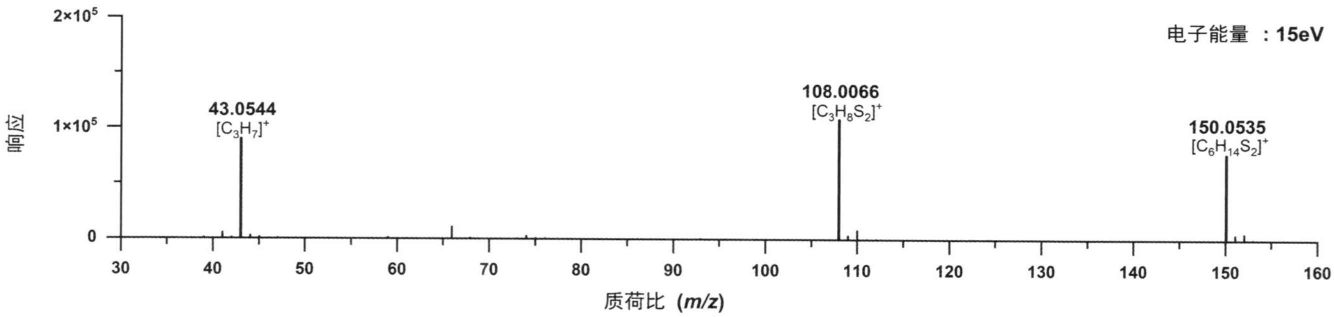

15 二丙基二硫醚

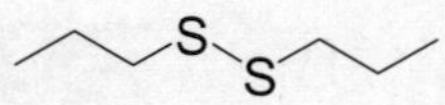

基本信息

CAS 登录号	629-19-6	分子式	$C_6H_{14}S_2$	分子量	150.0531
保留指数（极性）	1402	保留指数（非极性）	1091	香气描述	令人不愉快的气味，腐烂的气味，硫的气味

质谱图

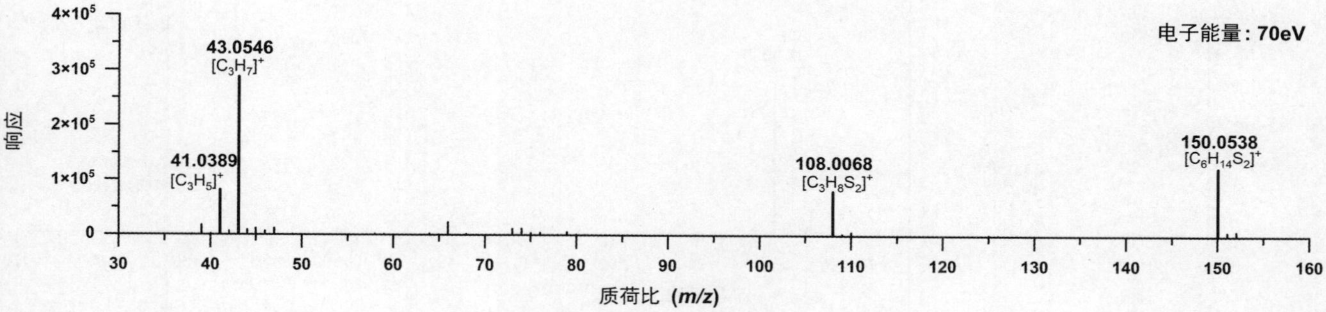

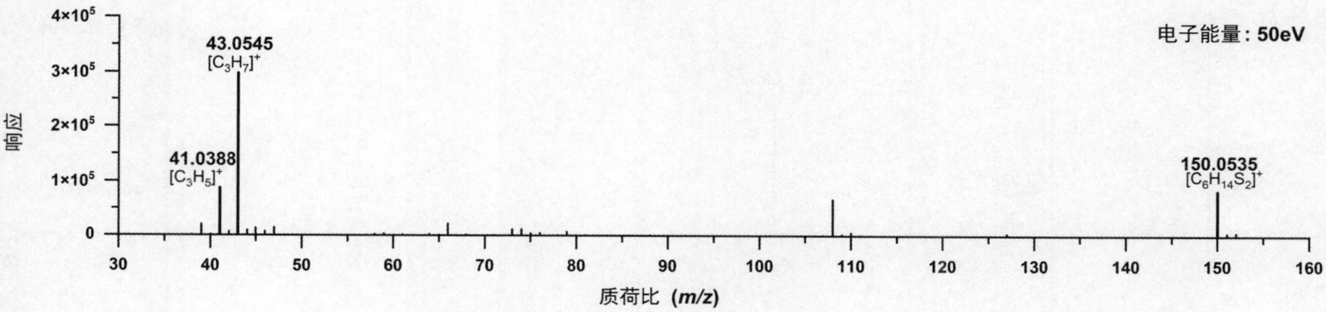

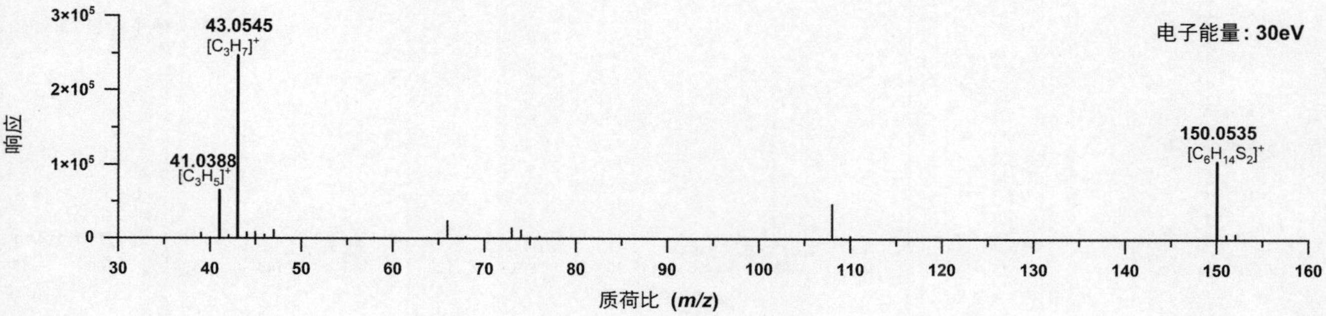

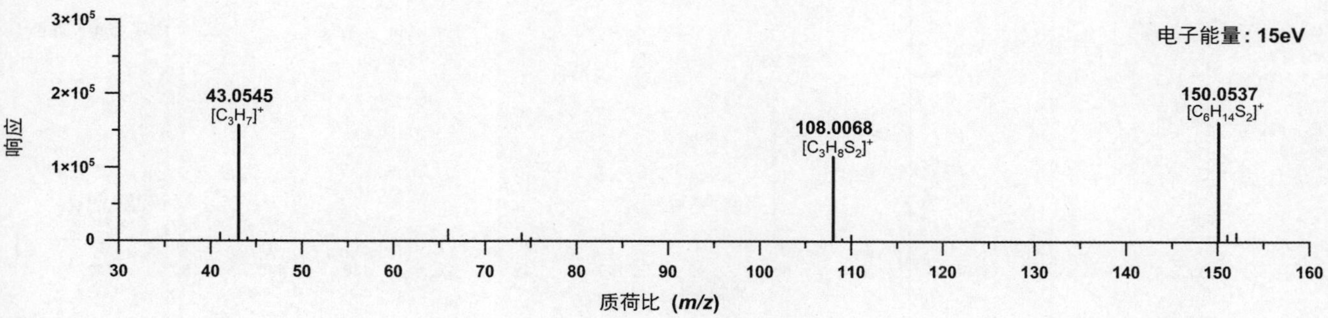

16 糠基甲基二硫醚

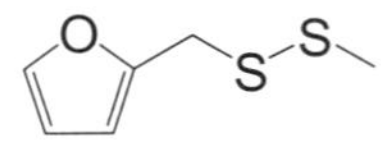

基本信息

CAS 登录号	57500-00-2	分子式	$C_6H_8OS_2$	分子量	160.0011
保留指数（极性）	1848	保留指数（非极性）	1186	香气描述	令人不愉快的气味，烘烤味，咖啡味

质谱图

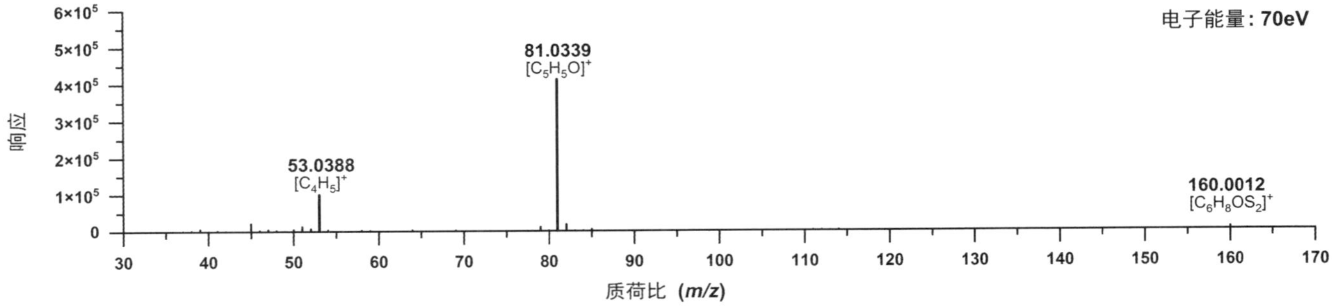

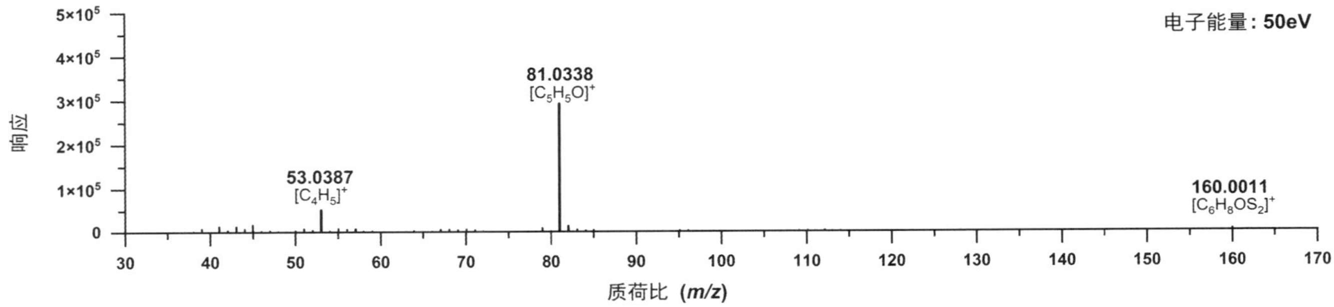

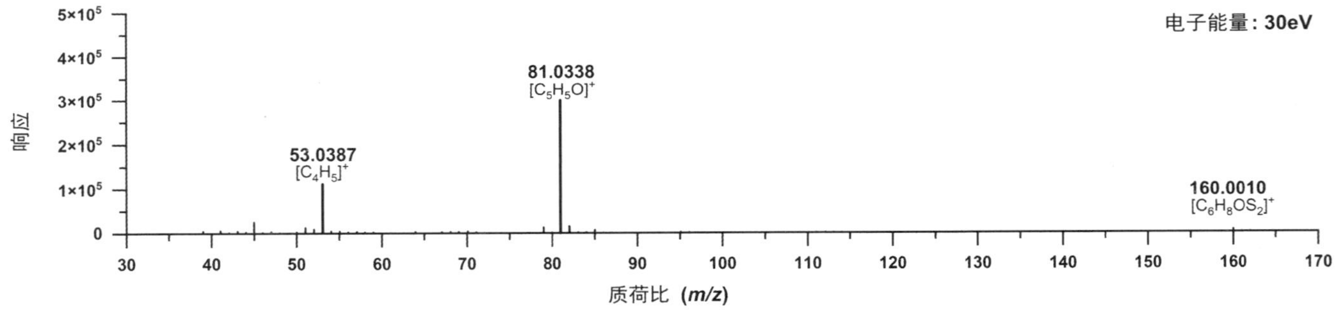

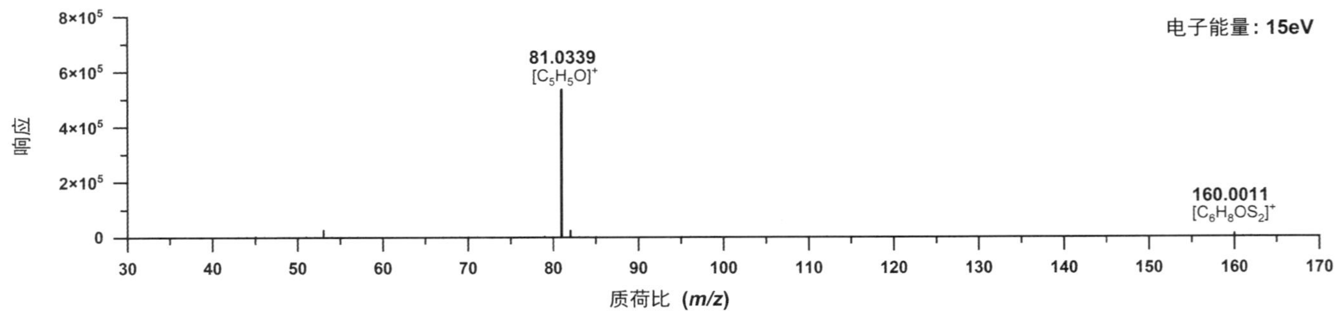

17 甲基(2-甲基-3-呋喃基)二硫醚

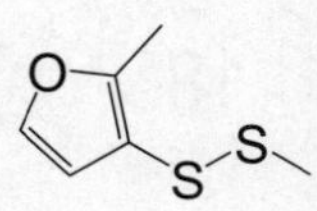

基本信息

CAS 登录号	65505-17-1	分子式	$C_6H_8OS_2$	分子量	160.0011
保留指数（极性）	1703	保留指数（非极性）	1151	香气描述	令人不愉快的气味，烘烤味，咖啡味

质谱图

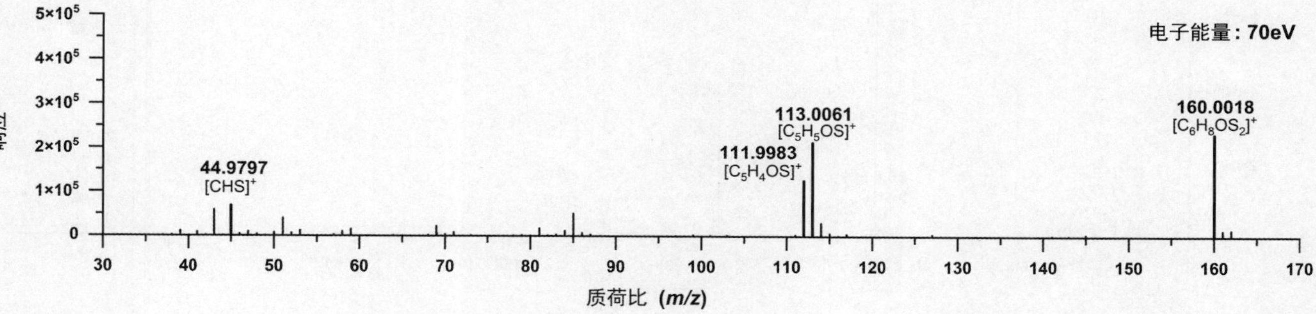

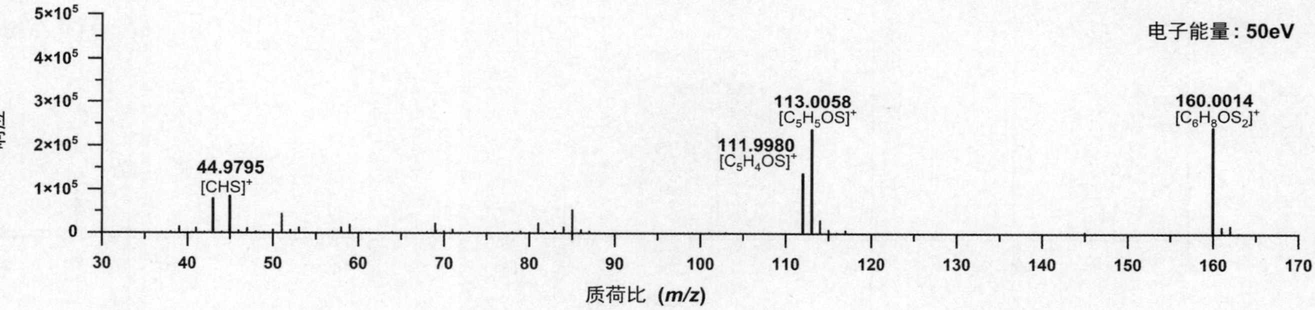

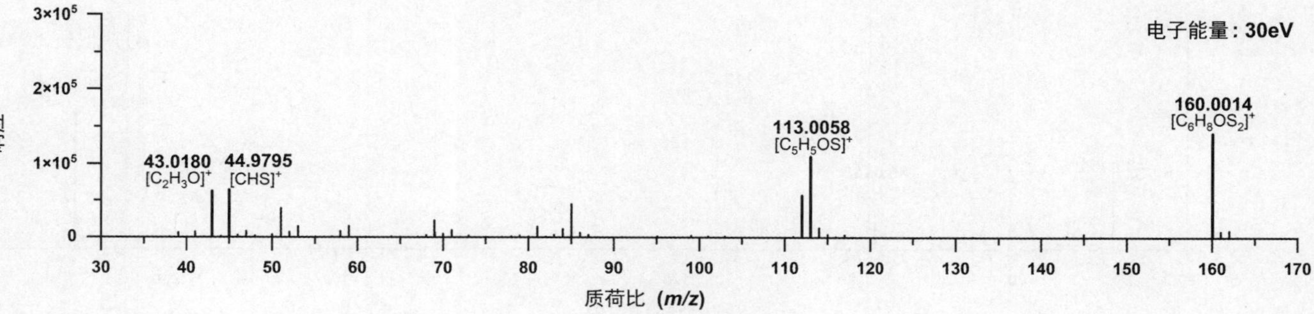

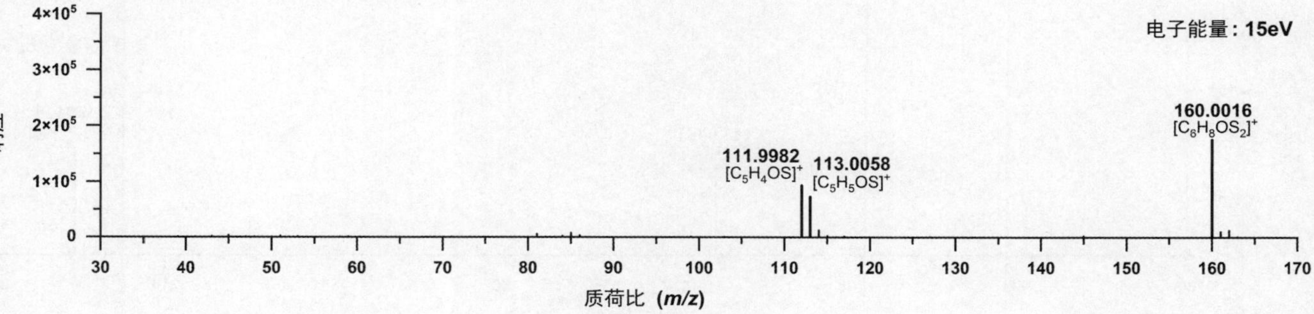

18 双(2-甲基-3-呋喃基)二硫醚

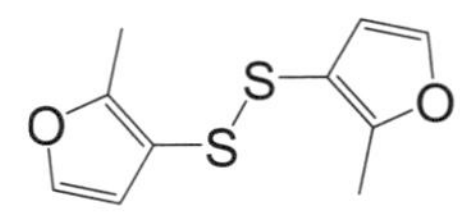

基本信息

CAS 登录号	28588-75-2	分子式	$C_{10}H_{10}O_2S_2$	分子量	226.0117
保留指数（极性）	2203	保留指数（非极性）	1511	香气描述	令人不愉快的气味，烘烤味，咖啡味

质谱图

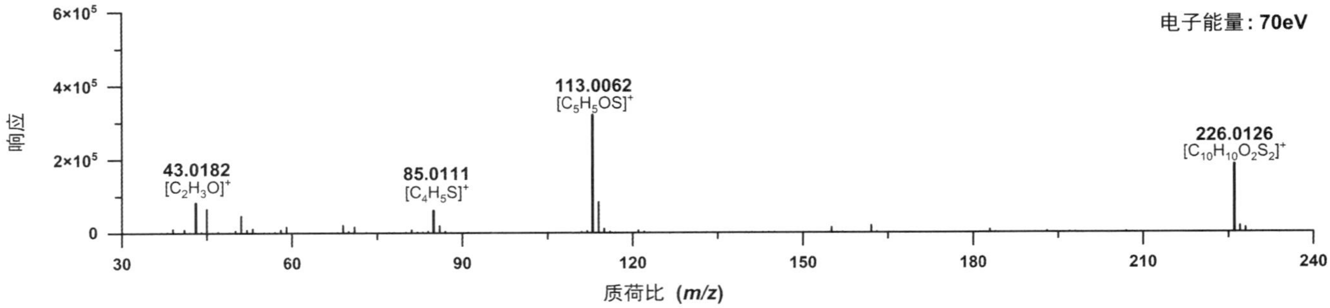

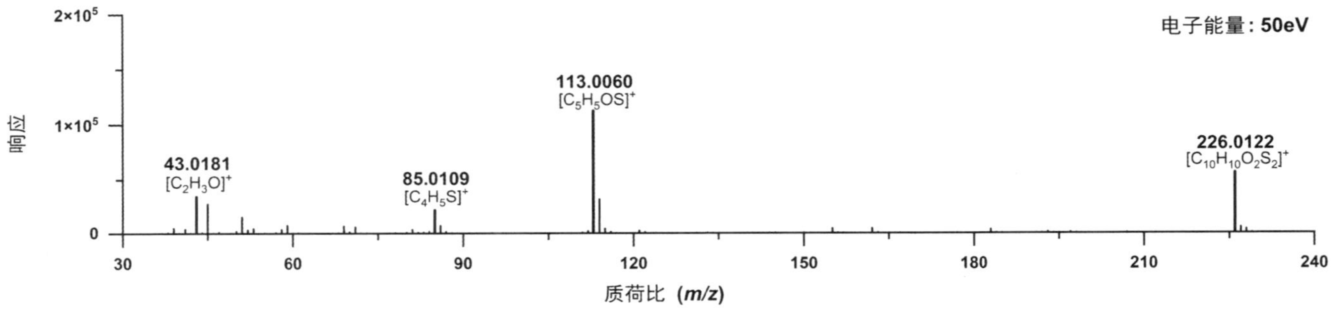

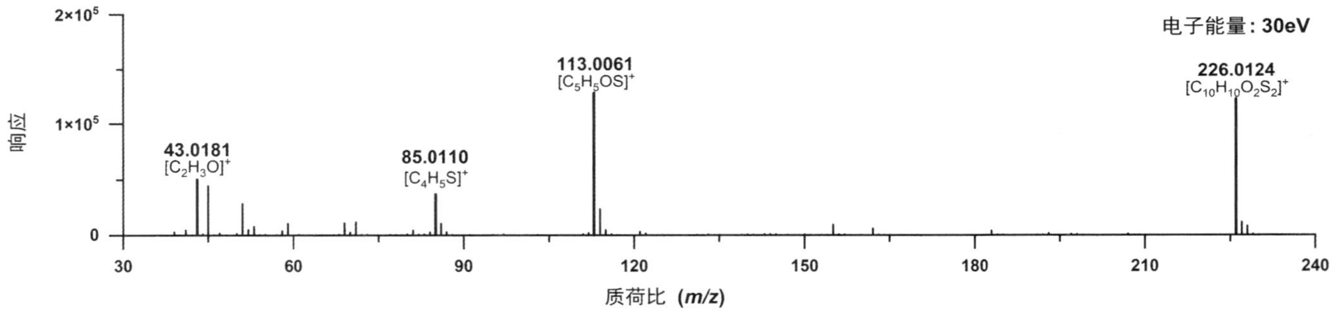

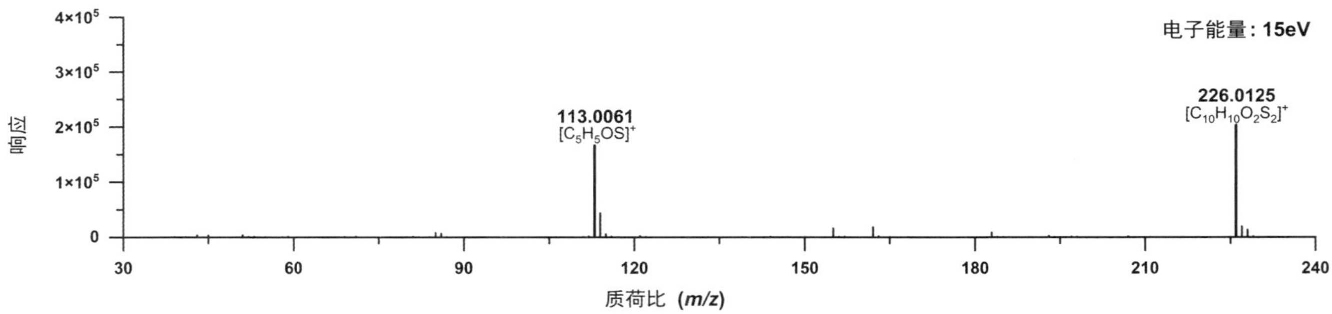

19 二甲基三硫醚

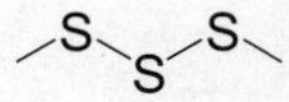

基本信息

CAS 登录号	3658-80-8	分子式	$C_2H_6S_3$	分子量	125.9626
保留指数（极性）	1415	保留指数（非极性）	945	香气描述	令人不愉快的气味，腐烂的气味，卷心菜的味道

质谱图

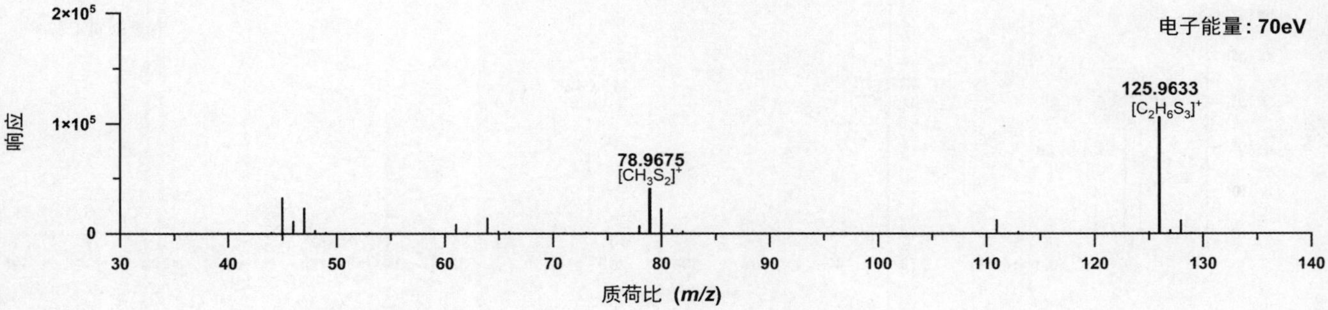

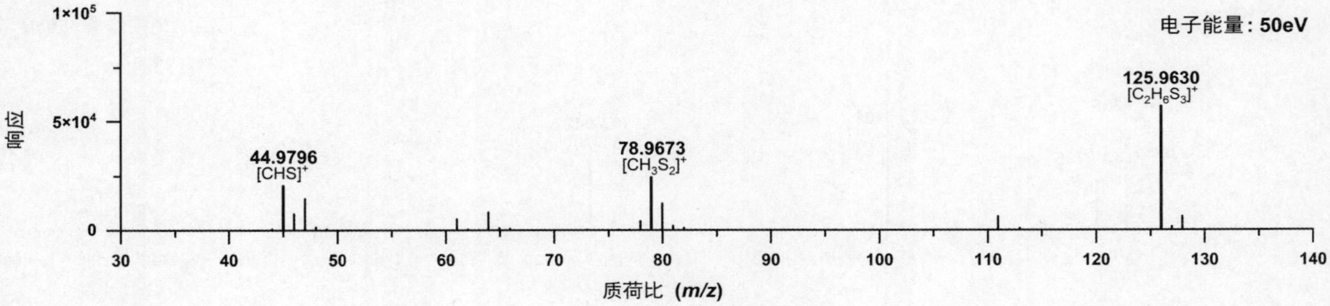

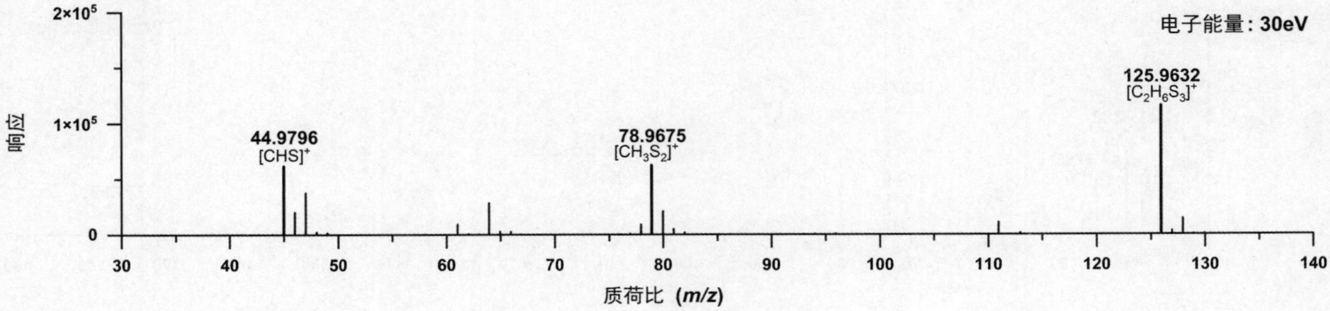

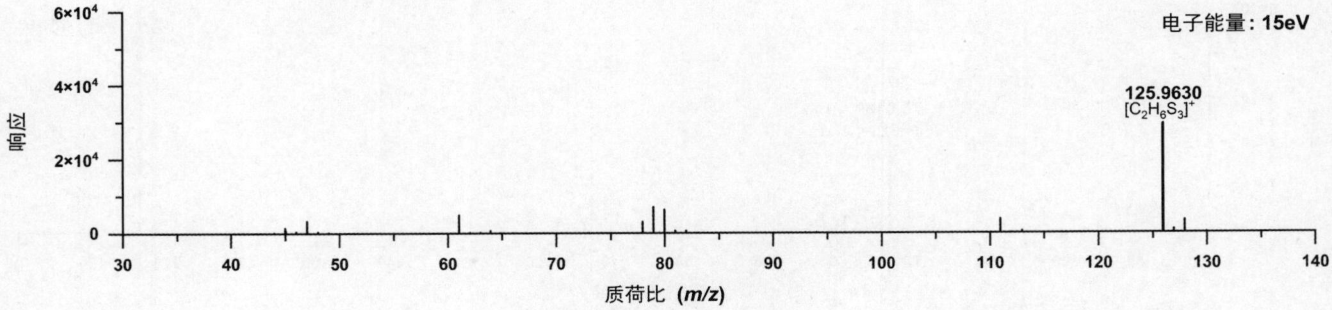

20 二烯丙基三硫醚

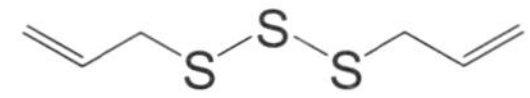

基本信息

CAS 登录号	2050-87-5	分子式	$C_6H_{10}S_3$	分子量	177.9939
保留指数（极性）	1806	保留指数（非极性）	1278	香气描述	令人不愉快的气味，腐烂的气味，硫的气味

质谱图

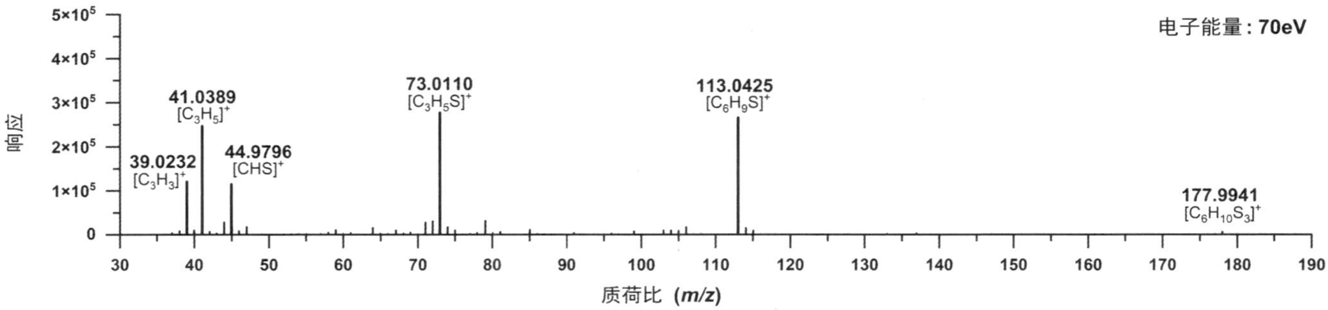

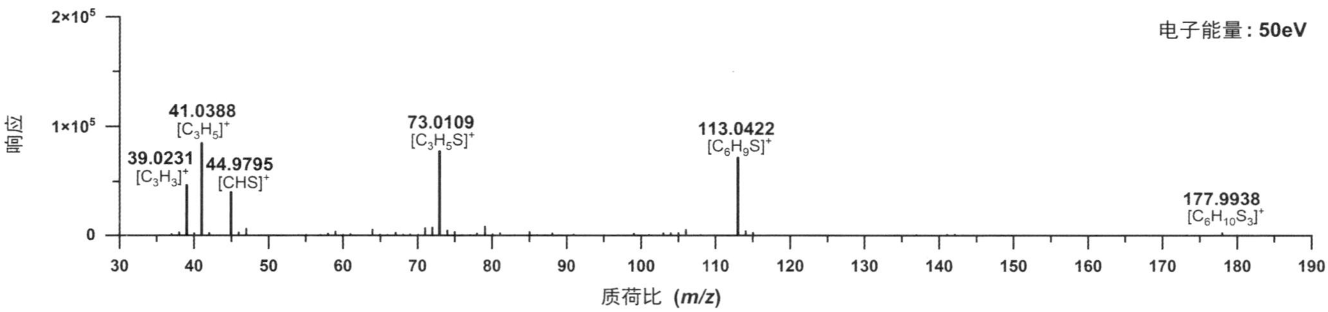

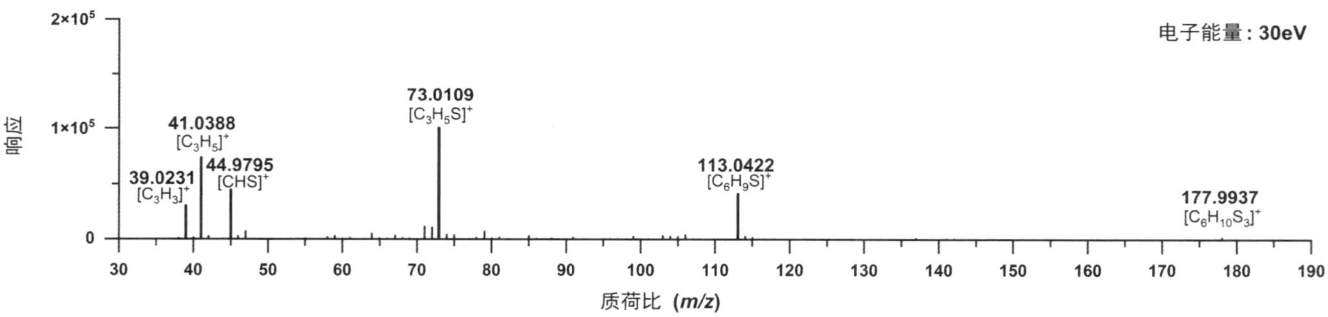

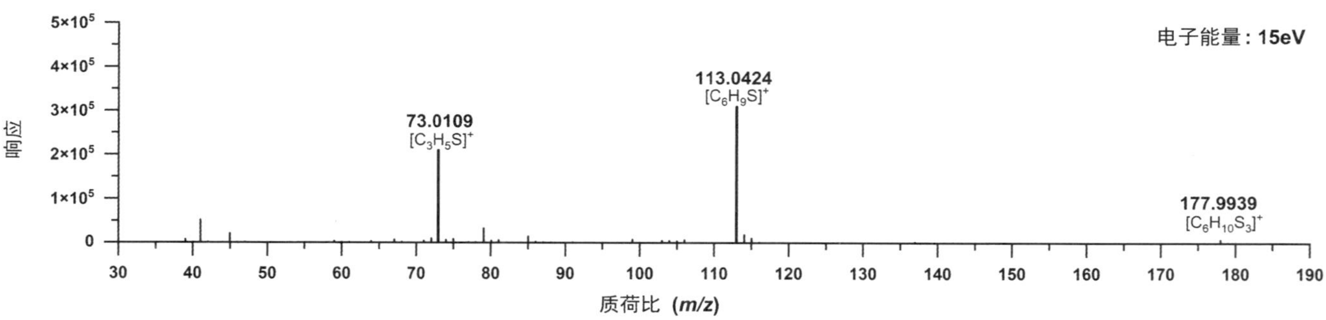

21 二丙基三硫醚

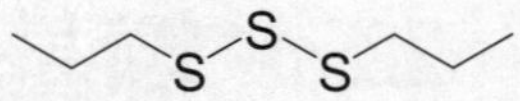

基本信息

CAS 登录号	6028-61-1	分子式	$C_6H_{14}S_3$	分子量	182.0252
保留指数（极性）	1712	保留指数（非极性）	1307	香气描述	令人不愉快的气味，腐烂的气味，硫的气味

质谱图

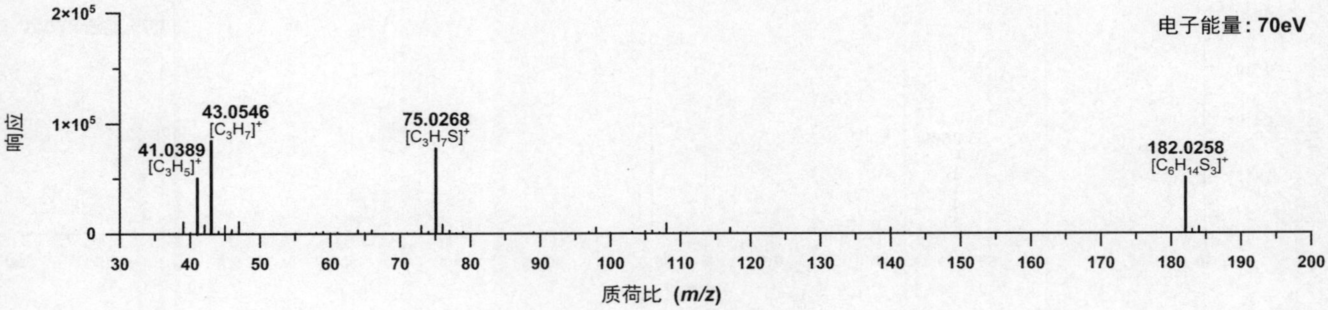

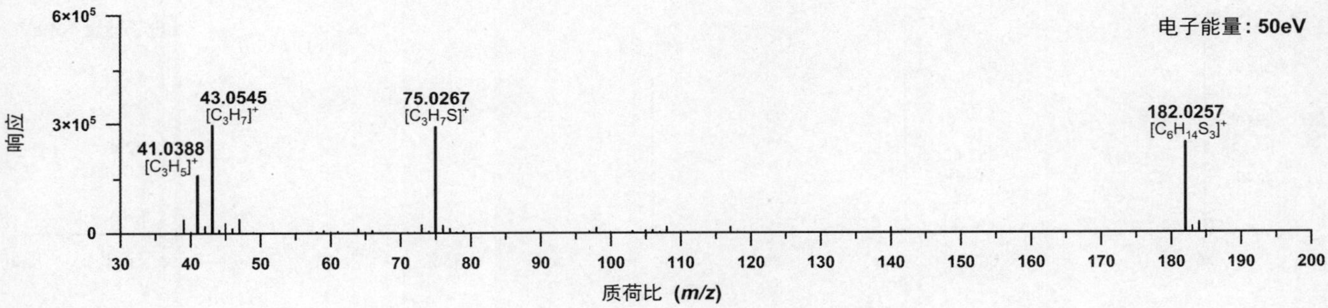

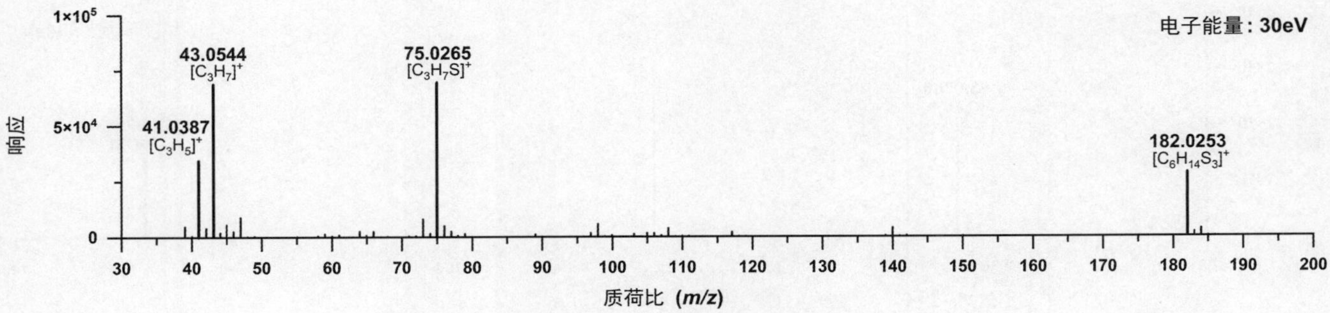

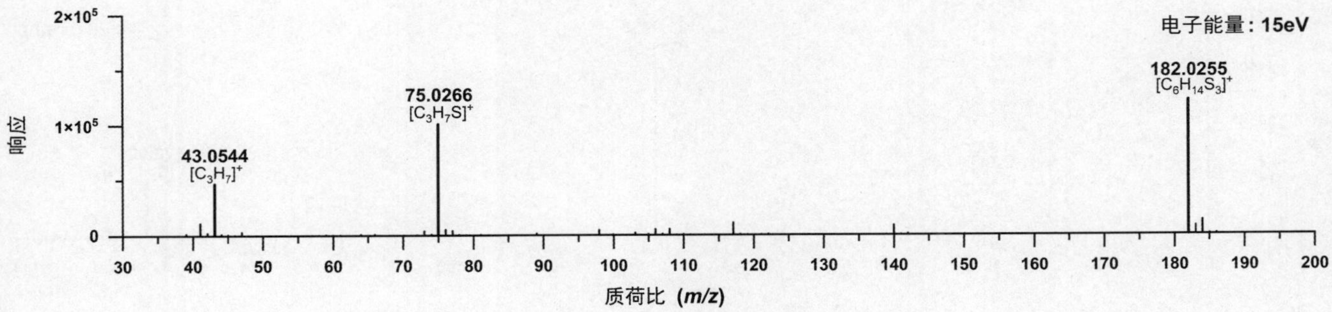

22 糠基甲基硫醚

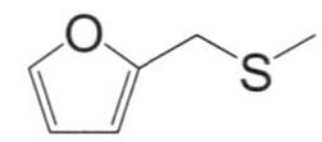

基本信息

CAS 登录号	1438-91-1	分子式	C_6H_8OS	分子量	128.0290
保留指数（极性）	1509	保留指数（非极性）	975	香气描述	令人不愉快的气味，烘烤味，咖啡味

质谱图

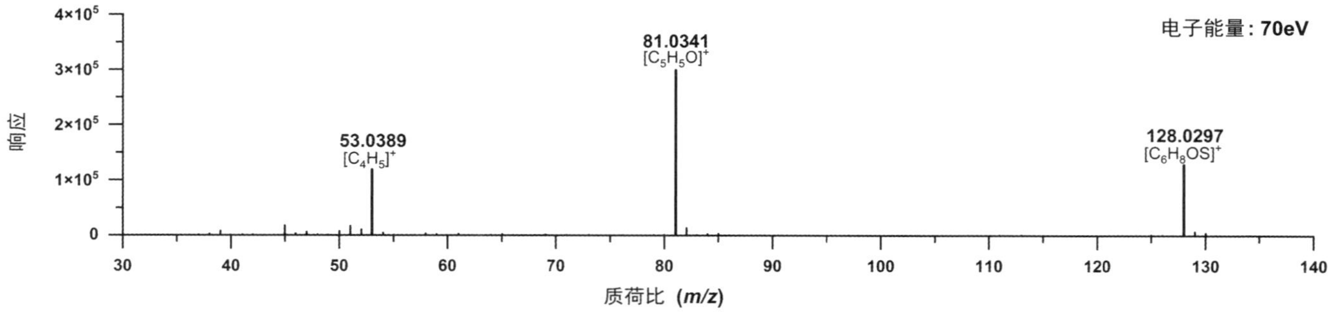

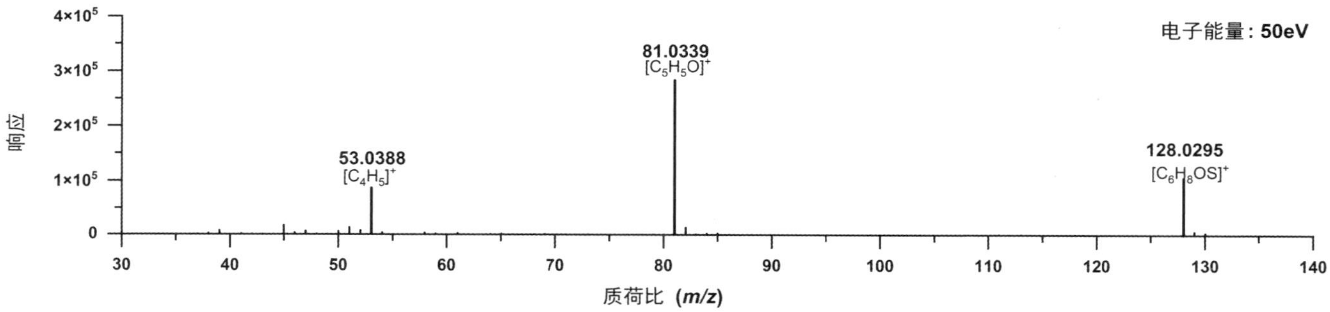

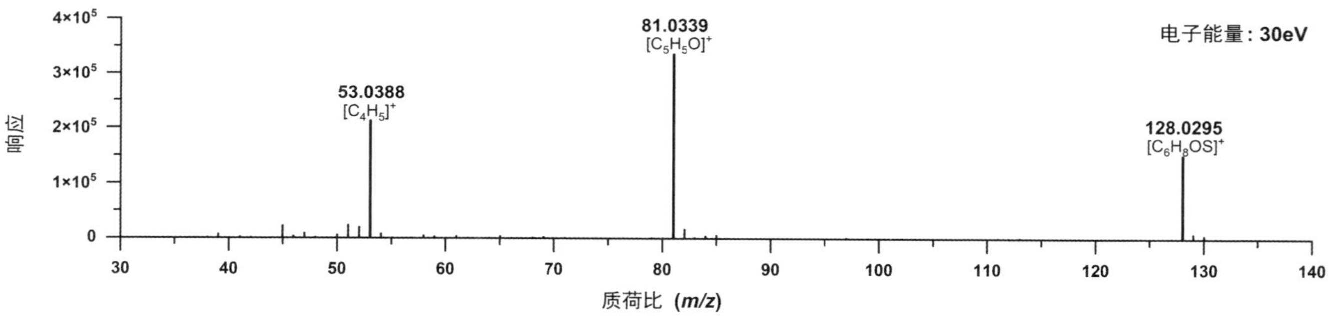

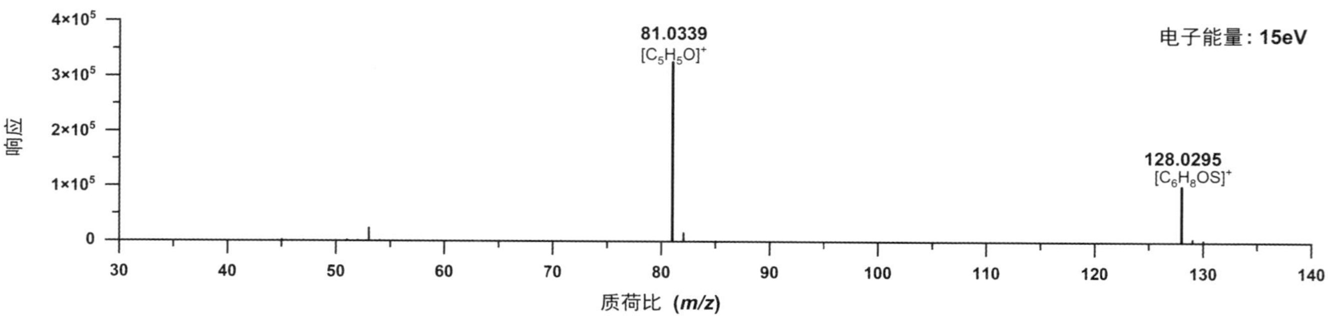

23 乙硫醇

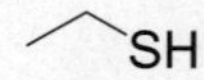

基本信息

CAS 登录号	75-08-1	分子式	C_2H_6S	分子量	62.0185
保留指数（极性）	739	保留指数（非极性）	496	香气描述	令人不愉快的气味，腐烂的气味，硫的气味

质谱图

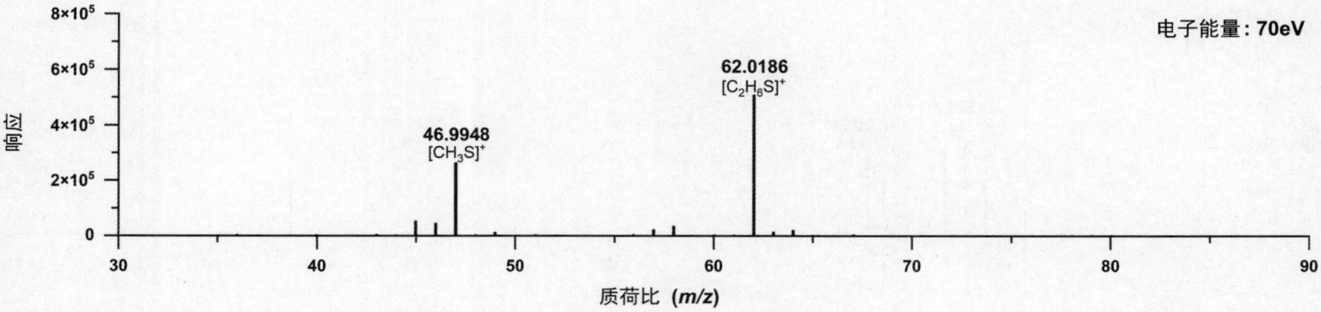

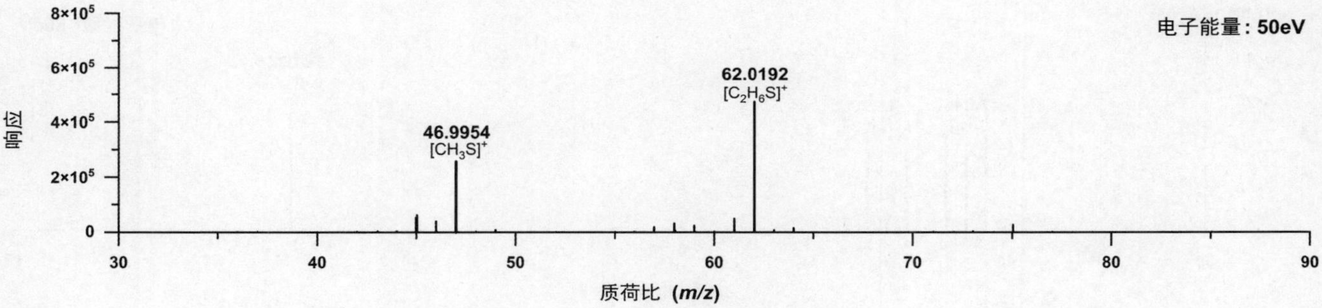

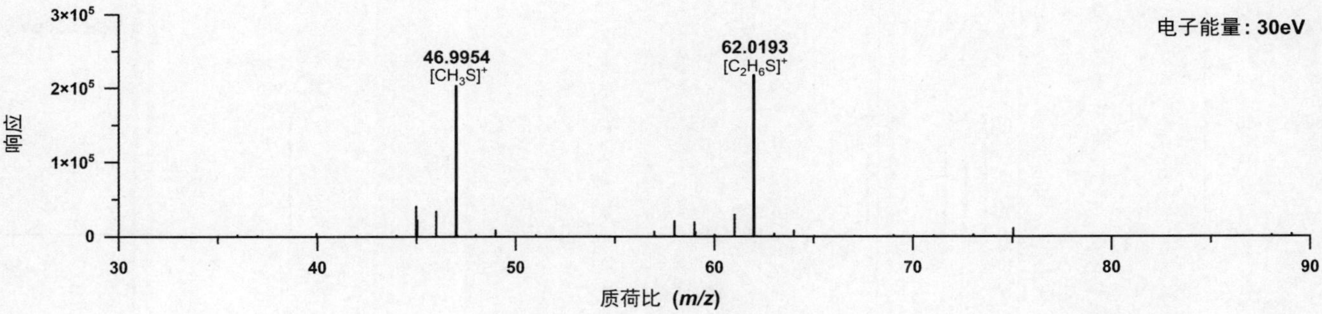

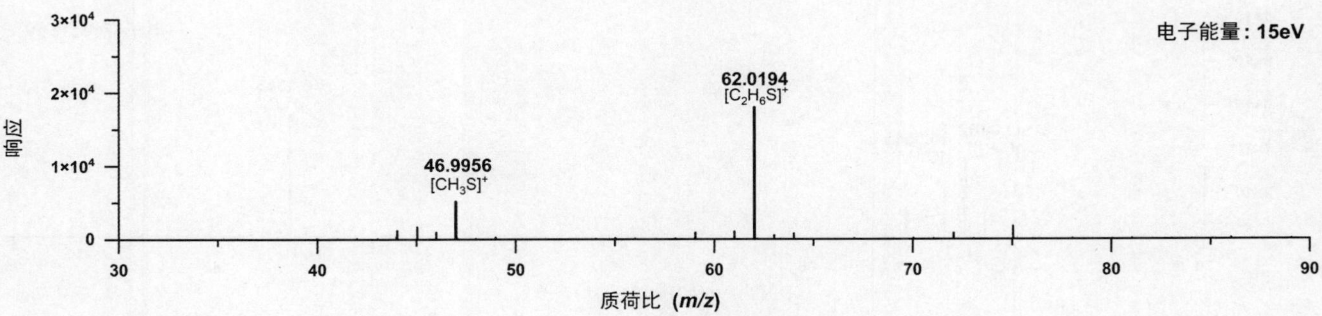

24 丙硫醇

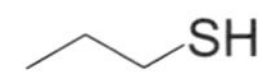

基本信息

CAS 登录号	107-03-9	分子式	C_3H_8S	分子量	76.0341
保留指数（极性）	838	保留指数（非极性）	597	香气描述	令人不愉快的气味，腐烂的气味，硫的气味

质谱图

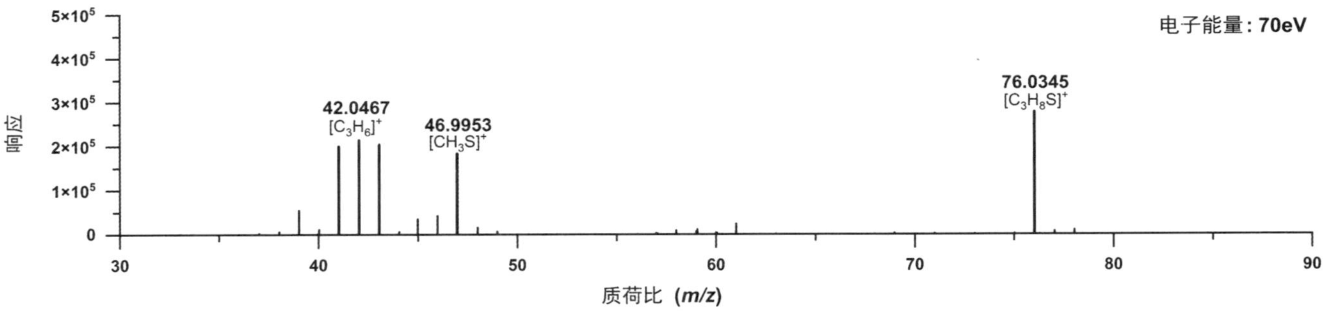

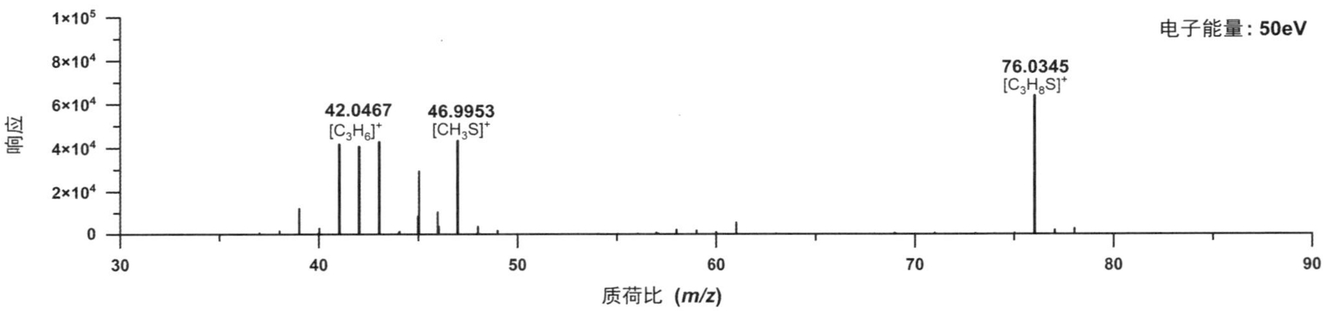

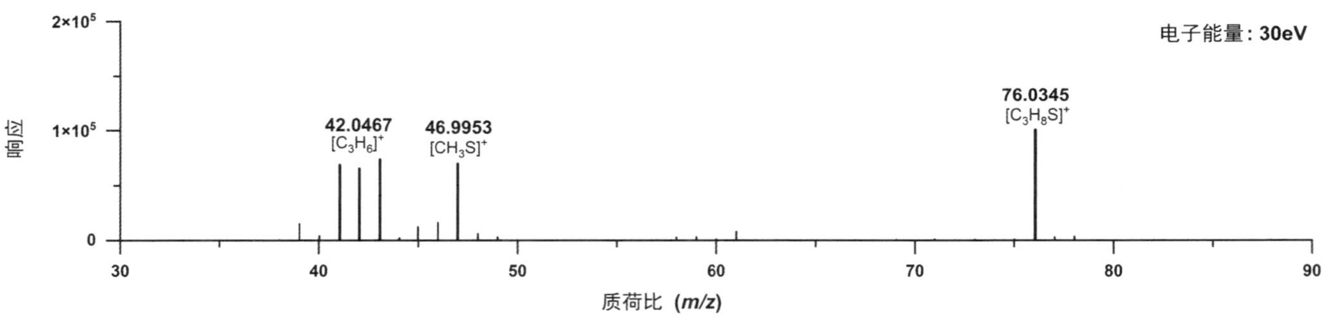

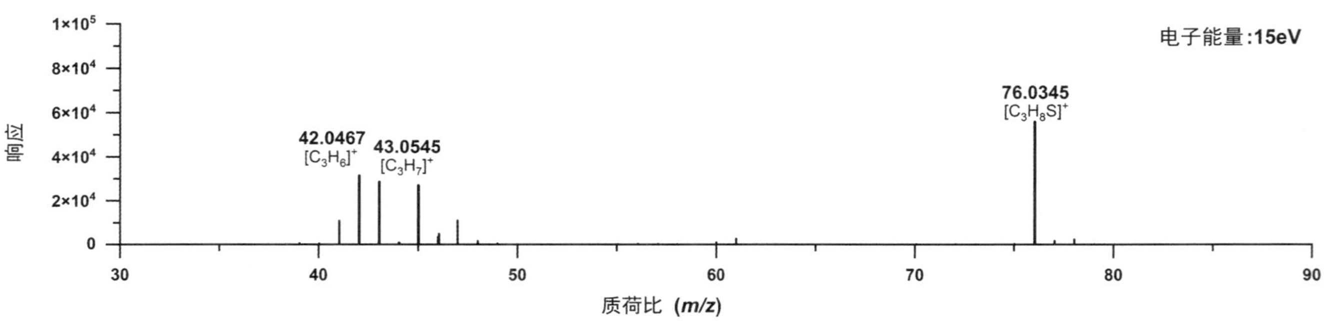

25 丁硫醇

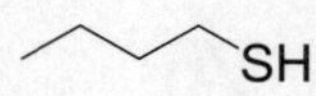

基本信息

CAS 登录号	109-79-5	分子式	$C_4H_{10}S$	分子量	90.0498
保留指数（极性）	943	保留指数（非极性）	698	香气描述	令人不愉快的气味，腐烂的气味，硫的气味

质谱图

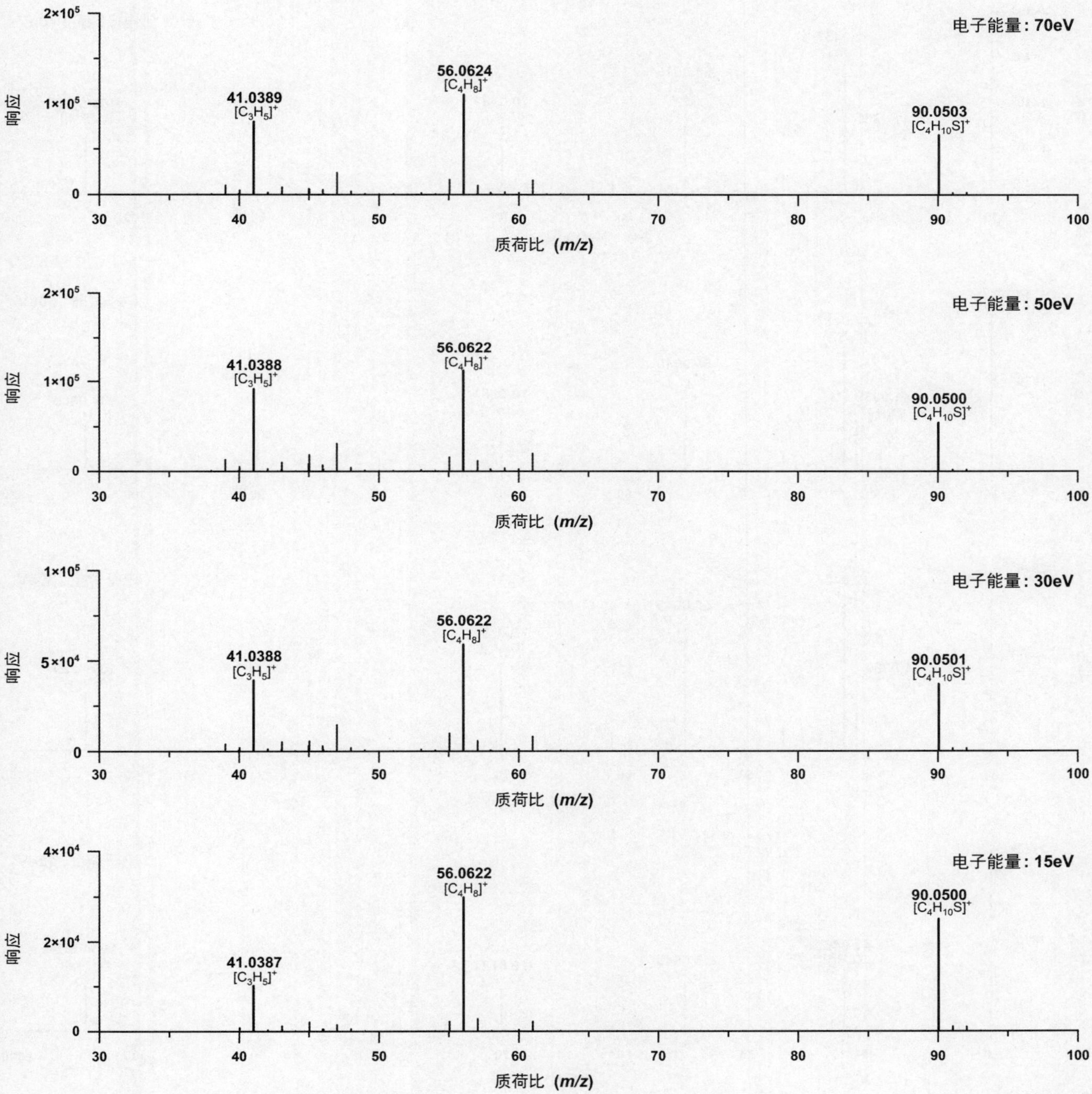

26 戊硫醇

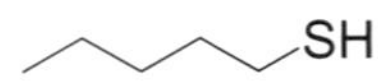

基本信息

CAS 登录号	110-66-7	分子式	$C_5H_{12}S$	分子量	104.0654
保留指数（极性）	1046	保留指数（非极性）	802	香气描述	令人不愉快的气味，腐烂的气味，硫的气味

质谱图

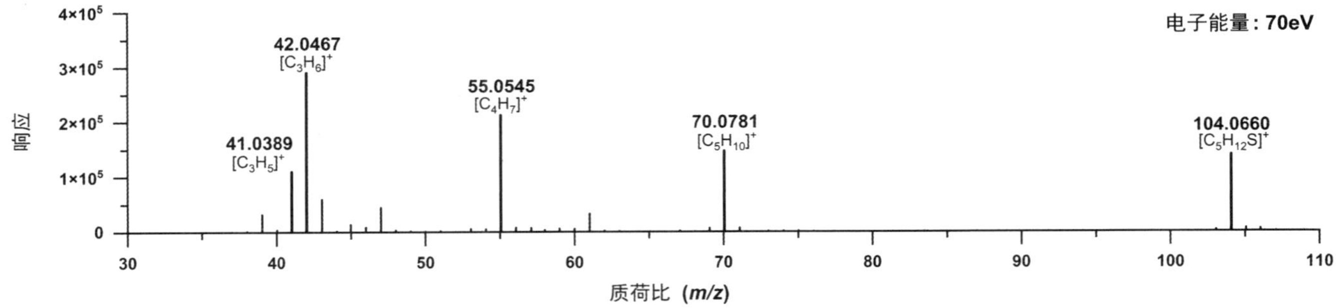

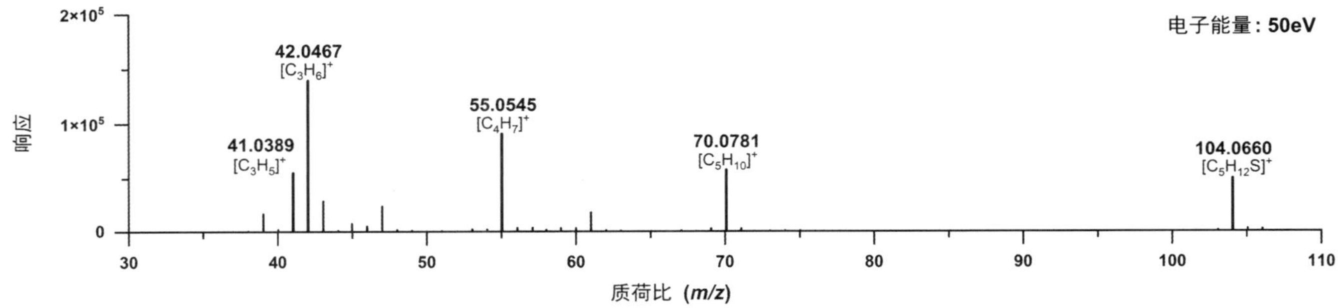

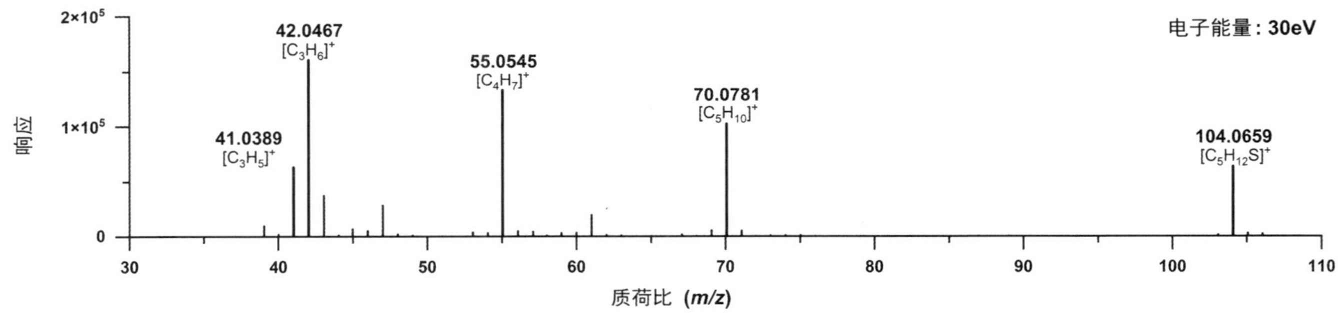

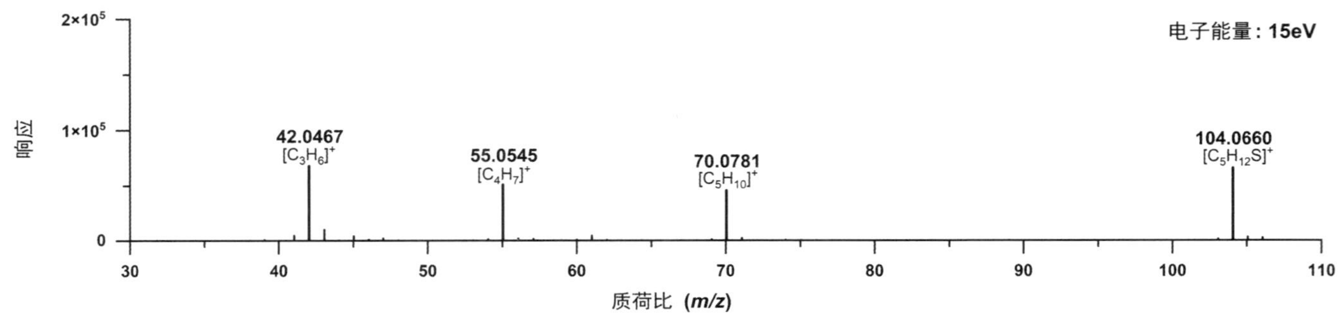

27 2-呋喃硫醇

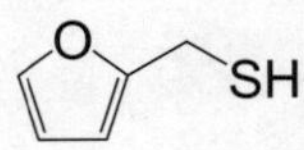

基本信息

CAS 登录号	98-02-2	分子式	C_5H_6OS	分子量	114.0134
保留指数（极性）	1453	保留指数（非极性）	884	香气描述	硫的气味，烘烤味，坚果味

质谱图

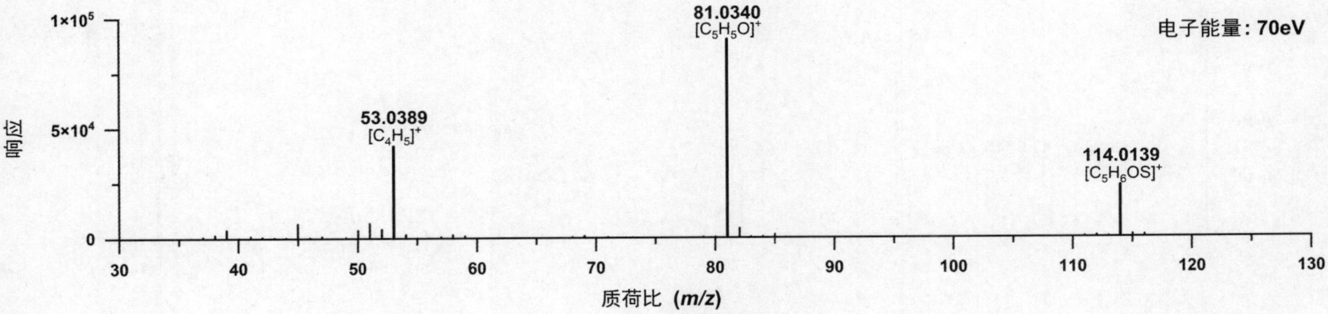

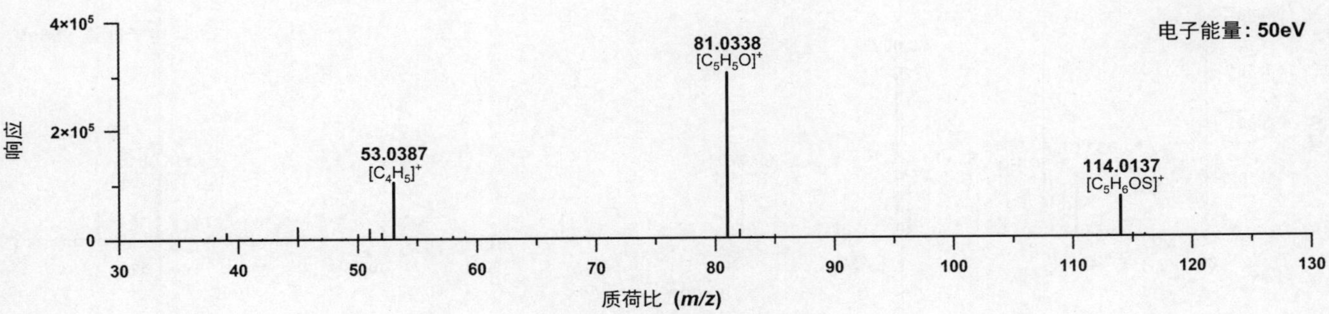

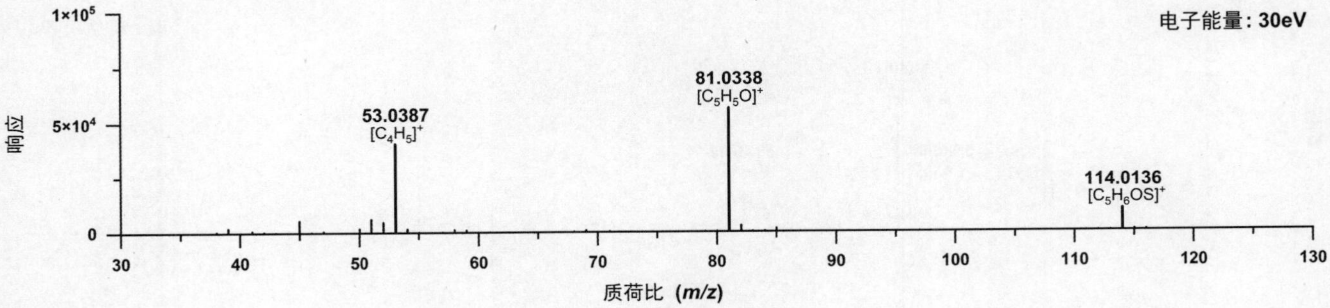

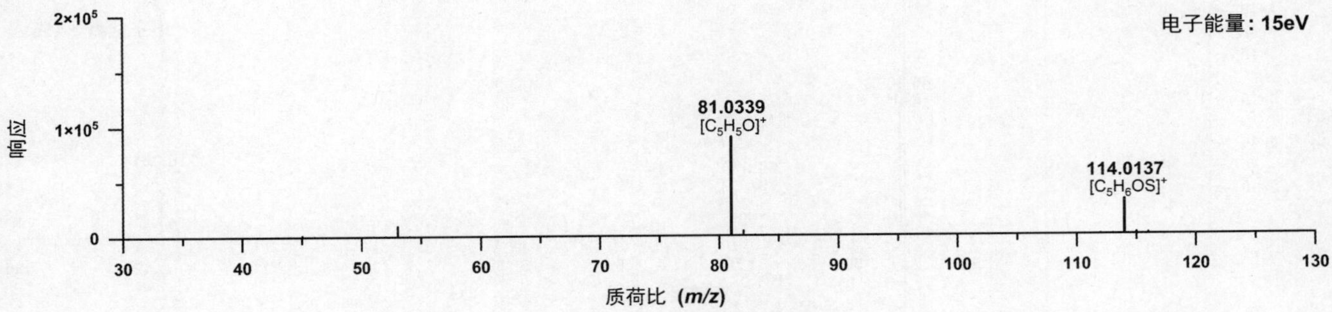

28 己硫醇

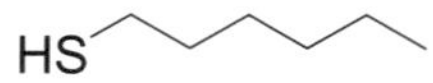

基本信息

CAS 登录号	111-31-9	分子式	$C_6H_{14}S$	分子量	118.0811
保留指数（极性）	1152	保留指数（非极性）	905	香气描述	令人不愉快的气味，腐烂的气味，硫的气味

质谱图

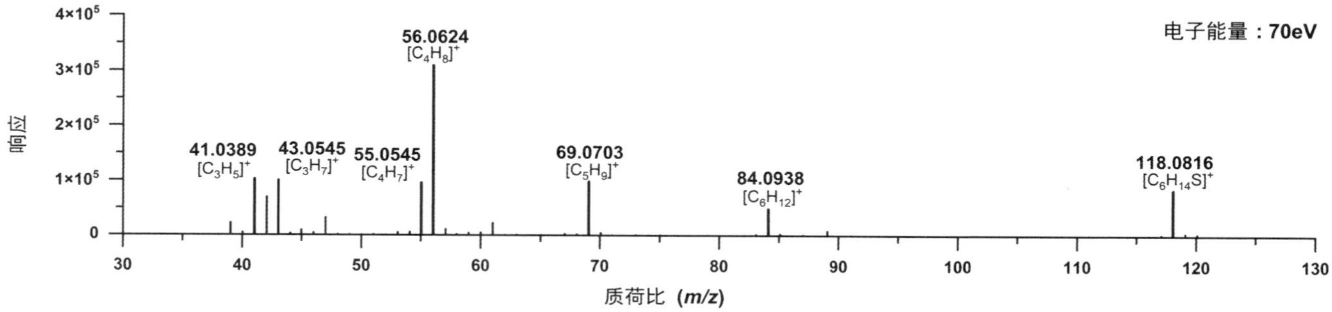

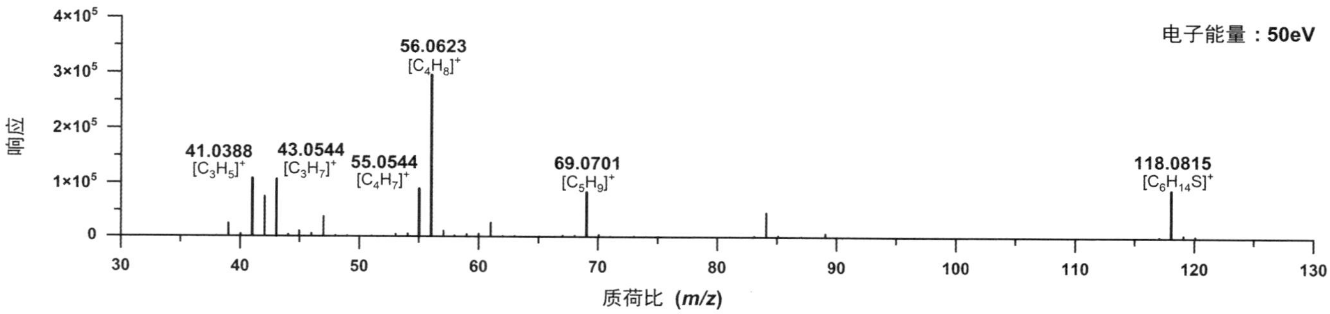

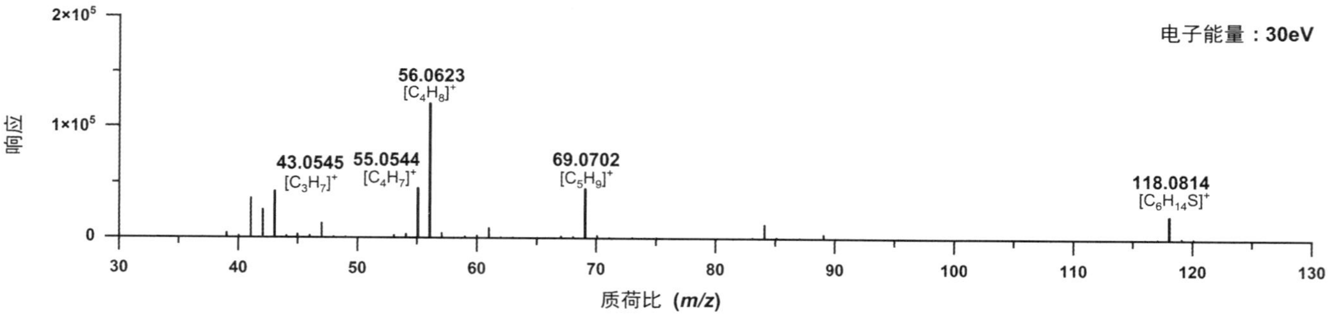

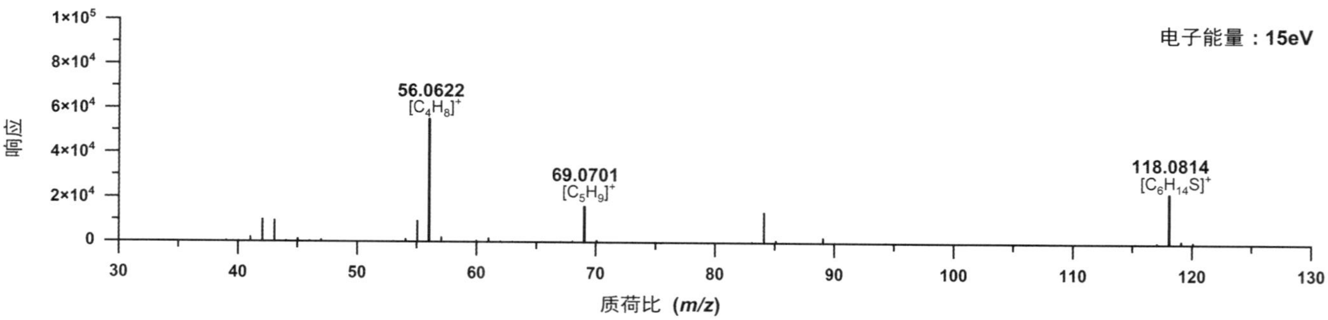

29 庚硫醇

基本信息

CAS 登录号	1639-09-4	分子式	$C_7H_{16}S$	分子量	132.0967
保留指数（极性）	1260	保留指数（非极性）	1009	香气描述	令人不愉快的气味，腐烂的气味，硫的气味

质谱图

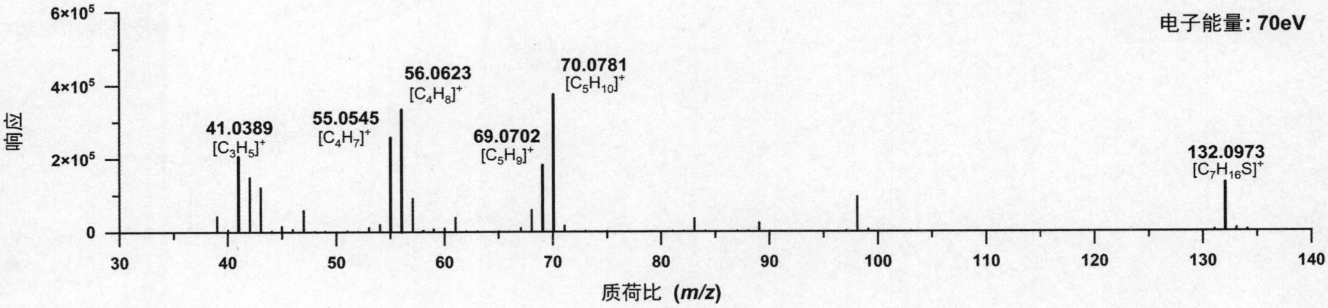

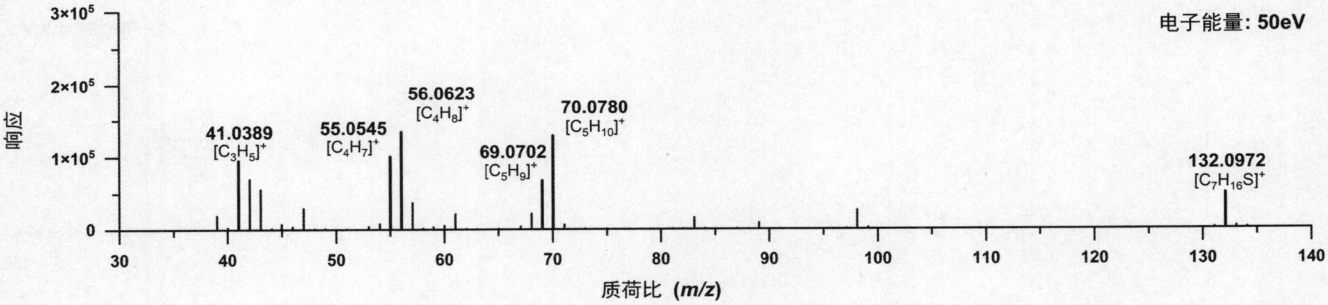

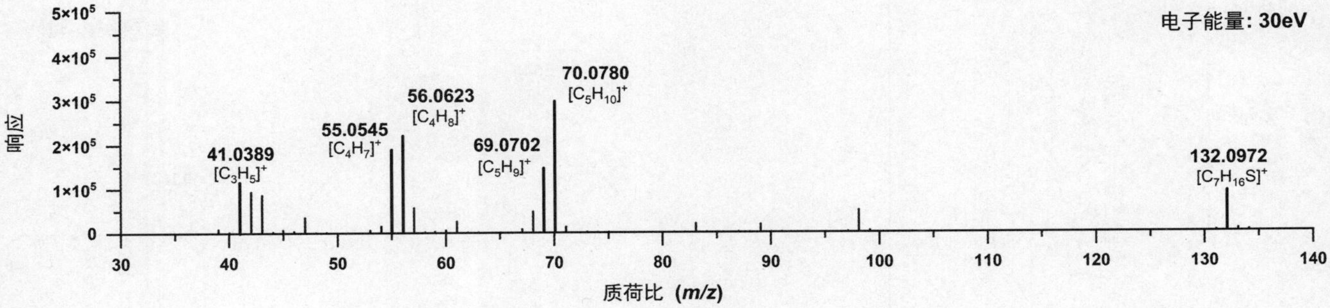

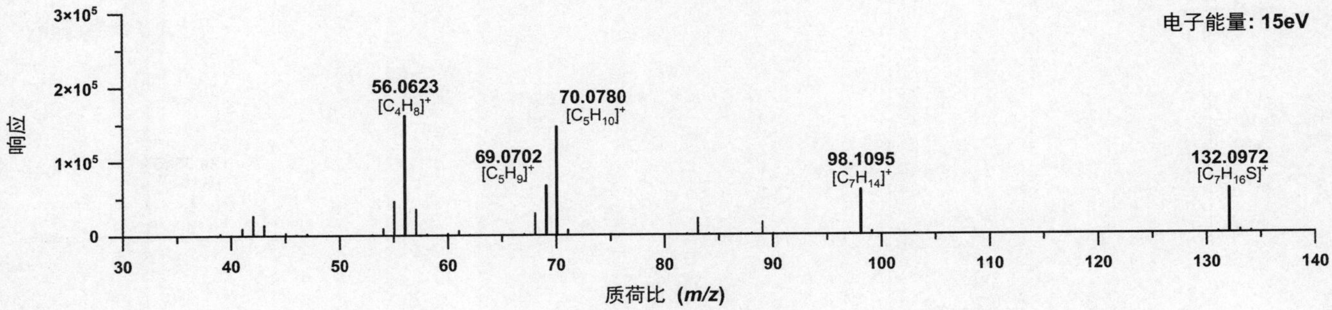

30 苄硫醇

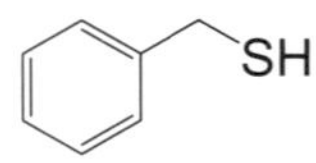

基本信息

CAS 登录号	100-53-8	分子式	C_7H_8S	分子量	124.0341
保留指数（极性）	1665	保留指数（非极性）	1053	香气描述	令人不愉快的气味，腐烂的气味，硫的气味

质谱图

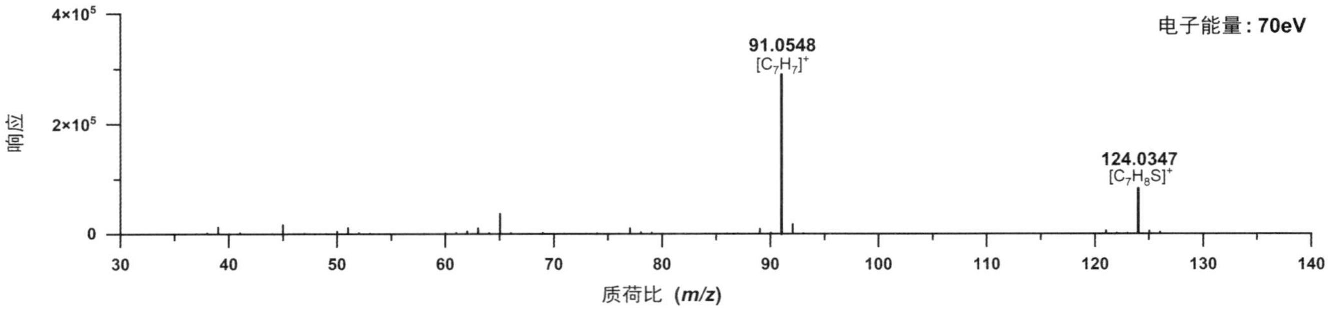

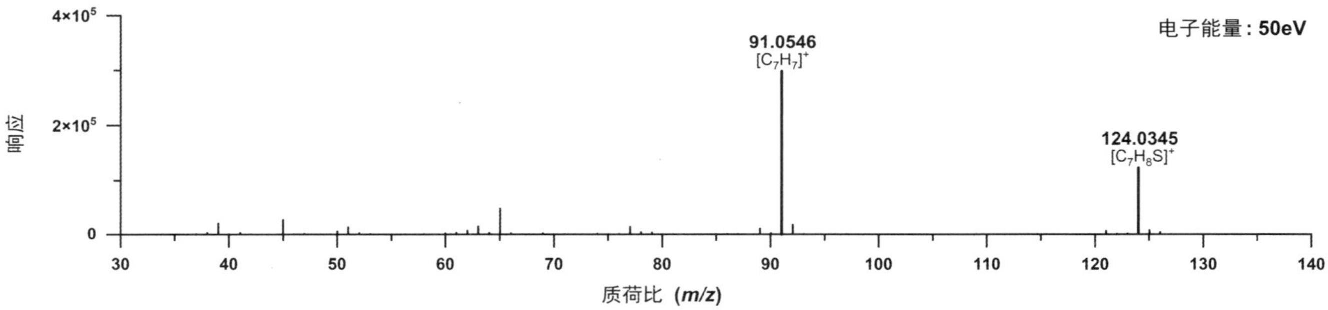

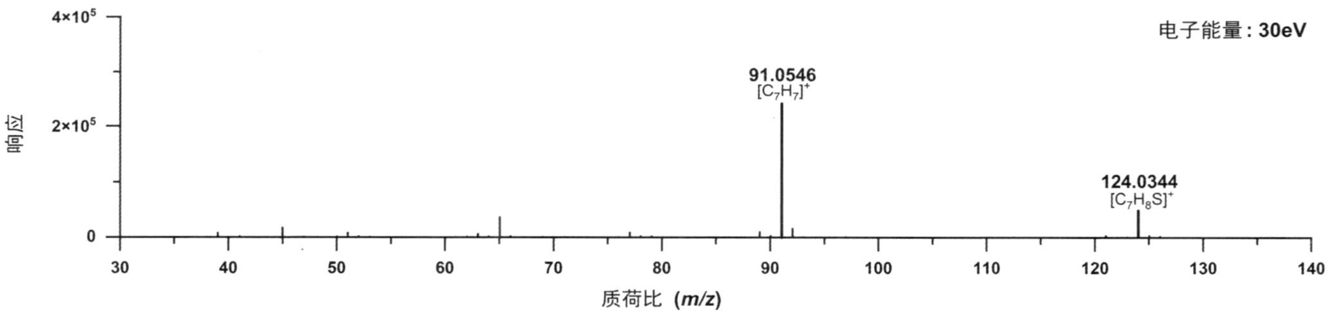

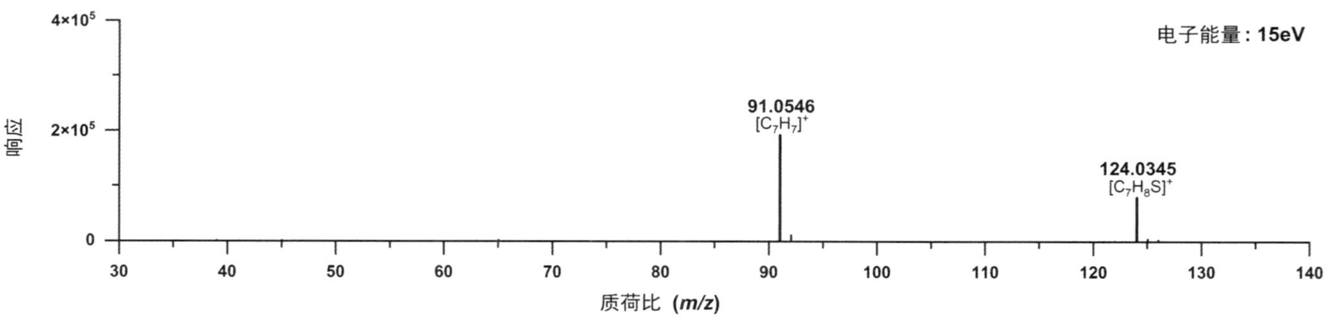

31 2-巯基乙醇

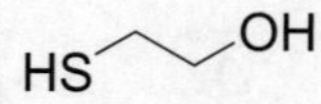

基本信息

CAS 登录号	60-24-2	分子式	C_2H_6OS	分子量	78.0134
保留指数（极性）	1519	保留指数（非极性）	728	香气描述	硫的气味，水果香，花香

质谱图

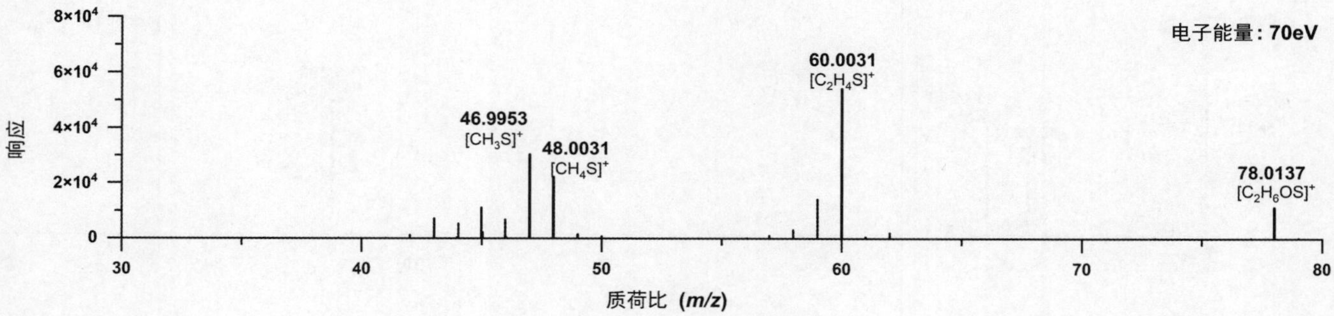

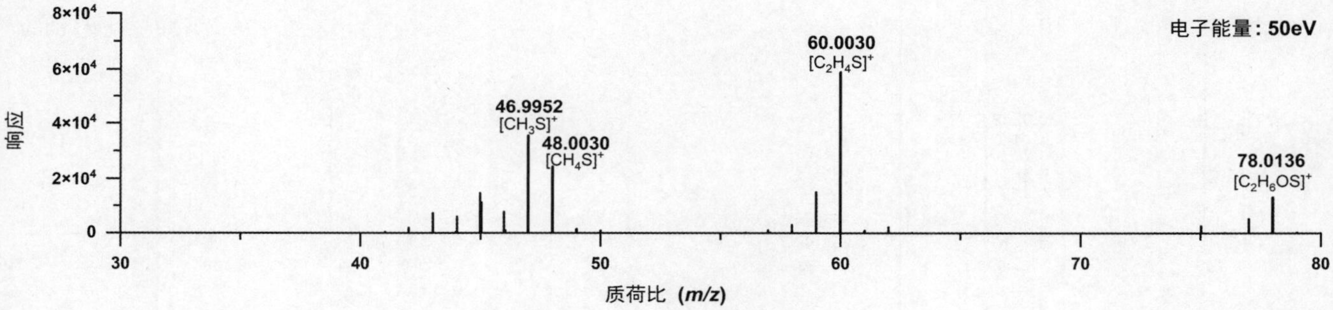

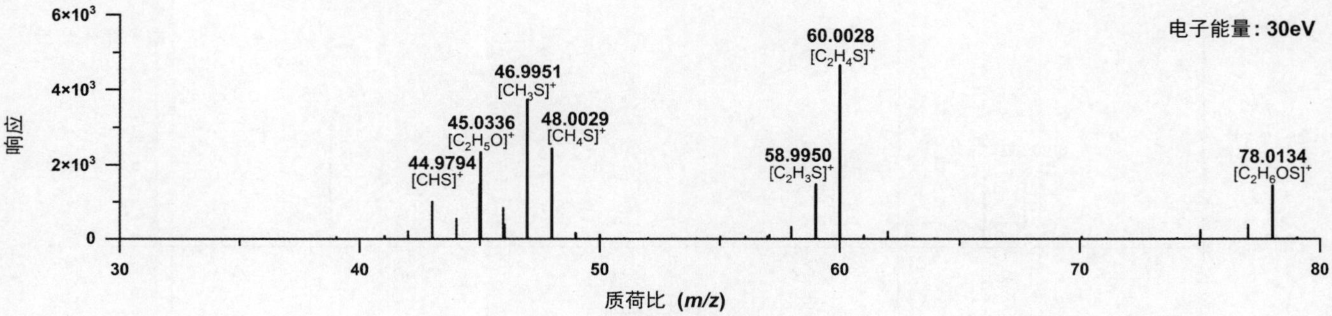

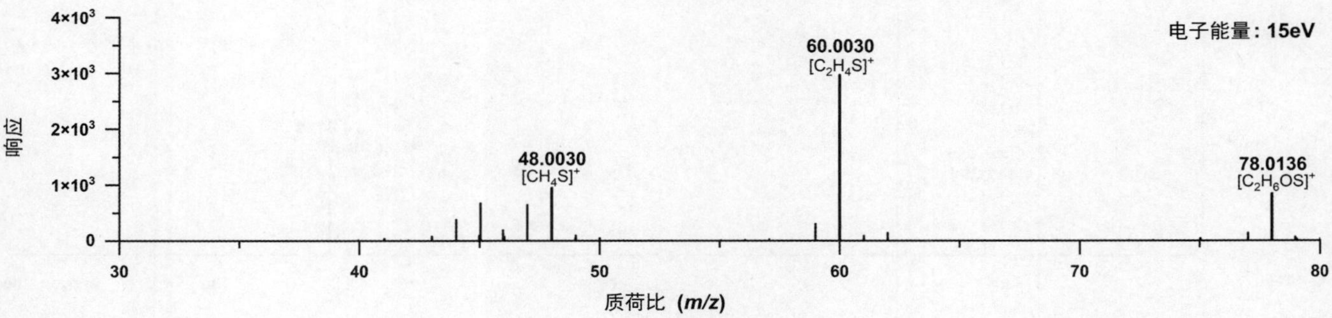

32 烯丙基硫醇

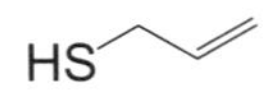

基本信息

CAS 登录号	870-23-5	分子式	C_3H_6S	分子量	74.0185
保留指数（极性）	891	保留指数（非极性）	572	香气描述	令人不愉快的气味，腐烂的气味，硫的气味

质谱图

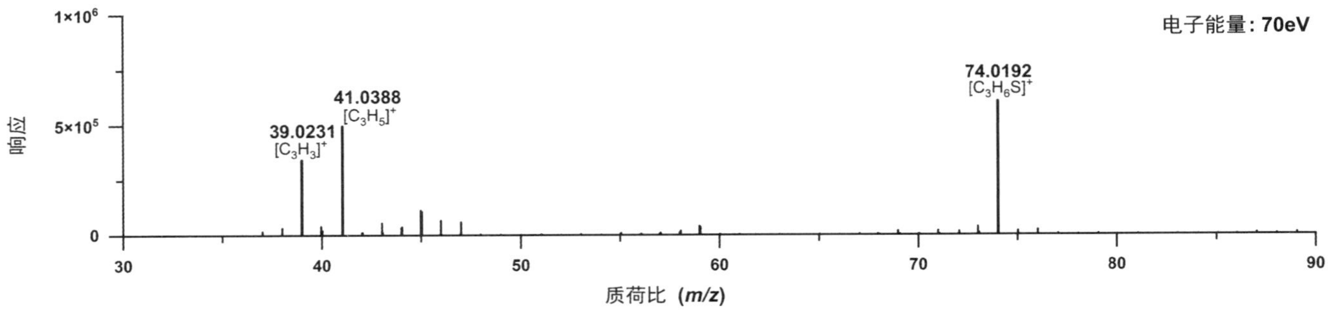

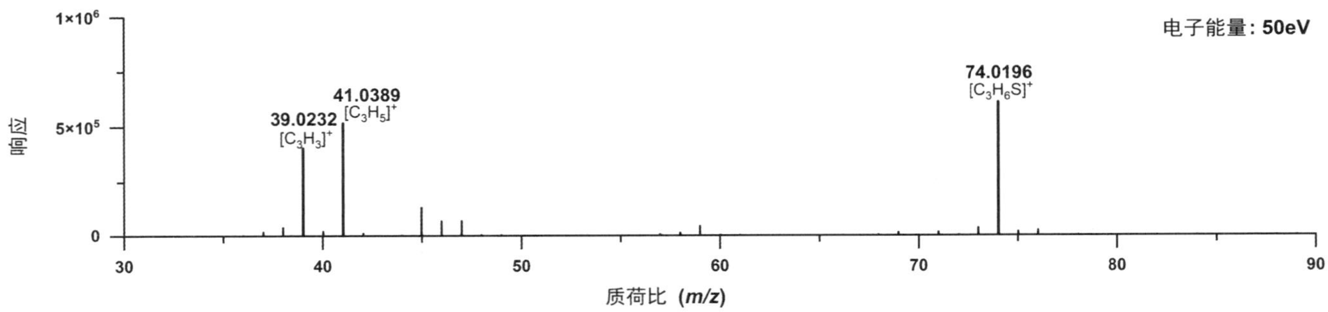

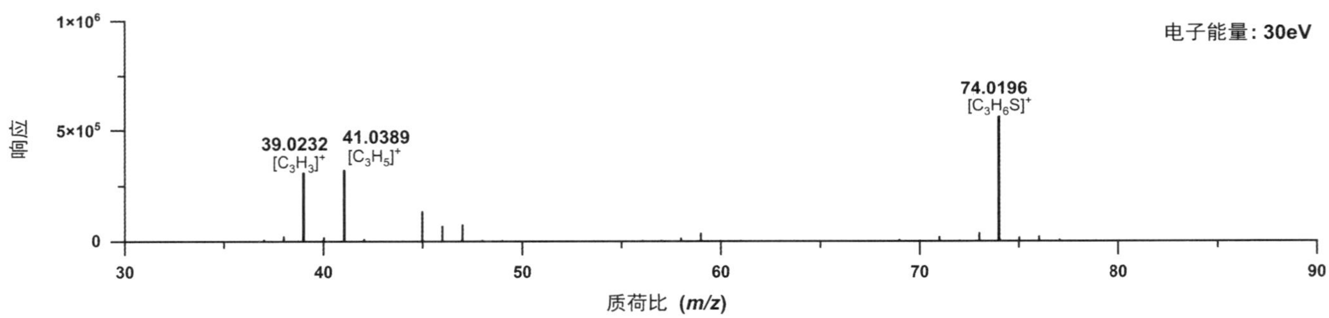

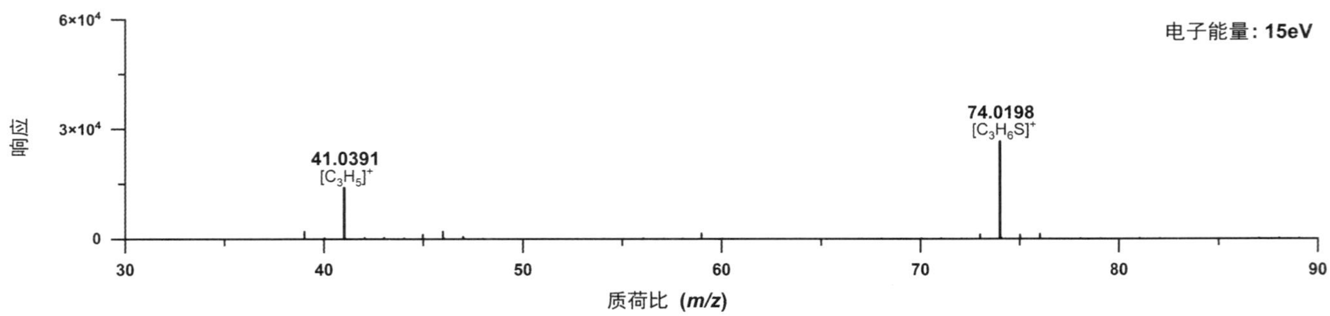

33 3-甲硫基丙醇

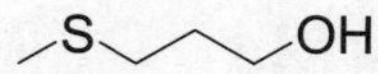

基本信息

CAS 登录号	505-10-2	分子式	$C_4H_{10}OS$	分子量	106.0447
保留指数（极性）	1737	保留指数（非极性）	948	香气描述	硫的气味，水果，香菜的气味

质谱图

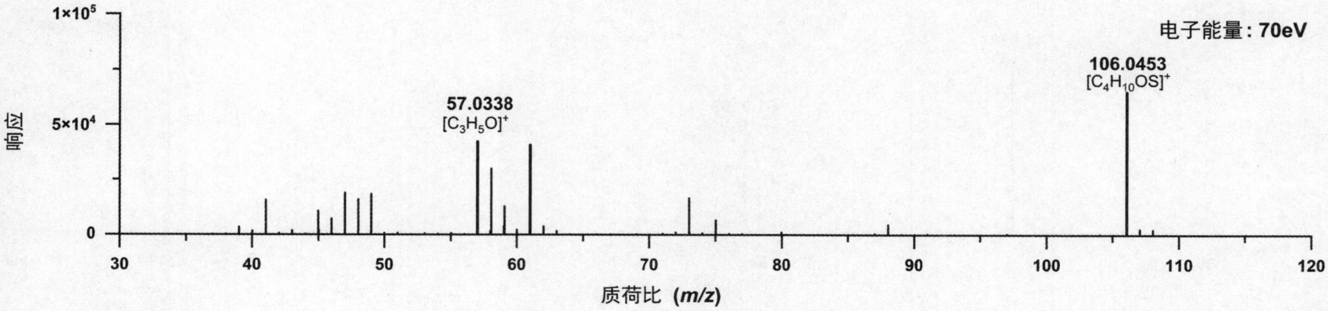

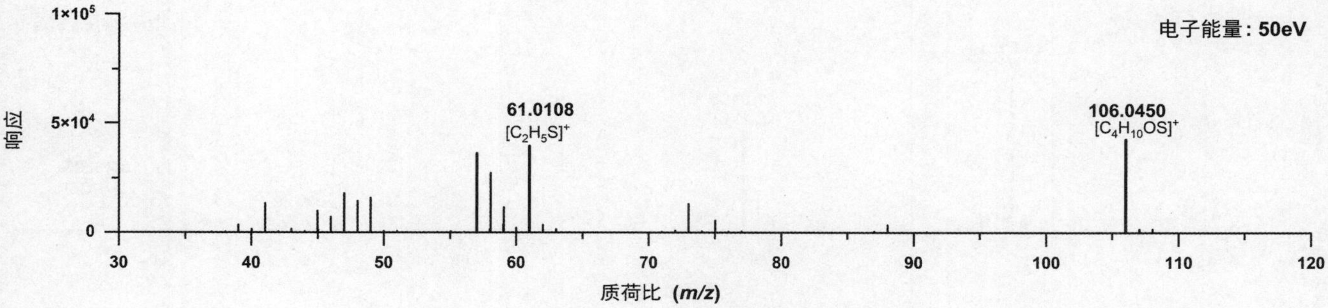

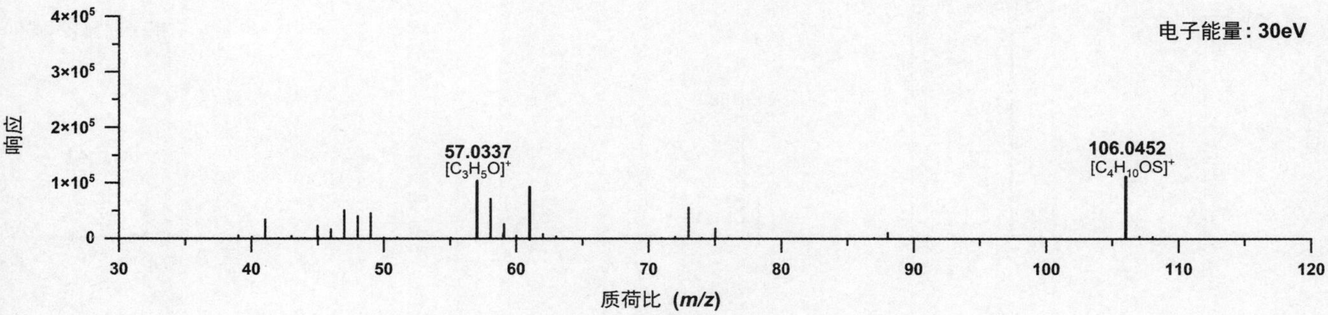

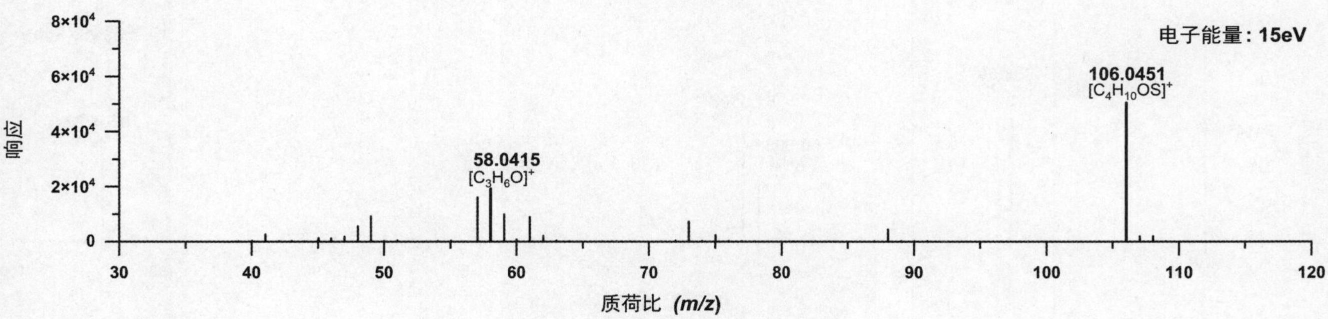

34 3-巯基-2-丁酮

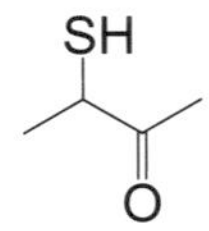

基本信息

CAS 登录号	40789-98-8	分子式	C_4H_8OS	分子量	104.0290
保留指数（极性）	\	保留指数（非极性）	782	香气描述	硫的气味，洋葱味

质谱图

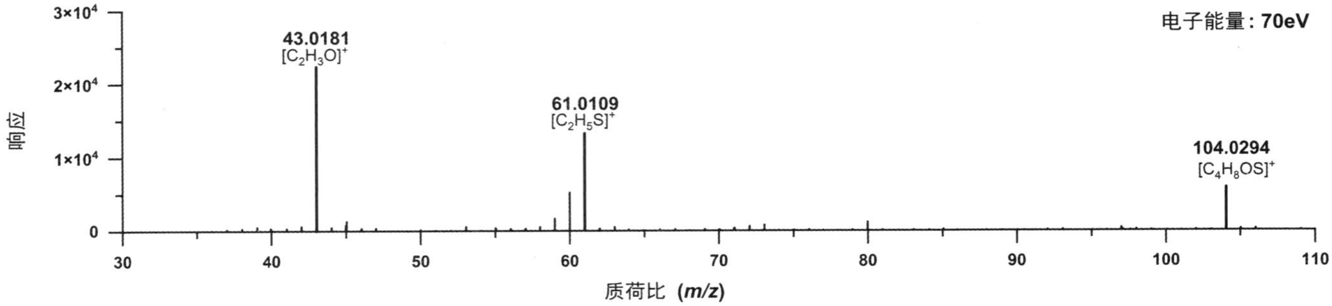

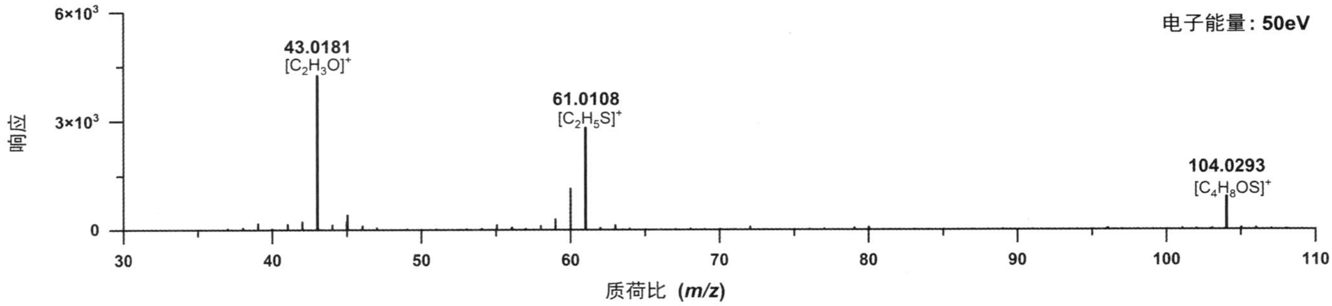

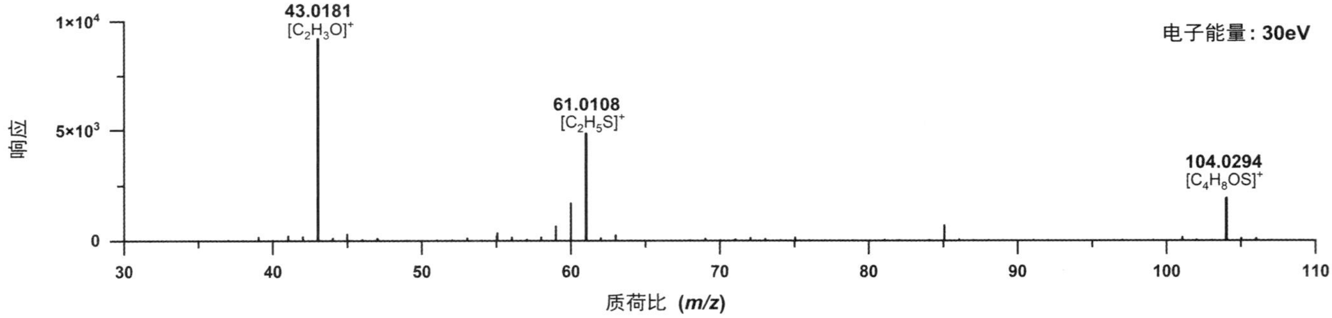

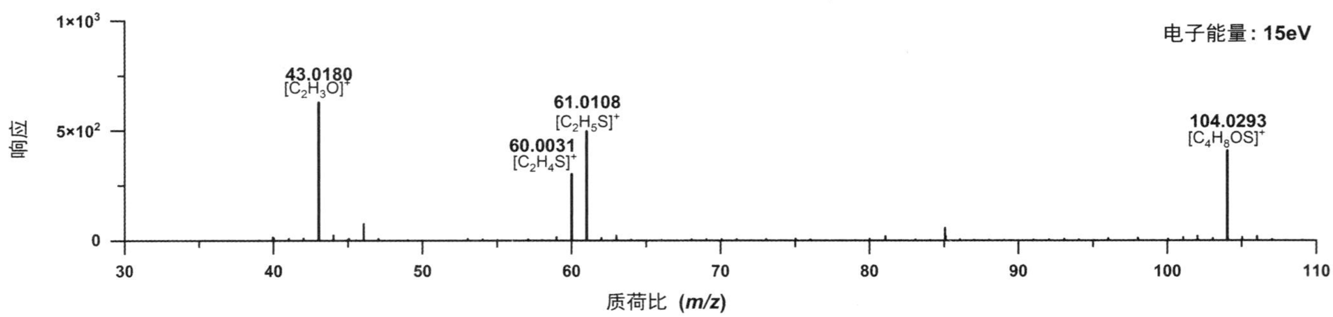

35 3-巯基-3-甲基-1-丁醇

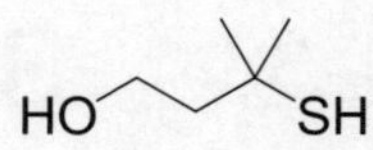

基本信息

CAS 登录号	34300-94-2	分子式	$C_5H_{12}OS$	分子量	120.0603
保留指数（极性）	1680	保留指数（非极性）	943	香气描述	硫的气味，水果香，热带水果的气味

质谱图

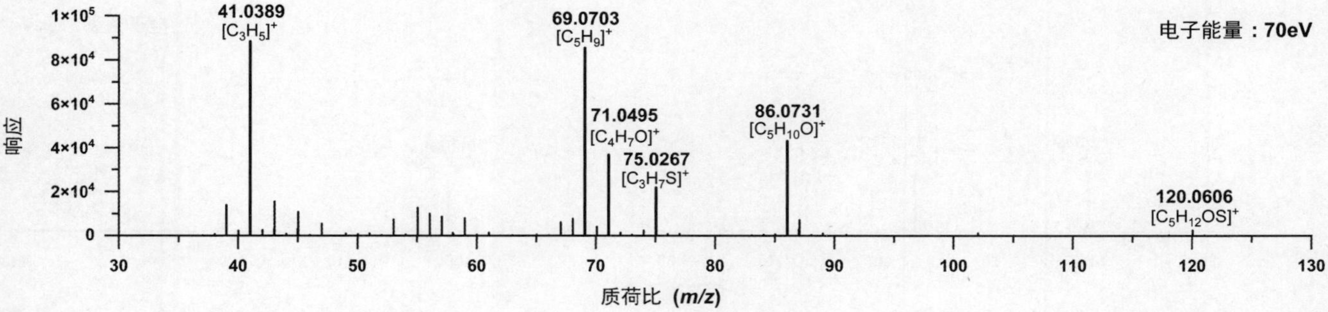

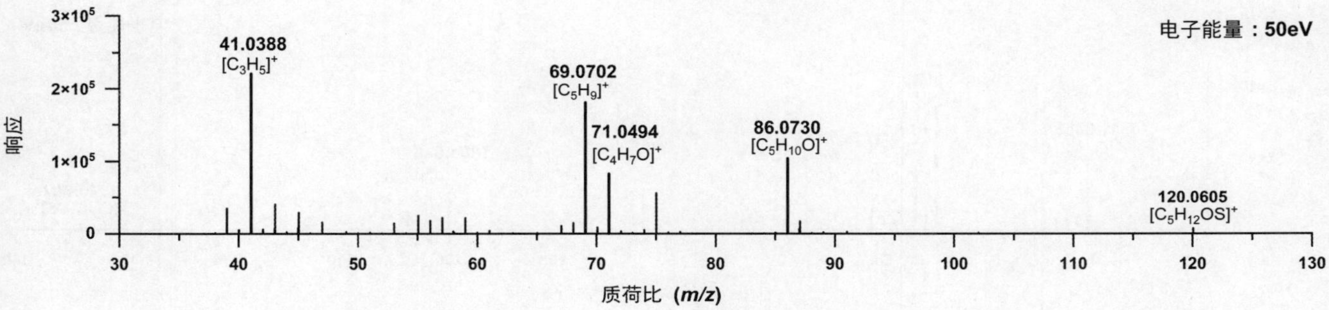

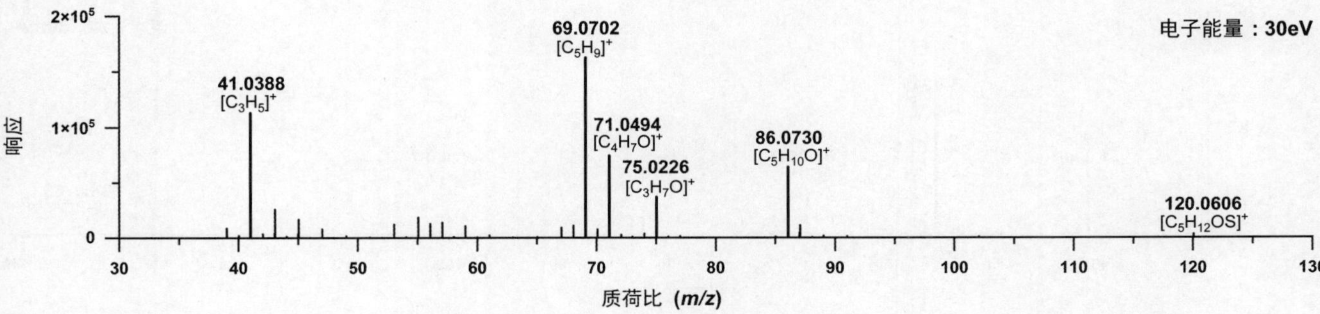

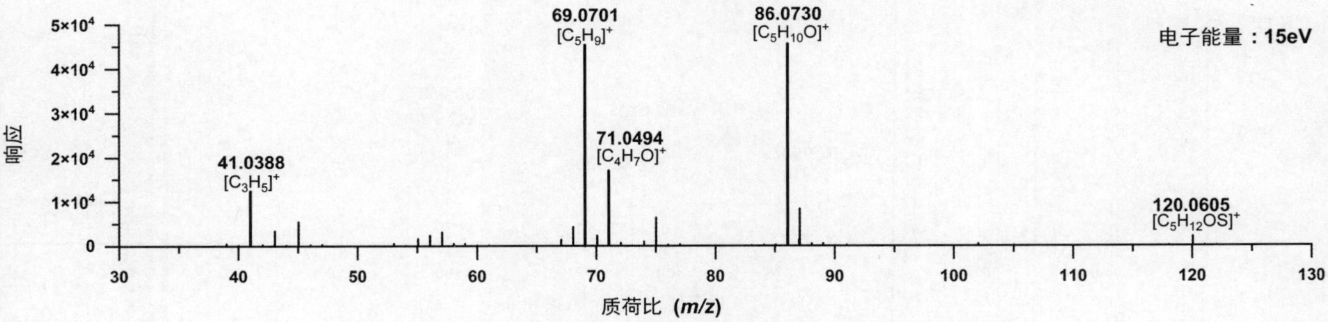

36 3-巯基-1-己醇

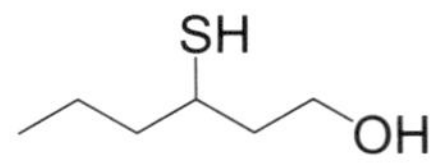

基本信息

CAS 登录号	51755-83-0	分子式	$C_6H_{14}OS$	分子量	134.0760
保留指数（极性）	1862	保留指数（非极性）	1093	香气描述	硫的气味，蒜味，水果香

质谱图

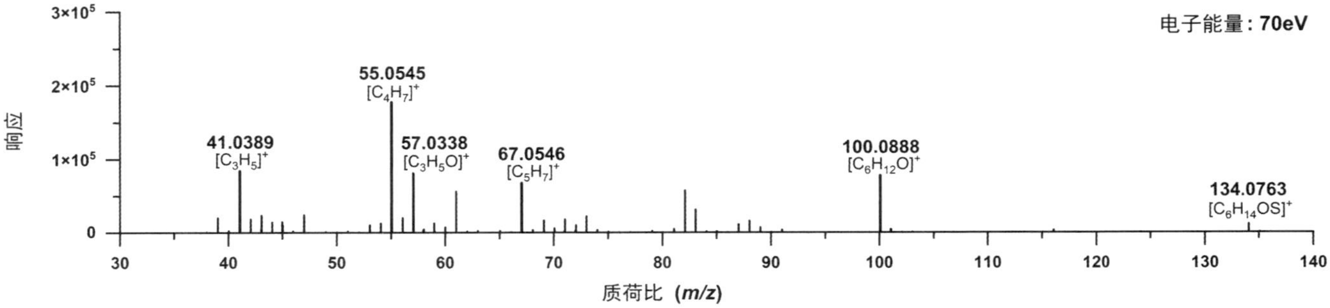

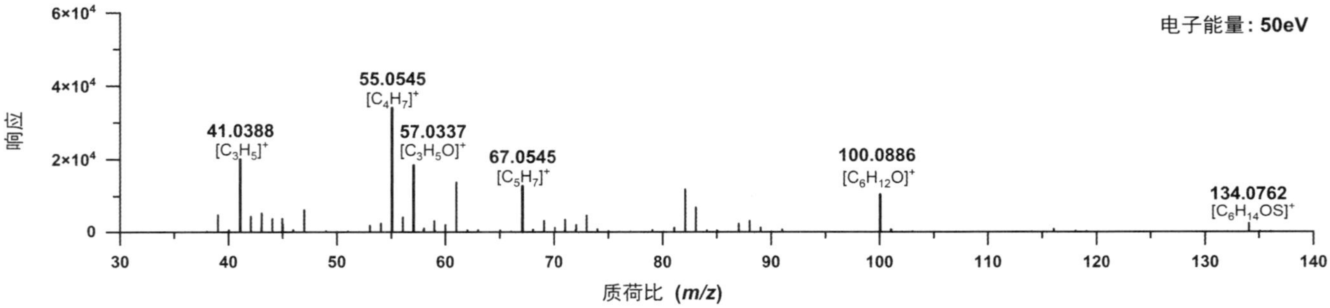

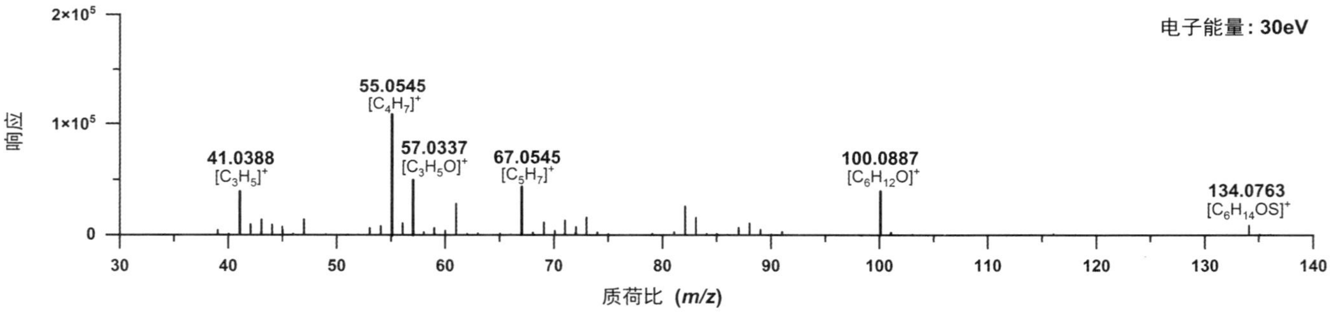

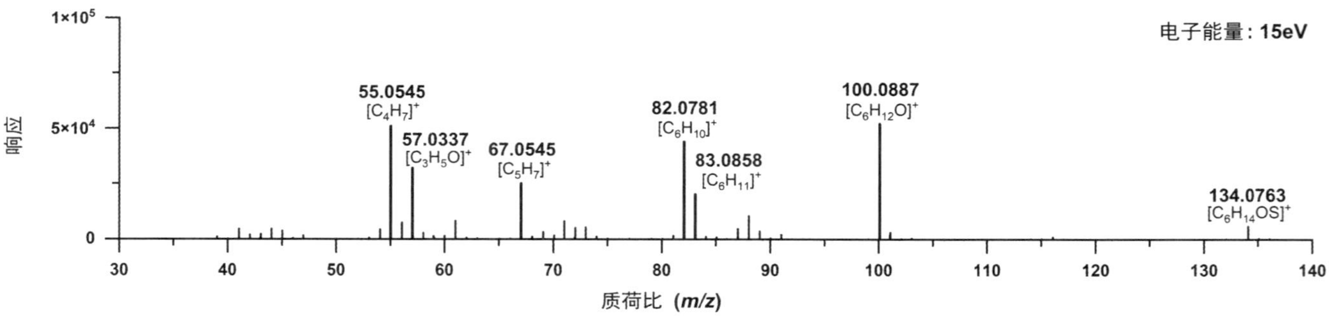

37 二甲基砜

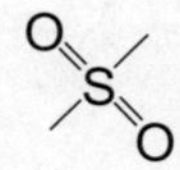

基本信息

CAS 登录号	67-71-0	分子式	$C_2H_6O_2S$	分子量	94.0083
保留指数（极性）	1935	保留指数（非极性）	860	香气描述	硫的气味，像烧焦橡胶的气味，药味

质谱图

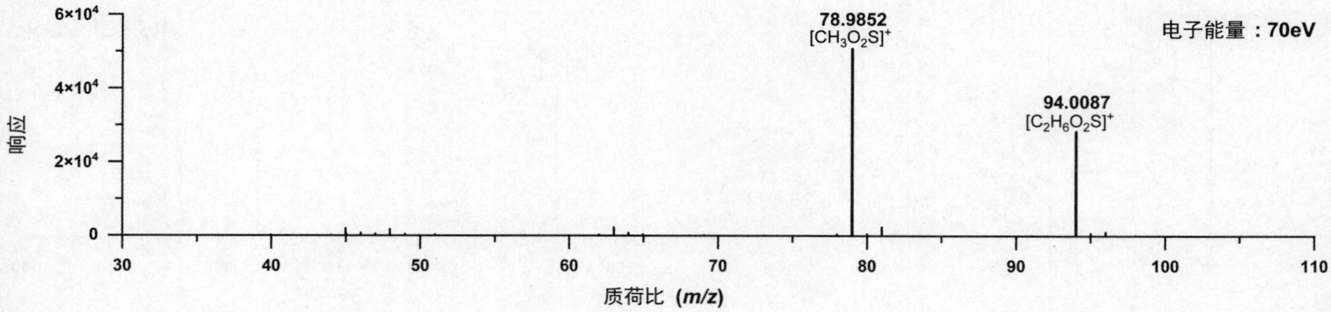

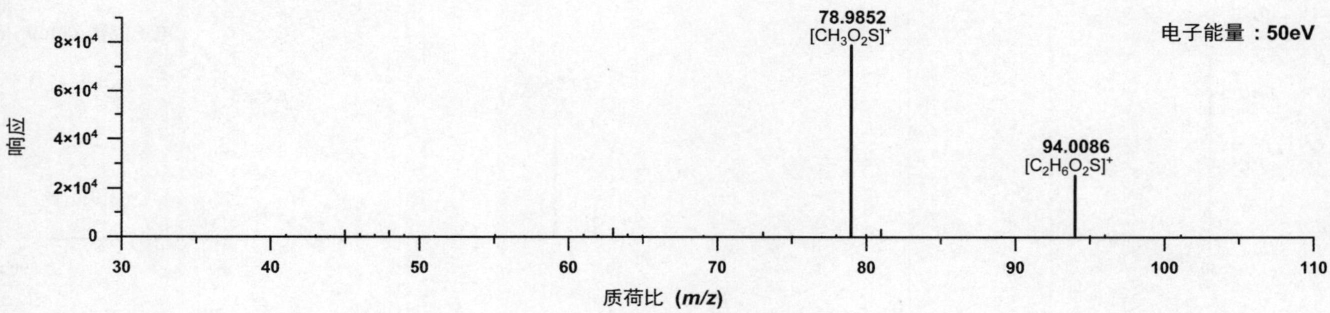

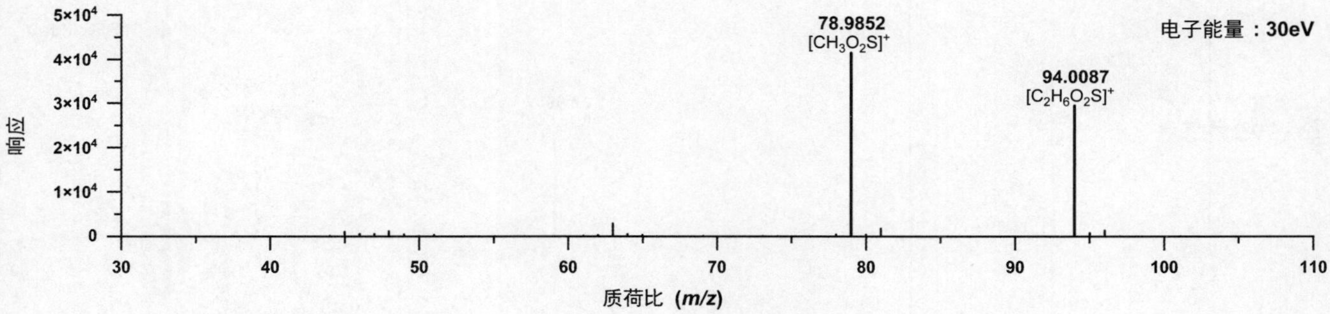

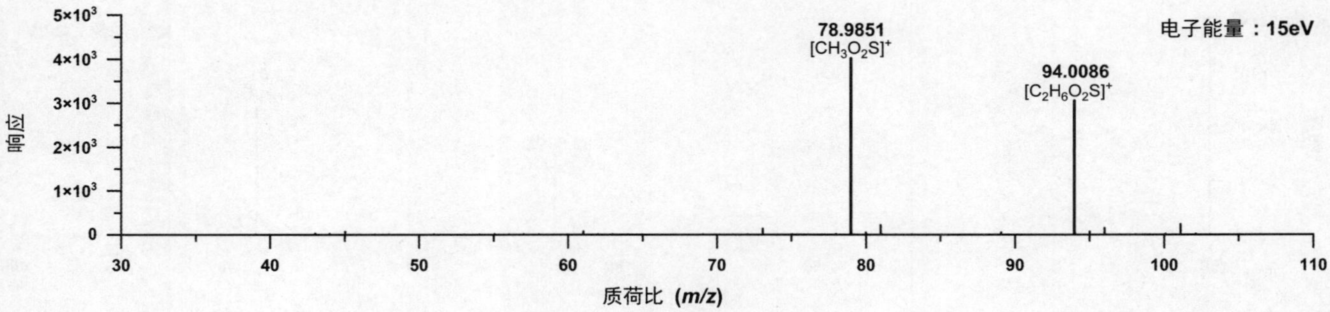

38 二甲基亚砜

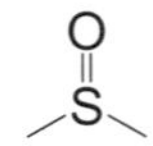

基本信息

CAS 登录号	67-68-5	分子式	C_2H_6OS	分子量	78.0134
保留指数（极性）	1612	保留指数（非极性）	/	香气描述	甜香，蒜味，硫的气味

质谱图

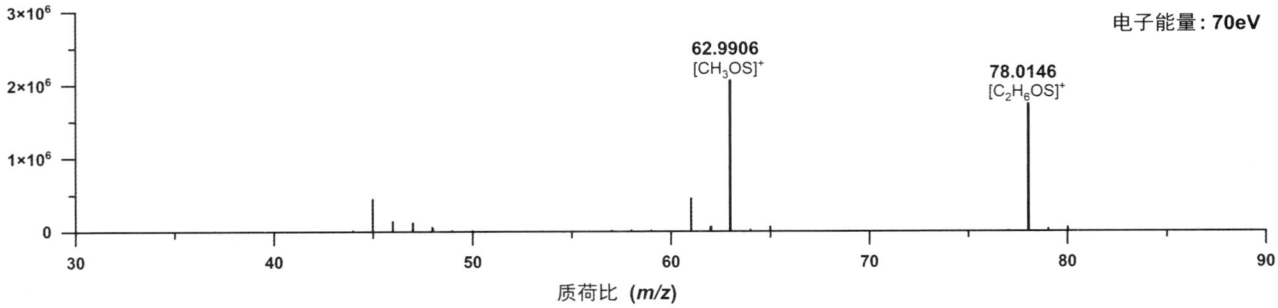

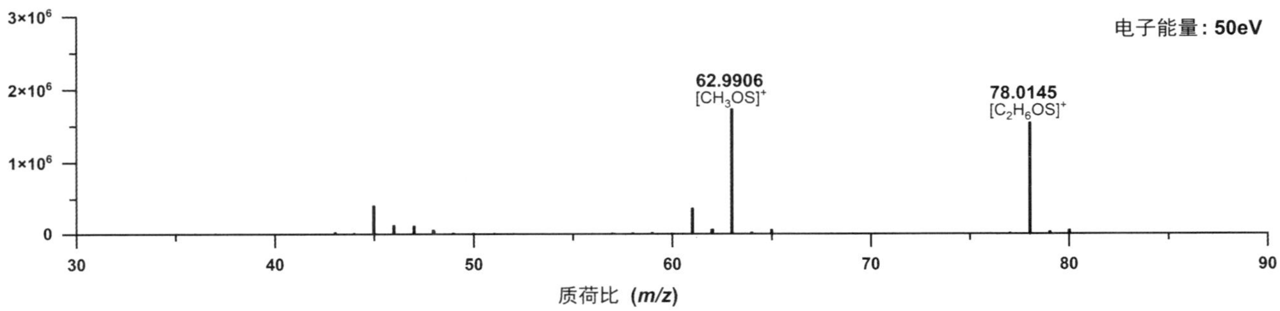

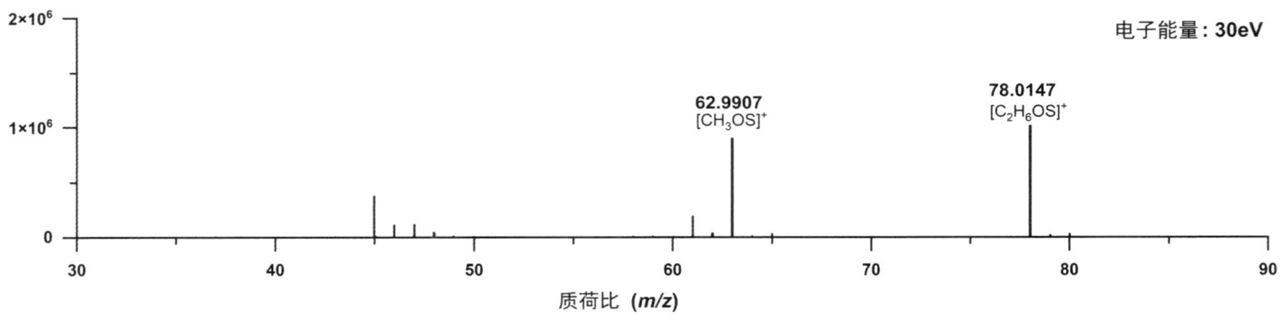

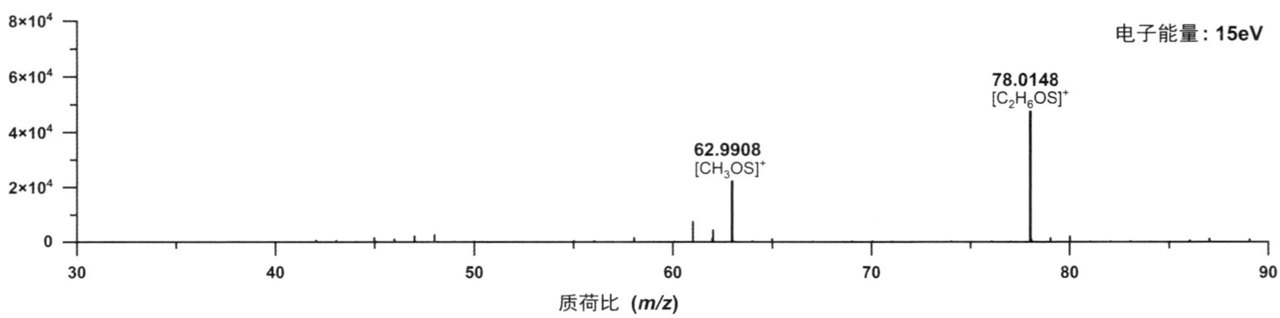

39 硫代乙酸S-甲酯

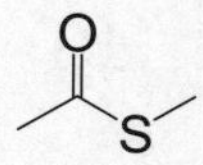

基本信息

CAS 登录号	1534-08-3	分子式	C_3H_6OS	分子量	90.0134
保留指数（极性）	1056	保留指数（非极性）	676	香气描述	硫的气味，水果味，热带水果的气味

质谱图

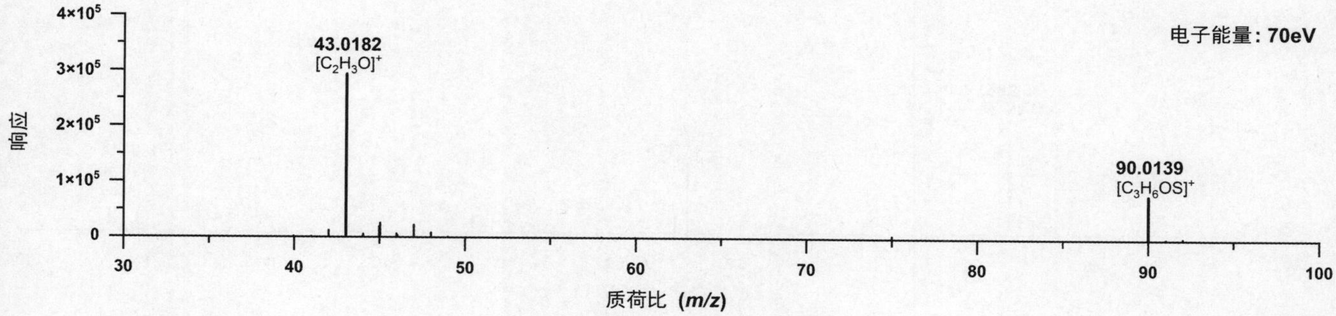

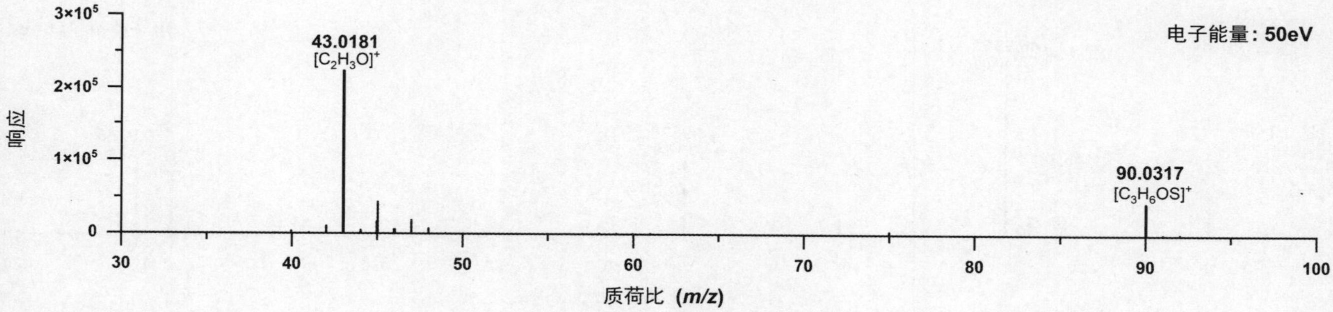

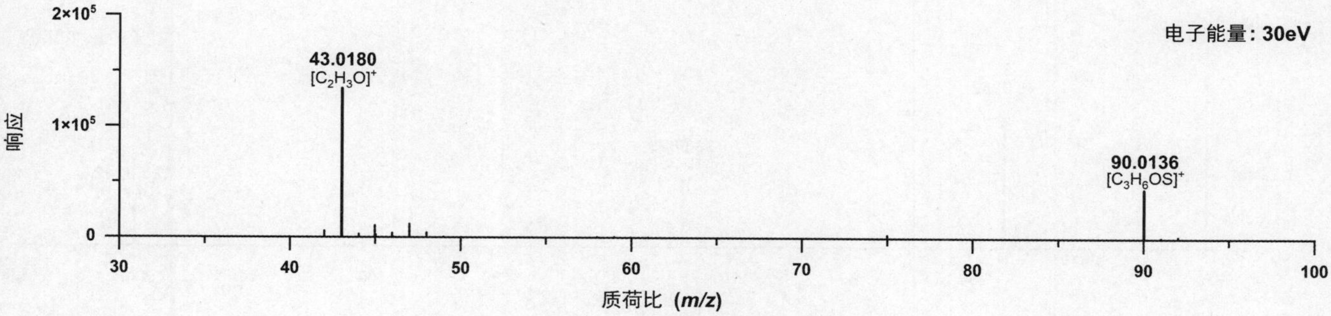

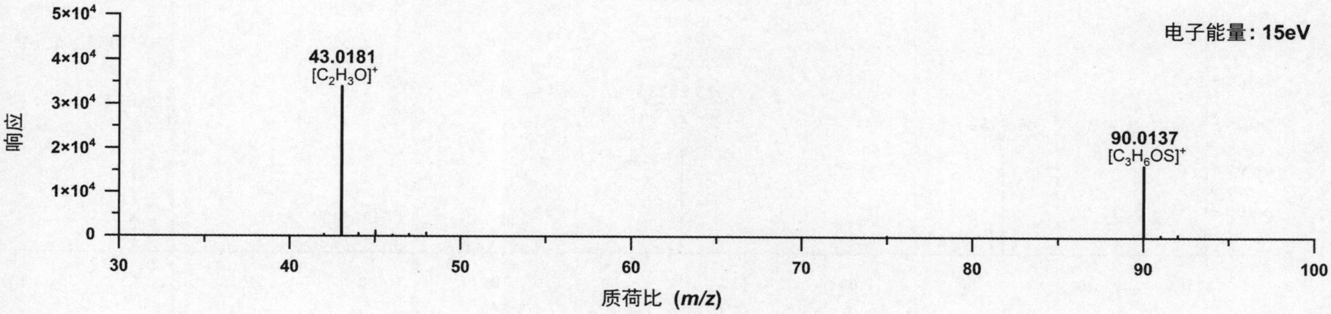

40 巯基乙酸乙酯

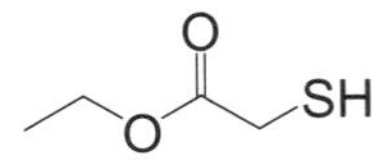

基本信息

CAS 登录号	623-51-8	分子式	$C_4H_8O_2S$	分子量	120.024
保留指数（极性）	1416	保留指数（非极性）	869	香气描述	硫的气味，类似脂肪的气味，甜香

质谱图

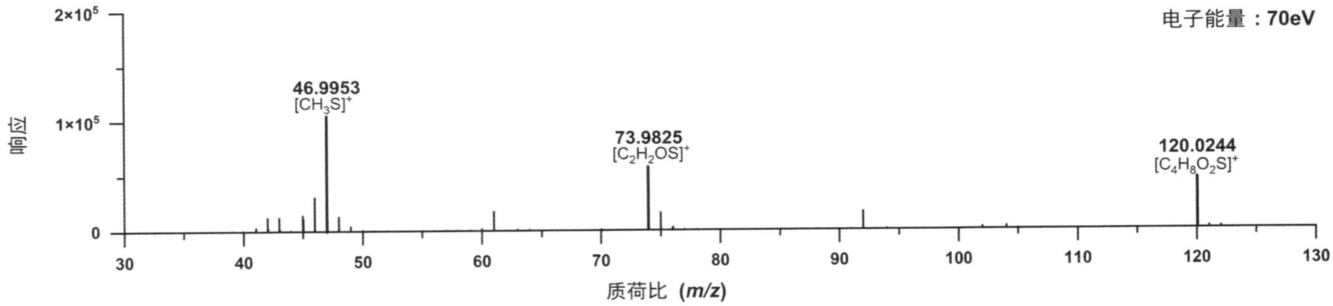

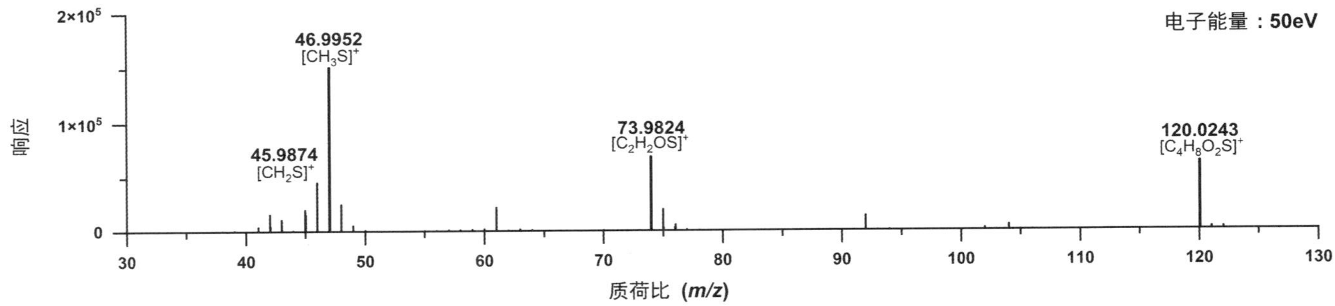

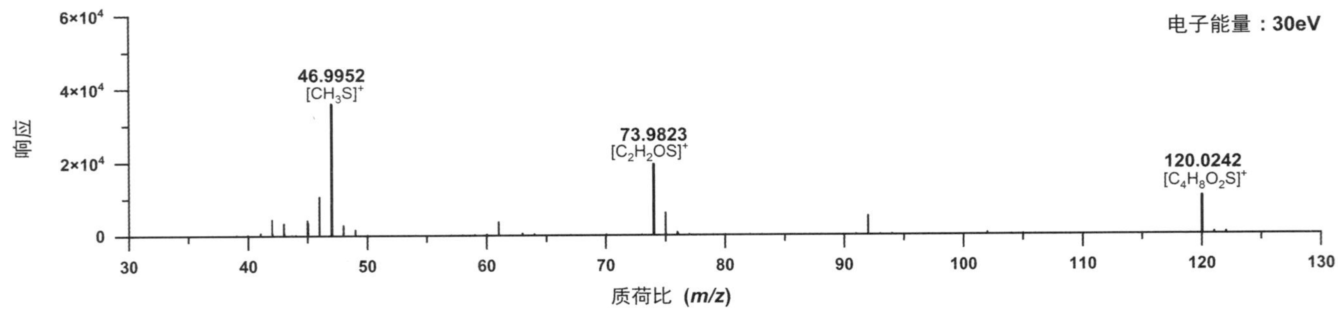

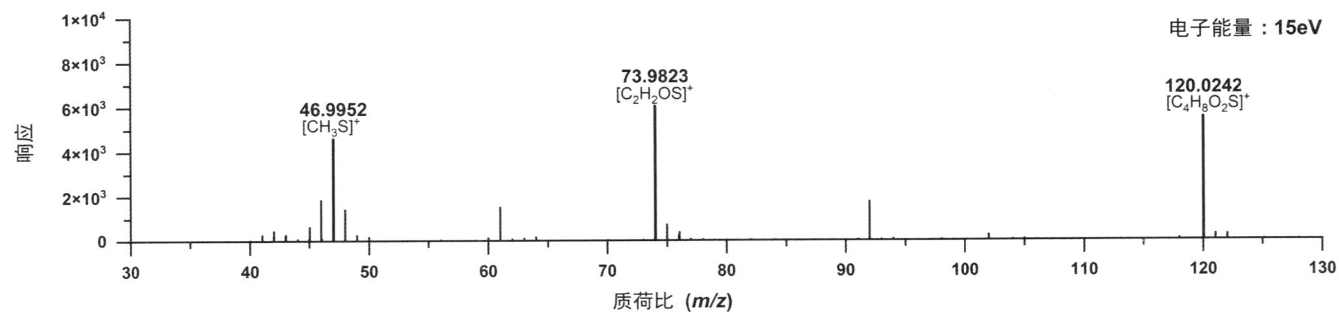

41 甲硫基乙酸甲酯

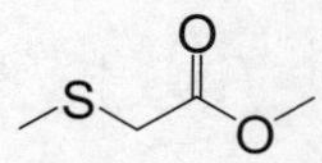

基本信息

CAS 登录号	16630-66-3	分子式	$C_4H_8O_2S$	分子量	120.0240
保留指数（极性）	1426	保留指数（非极性）	879	香气描述	硫的气味，水果香，甜香

质谱图

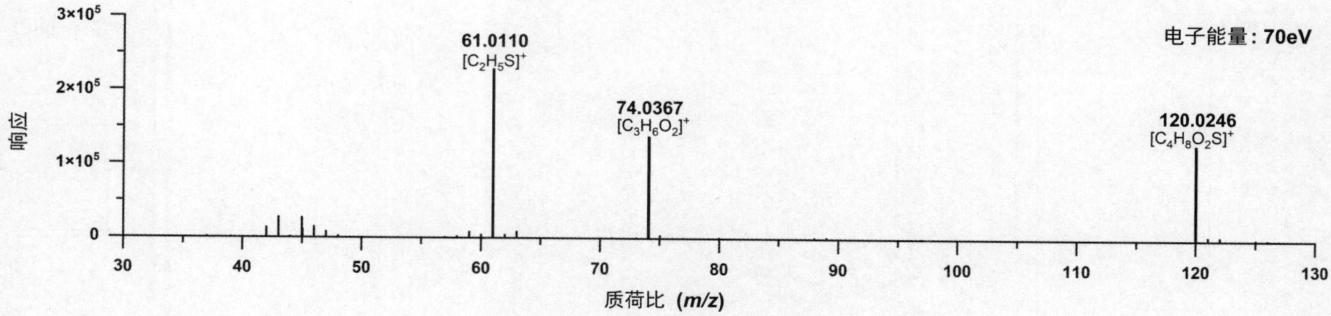

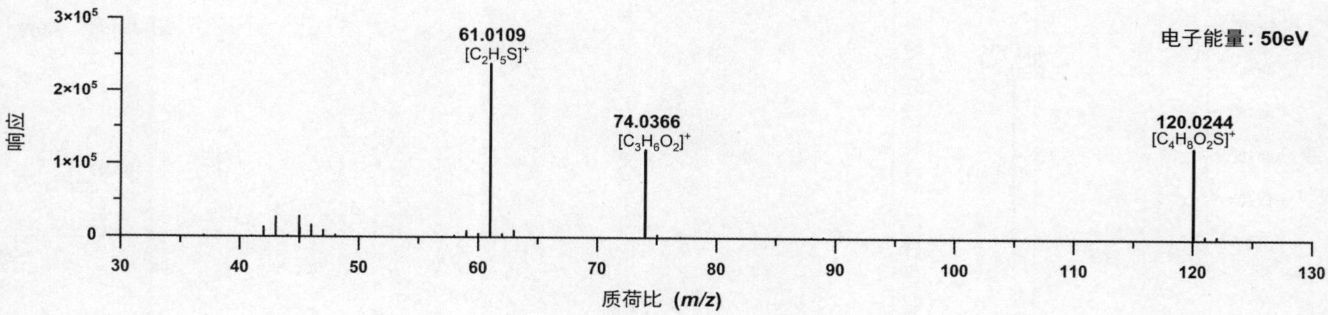

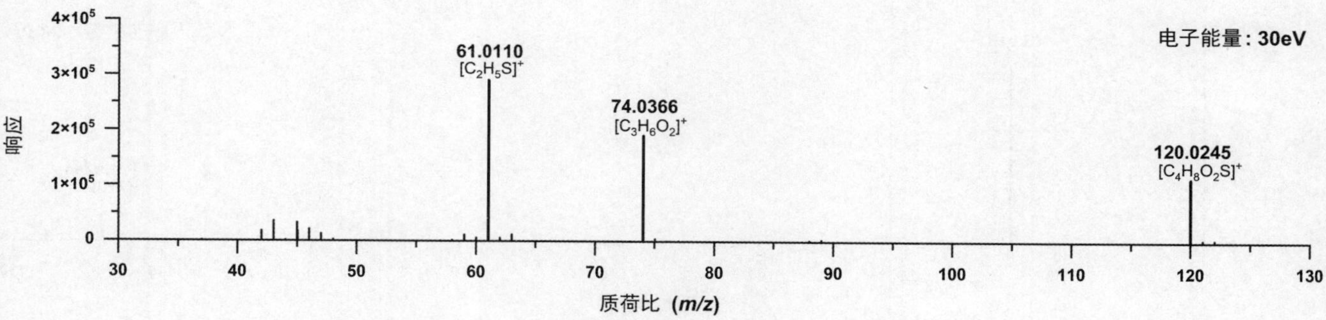

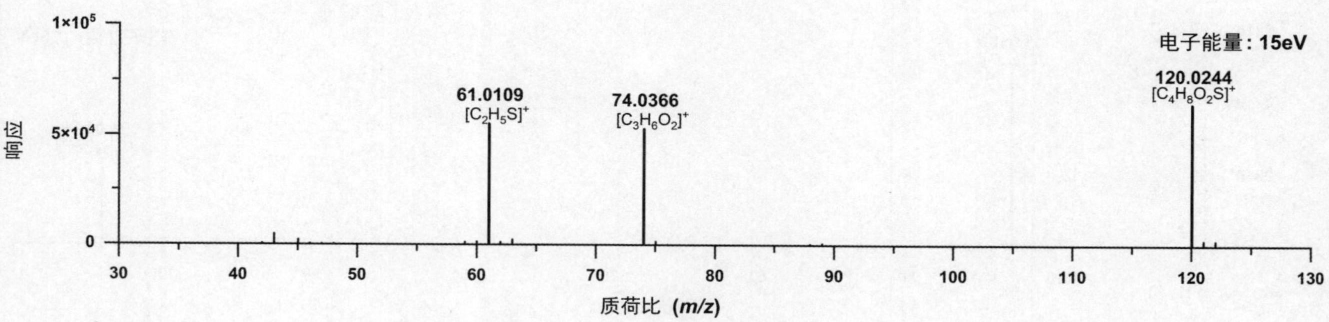

42 硫代乙酸乙酯

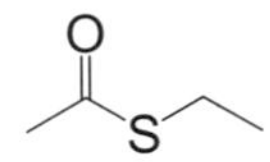

基本信息

CAS 登录号	625-60-5	分子式	C_4H_8OS	分子量	104.0290
保留指数（极性）	1100	保留指数（非极性）	750	香气描述	硫的气味，水果香，热带水果的气味

质谱图

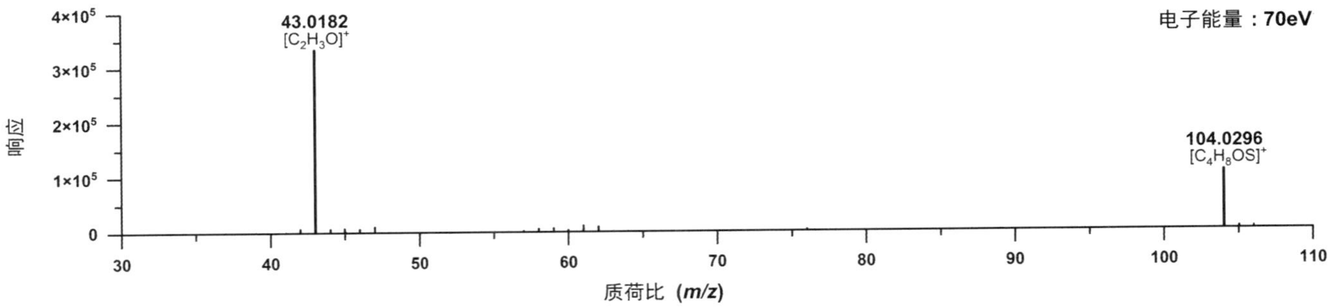

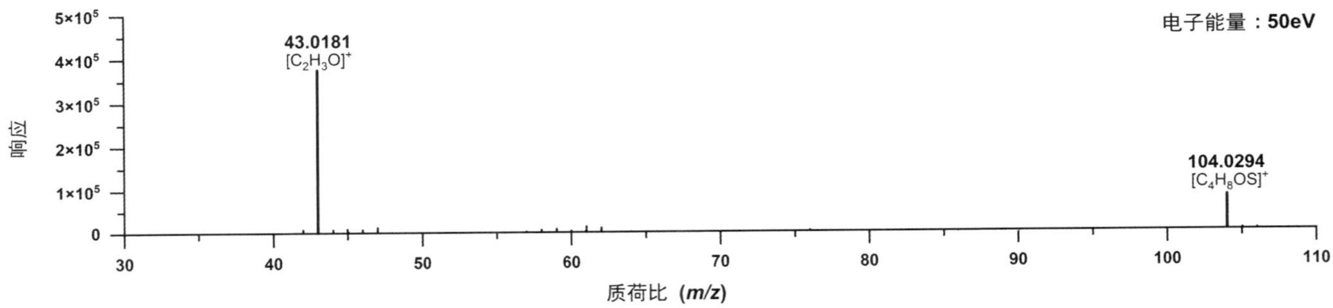

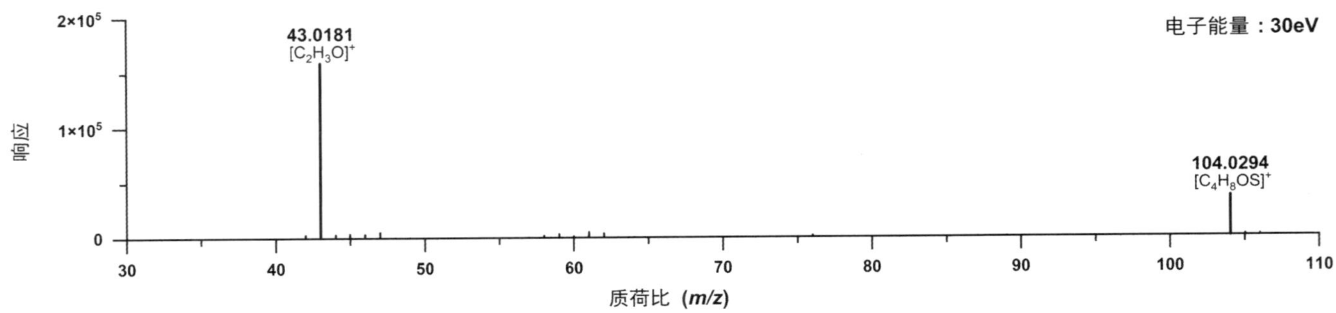

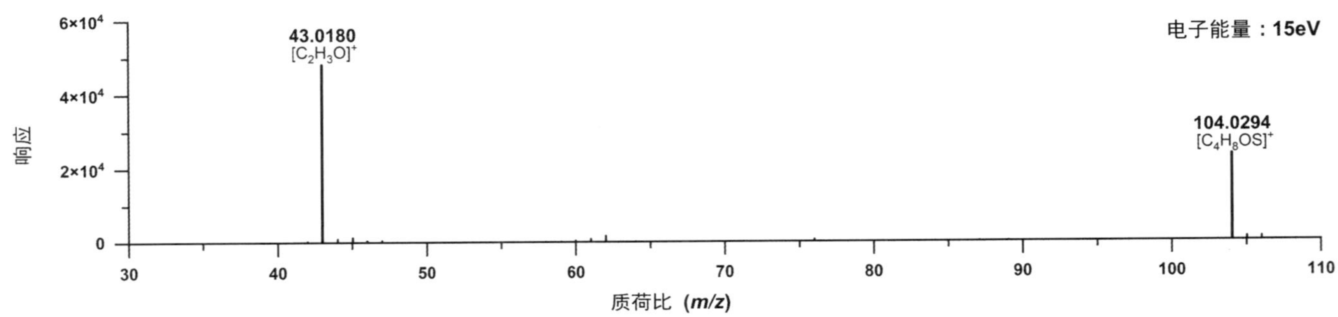

43 甲硫基乙酸乙酯

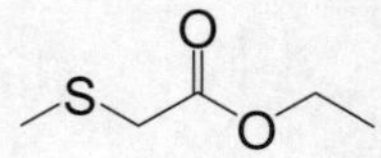

基本信息

CAS 登录号	4455-13-4	分子式	$C_5H_{10}O_2S$	分子量	134.0396
保留指数（极性）	1466	保留指数（非极性）	955	香气描述	硫的气味，水果香，甜香

质谱图

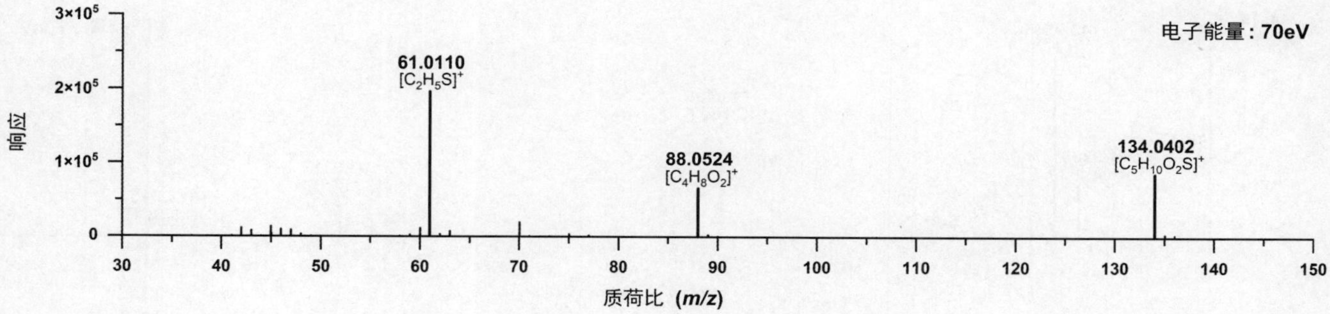

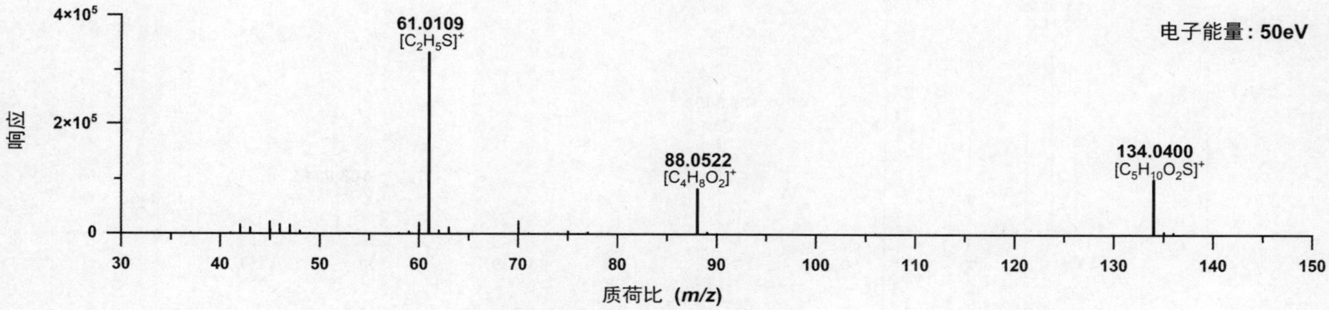

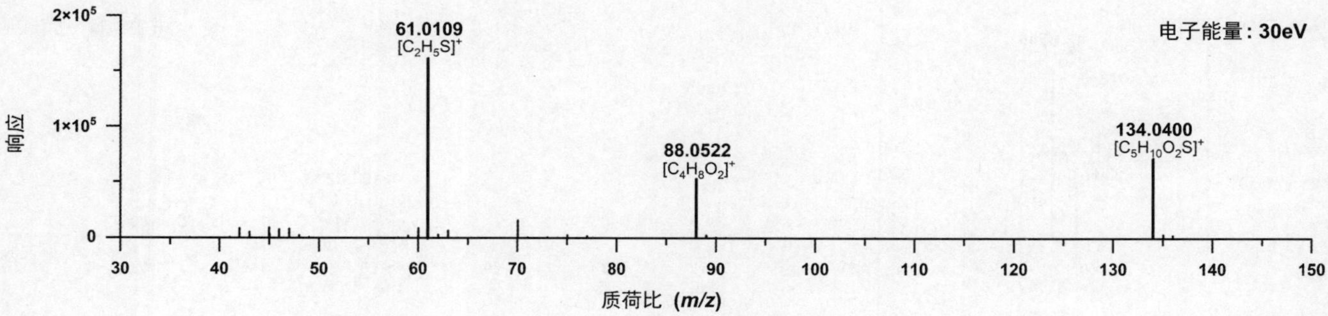

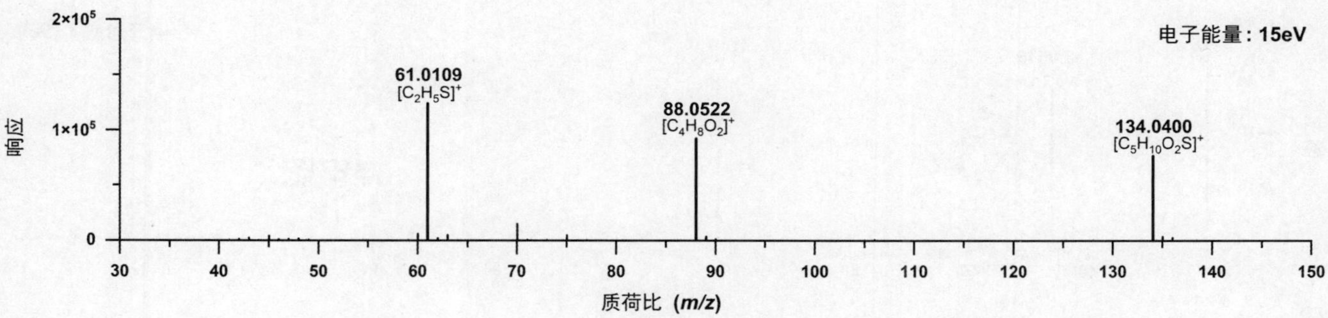

44 硫代丁酸*S*-甲酯

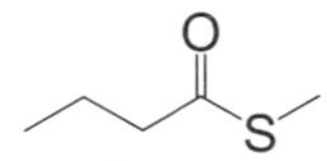

基本信息

CAS 登录号	2432-51-1	分子式	$C_5H_{10}OS$	分子量	118.0447
保留指数（极性）	1212	保留指数（非极性）	867	香气描述	硫的气味，水果，热带水果的气味

质谱图

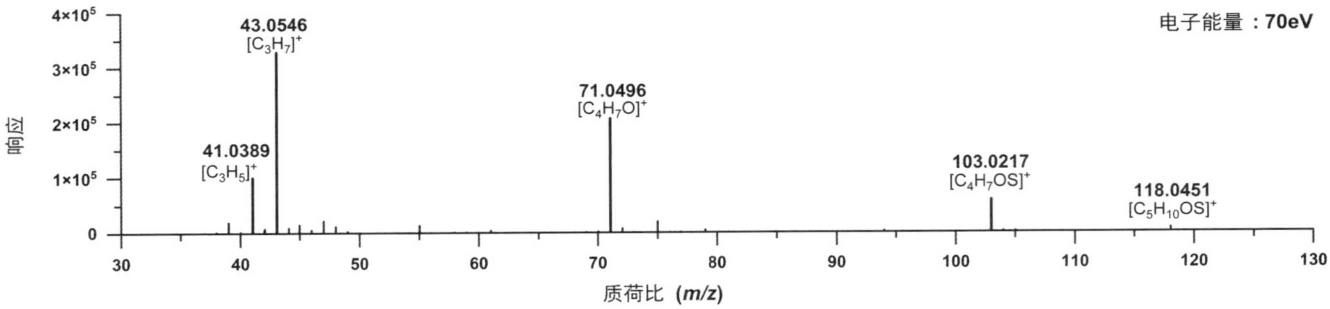

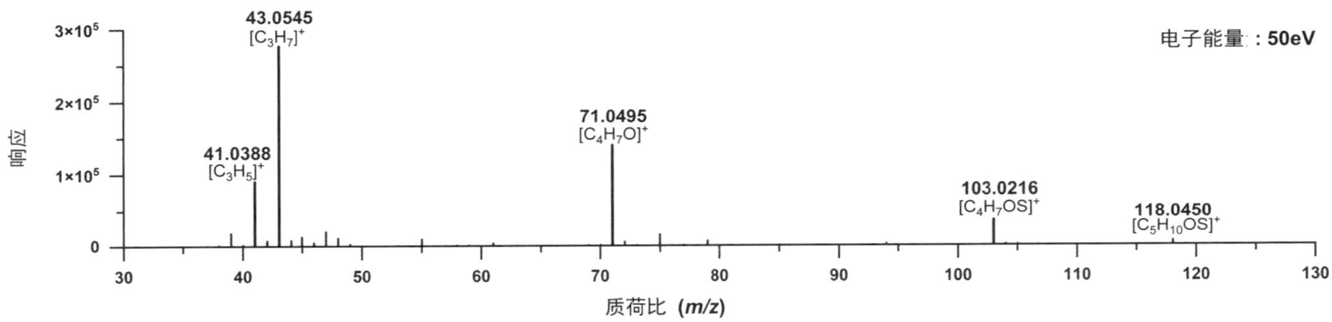

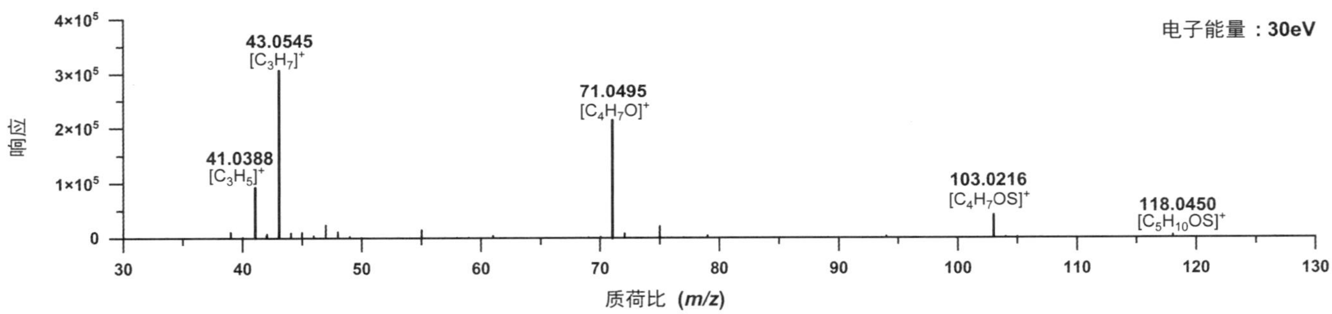

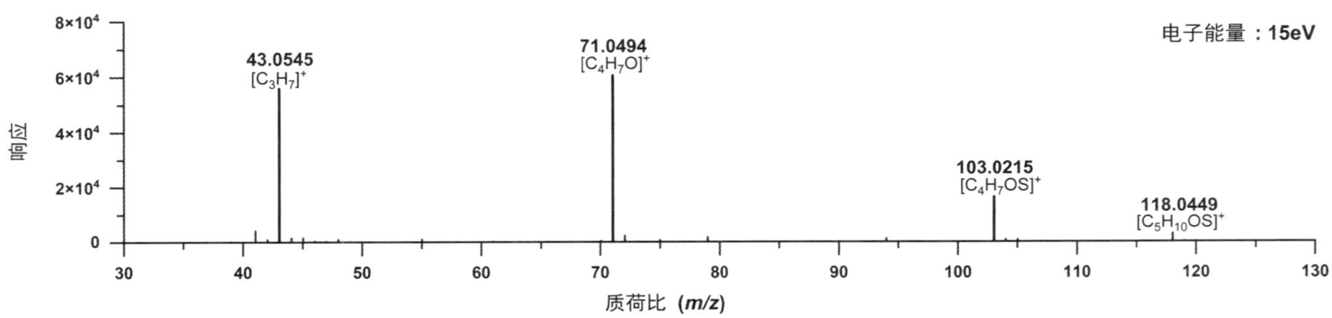

45 硫代乙酸丙酯

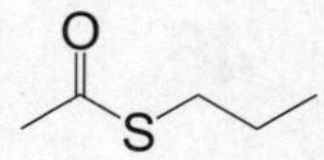

基本信息

CAS 登录号	2307-10-0	分子式	$C_5H_{10}OS$	分子量	118.0447
保留指数（极性）	1191	保留指数（非极性）	850	香气描述	硫的气味，水果香，热带水果的气味

质谱图

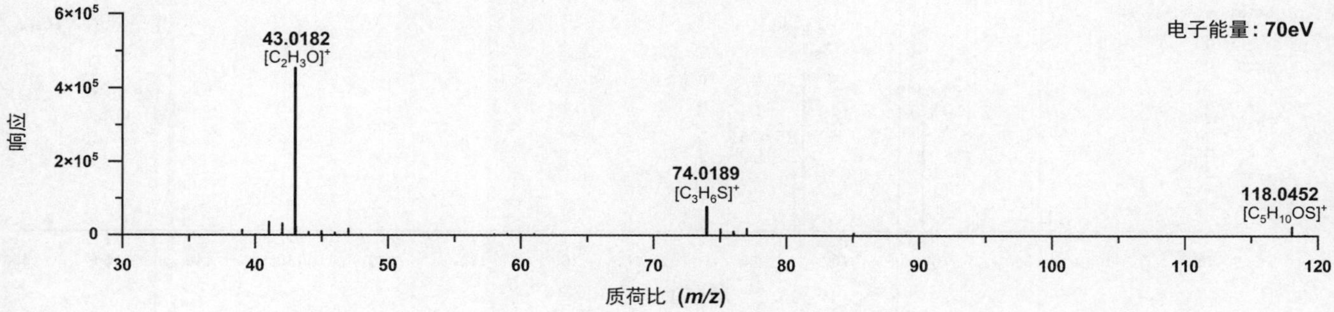

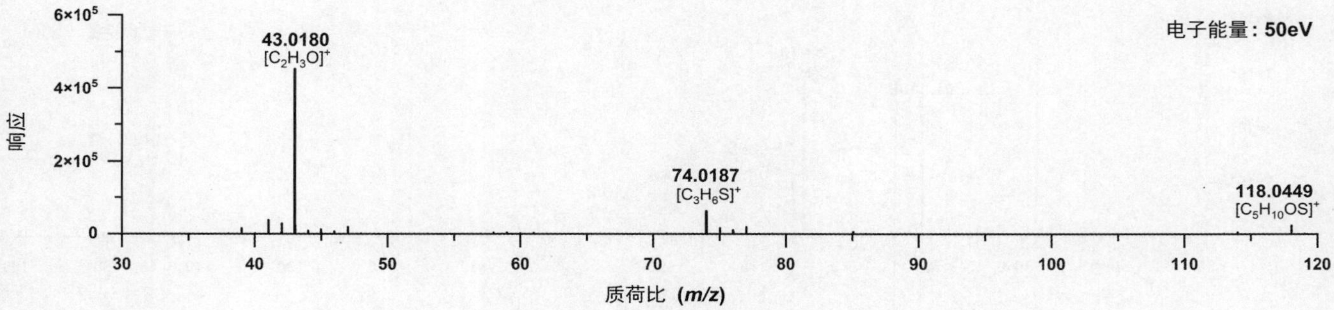

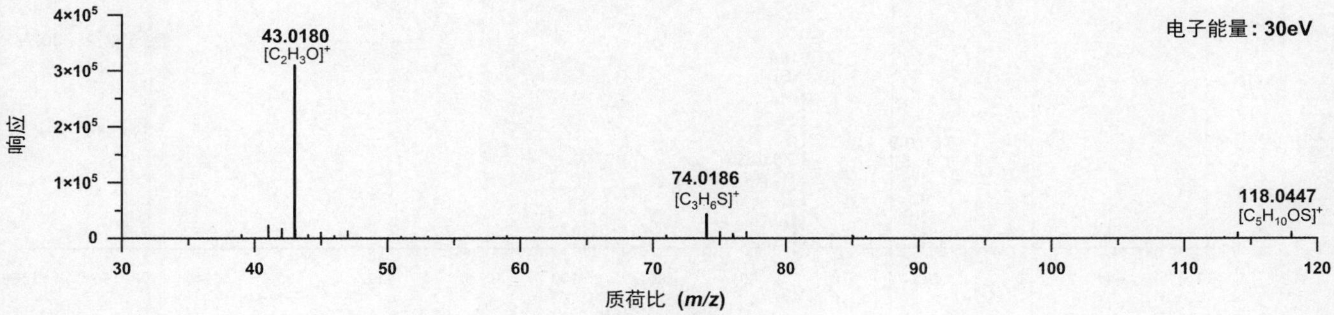

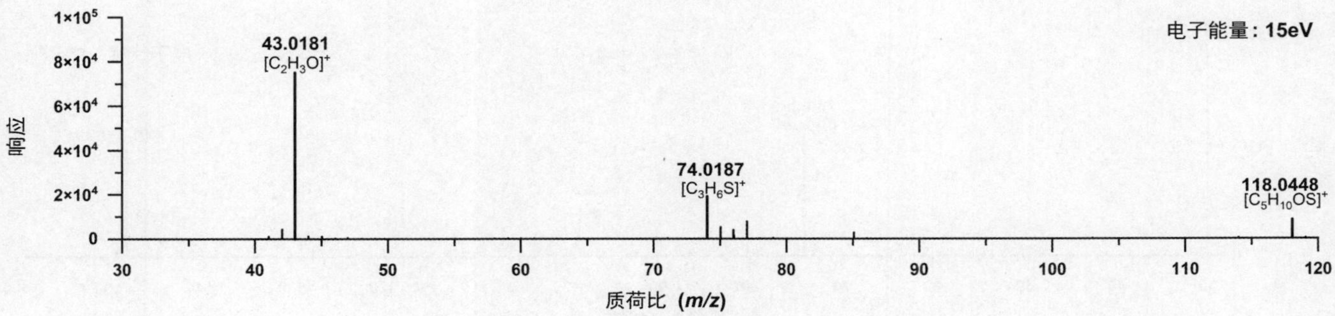

46 3-甲硫基丙酸乙酯

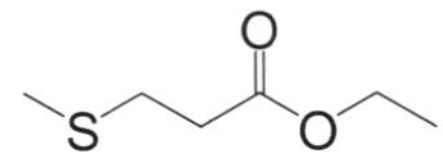

基本信息

CAS 登录号	13327-56-5	分子式	$C_6H_{12}O_2S$	分子量	148.0553
保留指数（极性）	1587	保留指数（非极性）	1070	香气描述	硫的气味，水果香，甜香

质谱图

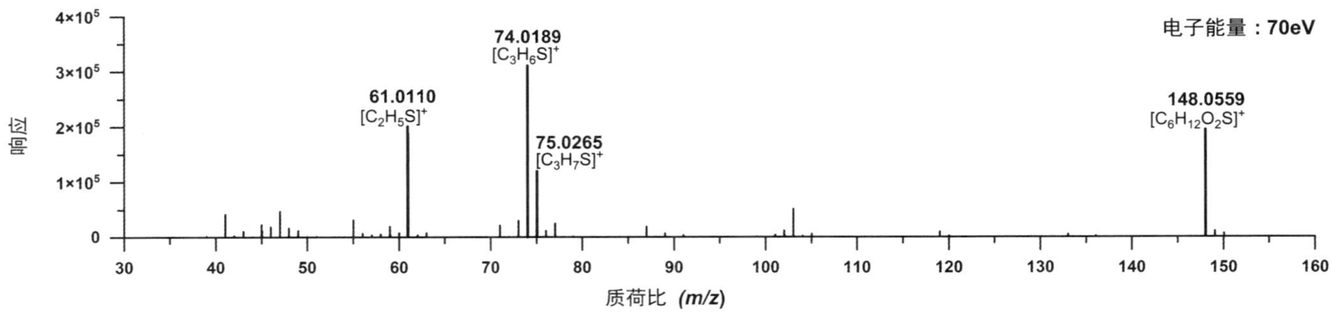

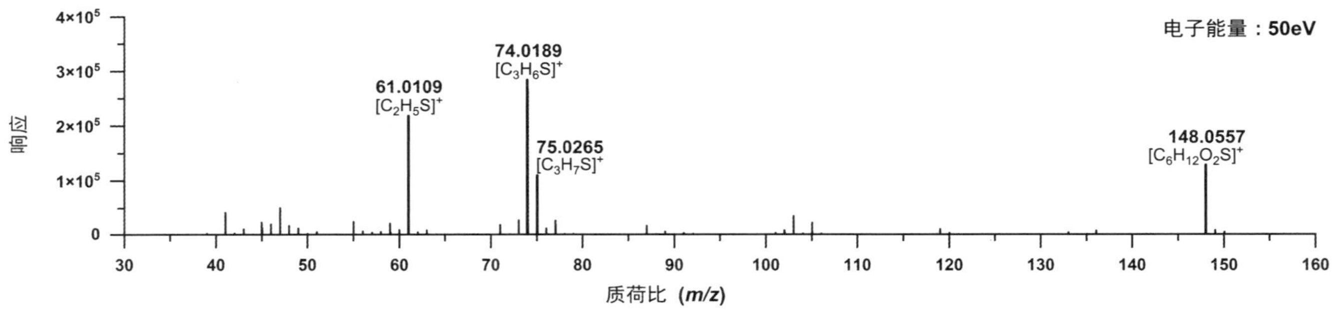

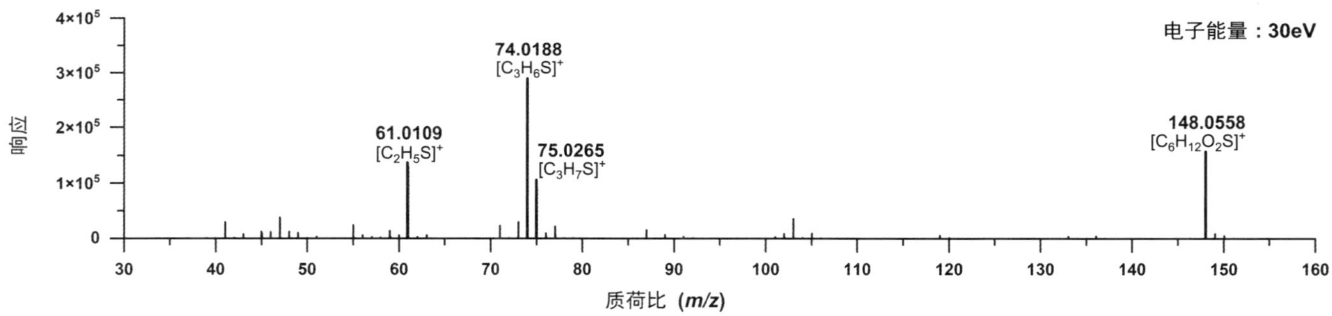

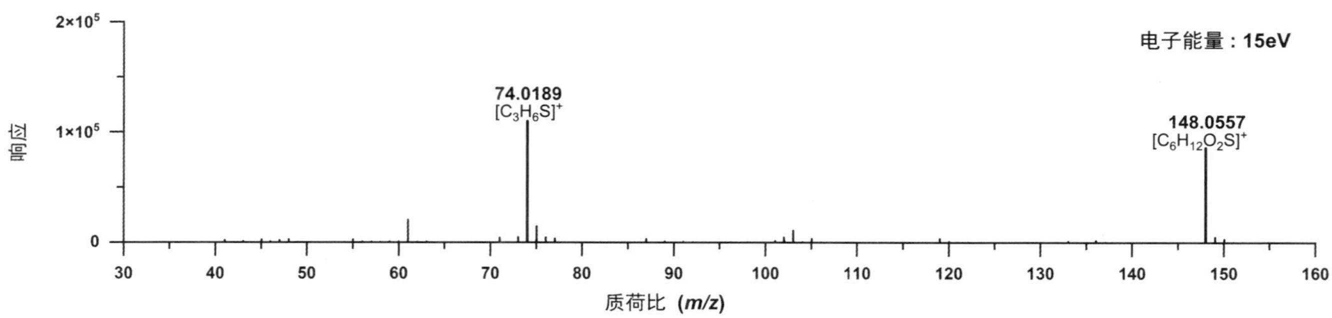

47 硫代糠酸甲酯

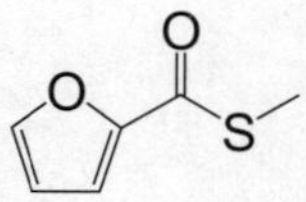

基本信息

CAS 登录号	13679-61-3	分子式	$C_6H_6O_2S$	分子量	142.0083
保留指数（极性）	1888	保留指数（非极性）	1129	香气描述	硫的气味，水果香，热带水果的气味

质谱图

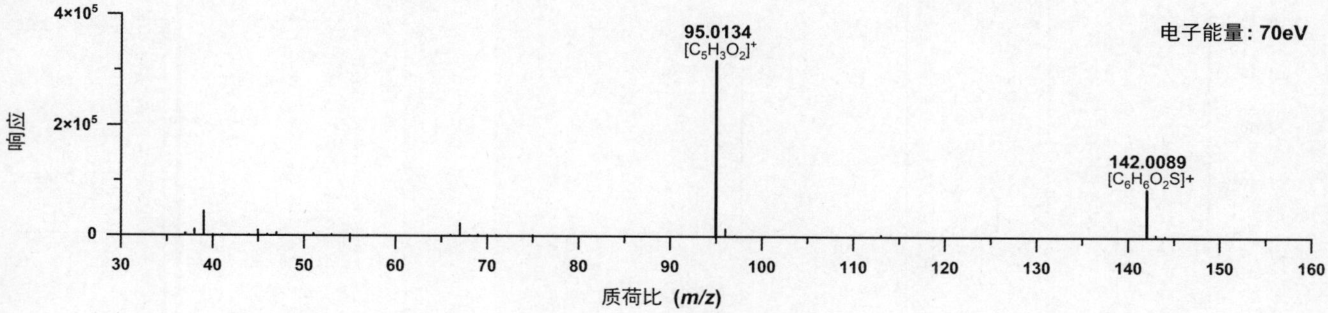

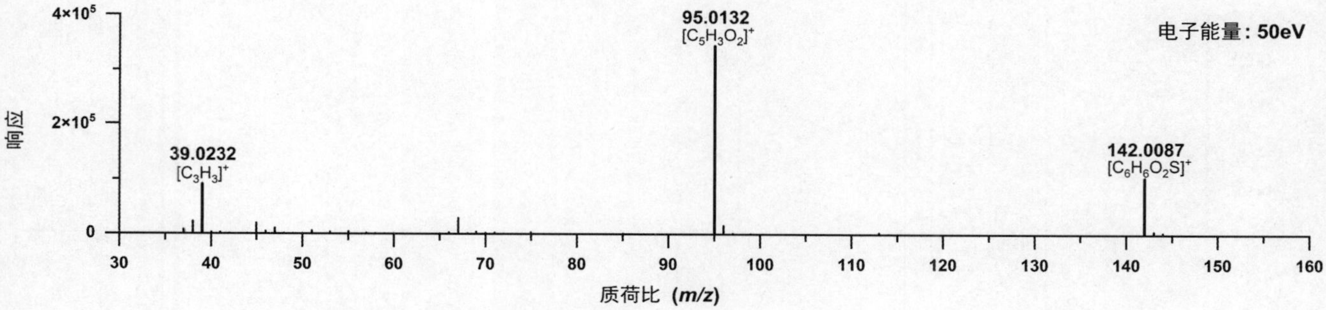

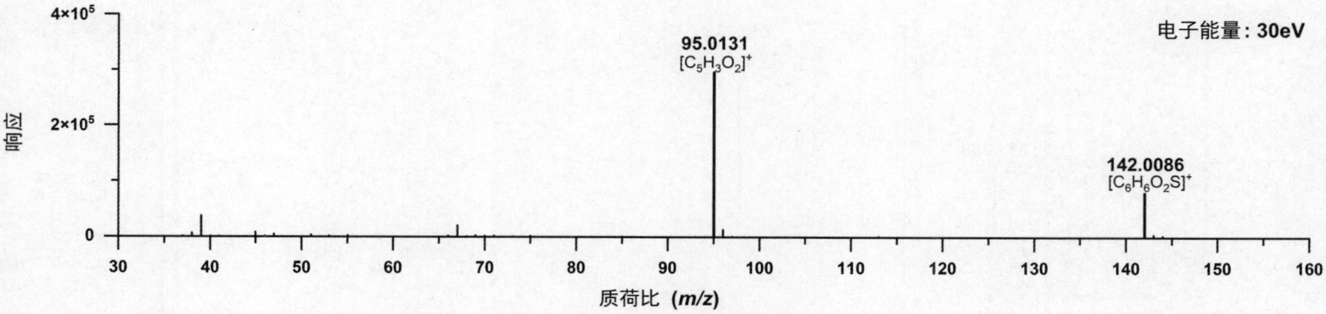

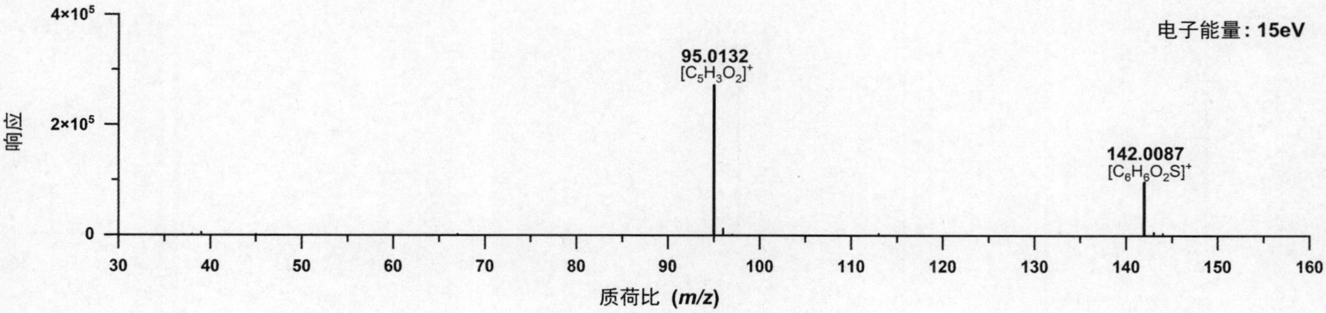

48 硫代乙酸糠酯

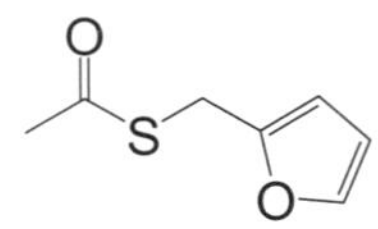

基本信息

CAS 登录号	13678-68-7	分子式	$C_7H_8O_2S$	分子量	156.0240
保留指数（极性）	1797	保留指数（非极性）	1128	香气描述	硫的气味，水果香，甜香

质谱图

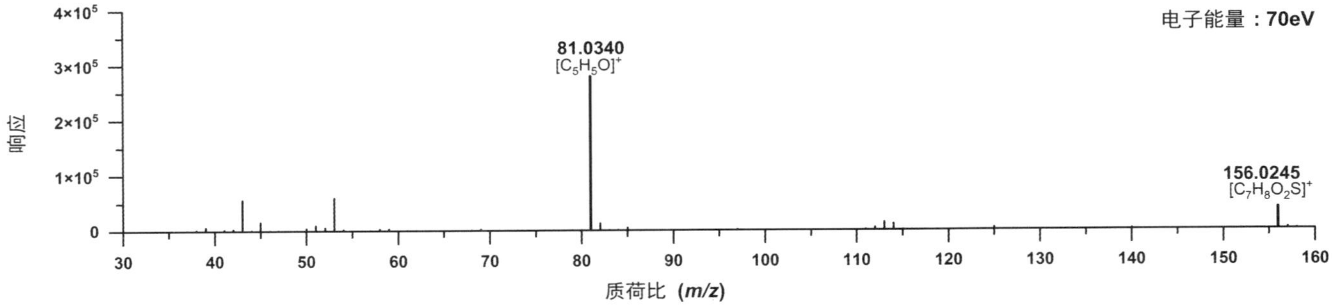

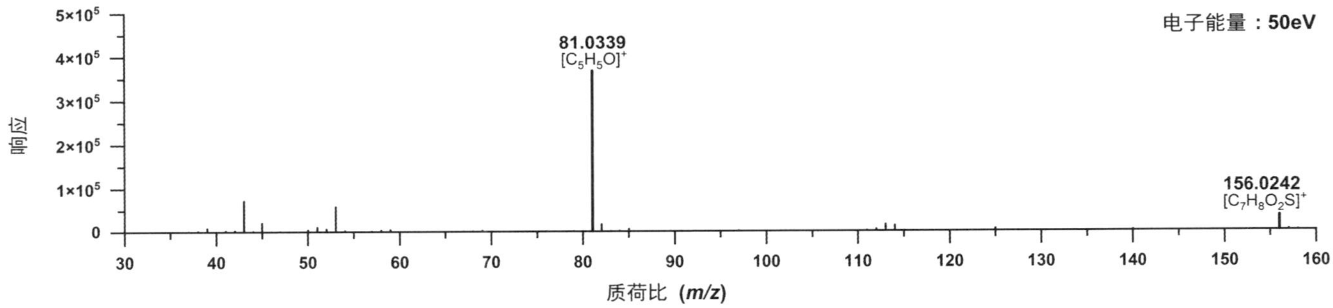

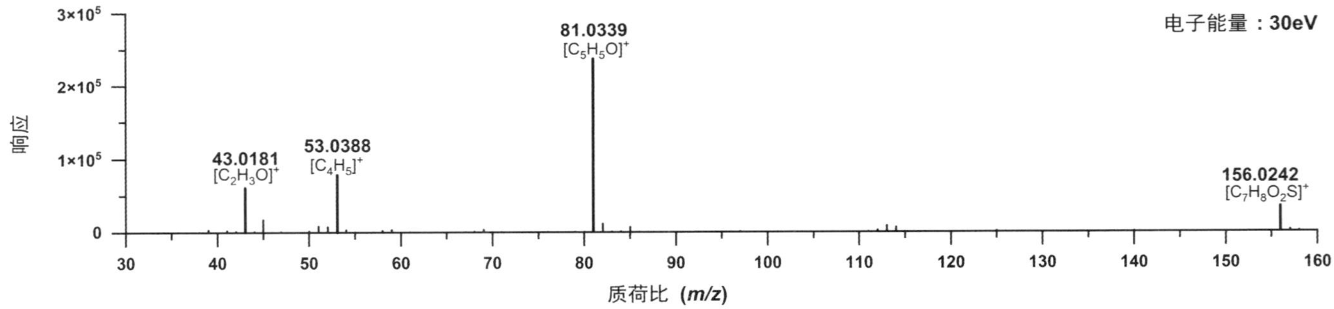

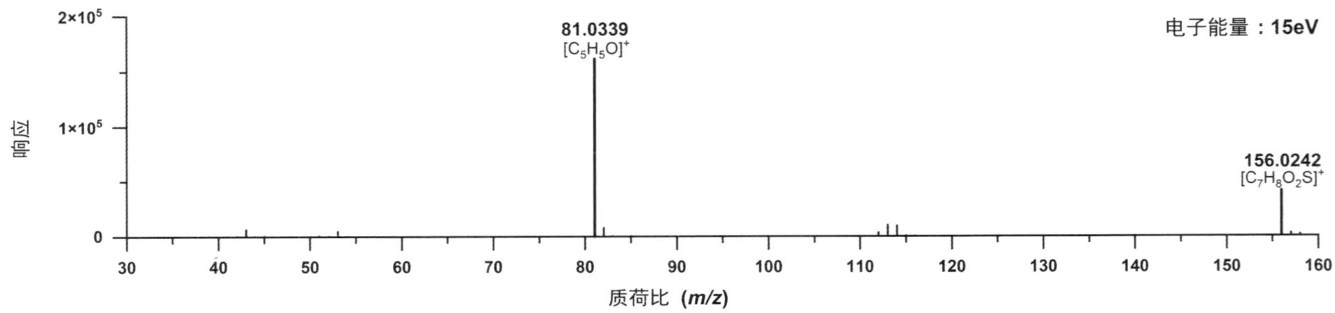

49

3-巯基己基乙酸酯

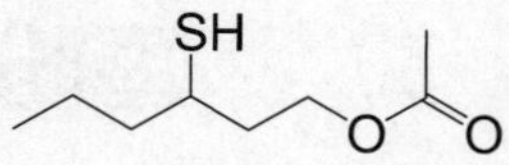

基本信息

CAS 登录号	136954-20-6	分子式	$C_8H_{16}O_2S$	分子量	176.0871
保留指数（极性）	1743	保留指数（非极性）	1221	香气描述	硫的气味，水果香，热带水果的气味

质谱图

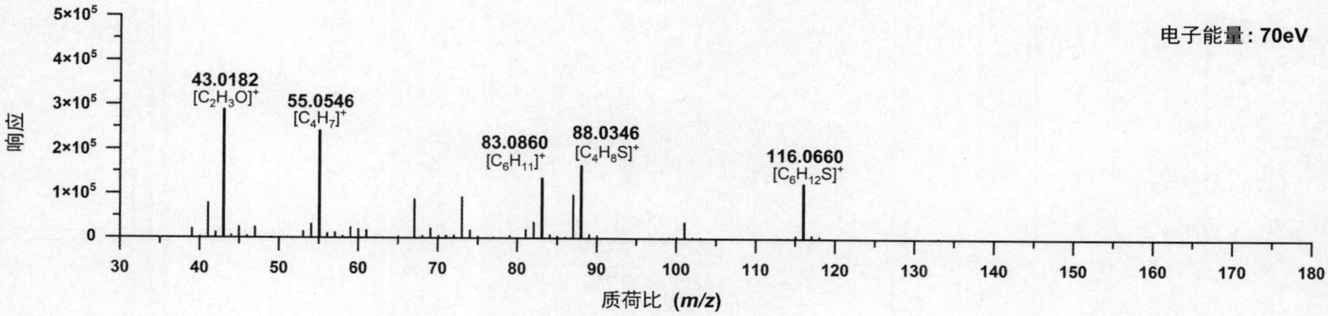

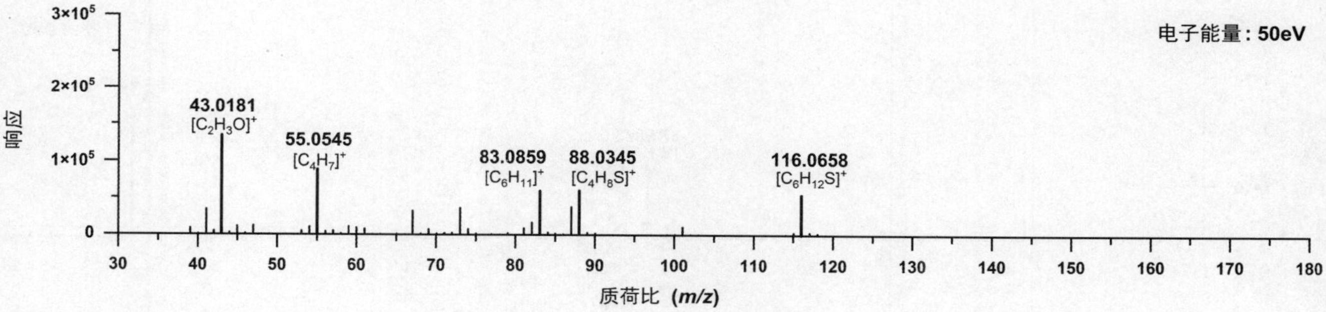

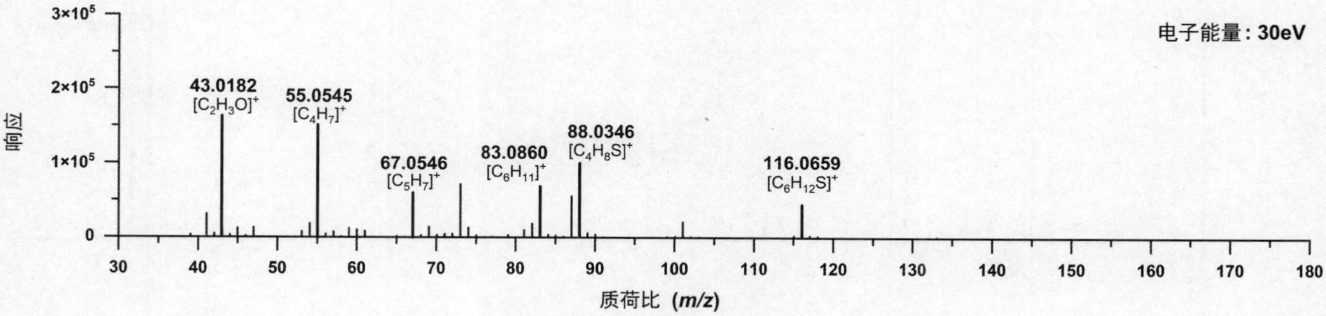

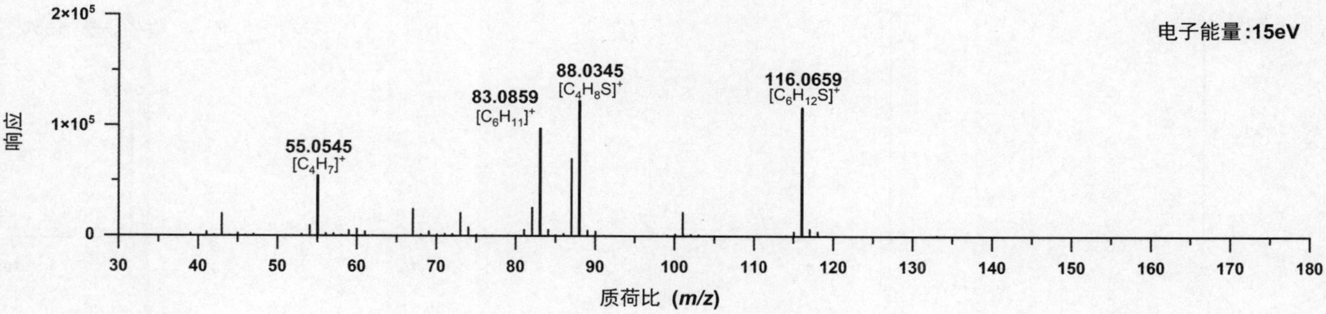

50 噻吩

基本信息

CAS 登录号	110-02-1	分子式	C_4H_4S	分子量	84.0028
保留指数（极性）	1029	保留指数（非极性）	648	香气描述	硫的气味，烘烤味，坚果味

质谱图

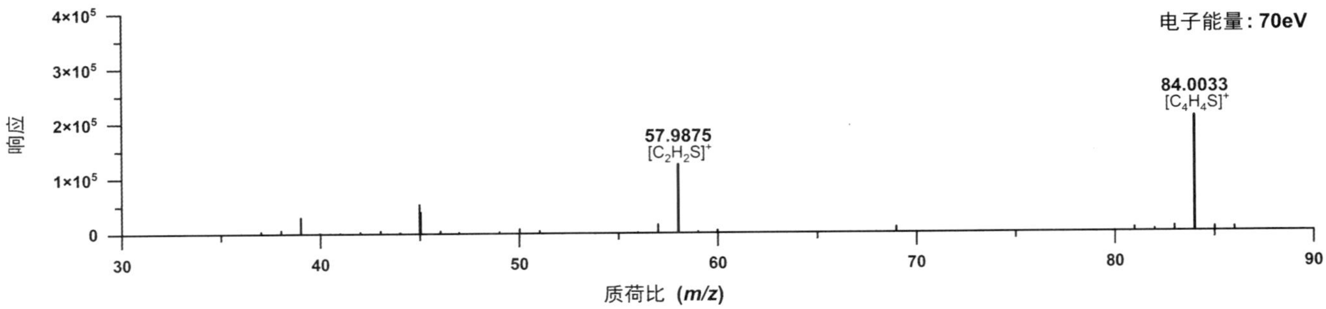

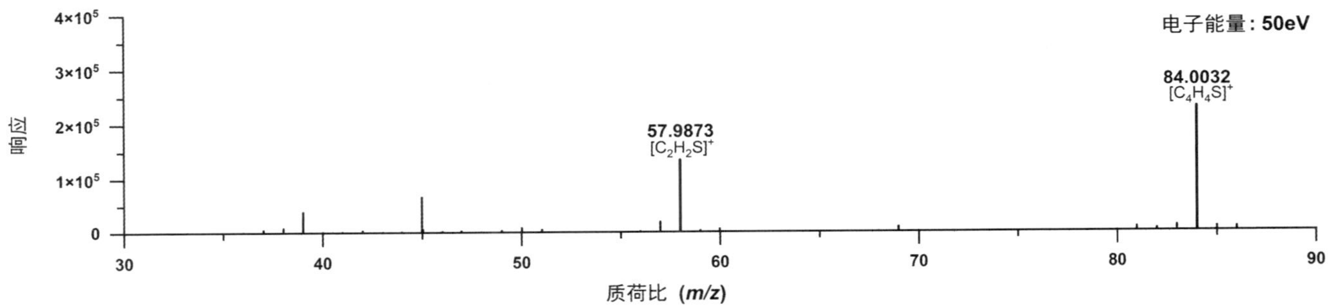

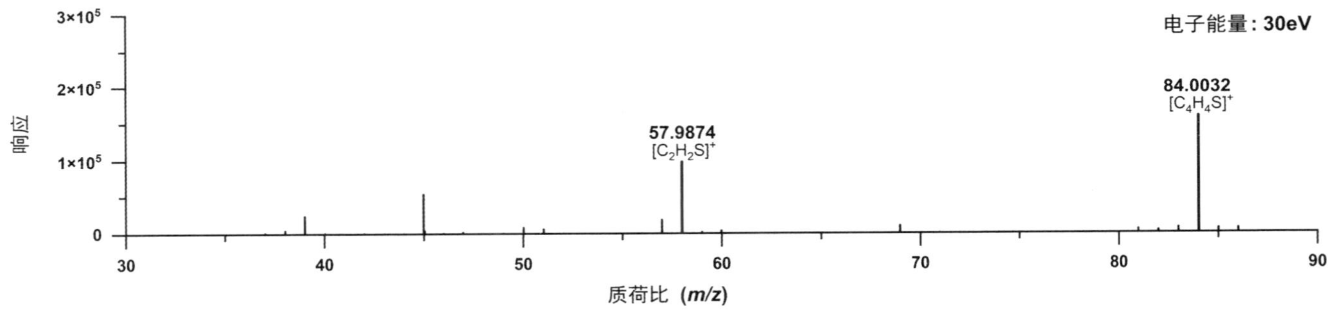

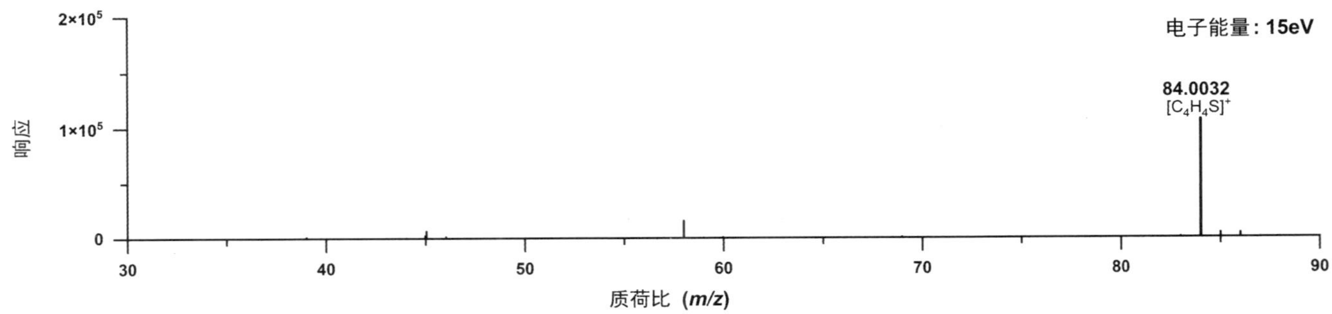

51 四氢噻吩-3-酮

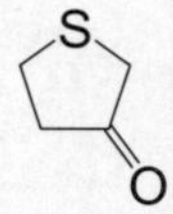

基本信息

CAS 登录号	1003-04-9	分子式	C_4H_6OS	分子量	102.0134
保留指数（极性）	1599	保留指数（非极性）	907	香气描述	硫的气味，洋葱味，香菜的气味

质谱图

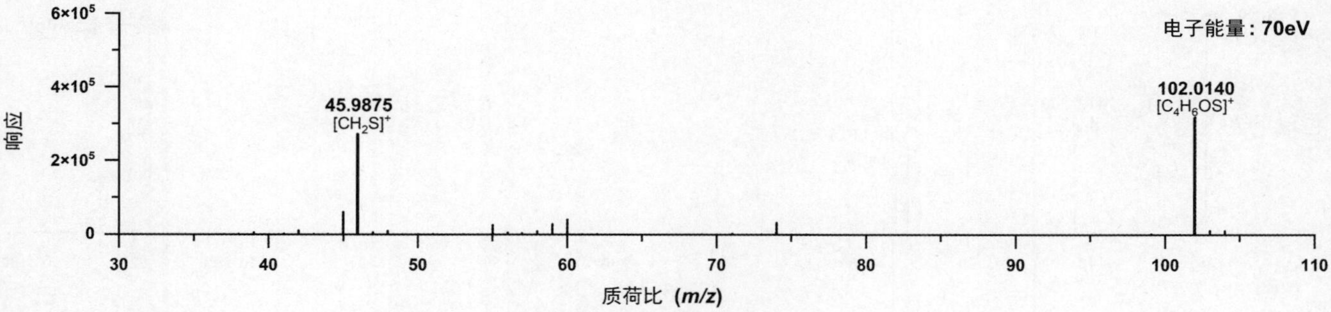

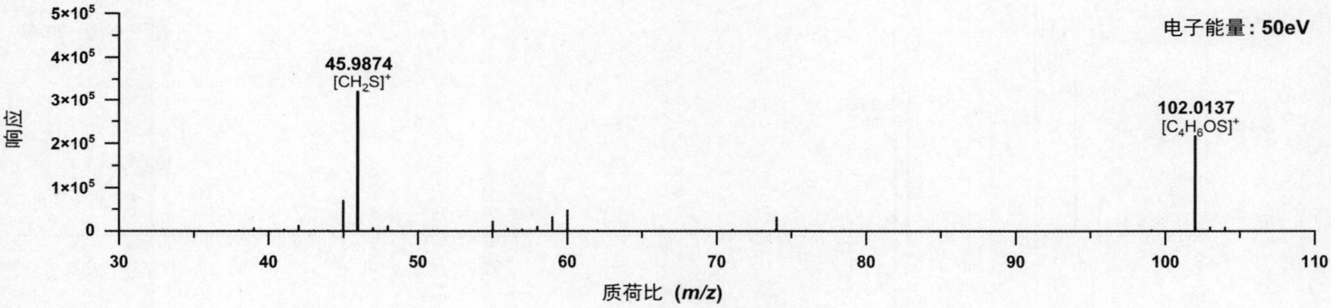

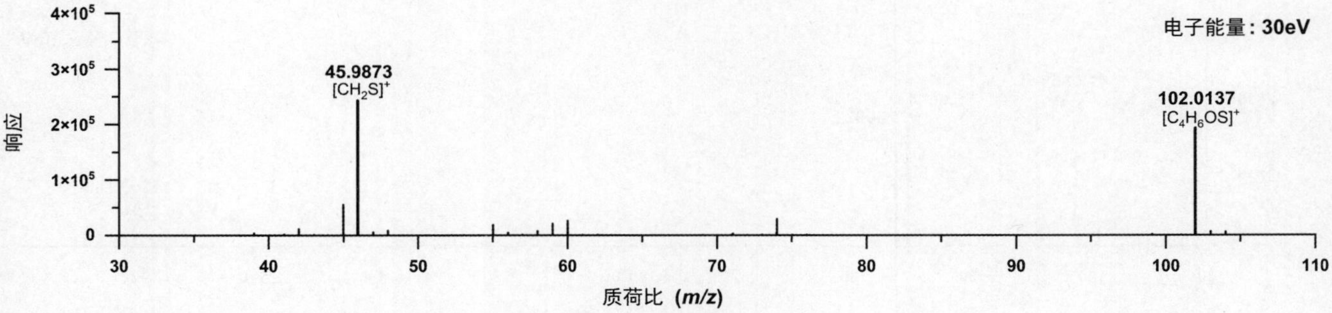

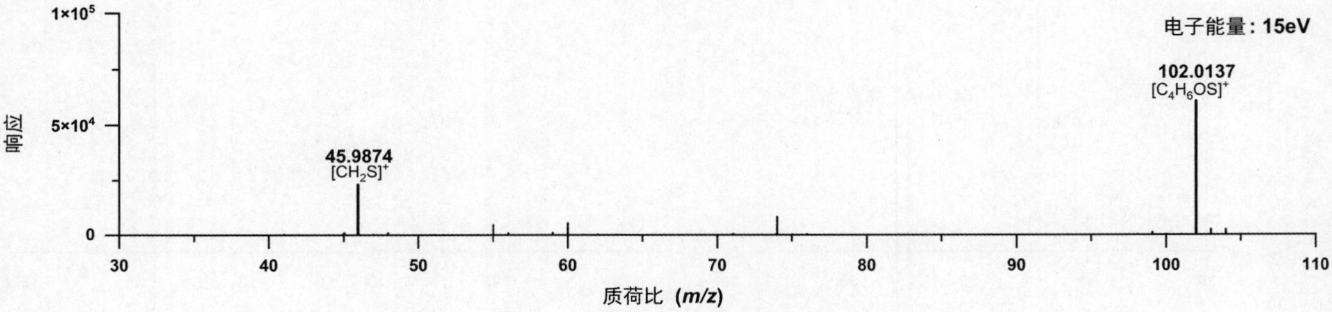

52 四氢噻吩-1,1-二氧化物

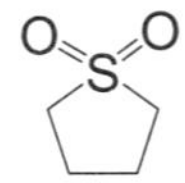

基本信息

CAS 登录号	126-33-0	分子式	$C_4H_8O_2S$	分子量	120.0240
保留指数（极性）	2306	保留指数（非极性）	1132	香气描述	硫的气味，洋葱味，香菜的气味

质谱图

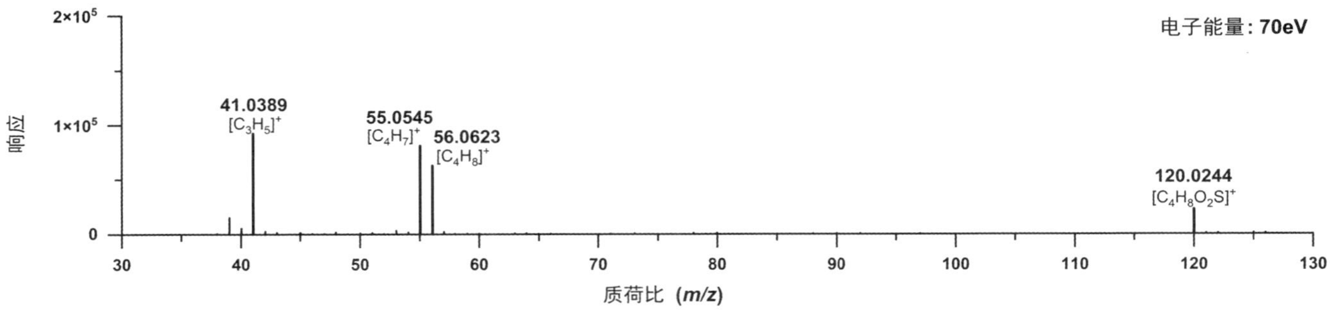

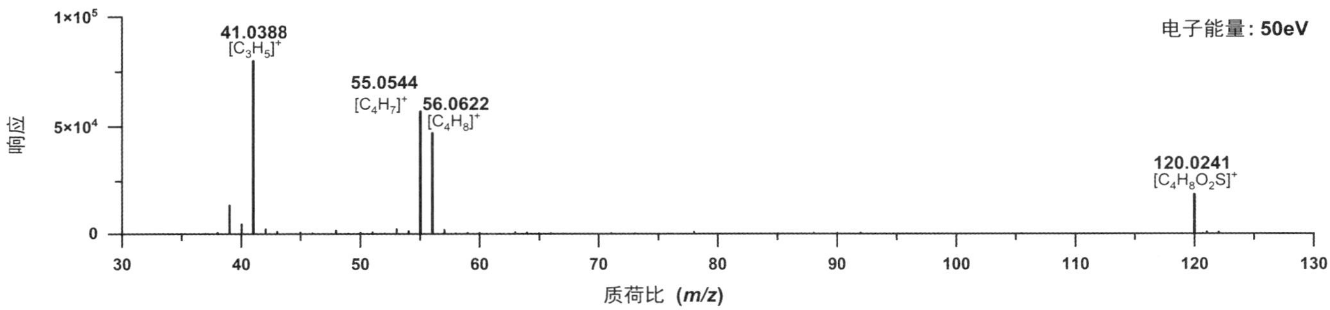

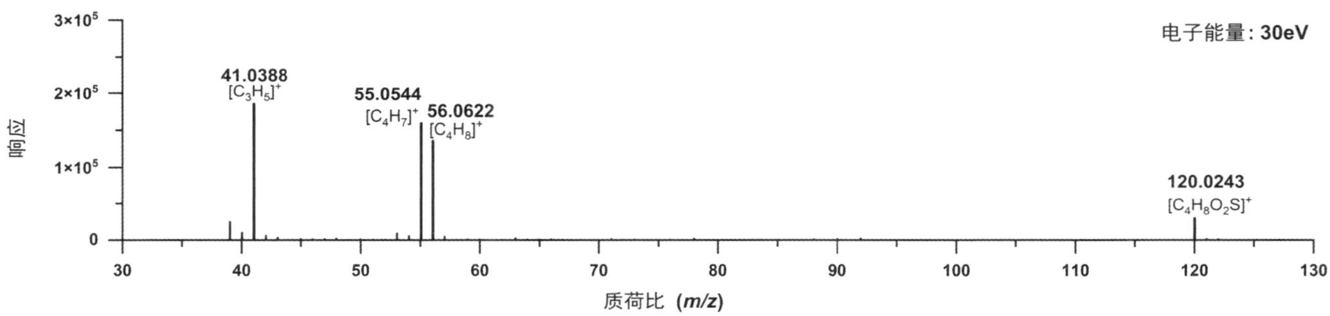

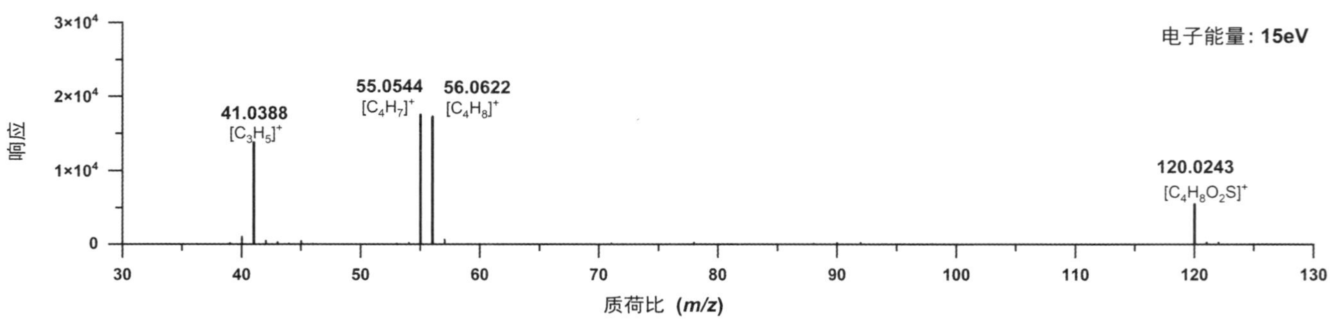

53 2-噻吩甲醛

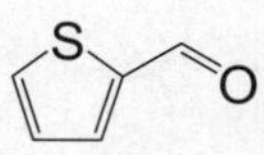

基本信息

CAS 登录号	98-03-3	分子式	C_5H_4OS	分子量	111.9977
保留指数（极性）	1636	保留指数（非极性）	961	香气描述	硫化物气味，醛味，坚果味

质谱图

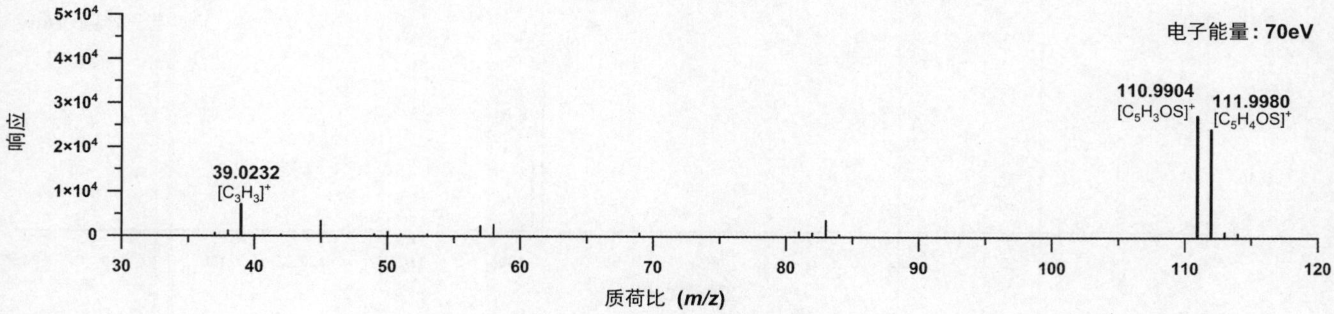

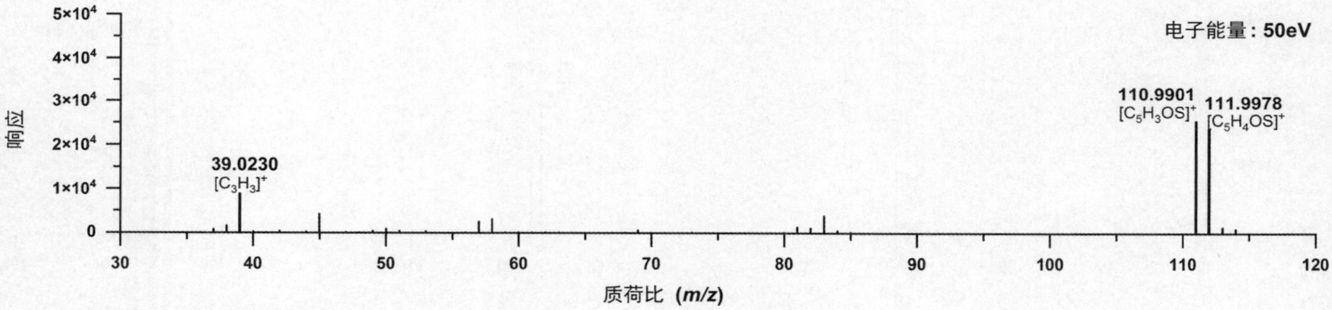

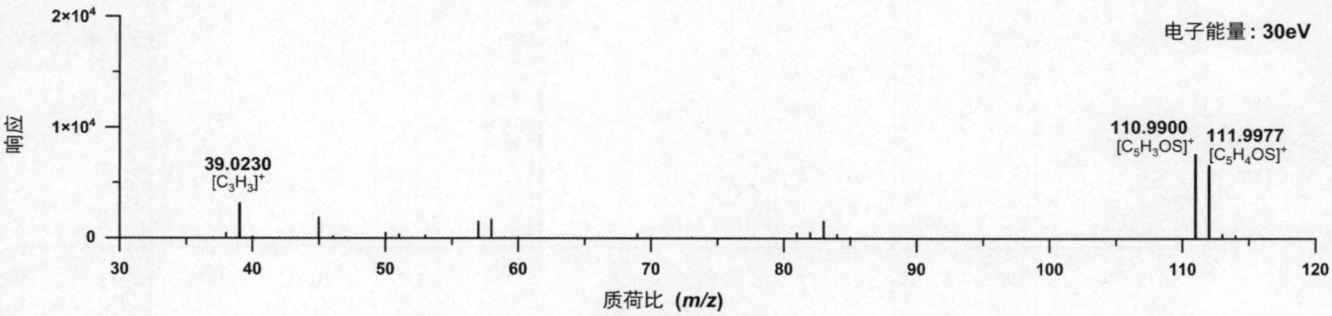

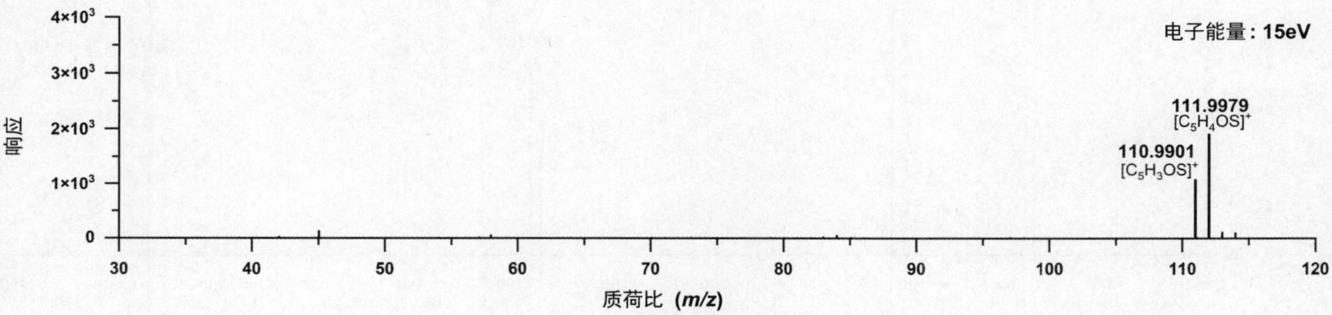

54 3-甲基噻吩

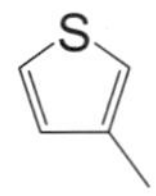

基本信息

CAS 登录号	616-44-4	分子式	C_5H_6S	分子量	98.0185
保留指数（极性）	1132	保留指数（非极性）	760	香气描述	硫的气味，烘烤味，坚果味

质谱图

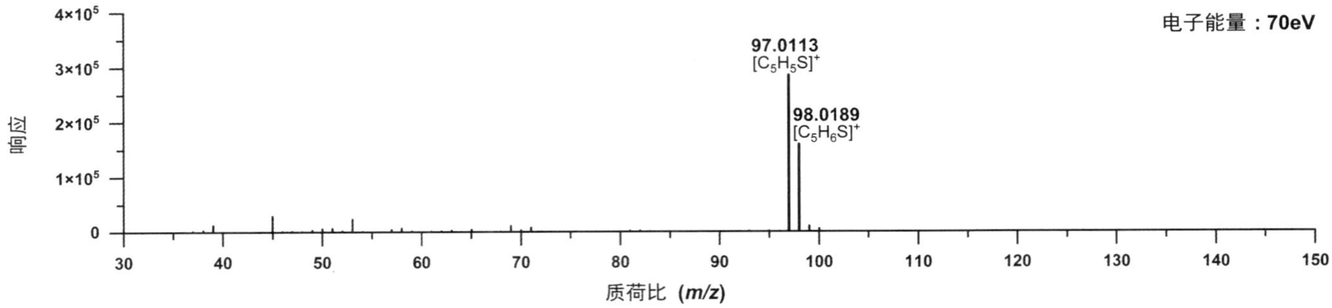

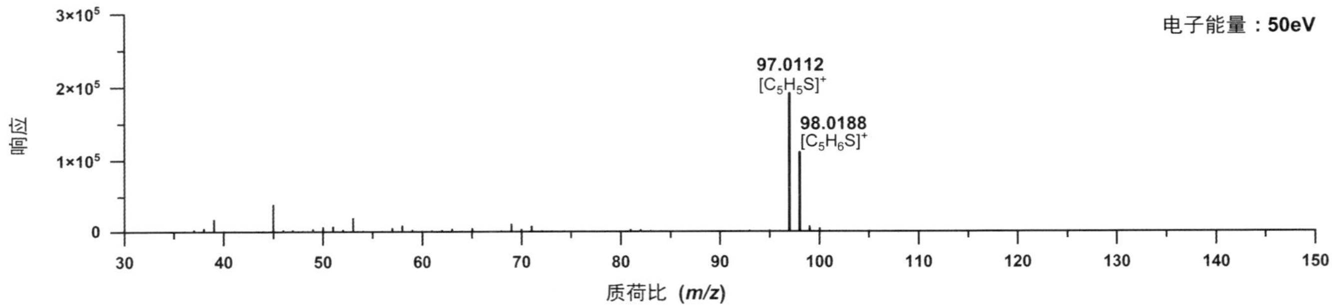

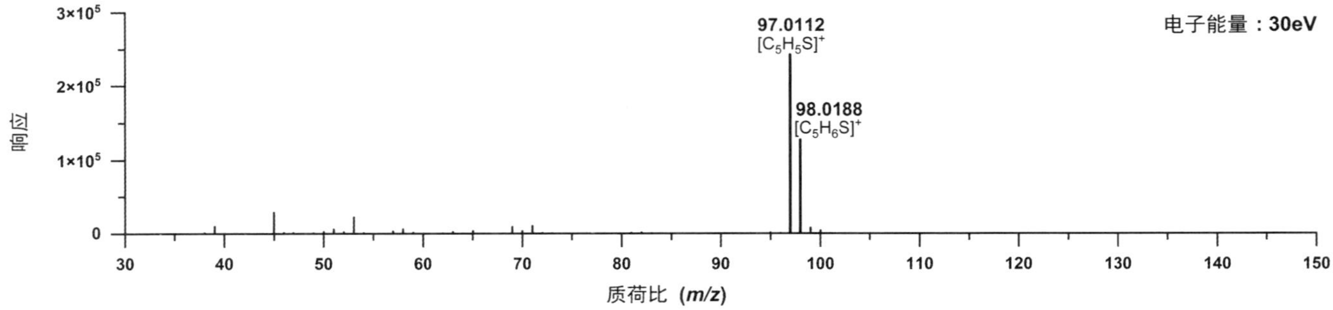

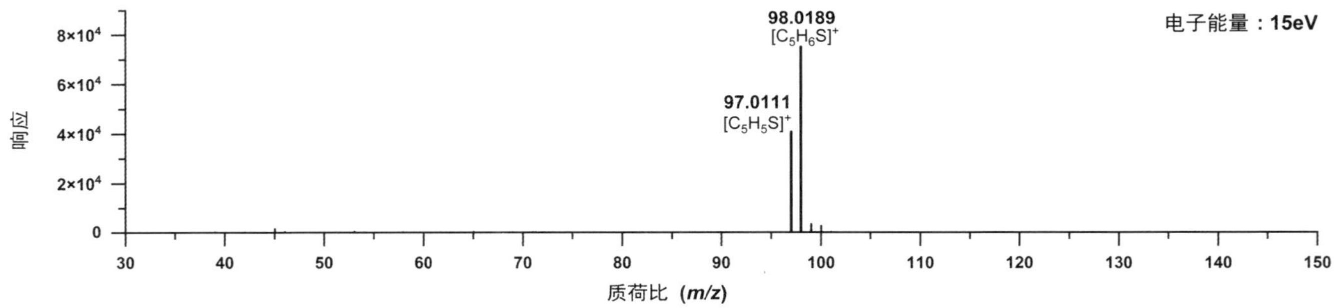

55 3-乙酰基噻吩

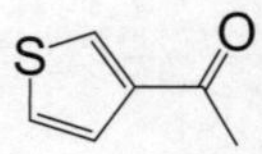

基本信息

CAS 登录号	1468-83-3	分子式	C_6H_6OS	分子量	126.0134
保留指数（极性）	1808	保留指数（非极性）	1044	香气描述	硫的气味，醛味，坚果味

质谱图

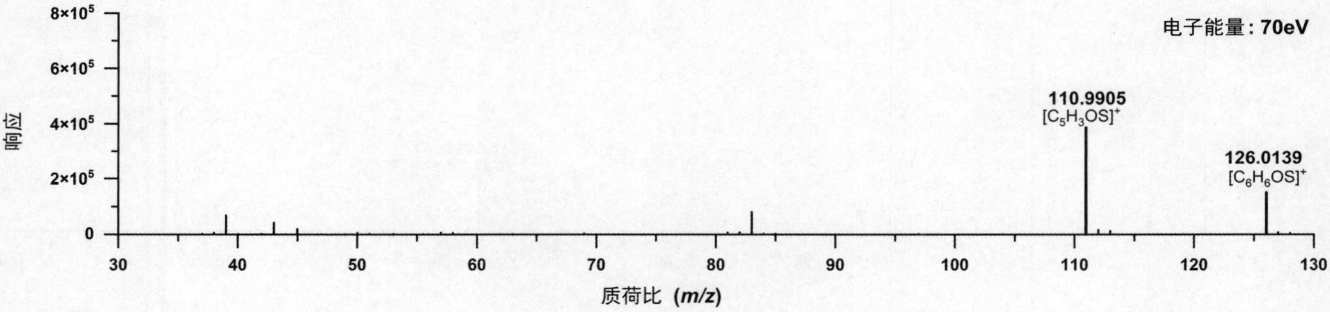

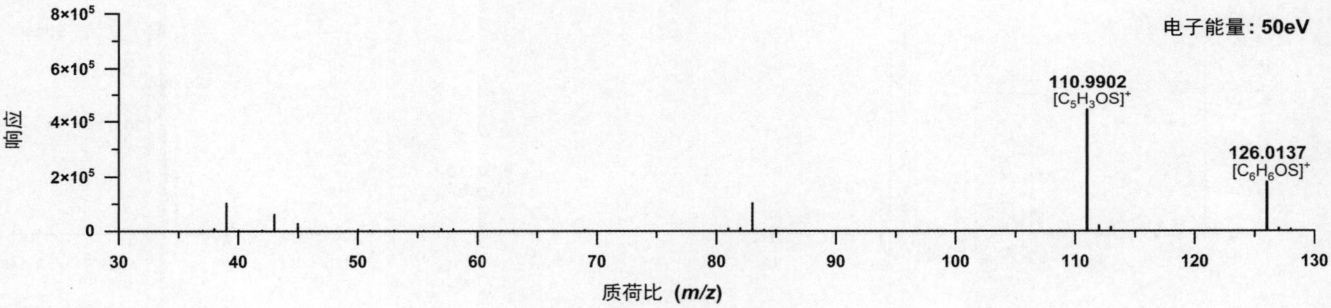

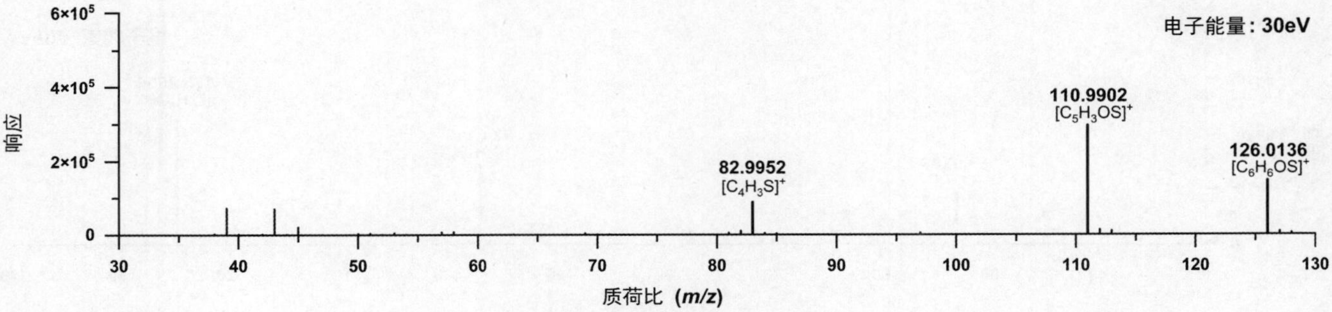

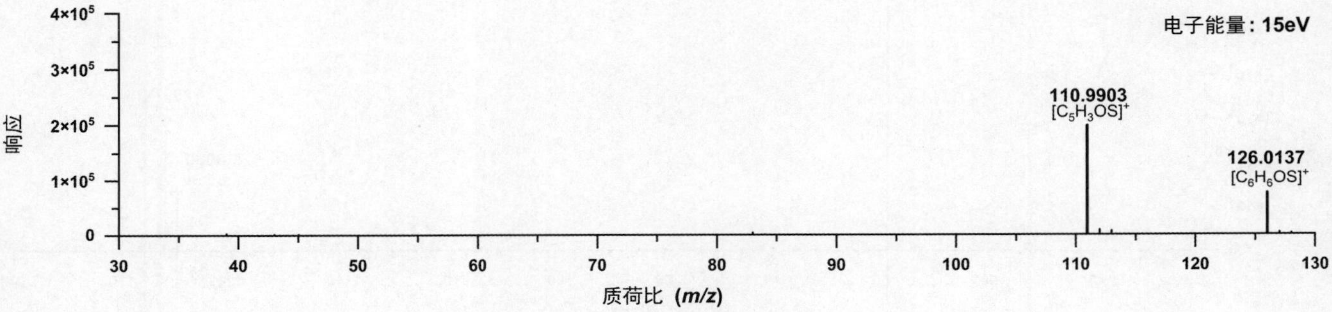

56 3-甲基噻吩-2-甲醛

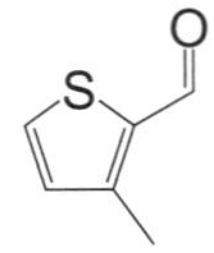

基本信息

CAS 登录号	5834-16-2	分子式	C_6H_6OS	分子量	126.0134
保留指数（极性）	1852	保留指数（非极性）	1083	香气描述	硫化物气味，醛味，坚果味

质谱图

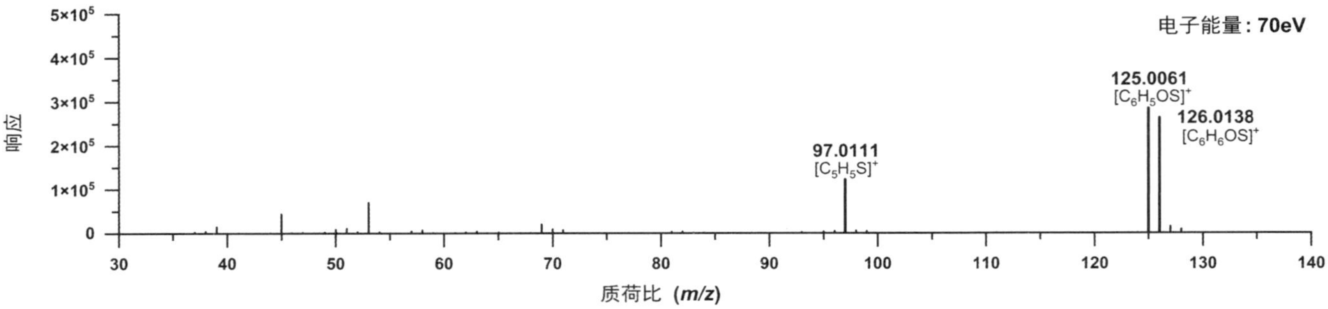

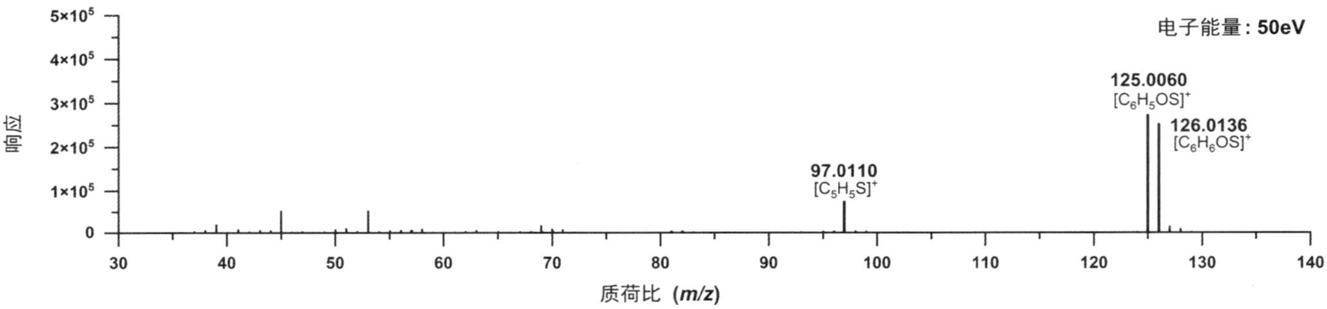

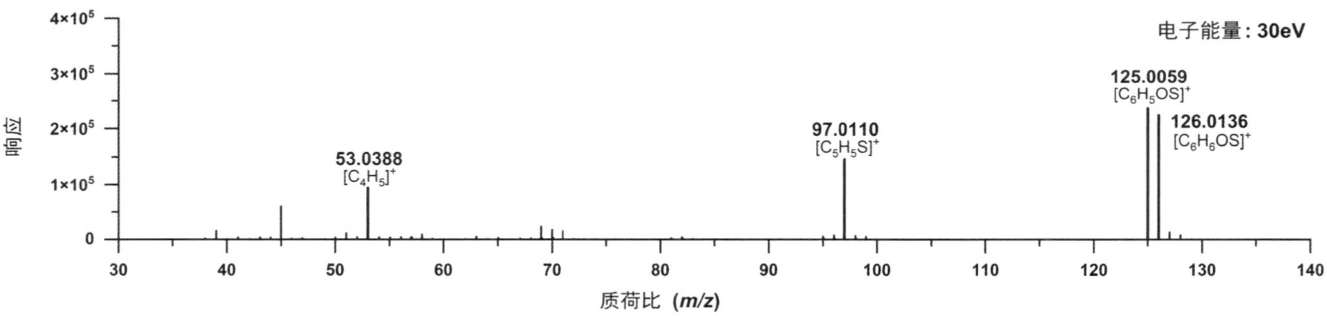

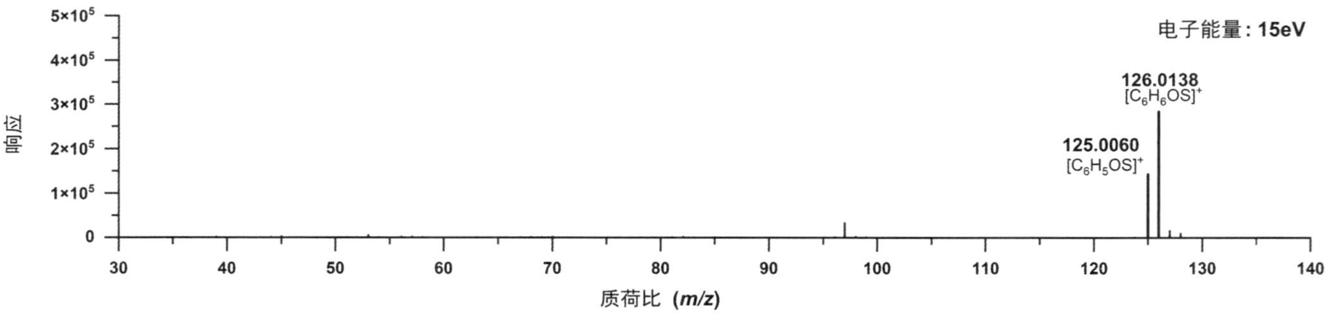

57

2-噻吩乙醇

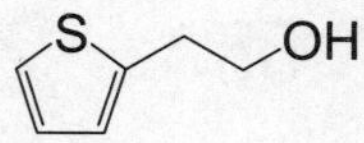

基本信息

CAS 登录号	5402-55-1	分子式	C_6H_8OS	分子量	128.0290
保留指数（极性）	2001	保留指数（非极性）	1080	香气描述	硫的气味，烘烤味，坚果味

质谱图

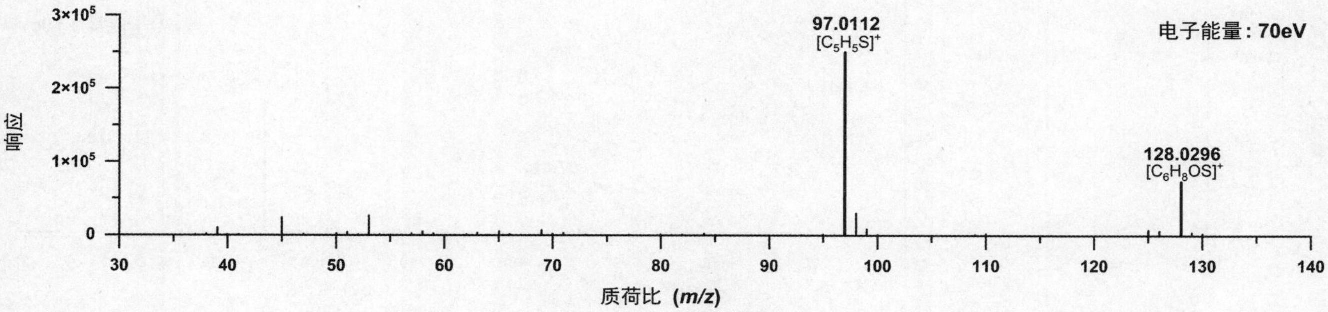

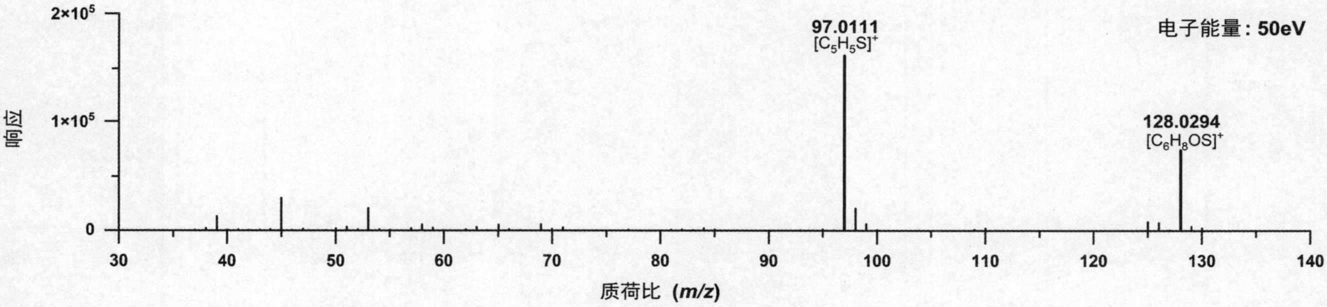

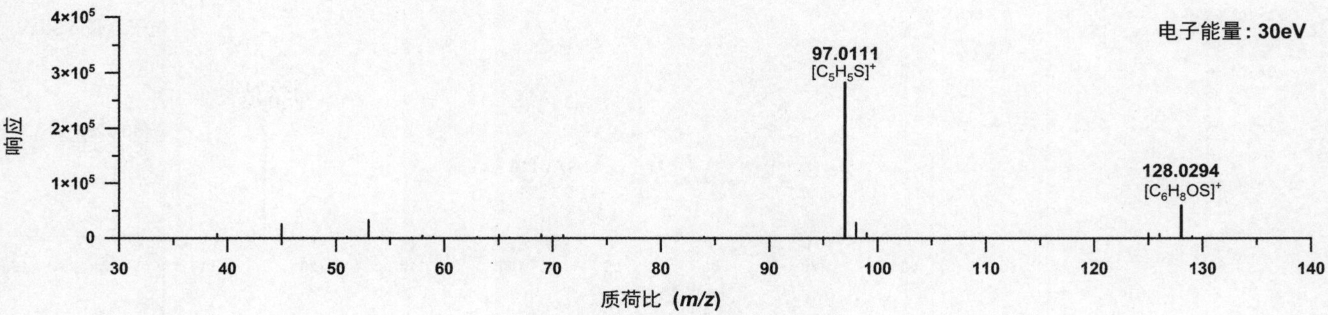

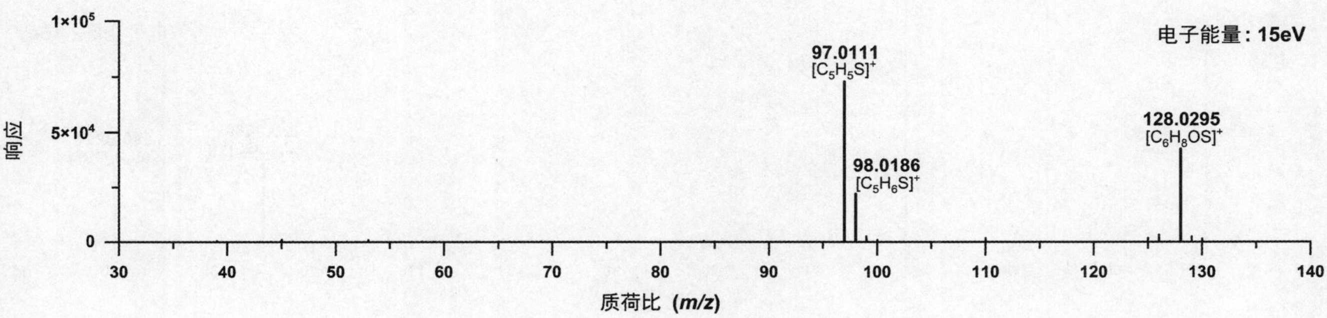

58 2-乙酰基-3-甲基噻吩

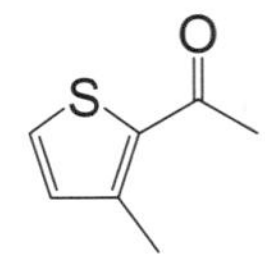

基本信息

CAS 登录号	13679-72-6	分子式	C_7H_8OS	分子量	140.0290
保留指数（极性）	1806	保留指数（非极性）	1123	香气描述	硫的气味，烘烤味，坚果味

质谱图

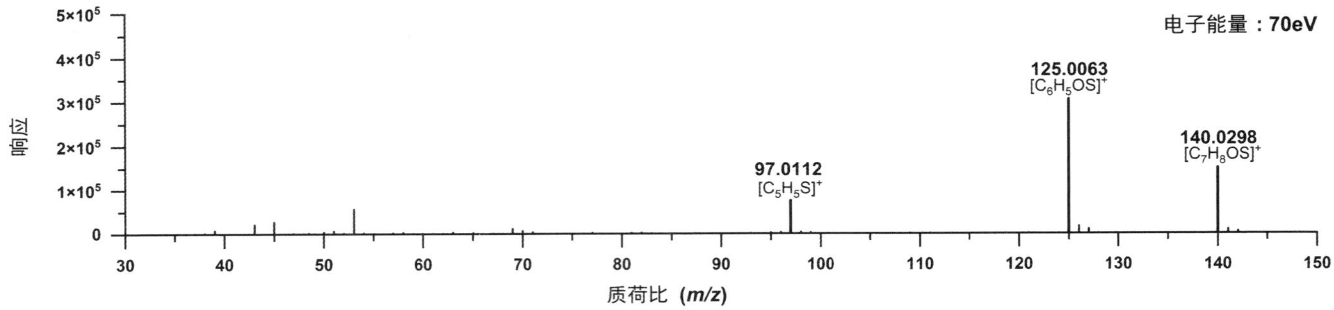

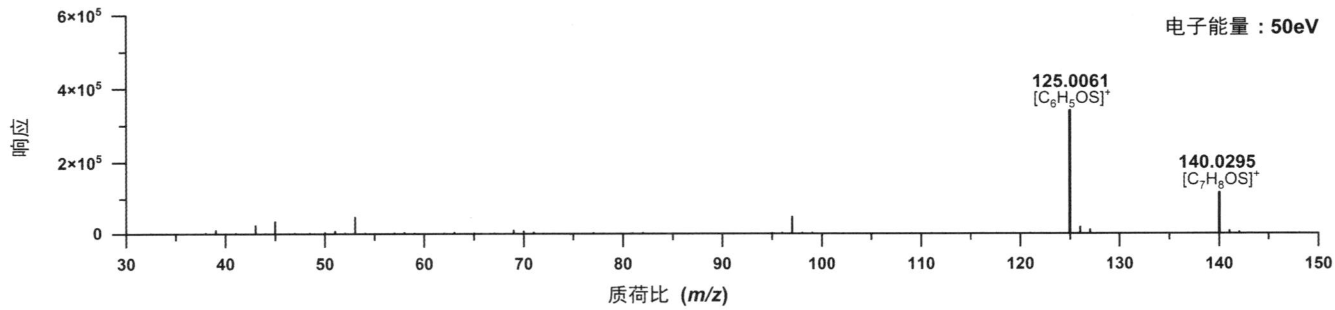

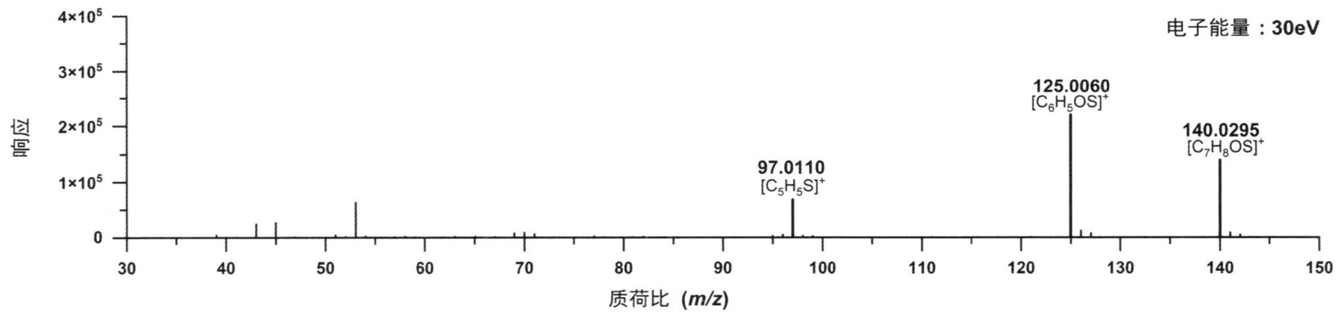

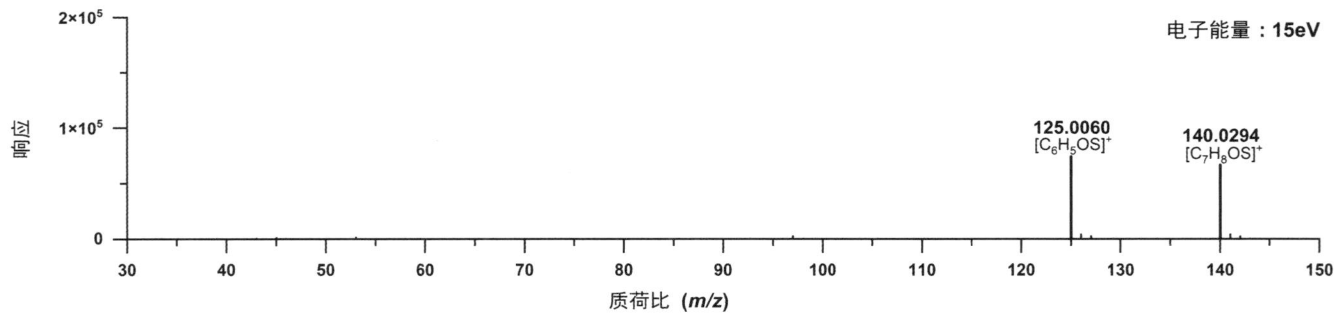

59 2-戊基噻吩

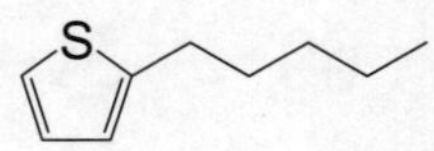

基本信息

CAS 登录号	4861-58-9	分子式	$C_9H_{14}S$	分子量	154.0811
保留指数（极性）	1482	保留指数（非极性）	1147	香气描述	硫的气味，烘烤味，坚果味

质谱图

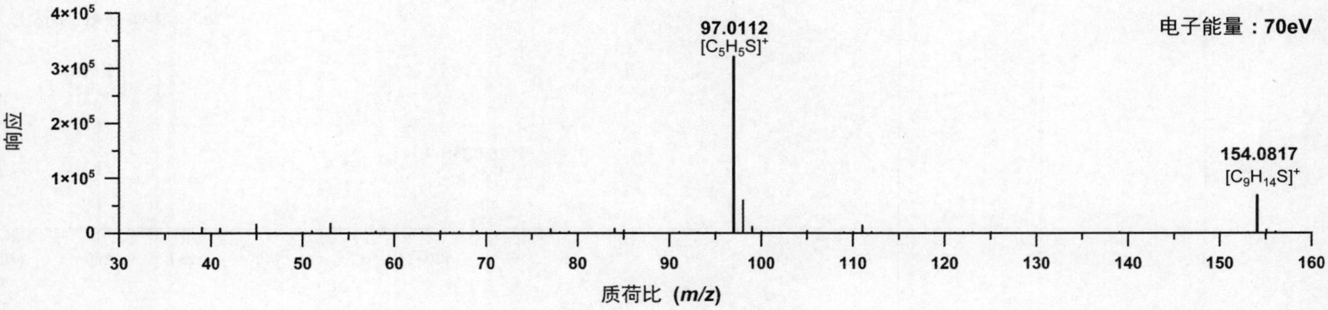

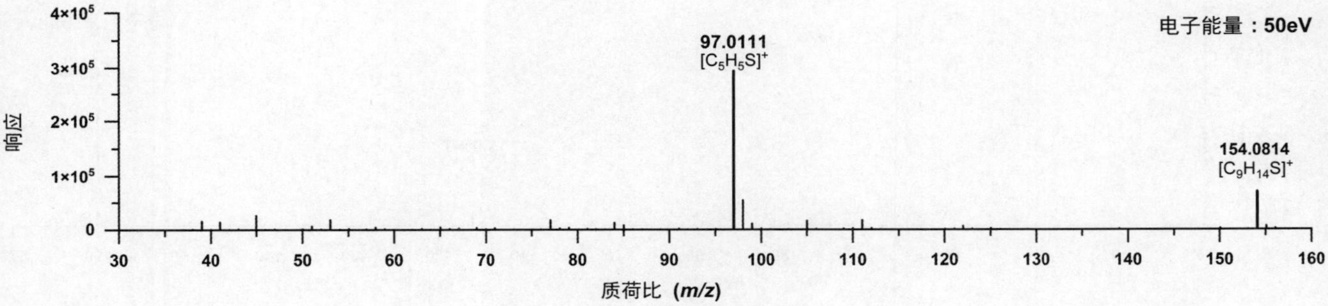

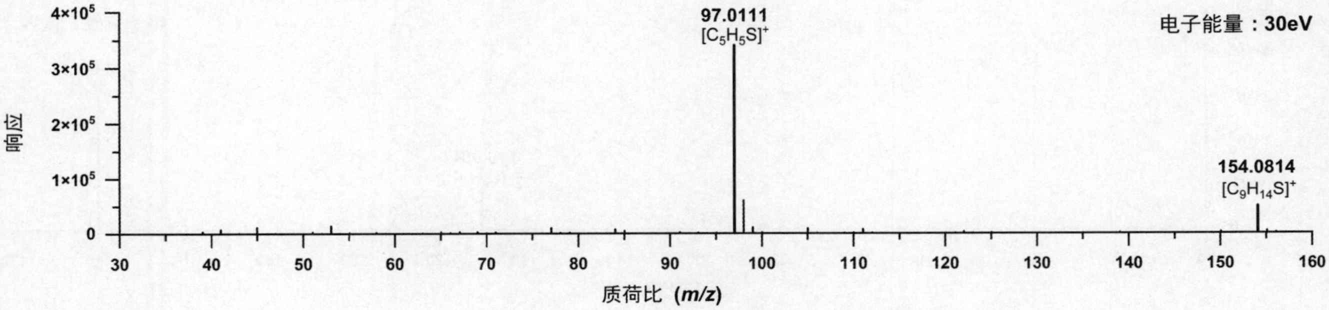

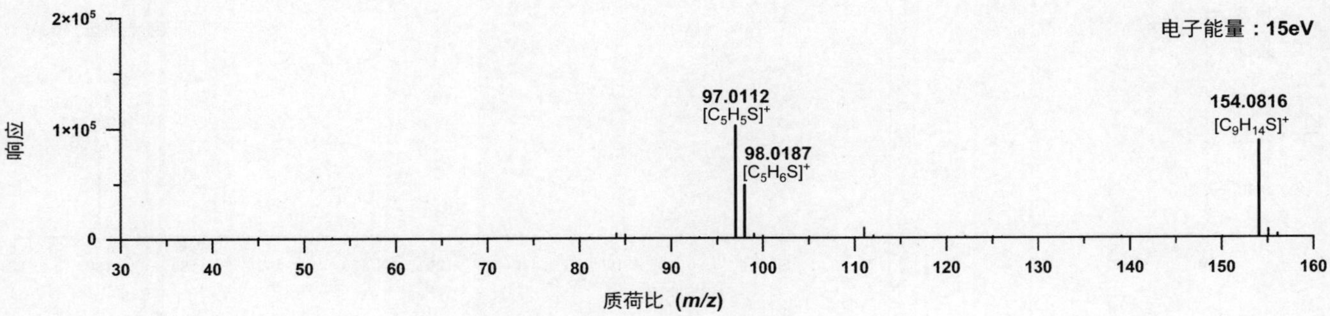

3-苯基噻吩

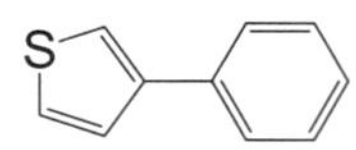

基本信息

CAS 登录号	2404-87-7	分子式	$C_{10}H_8S$	分子量	160.0341
保留指数（极性）	2188	保留指数（非极性）	1385	香气描述	硫的气味，酚味，甜香

质谱图

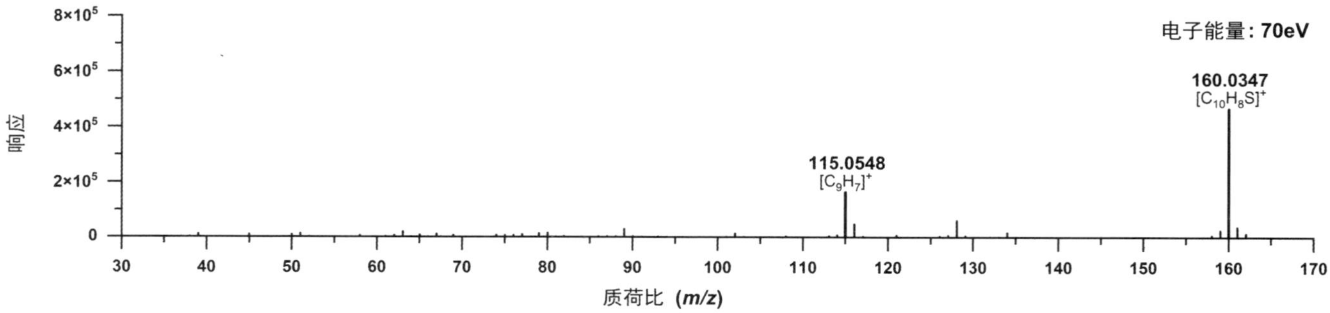

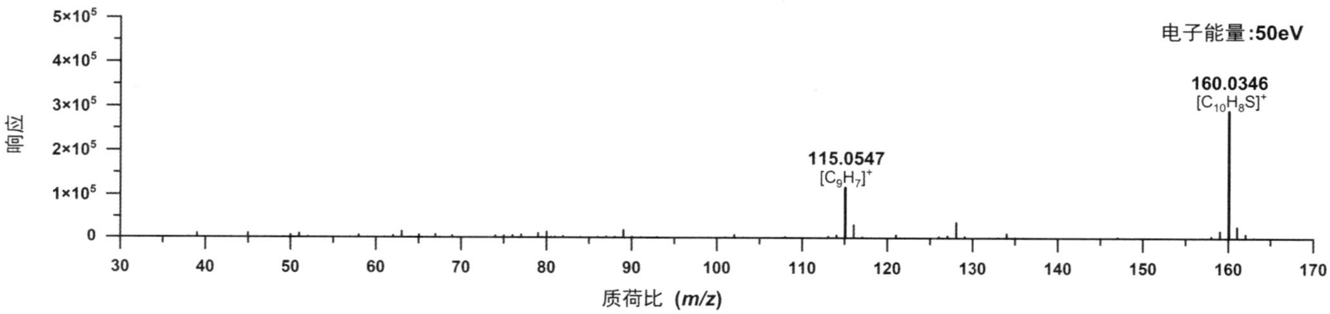

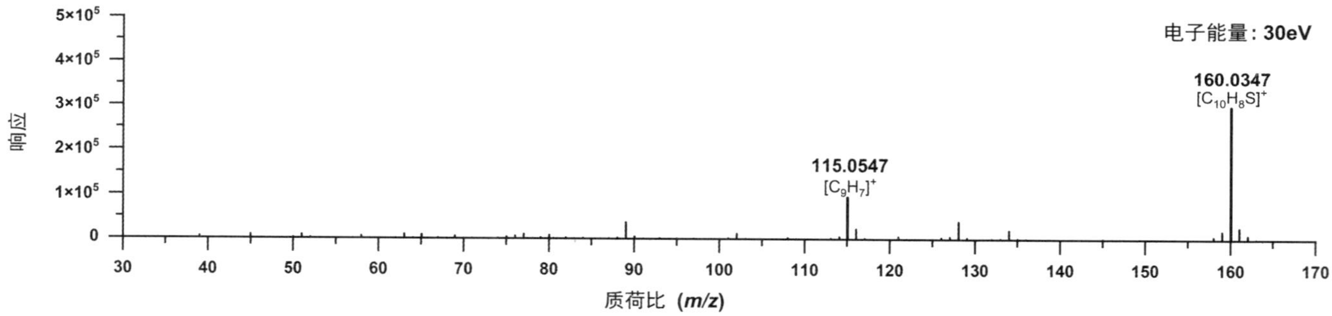

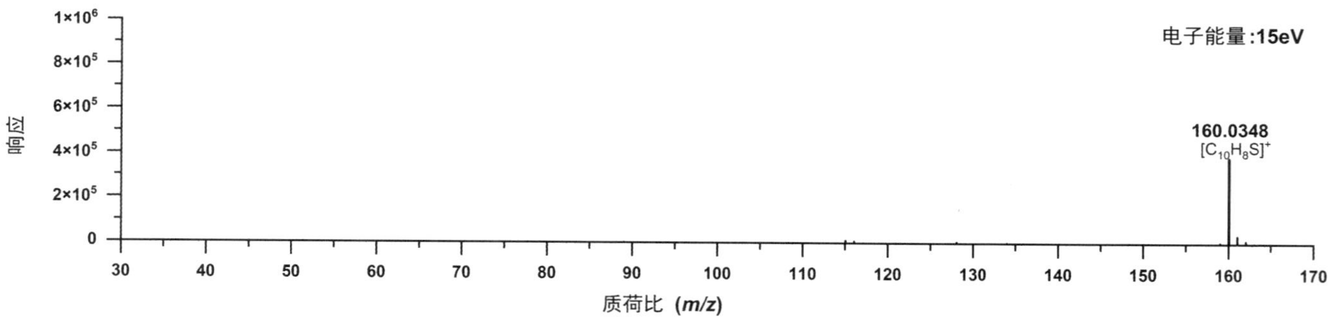

61 4-甲基二苯并噻吩

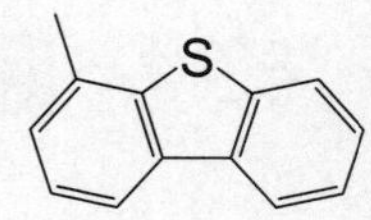

基本信息

CAS 登录号	7372-88-5	分子式	$C_{13}H_{10}S$	分子量	198.0498
保留指数（极性）	>2400	保留指数（非极性）	1832	香气描述	硫的气味，酚味，甜香

质谱图

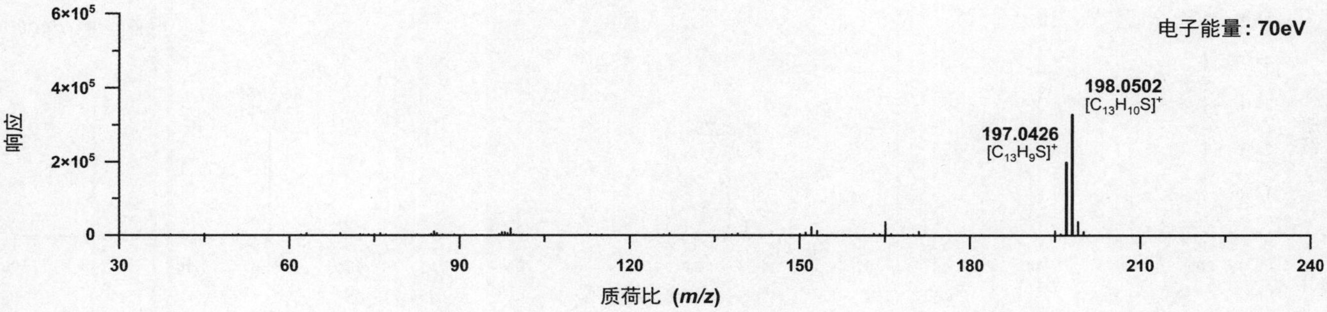

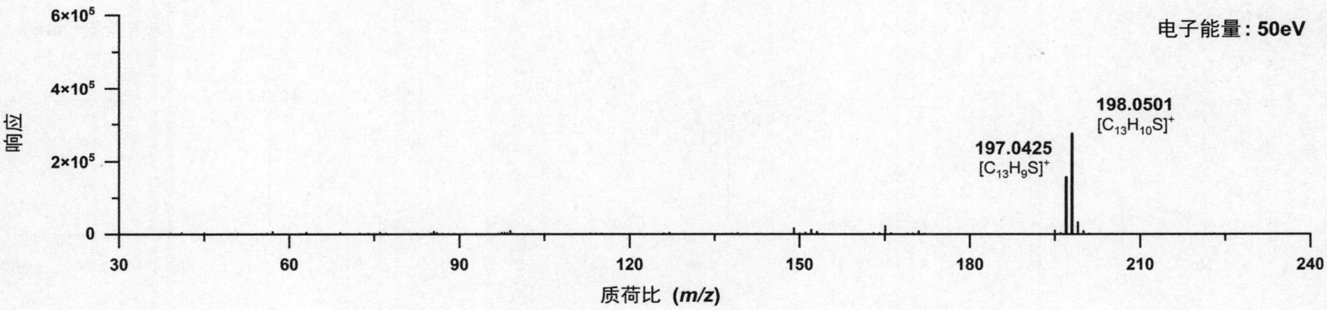

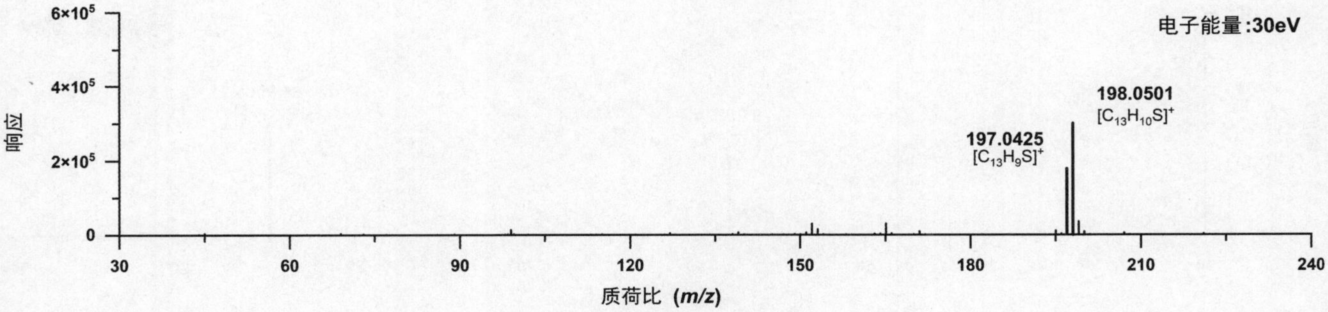

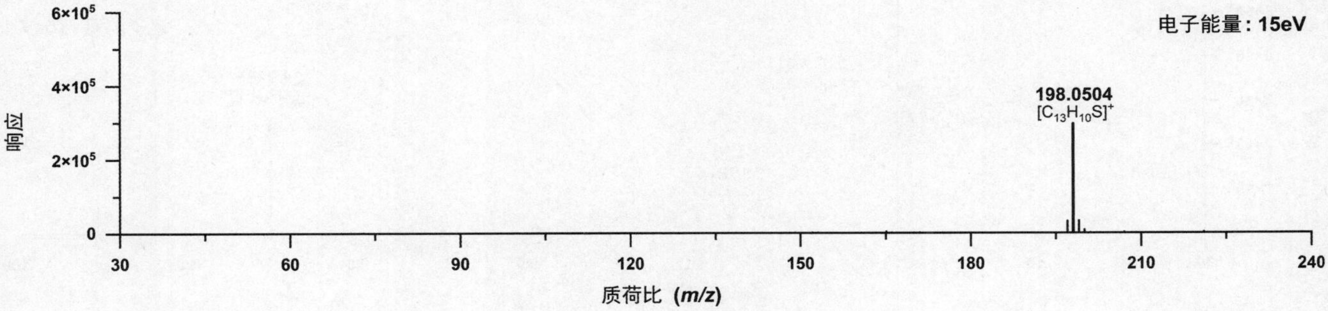

62 噻唑

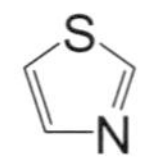

基本信息

CAS 登录号	288-47-1	分子式	C_3H_3NS	分子量	84.9981
保留指数（极性）	1266	保留指数（非极性）	714	香气描述	硫化物气味，烘烤味，坚果味

质谱图

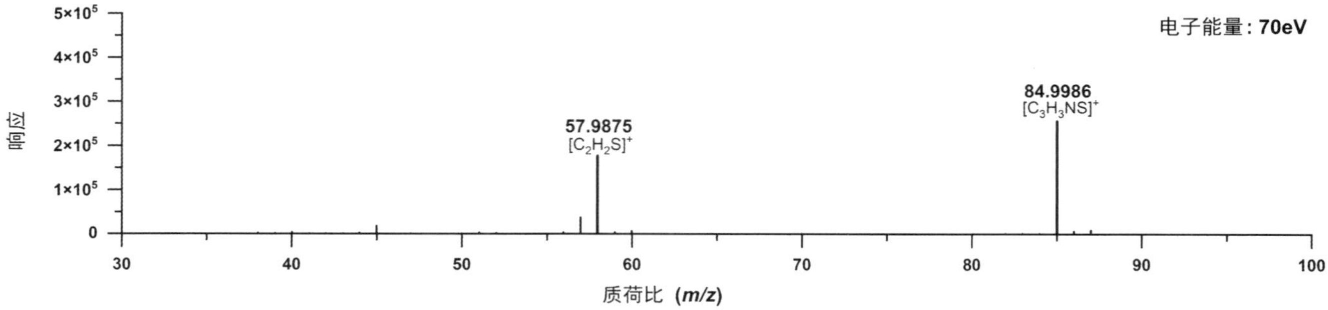

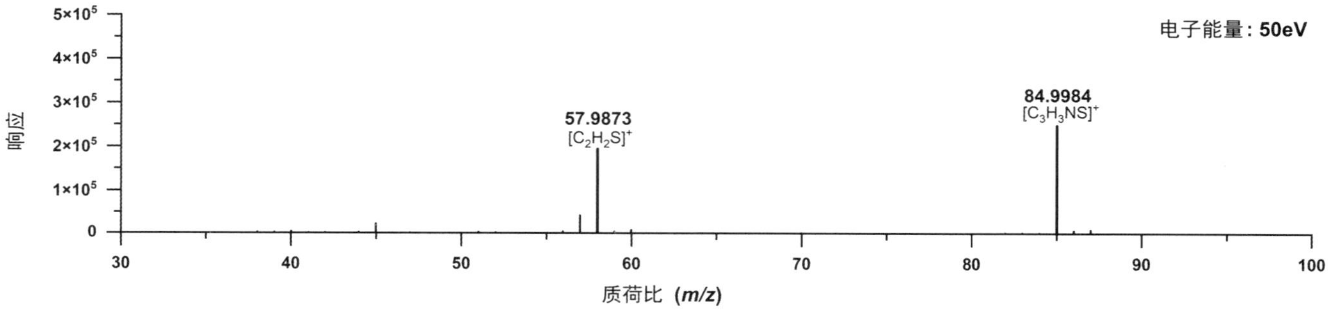

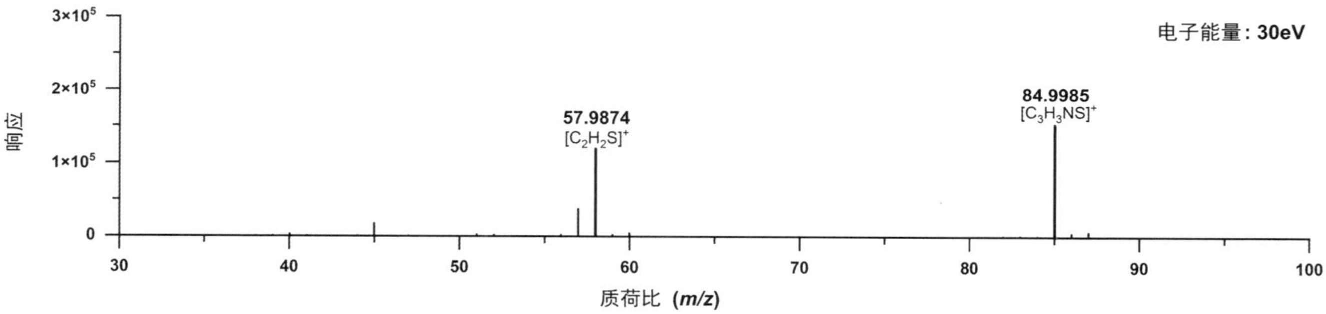

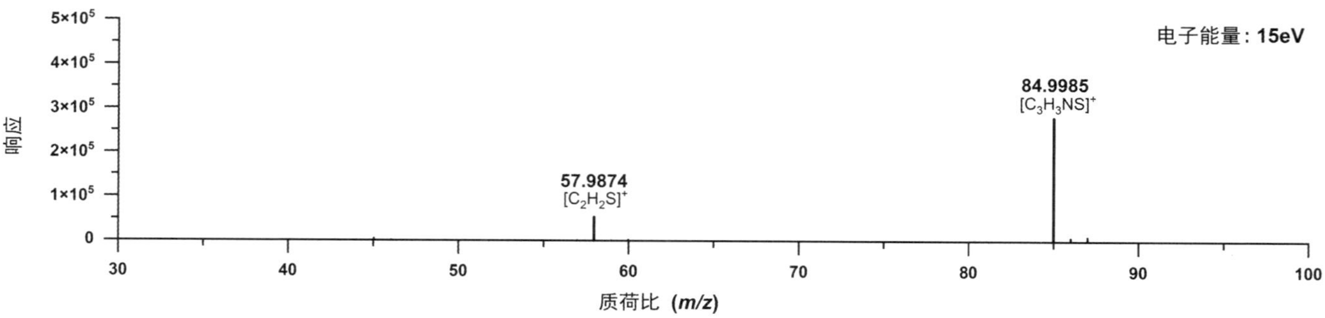

63 2-甲基噻唑

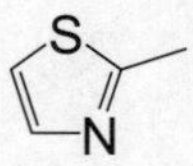

基本信息

CAS 登录号	3581-87-1	分子式	C_4H_5NS	分子量	99.0137
保留指数（极性）	1257	保留指数（非极性）	785	香气描述	硫的气味，烘烤味，坚果味

质谱图

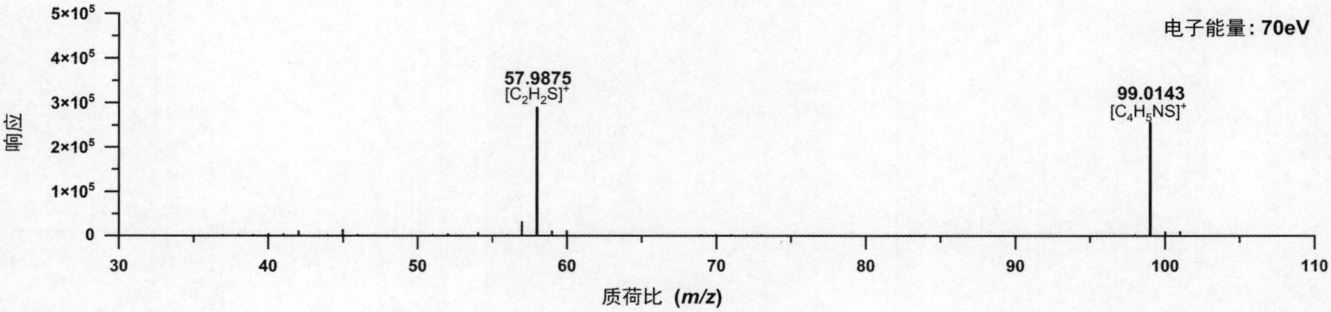

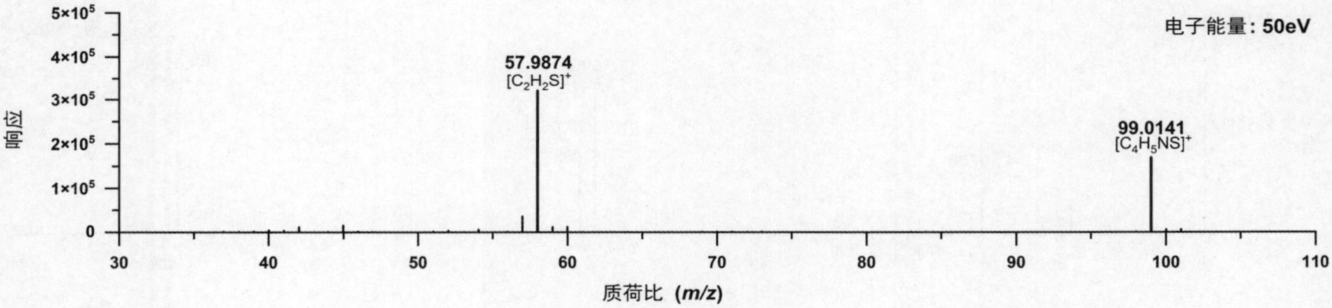

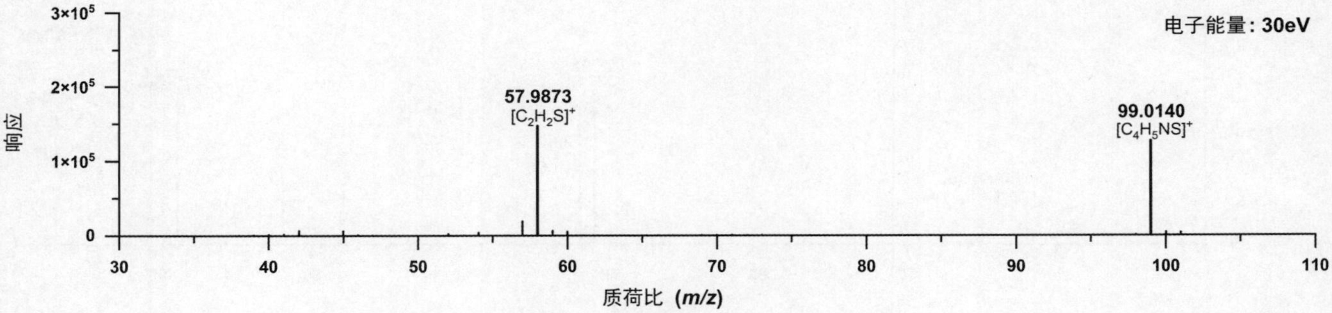

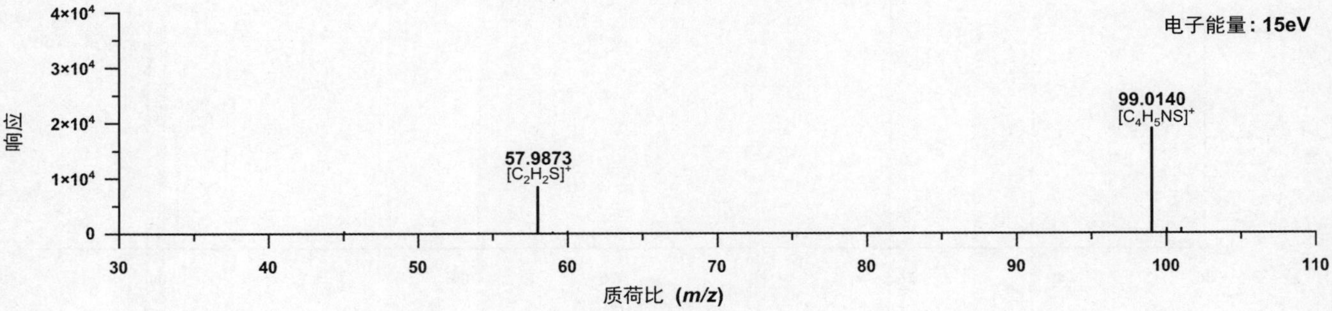

64 4-甲基噻唑

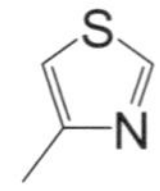

基本信息

CAS 登录号	693-95-8	分子式	C_4H_5NS	分子量	99.0137
保留指数（极性）	1298	保留指数（非极性）	792	香气描述	硫的气味，烘烤味，坚果味

质谱图

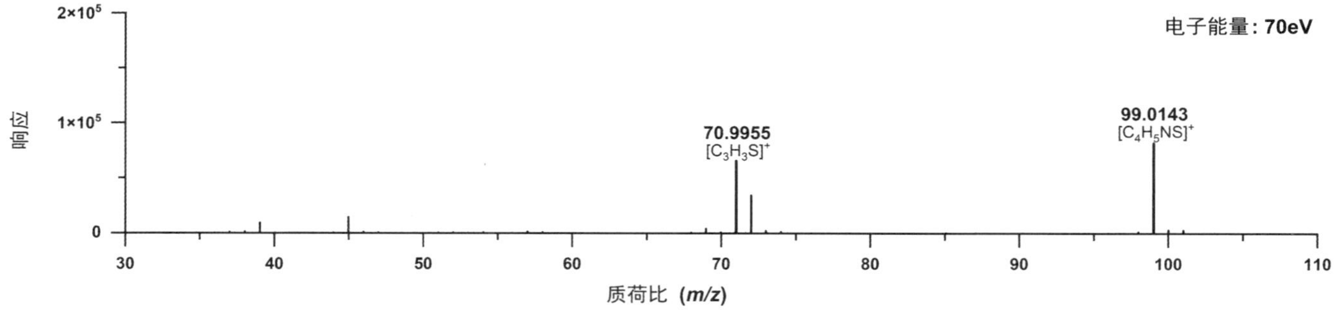

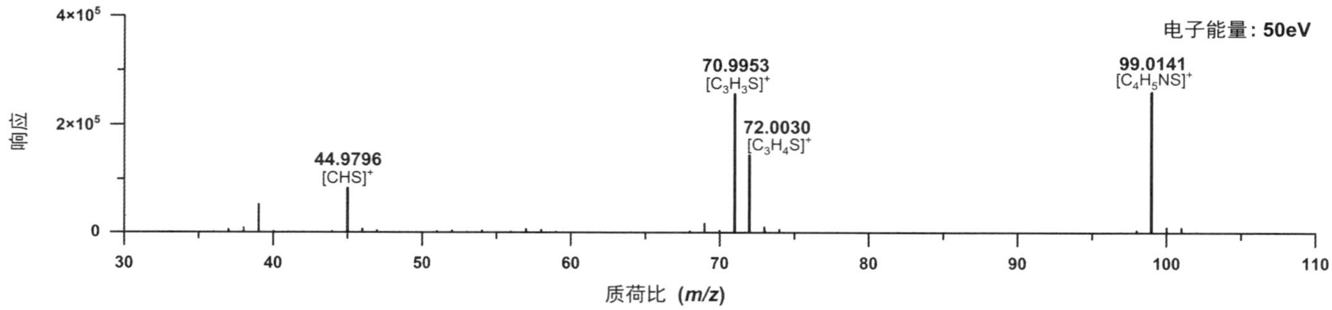

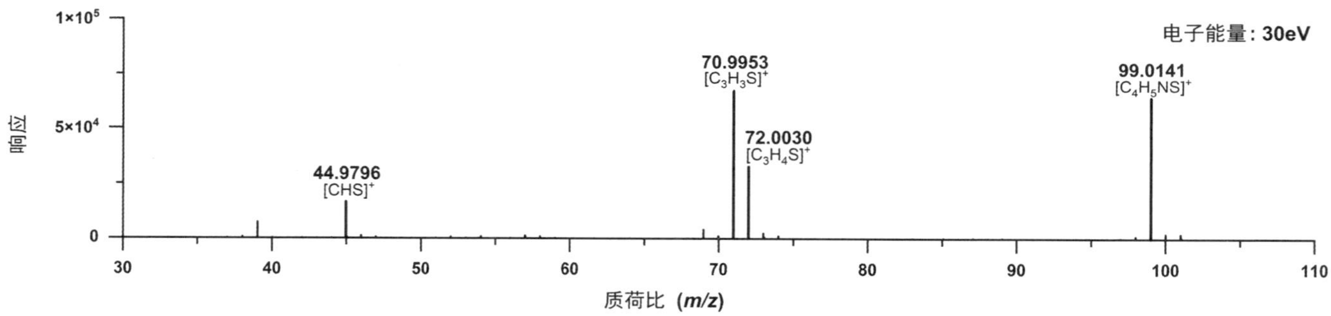

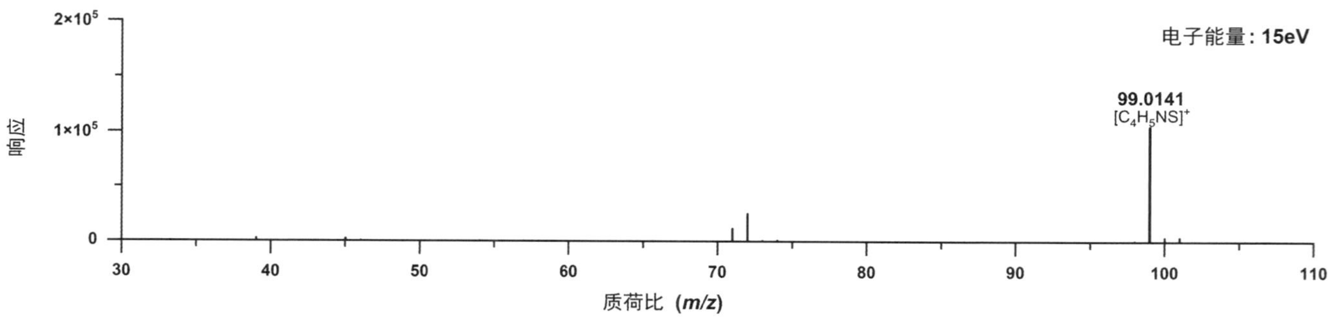

65

苯并噻唑

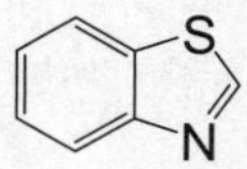

基本信息

CAS 登录号	95-16-9	分子式	C_7H_5NS	分子量	135.0137
保留指数（极性）	2014	保留指数（非极性）	1192	香气描述	硫化物气味，酚味，甜香

质谱图

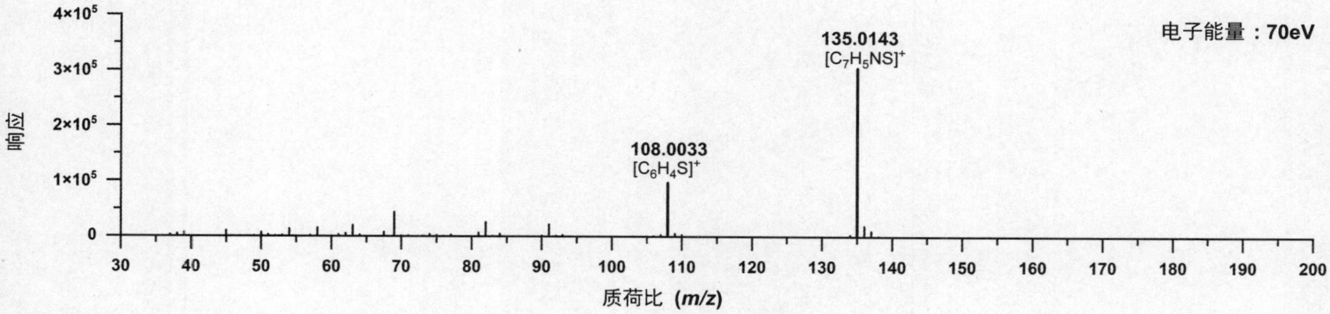

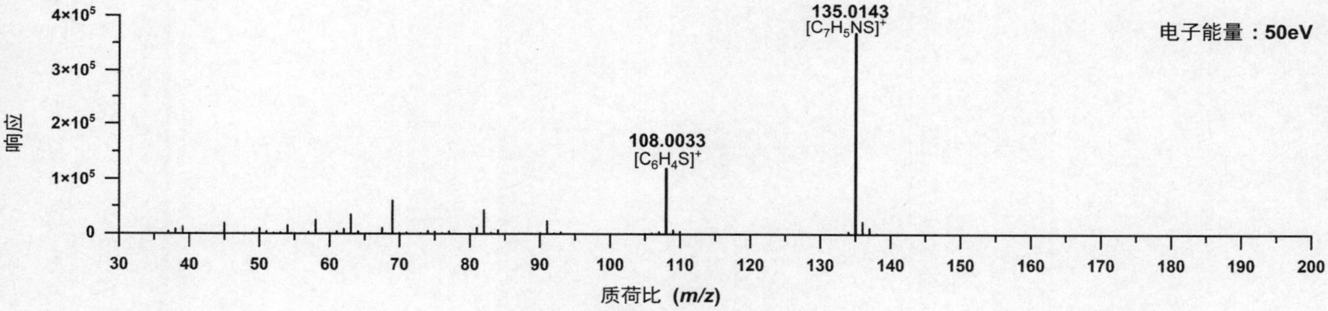

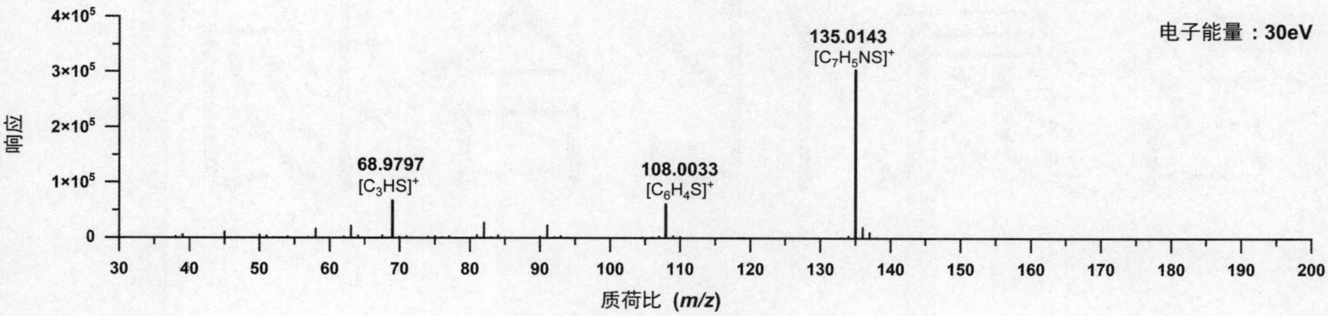

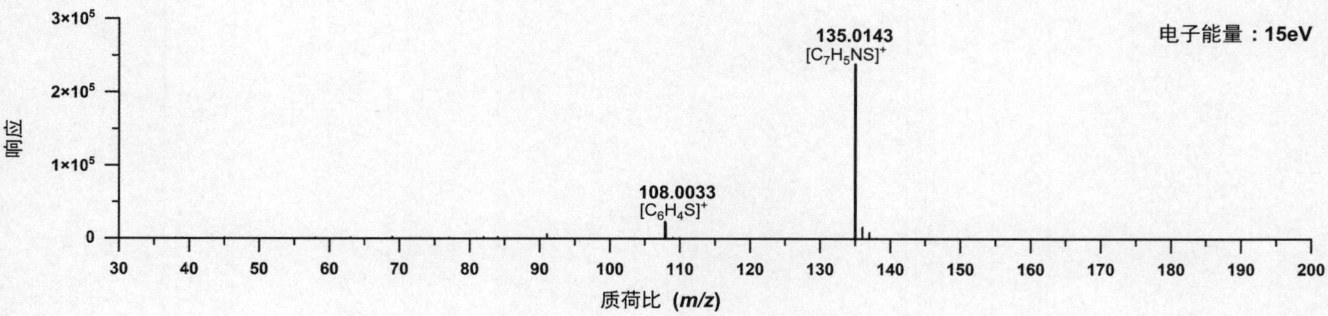

含氮化合物

1 吡嗪

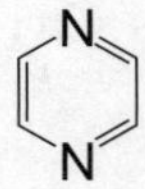

基本信息

CAS 登录号	290-37-9	分子式	$C_4H_4N_2$	分子量	80.0369
保留指数（极性）	1227	保留指数（非极性）	710	香气描述	烘烤味，坚果味，泥土味

质谱图

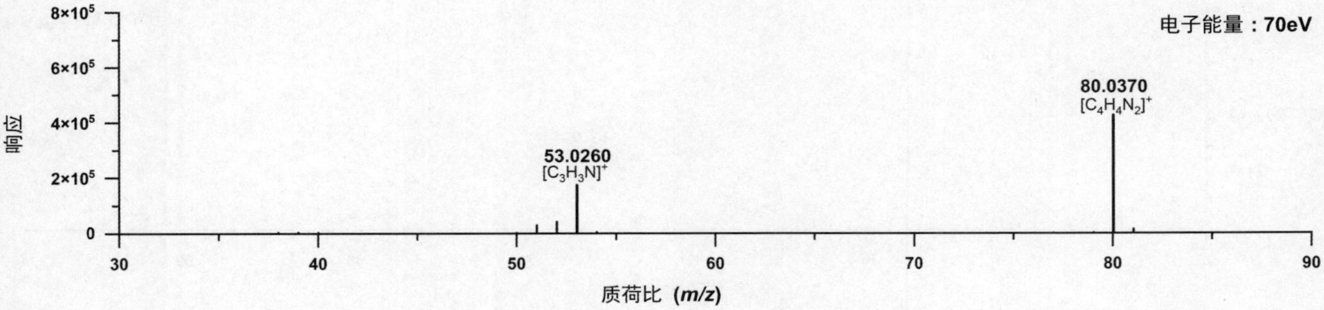

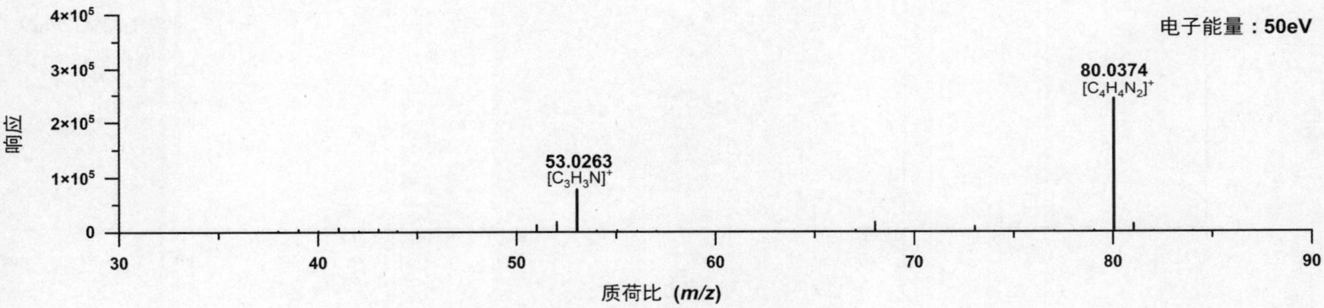

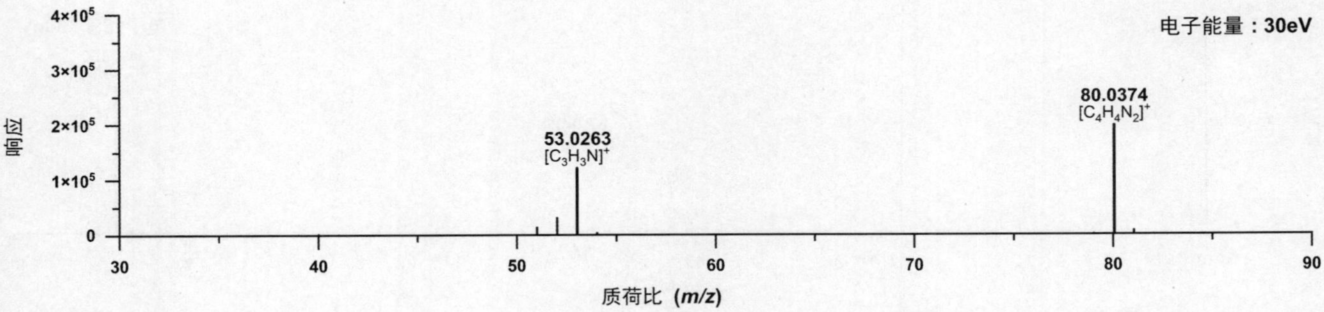

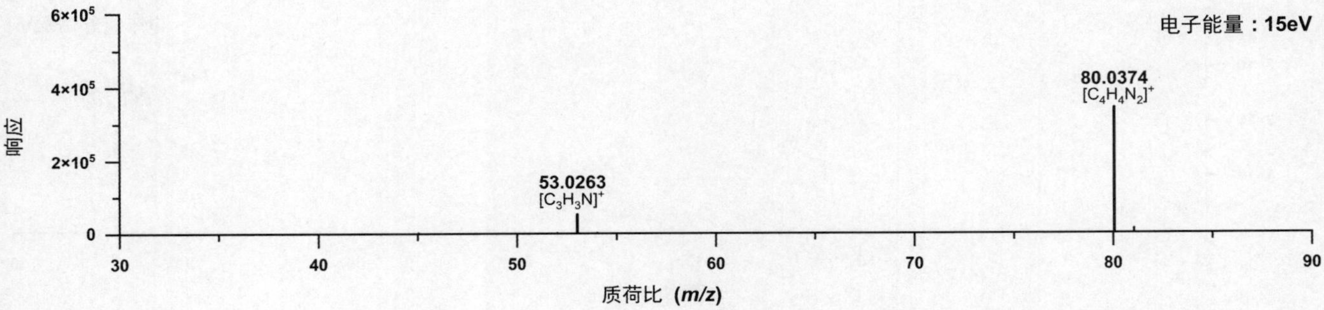

2 2-甲基吡嗪

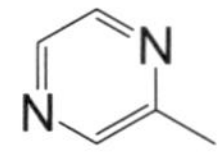

基本信息

CAS 登录号	109-08-0	分子式	$C_5H_6N_2$	分子量	94.0525
保留指数（极性）	1285	保留指数（非极性）	801	香气描述	烘烤味，坚果味，可可味

质谱图

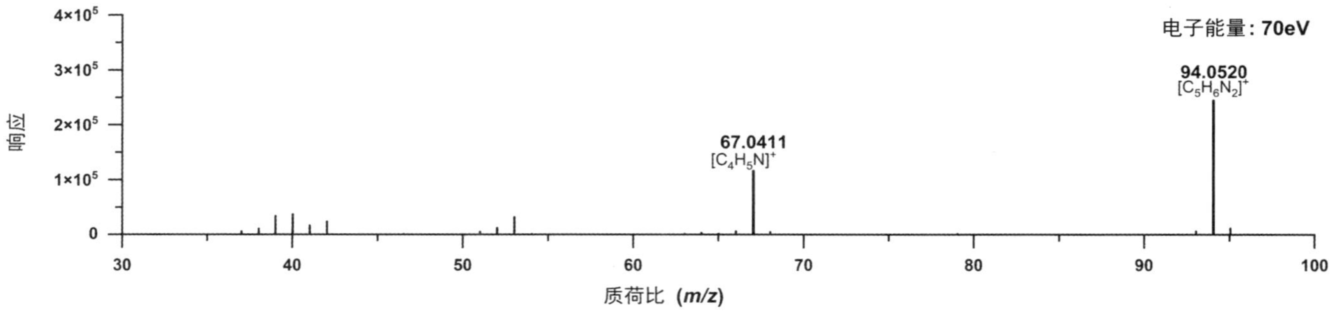

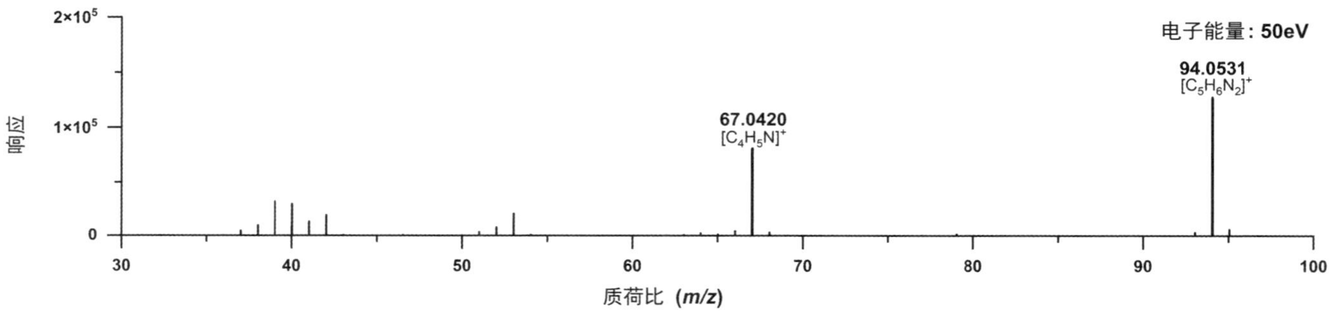

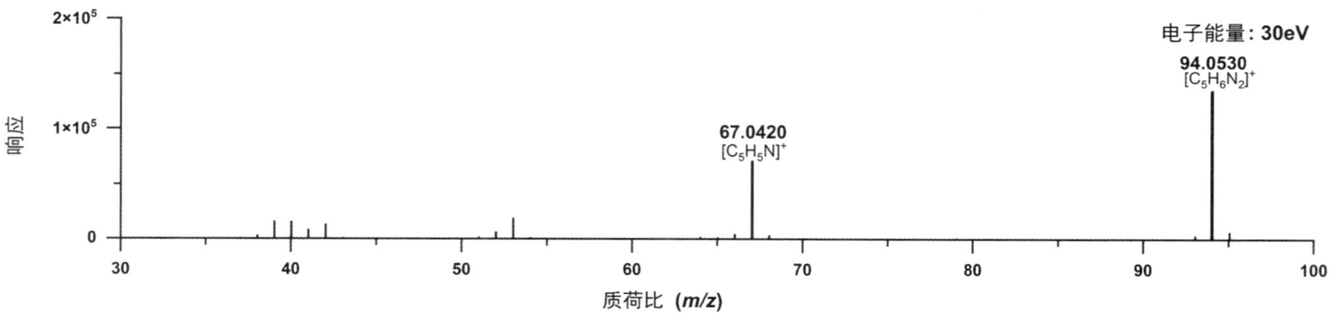

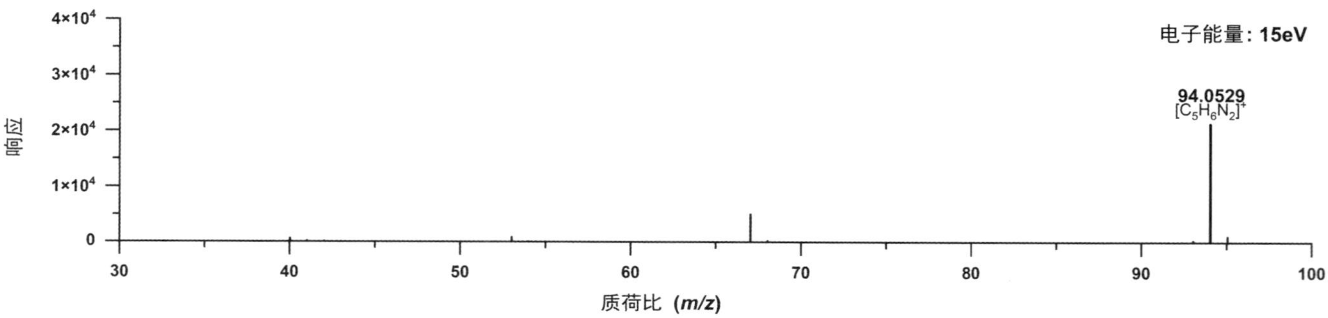

3 2-乙酰基吡嗪

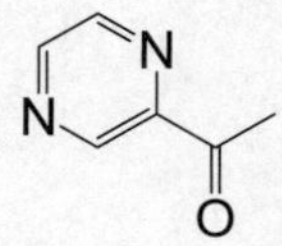

基本信息

CAS 登录号	22047-25-2	分子式	$C_6H_6N_2O$	分子量	122.0475
保留指数（极性）	1659	保留指数（非极性）	987	香气描述	烘烤味，坚果味，爆米花气味

质谱图

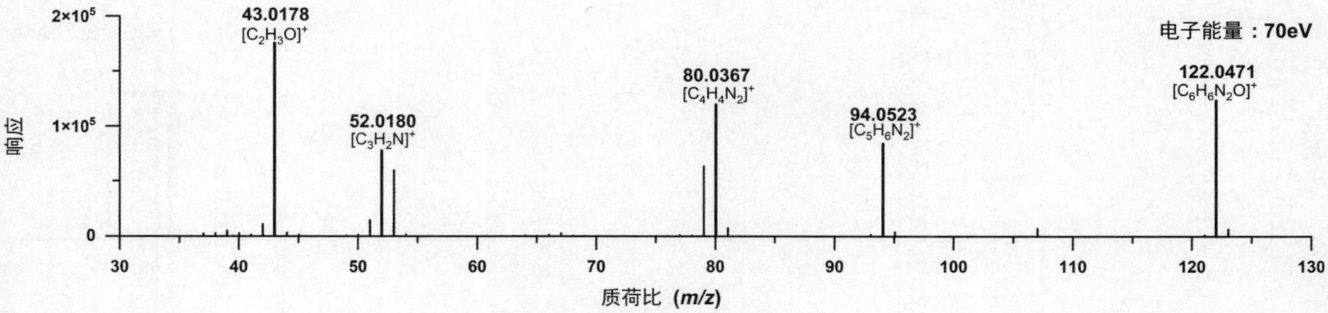

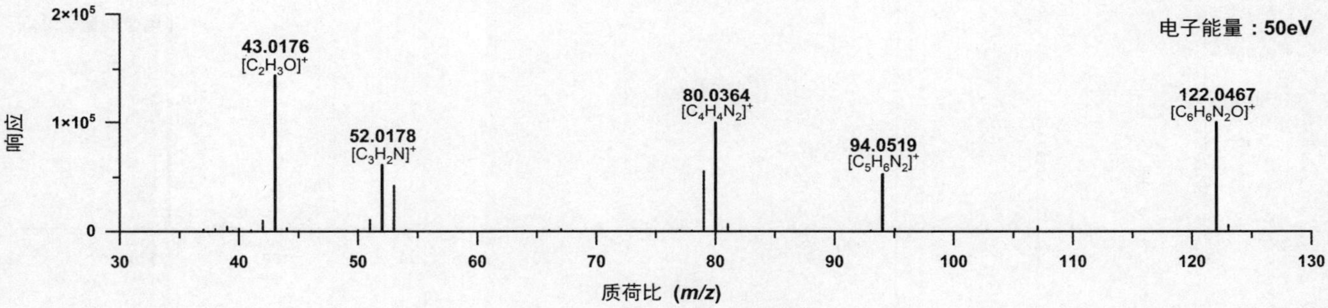

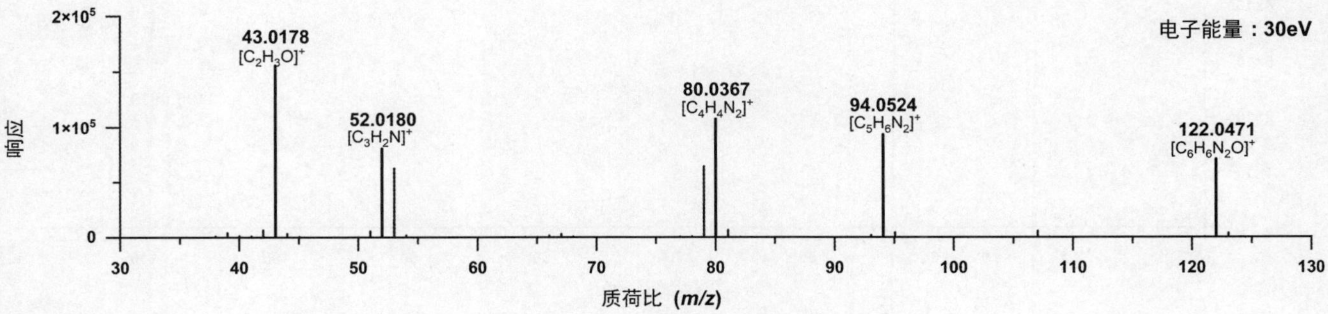

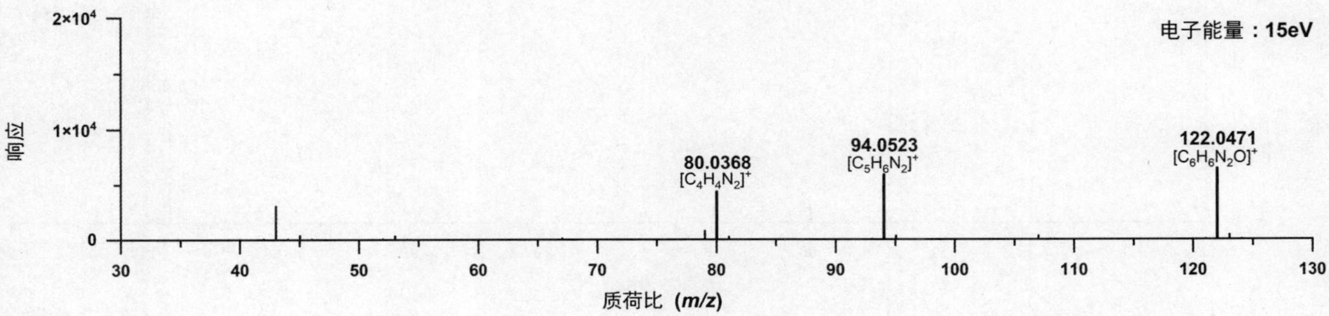

4 2,3-二甲基吡嗪

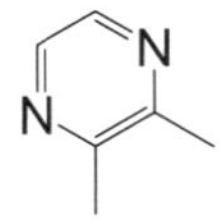

基本信息

CAS 登录号	5910-89-4	分子式	$C_6H_8N_2$	分子量	108.0682
保留指数（极性）	1358	保留指数（非极性）	893	香气描述	烘烤味，坚果味，咖啡味

质谱图

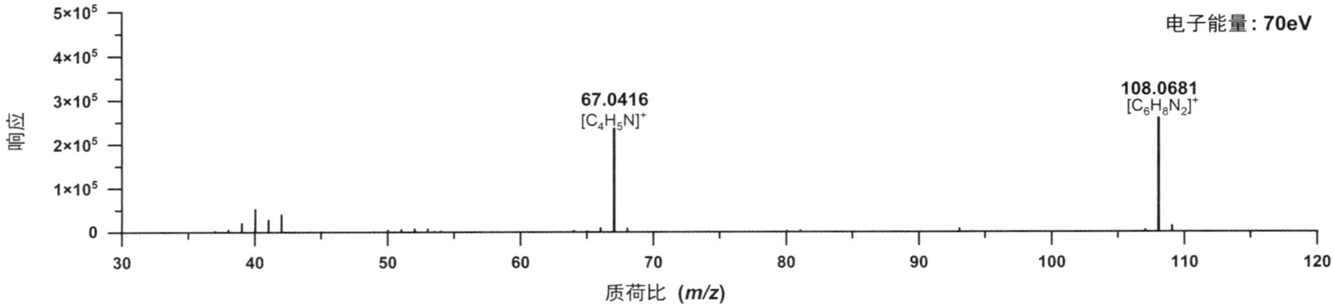

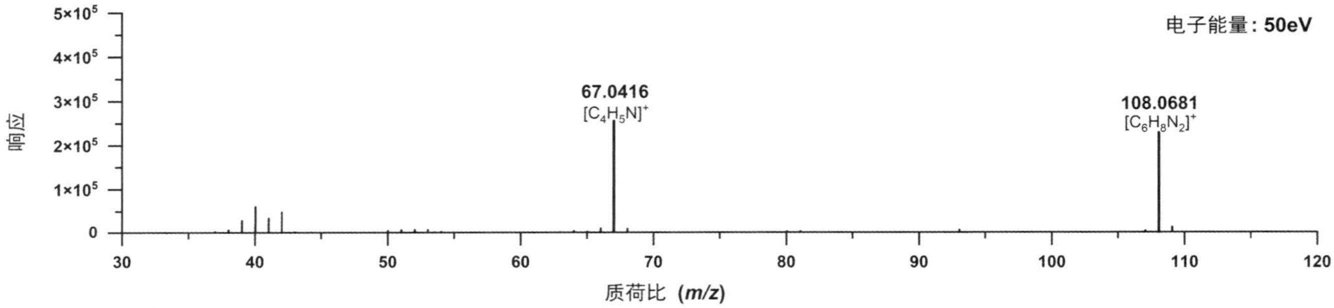

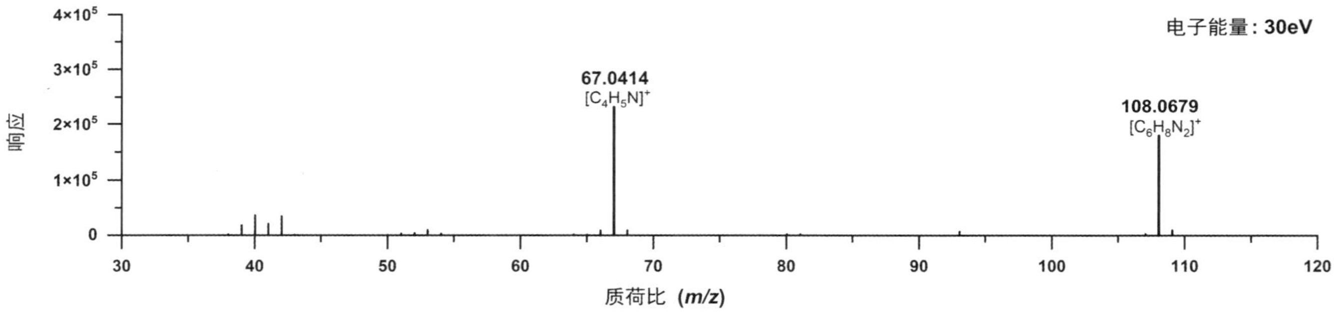

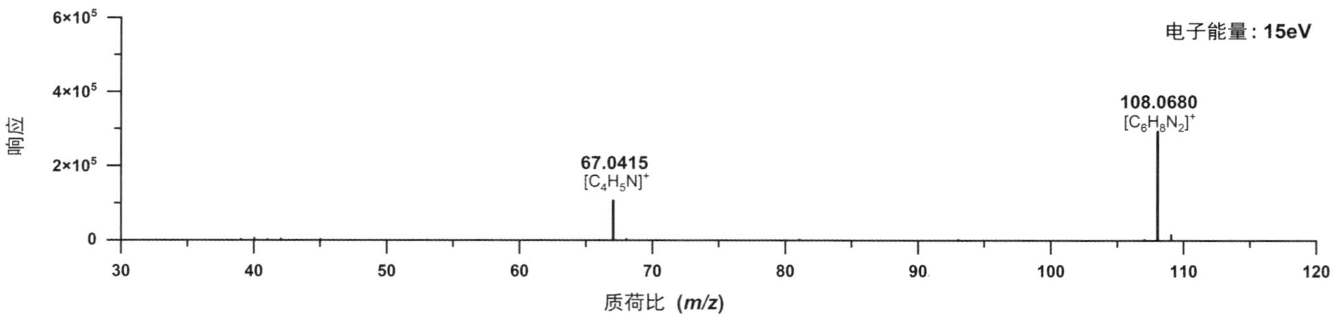

5 2,5-二甲基吡嗪

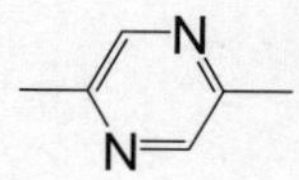

基本信息

CAS 登录号	123-32-0	分子式	$C_6H_8N_2$	分子量	108.0682
保留指数（极性）	1344	保留指数（非极性）	886	香气描述	烘烤味，坚果味，泥土味

质谱图

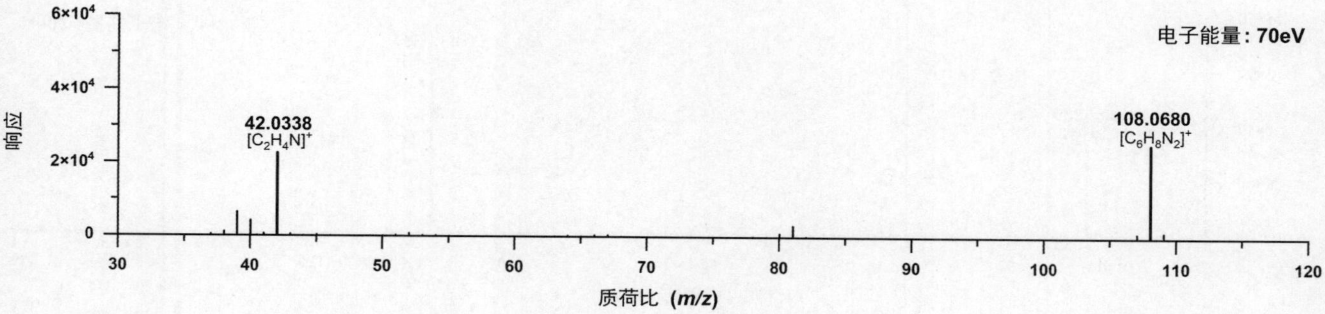

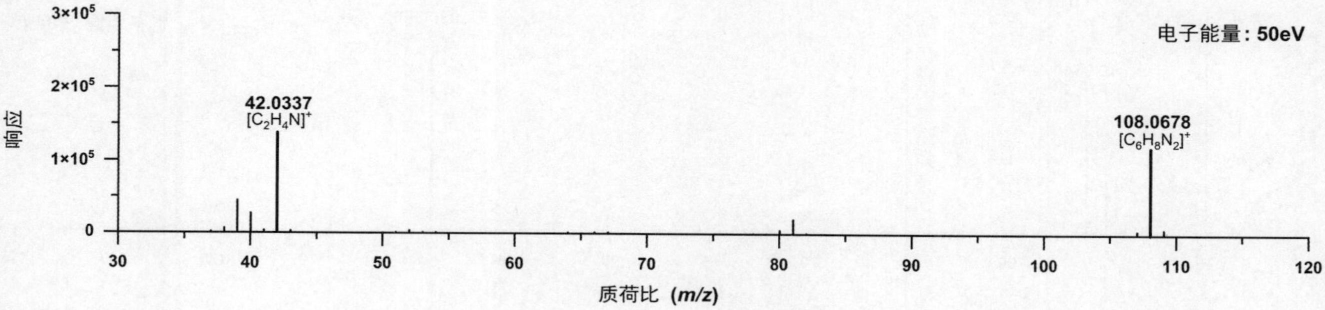

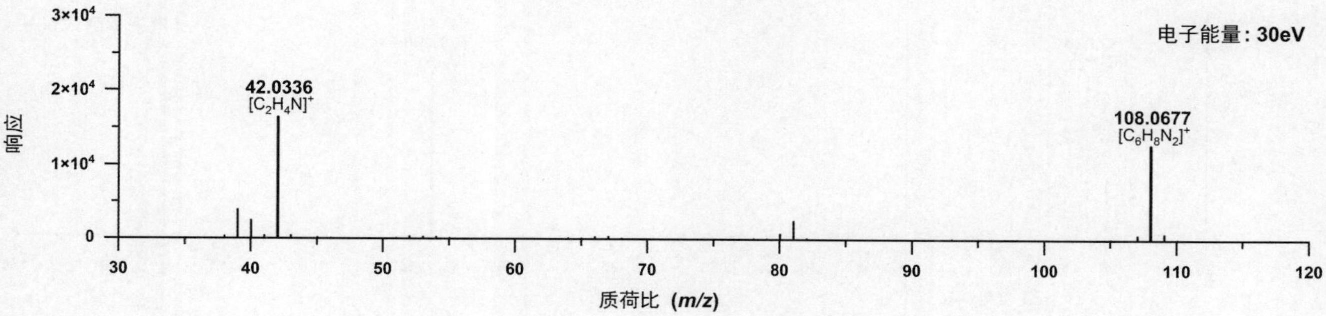

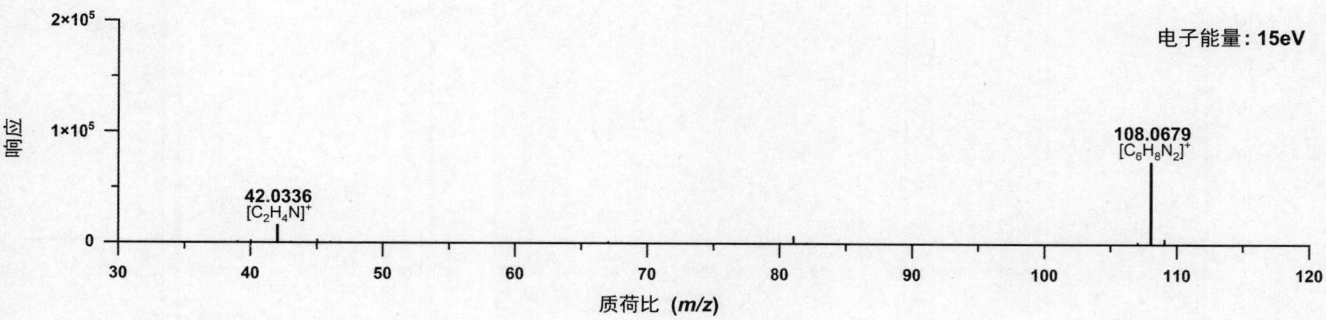

6 2,6-二甲基吡嗪

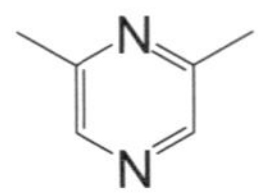

基本信息

CAS 登录号	108-50-9	分子式	$C_6H_8N_2$	分子量	108.0682
保留指数（极性）	1350	保留指数（非极性）	888	香气描述	坚果味，烘烤味，咖啡味

质谱图

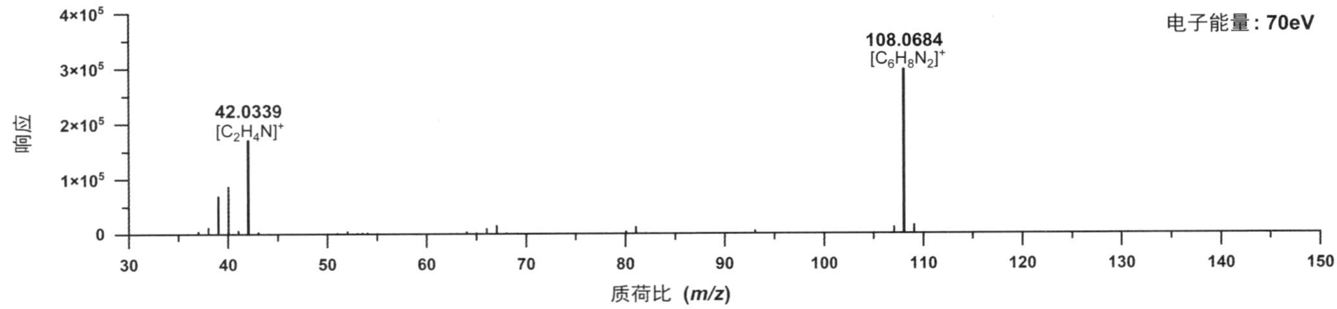

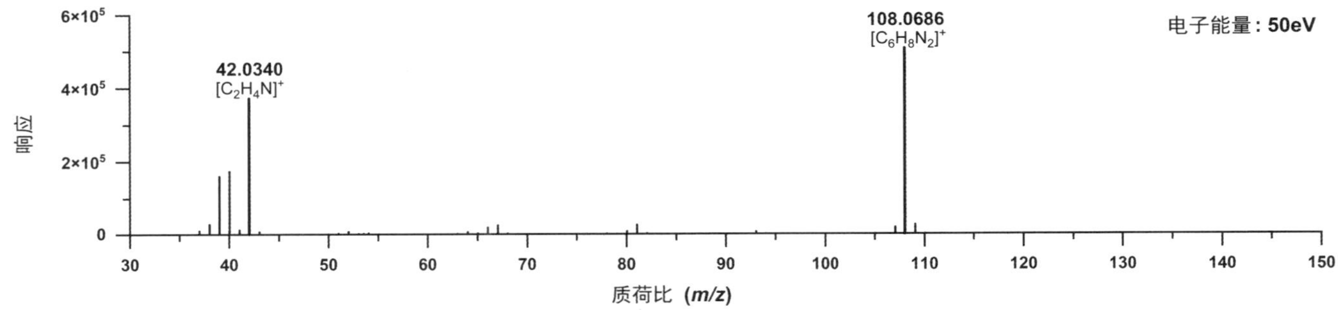

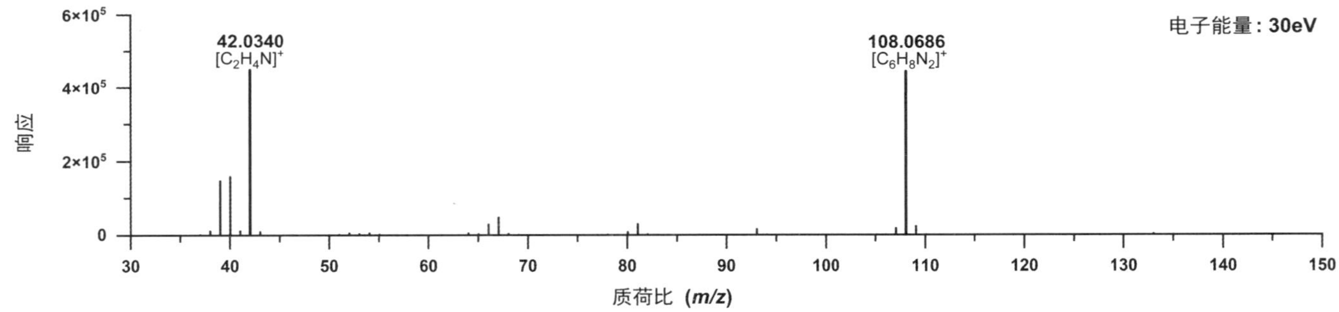

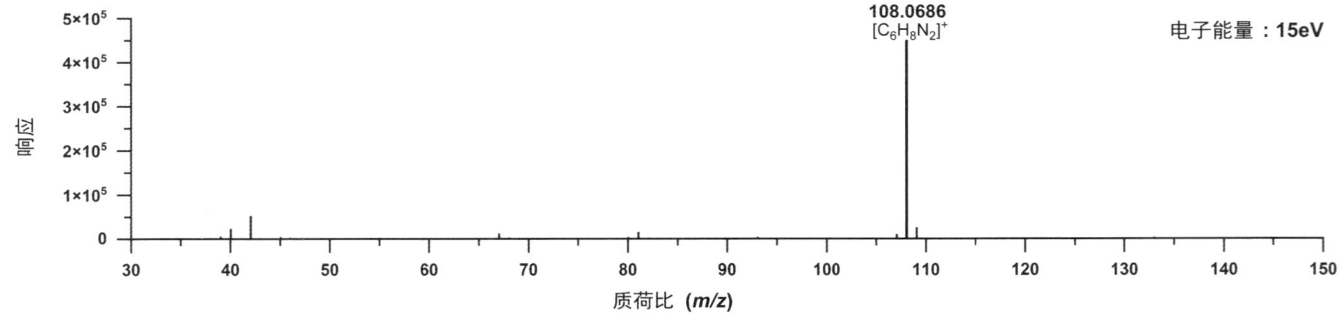

7

2-乙基吡嗪

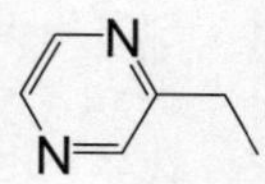

基本信息

CAS 登录号	13925-00-3	分子式	$C_6H_8N_2$	分子量	108.0682
保留指数（极性）	1344	保留指数（非极性）	891	香气描述	烘烤味，坚果味，泥土味

质谱图

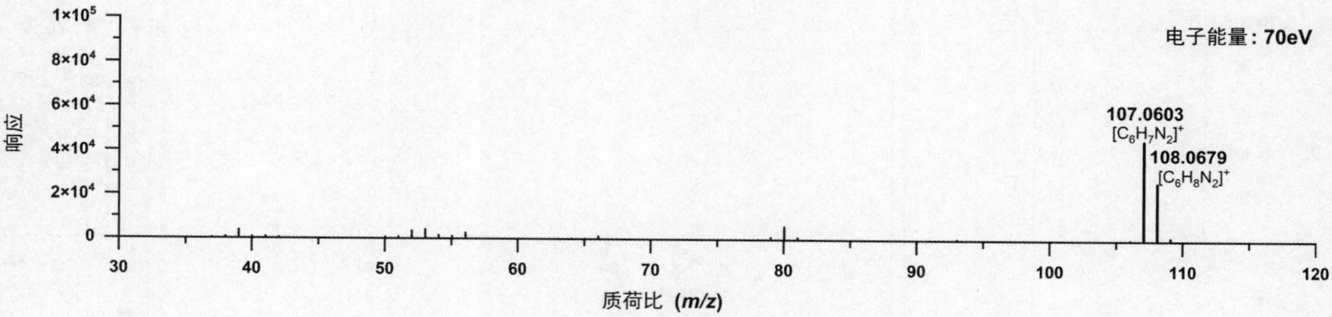

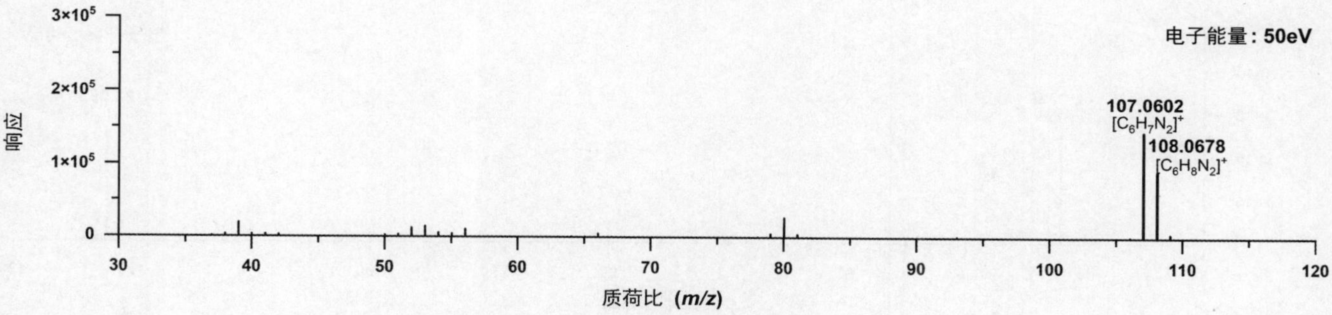

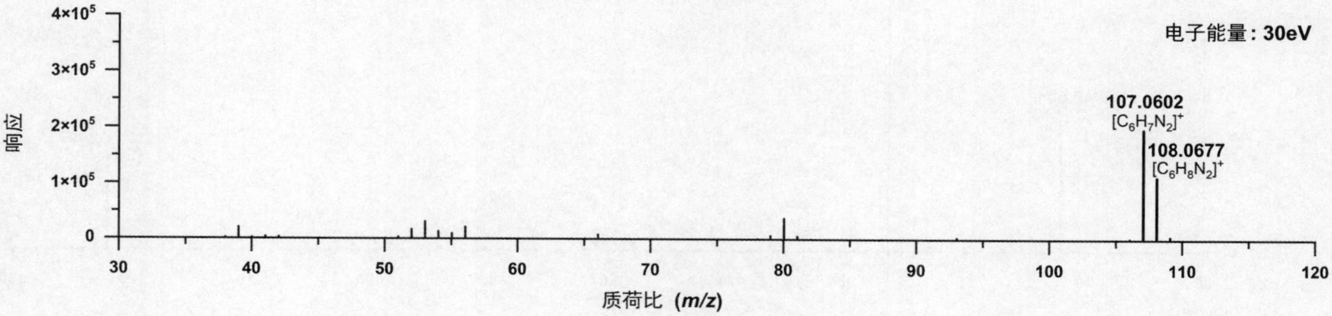

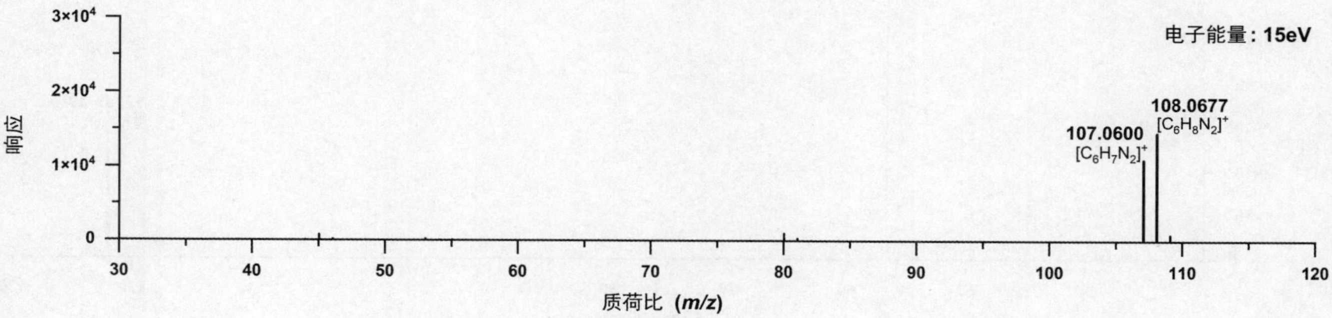

8 2,3,5-三甲基吡嗪

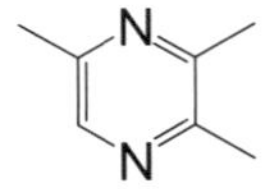

基本信息

CAS 登录号	14667-55-1	分子式	$C_7H_{10}N_2$	分子量	122.0838
保留指数（极性）	1417	保留指数（非极性）	977	香气描述	烘烤味，坚果味，咖啡味

质谱图

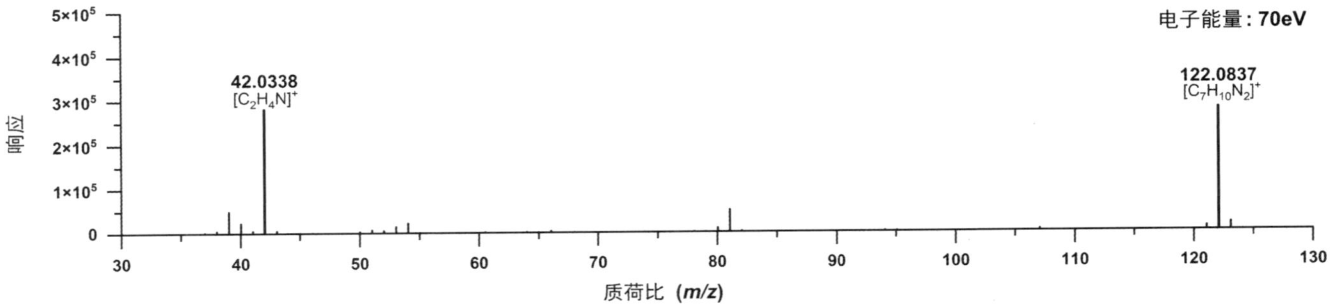

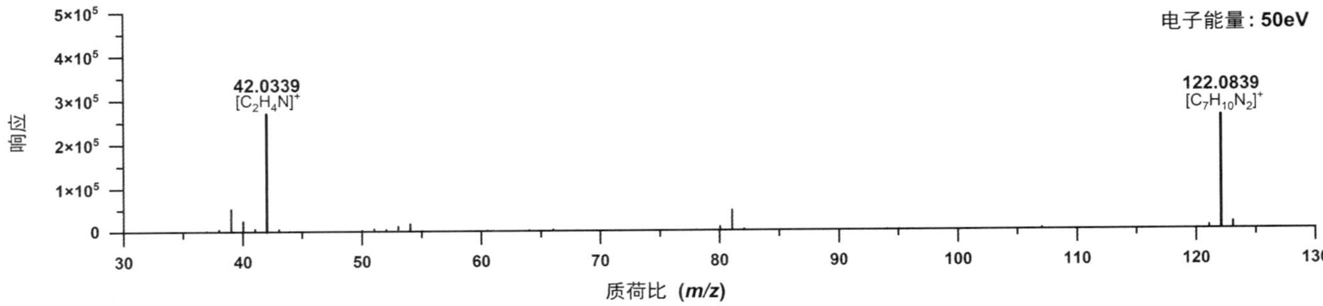

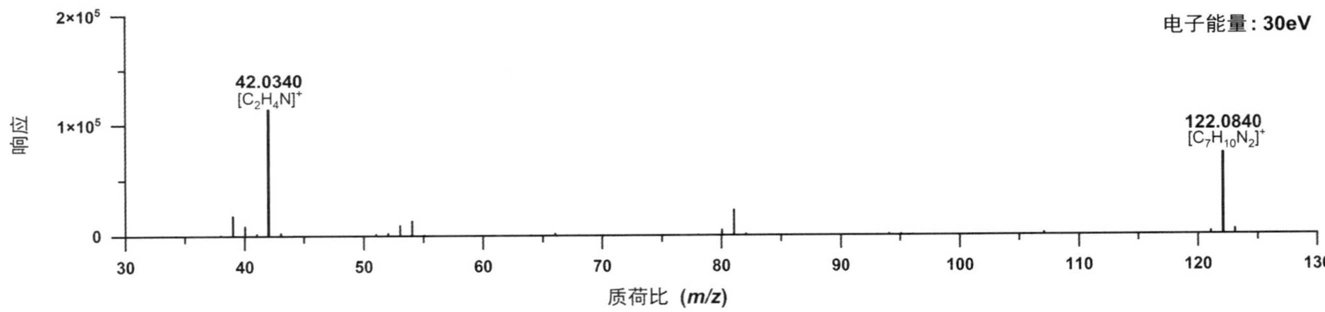

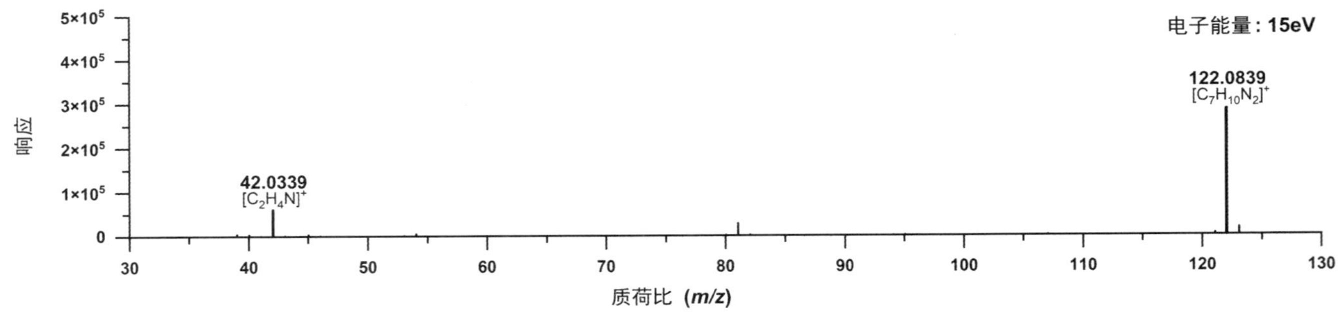

9 2-乙基-3-甲基吡嗪

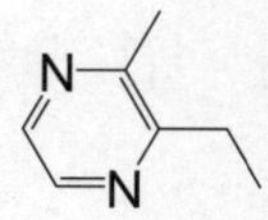

基本信息

CAS 登录号	15707-23-0	分子式	$C_7H_{10}N_2$	分子量	122.0838
保留指数（极性）	1428	保留指数（非极性）	980	香气描述	烘烤味，坚果味，泥土味

质谱图

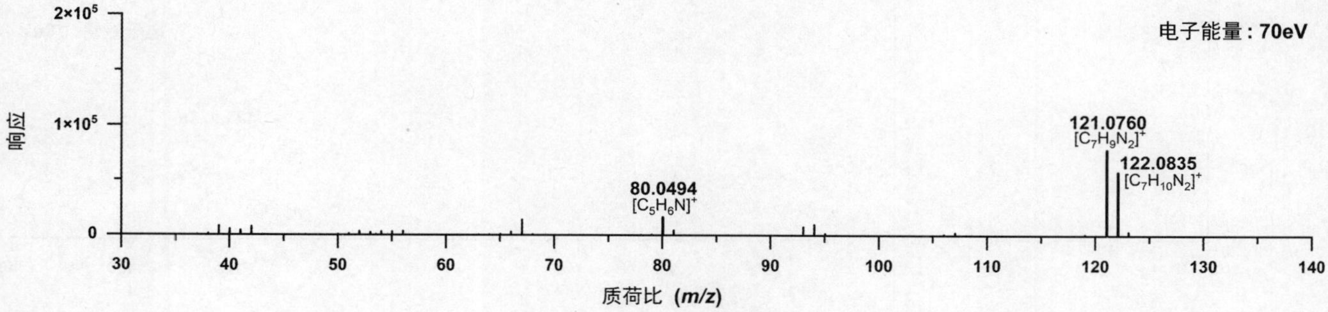

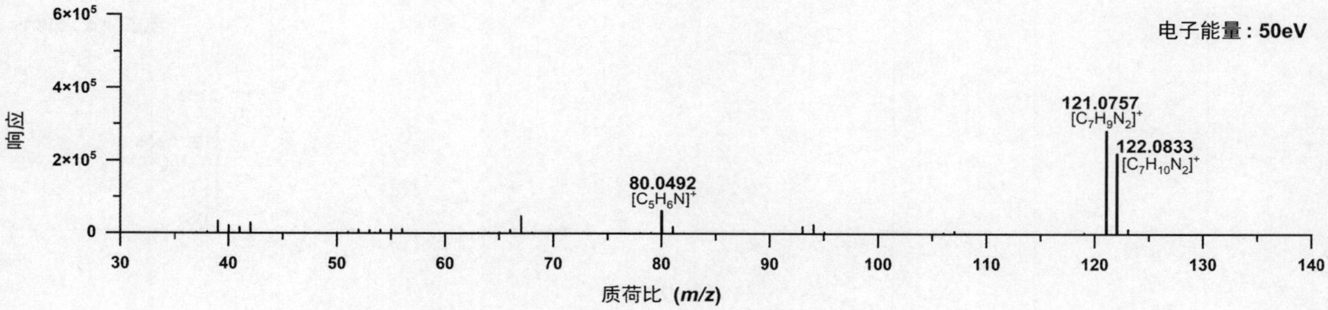

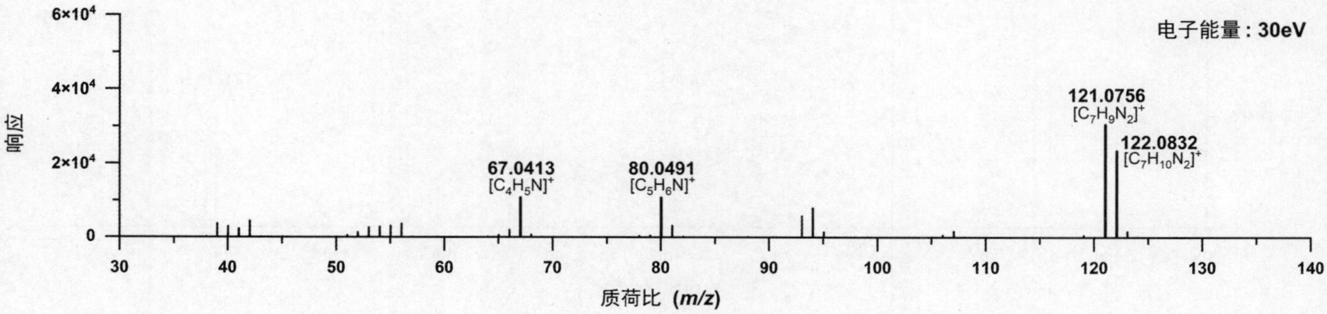

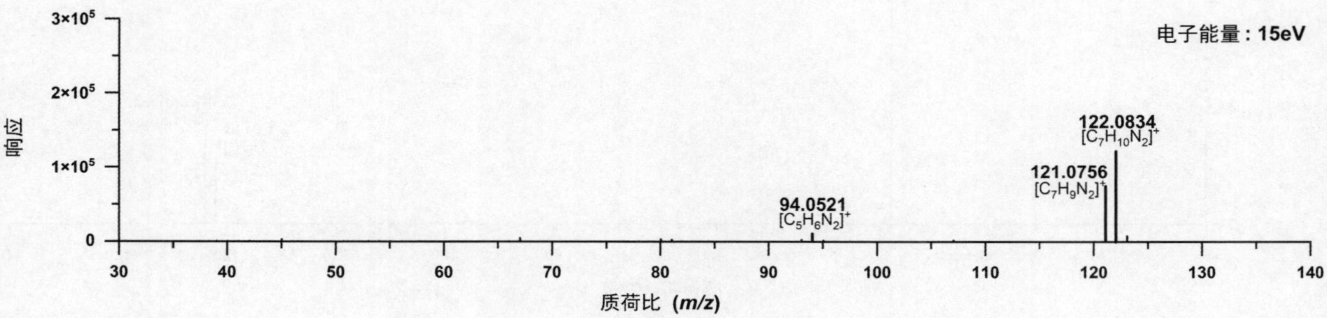

10 2-乙基-6-甲基吡嗪

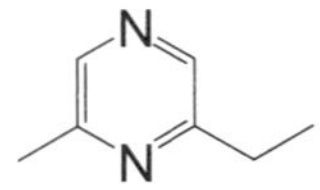

基本信息

CAS 登录号	13925-03-6	分子式	$C_7H_{10}N_2$	分子量	122.0838
保留指数（极性）	1397	保留指数（非极性）	972	香气描述	烘烤味，坚果味，泥土味

质谱图

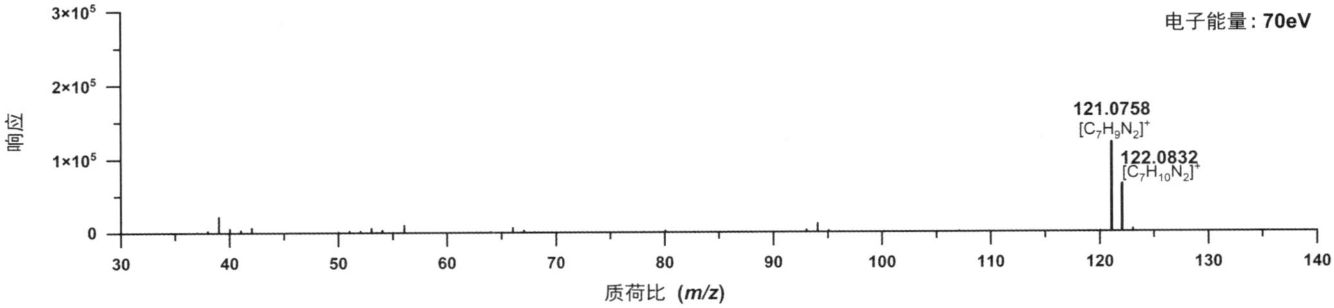

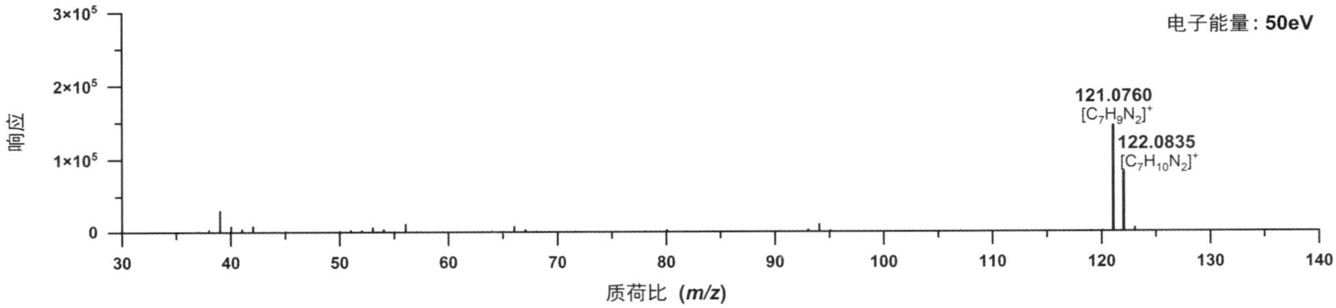

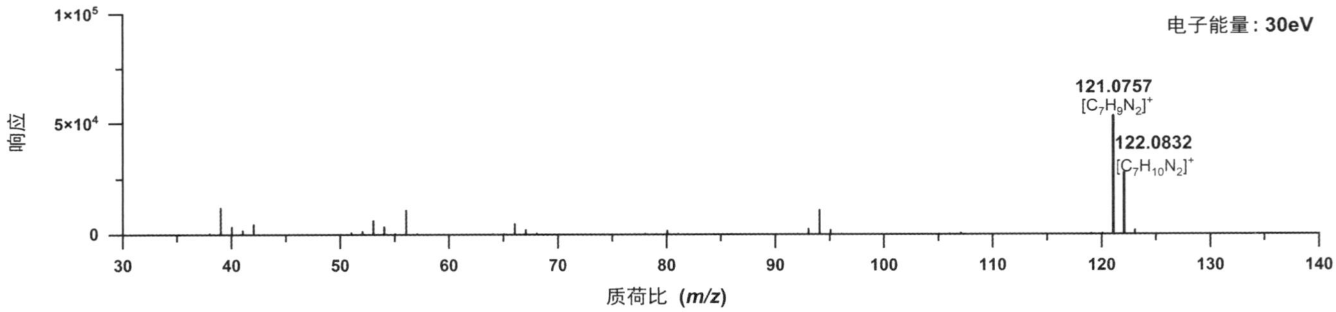

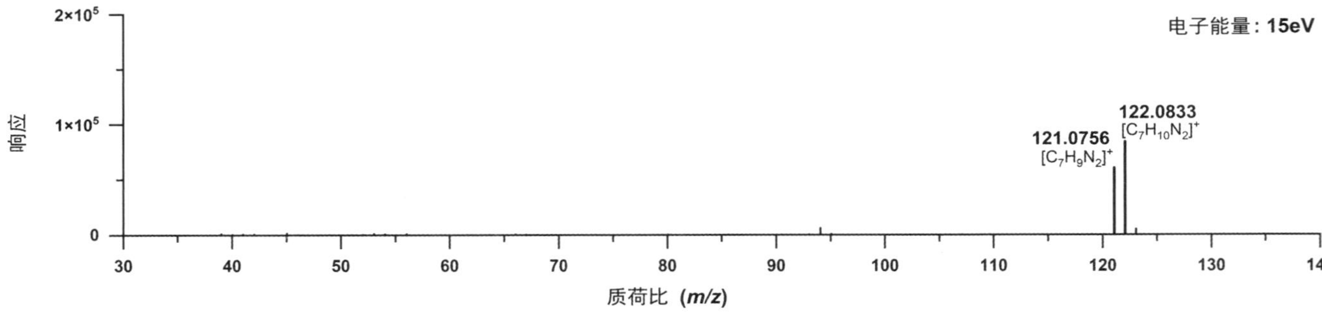

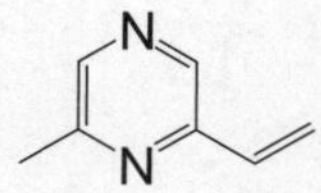

11 2-甲基-6-乙烯基吡嗪

基本信息

CAS 登录号	13925-09-2	分子式	$C_7H_8N_2$	分子量	120.0682
保留指数（极性）	1514	保留指数（非极性）	989	香气描述	烘烤味，坚果味，爆米花的气味

质谱图

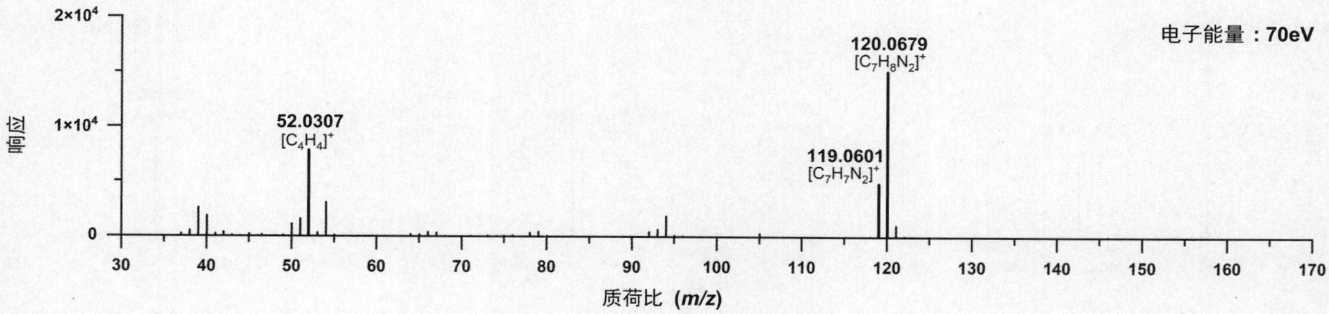

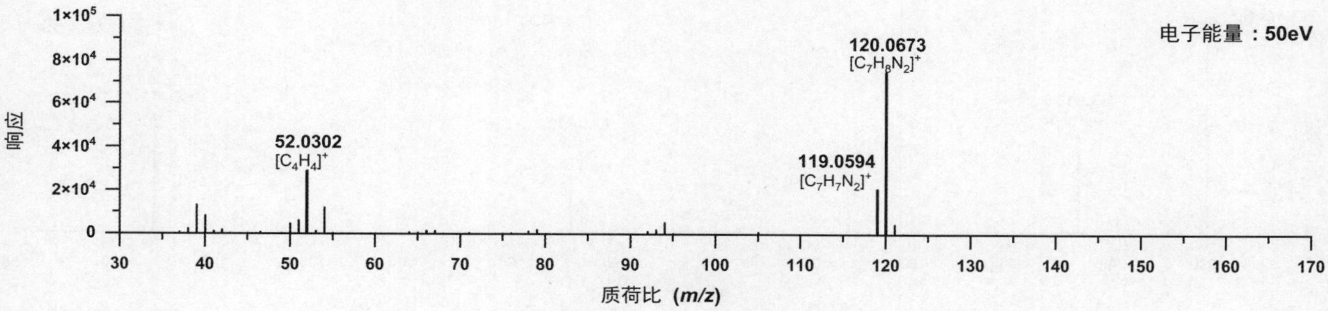

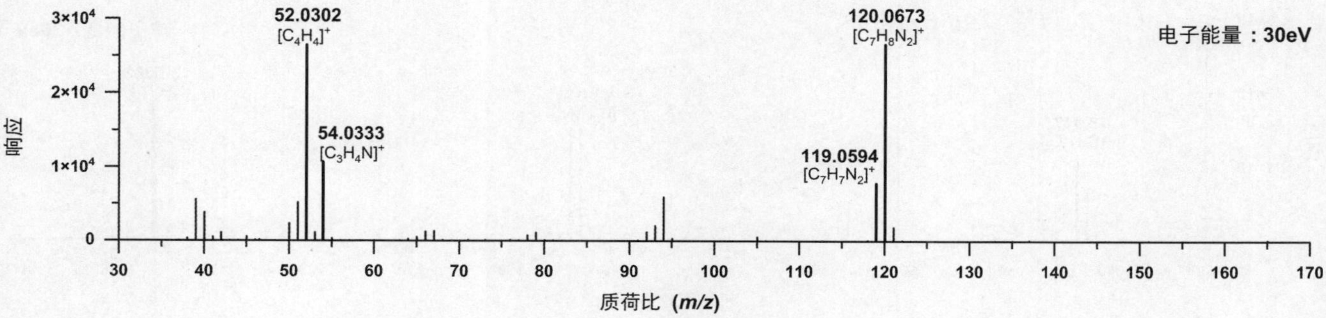

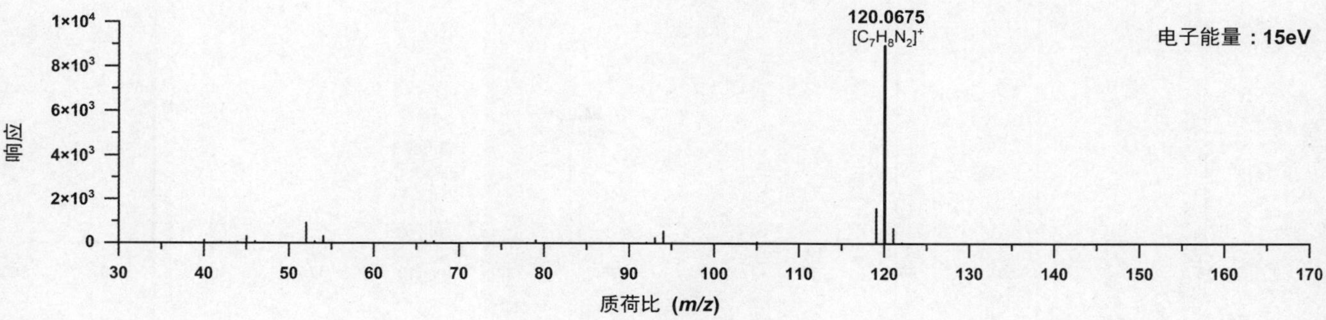

12 2-乙酰基-3-甲基吡嗪

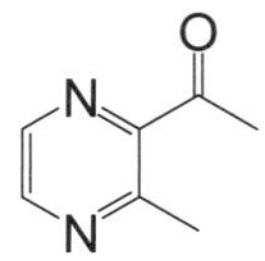

基本信息

CAS 登录号	23787-80-6	分子式	$C_7H_8N_2O$	分子量	136.0631
保留指数（极性）	1654	保留指数（非极性）	1055	香气描述	烘烤味，坚果味，泥土味

质谱图

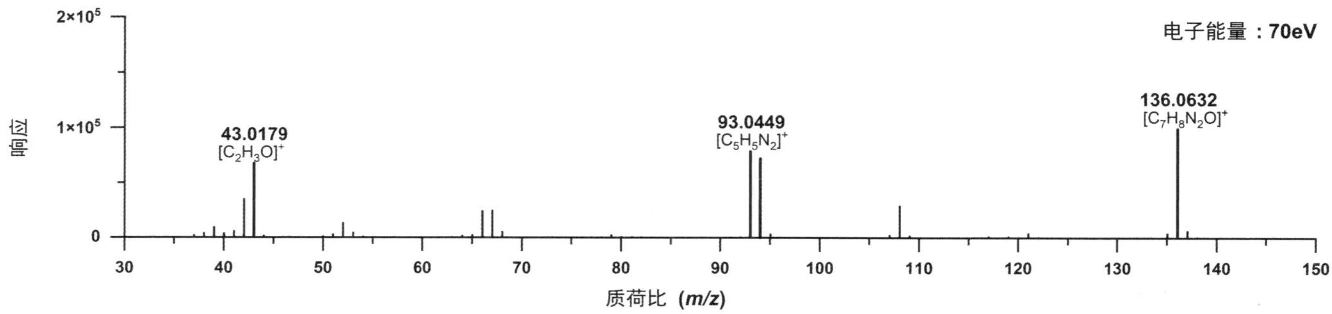

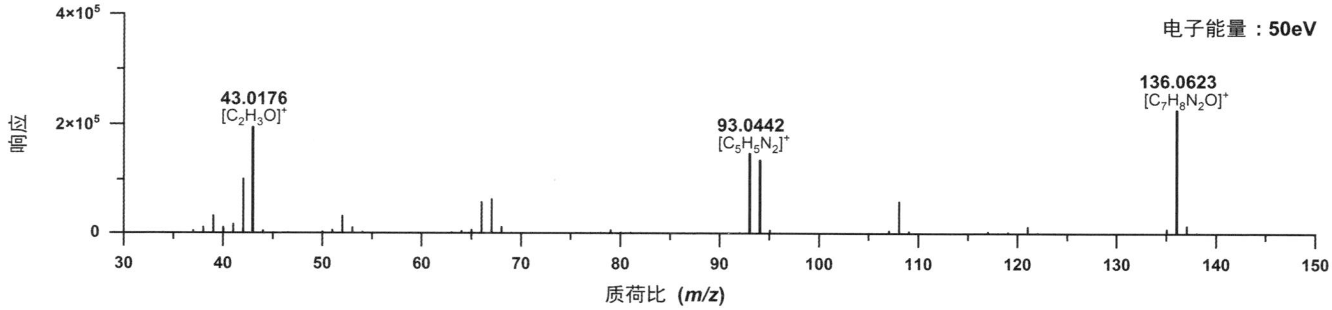

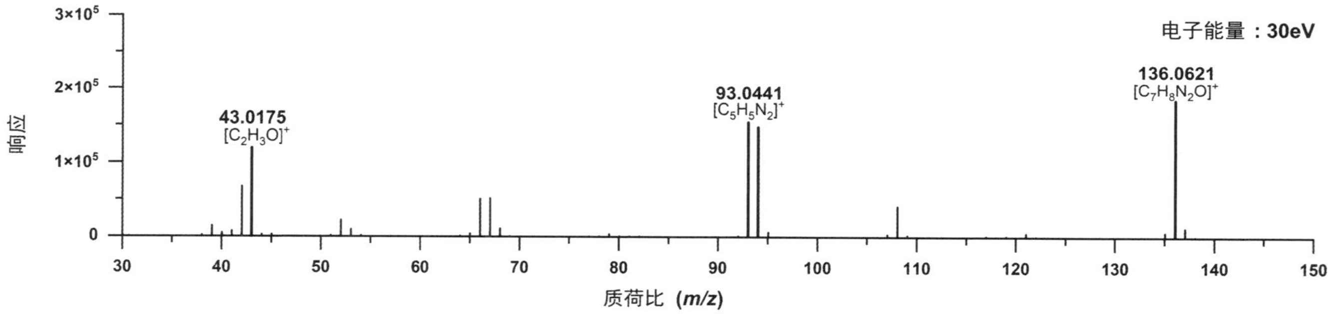

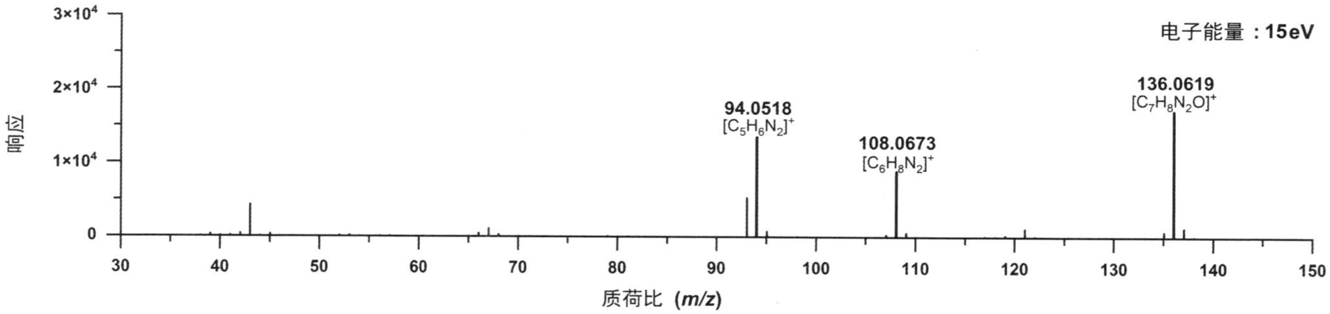

13 2,6-二乙基吡嗪

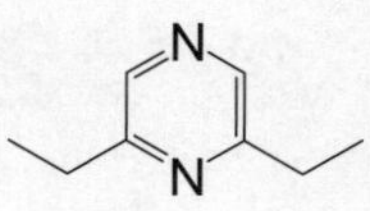

基本信息

CAS 登录号	13067-27-1	分子式	$C_8H_{12}N_2$	分子量	136.0995
保留指数（极性）	1458	保留指数（非极性）	1056	香气描述	坚果味，烘烤味，泥土味

质谱图

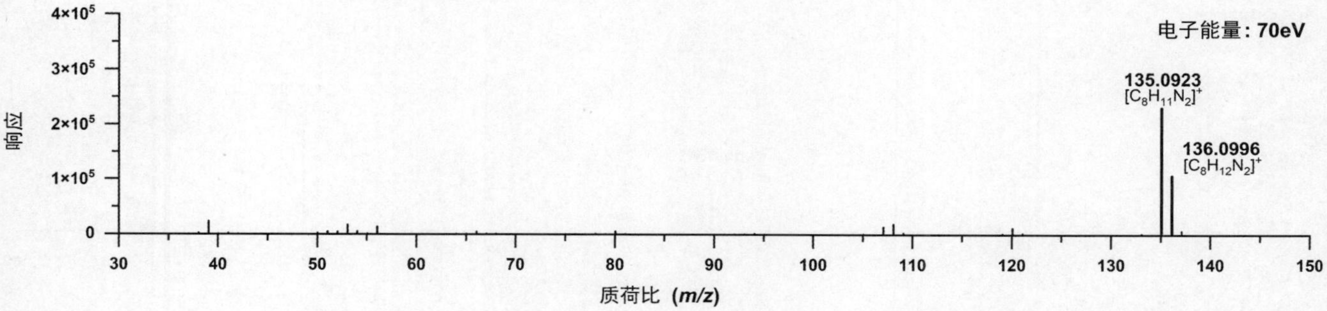

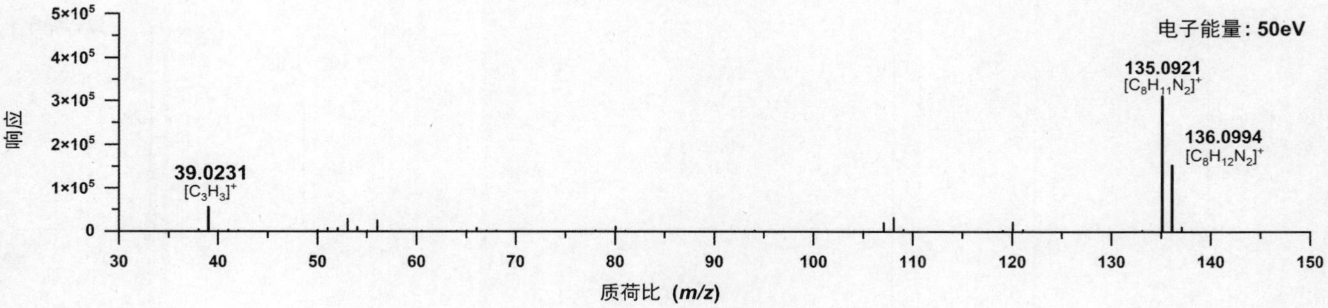

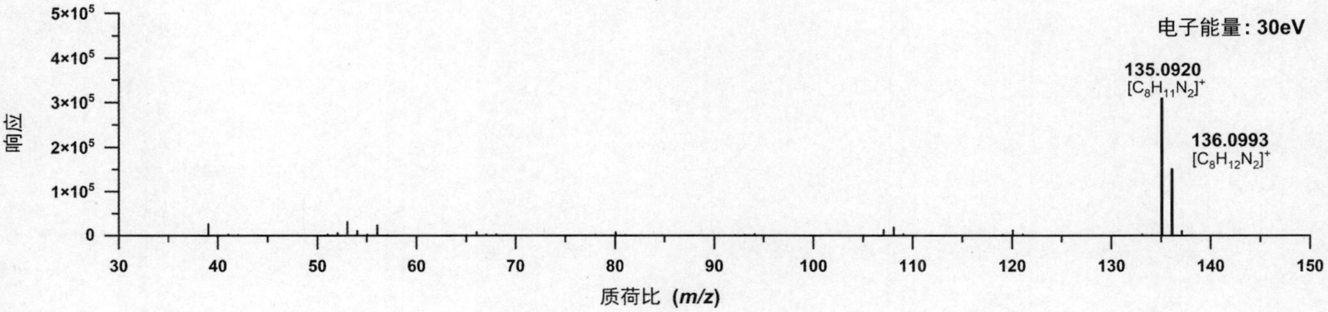

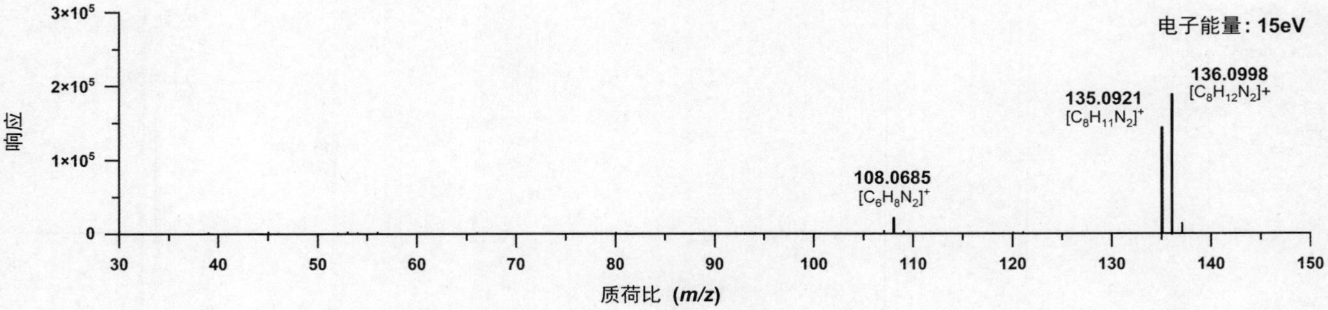

14 2,3-二乙基吡嗪

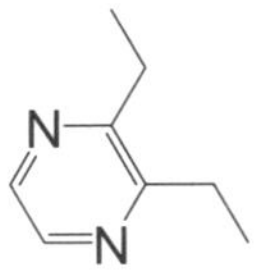

基本信息

CAS 登录号	15707-24-1	分子式	$C_8H_{12}N_2$	分子量	136.0995
保留指数（极性）	1467	保留指数（非极性）	1062	香气描述	烘烤味，坚果，咖啡味

质谱图

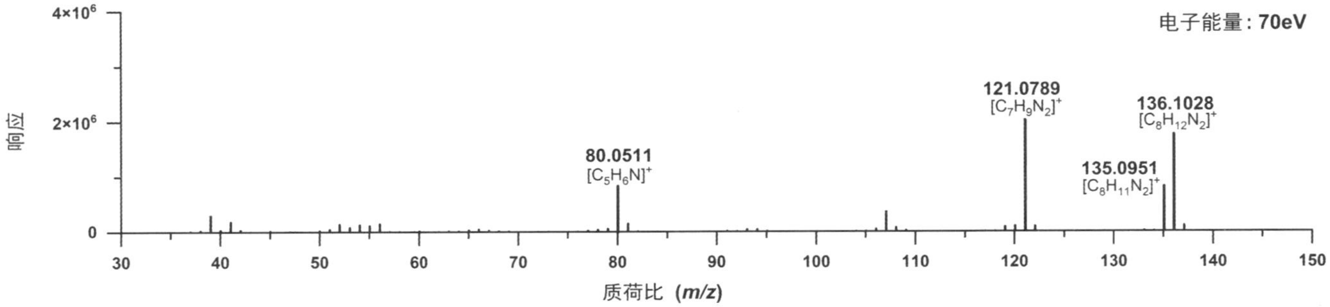

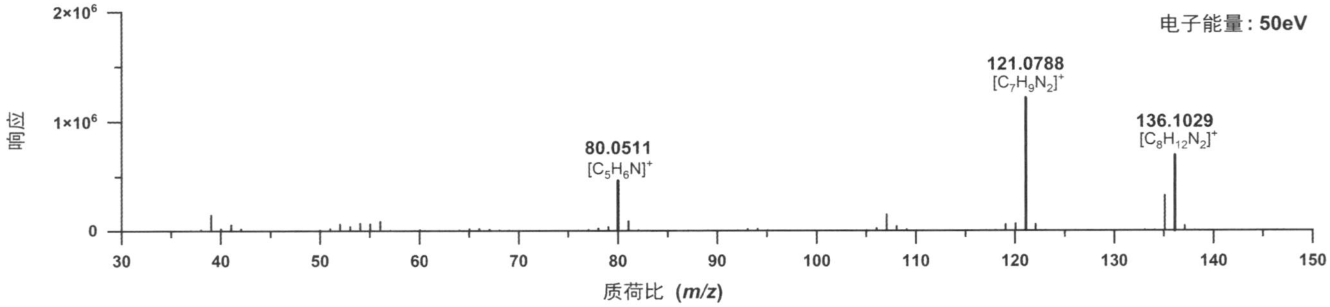

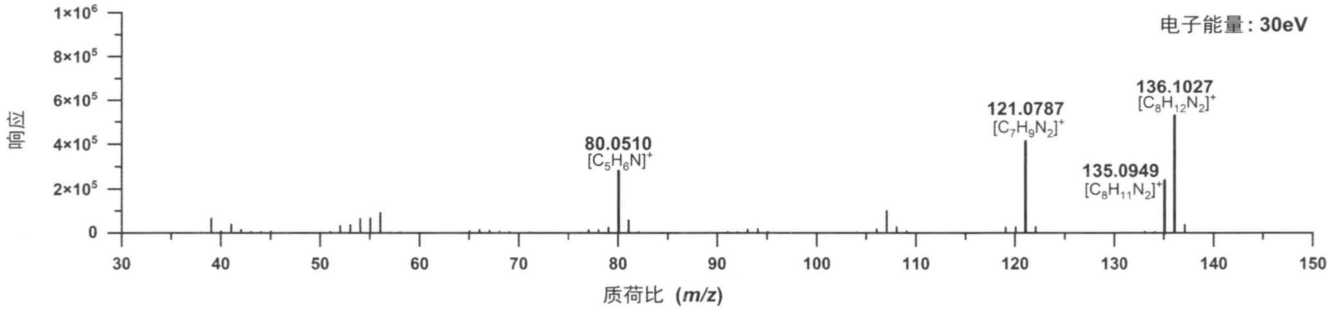

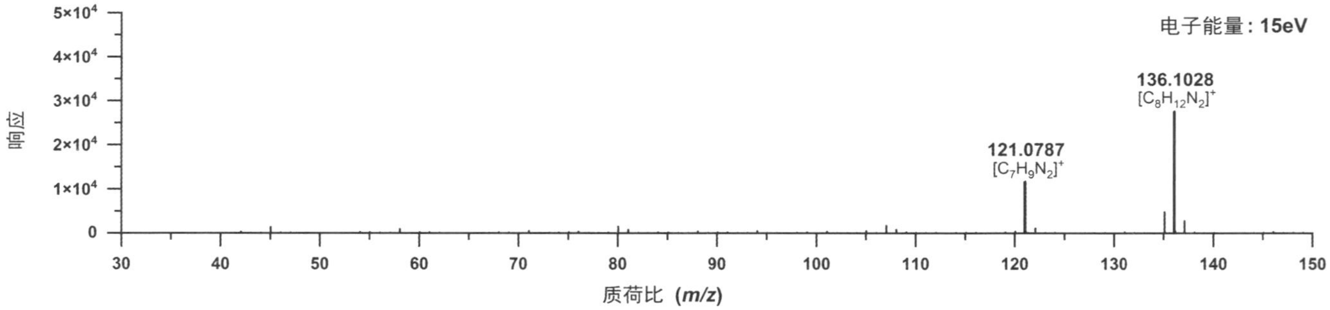

15

3-乙基-2,5-二甲基吡嗪

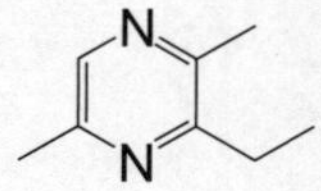

基本信息

CAS 登录号	13360-65-1	分子式	$C_8H_{12}N_2$	分子量	136.0995
保留指数（极性）	1484	保留指数（非极性）	1057	香气描述	烘烤味，坚果味，泥土味

质谱图

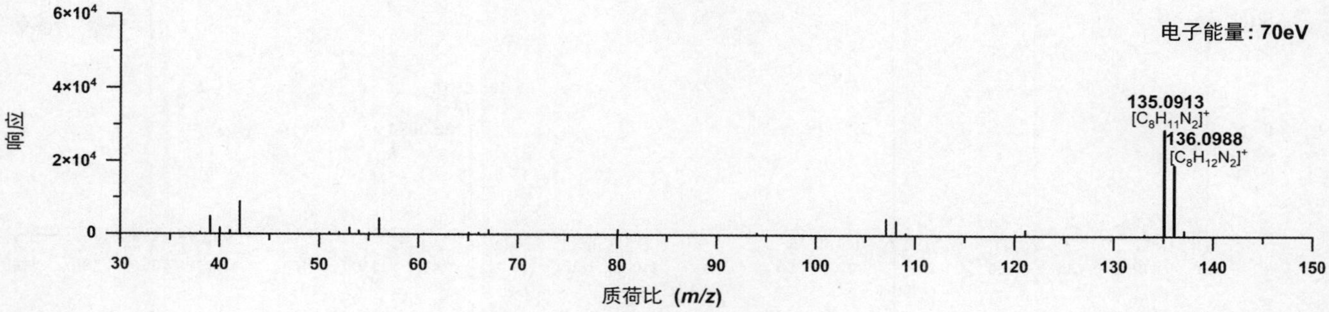

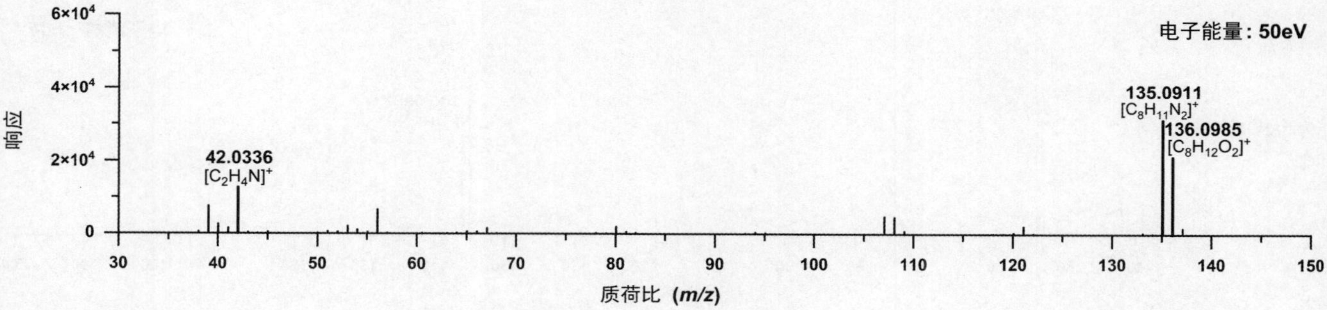

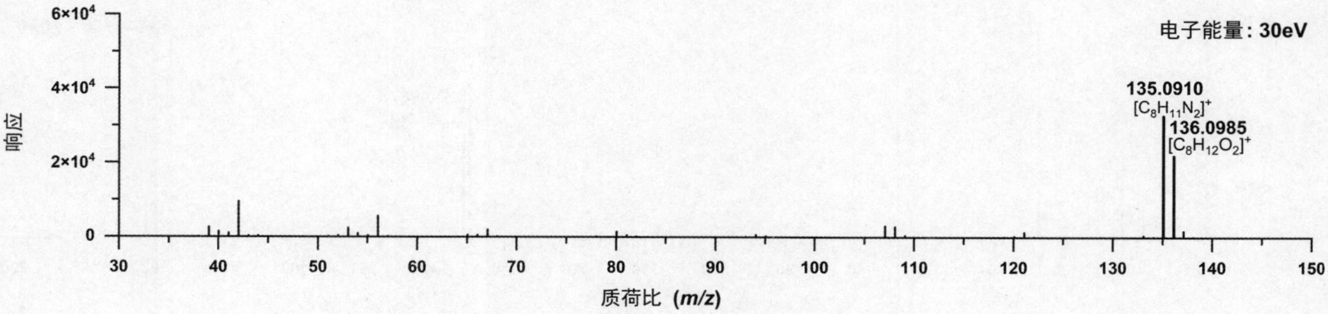

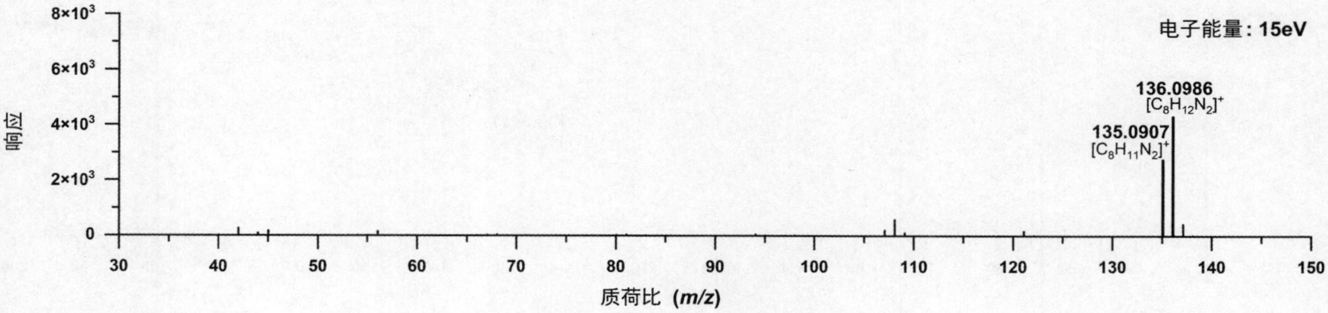

16 2,3-二甲基-5-乙基吡嗪

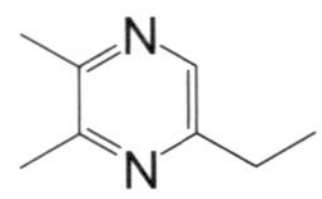

基本信息

CAS 登录号	15707-34-3	分子式	$C_8H_{12}N_2$	分子量	136.0995
保留指数（极性）	1475	保留指数（非极性）	1063	香气描述	烘烤味，坚果味，泥土味

质谱图

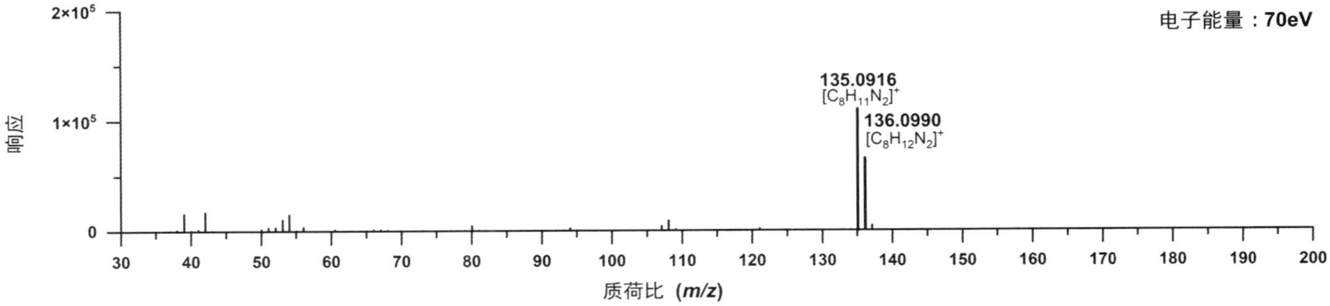

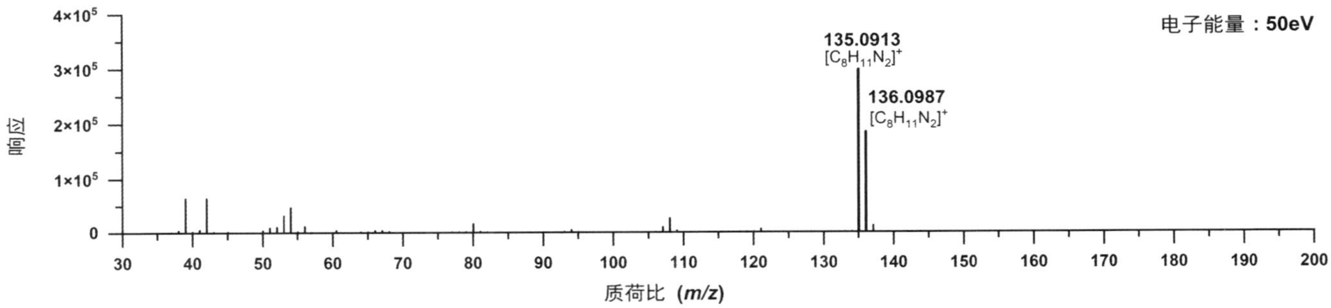

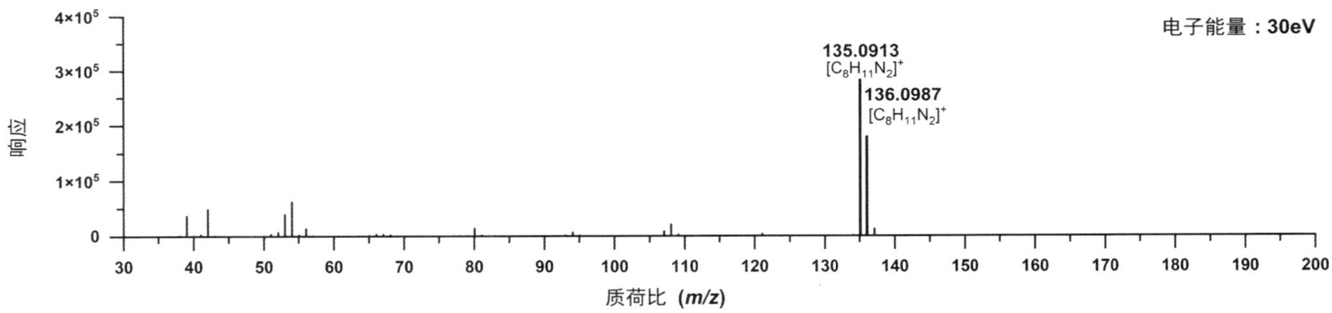

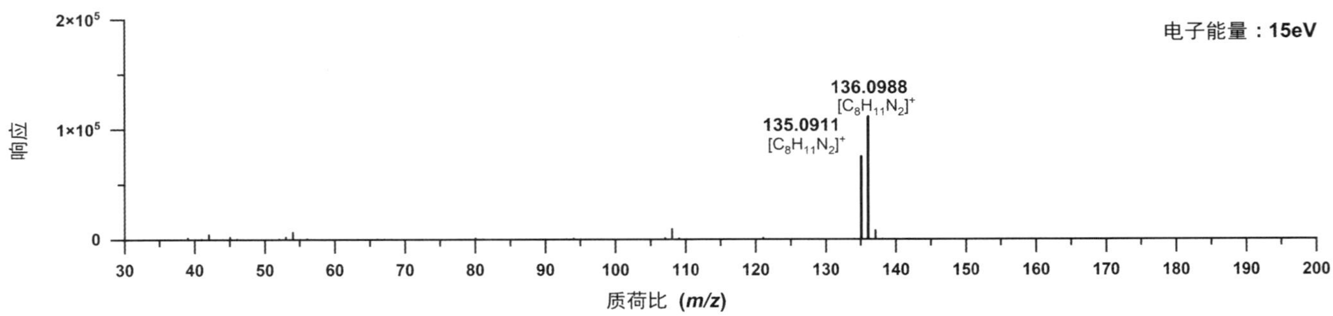

2,3,5,6-四甲基吡嗪

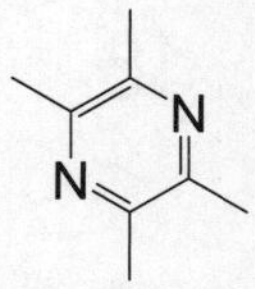

基本信息

CAS 登录号	1124-11-4	分子式	$C_8H_{12}N_2$	分子量	136.0995
保留指数（极性）	1490	保留指数（非极性）	1063	香气描述	烘烤味，坚果味，泥土味

质谱图

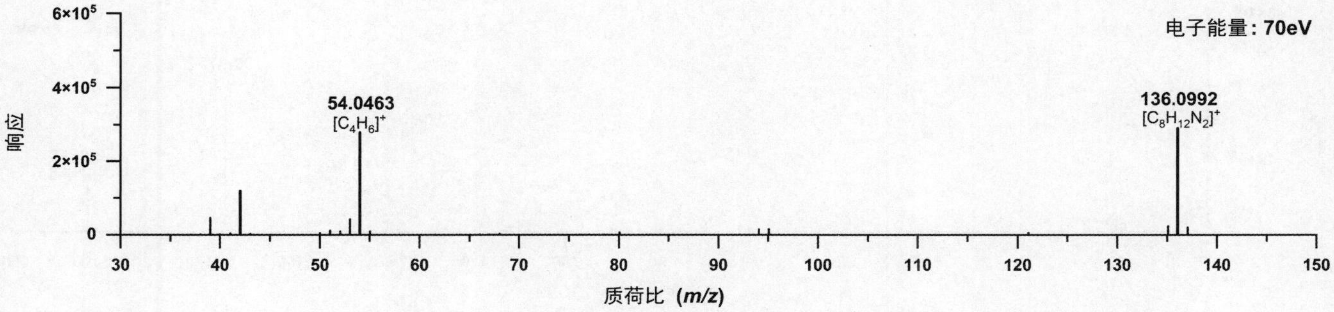

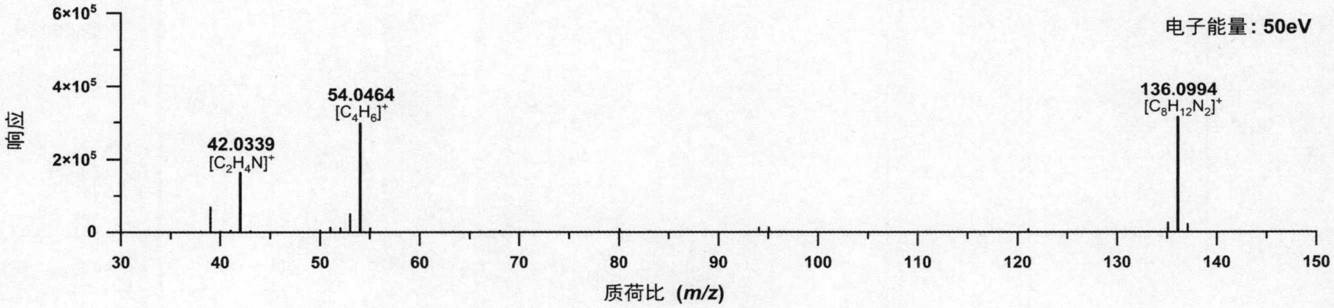

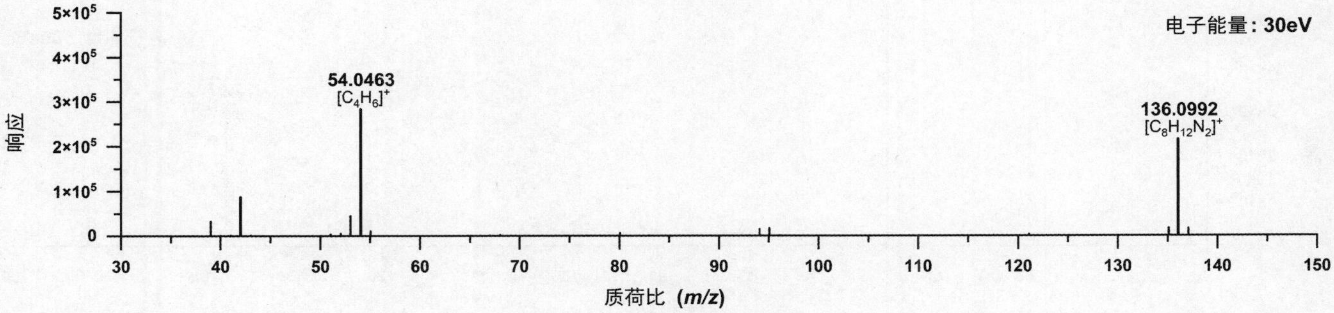

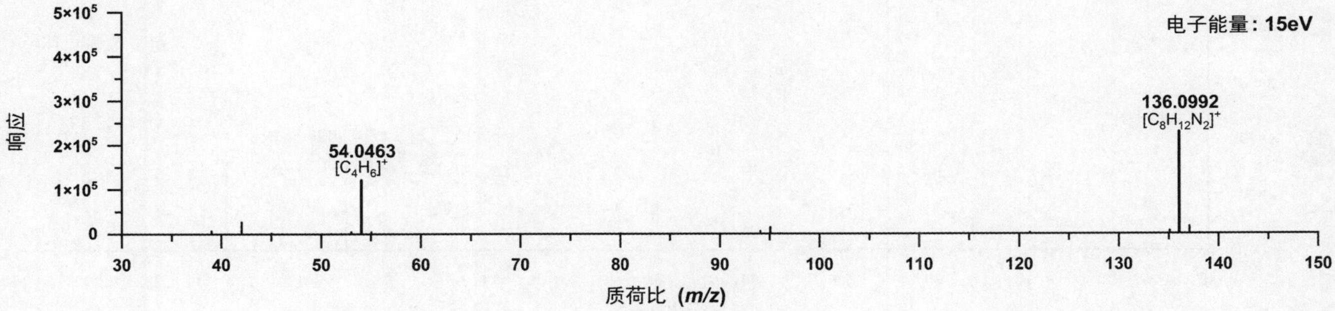

18 2-异丙基-3-甲氧基吡嗪

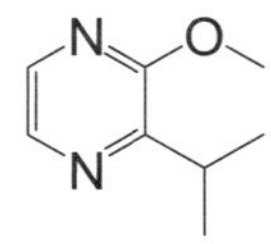

基本信息

CAS 登录号	25773-40-4	分子式	$C_8H_{12}N_2O$	分子量	152.0944
保留指数（极性）	1449	保留指数（非极性）	1077	香气描述	烘烤味，咖啡味，泥土味

质谱图

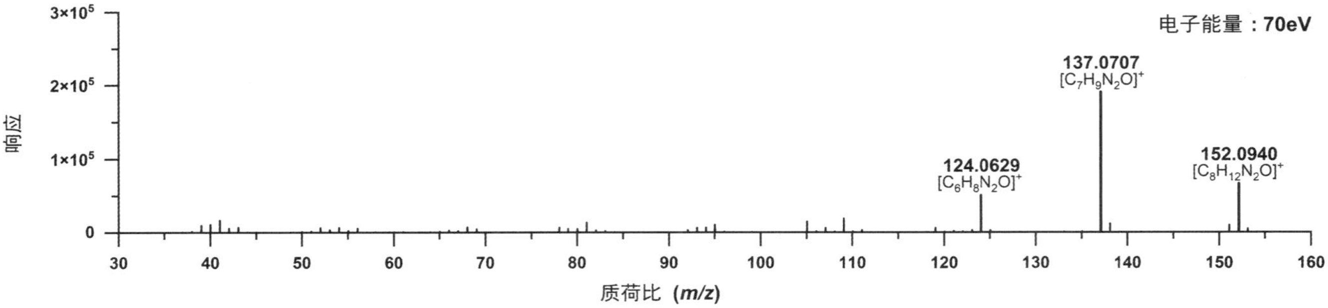

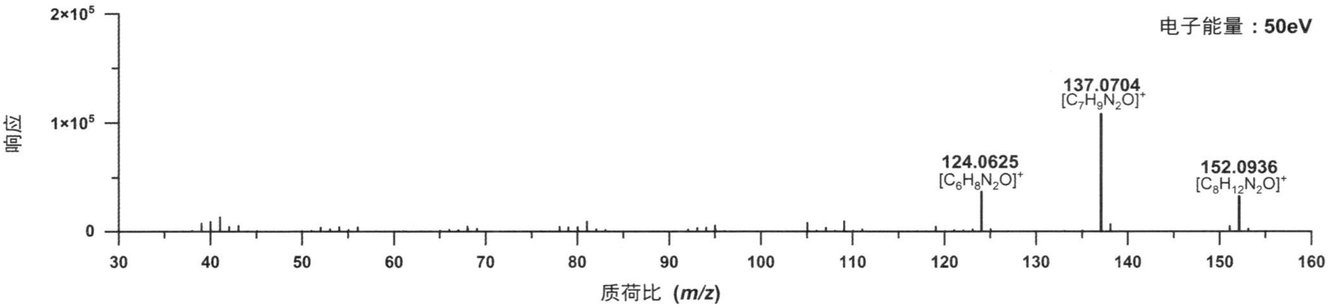

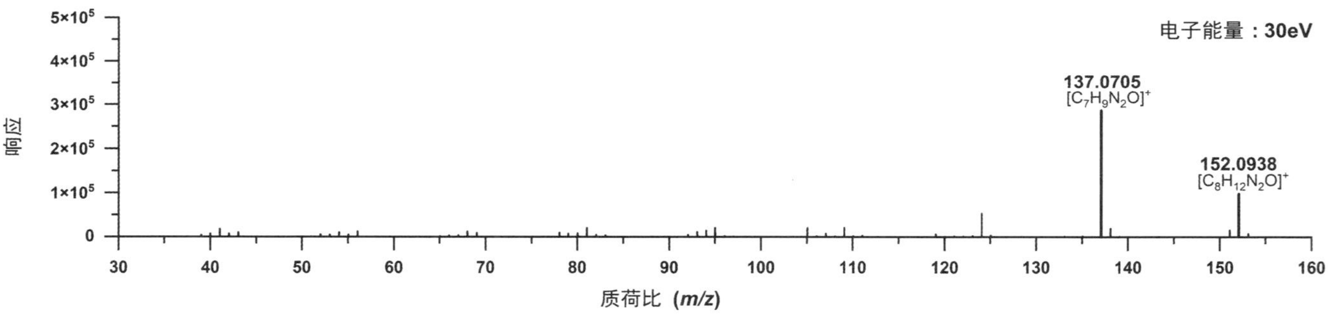

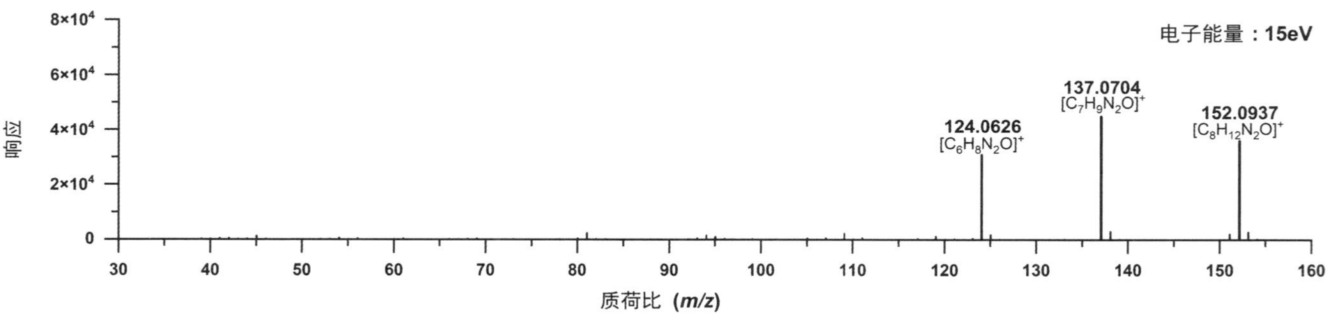

19 2,3-二乙基-5-甲基吡嗪

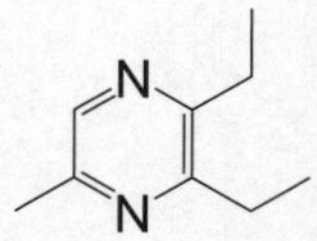

基本信息

CAS 登录号	18138-04-0	分子式	$C_9H_{14}N_2$	分子量	150.1151
保留指数（极性）	1513	保留指数（非极性）	1134	香气描述	烘烤味，坚果味，泥土味

质谱图

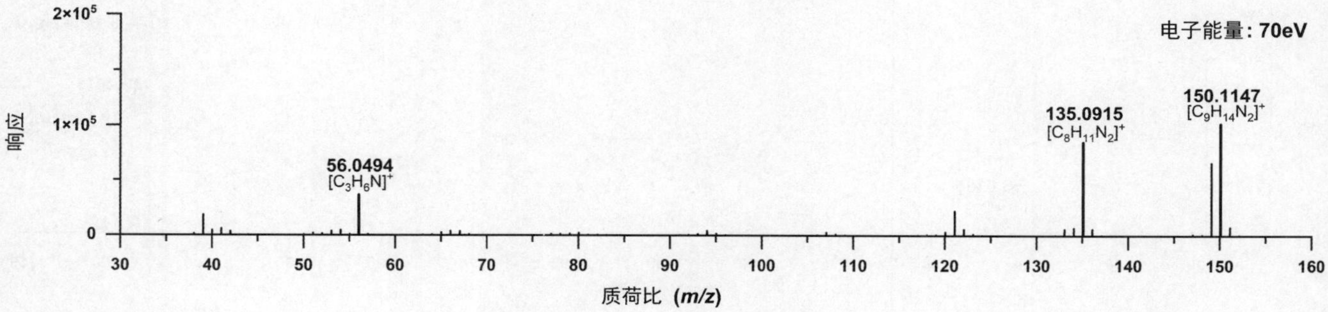

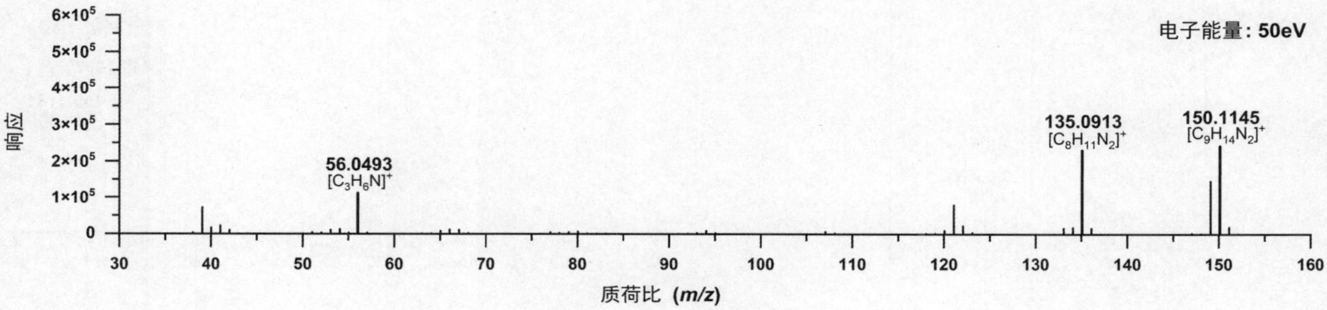

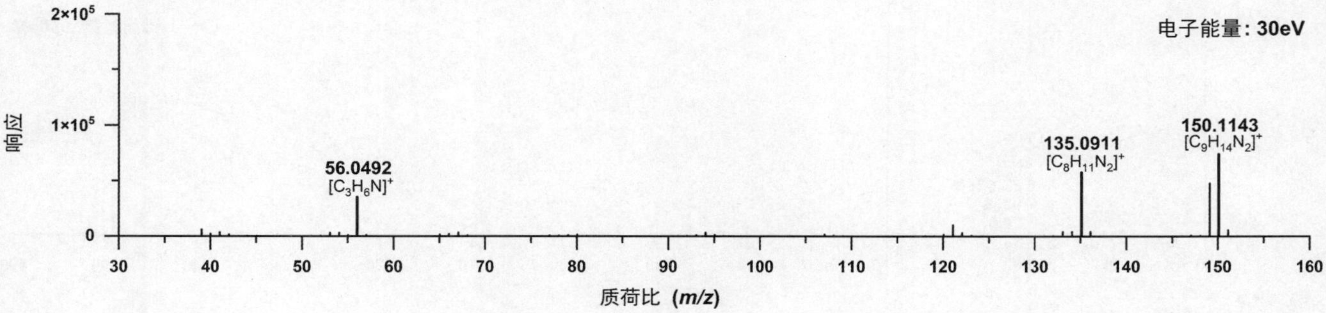

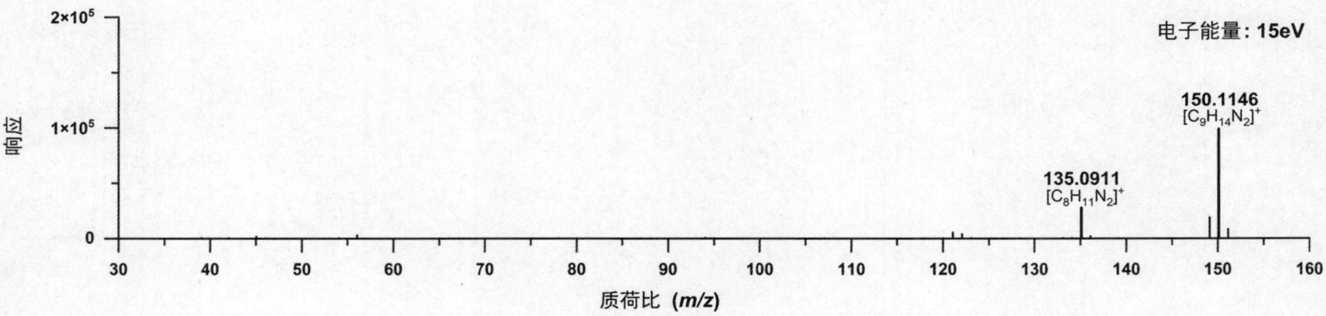

20 2-乙基-3,5,6-三甲基吡嗪

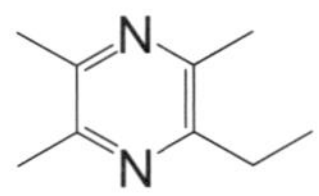

基本信息

CAS 登录号	17398-16-2	分子式	$C_9H_{14}N_2$	分子量	150.1151
保留指数（极性）	1536	保留指数（非极性）	1139	香气描述	烘烤味，坚果味，泥土味

质谱图

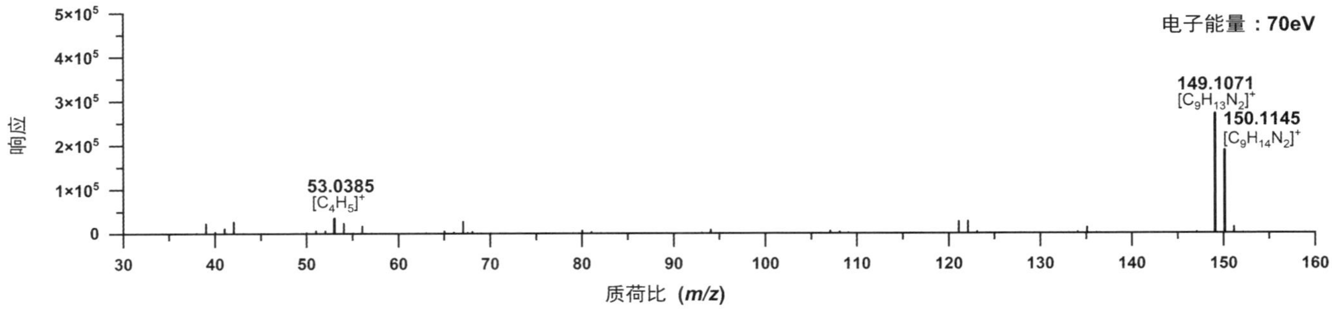

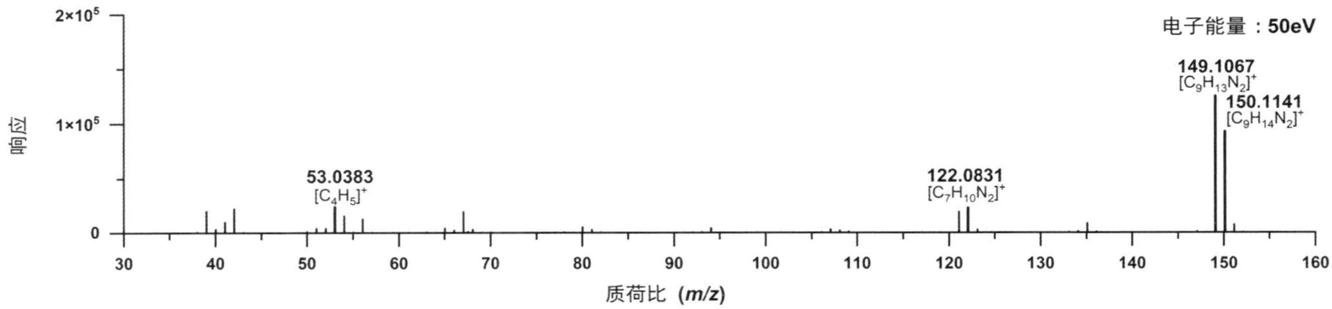

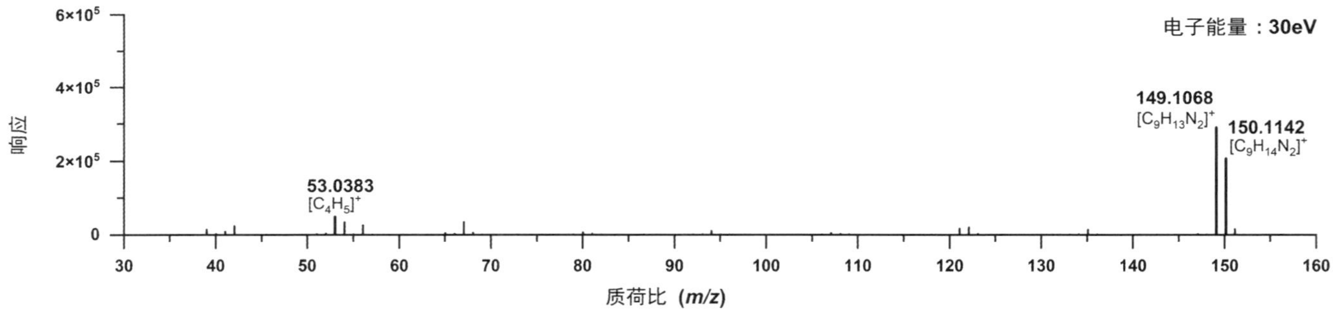

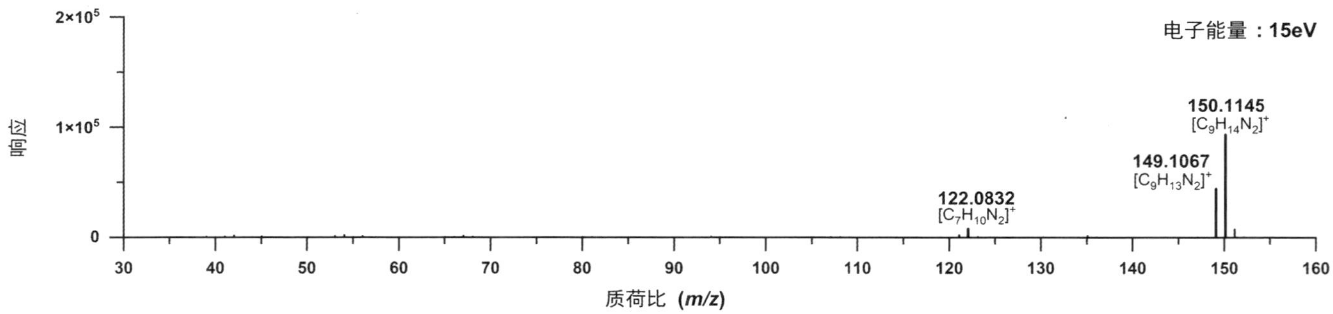

21 2-异丁基-3-甲基吡嗪

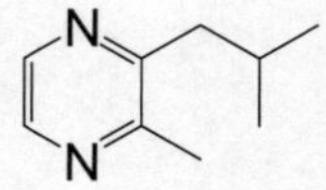

基本信息

CAS 登录号	13925-06-9	分子式	$C_9H_{14}N_2$	分子量	150.1151
保留指数（极性）	1525	保留指数（非极性）	1117	香气描述	烘烤味，肉味，坚果味

质谱图

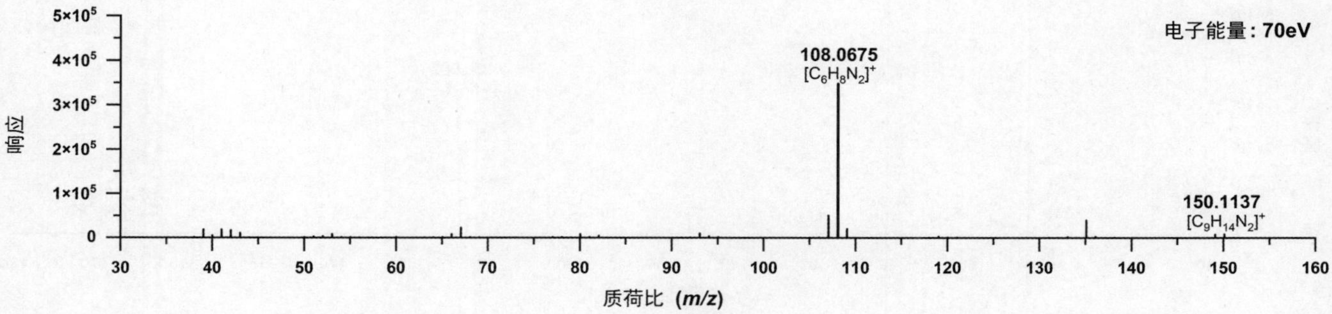

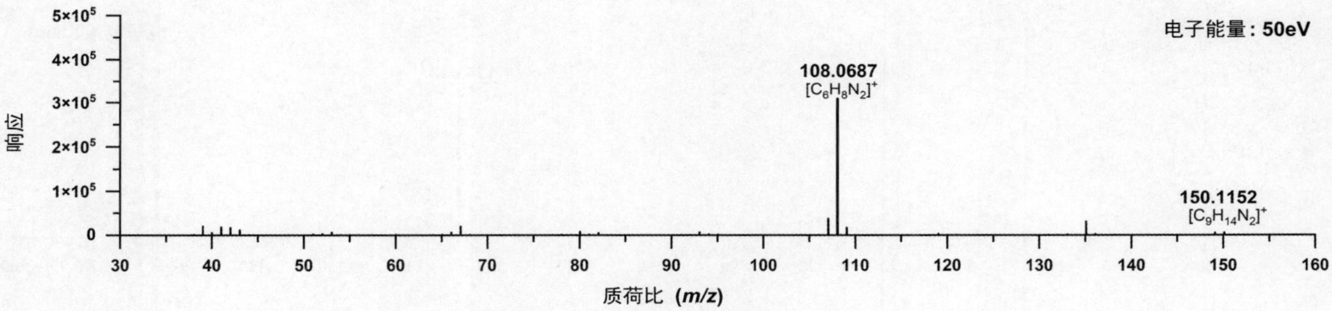

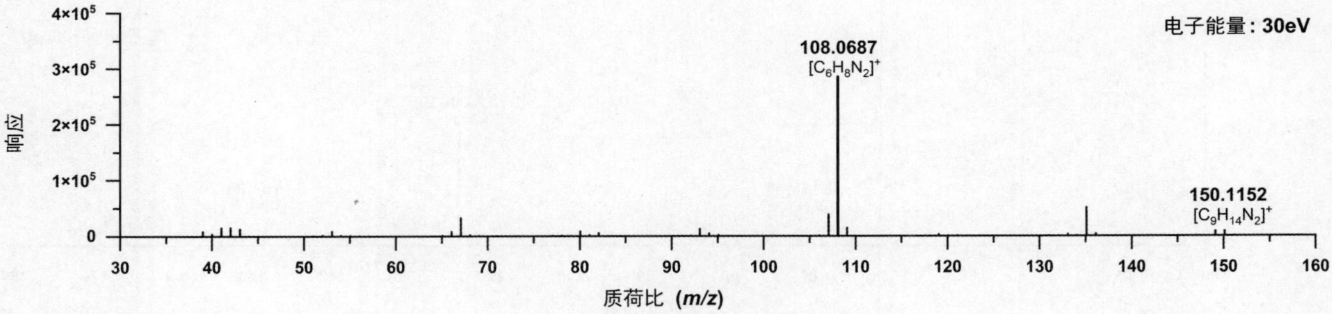

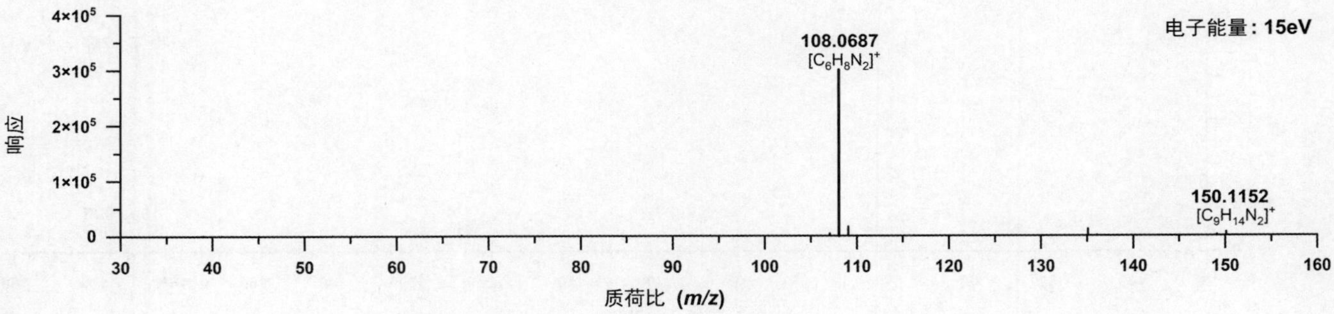

22 2-异丁基-3-甲氧基吡嗪

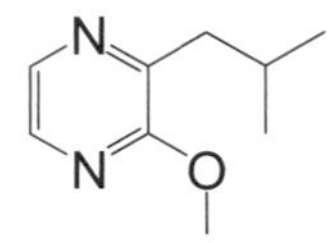

基本信息

CAS 登录号	24683-00-9	分子式	$C_9H_{14}N_2O$	分子量	166.1101
保留指数（极性）	1546	保留指数（非极性）	1163	香气描述	烘烤味，坚果味，咖啡味

质谱图

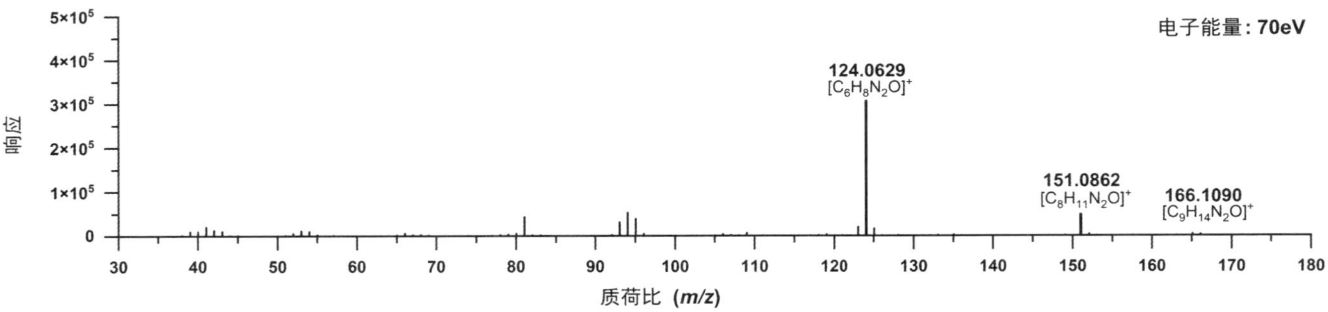

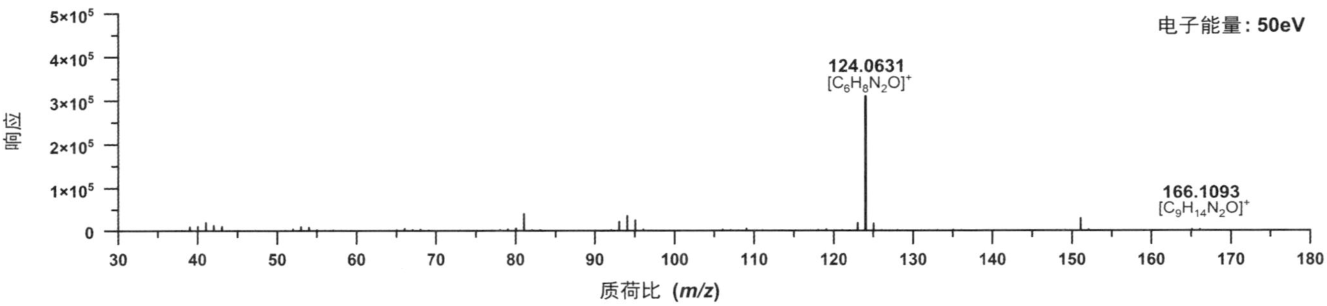

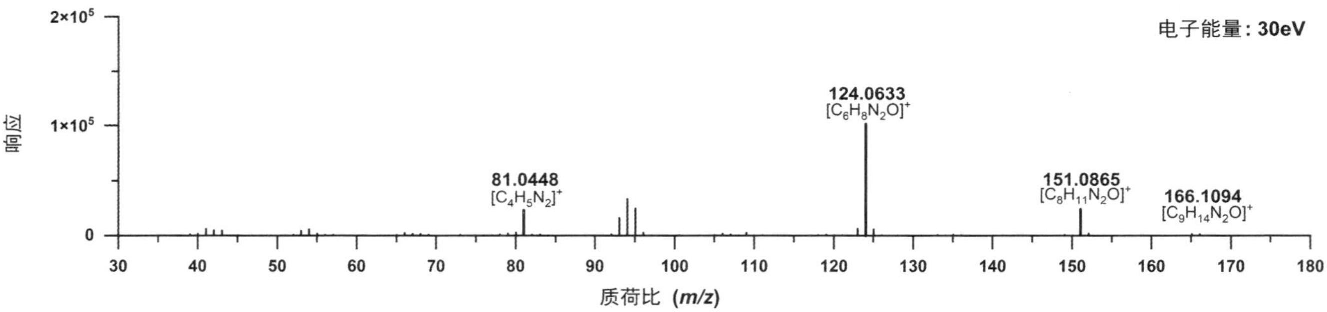

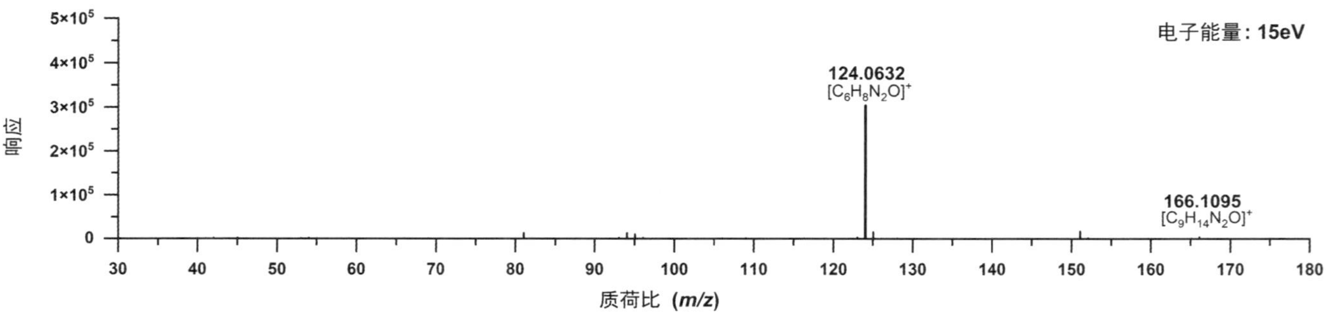

23 吡咯

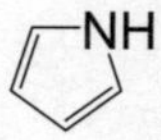

基本信息

CAS 登录号	109-97-7	分子式	C_4H_5N	分子量	67.0417
保留指数（极性）	1530	保留指数（非极性）	733	香气描述	泥土味，霉味，金属味

质谱图

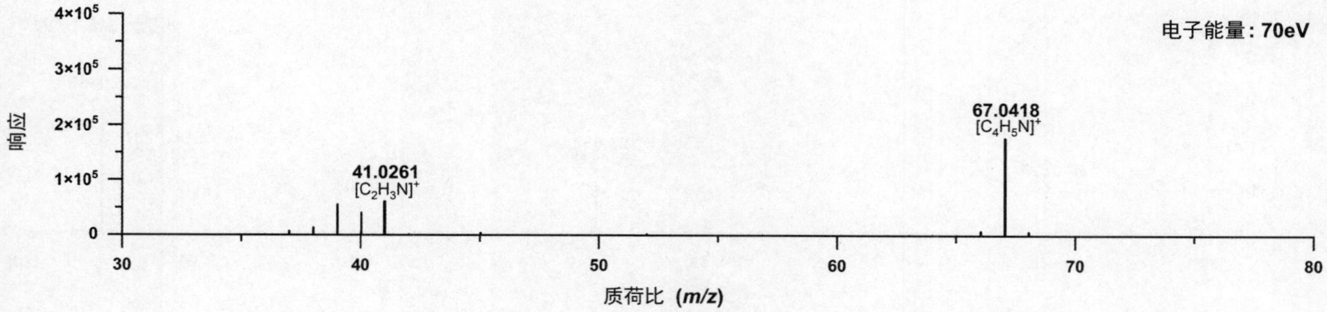

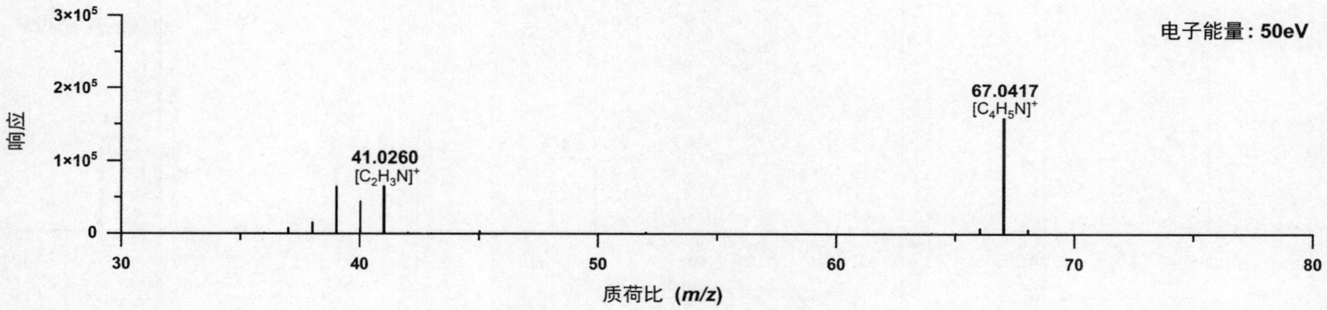

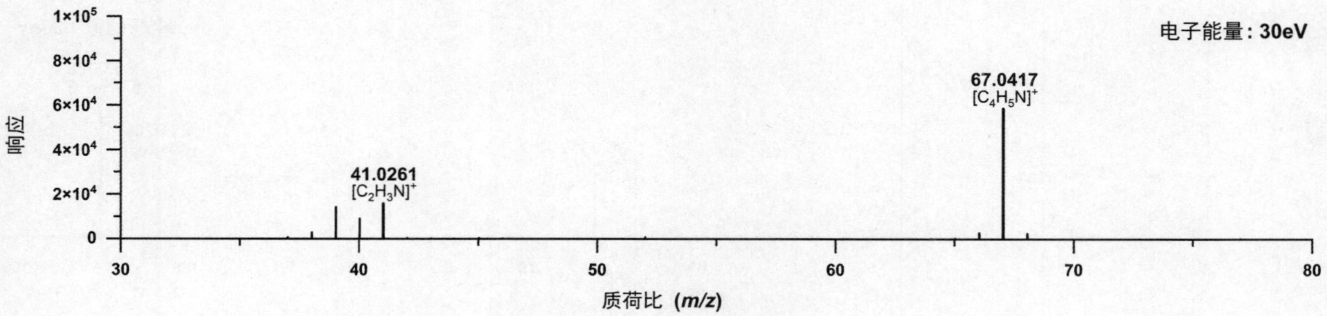

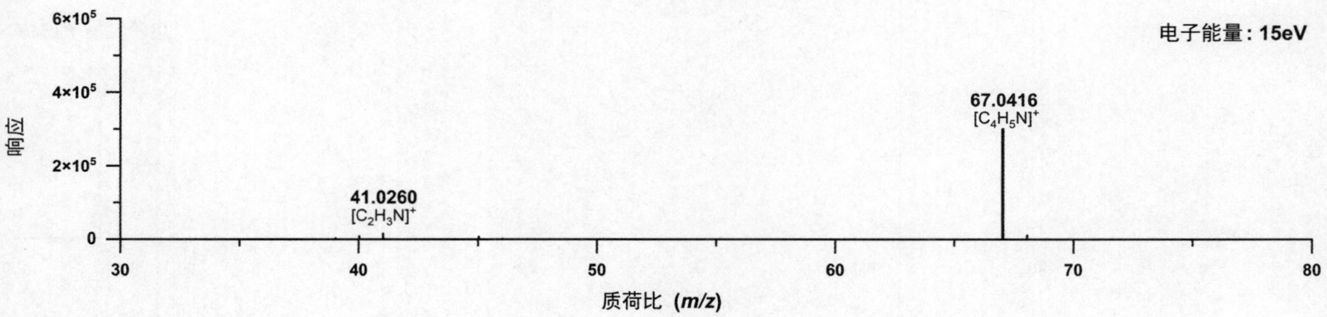

24 2-吡咯甲醛

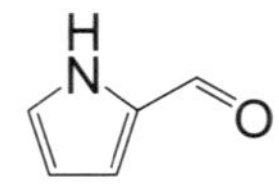

基本信息

CAS 登录号	1003-29-8	分子式	C_5H_5NO	分子量	95.0366
保留指数（极性）	2061	保留指数（非极性）	970	香气描述	泥土味，霉味，金属味

质谱图

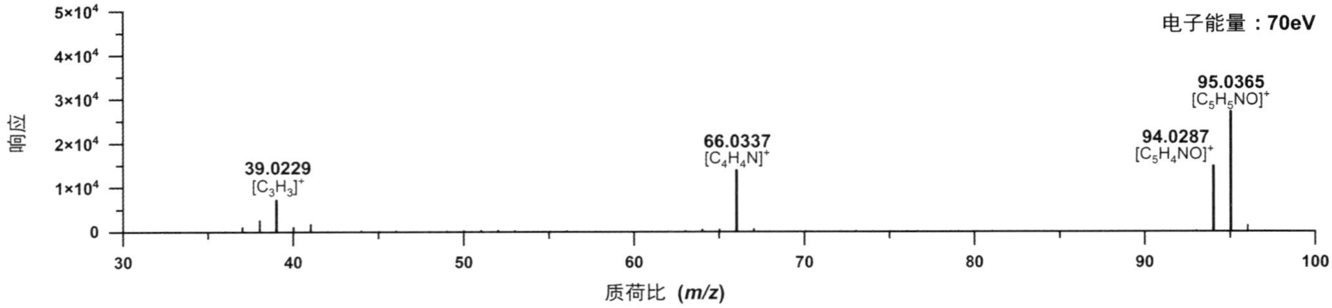

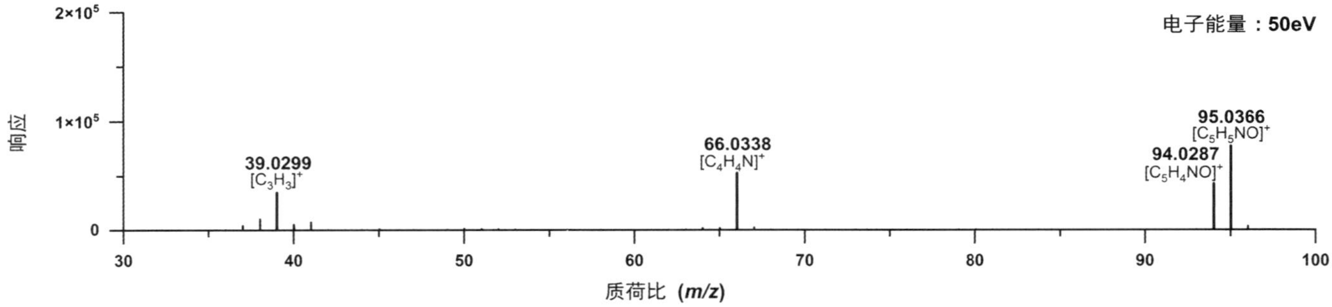

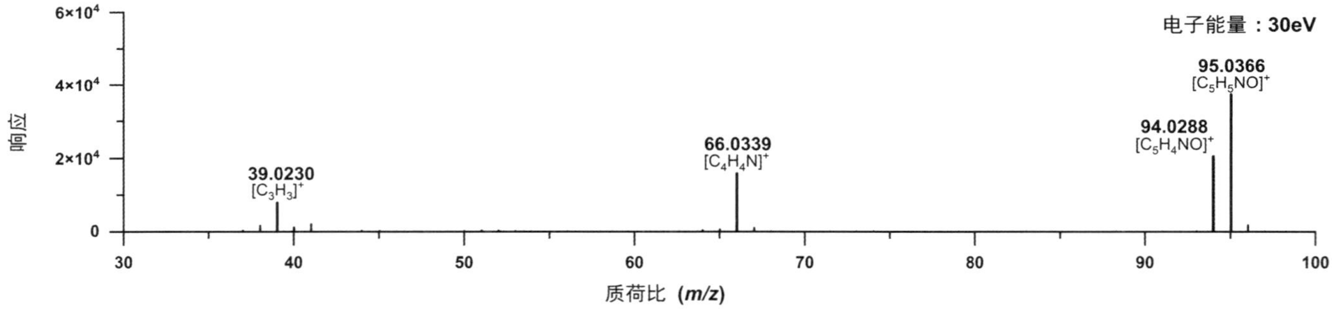

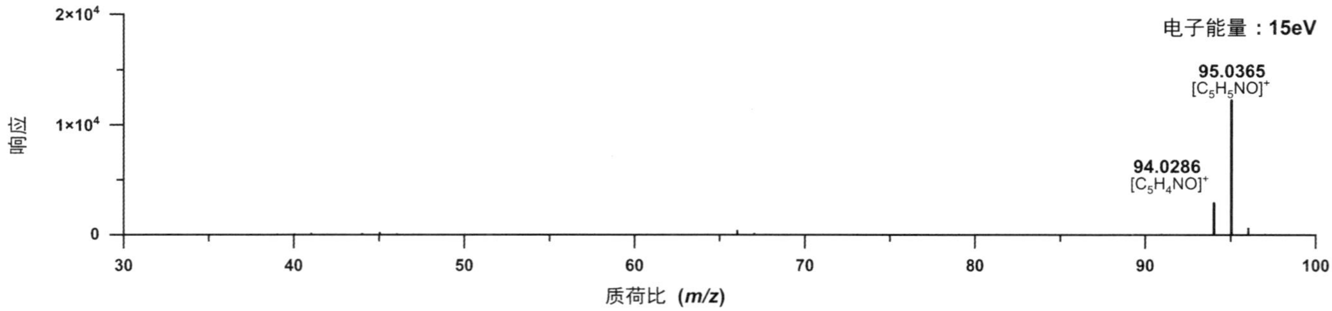

25 3-甲基吡啶

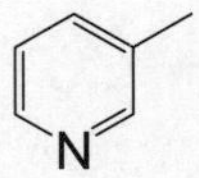

基本信息

CAS 登录号	108-99-6	分子式	C_6H_7N	分子量	93.0573
保留指数（极性）	1319	保留指数（非极性）	841	香气描述	烟草味，刺激性气味，坚果味

质谱图

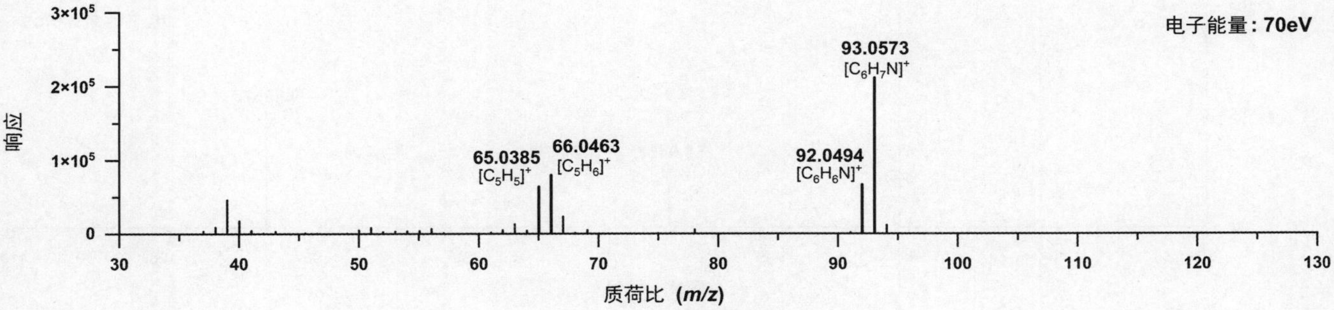

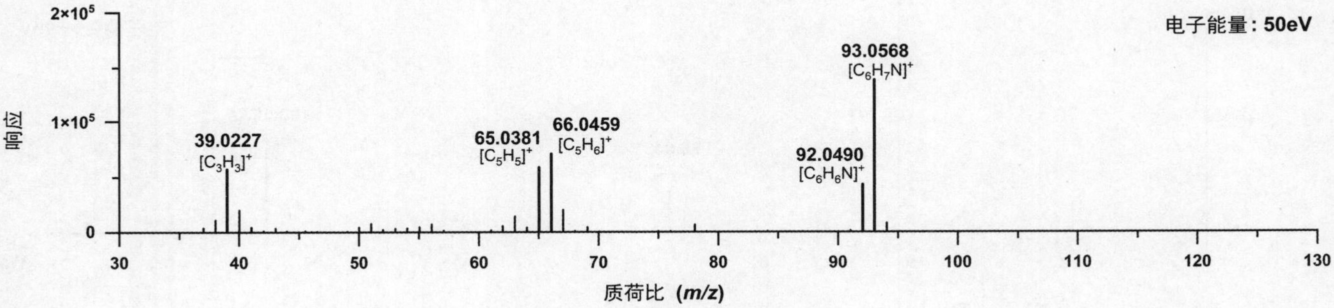

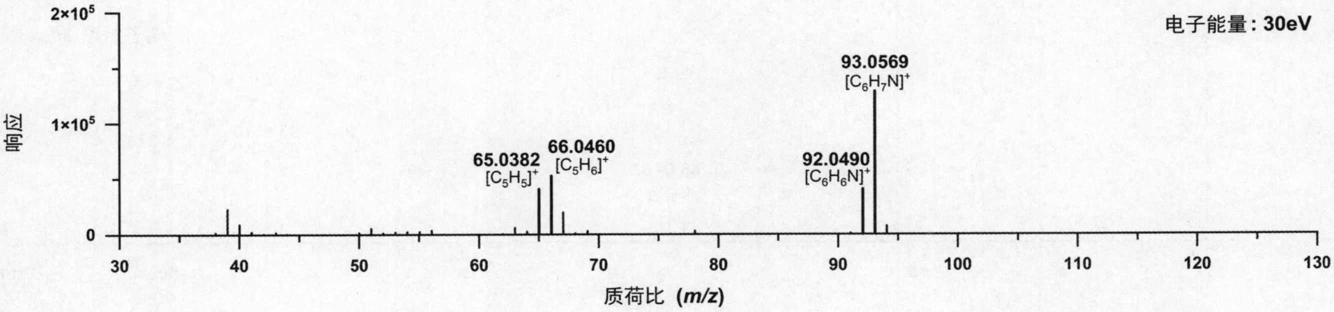

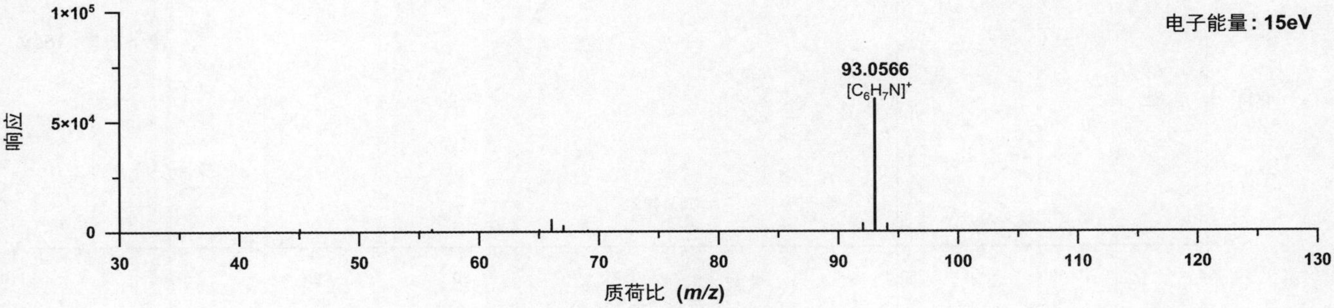

26

4-甲基吡啶

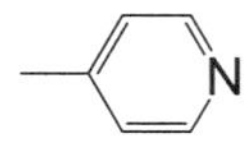

基本信息

CAS 登录号	108-89-4	分子式	C_6H_7N	分子量	93.0573
保留指数（极性）	1327	保留指数（非极性）	842	香气描述	烟草味，刺激性气味，坚果味

质谱图

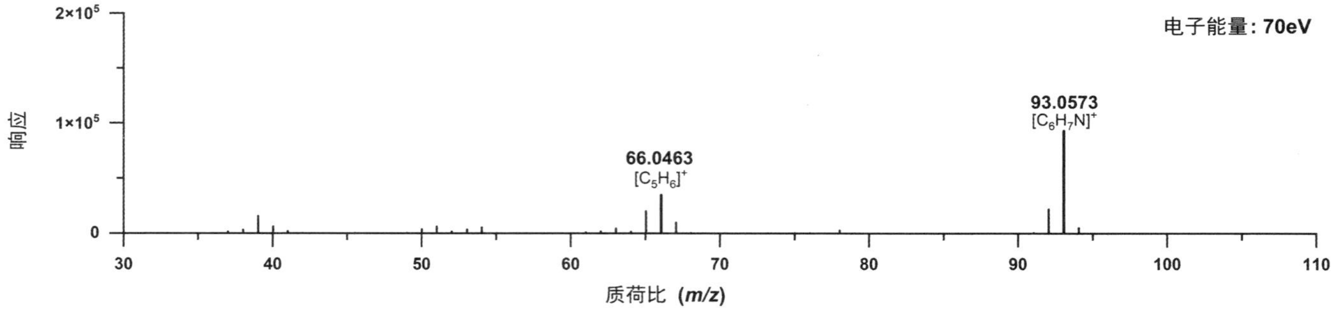

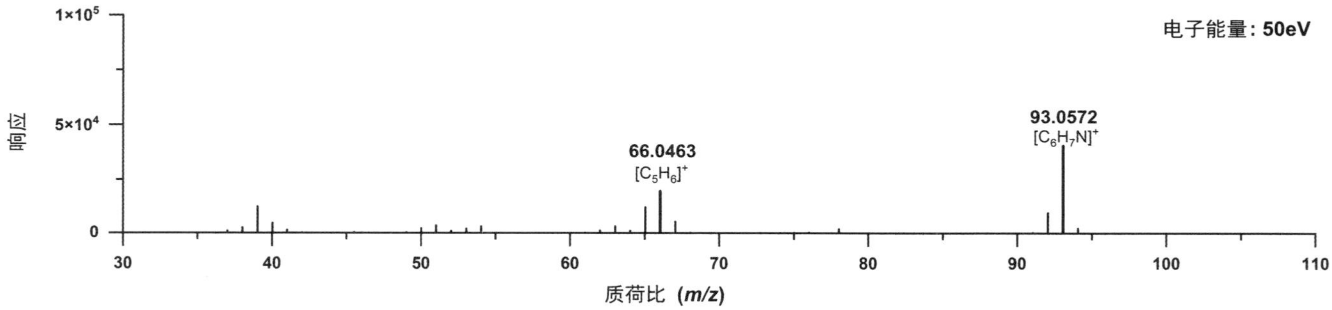

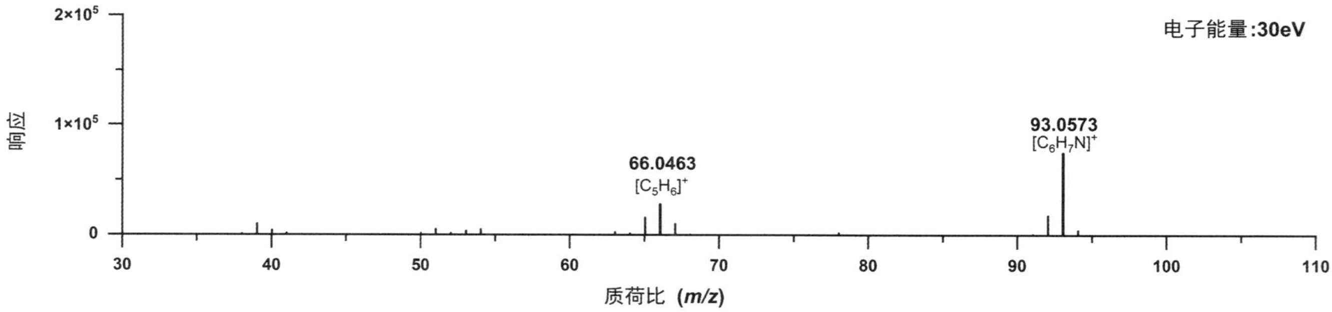

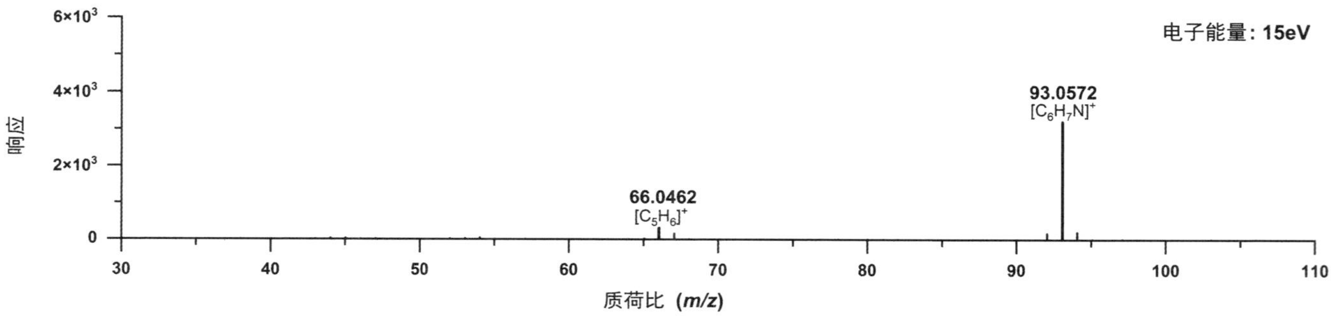

27 2-甲基吡啶

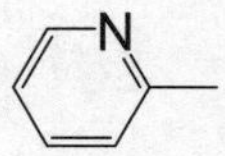

基本信息

CAS 登录号	109-06-8	分子式	C_6H_7N	分子量	93.0573
保留指数（极性）	1236	保留指数（非极性）	800	香气描述	金属味，刺激性气味，甜香

质谱图

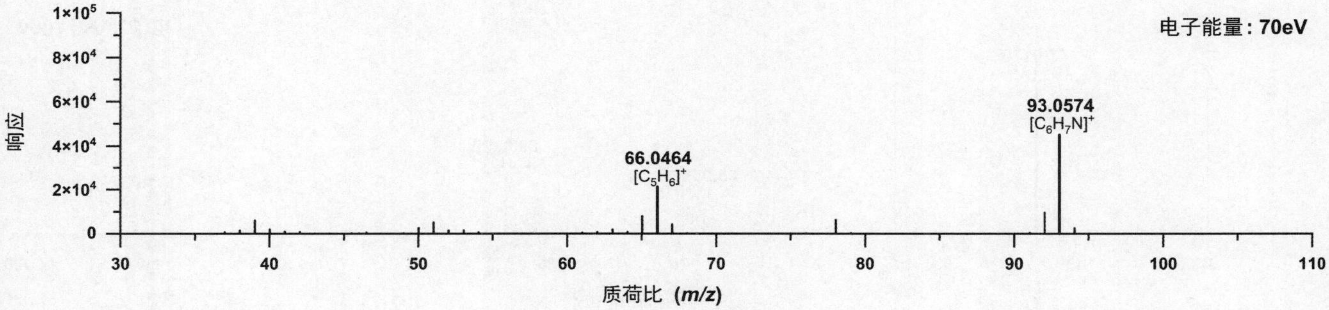

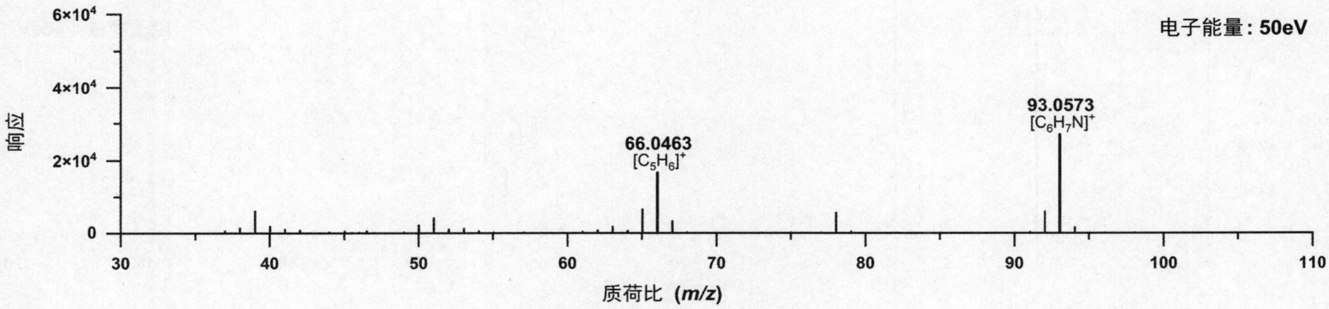

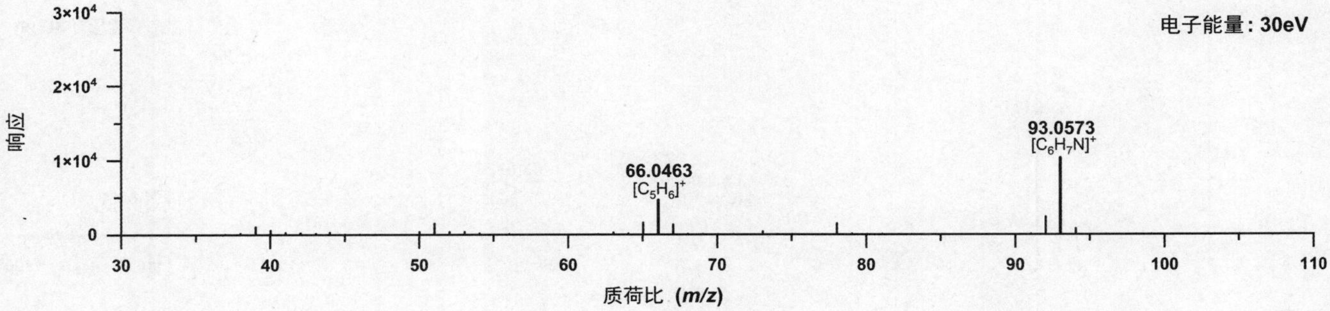

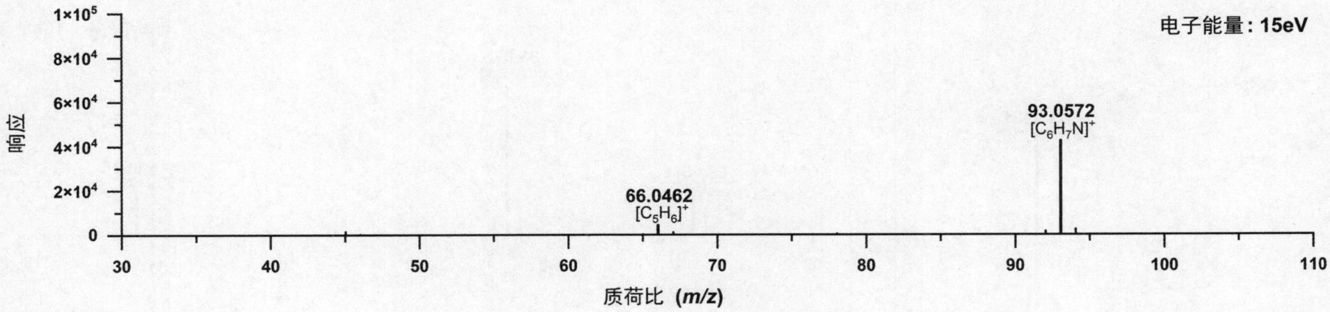

28 2-乙酰基-1-吡咯啉

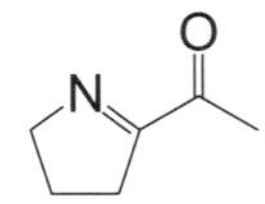

基本信息

CAS 登录号	85213-22-5	分子式	C_6H_9NO	分子量	111.0679
保留指数（极性）	1345	保留指数（非极性）	895	香气描述	爆米花的香气，米饭，烤面包味

质谱图

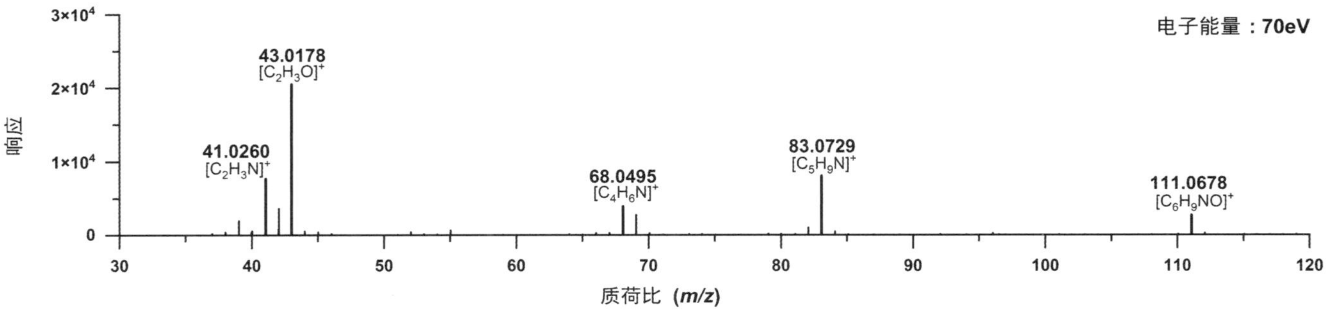

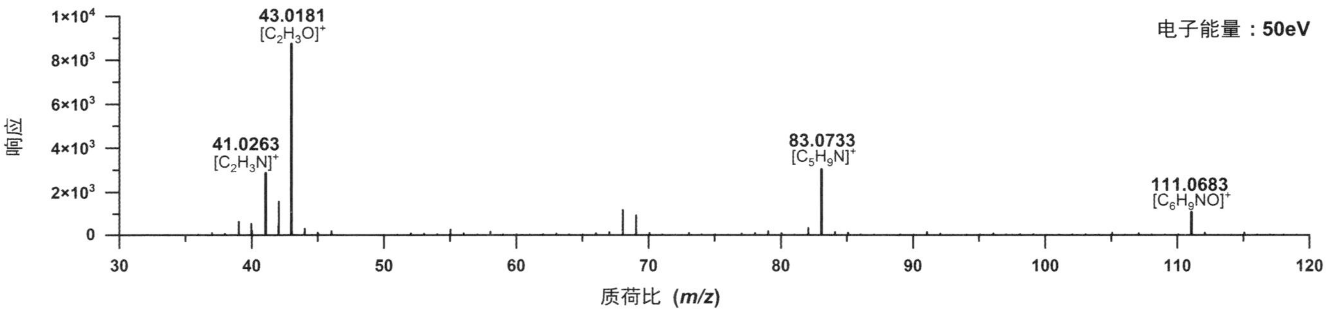

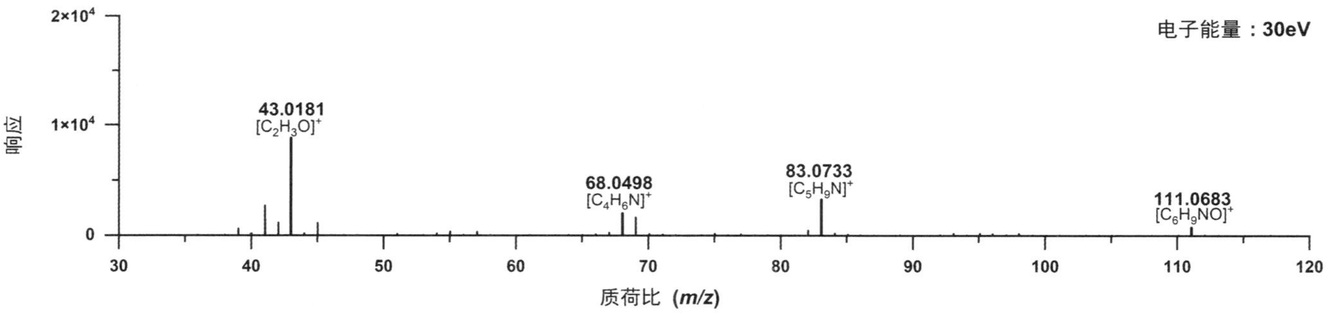

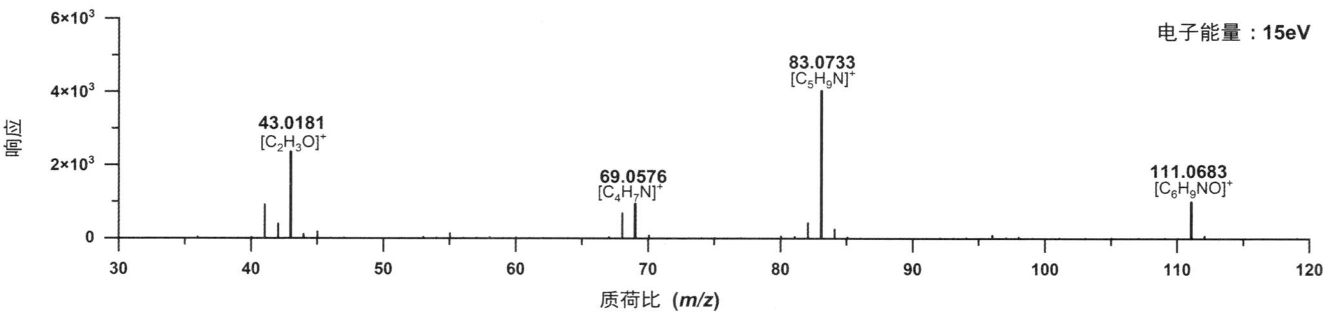

29 2,3-二甲基吡啶

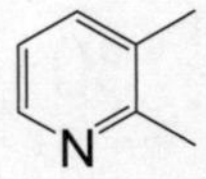

基本信息

CAS 登录号	583-61-9	分子式	C_7H_9N	分子量	107.0730
保留指数（极性）	1387	保留指数（非极性）	920	香气描述	烟草味，刺激性气味，坚果味

质谱图

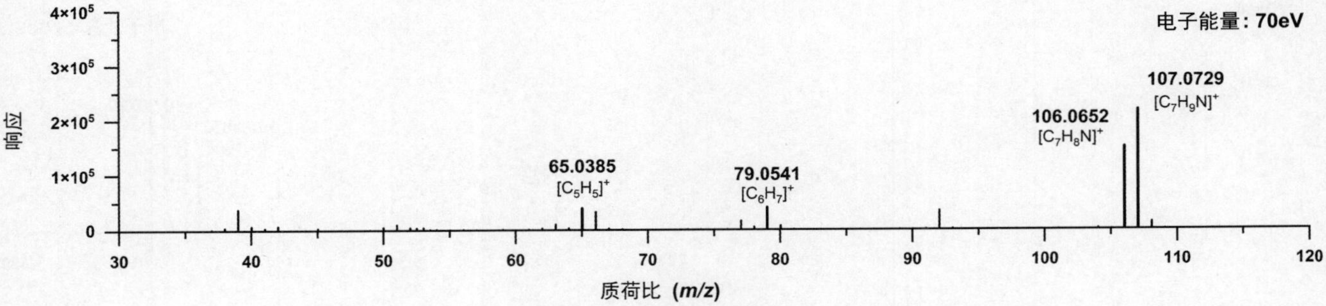

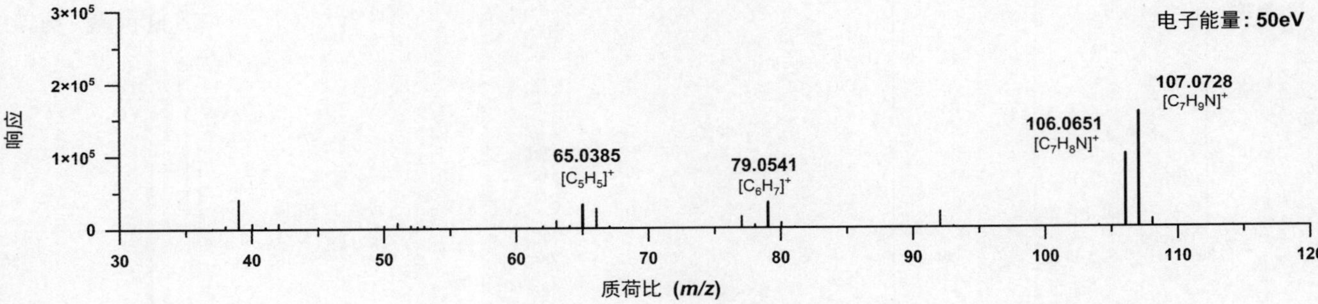

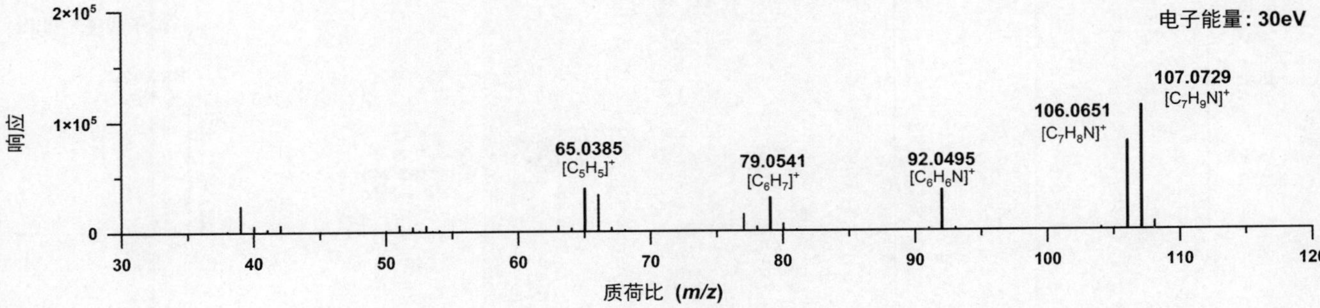

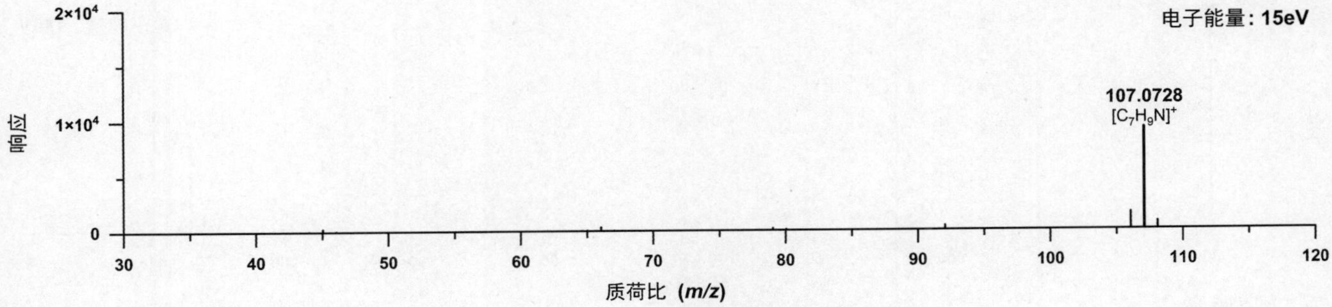

30 2,5-二甲基吡啶

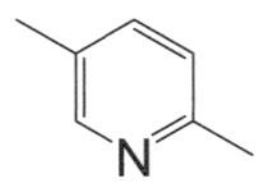

基本信息

CAS 登录号	589-93-5	分子式	C_7H_9N	分子量	107.0730
保留指数（极性）	1351	保留指数（非极性）	908	香气描述	烟草味，刺激性气味，坚果味

质谱图

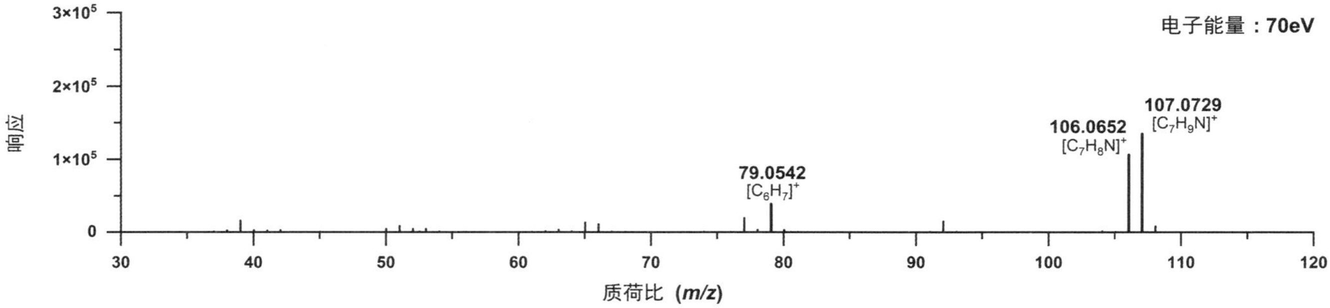

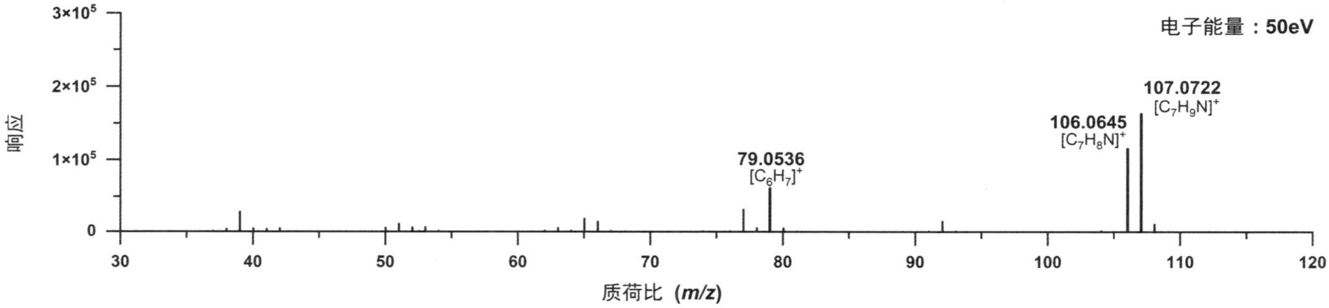

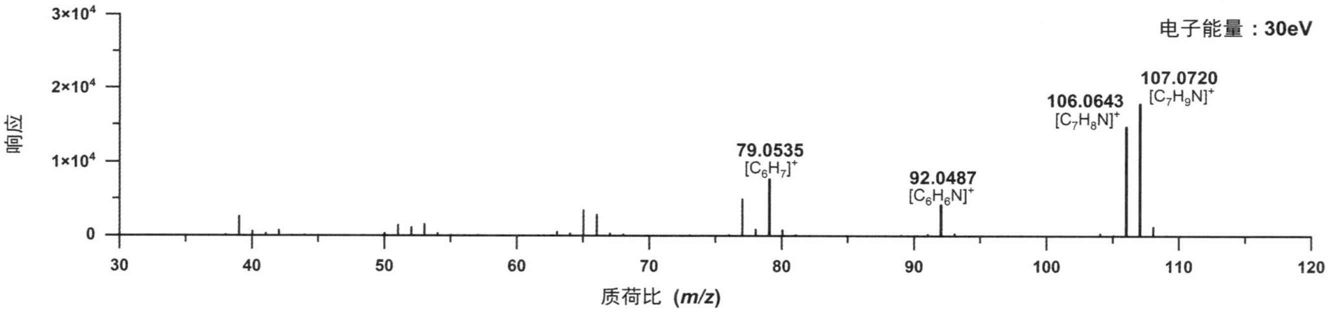

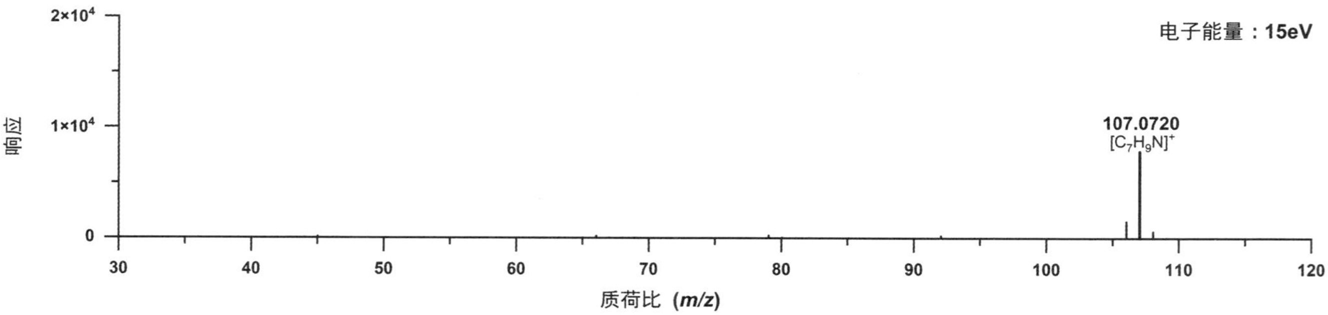

31

3-乙基吡啶

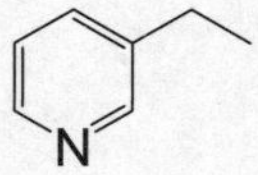

基本信息

CAS 登录号	536-78-7	分子式	C_7H_9N	分子量	107.0730
保留指数（极性）	1410	保留指数（非极性）	934	香气描述	烟草味，刺激性气味，坚果味

质谱图

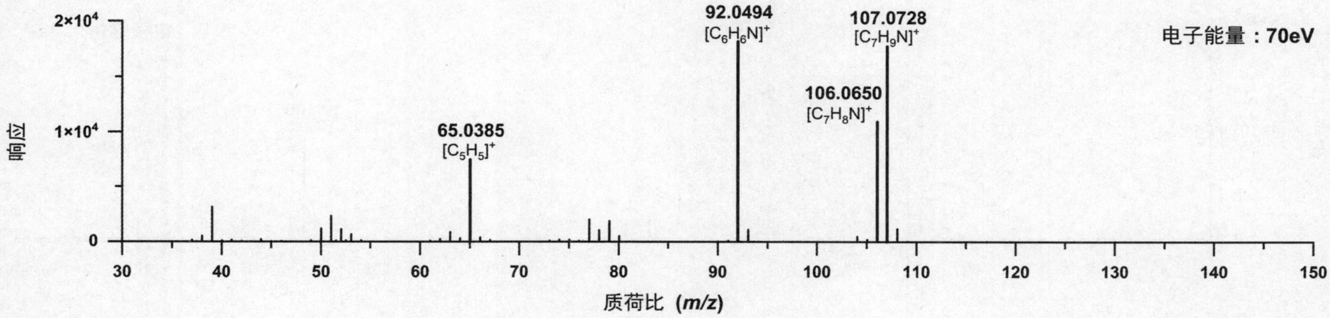

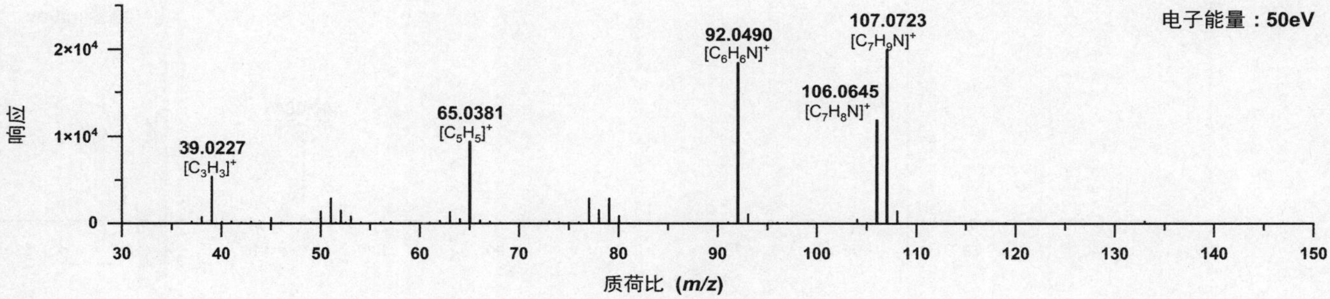

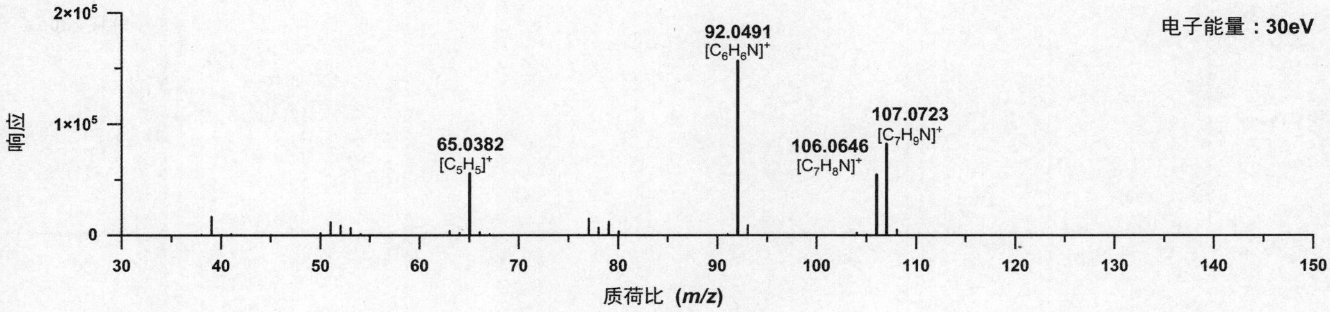

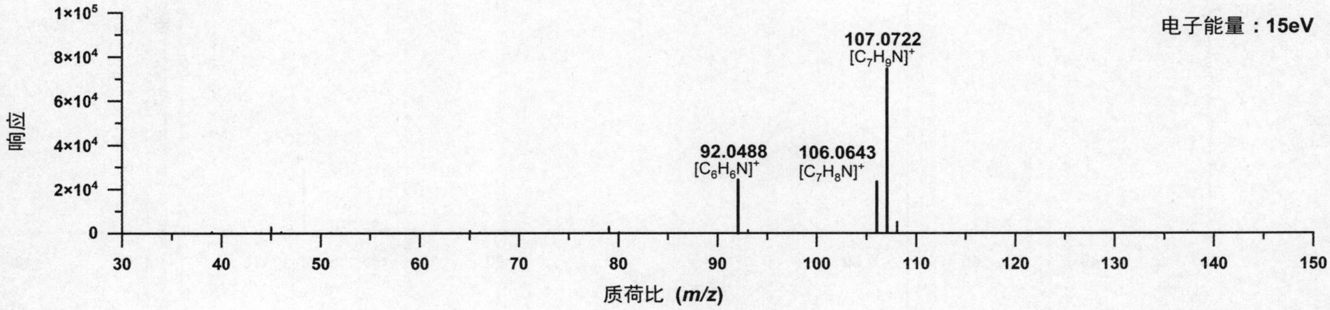

32 5-乙基-2-甲基-吡啶

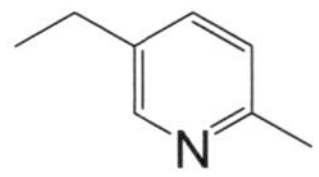

基本信息

CAS 登录号	104-90-5	分子式	$C_8H_{11}N$	分子量	121.0886
保留指数（极性）	1442	保留指数（非极性）	1001	香气描述	动物臭，烟草味，刺激性气味

质谱图

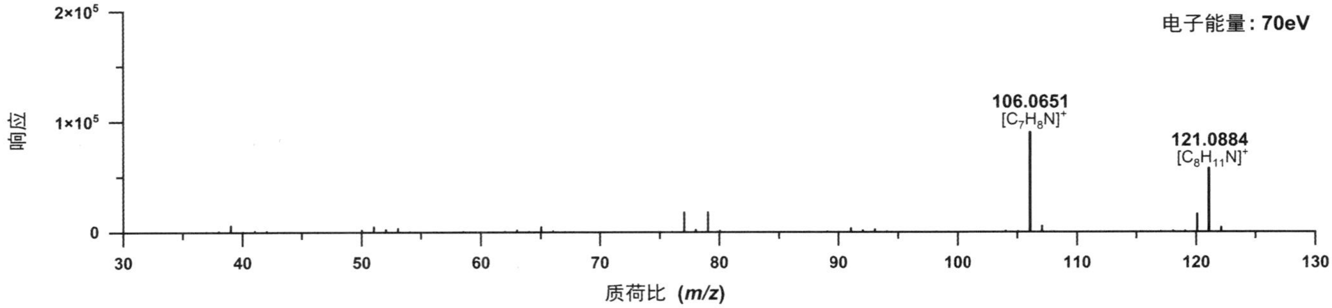

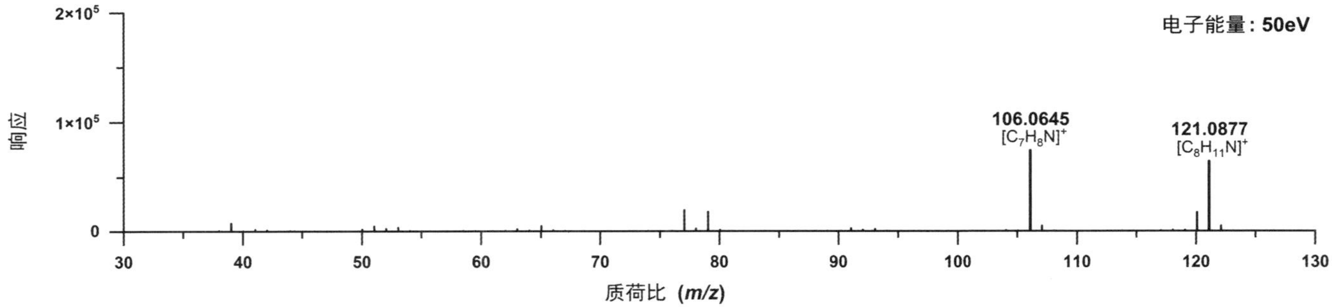

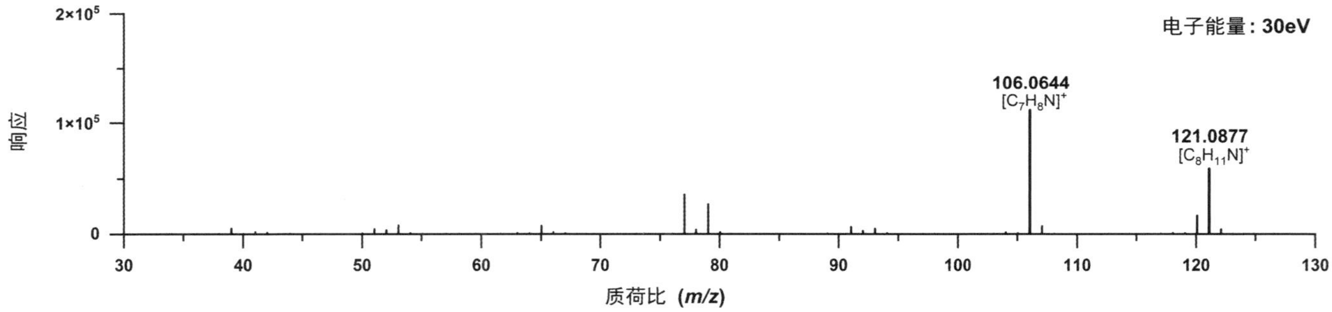

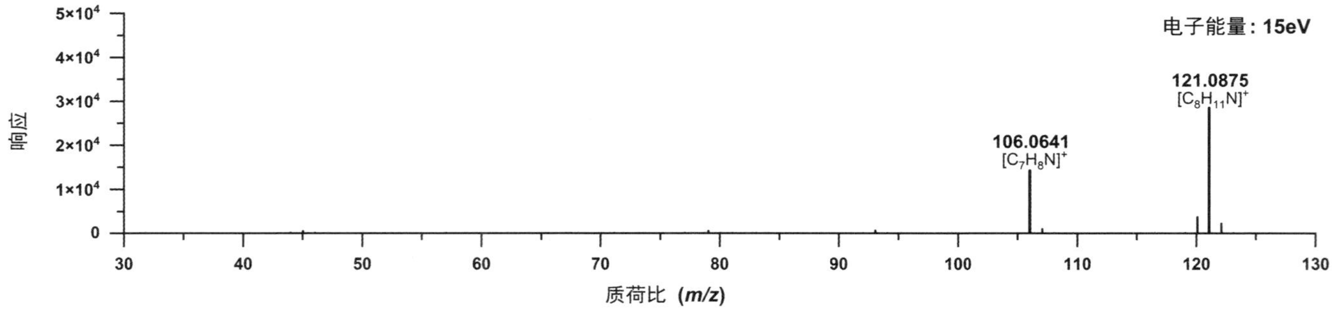

33 2,3-环戊烯并吡啶

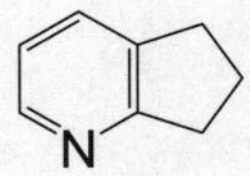

基本信息

CAS 登录号	533-37-9	分子式	C_8H_9N	分子量	119.0730
保留指数（极性）	1663	保留指数（非极性）	1084	香气描述	金属味，绿色植物的味道，烟草味

质谱图

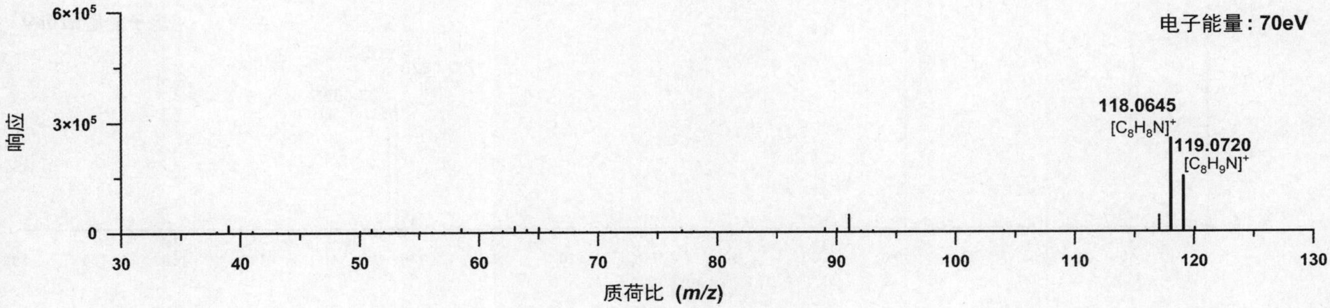

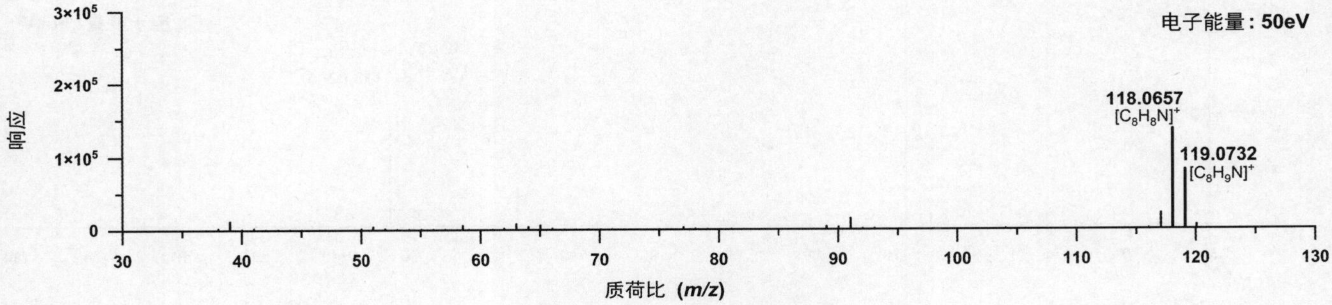

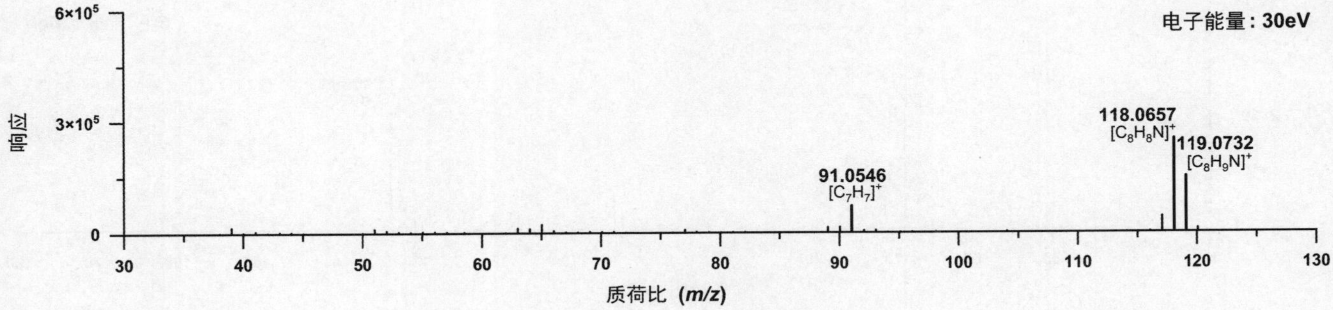

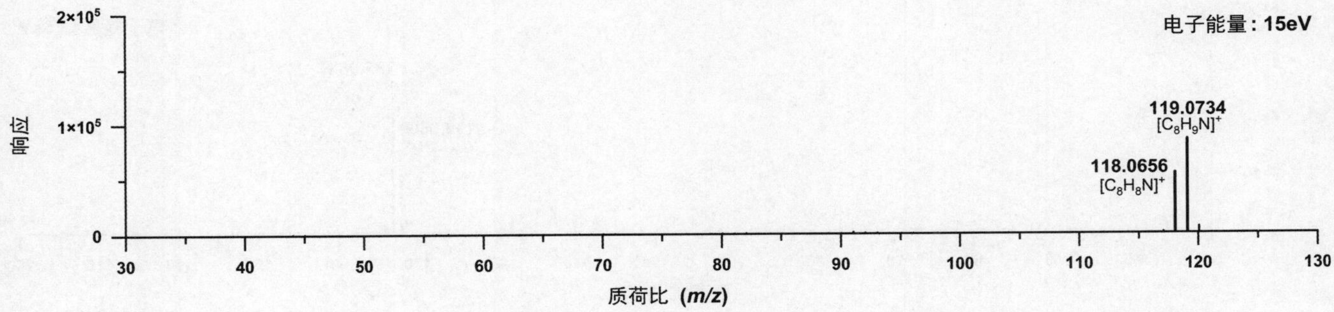

34 5,6,7,8-四氢喹啉

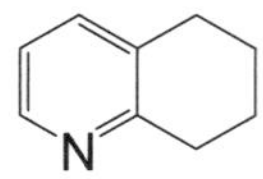

基本信息

CAS 登录号	10500-57-9	分子式	$C_9H_{11}N$	分子量	133.0886
保留指数（极性）	1796	保留指数（非极性）	1197	香气描述	花香，动物臭，麝香

质谱图

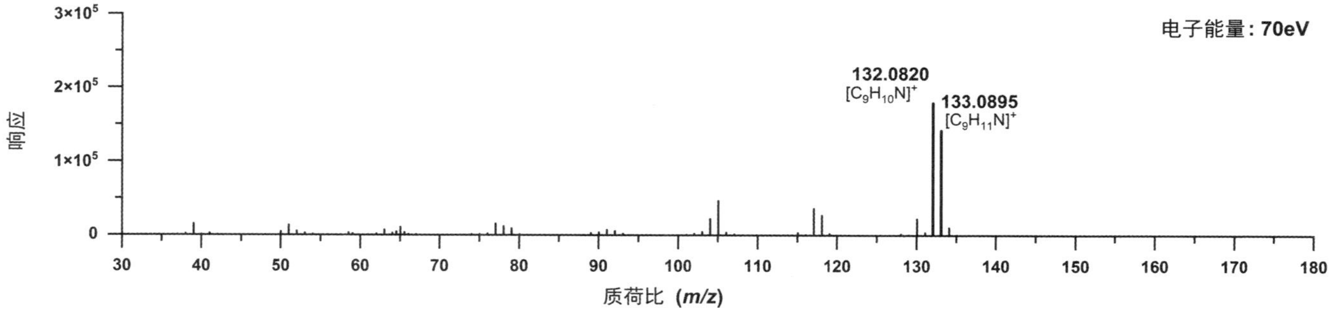

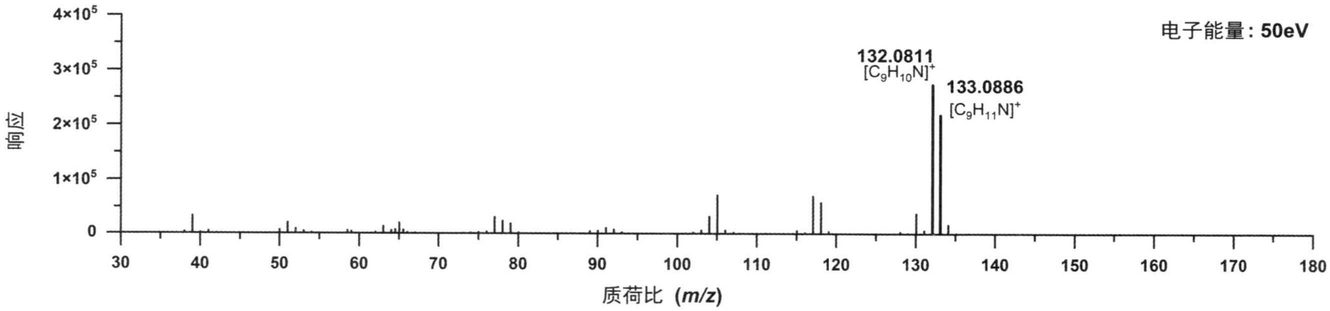

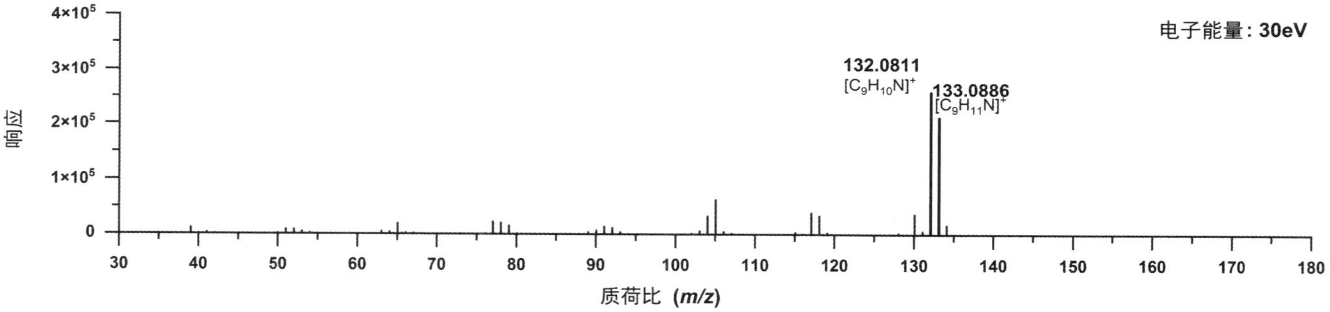

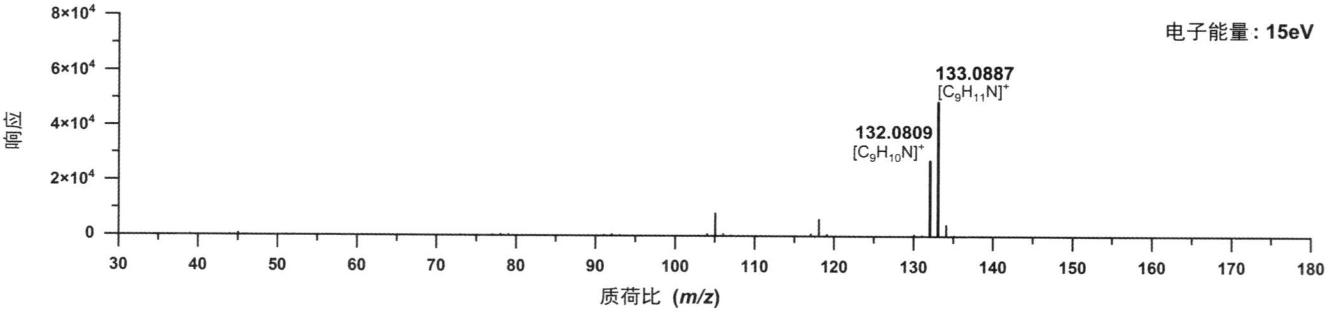

35 喹啉

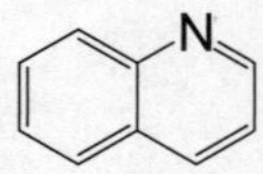

基本信息

CAS 登录号	91-22-5	分子式	C_9H_7N	分子量	129.0573
保留指数（极性）	1990	保留指数（非极性）	1207	香气描述	动物臭，皮革味，霉味

质谱图

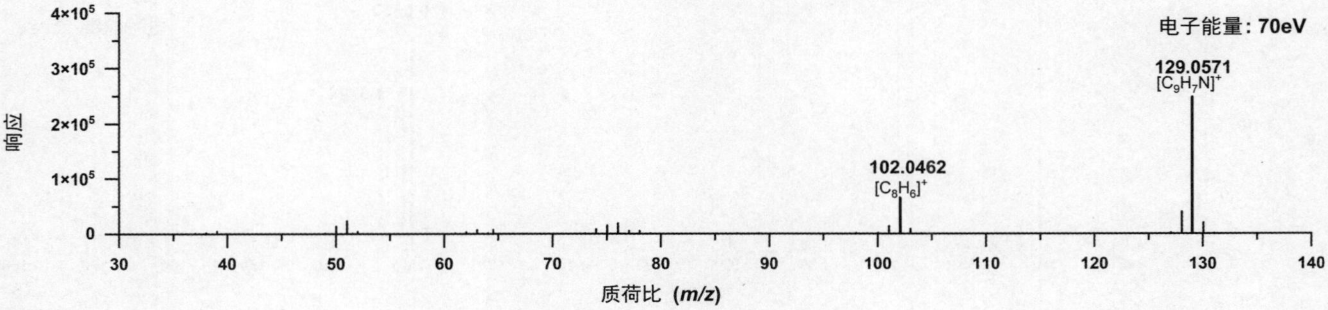

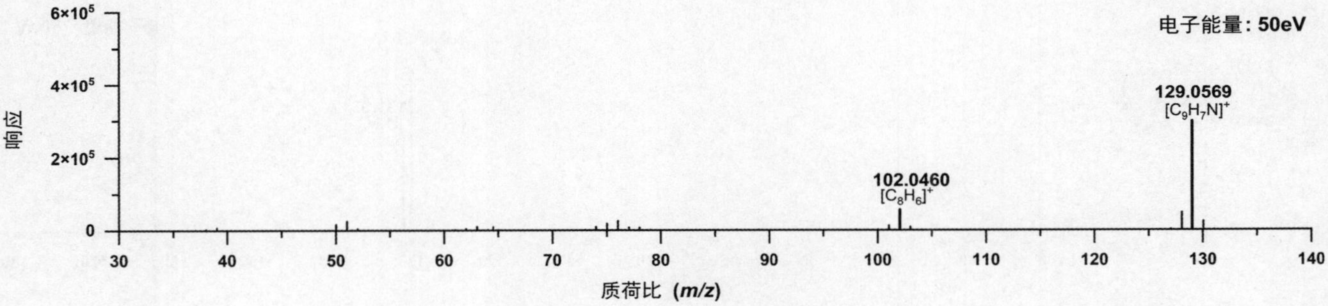

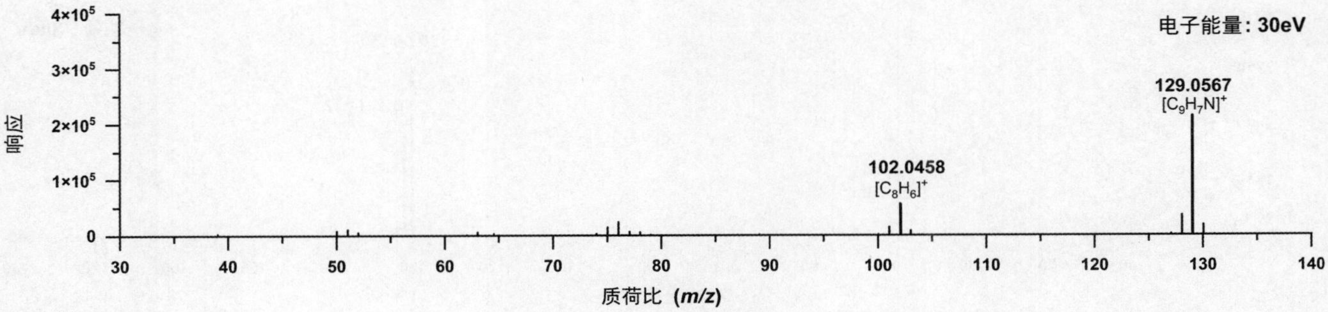

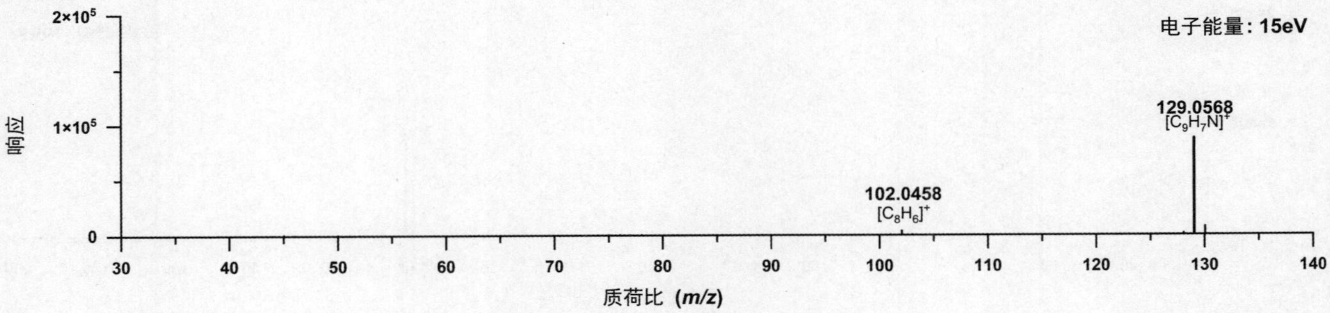

36 3-甲基吲哚

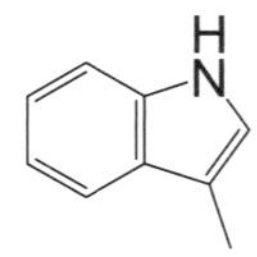

基本信息

CAS 登录号	83-34-1	分子式	C_9H_9N	分子量	131.0730
保留指数（极性）	>2400	保留指数（非极性）	1350	香气描述	动物臭，令人不愉悦的气味

质谱图

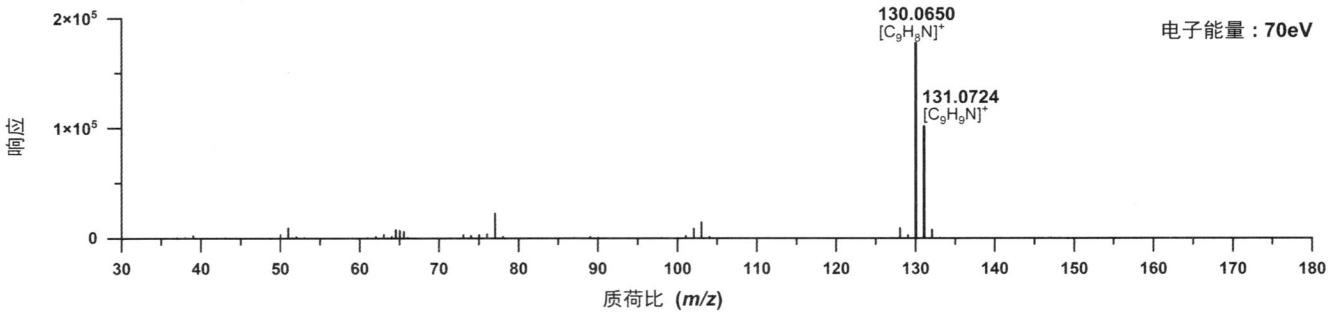

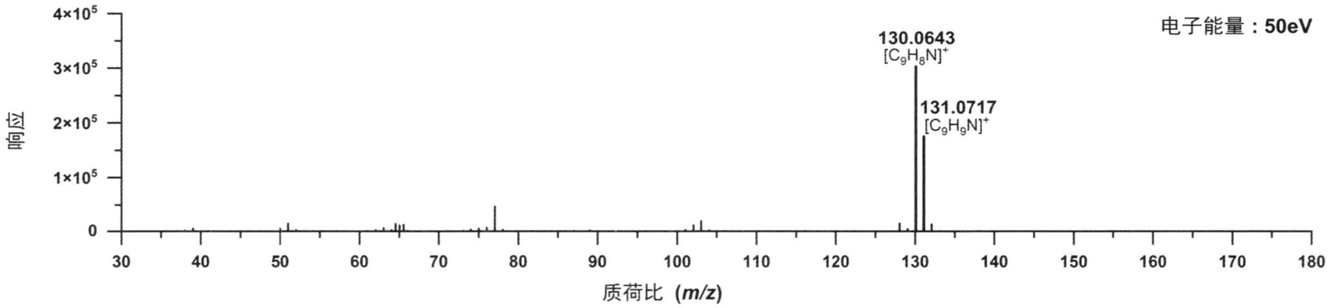

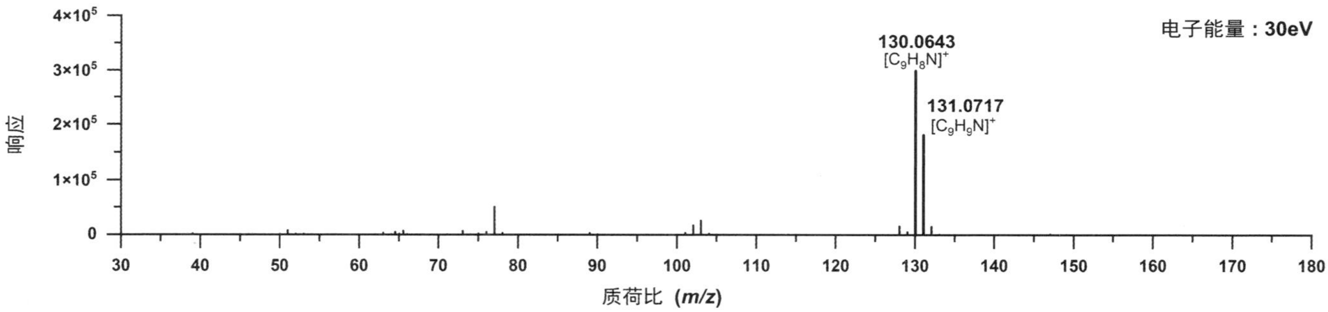

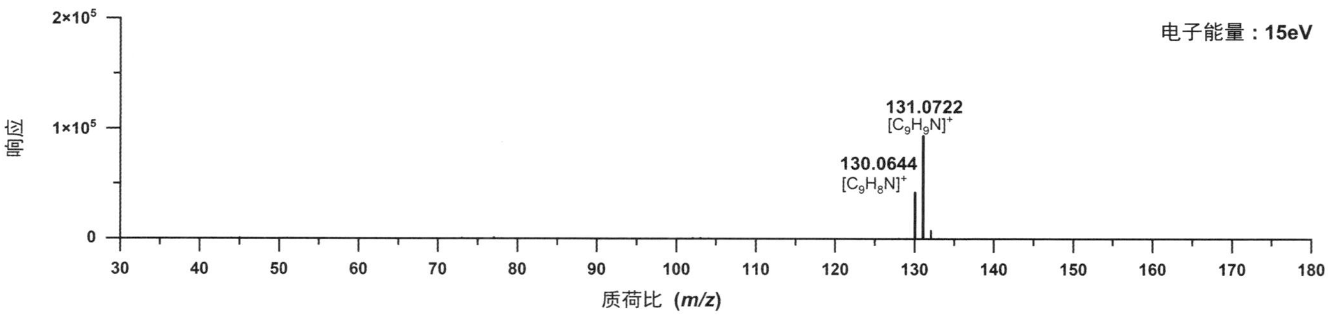

酚类

1 苯酚

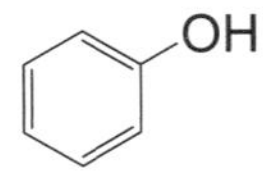

基本信息

CAS 登录号	108-95-2	分子式	C_6H_6O	分子量	94.0413
保留指数（极性）	2016	保留指数（非极性）	958	香气描述	药味，酚味，烟熏味

质谱图

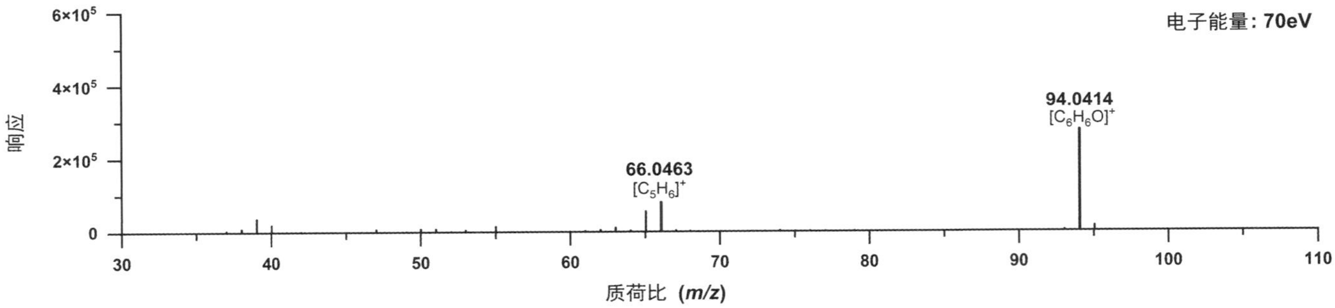

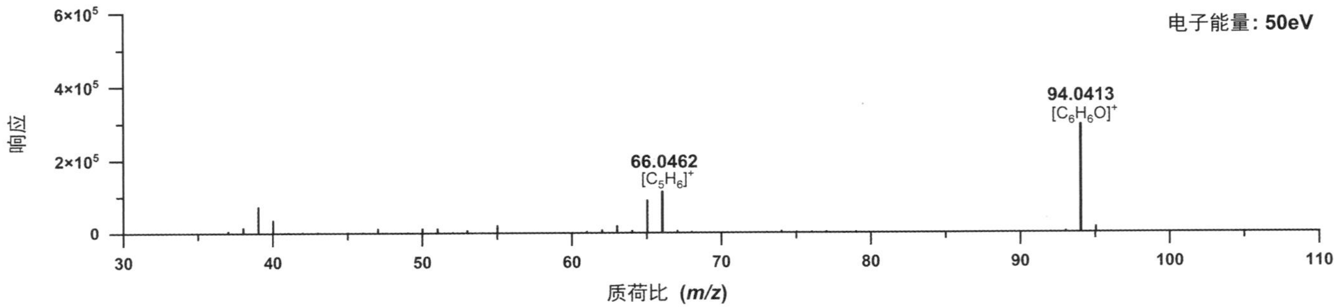

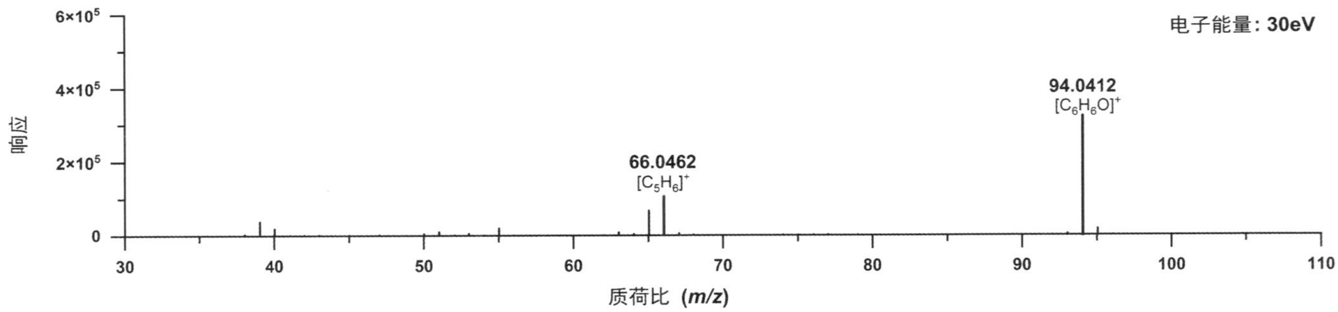

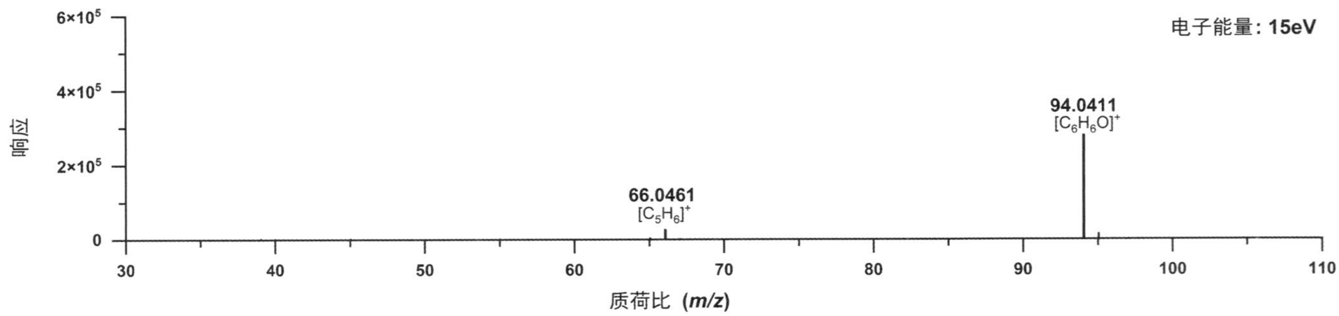

2 2-甲基苯酚

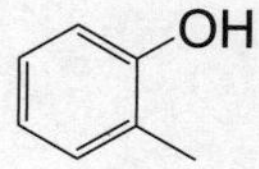

基本信息

CAS 登录号	95-48-7	分子式	C_7H_8O	分子量	108.0570
保留指数（极性）	2010	保留指数（非极性）	1030	香气描述	马厩味，动物臭，酚味

质谱图

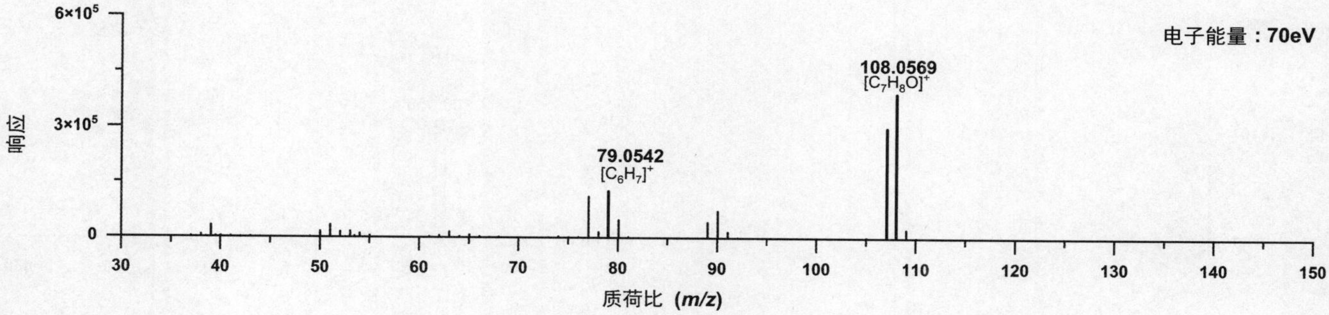

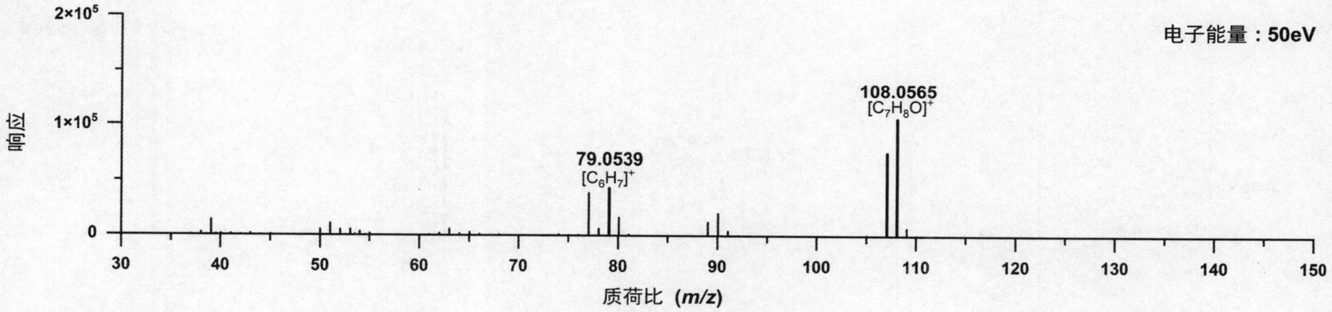

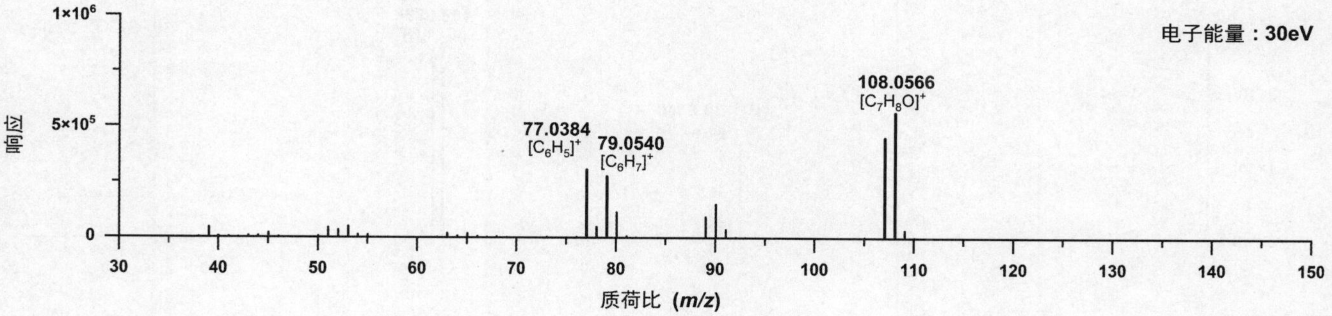

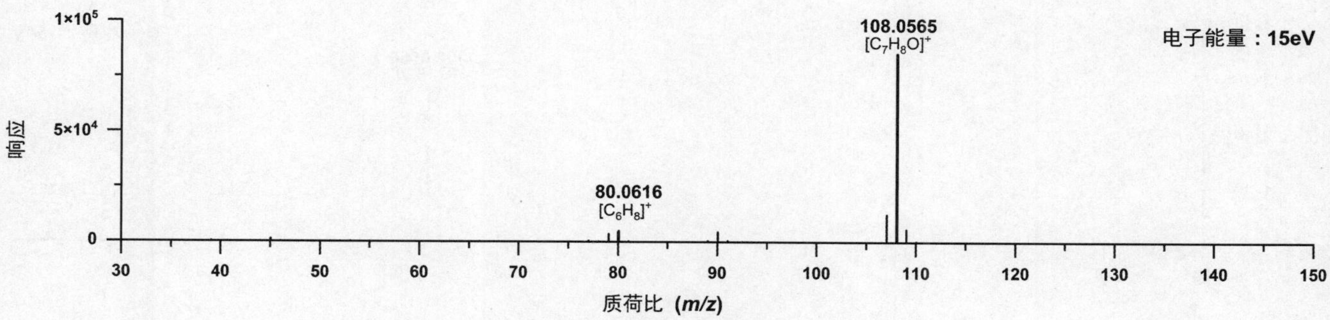

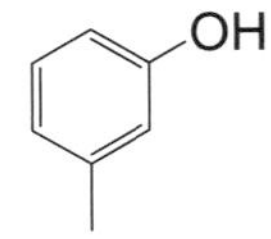

3 3-甲基苯酚

基本信息

CAS 登录号	108-39-4	分子式	C_7H_8O	分子量	108.0570
保留指数（极性）	2101	保留指数（非极性）	1050	香气描述	动物臭，马厩味，酚味

质谱图

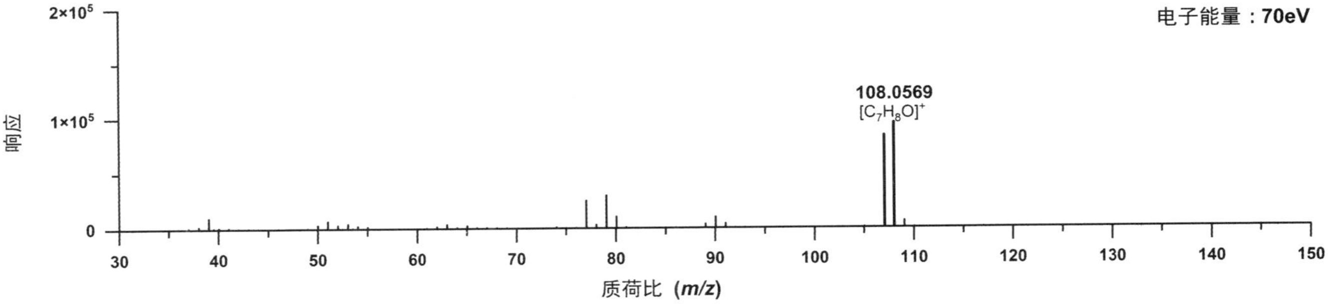

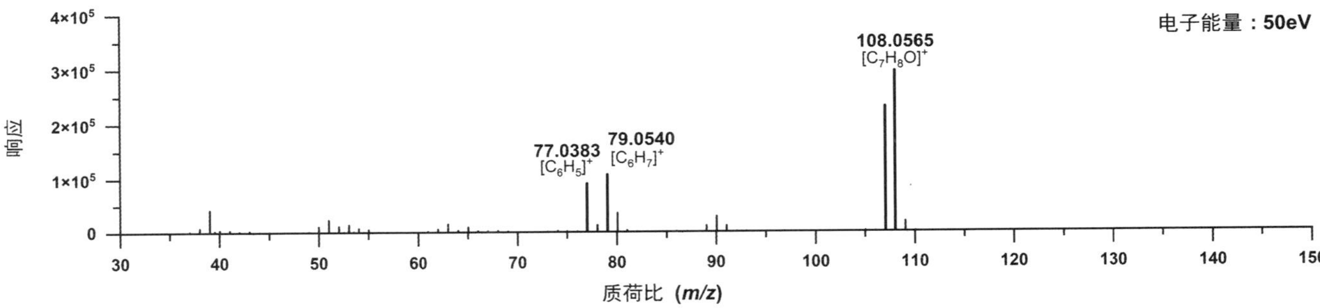

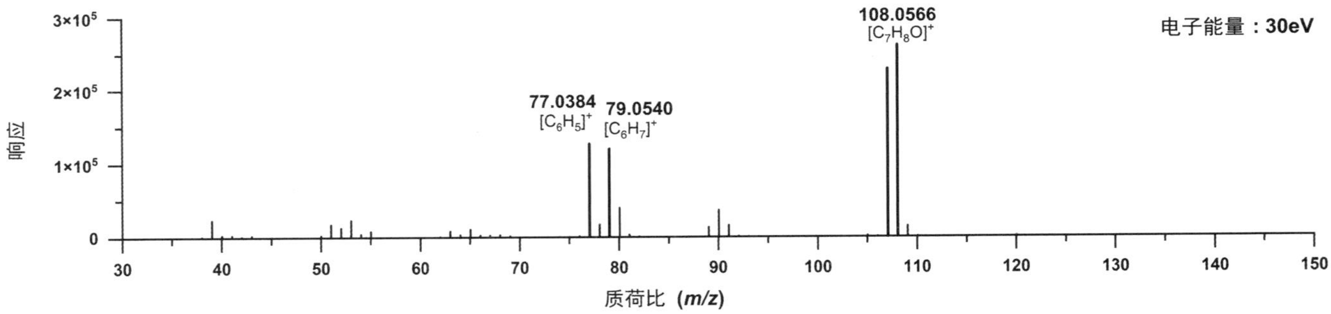

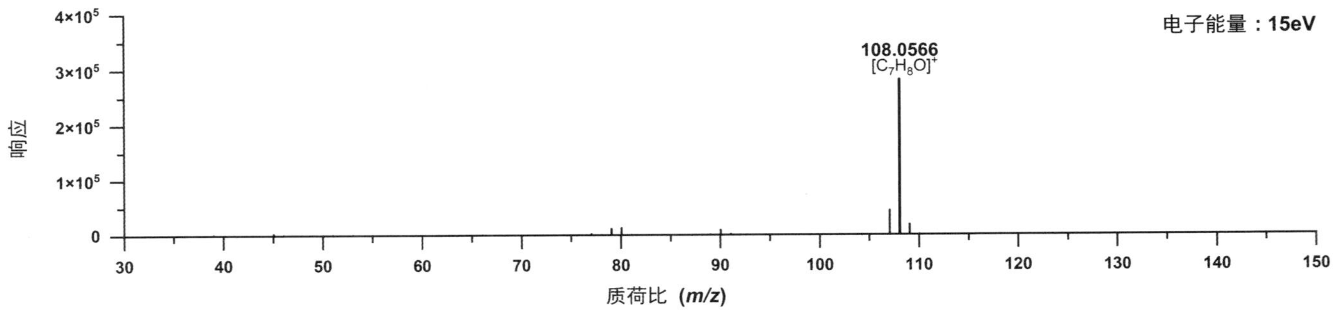

4 4-甲基苯酚

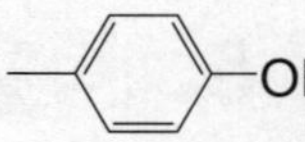

基本信息

CAS 登录号	106-44-5	分子式	C_7H_8O	分子量	108.0570
保留指数（极性）	2093	保留指数（非极性）	1049	香气描述	酚味，动物臭，马厩味

质谱图

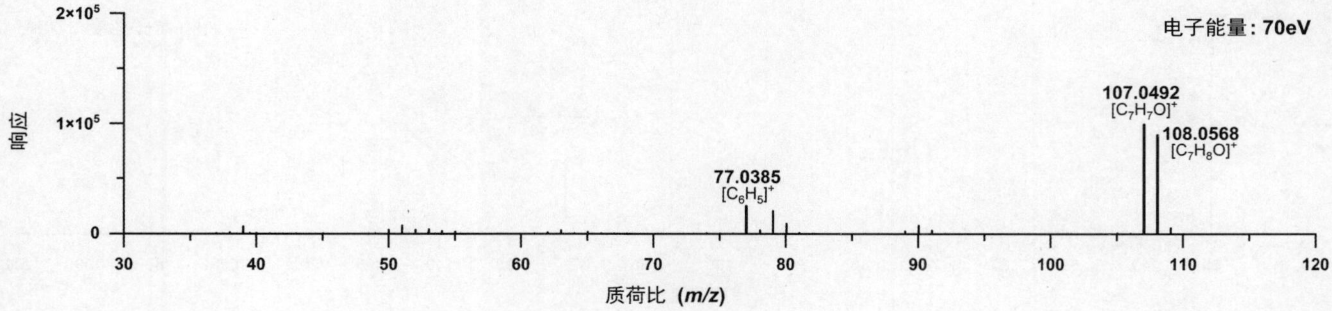

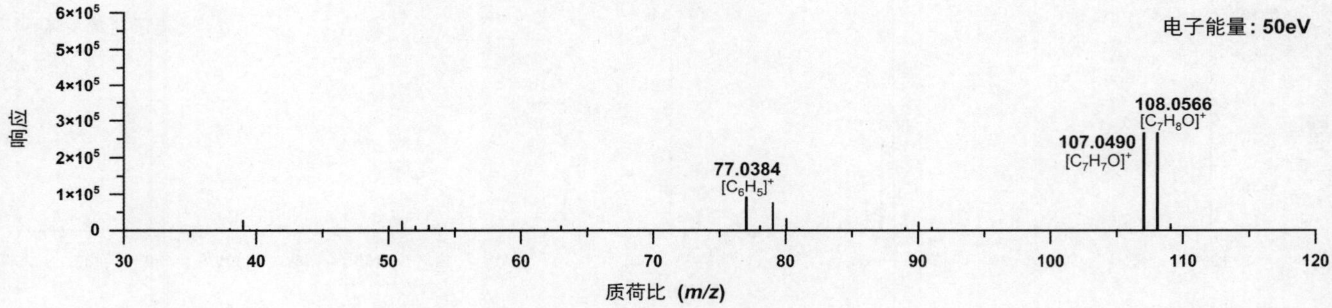

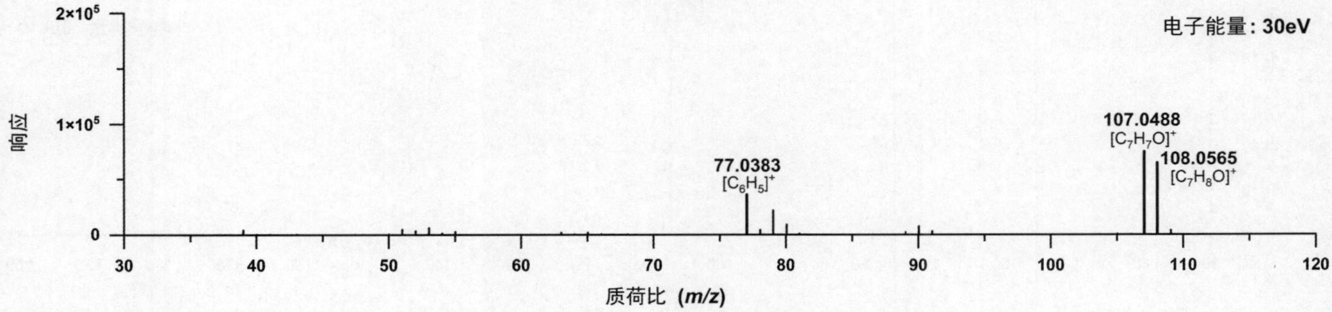

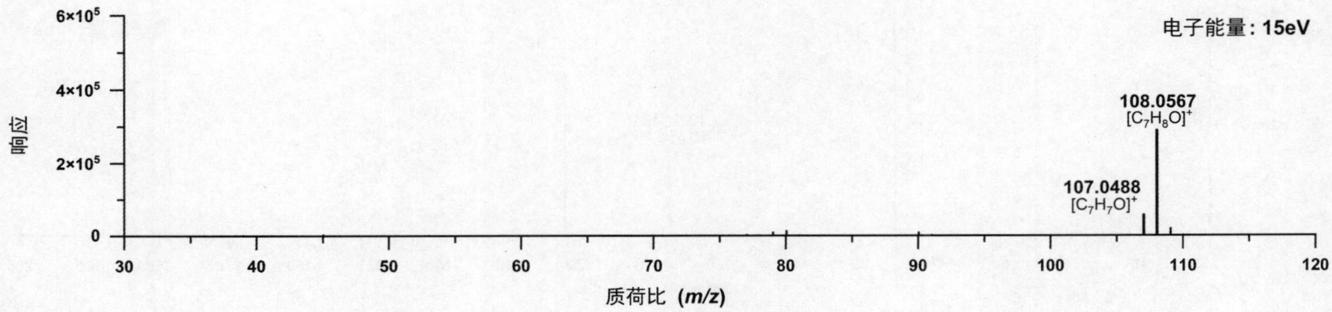

5 2-乙基苯酚

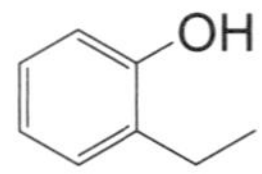

基本信息

CAS 登录号	90-00-6	分子式	$C_8H_{10}O$	分子量	122.0726
保留指数（极性）	2082	保留指数（非极性）	1111	香气描述	酚味，皮革味，动物臭

质谱图

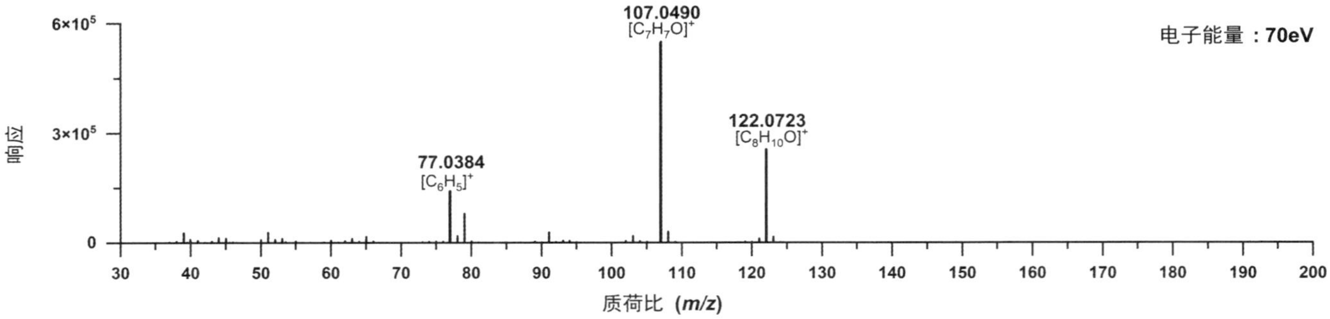

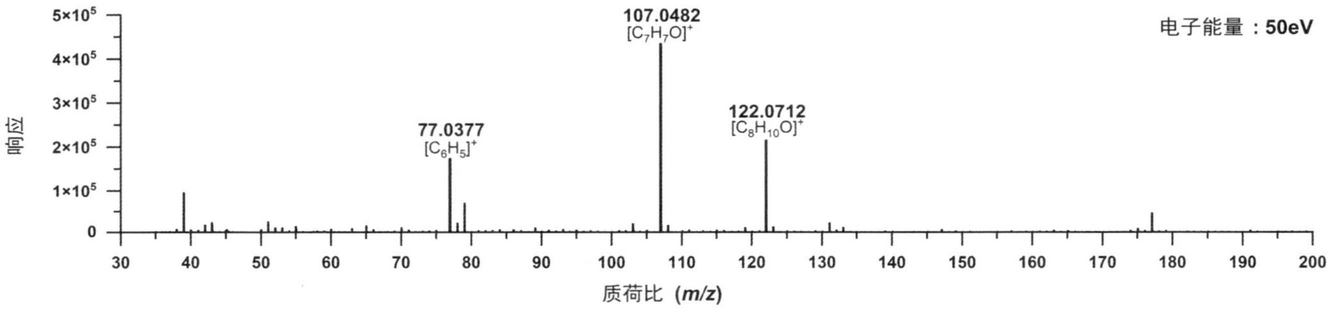

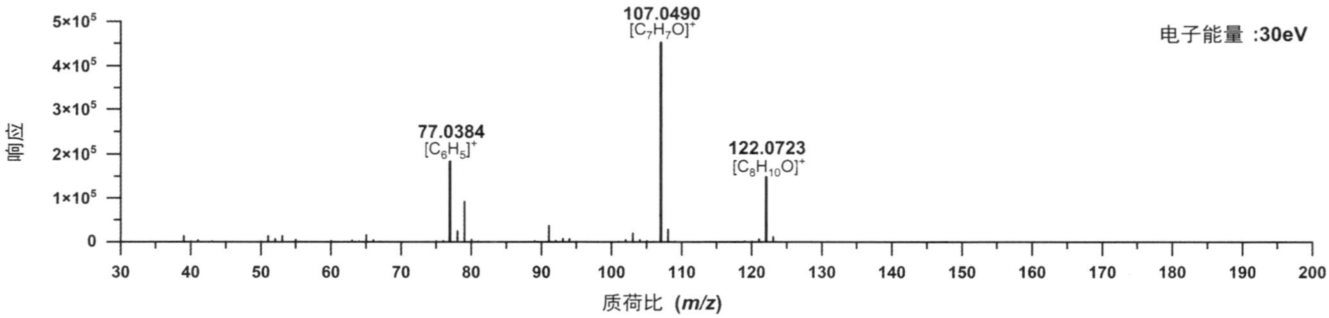

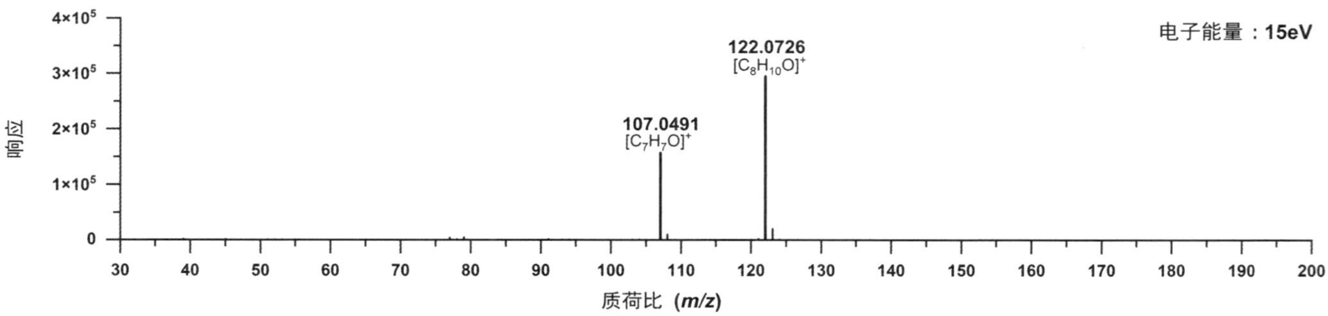

6

3-乙基苯酚

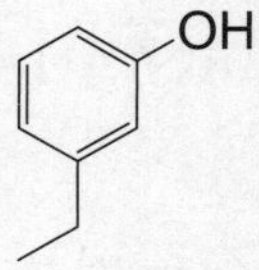

基本信息

CAS 登录号	620-17-7	分子式	$C_8H_{10}O$	分子量	122.0726
保留指数（极性）	2202	保留指数（非极性）	1141	香气描述	酚味，烟熏味，皮革味

质谱图

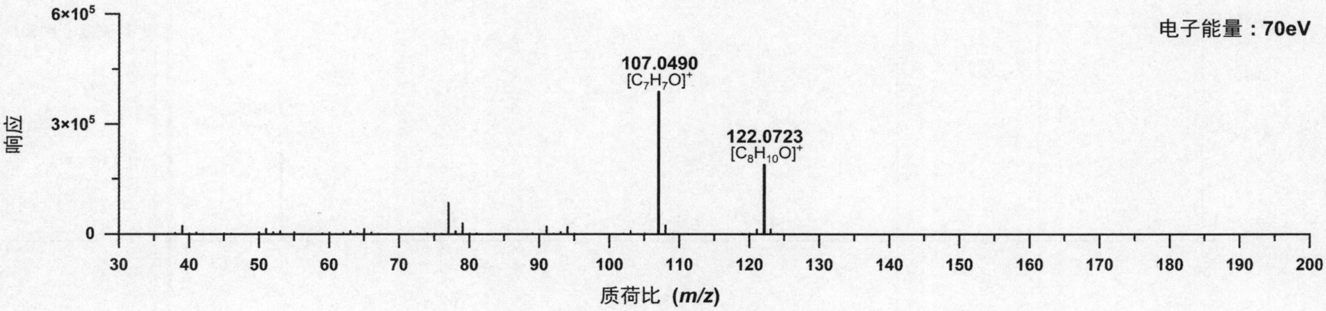

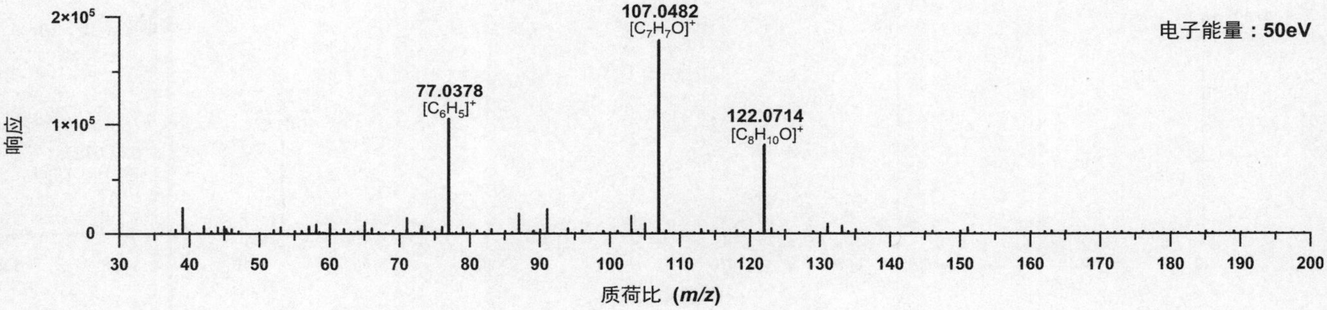

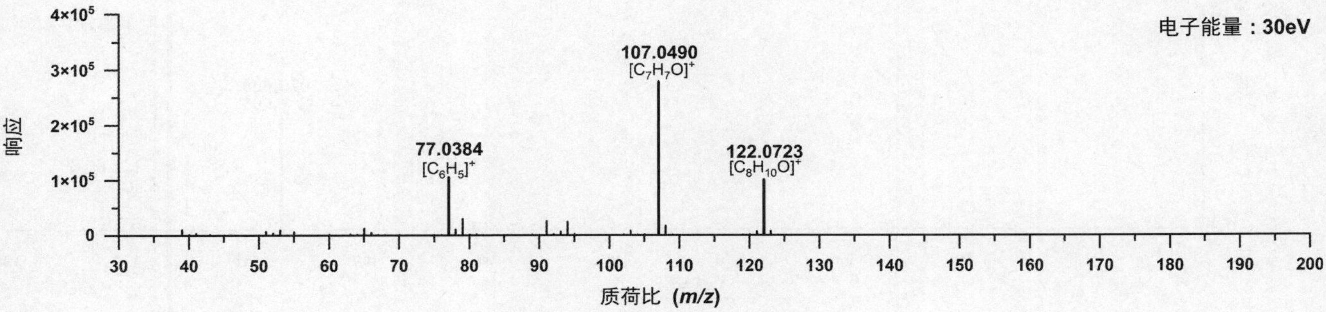

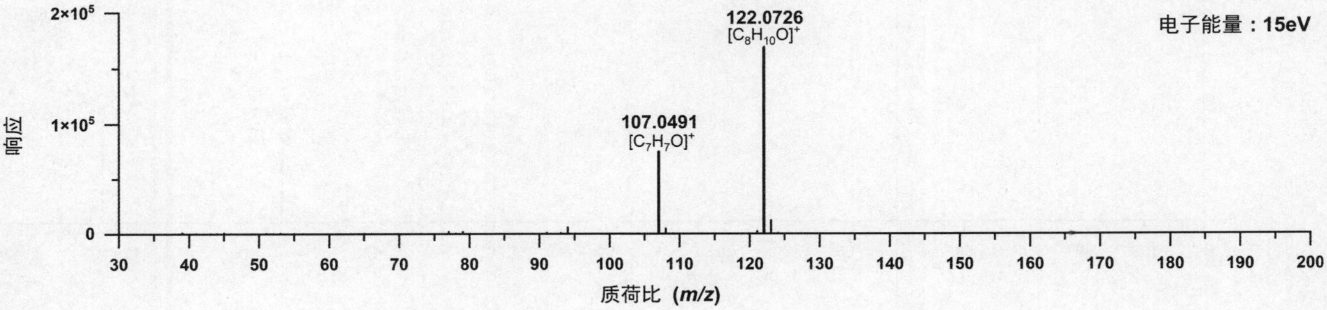

7 4-乙基苯酚

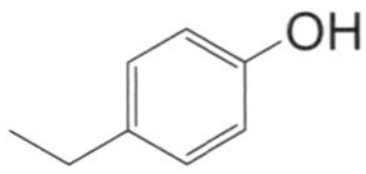

基本信息

CAS 登录号	123-07-9	分子式	$C_8H_{10}O$	分子量	122.0726
保留指数（极性）	2187	保留指数（非极性）	1139	香气描述	药味，烟熏味，皮革味

质谱图

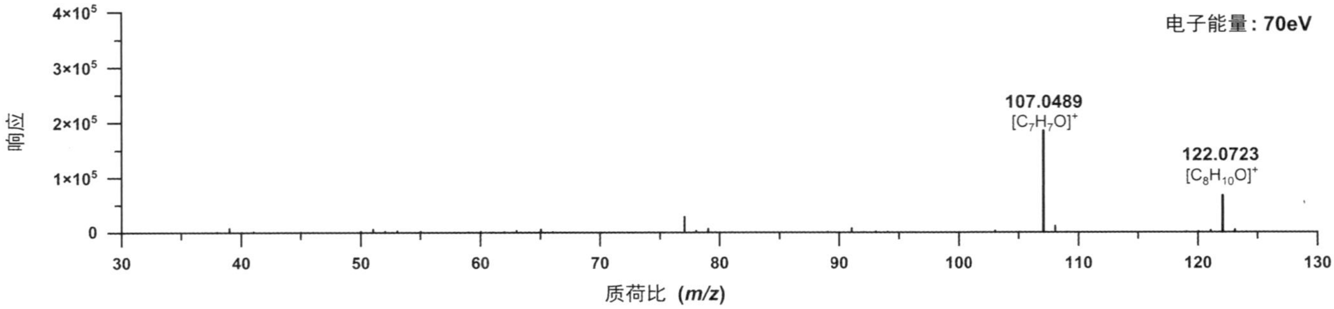

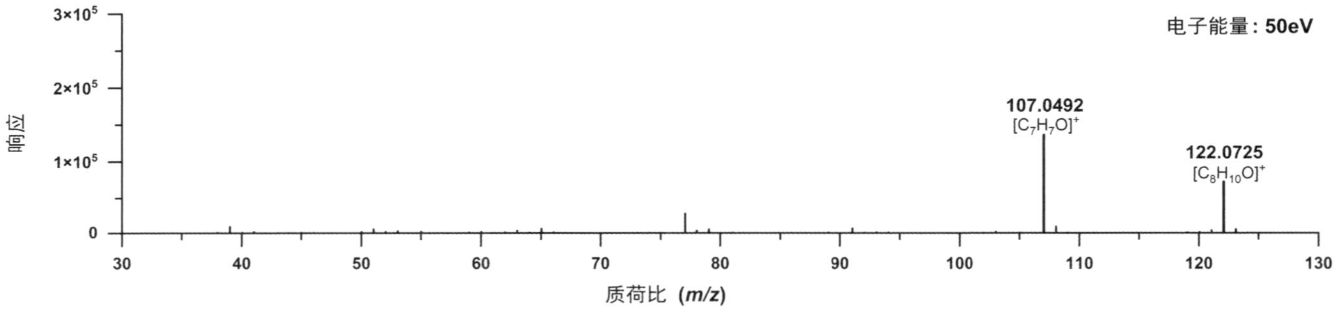

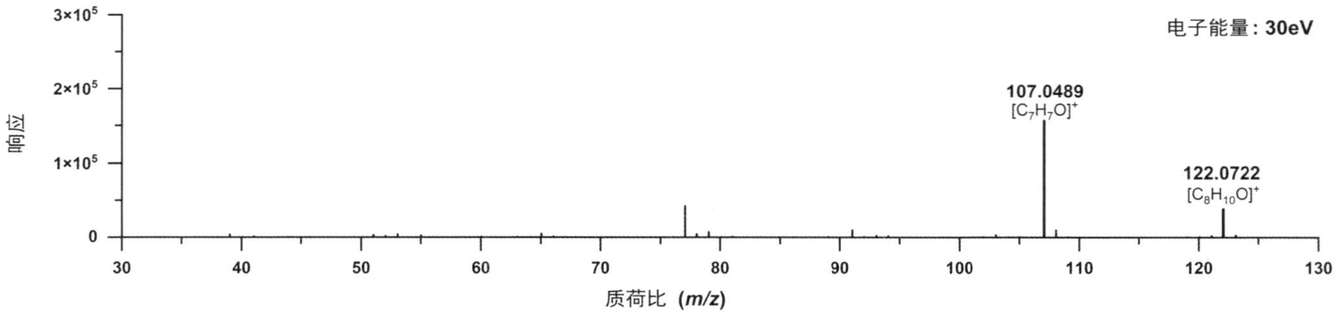

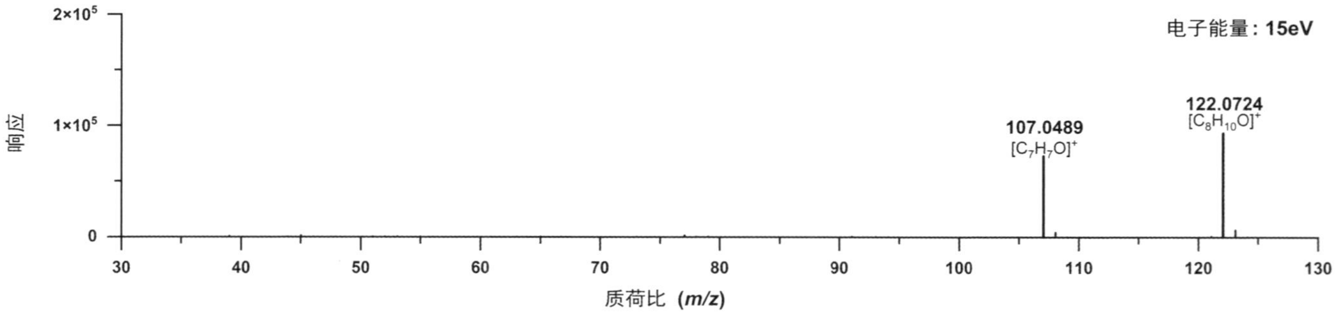

8 4-丙基苯酚

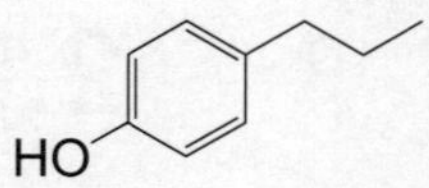

基本信息

CAS 登录号	645-56-7	分子式	$C_9H_{12}O$	分子量	136.0883
保留指数（极性）	2283	保留指数（非极性）	1230	香气描述	酚味，药味，皮革味

质谱图

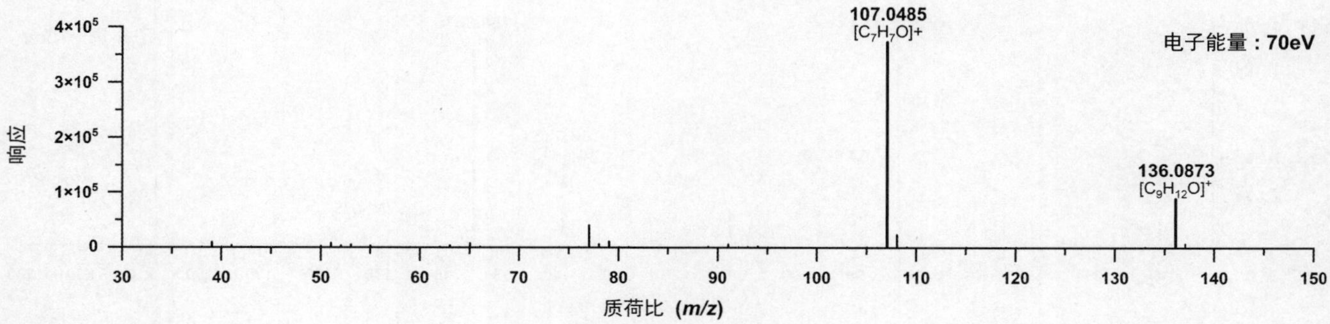

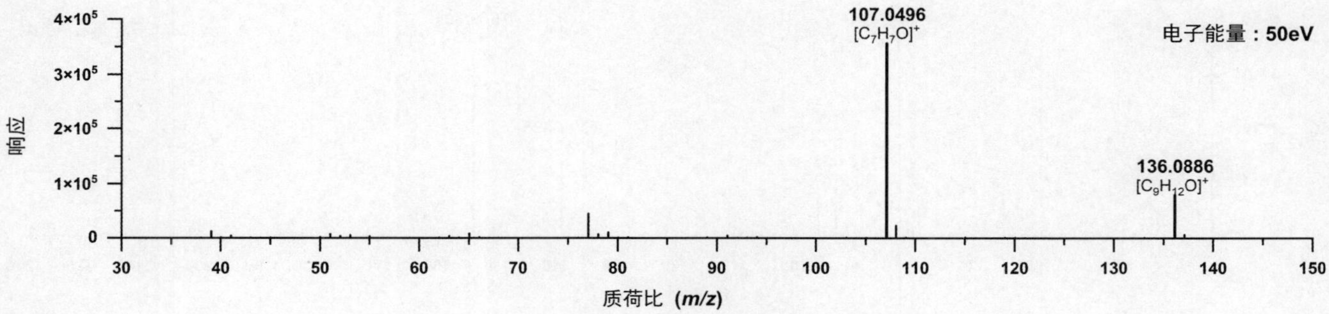

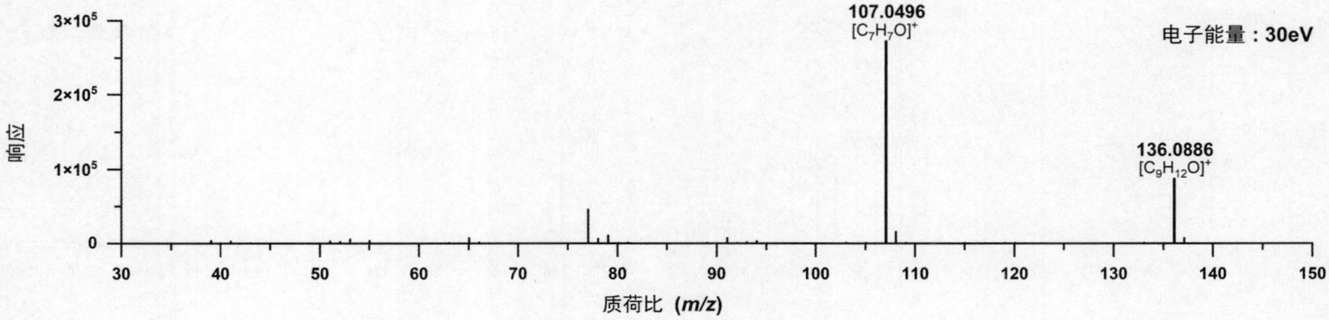

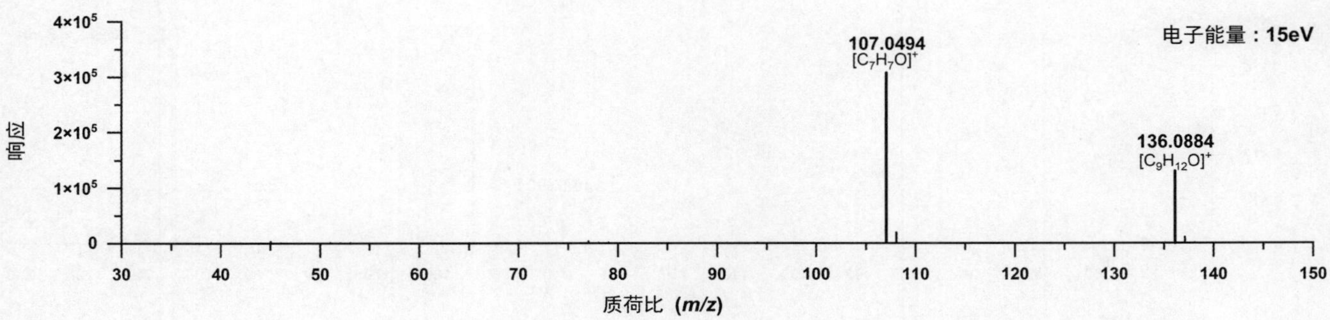

9 2,6-二甲氧基苯酚

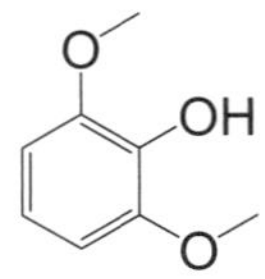

基本信息

CAS 登录号	91-10-1	分子式	$C_8H_{10}O_3$	分子量	154.0624
保留指数（极性）	2292	保留指数（非极性）	1309	香气描述	酚味，烟熏味，药味

质谱图

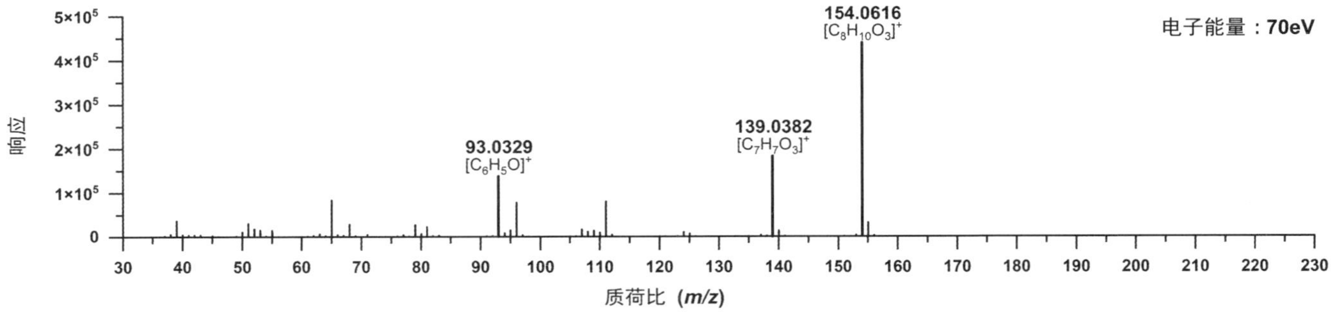

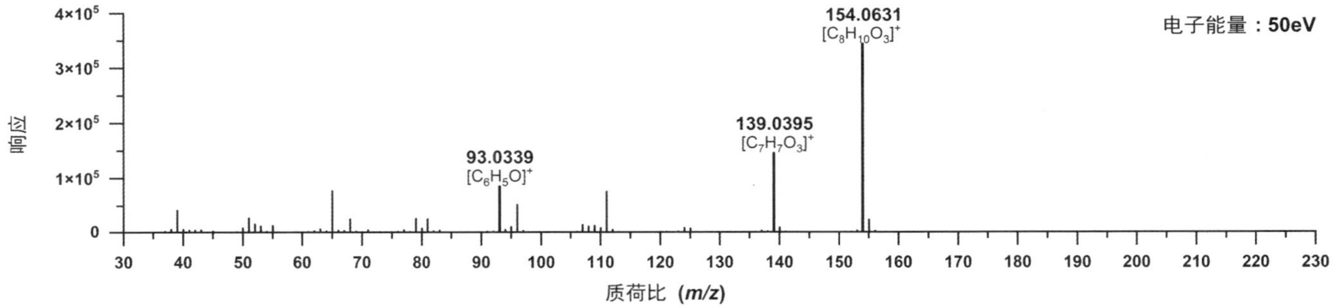

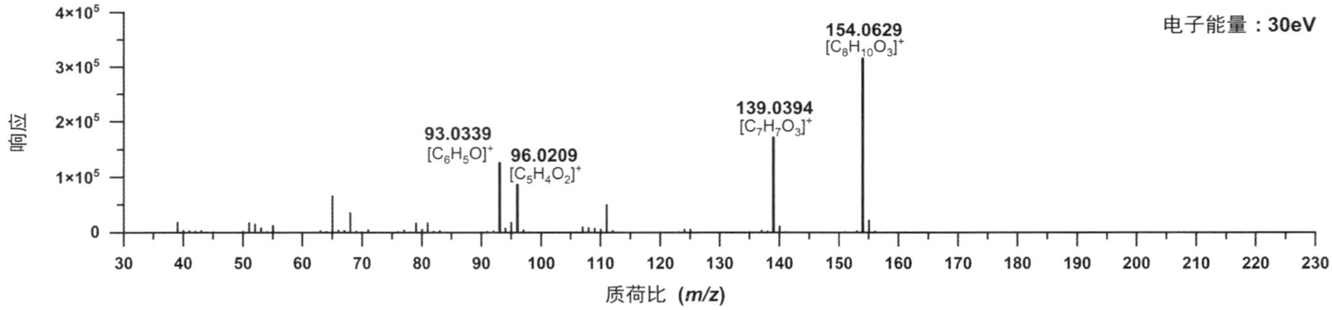

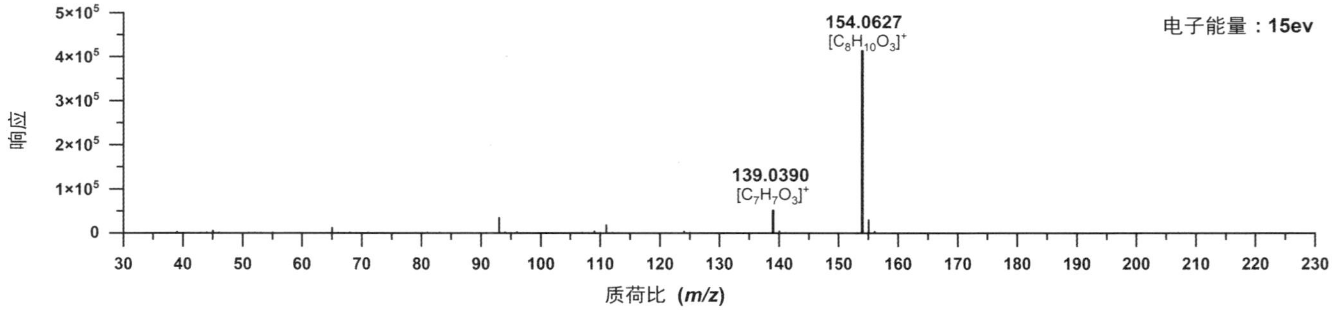

10 2,4-二叔丁基苯酚

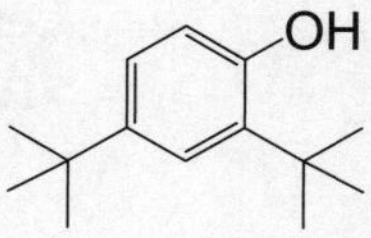

基本信息

CAS 登录号	96-76-4	分子式	$C_{14}H_{22}O$	分子量	206.1665
保留指数（极性）	2311	保留指数（非极性）	1489	香气描述	酚味，药味，皮革味

质谱图

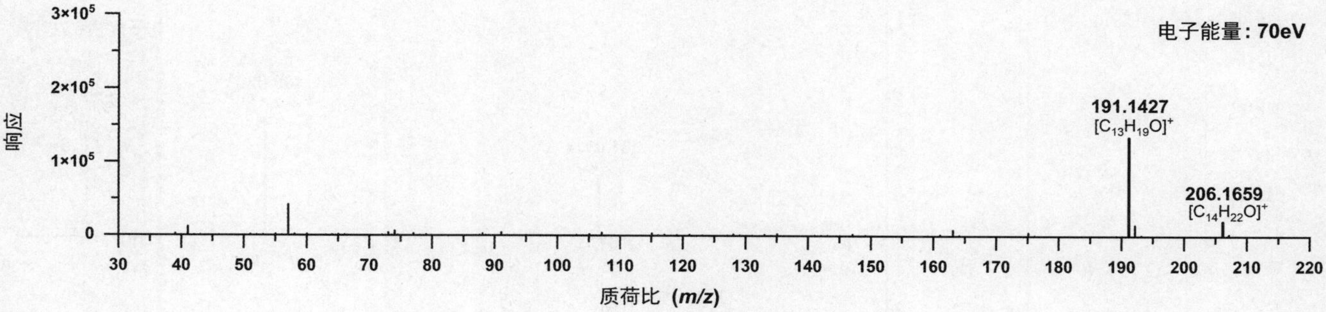

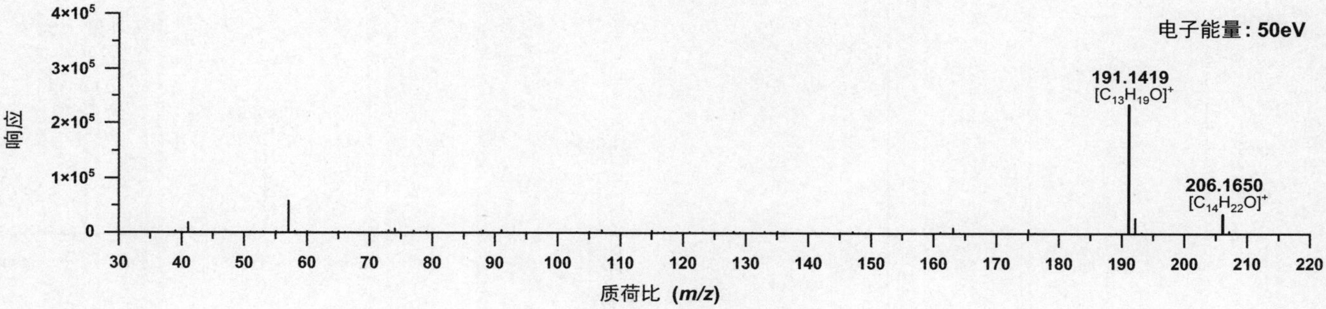

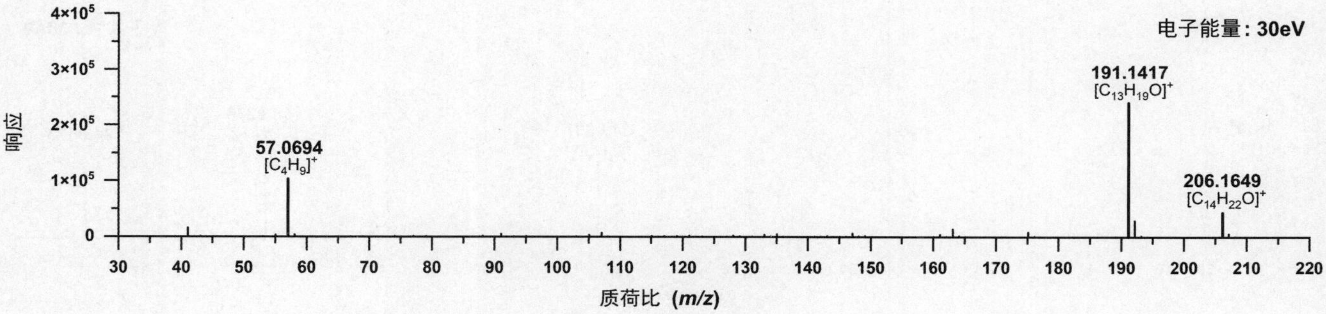

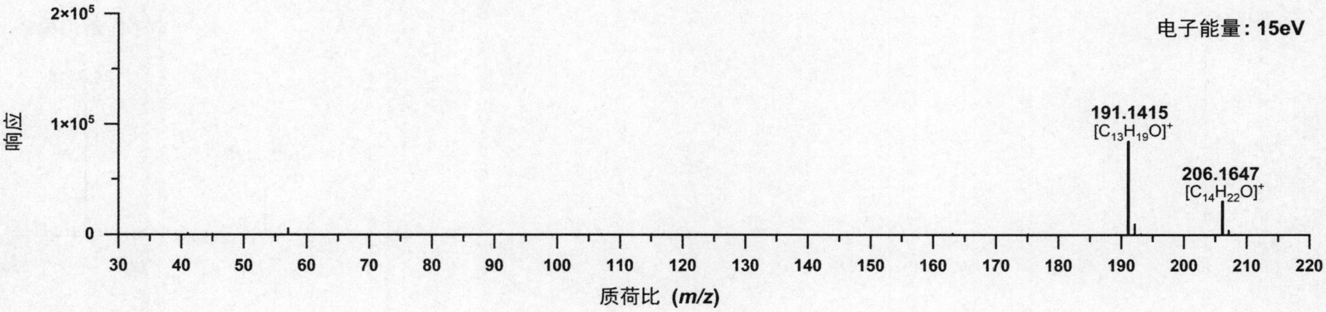

11 愈创木酚

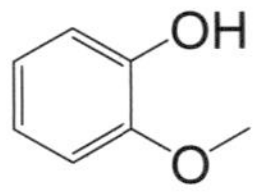

基本信息

CAS 登录号	90-05-1	分子式	$C_7H_8O_2$	分子量	124.0519
保留指数（极性）	1874	保留指数（非极性）	1060	香气描述	烟熏味，木香味，药味

质谱图

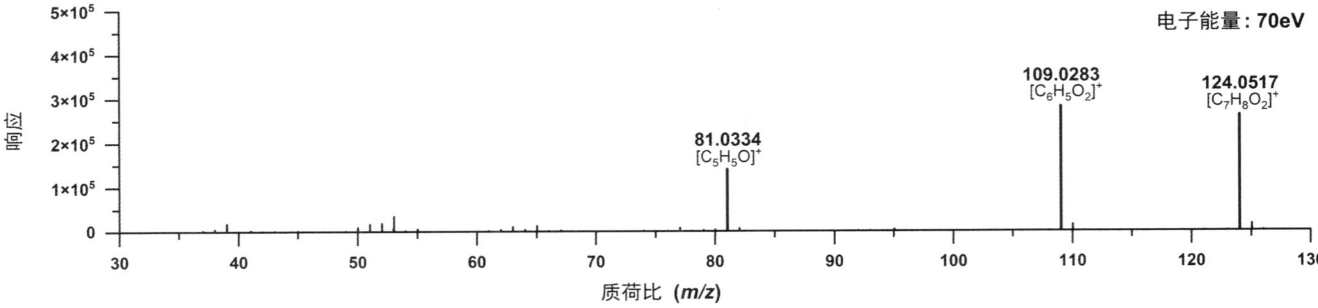

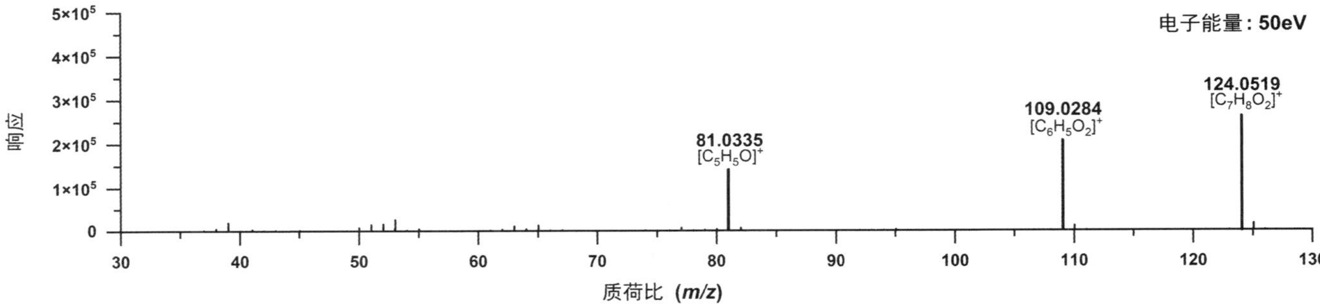

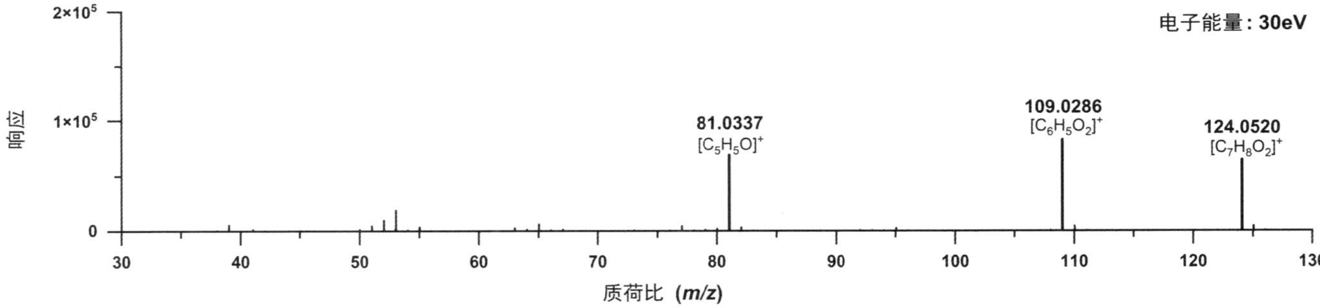

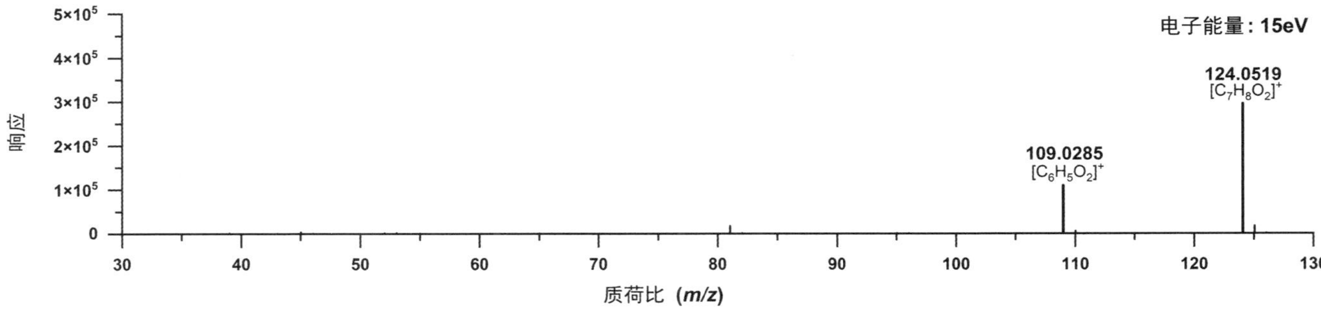

12 4-甲基愈创木酚

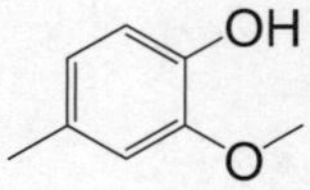

基本信息

CAS 登录号	93-51-6	分子式	$C_8H_{10}O_2$	分子量	138.0675
保留指数（极性）	1971	保留指数（非极性）	1166	香气描述	药味，木香味，烟熏

质谱图

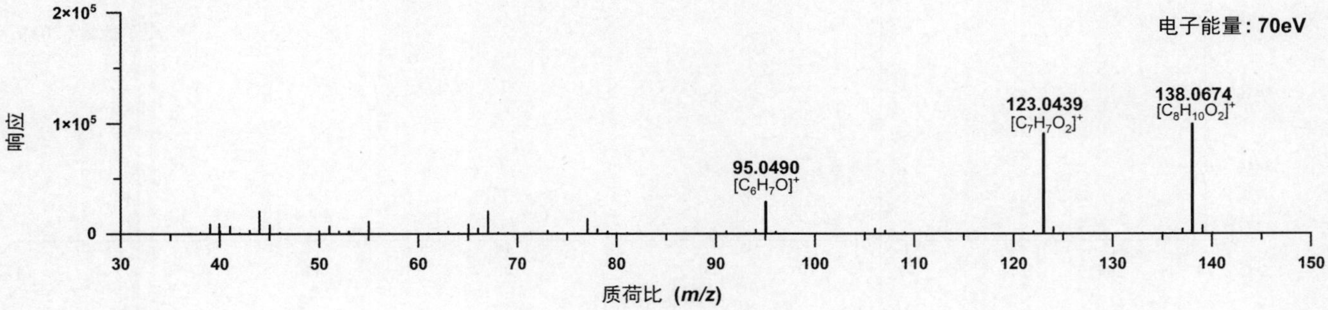

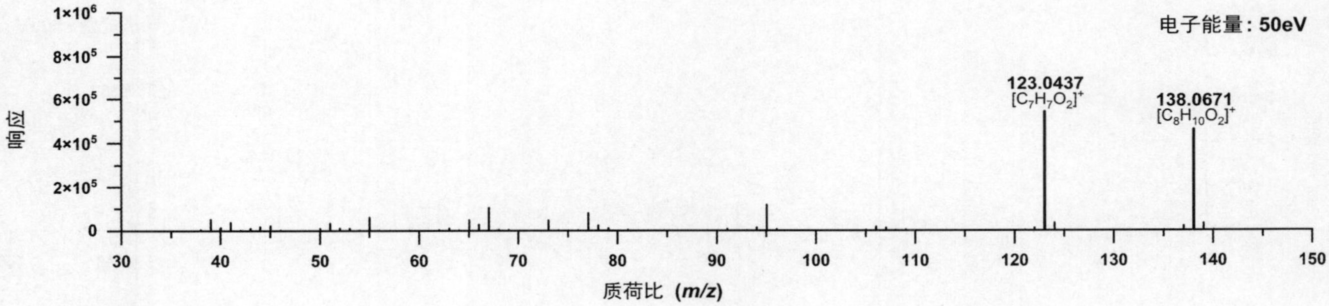

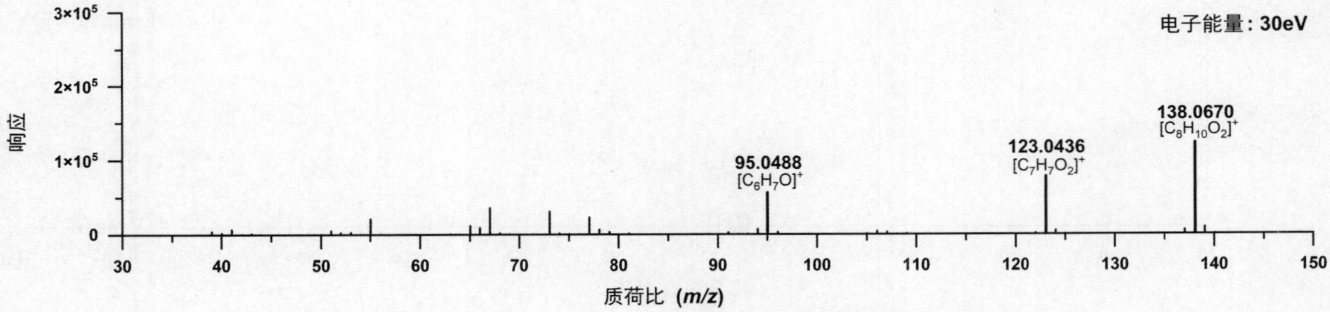

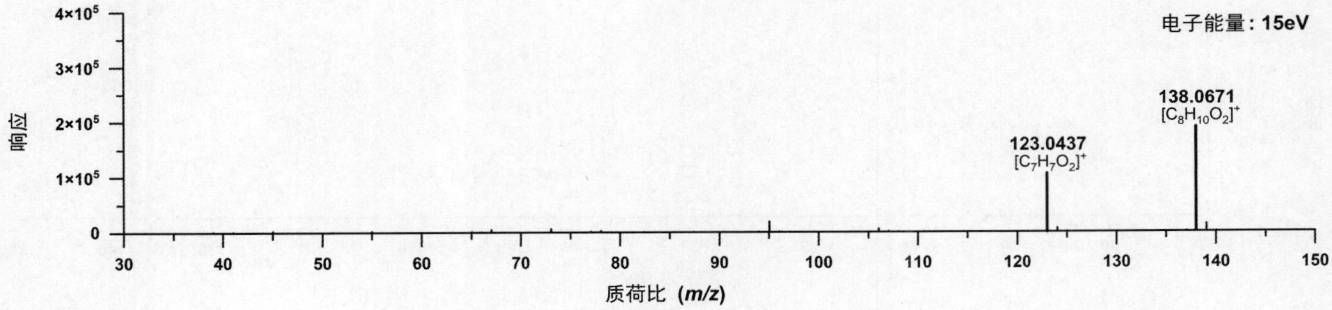

13 2-甲基-3-甲氧基苯酚

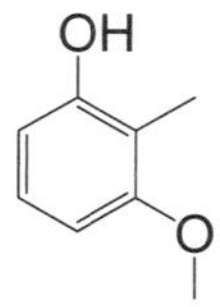

基本信息

CAS 登录号	6971-52-4	分子式	$C_8H_{10}O_2$	分子量	138.0675
保留指数（极性）	2379	保留指数（非极性）	1251	香气描述	烟熏味，木香，药味

质谱图

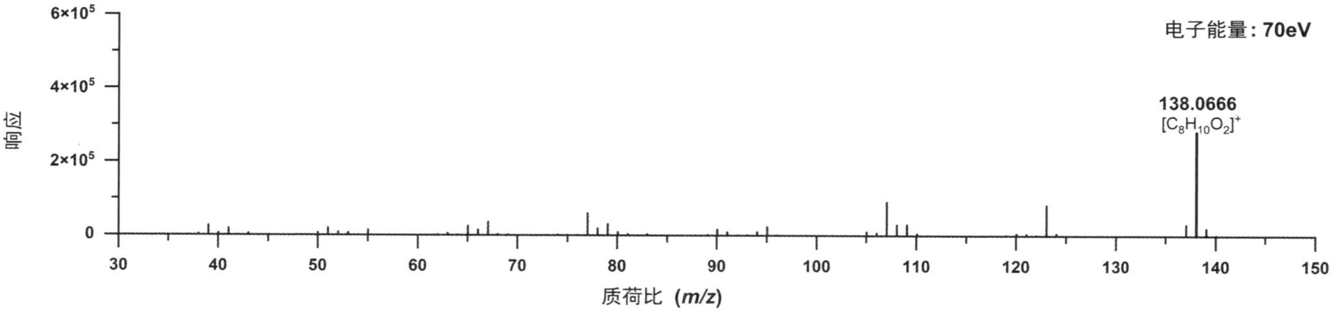

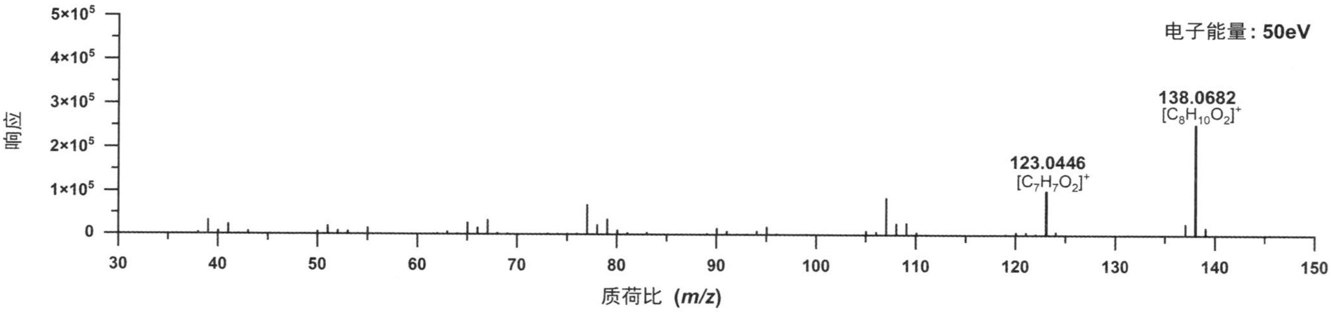

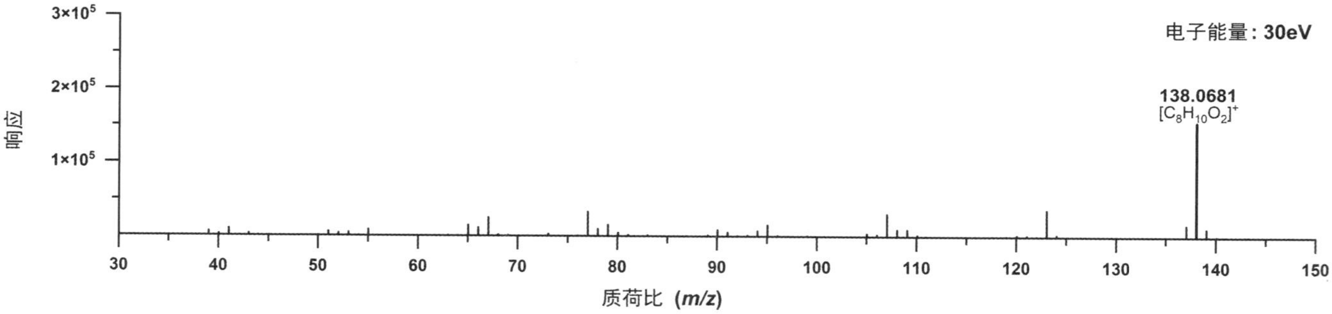

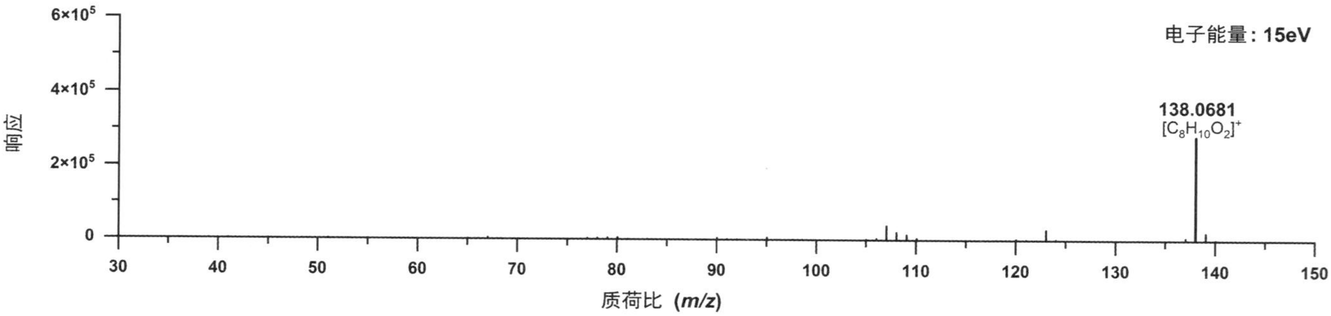

14 4-乙基愈创木酚

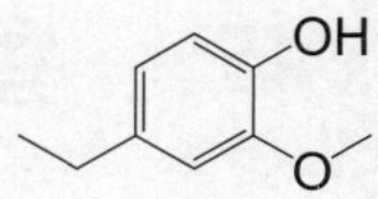

基本信息

CAS 登录号	2785-89-9	分子式	$C_9H_{12}O_2$	分子量	152.0832
保留指数（极性）	2047	保留指数（非极性）	1254	香气描述	烟熏，药味，木香

质谱图

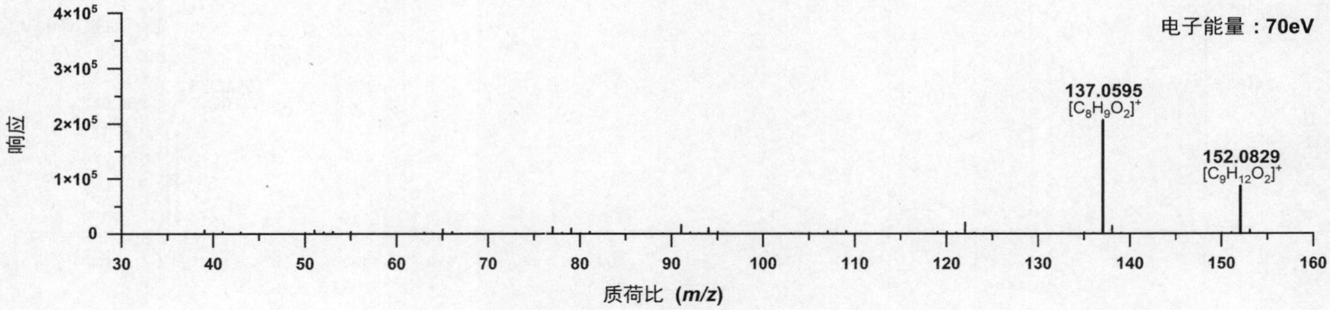

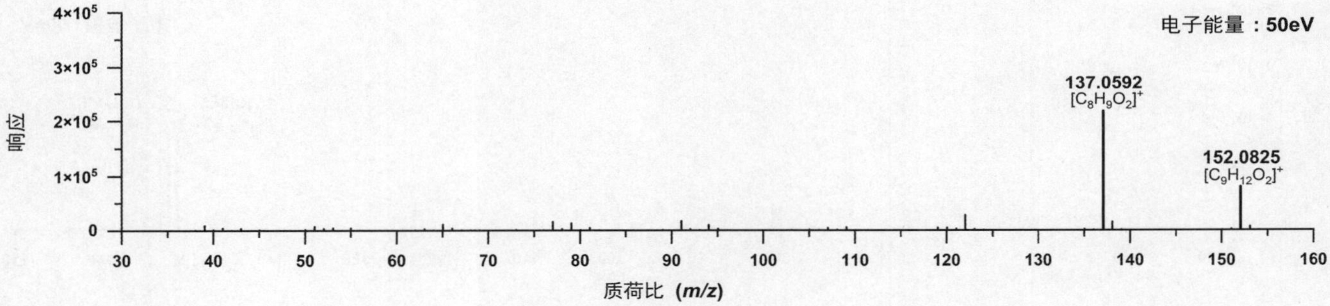

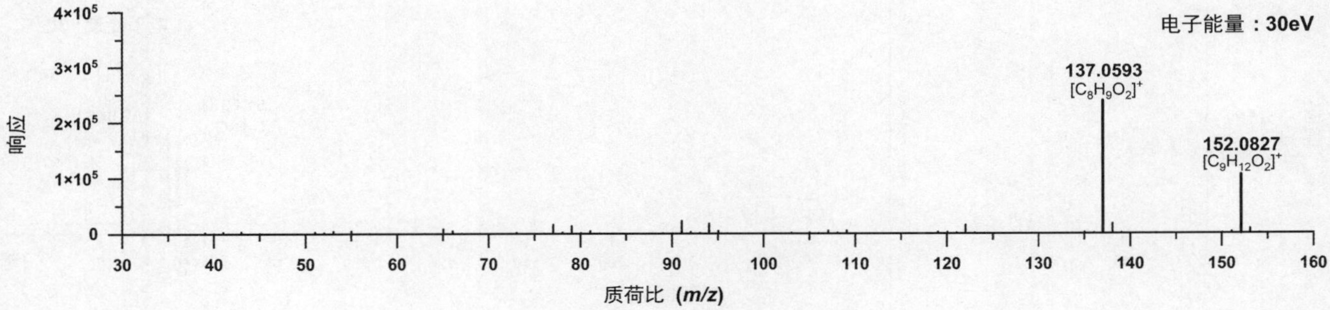

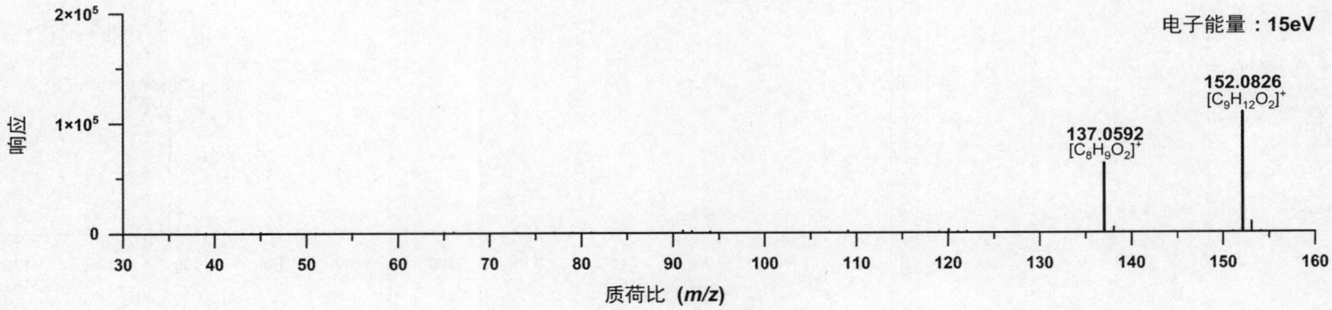

15 香兰素

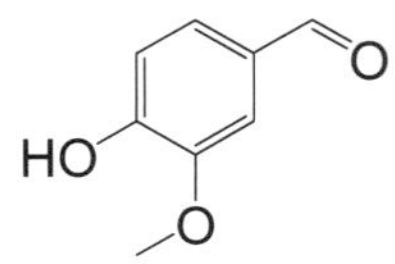

基本信息

CAS 登录号	121-33-5	分子式	$C_8H_8O_3$	分子量	152.0468
保留指数（极性）	>2400	保留指数（非极性）	1353	香气描述	甜香，奶油香，香草味

质谱图

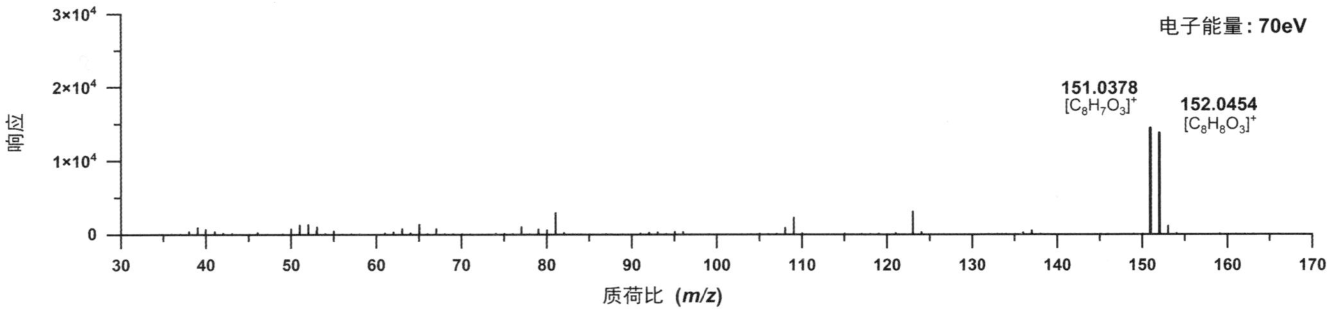

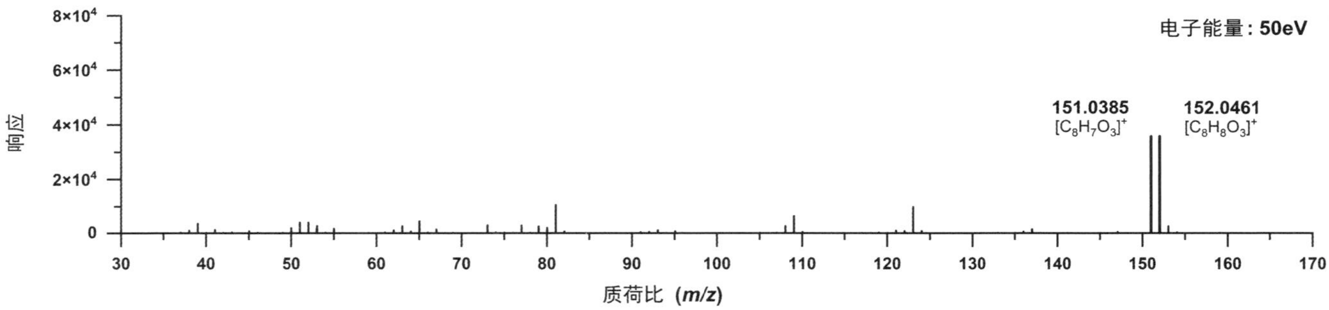

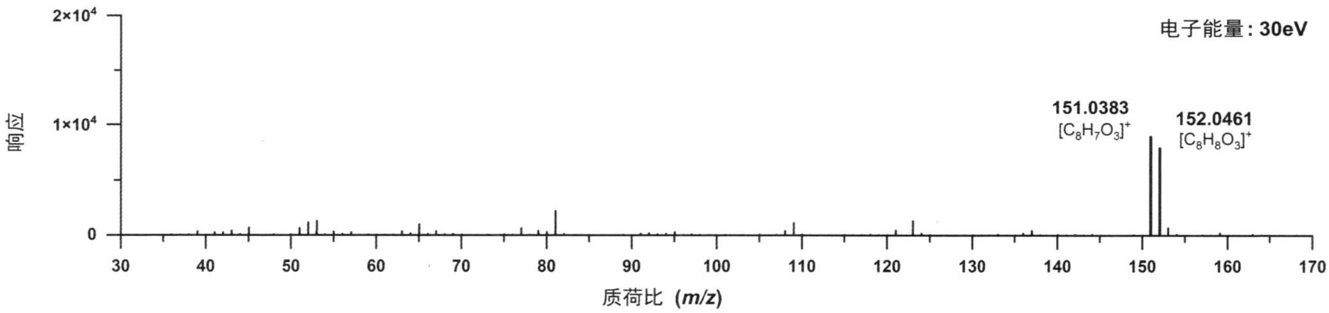

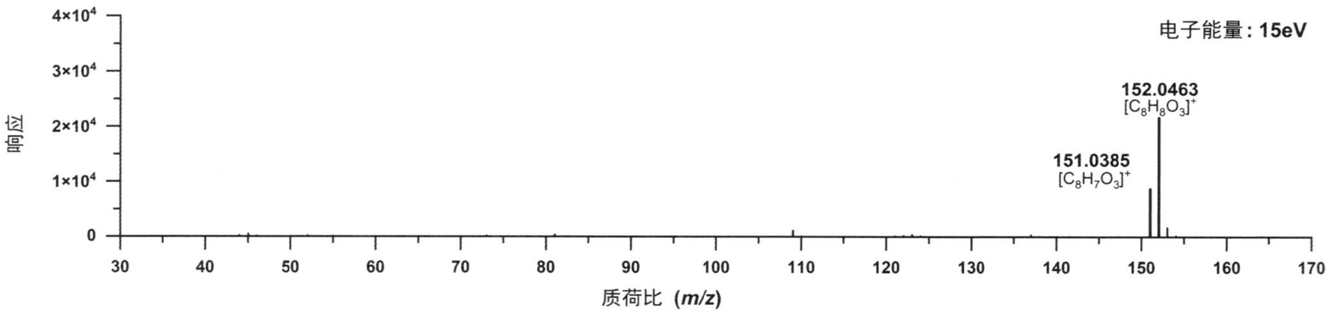

16 异香草醛

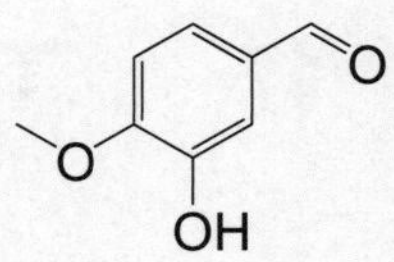

基本信息

CAS 登录号	621-59-0	分子式	$C_8H_8O_3$	分子量	152.0468
保留指数（极性）	—	保留指数（非极性）	1407	香气描述	甜香，香草香，奶油香

质谱图

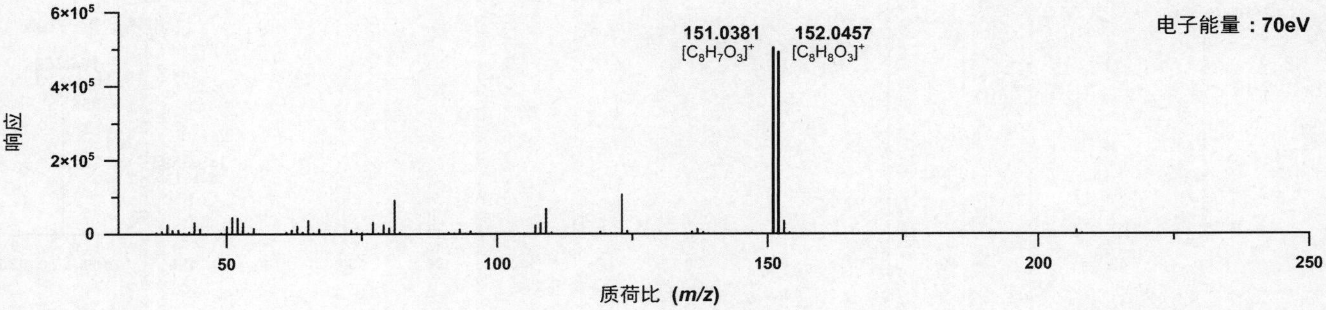

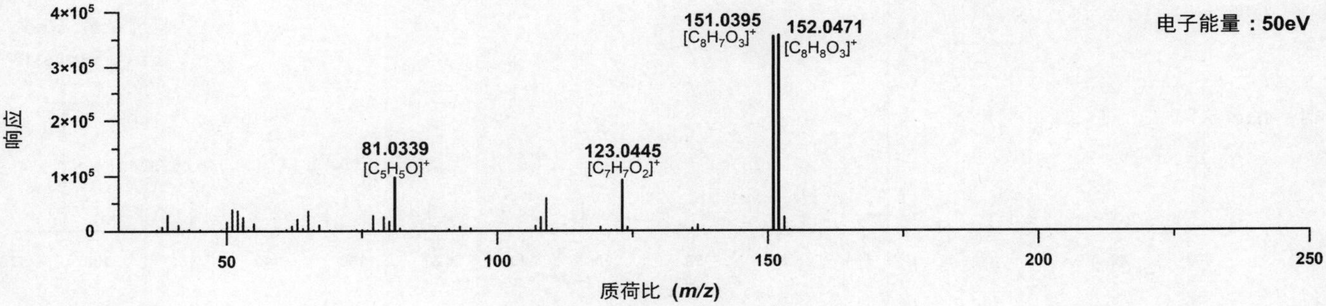

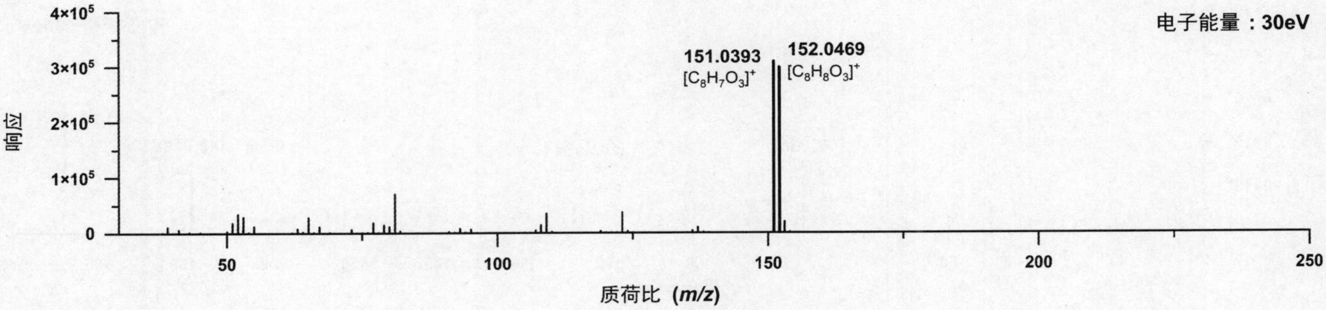

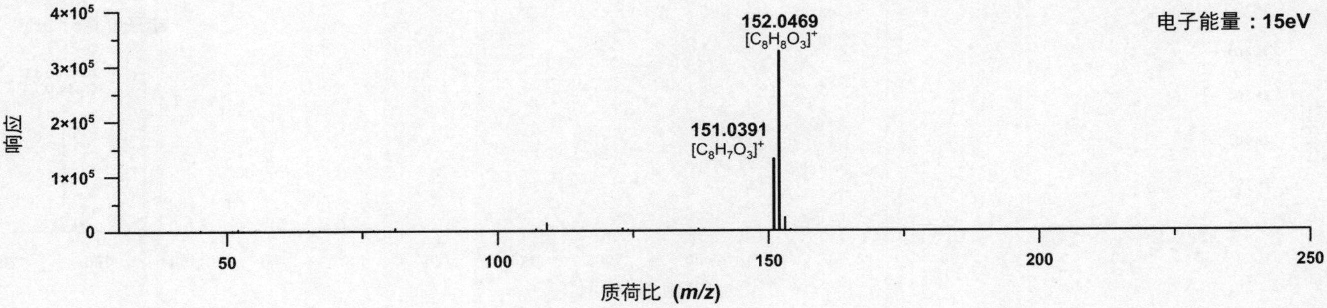

17 丁子香酚

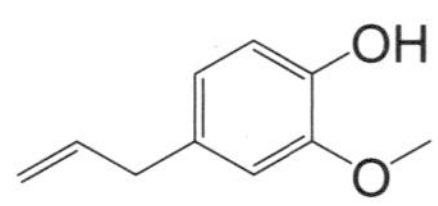

基本信息

CAS 登录号	97-53-0	分子式	$C_{10}H_{12}O_2$	分子量	164.0832
保留指数（极性）	2184	保留指数（非极性）	1330	香气描述	辛辣气味，丁香花，甜香

质谱图

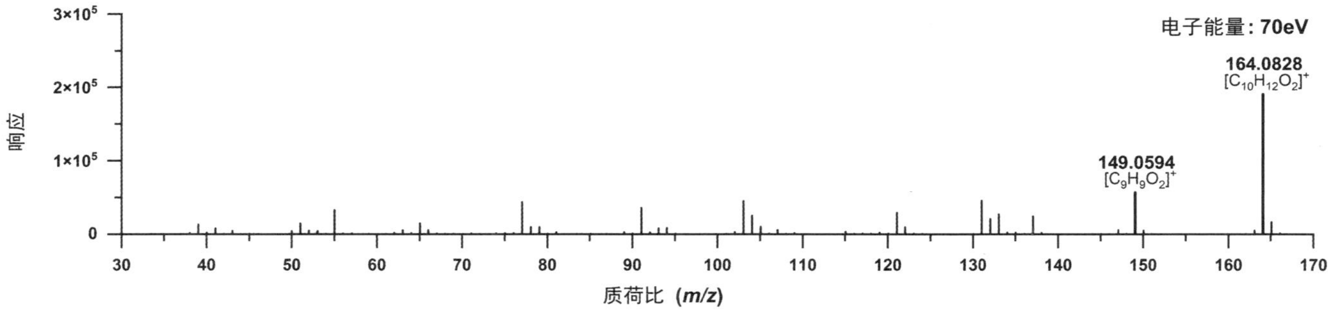

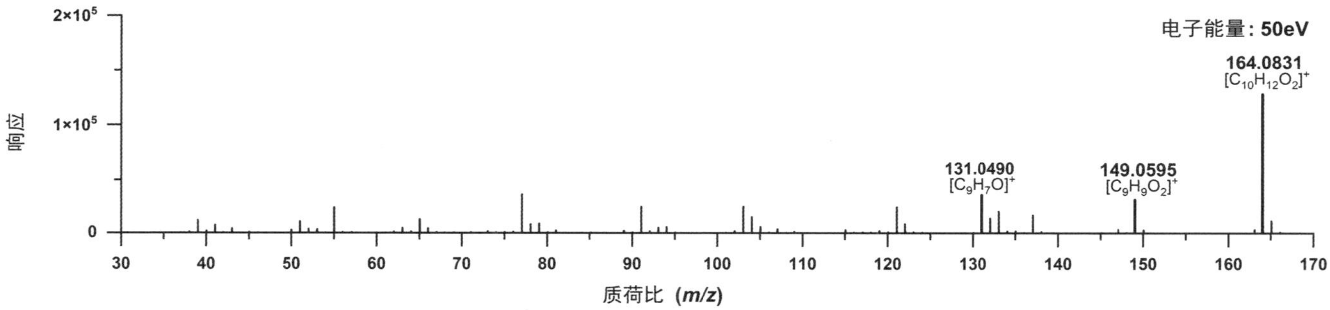

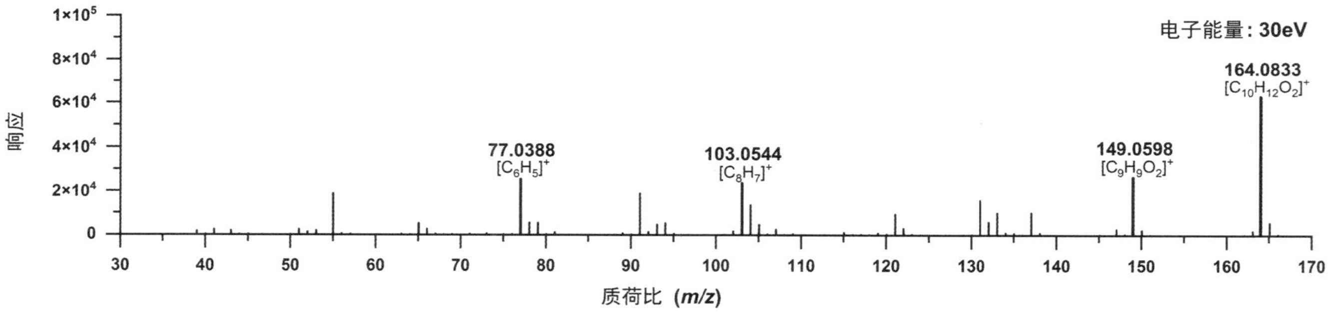

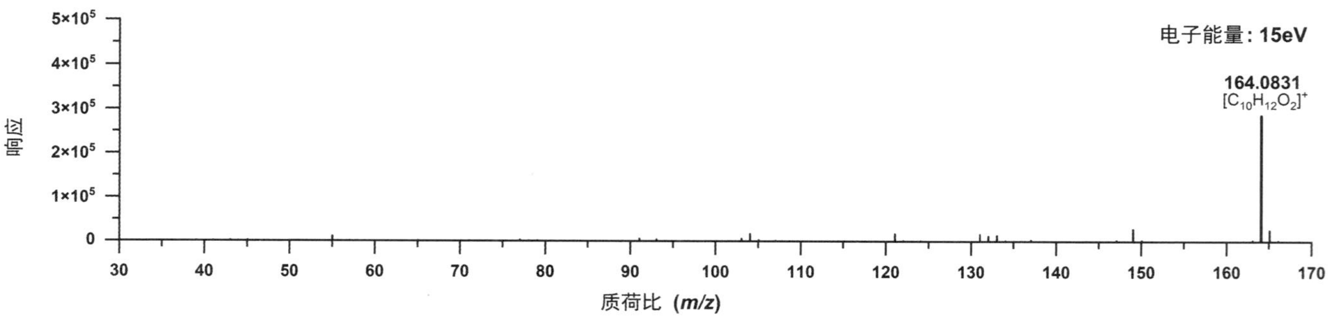

18 异丁香酚

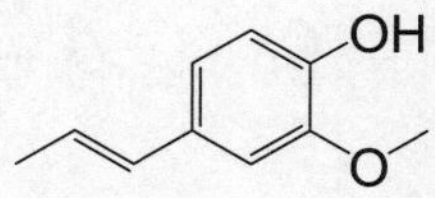

基本信息

CAS 登录号	97-54-1	分子式	$C_{10}H_{12}O_2$	分子量	164.0832
保留指数（极性）	2377	保留指数（非极性）	1420	香气描述	辛辣气味，丁香花，甜香

质谱图

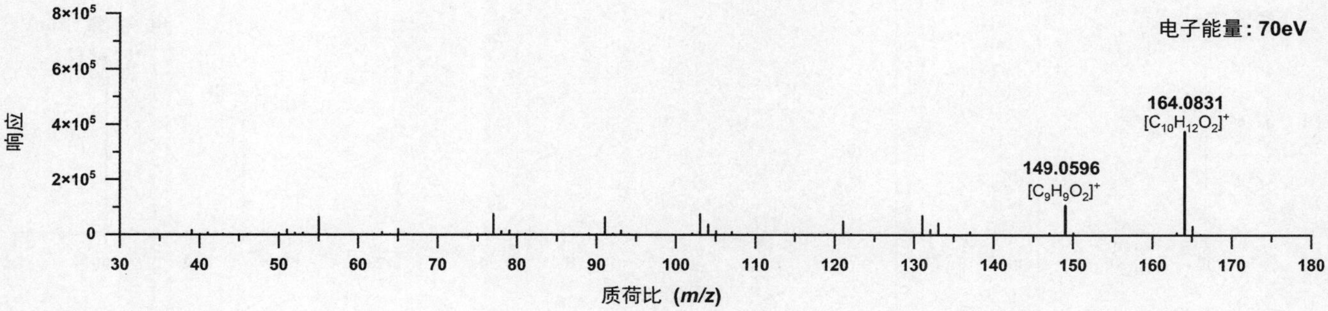

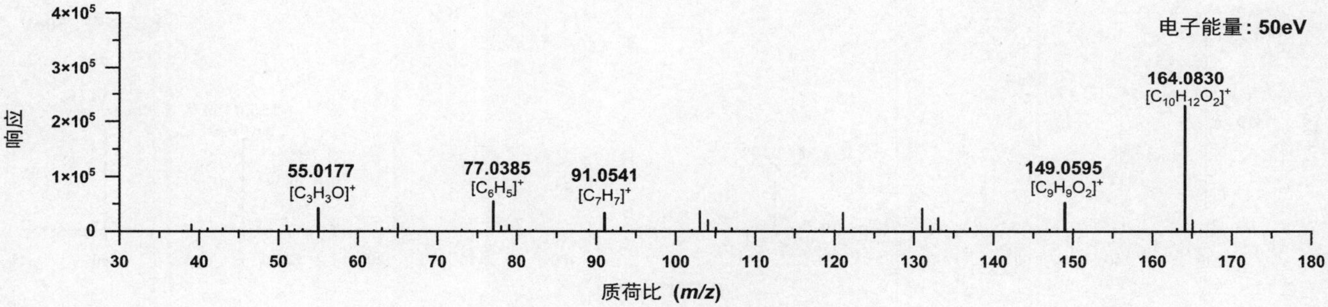

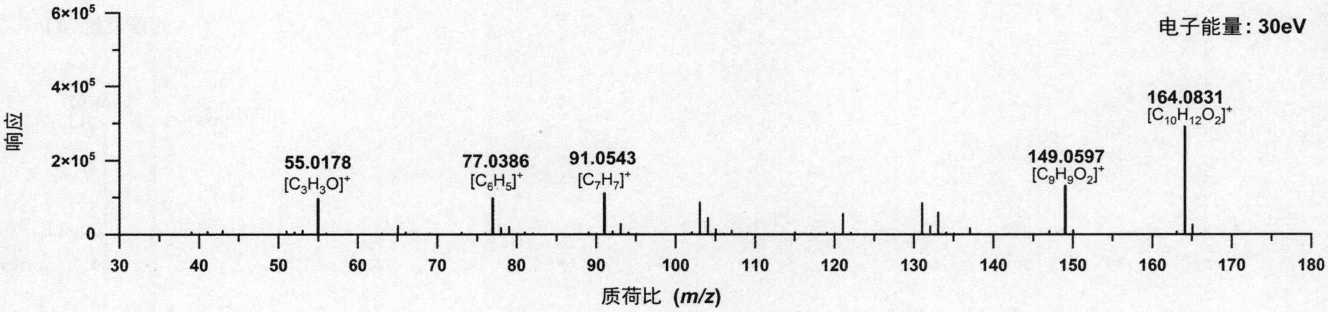

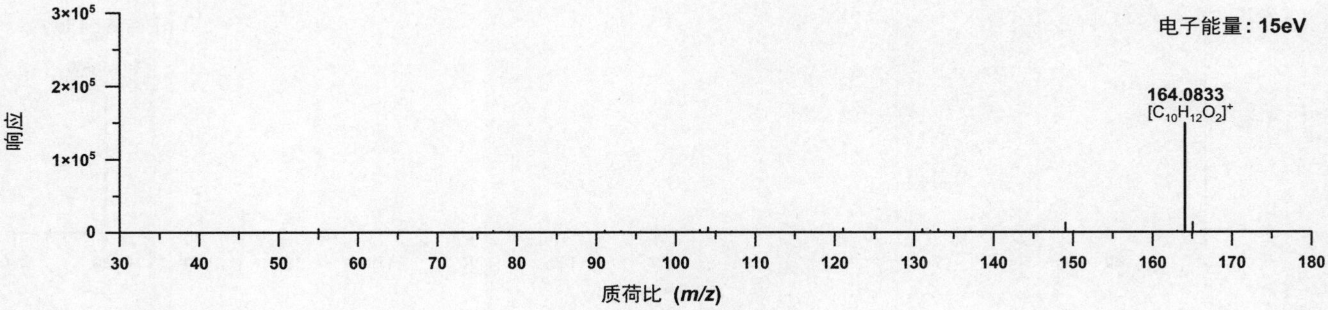

19 4-乙烯基愈创木酚

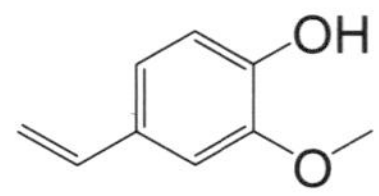

基本信息

CAS 登录号	7786-61-0	分子式	$C_9H_{10}O_2$	分子量	150.0675
保留指数（极性）	2225	保留指数（非极性）	1284	香气描述	烟熏味，木香，药香

质谱图

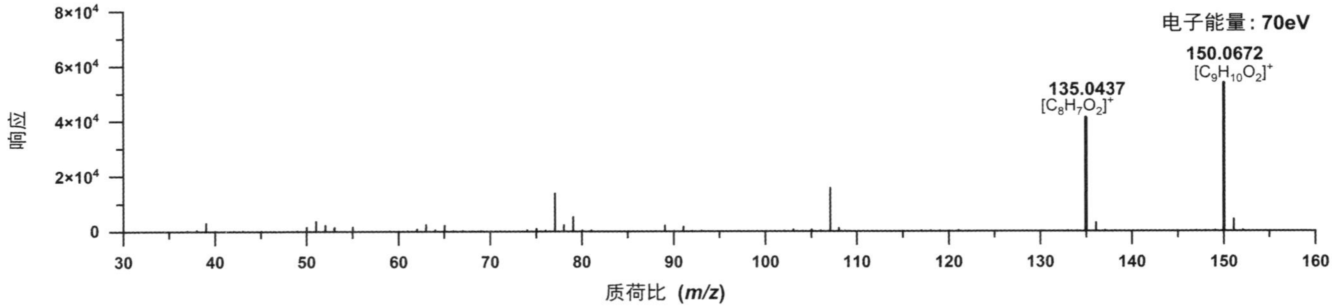

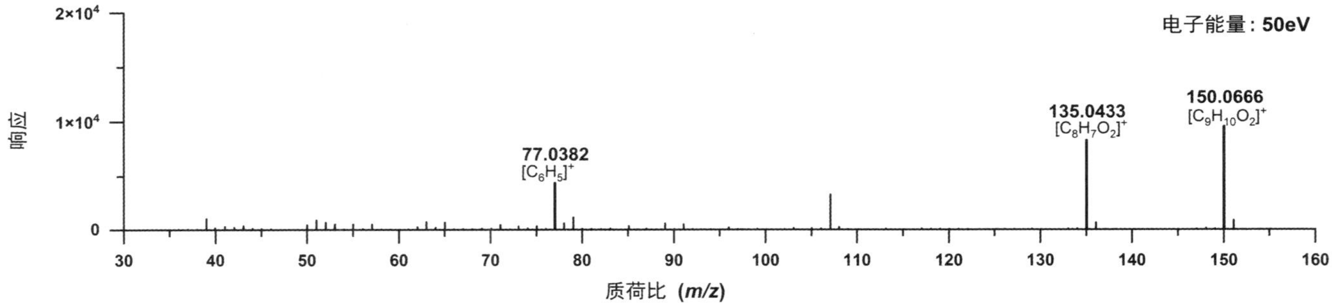

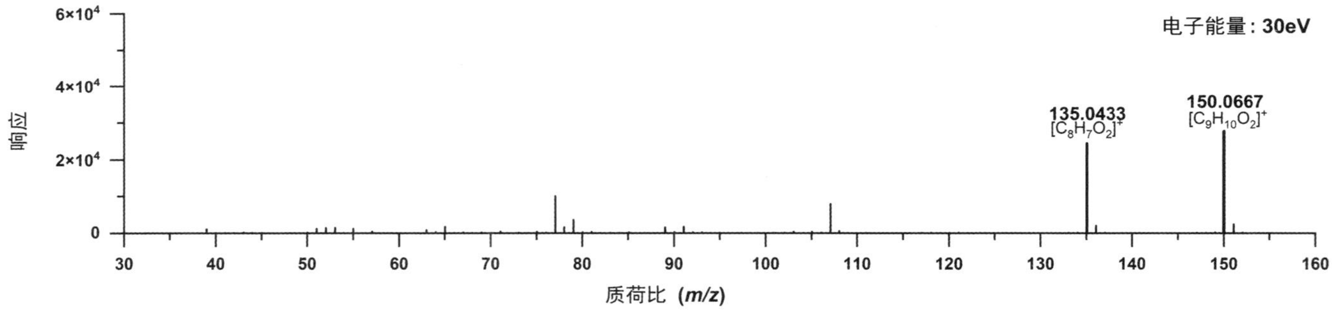

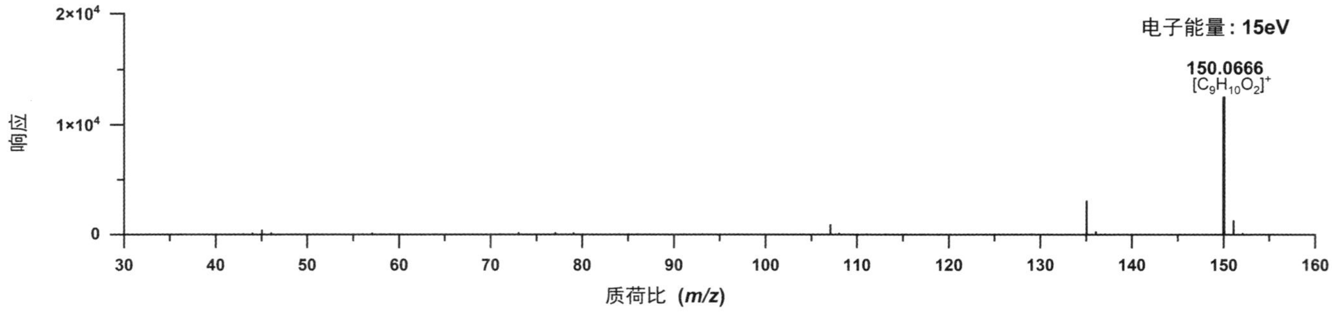

呋喃类

1 糠醇

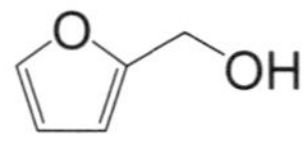

基本信息

CAS 登录号	98-00-0	分子式	$C_5H_6O_2$	分子量	98.0362
保留指数（极性）	1668	保留指数（非极性）	831	香气描述	甜香，焦糖香，杏仁味

质谱图

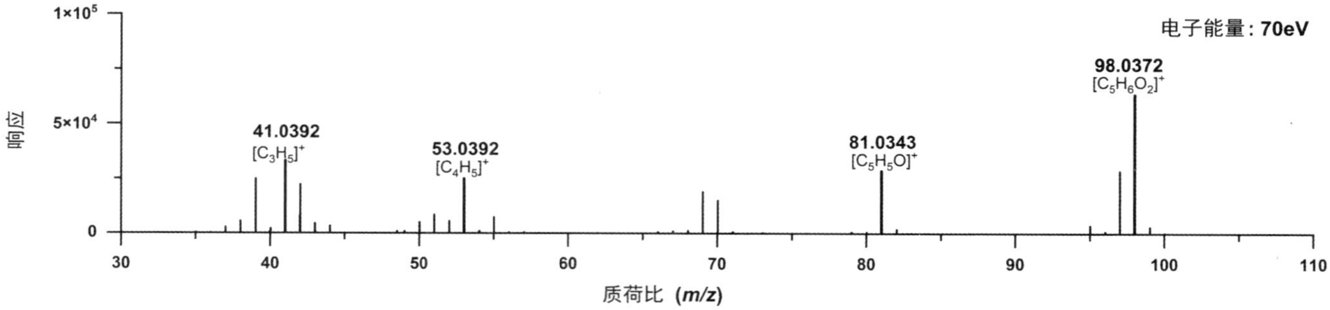

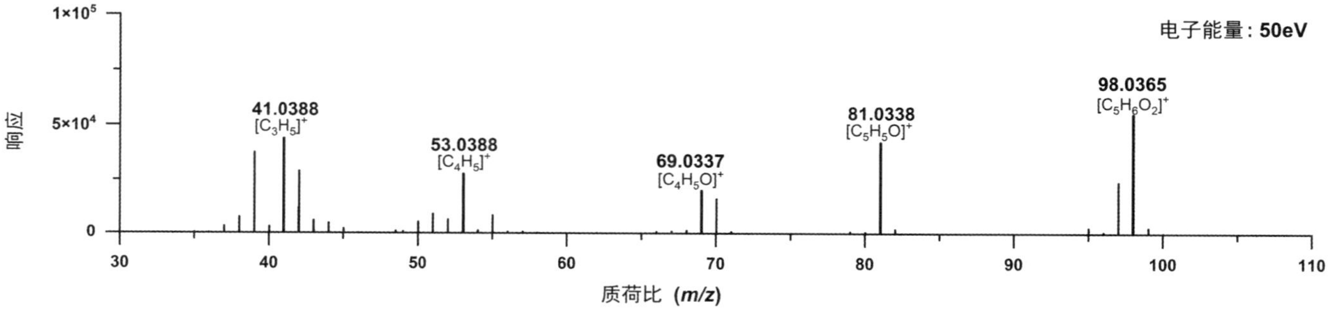

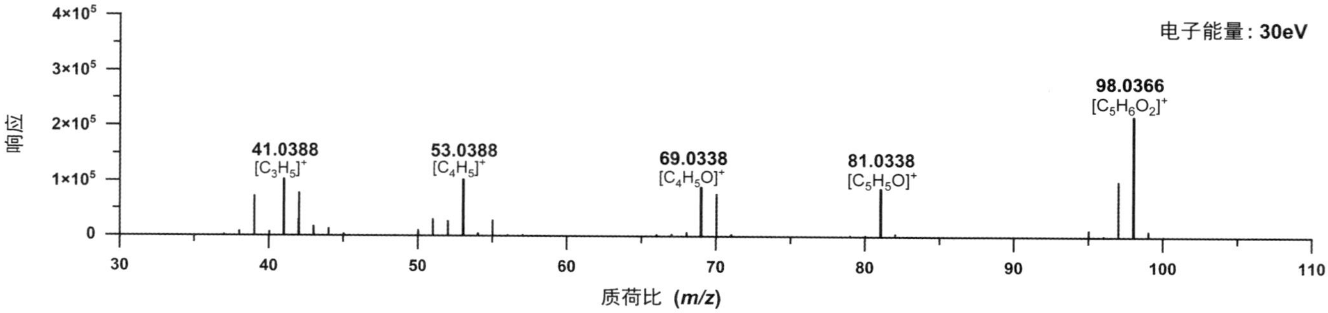

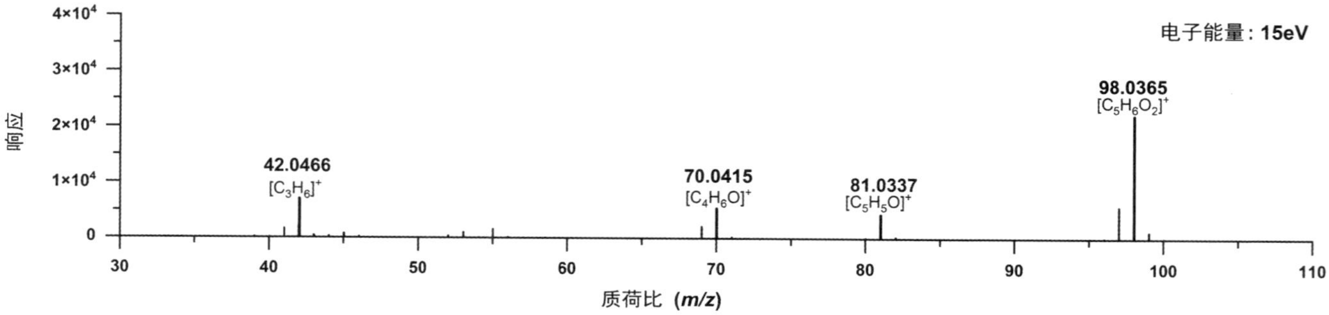

2 2-乙酰基呋喃

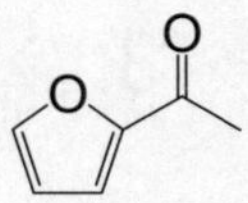

基本信息

CAS 登录号	1192-62-7	分子式	$C_6H_6O_2$	分子量	110.0362
保留指数（极性）	1527	保留指数（非极性）	880	香气描述	甜香，焦糖香，坚果香

质谱图

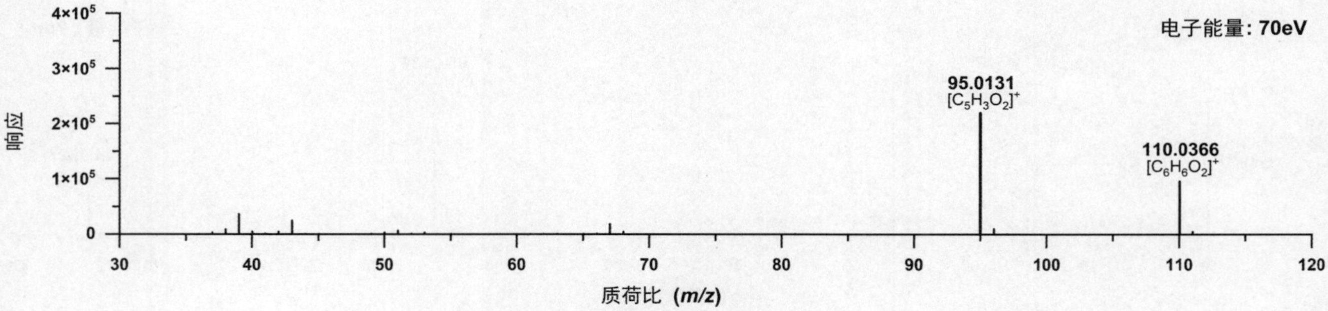

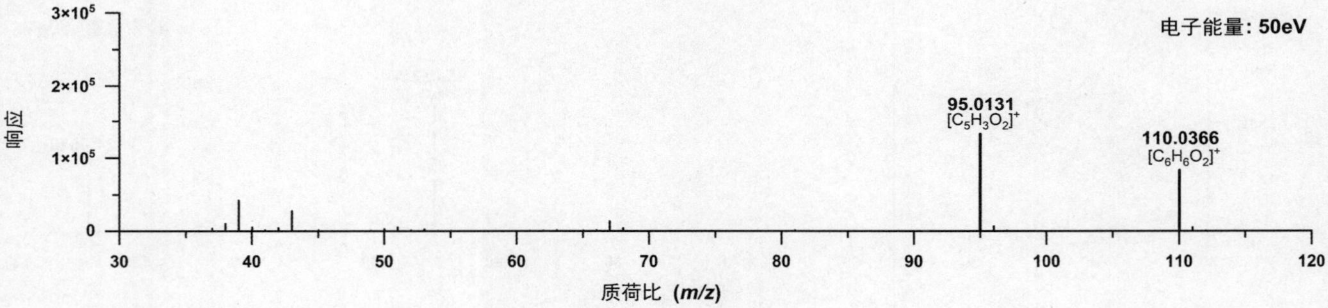

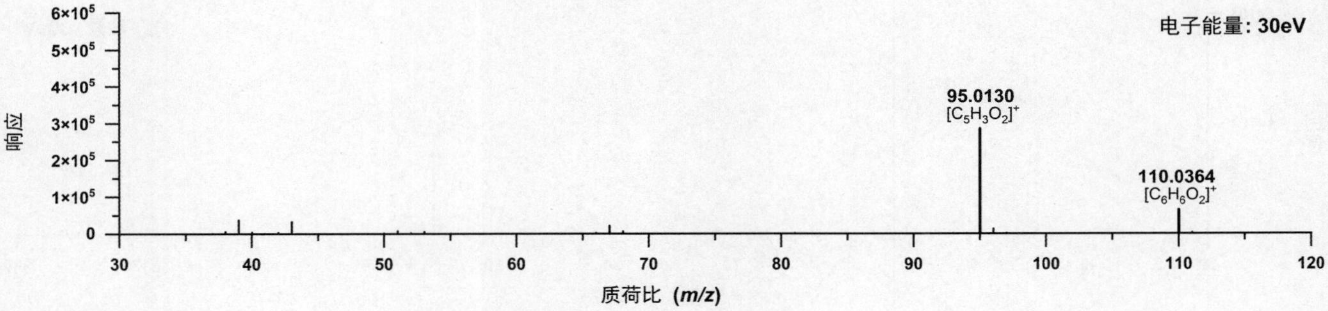

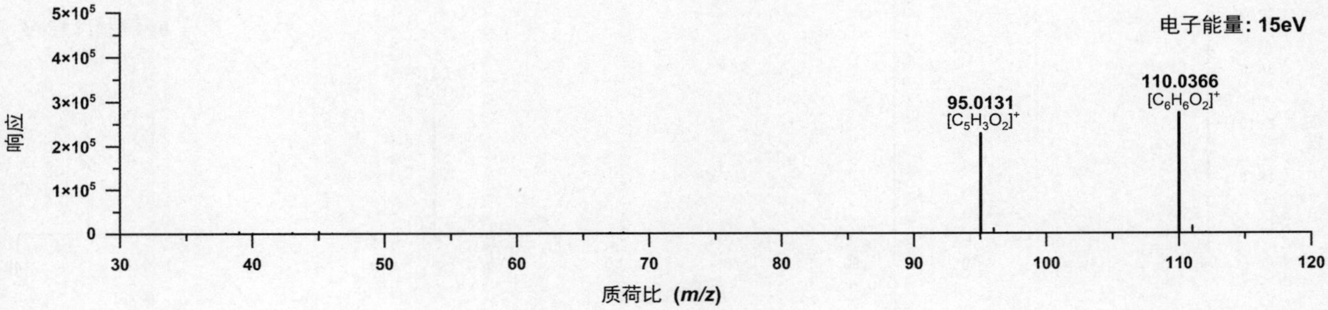

3

2-丙酰呋喃

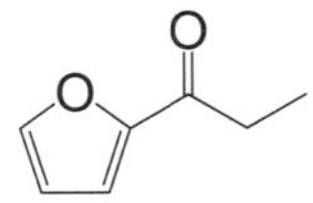

基本信息

CAS 登录号	3194-15-8	分子式	$C_7H_8O_2$	分子量	124.0519
保留指数（极性）	1600	保留指数（非极性）	978	香气描述	焦糖香，甜香，坚果香

质谱图

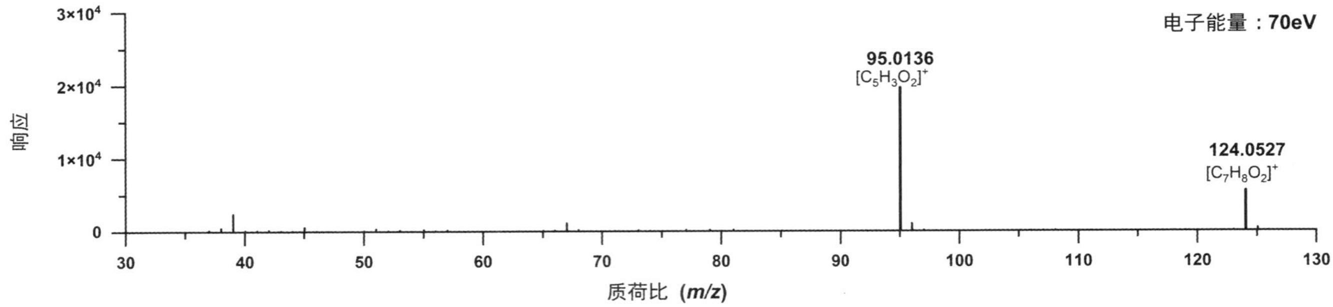

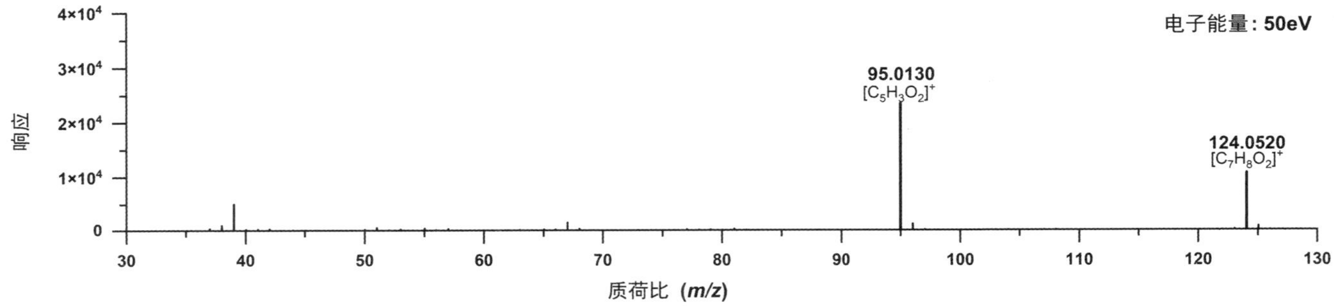

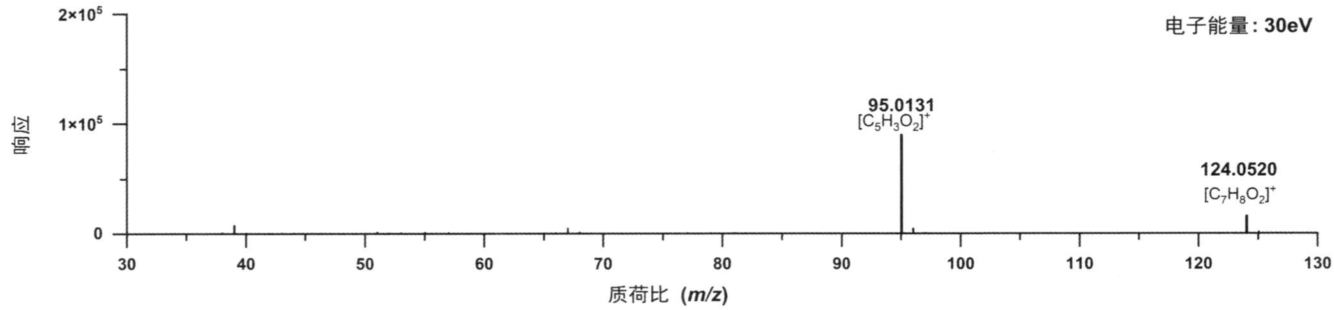

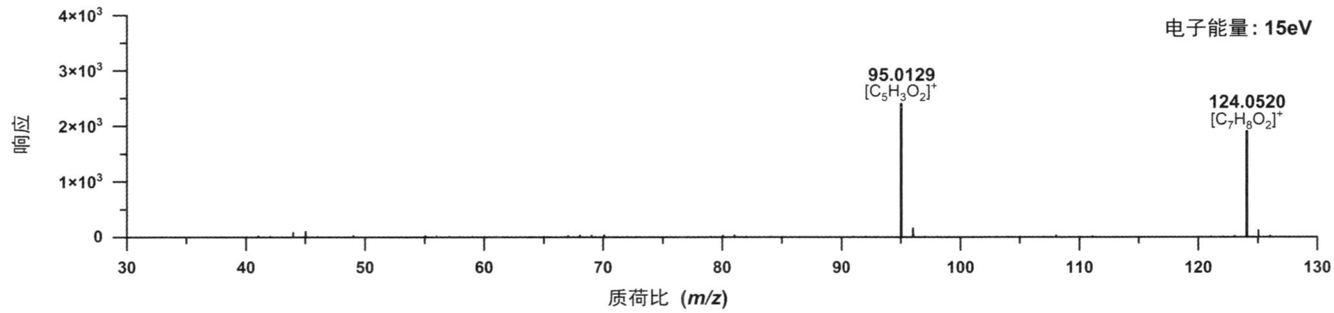

4 2-乙酰基-5-甲基呋喃

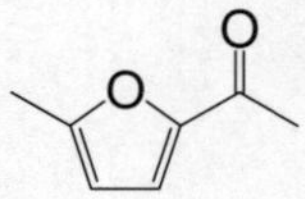

基本信息

CAS 登录号	1193-79-9	分子式	$C_7H_8O_2$	分子量	124.0519
保留指数（极性）	1642	保留指数（非极性）	1003	香气描述	甜香，焦糖香，水果香

质谱图

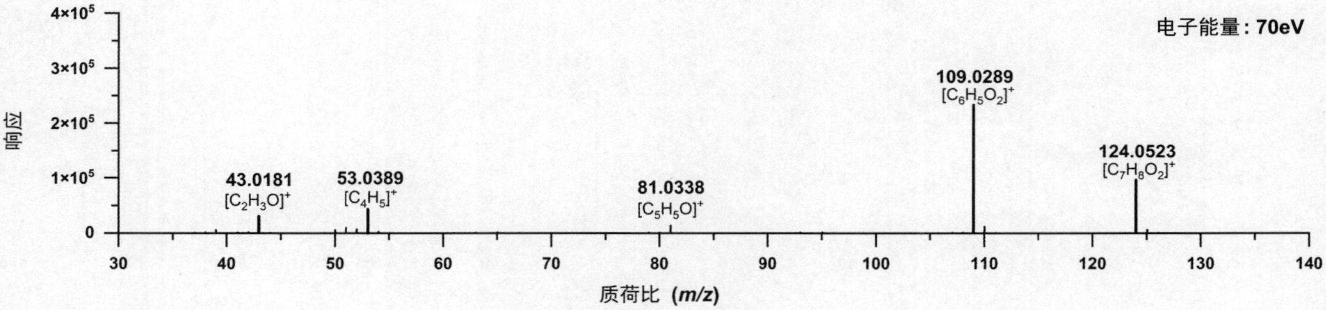

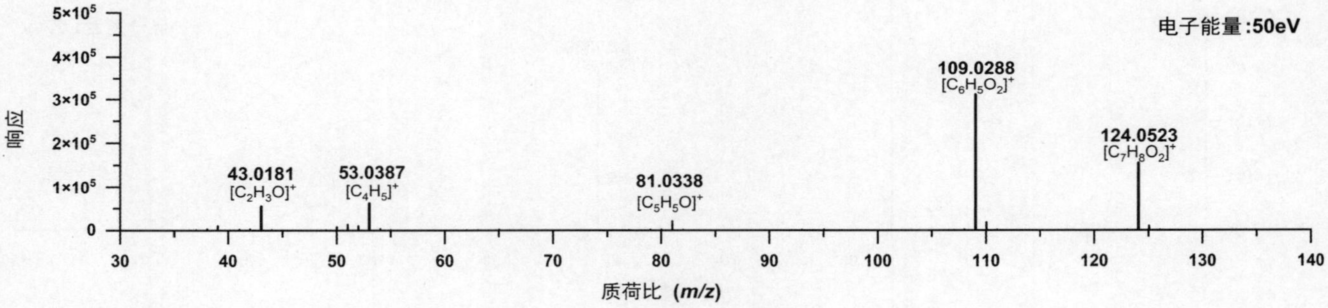

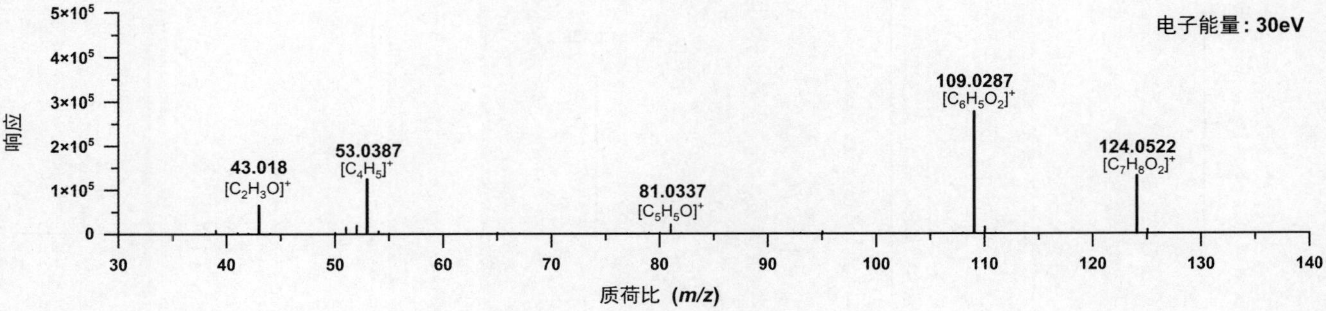

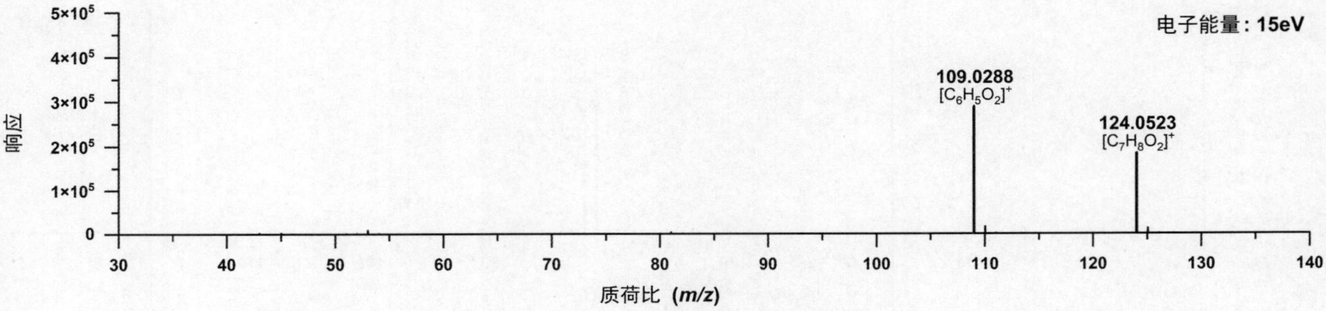

5 2-丁基呋喃

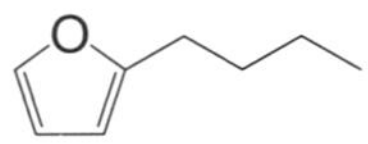

基本信息

CAS 登录号	4466-24-4	分子式	$C_8H_{12}O$	分子量	124.0883
保留指数（极性）	1140	保留指数（非极性）	880	香气描述	坚果味，烘烤味，泥土味

质谱图

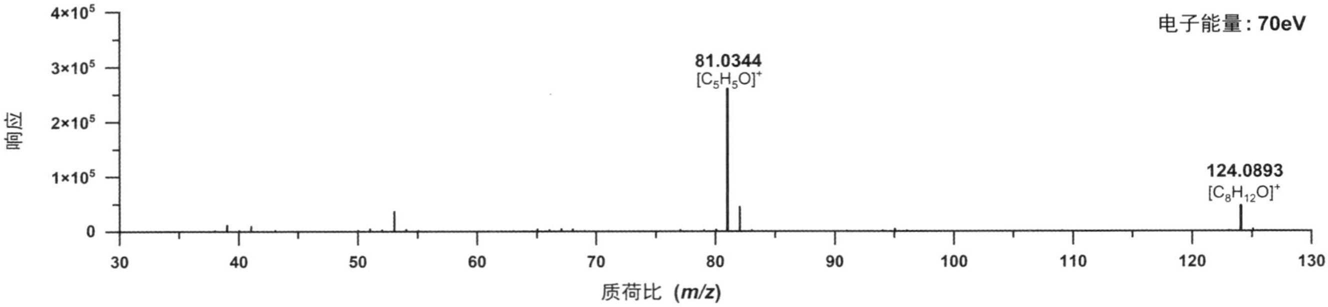

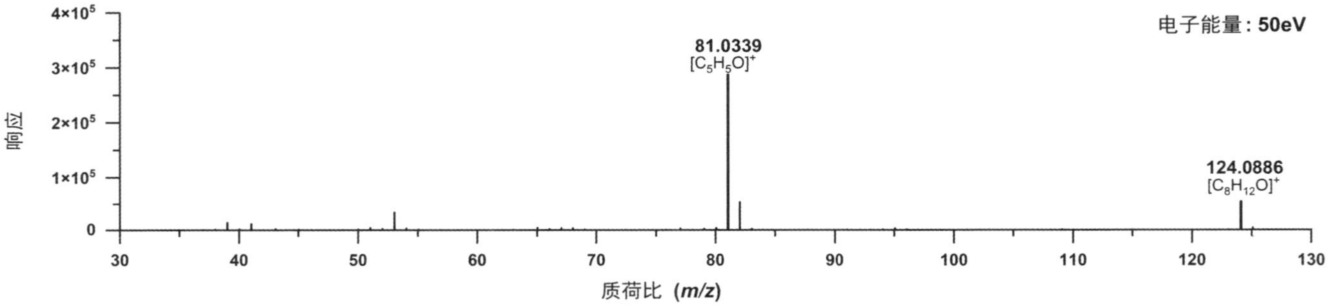

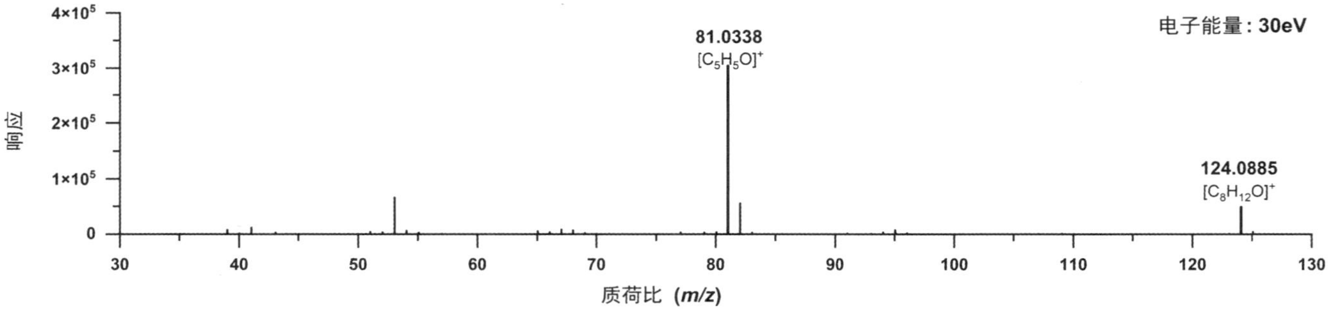

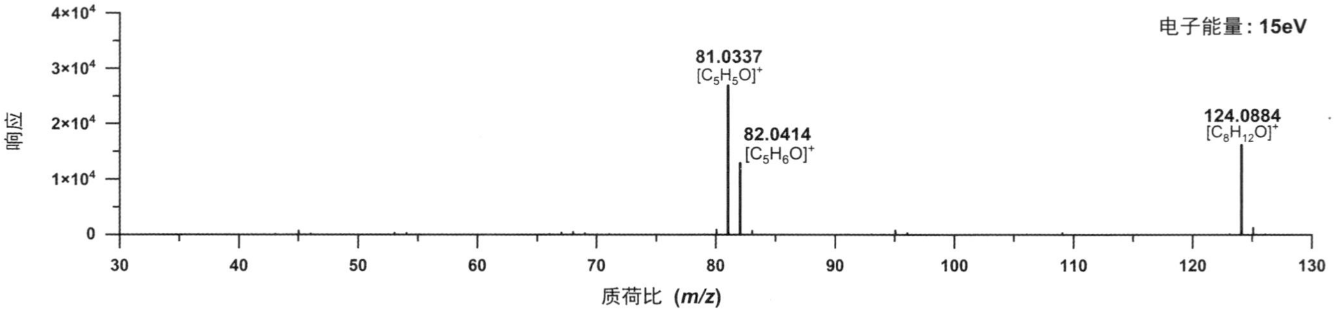

6 2,3-二氢苯并呋喃

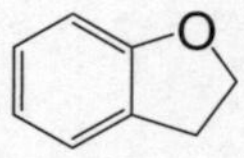

基本信息

CAS 登录号	496-16-2	分子式	C_8H_8O	分子量	120.0570
保留指数（极性）	1633	保留指数（非极性）	1052	香气描述	木香，甜香，花香

质谱图

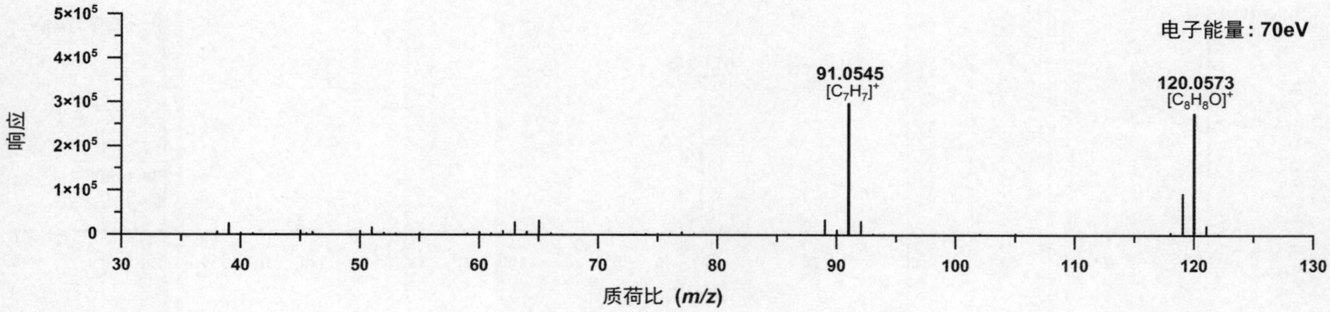

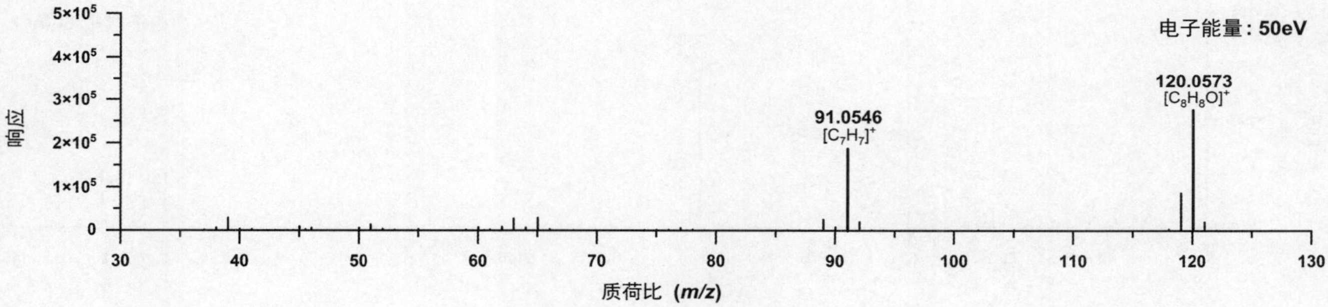

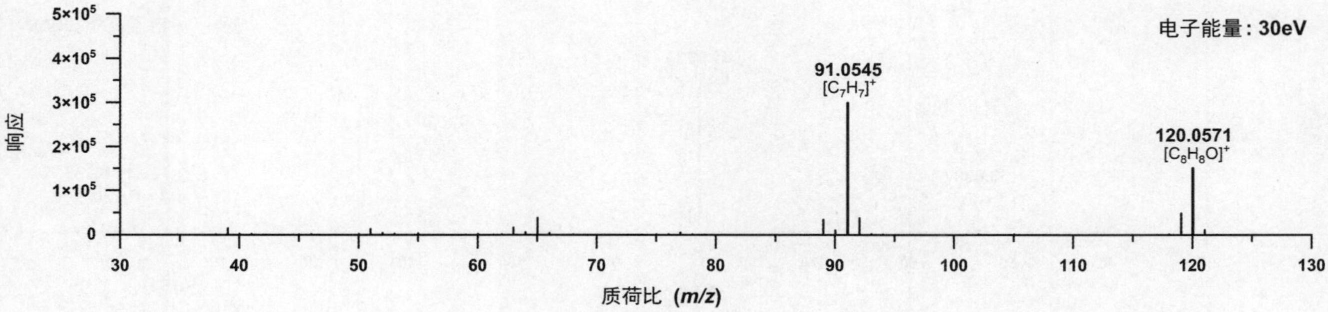

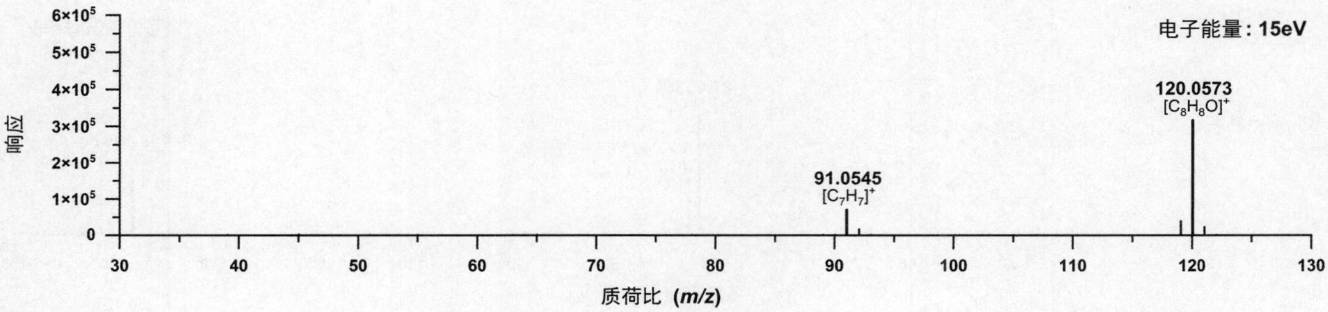

7 2-戊基呋喃

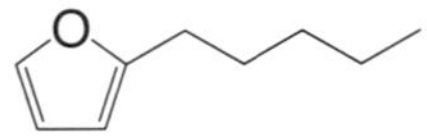

基本信息

CAS 登录号	3777-69-3	分子式	$C_9H_{14}O$	分子量	138.1039
保留指数（极性）	1240	保留指数（非极性）	979	香气描述	坚果味，烘烤味，泥土味

质谱图

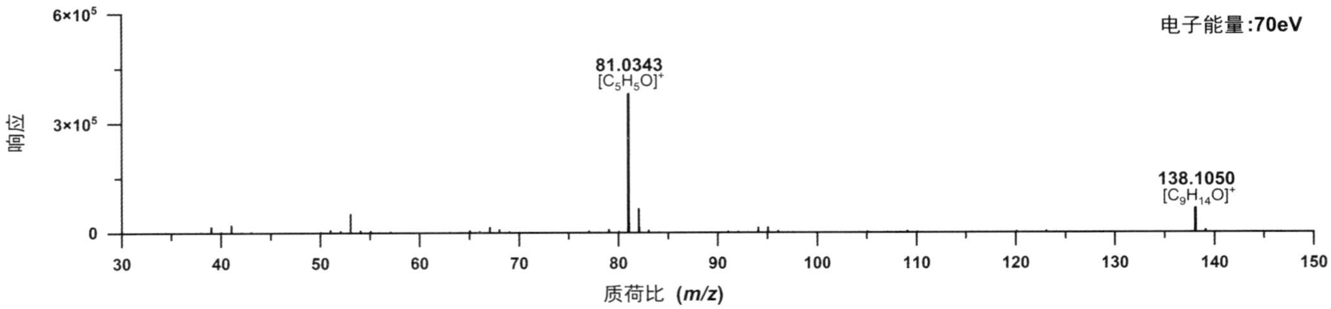

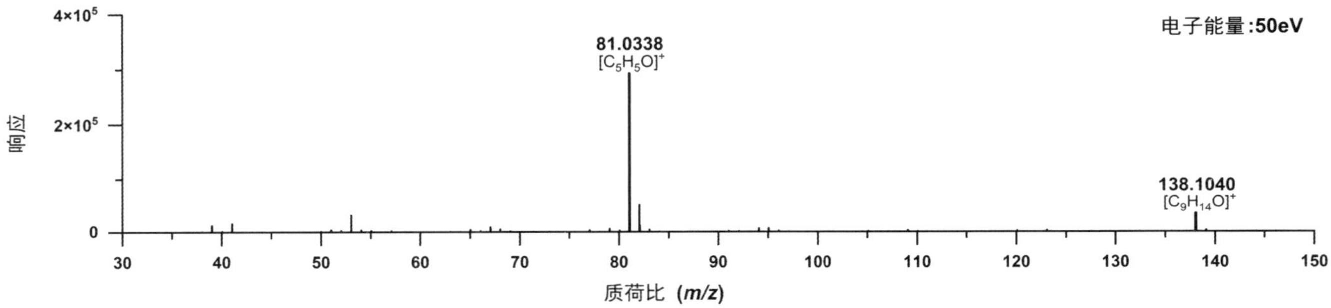

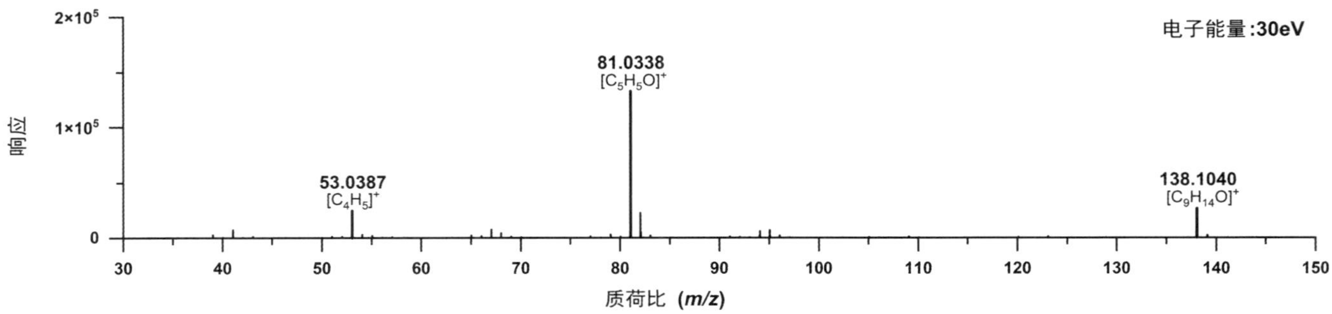

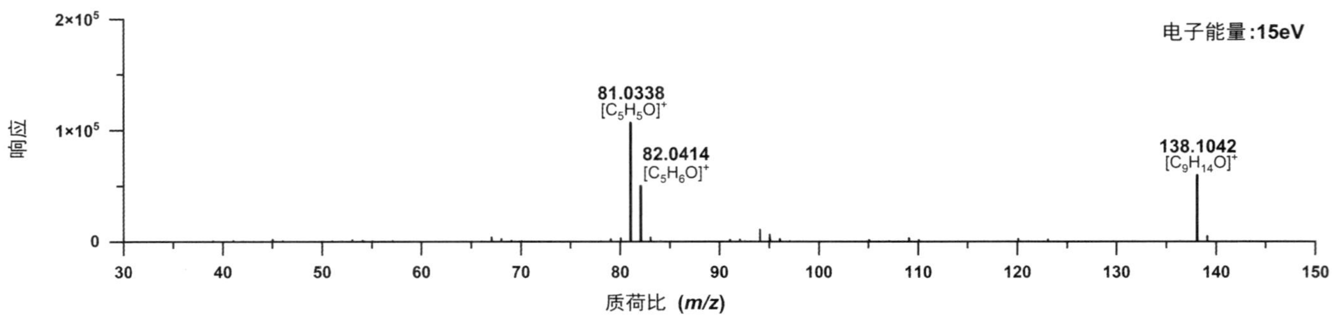

8

二(2-呋喃基)甲烷

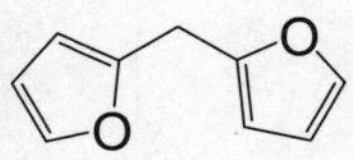

基本信息

CAS 登录号	1197-40-6	分子式	$C_9H_8O_2$	分子量	148.0519
保留指数（极性）	1626	保留指数（非极性）	1061	香气描述	甜香，焦糖香，坚果味

质谱图

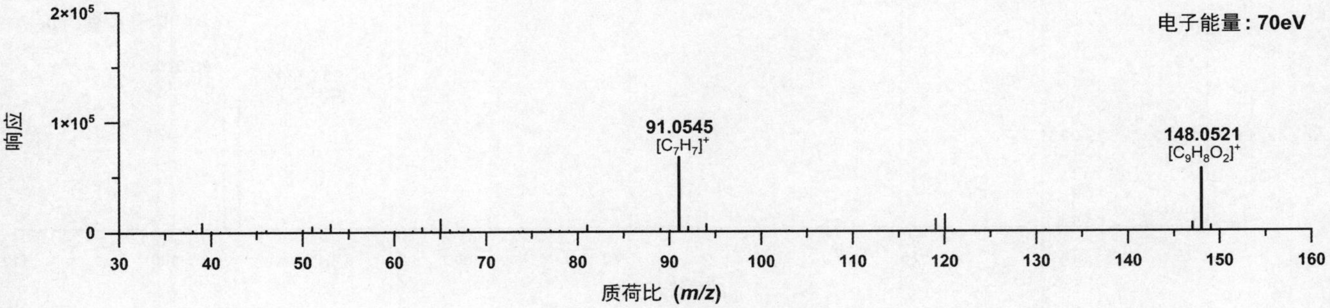

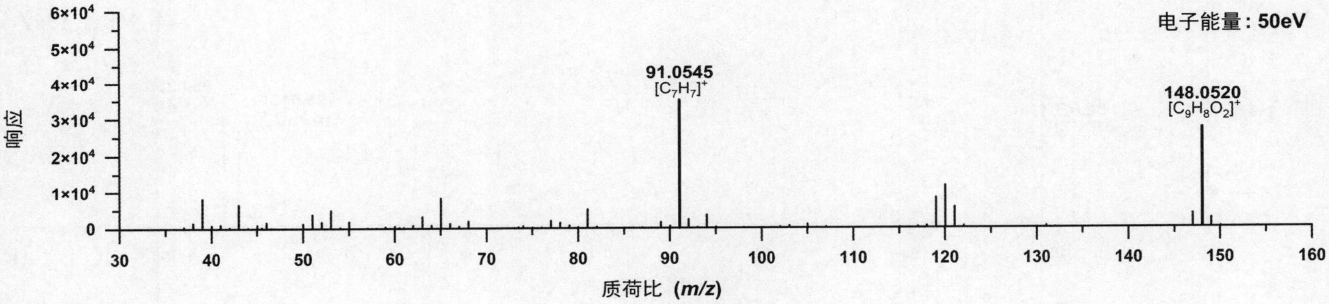

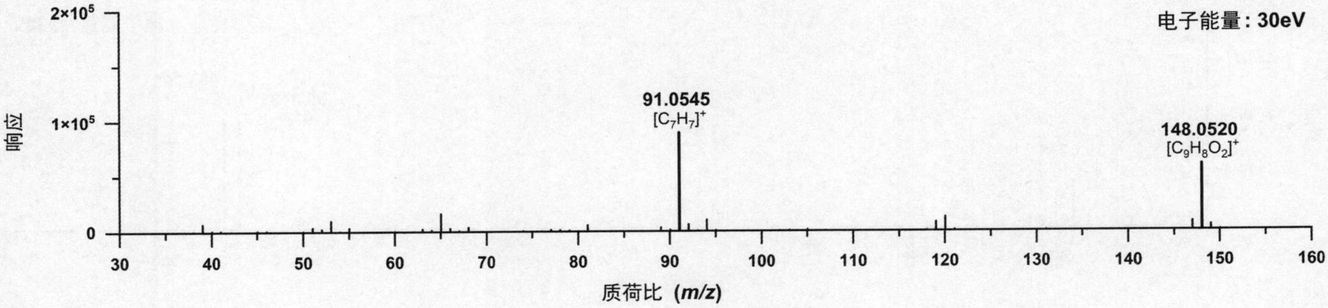

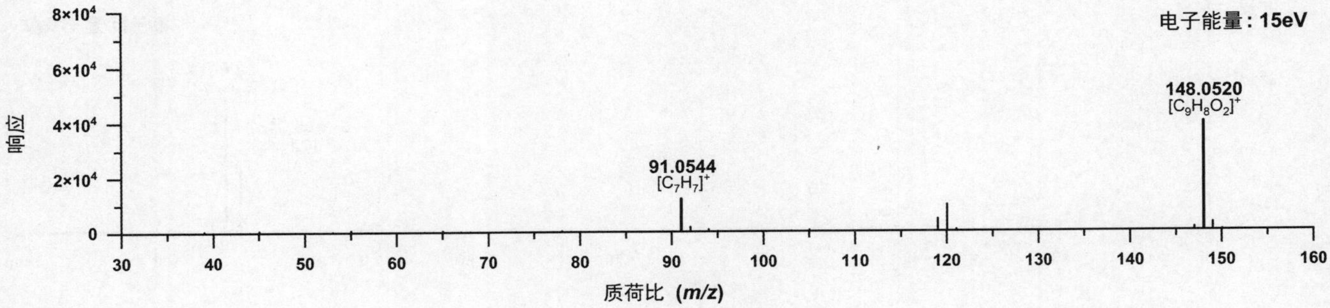

9 糠醛

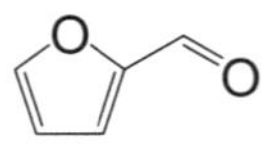

基本信息

CAS 登录号	98-01-1	分子式	$C_5H_4O_2$	分子量	96.0206
保留指数（极性）	1481	保留指数（非极性）	801	香气描述	花生味，坚果味，焦糖香

质谱图

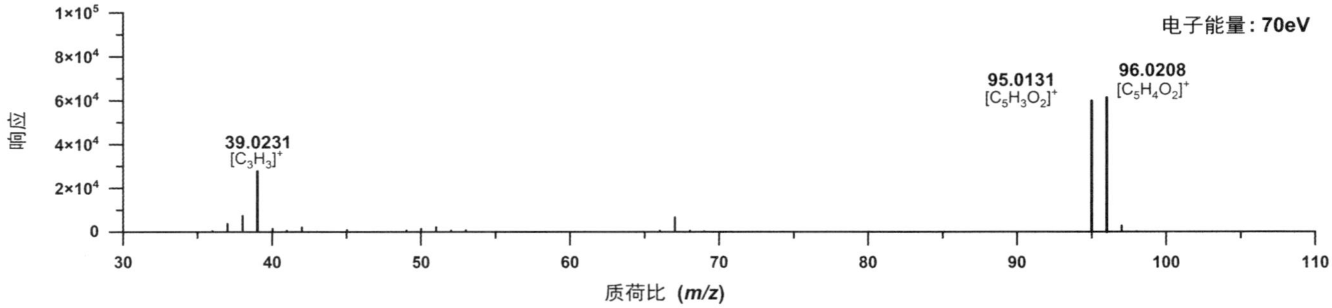

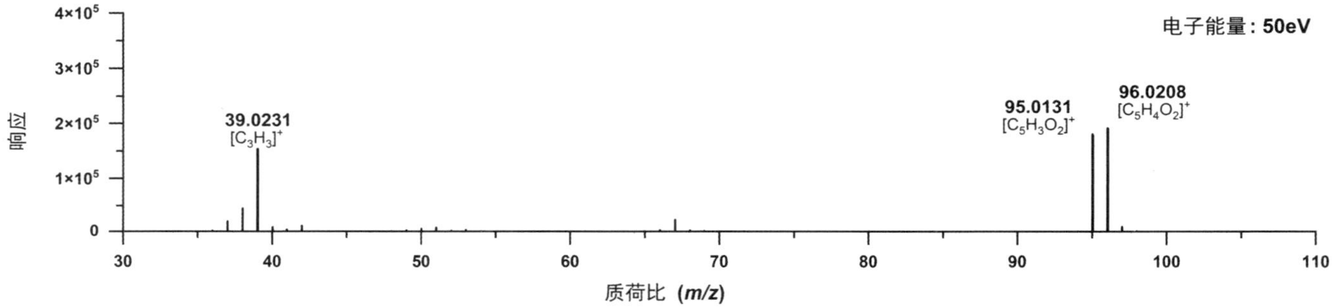

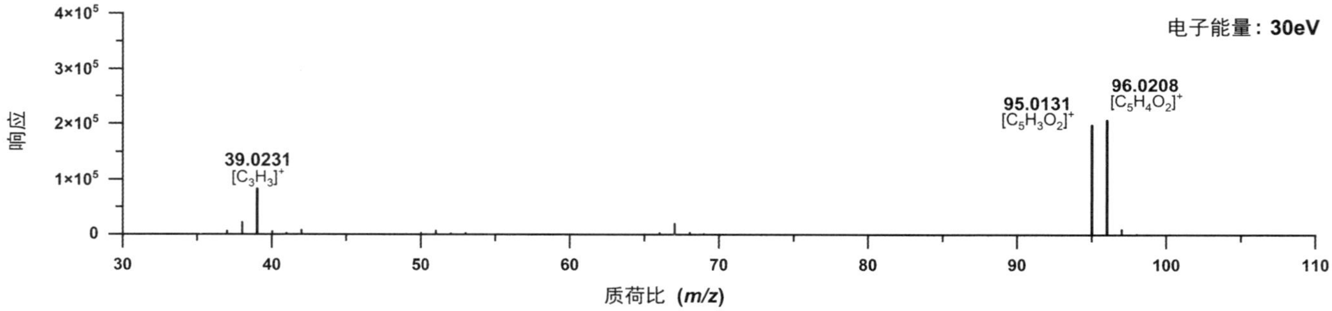

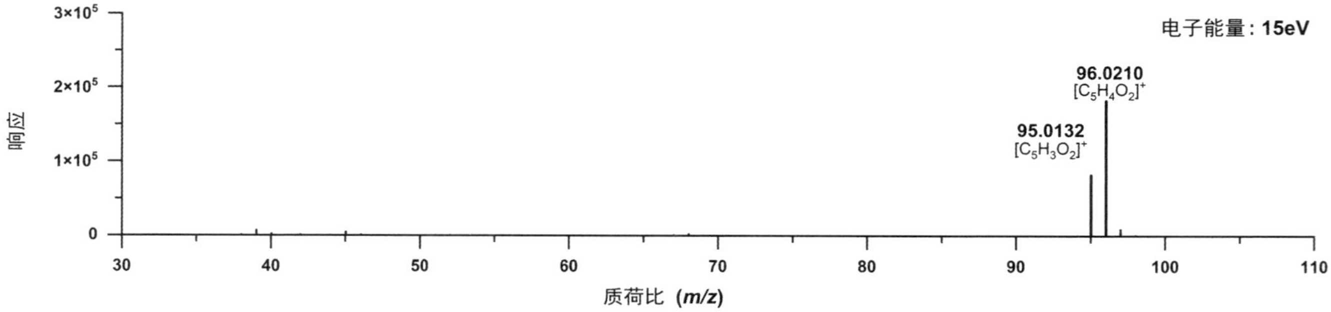

10 3-呋喃甲醛

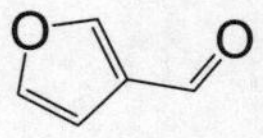

基本信息

CAS 登录号	498-60-2	分子式	$C_5H_4O_2$	分子量	96.0206
保留指数（极性）	1442	保留指数（非极性）	780	香气描述	焦糖香，甜香，烤面包味

质谱图

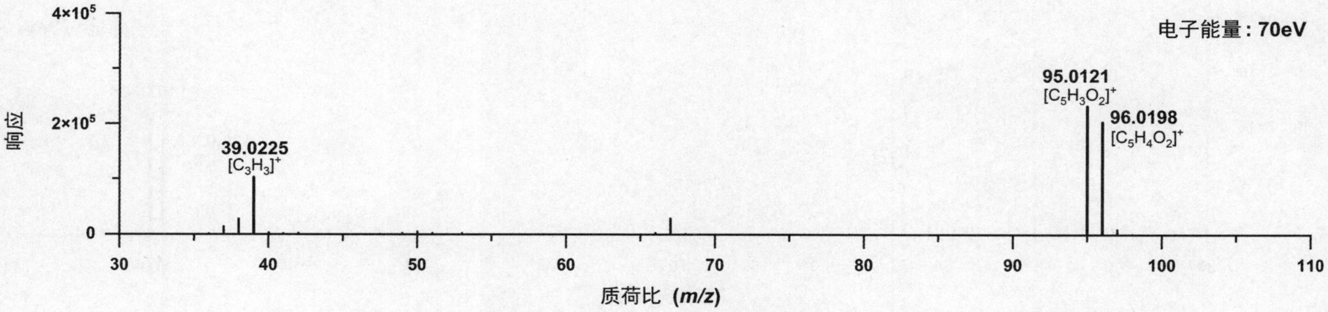

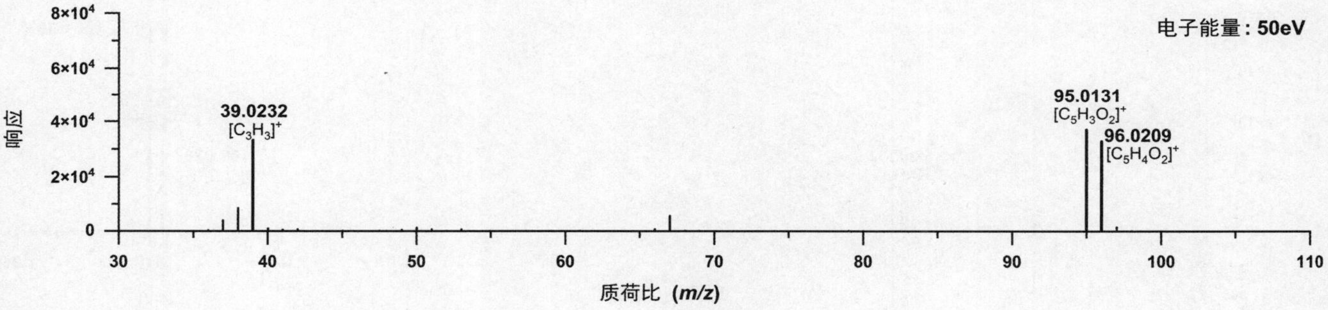

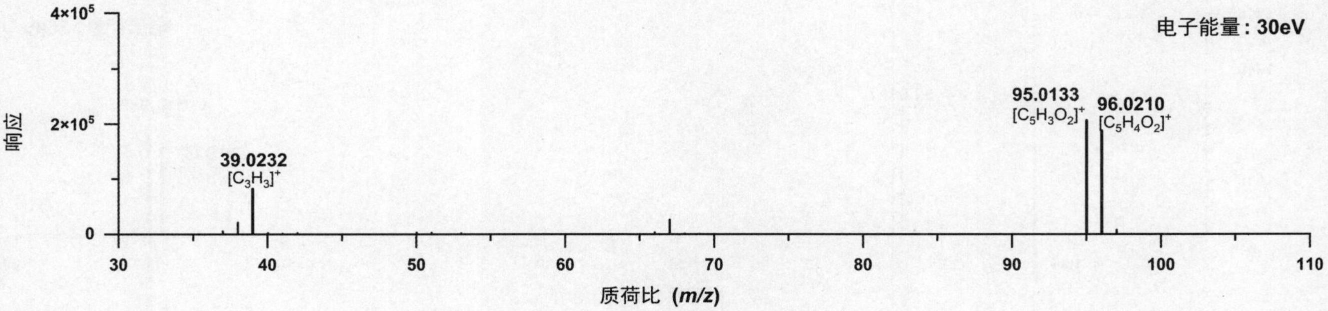

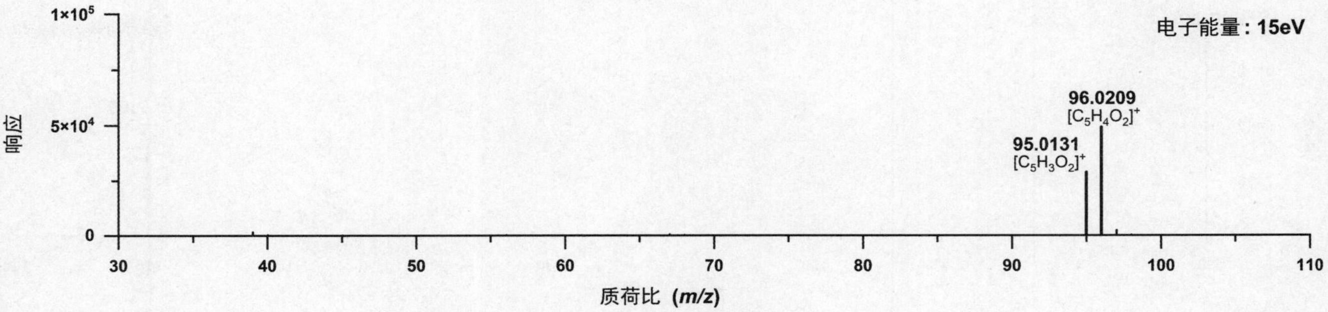

11 5-甲基呋喃醛

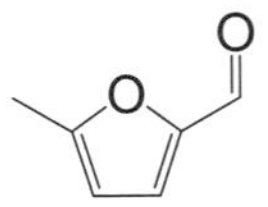

基本信息

CAS 登录号	620-02-0	分子式	$C_6H_6O_2$	分子量	110.0362
保留指数（极性）	1597	保留指数（非极性）	929	香气描述	甜香，焦糖香，杏仁味

质谱图

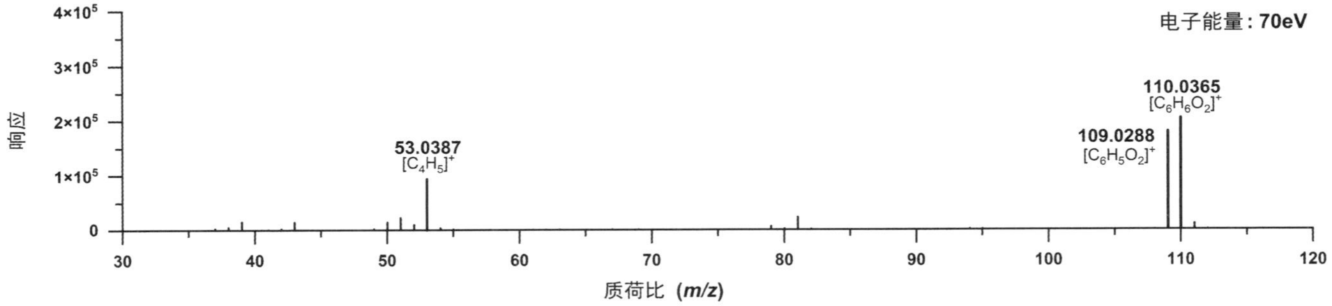

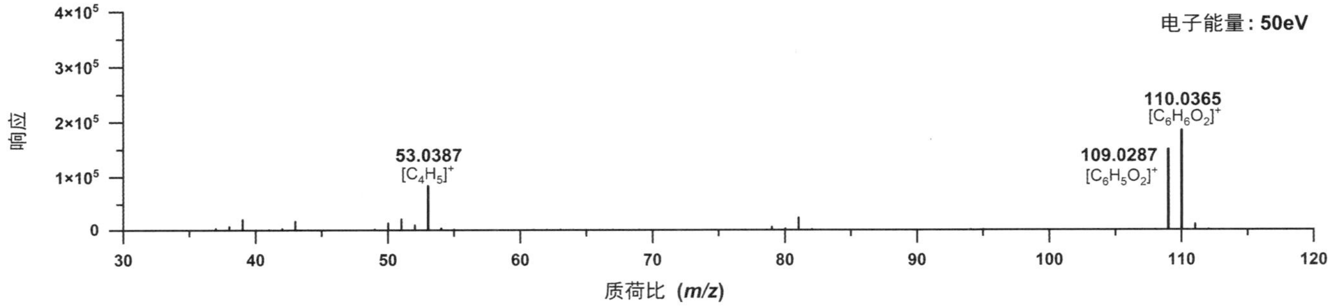

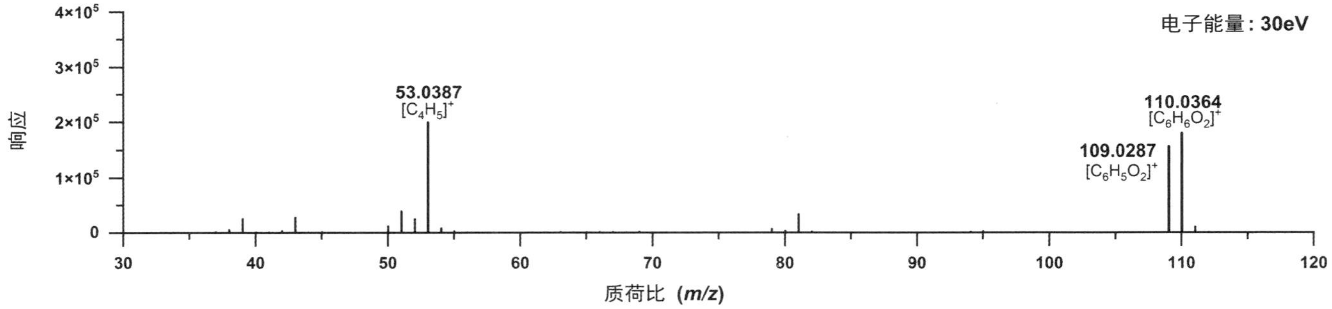

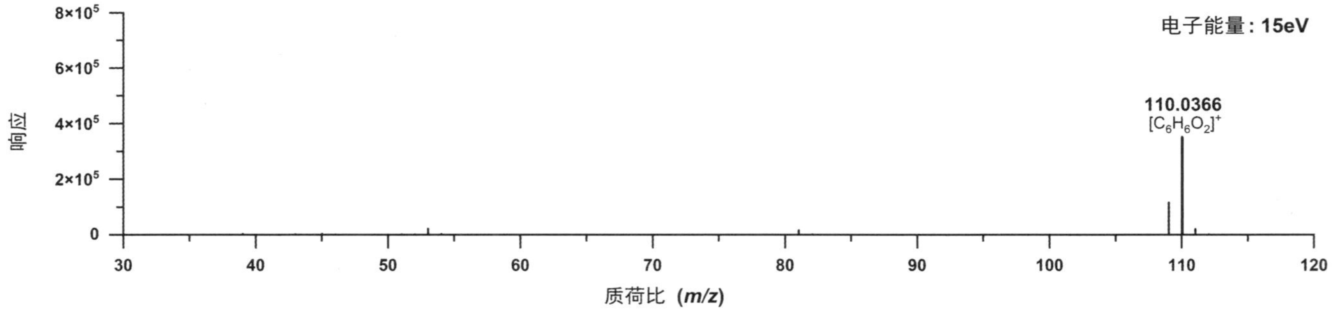

12 (*E*)-3-(2-呋喃基)丙烯醛

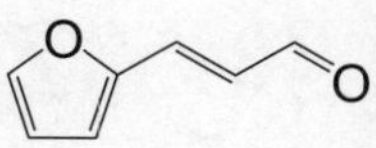

基本信息

CAS 登录号	39511-08-5	分子式	$C_7H_6O_2$	分子量	122.0362
保留指数（极性）	1886	保留指数（非极性）	1073	香气描述	甜香，坚果香，杏仁味

质谱图

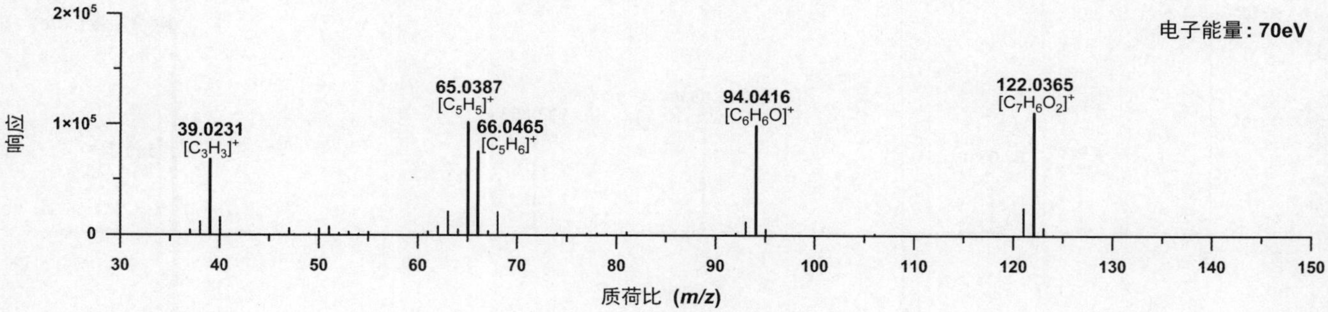

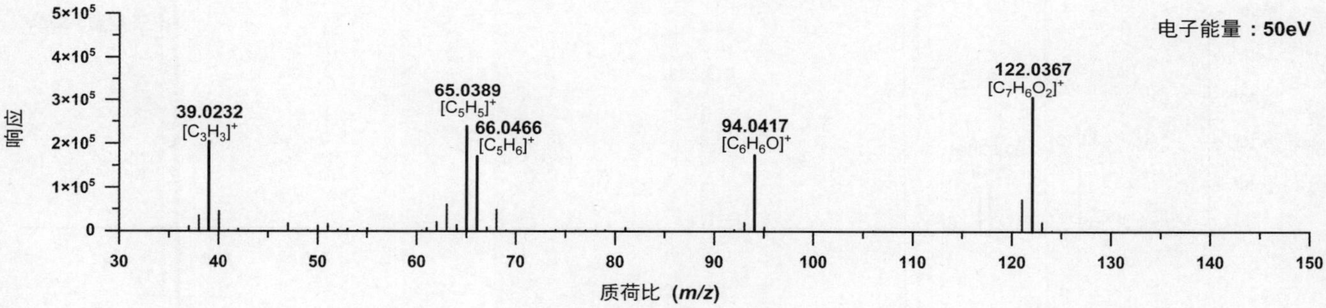

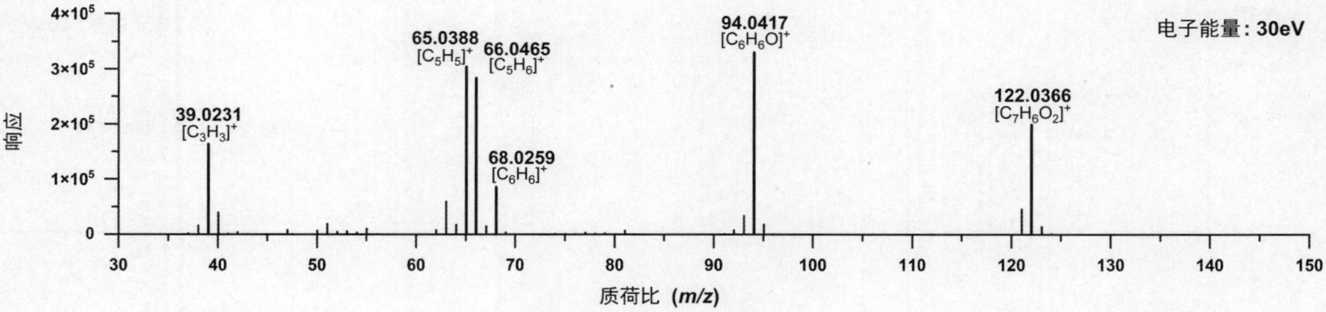

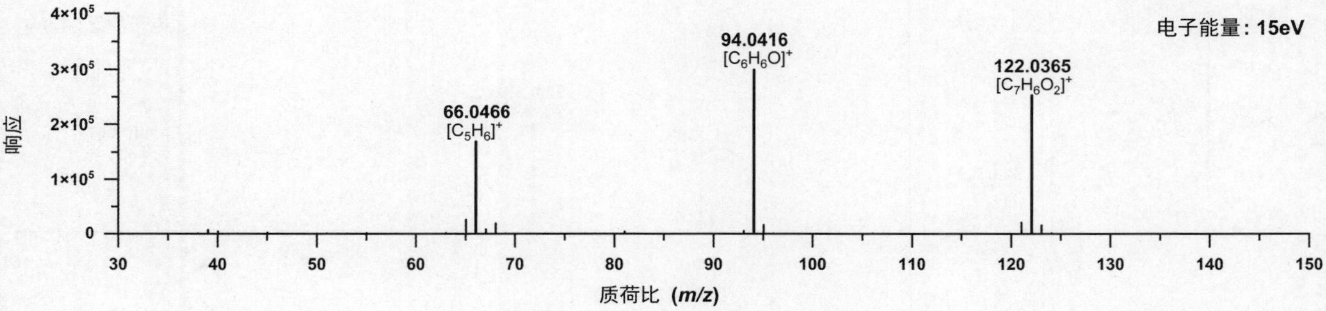

13 乙酸糠醇酯

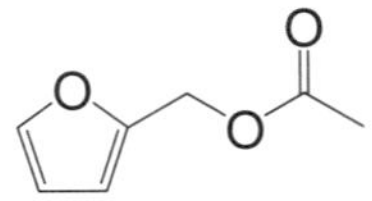

基本信息

CAS 登录号	623-17-6	分子式	$C_7H_8O_3$	分子量	140.0468
保留指数（极性）	1546	保留指数（非极性）	964	香气描述	水果香，甜香，焦糖香

质谱图

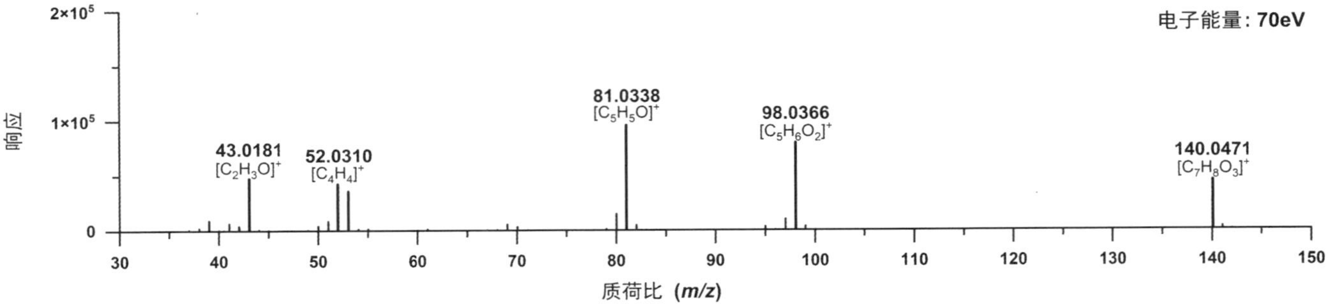

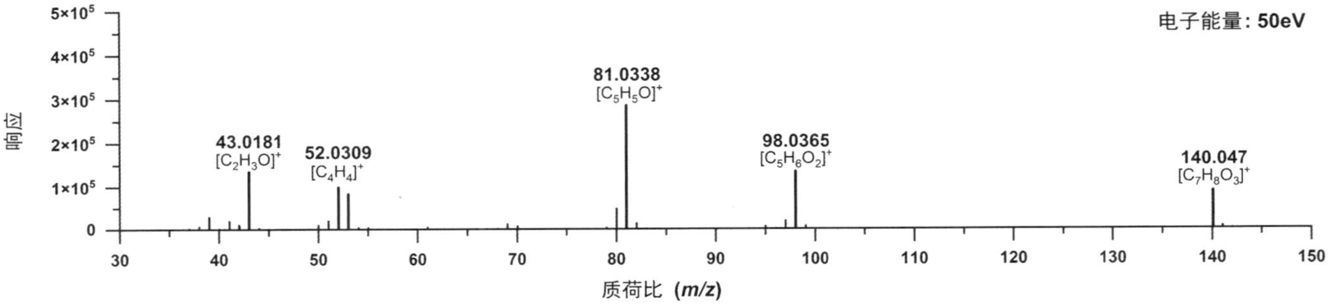

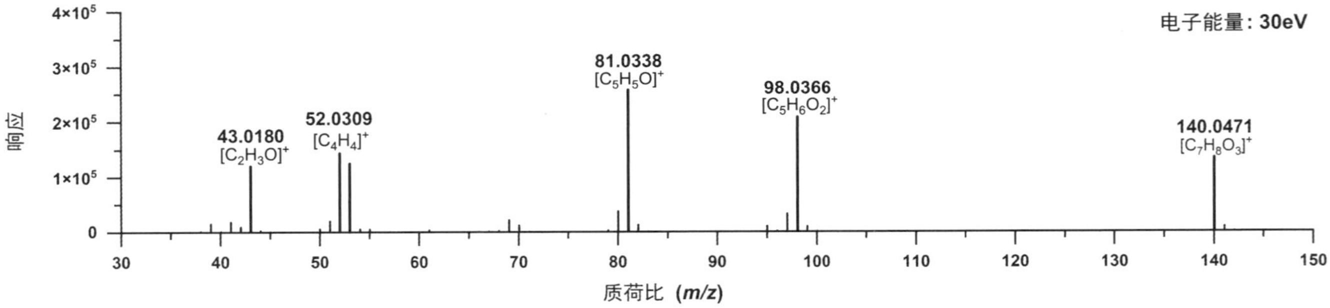

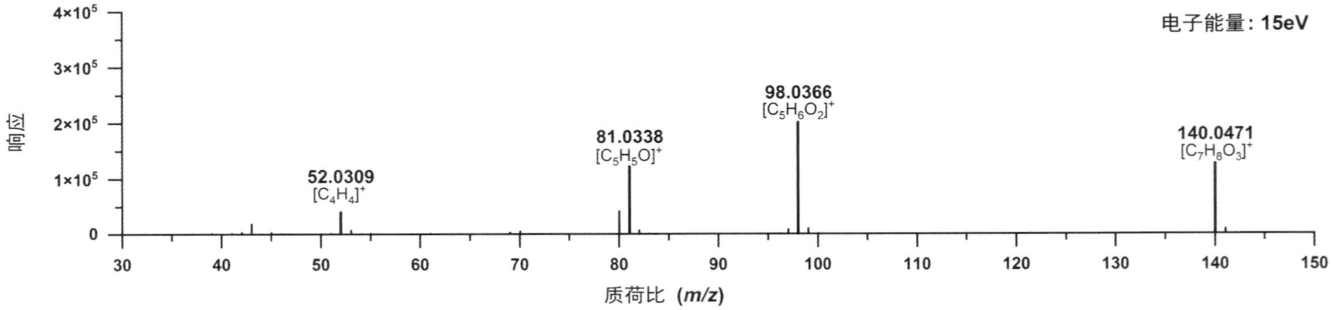

14 丙酸2-呋喃甲酯

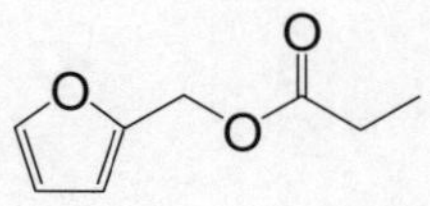

基本信息

CAS 登录号	623-19-8	分子式	$C_8H_{10}O_3$	分子量	154.0624
保留指数（极性）	1607	保留指数（非极性）	1057	香气描述	水果香，甜香，焦糖香

质谱图

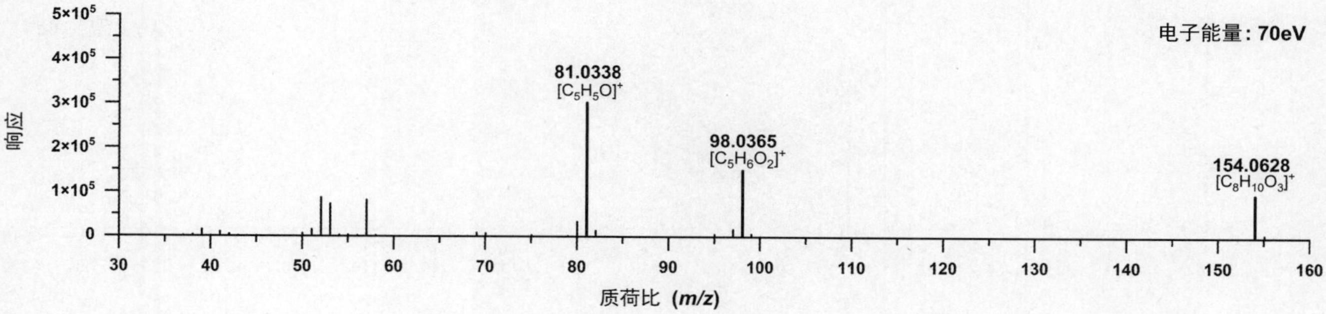

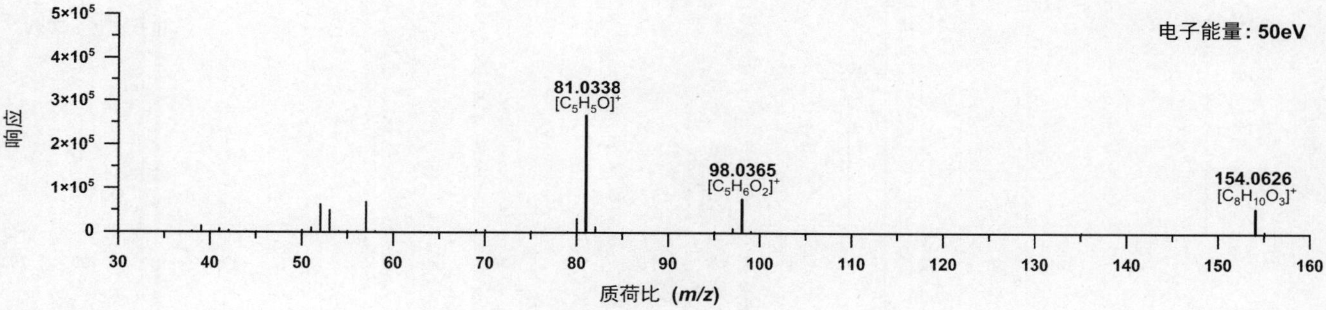

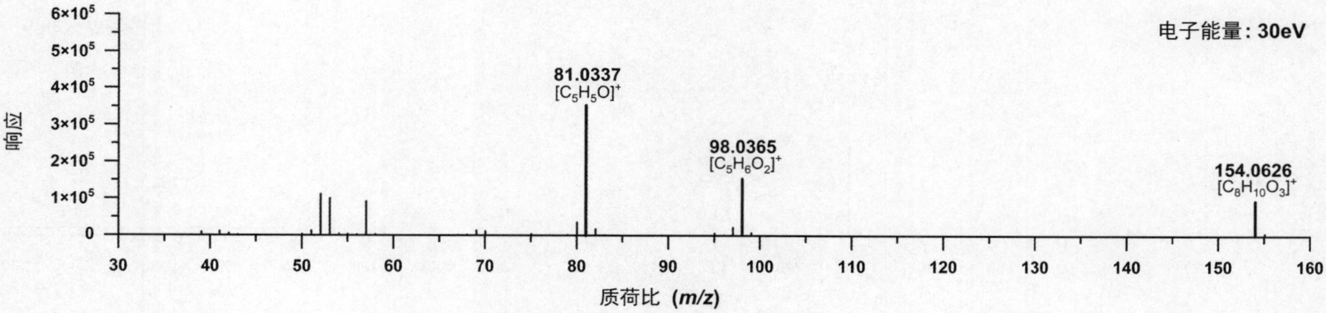

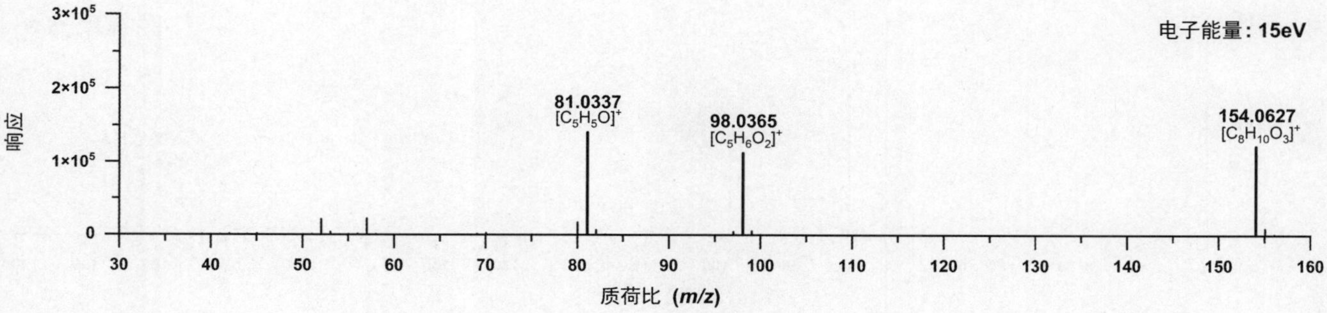

15 3-甲基丁酸糠酯

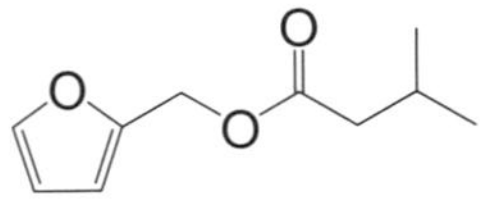

基本信息

CAS 登录号	13678-60-9	分子式	$C_{10}H_{14}O_3$	分子量	182.0937
保留指数（极性）	1707	保留指数（非极性）	1193	香气描述	甜香，焦糖香，烤面包味

质谱图

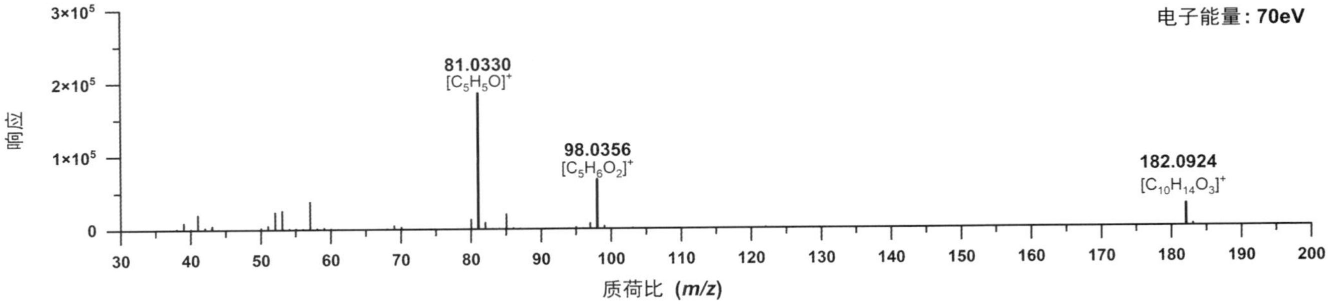

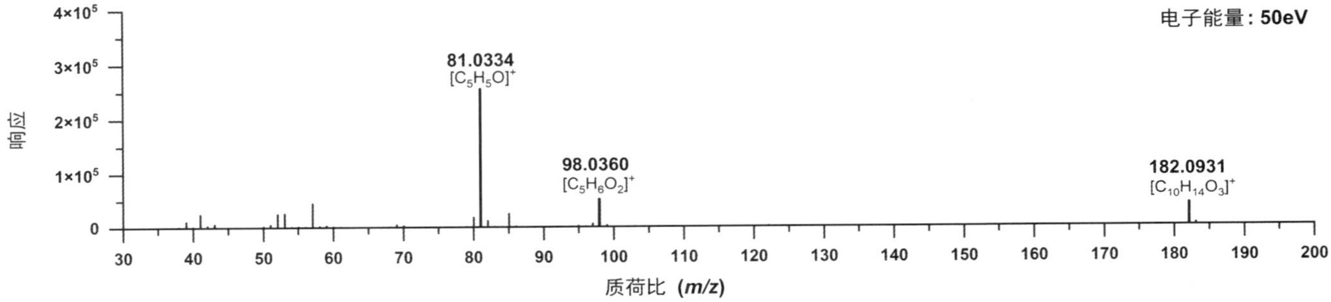

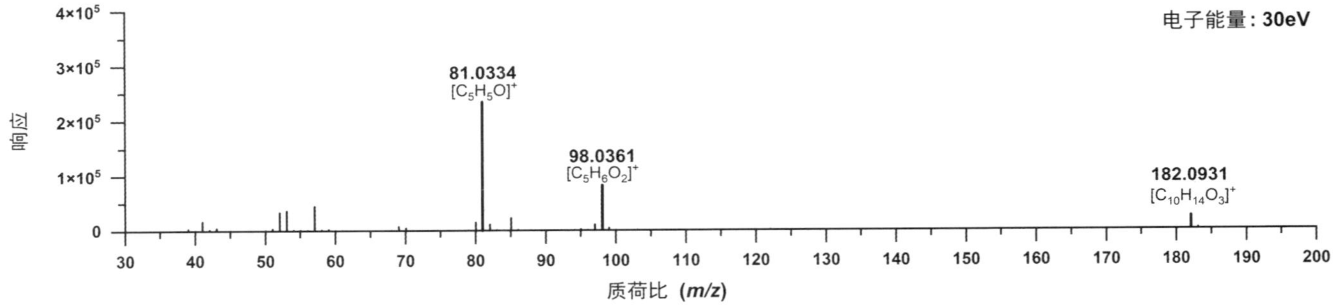

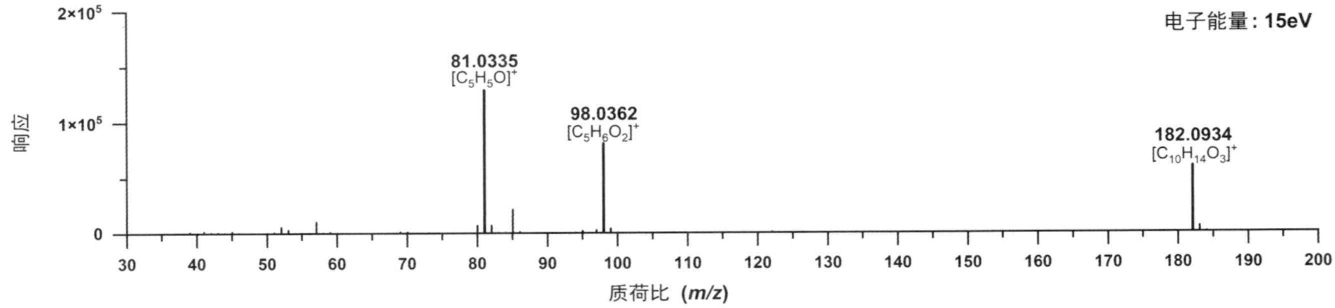

16 2(5*H*)-呋喃酮

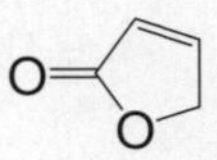

基本信息

CAS 登录号	497-23-4	分子式	$C_4H_4O_2$	分子量	84.0206
保留指数（极性）	1795	保留指数（非极性）	863	香气描述	甜香，焦糖香，坚果味

质谱图

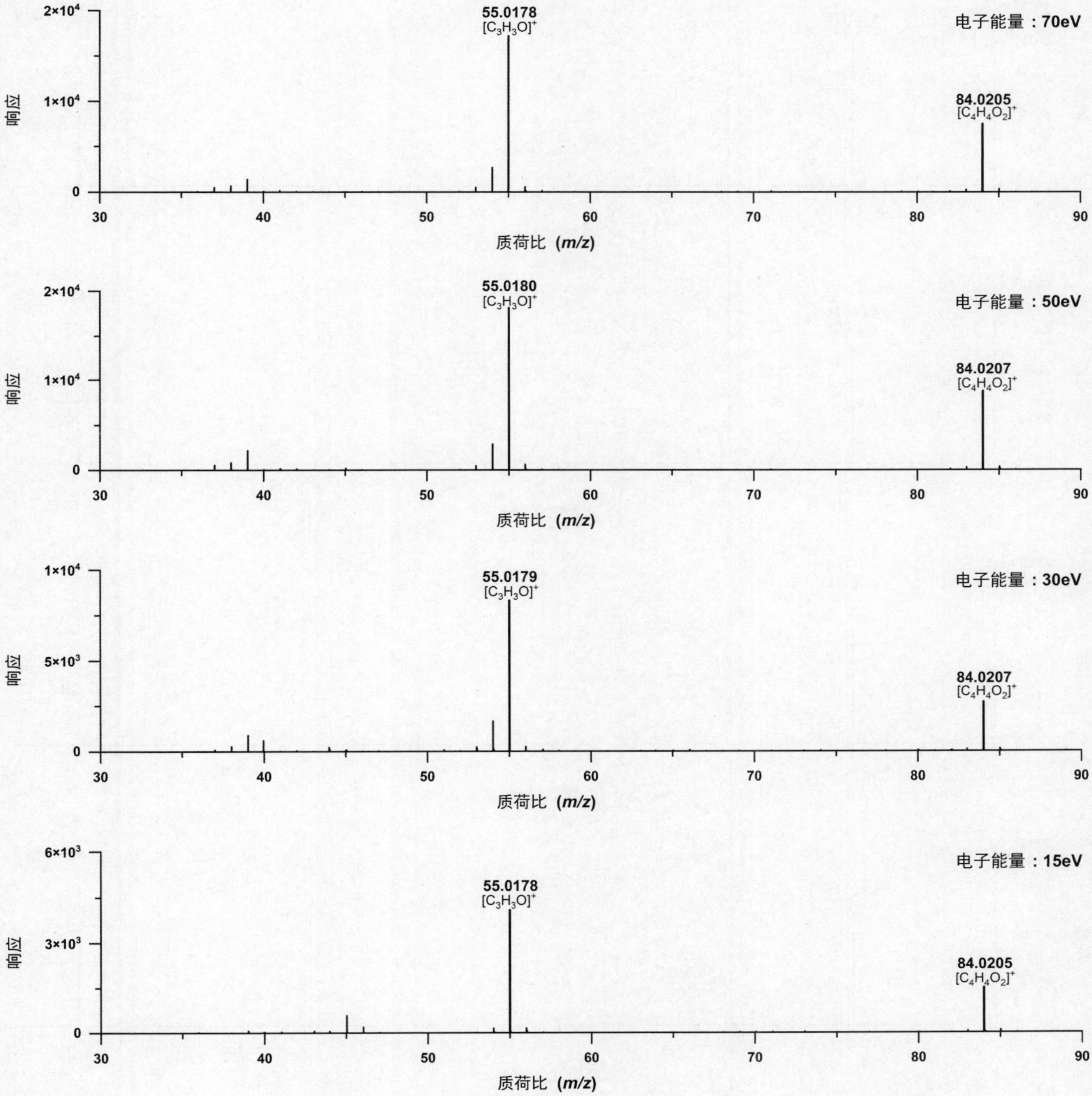

17 4-羟基-5-甲基-3(2*H*)-呋喃酮

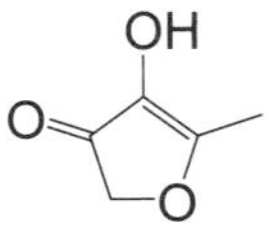

基本信息

CAS 登录号	19322-27-1	分子式	$C_5H_6O_3$	分子量	114.0311
保留指数（极性）	2142	保留指数（非极性）	1000	香气描述	甜香，焦糖香，枫糖味

质谱图

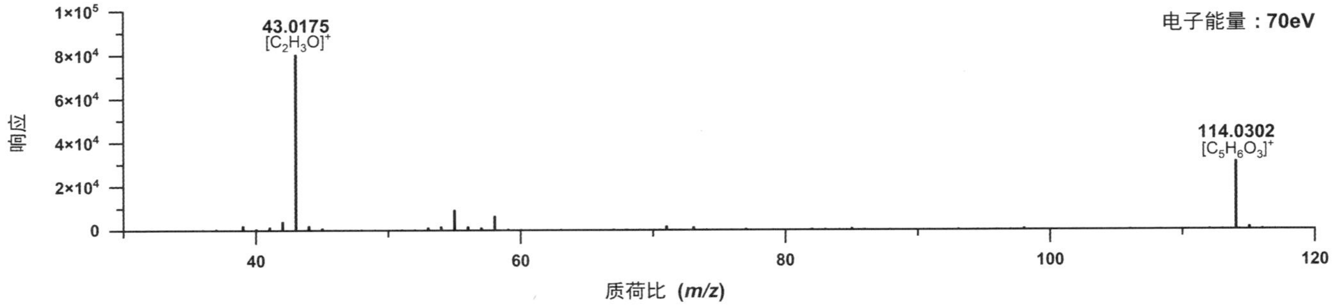

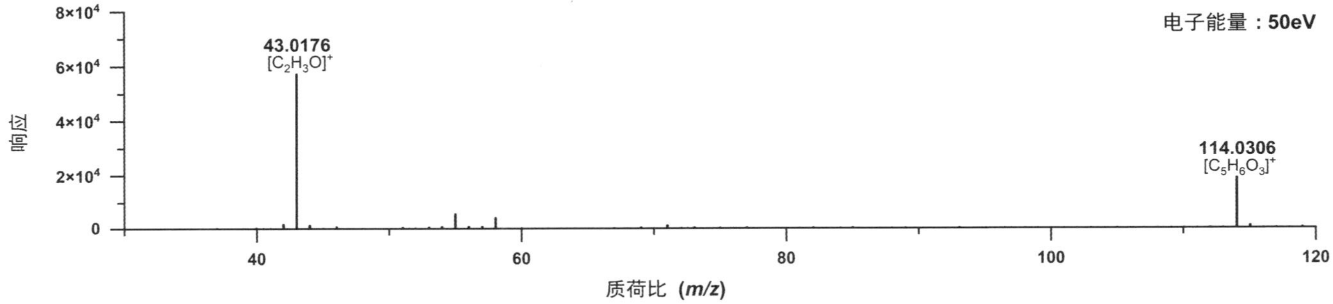

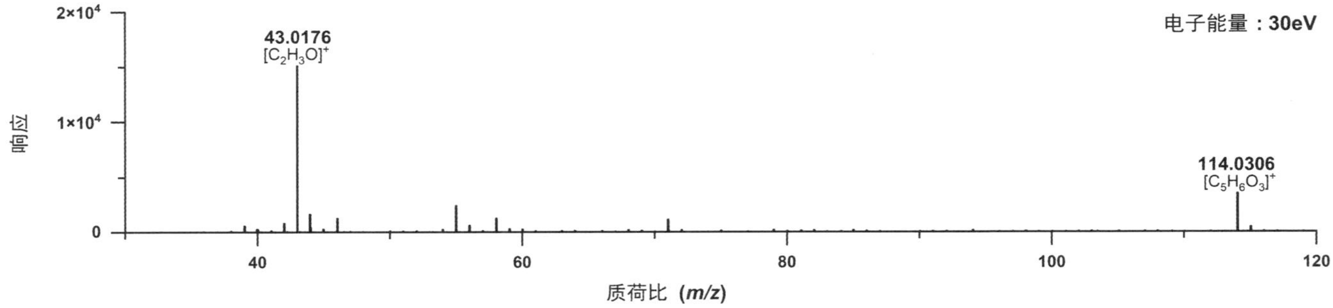

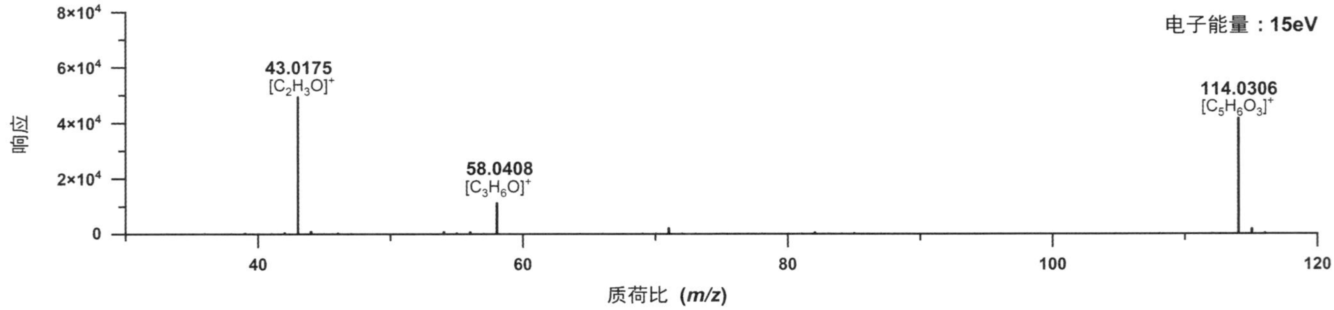

18 2-甲基四氢呋喃-3-酮

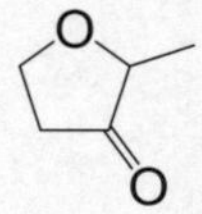

基本信息

CAS 登录号	3188-00-9	分子式	$C_5H_8O_2$	分子量	100.0519
保留指数（极性）	1279	保留指数（非极性）	775	香气描述	甜香，焦糖香，水果香

质谱图

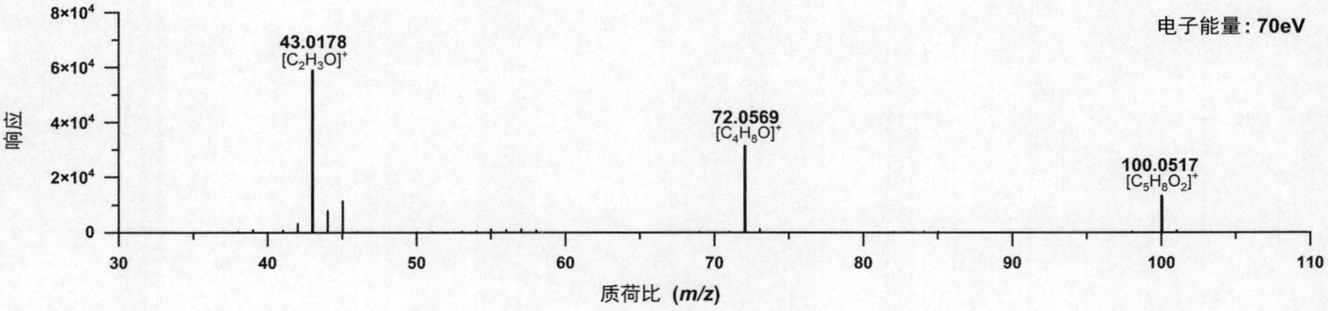

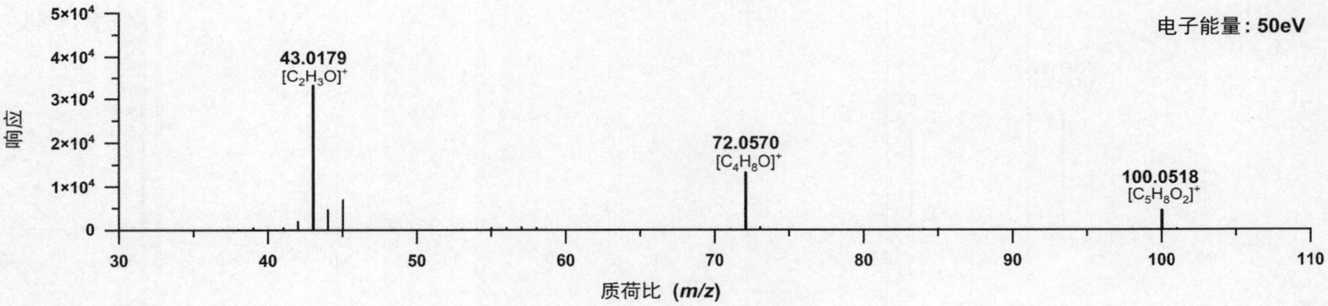

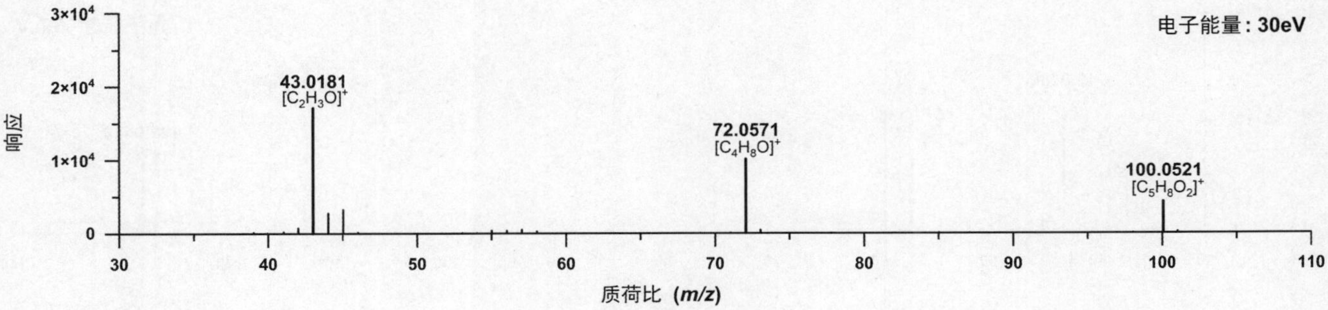

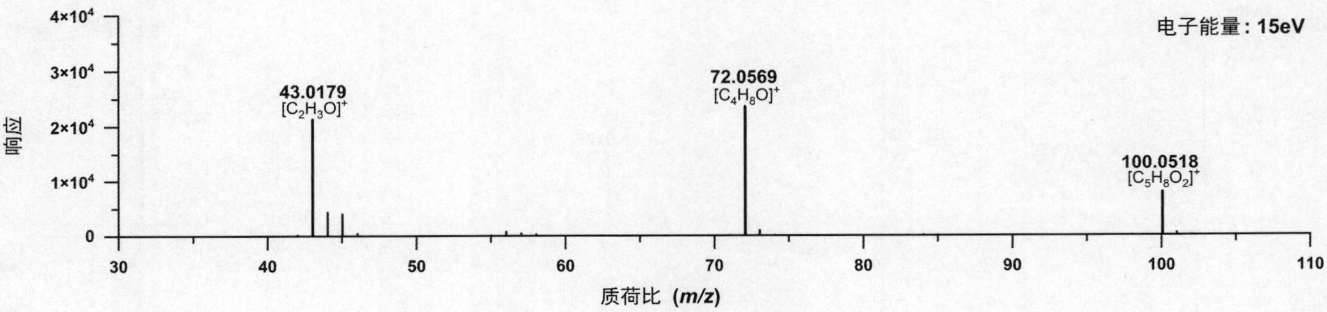

19 草莓酮

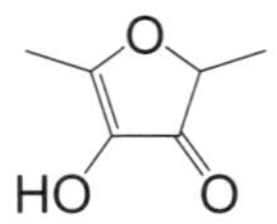

基本信息

CAS 登录号	3658-77-3	分子式	$C_6H_8O_3$	分子量	128.0468
保留指数（极性）	2054	保留指数（非极性）	1023	香气描述	甜香，焦糖香，棉花糖香

质谱图

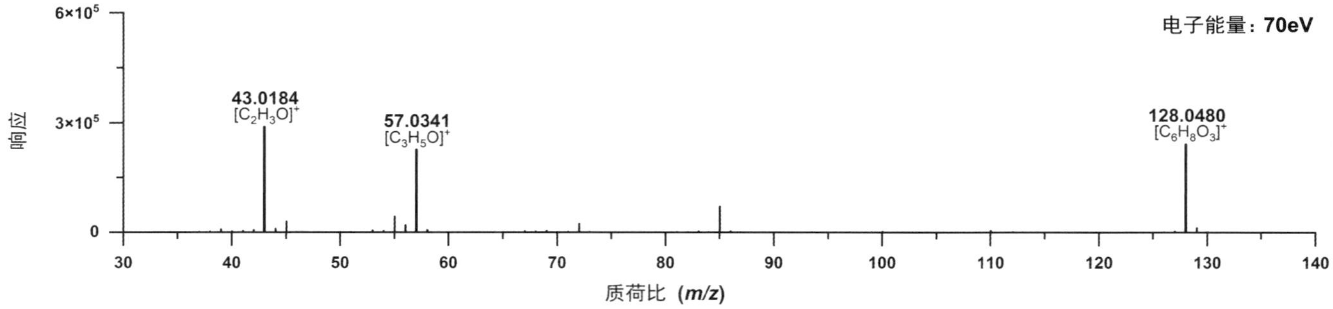

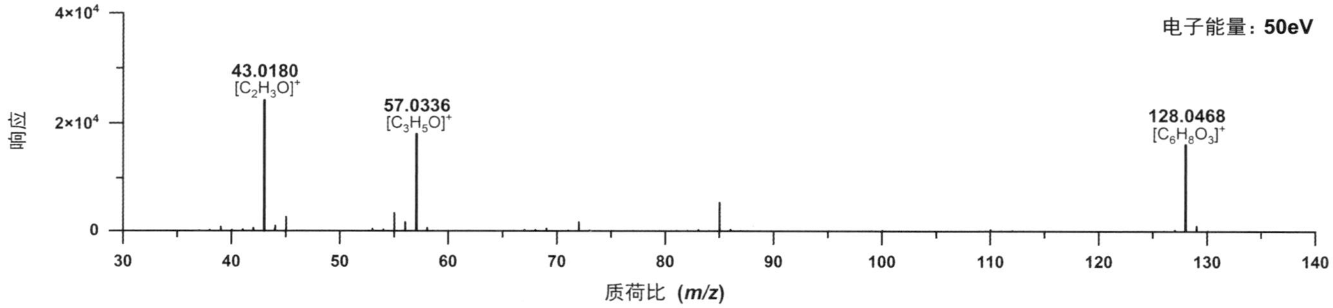

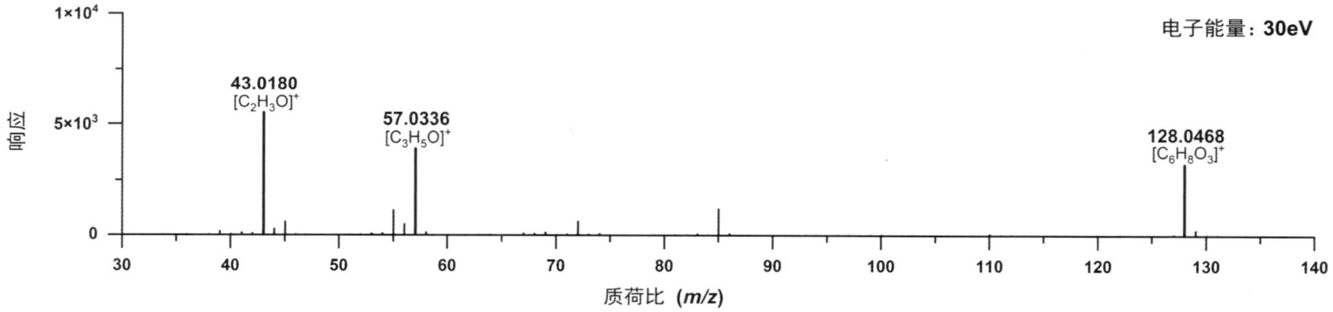

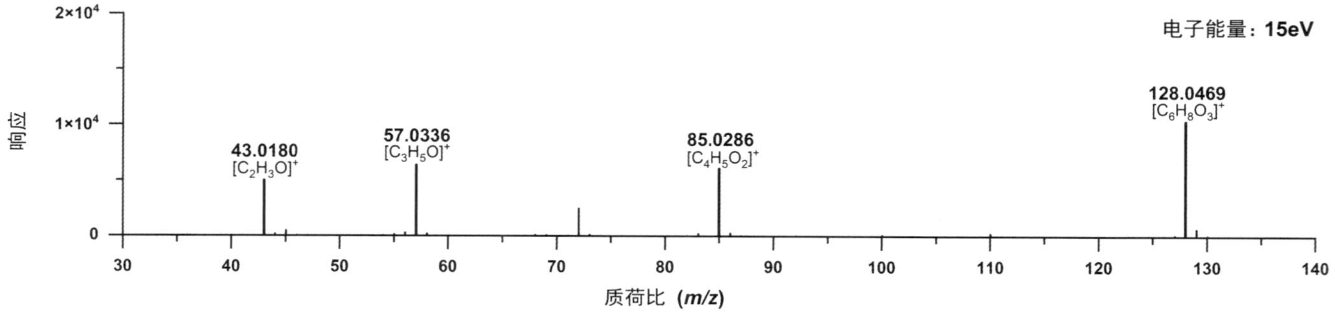

20 3-羟基-4,5-二甲基-2(5*H*)-呋喃酮

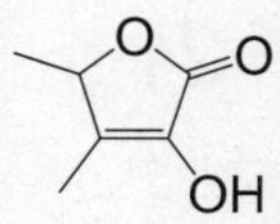

基本信息

CAS 登录号	28664-35-9	分子式	$C_6H_8O_3$	分子量	128.0468
保留指数（极性）	2225	保留指数（非极性）	1060	香气描述	焦糖香，甜香，枫糖味

质谱图

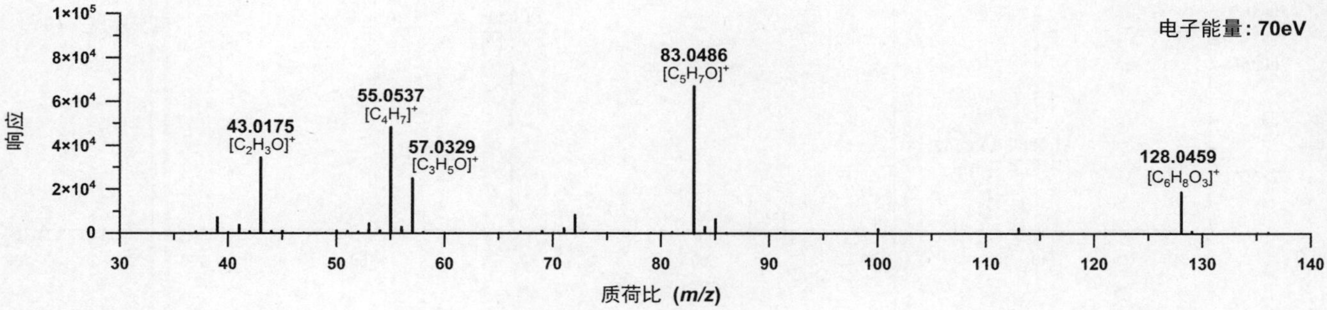

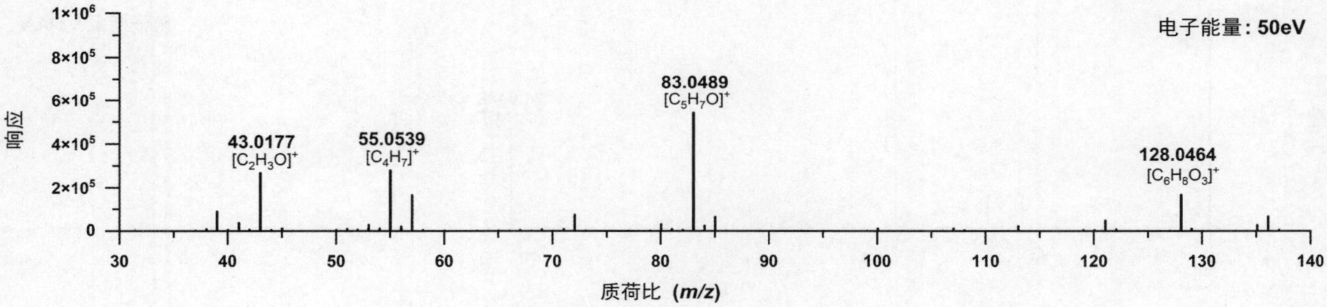

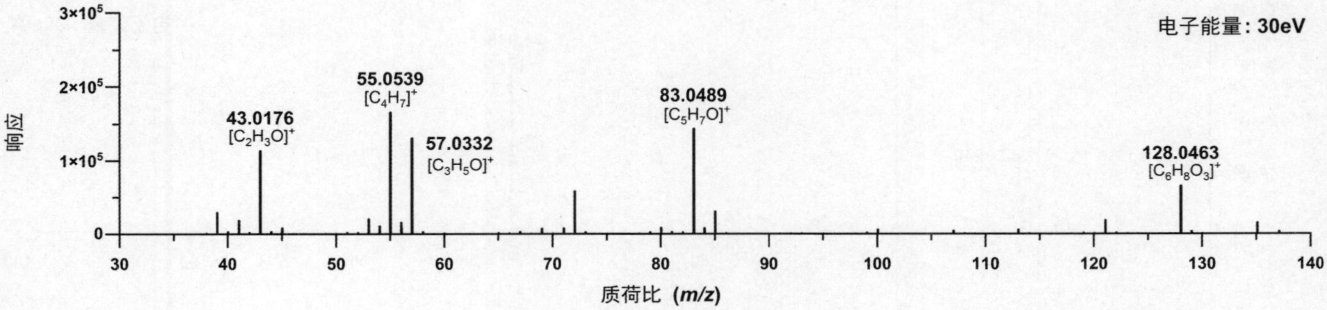

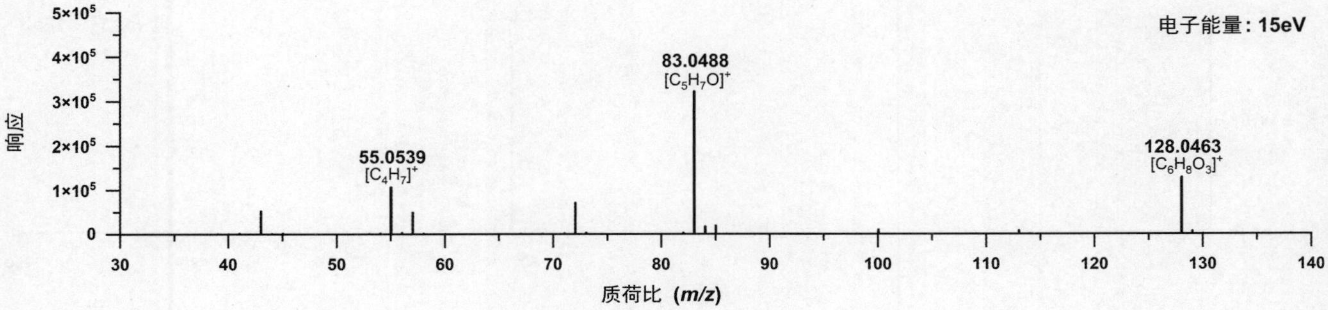

21 (3*R*)-3-羟基-4,4-二甲基-2(3*H*)-呋喃酮

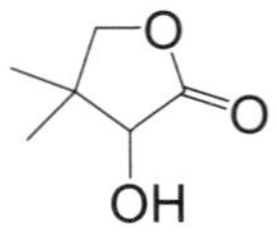

基本信息

CAS 登录号	79-50-5	分子式	$C_6H_{10}O_3$	分子量	130.0630
保留指数（极性）	2063	保留指数（非极性）	988	香气描述	甜香，焦糖香，木香

质谱图

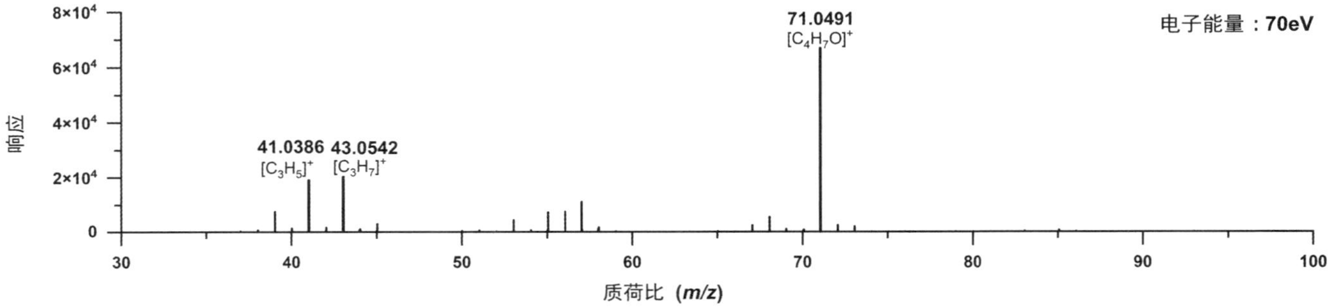

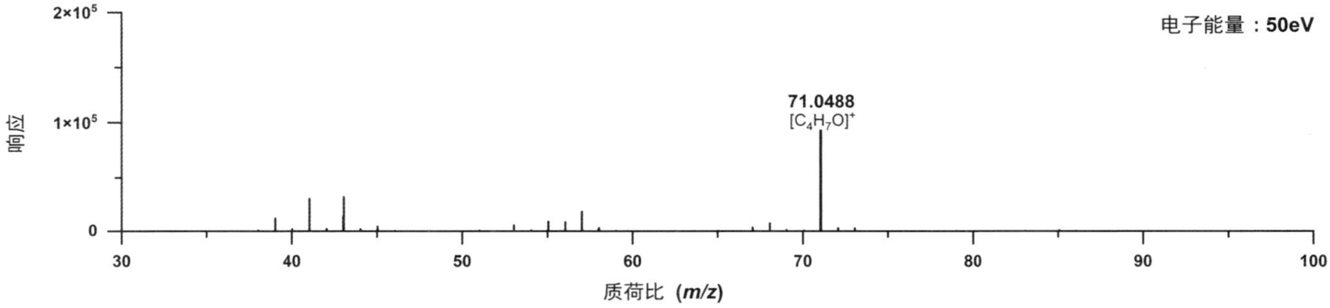

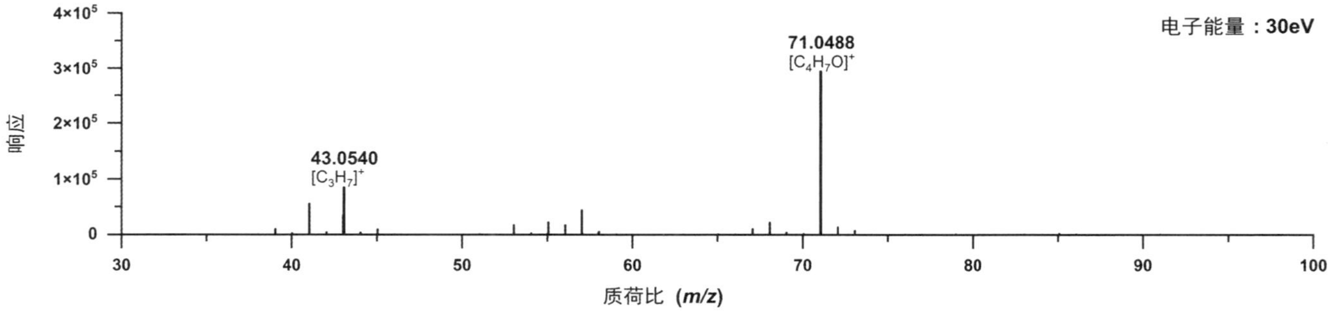

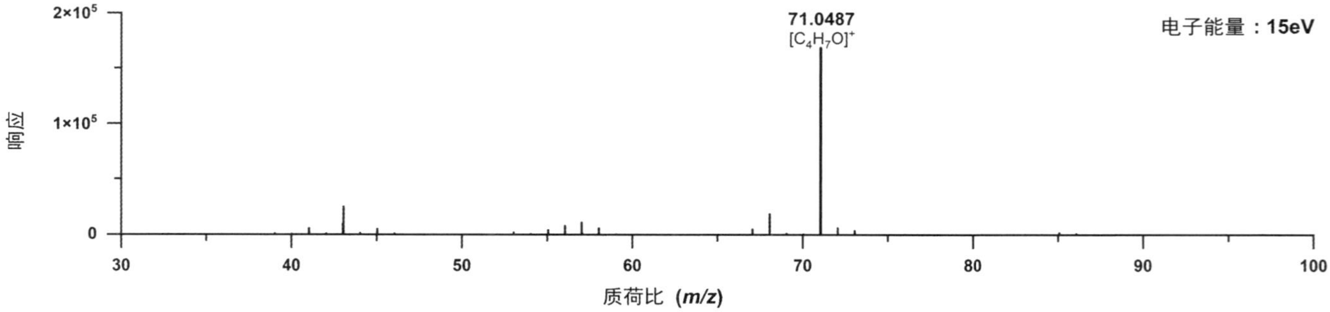

22

2,3-二甲基马来酸酐

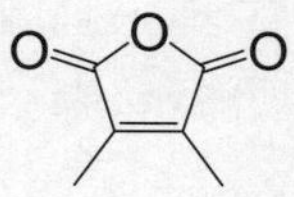

基本信息

CAS 登录号	766-39-2	分子式	$C_6H_6O_3$	分子量	126.0311
保留指数（极性）	1765	保留指数（非极性）	984	香气描述	甜香，水果香，类似油脂气味

质谱图

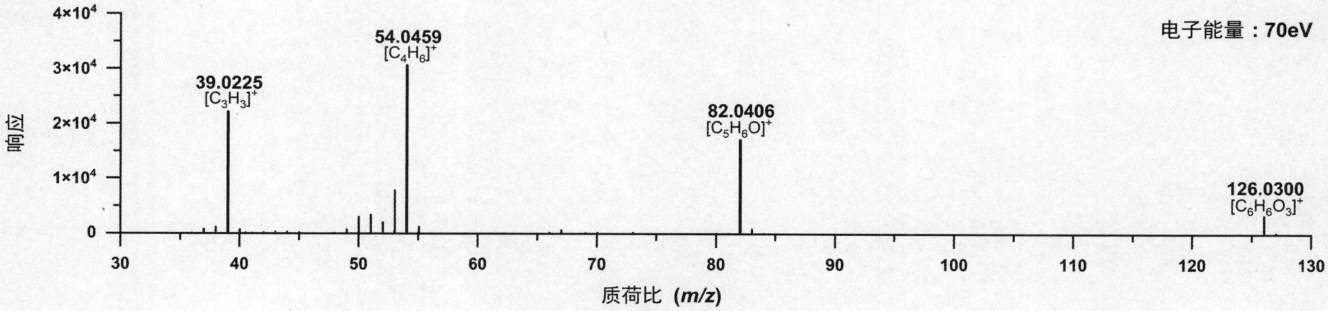

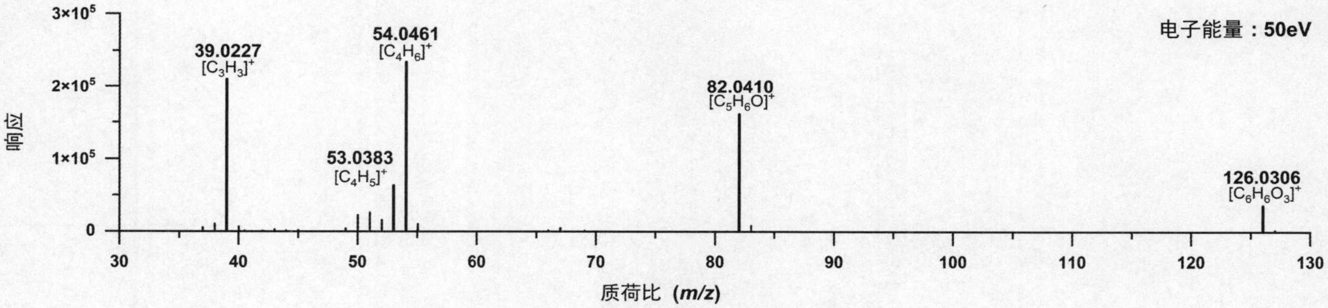

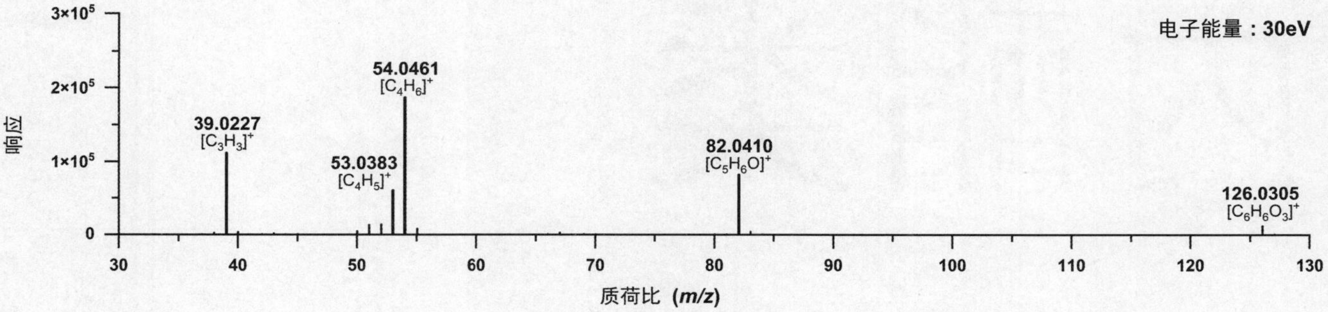

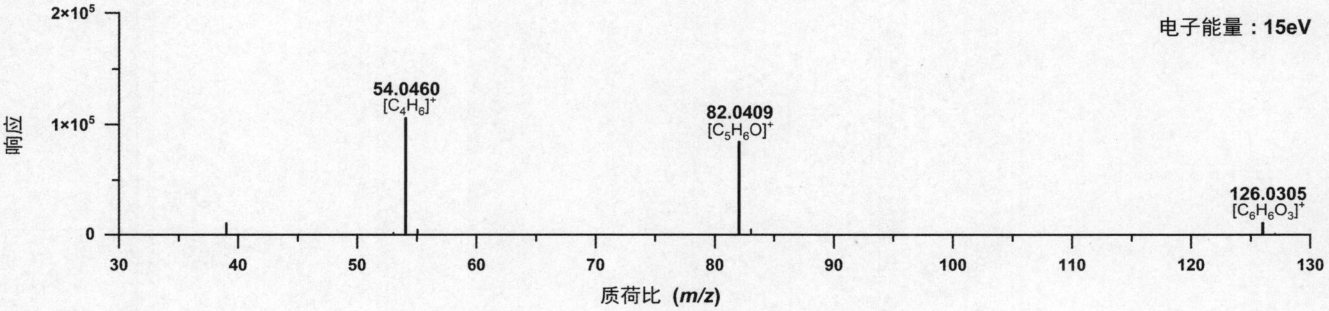

内酯类

1 γ-丁内酯

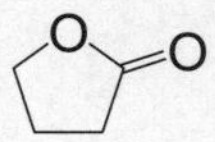

基本信息

CAS 登录号	96-48-0	分子式	$C_4H_6O_2$	分子量	86.0362
保留指数（极性）	1670	保留指数（非极性）	858	香气描述	甜香，奶油香，焦糖香

质谱图

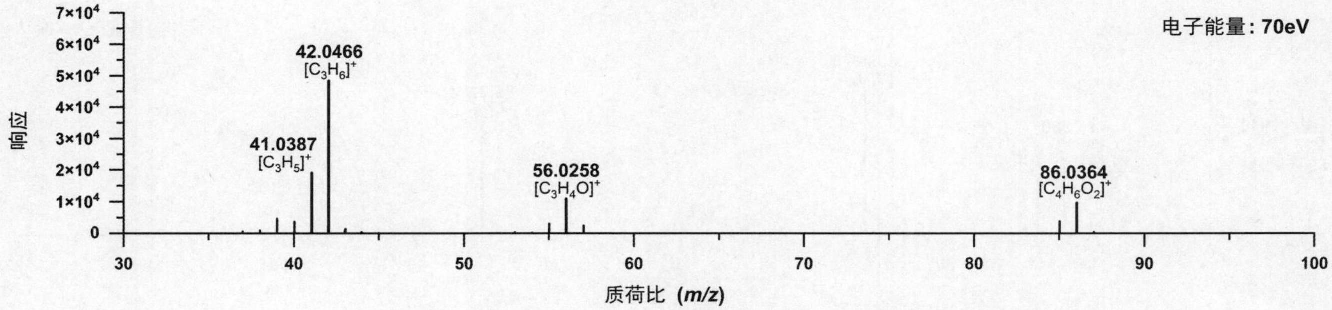

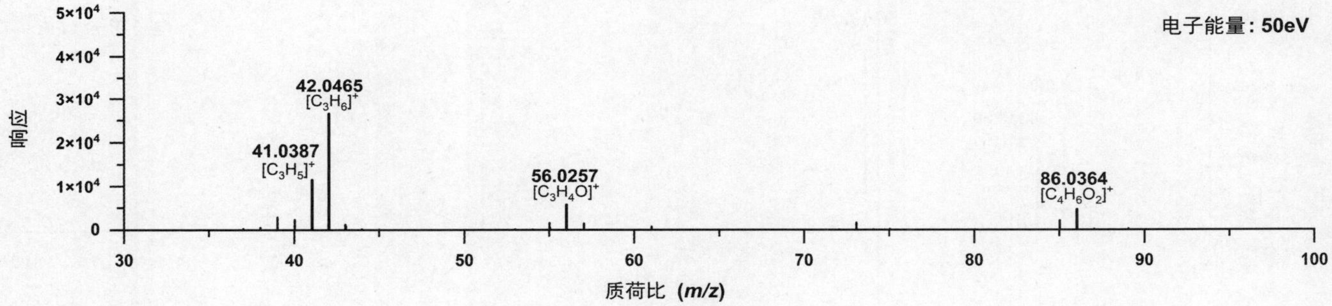

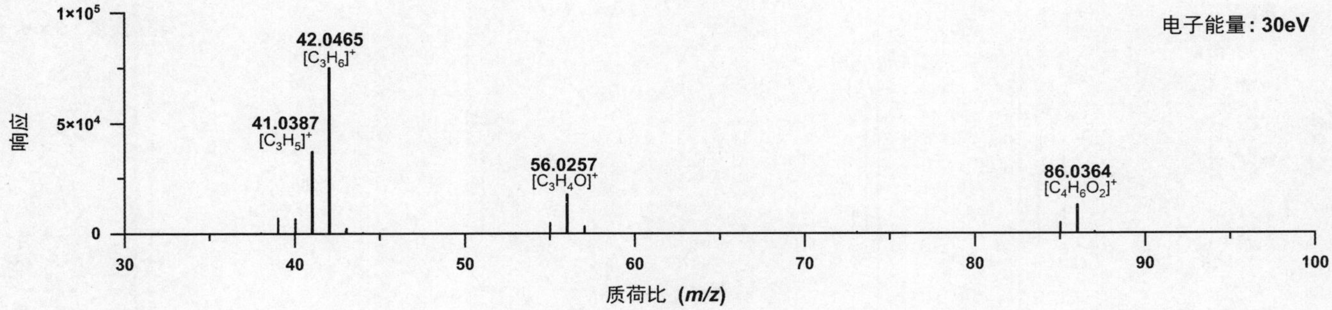

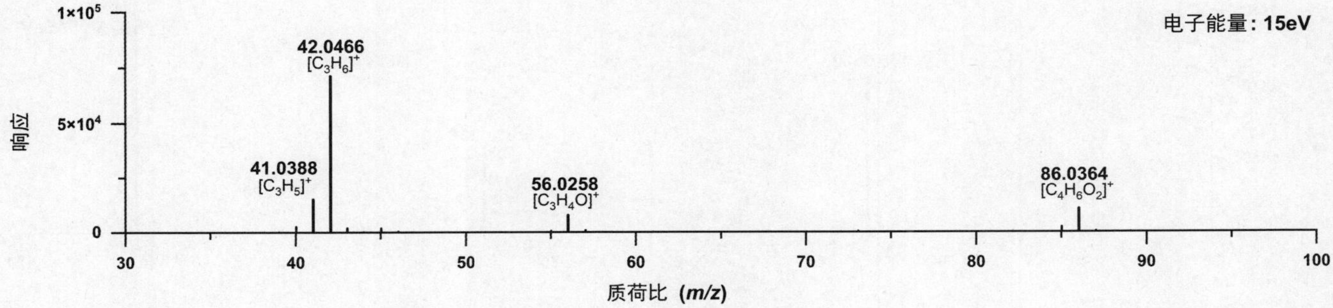

2 γ-戊内酯

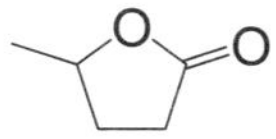

基本信息

CAS 登录号	108-29-2	分子式	$C_5H_8O_2$	分子量	100.0519
保留指数（极性）	1649	保留指数（非极性）	901	香气描述	奶油香，椰子香，甜香

质谱图

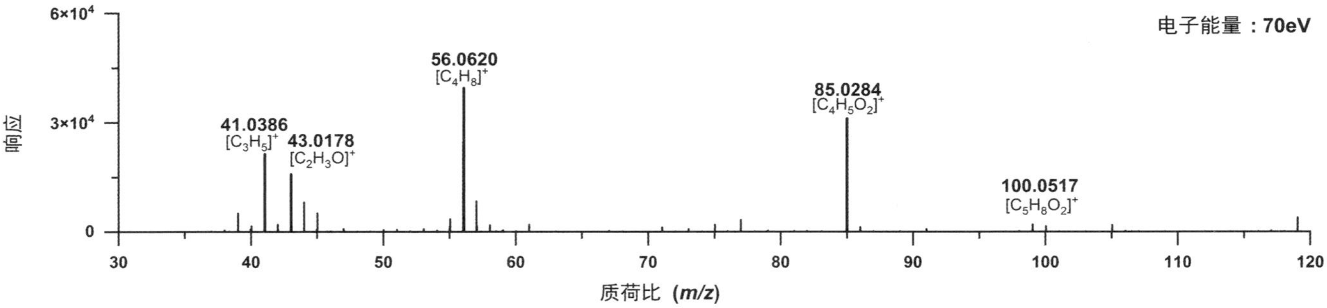

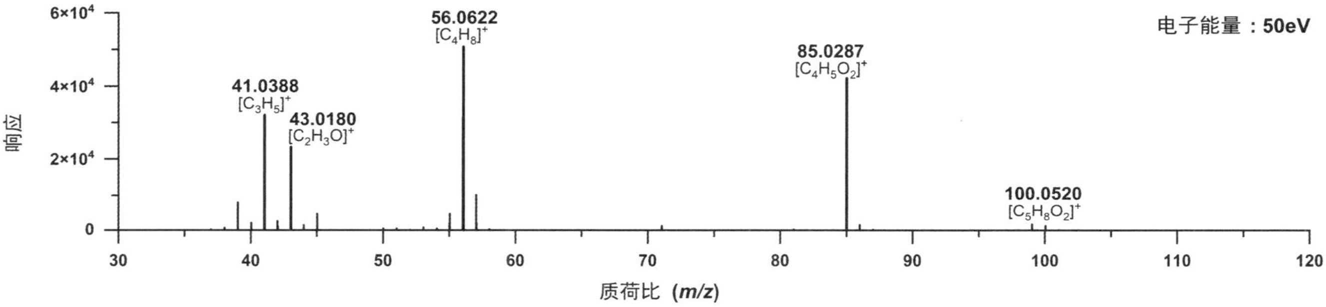

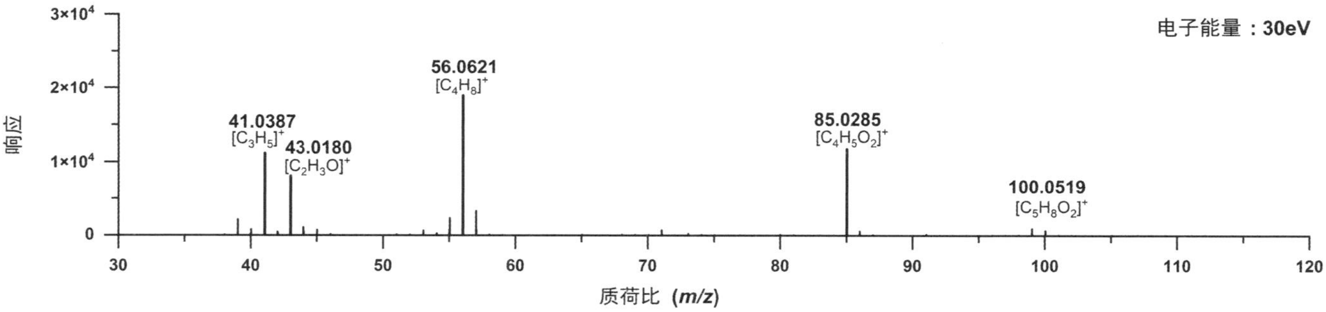

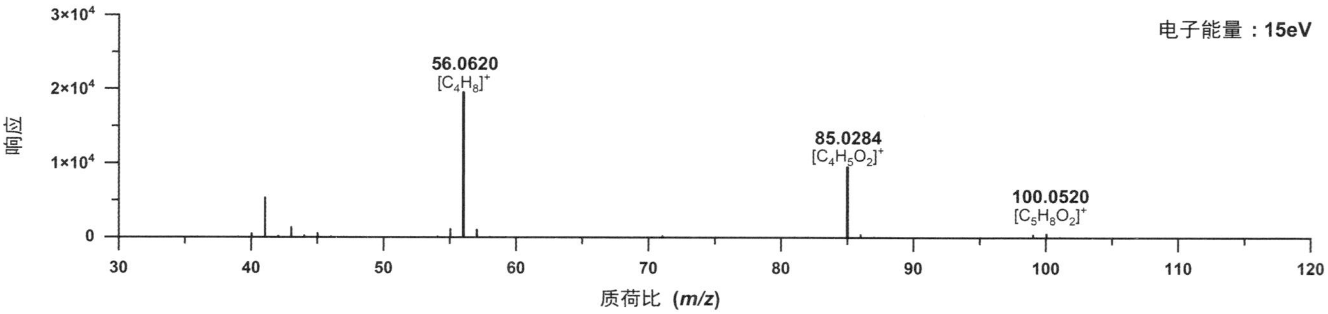

3

γ-己内酯

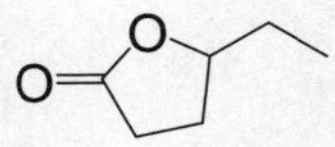

基本信息

CAS 登录号	695-06-7	分子式	$C_6H_{10}O_2$	分子量	114.0681
保留指数（极性）	1745	保留指数（非极性）	1004	香气描述	甜香，类似椰子的香气

质谱图

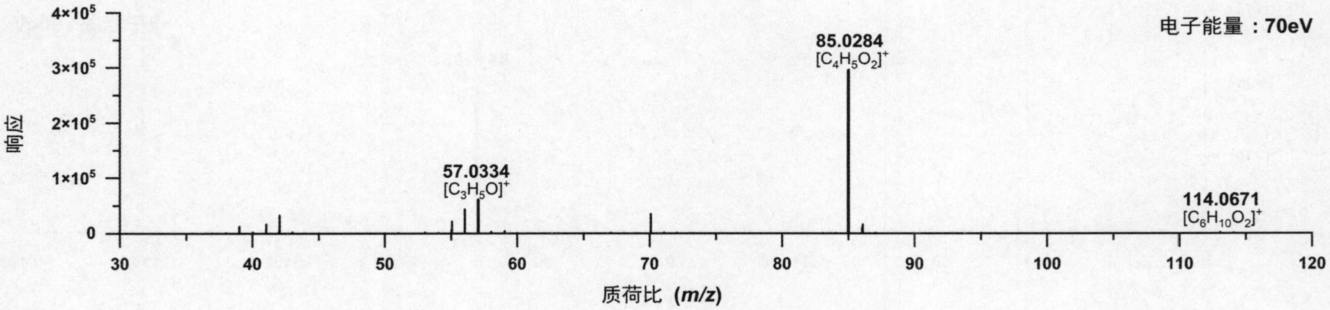

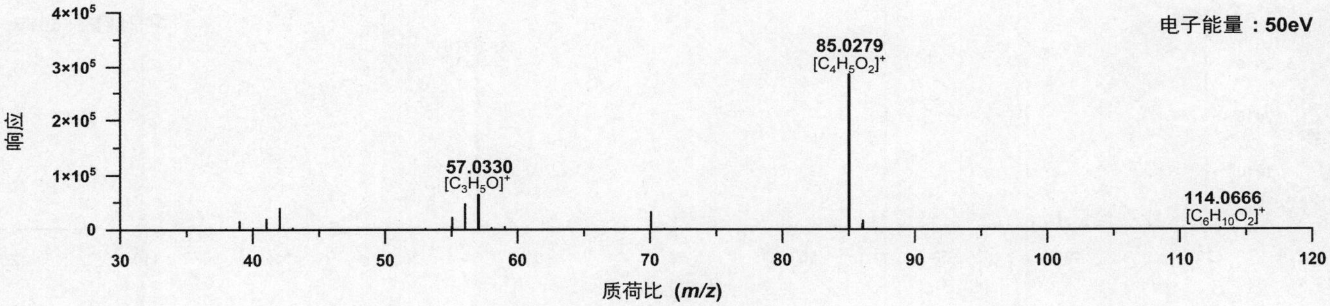

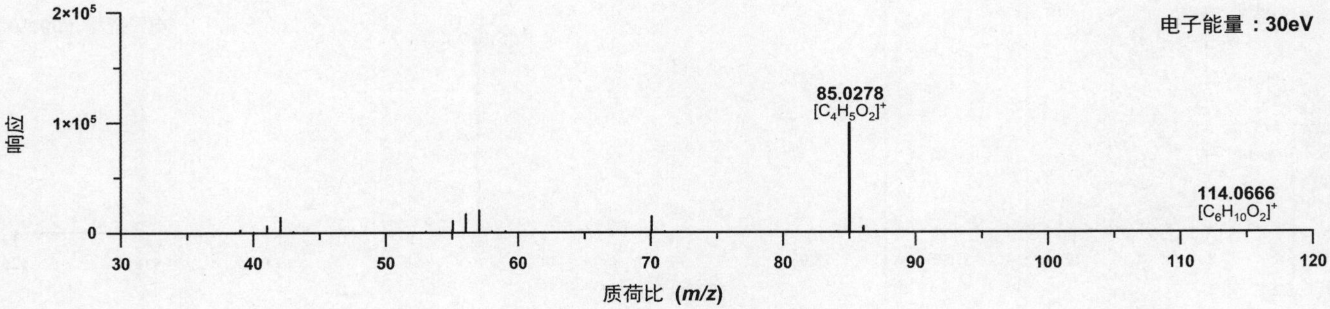

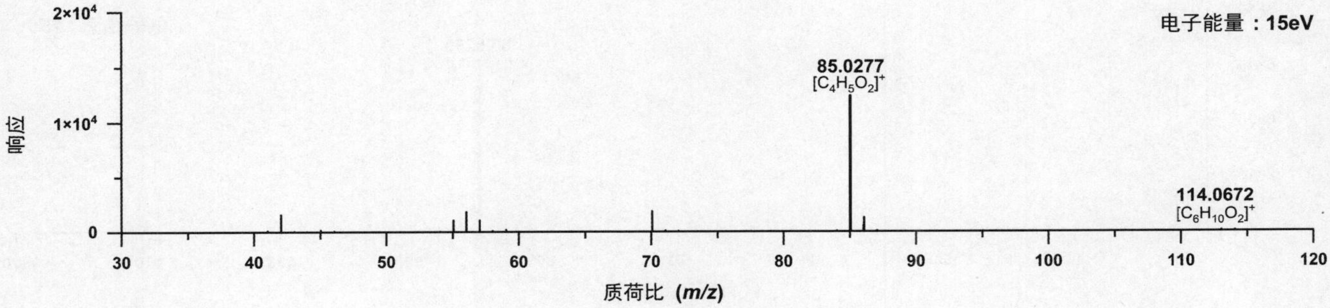

4 γ-庚内酯

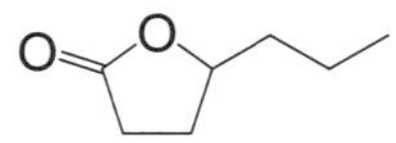

基本信息

CAS 登录号	105-21-5	分子式	$C_7H_{12}O_2$	分子量	128.0837
保留指数（极性）	1847	保留指数（非极性）	1105	香气描述	甜香，类似椰子的香气

质谱图

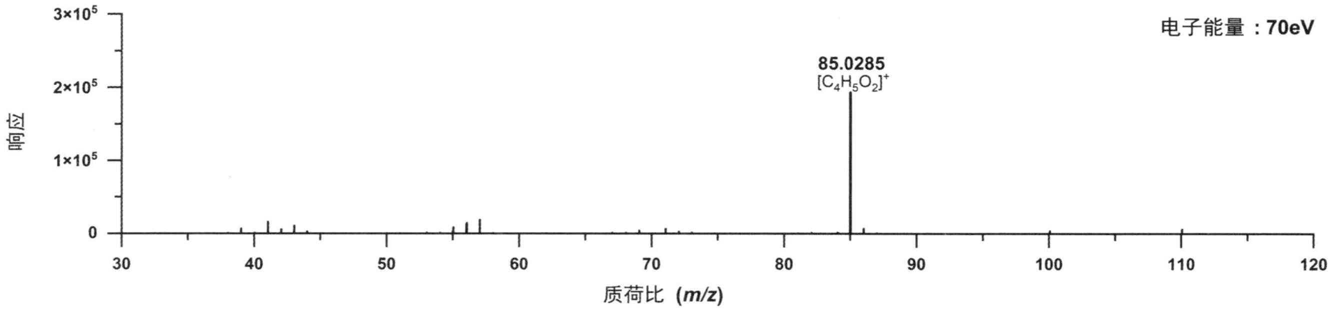

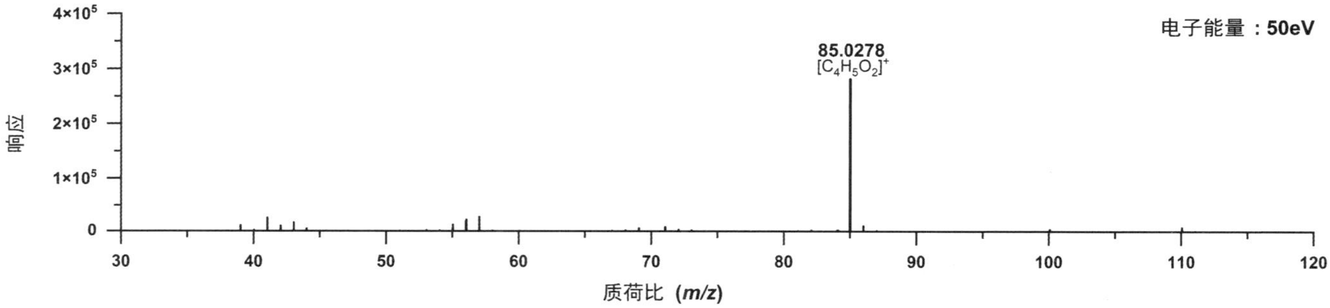

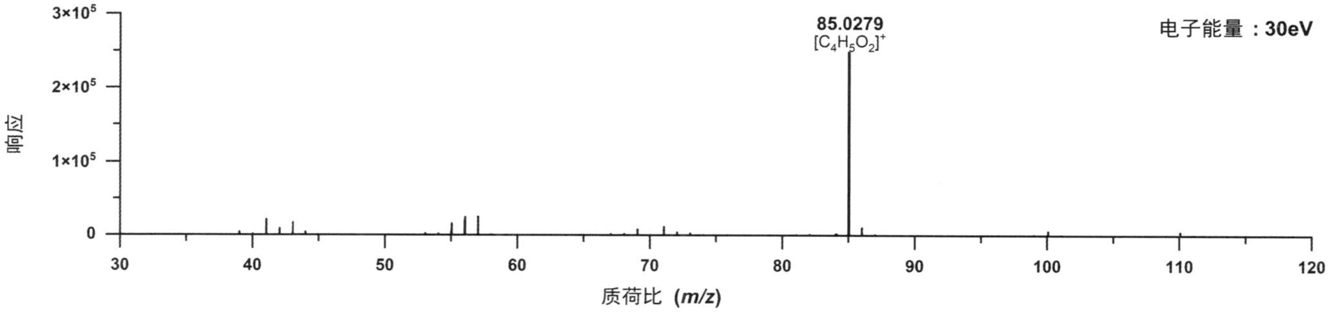

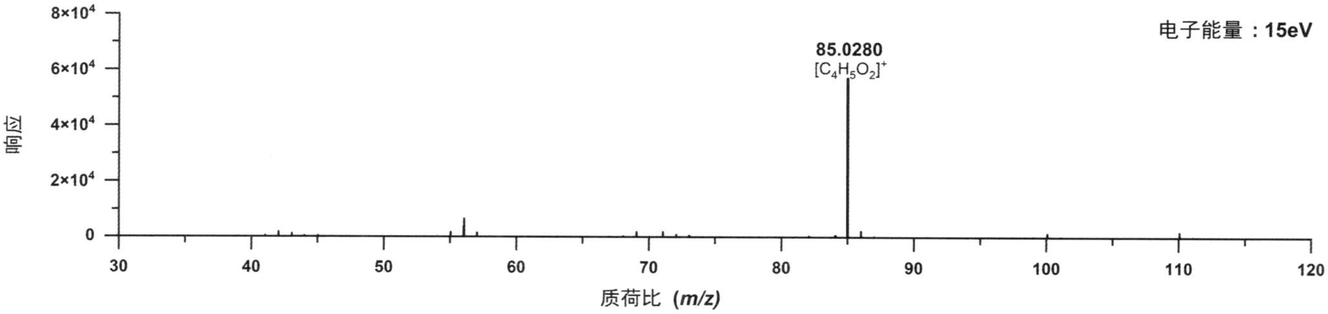

5 γ-辛内酯

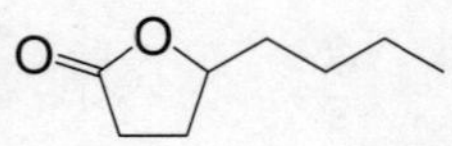

基本信息

CAS 登录号	104-50-7	分子式	$C_8H_{14}O_2$	分子量	142.0988
保留指数（极性）	1962	保留指数（非极性）	1212	香气描述	椰子香，花香，奶油香

质谱图

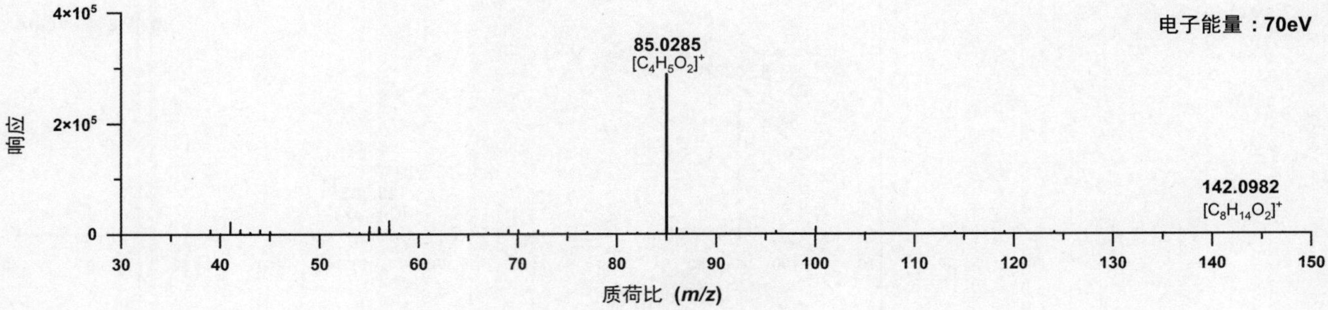

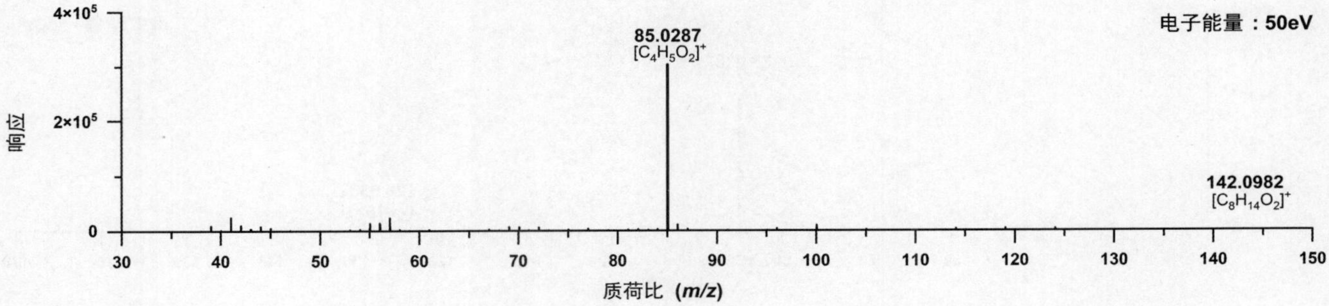

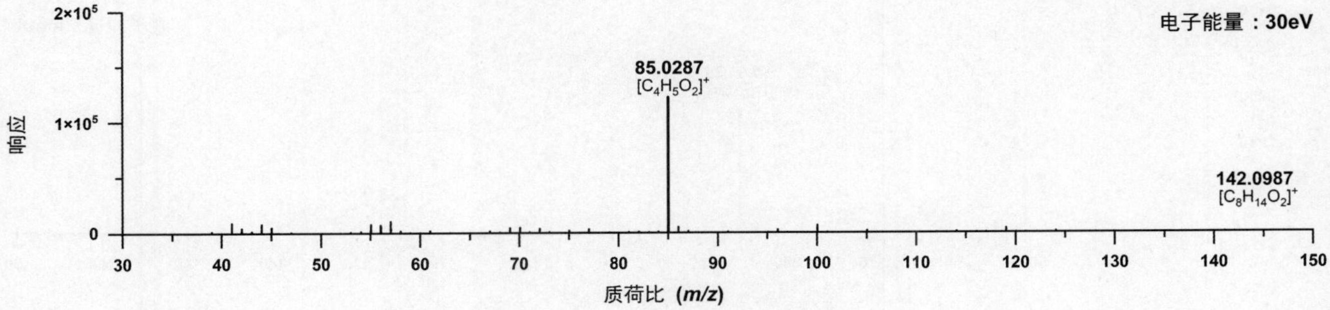

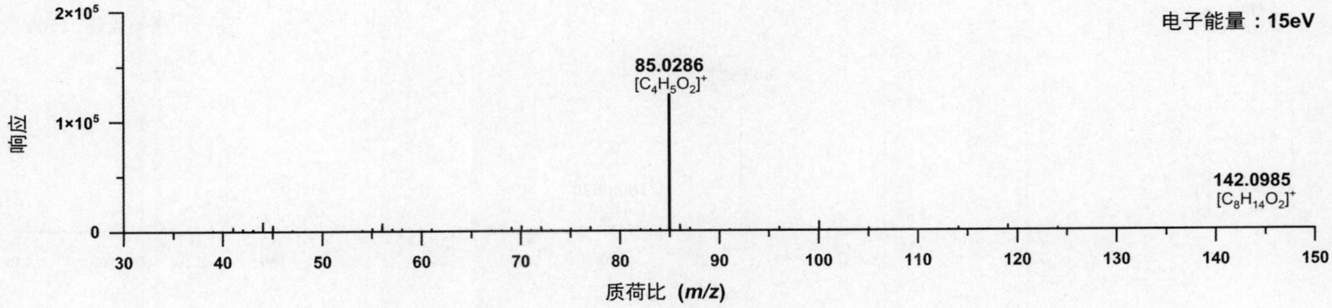

6

γ-壬内酯

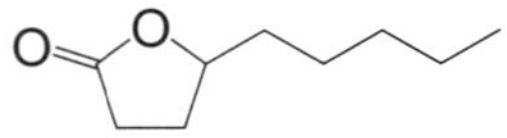

基本信息

CAS 登录号	104-61-0	分子式	$C_9H_{16}O_2$	分子量	156.1150
保留指数（极性）	2075	保留指数（非极性）	1319	香气描述	奶油香，椰子香，甜香

质谱图

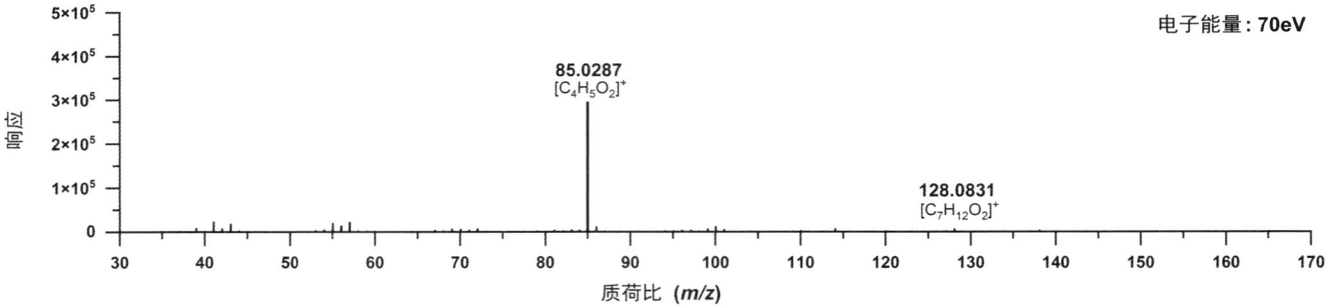

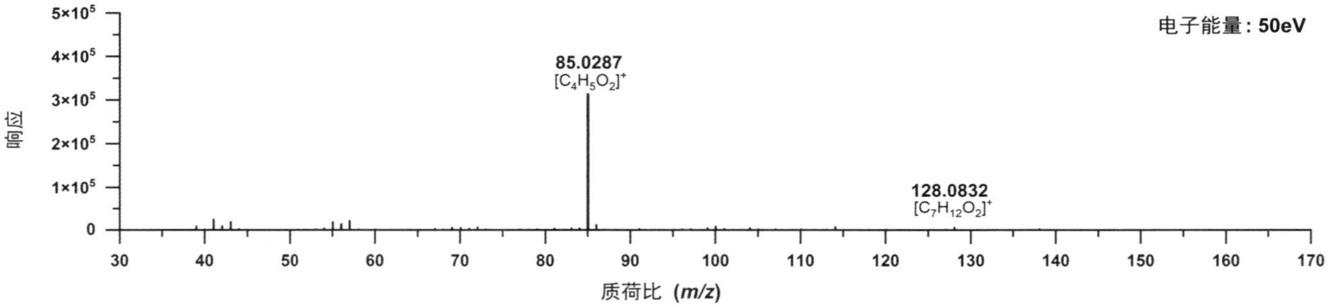

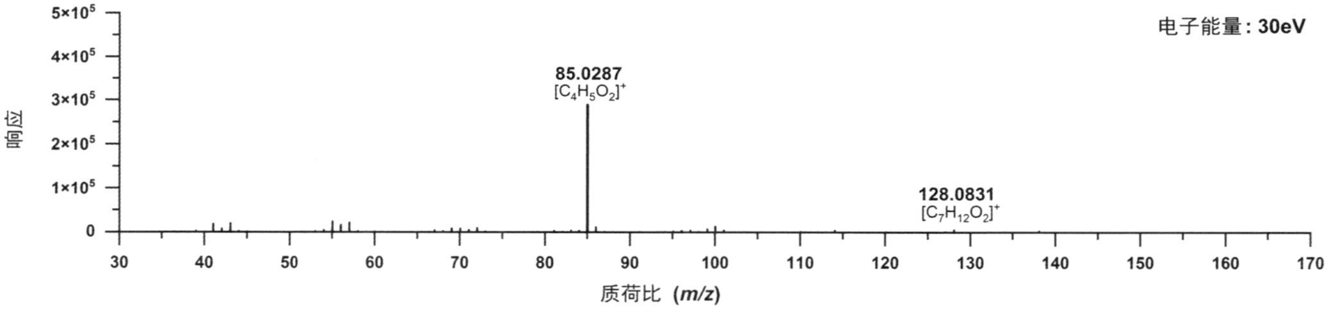

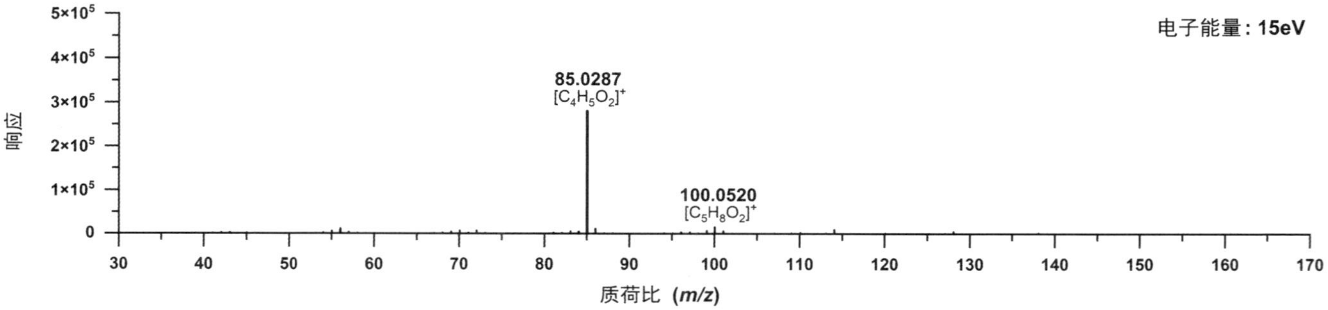

7 γ-癸内酯

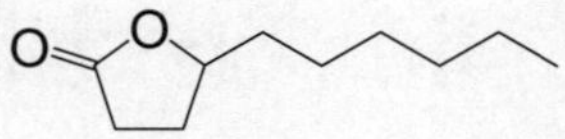

基本信息

CAS 登录号	706-14-9	分子式	$C_{10}H_{18}O_2$	分子量	170.1307
保留指数（极性）	2191	保留指数（非极性）	1426	香气描述	奶油香，甜香，椰子香

质谱图

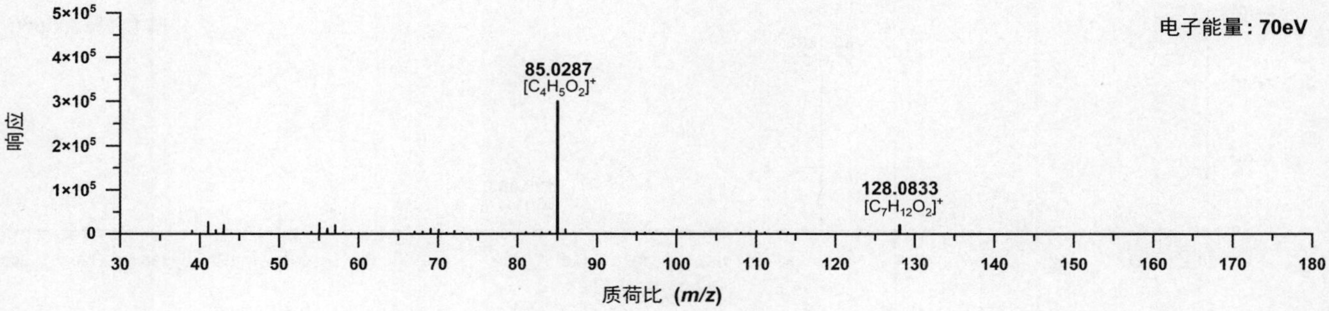

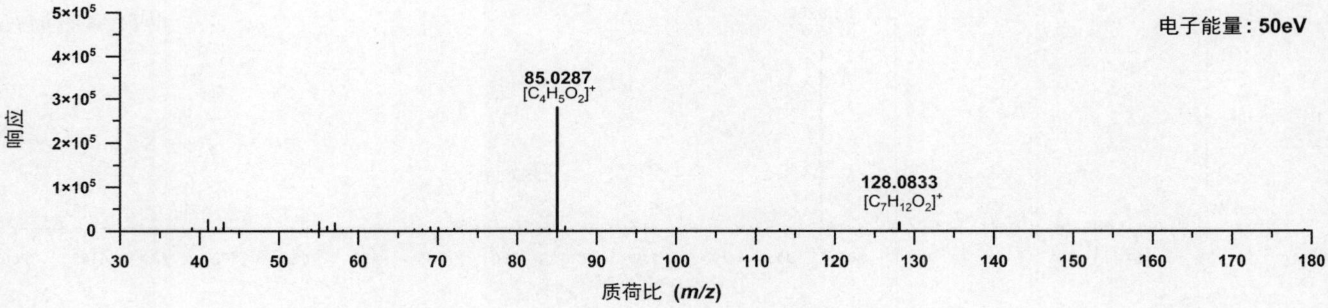

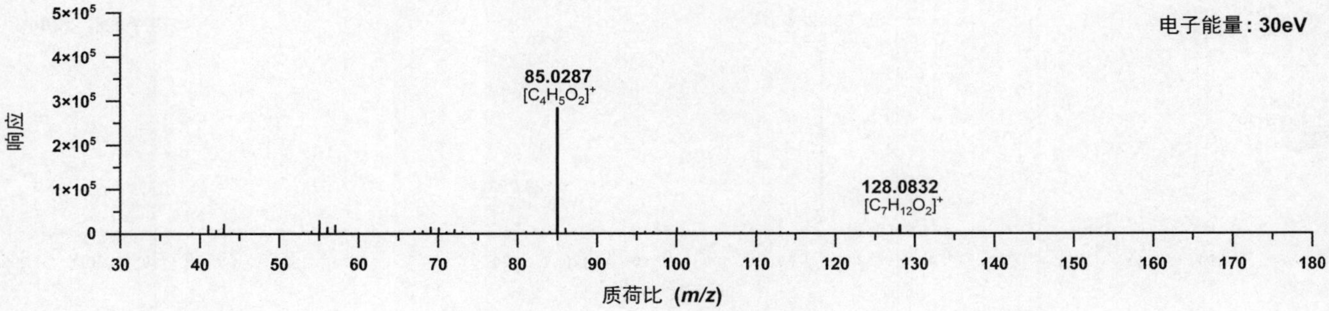

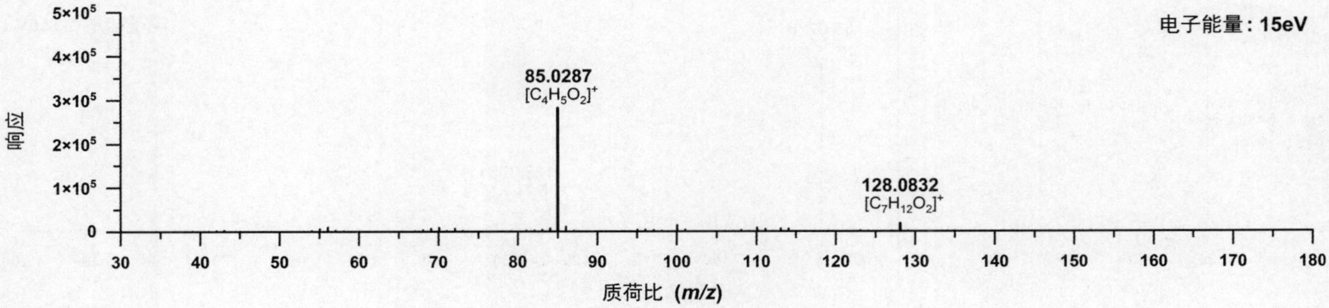

8 γ-十二内酯

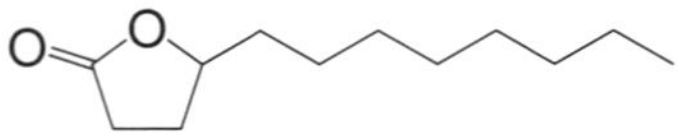

基本信息

CAS 登录号	2305-05-7	分子式	$C_{12}H_{22}O_2$	分子量	198.1620
保留指数（极性）	2403	保留指数（非极性）	1640	香气描述	奶油香，椰子香

质谱图

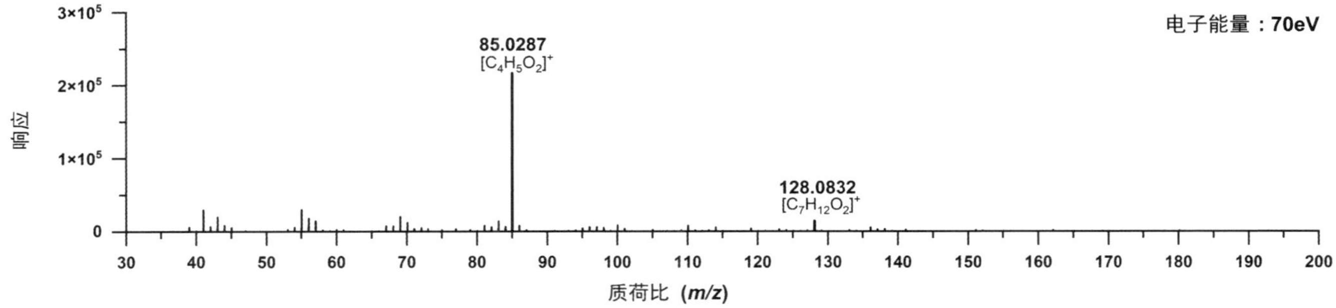

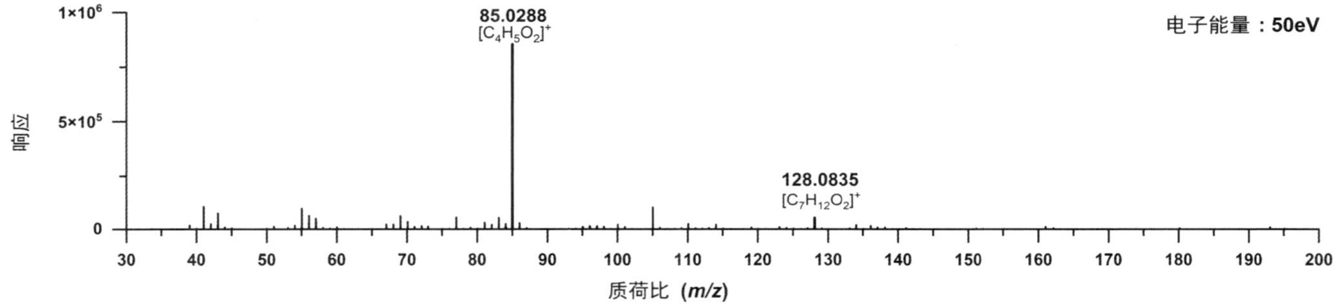

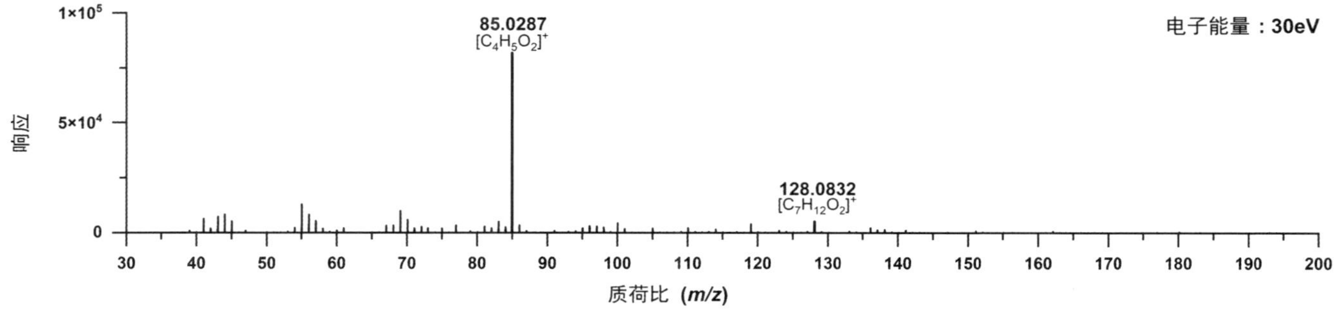

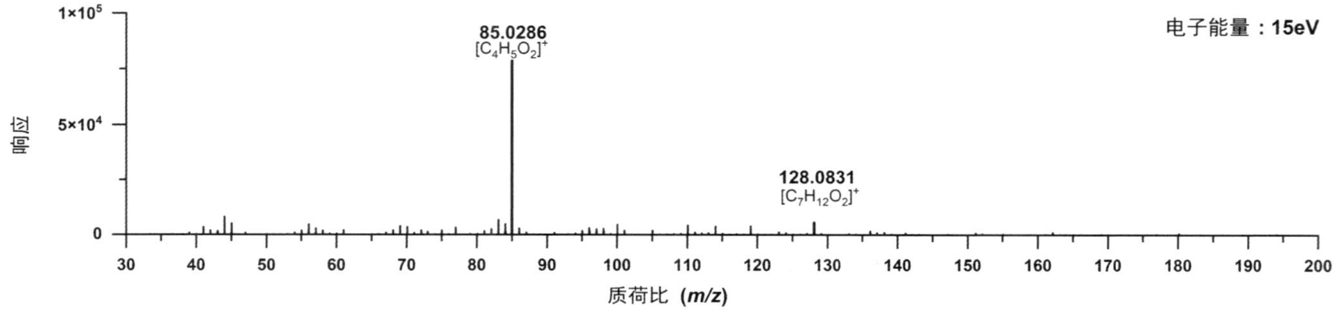

9 (*S*)-γ-羟甲基-γ-丁内酯

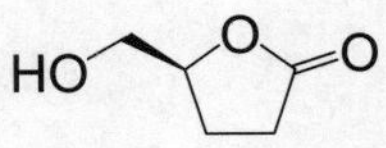

基本信息

CAS 登录号	32780-06-6	分子式	$C_5H_8O_3$	分子量	116.0473
保留指数（极性）	/	保留指数（非极性）	1120	香气描述	甜香，奶油香

质谱图

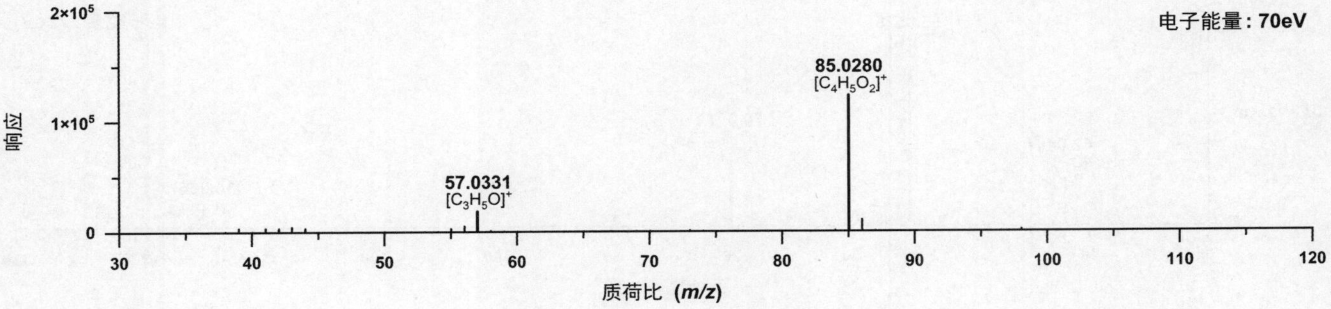

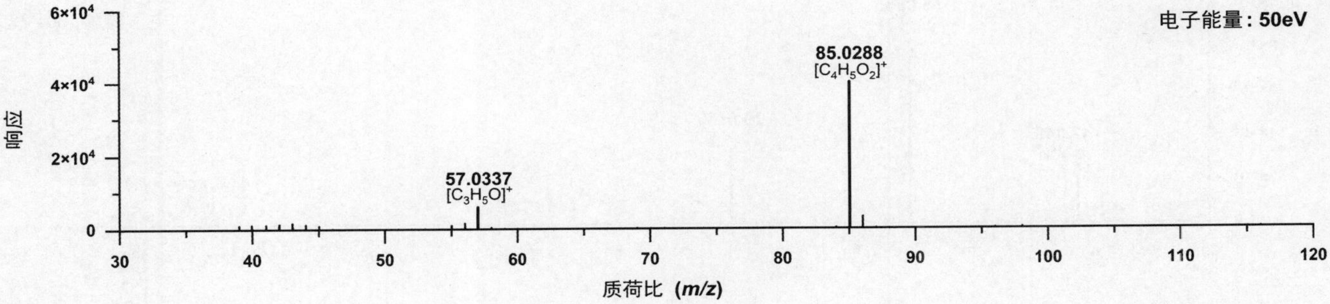

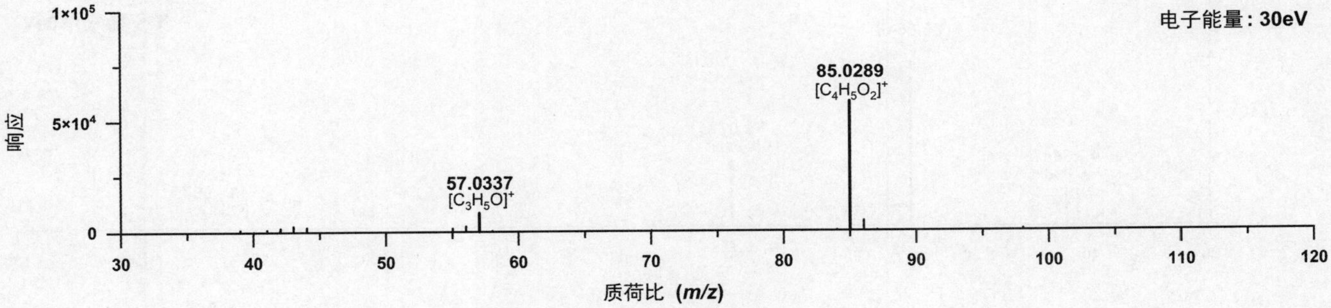

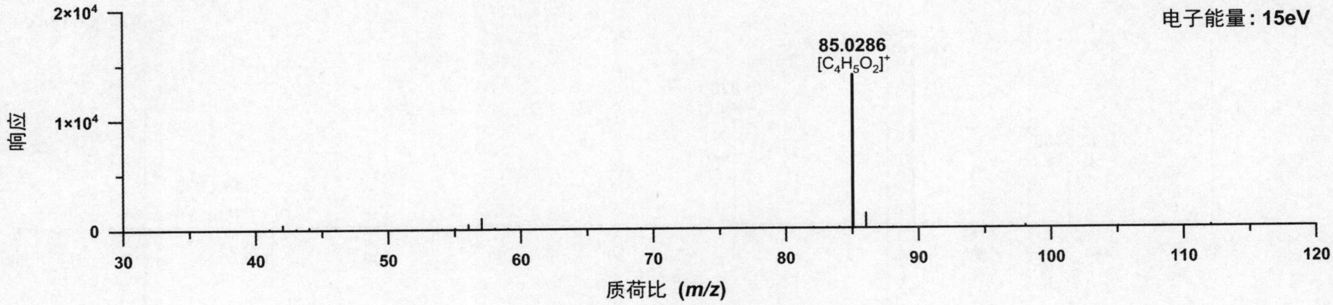

10 α,α-二甲基-γ-丁内酯

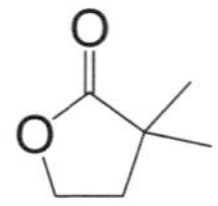

基本信息

CAS 登录号	3709-08-8	分子式	$C_6H_{10}O_2$	分子量	114.0675
保留指数（极性）	1565	保留指数（非极性）	920	香气描述	甜香，奶油香

质谱图

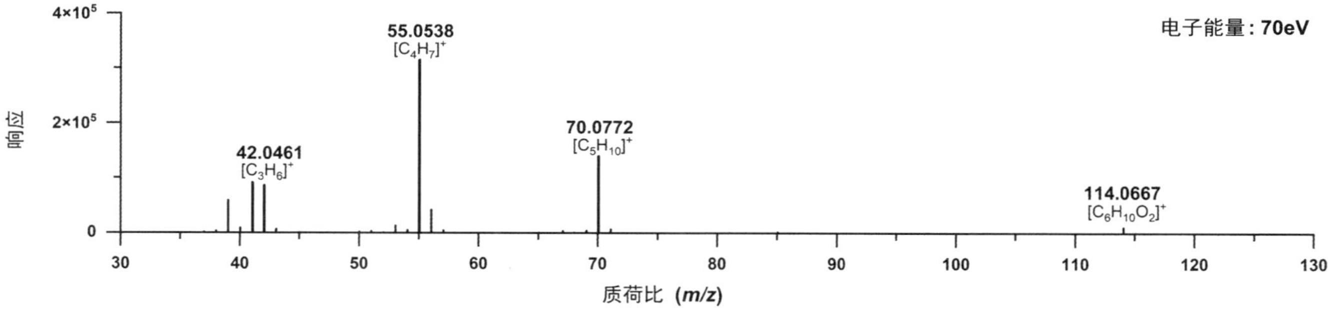

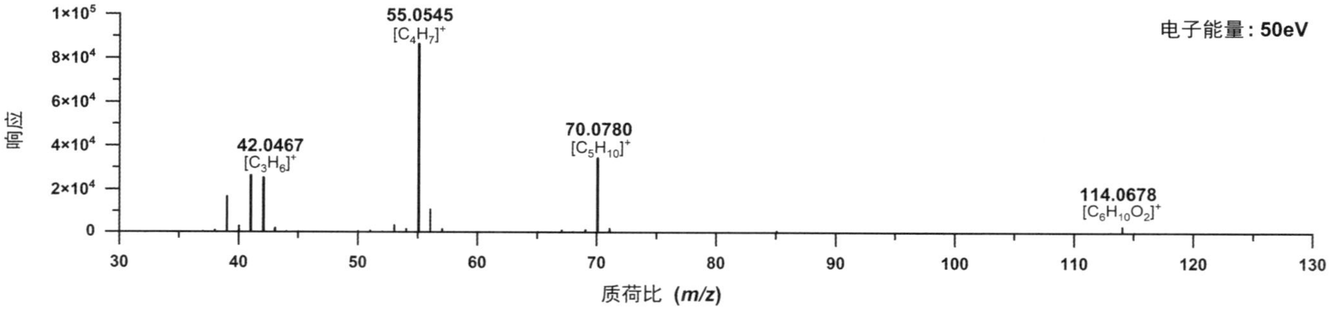

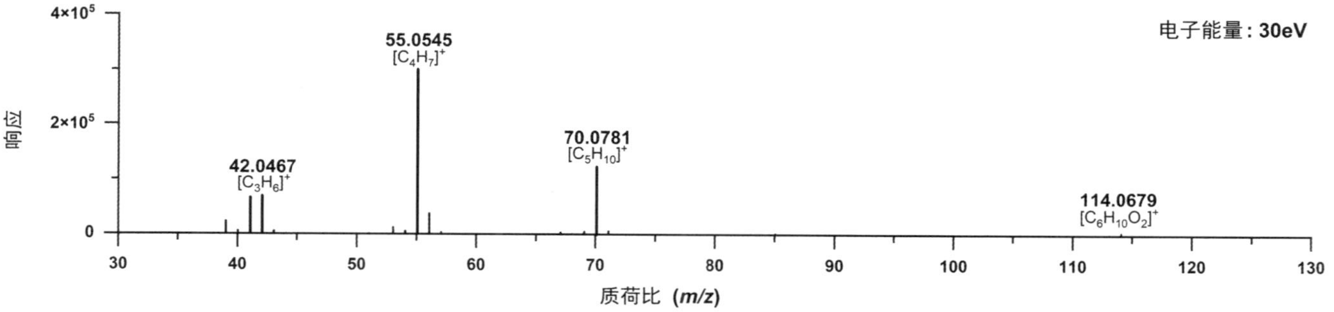

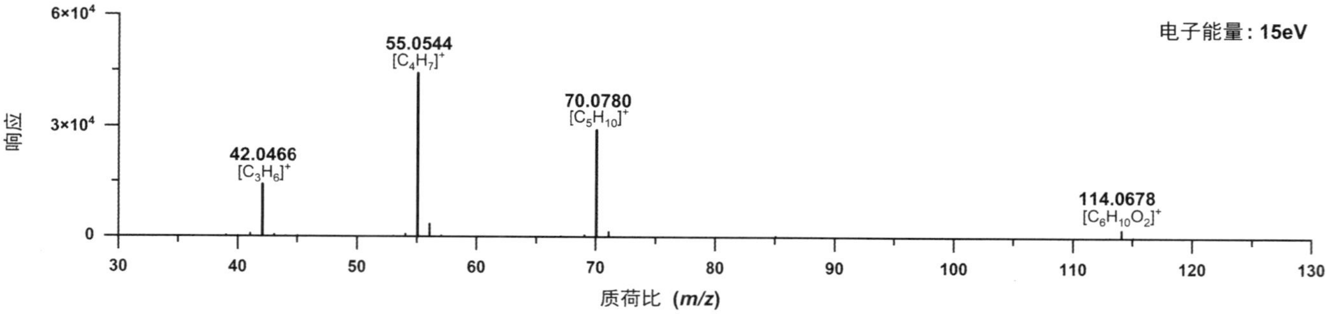

11 枫内酯

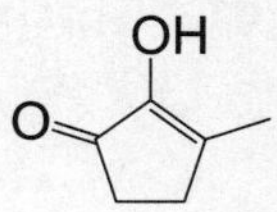

基本信息

CAS 登录号	80-71-7	分子式	$C_6H_8O_2$	分子量	112.0519
保留指数（极性）	1856	保留指数（非极性）	991	香气描述	甜香，焦糖香，枫糖味

质谱图

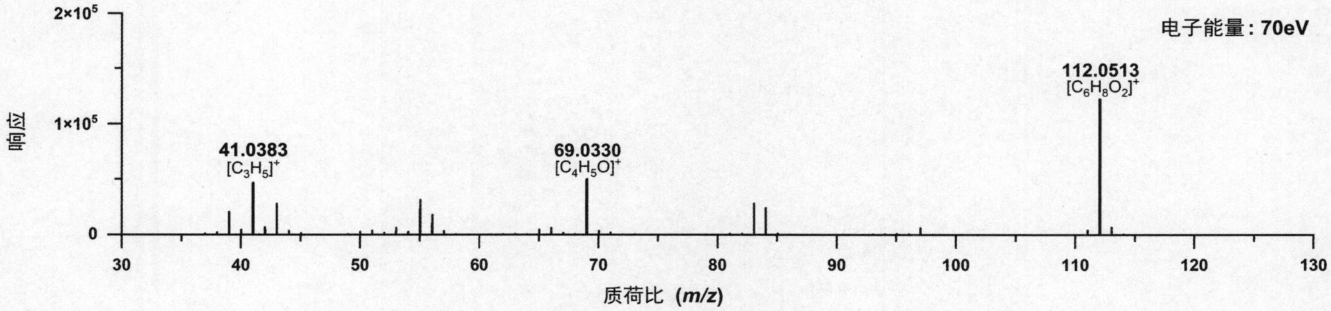

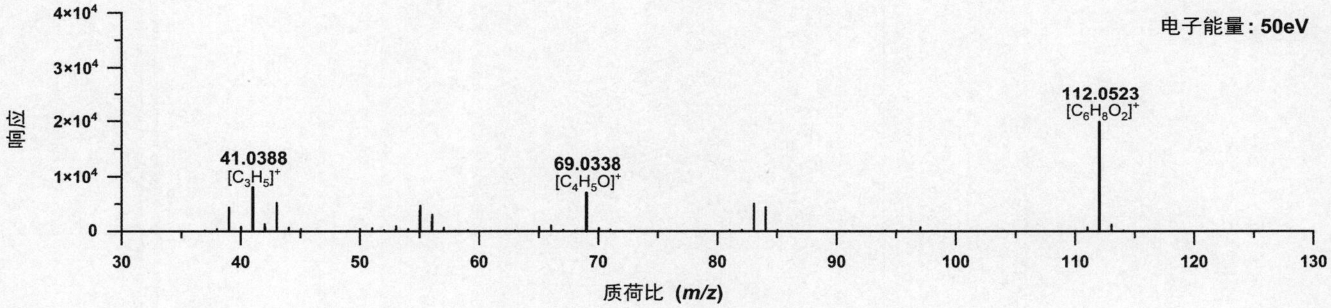

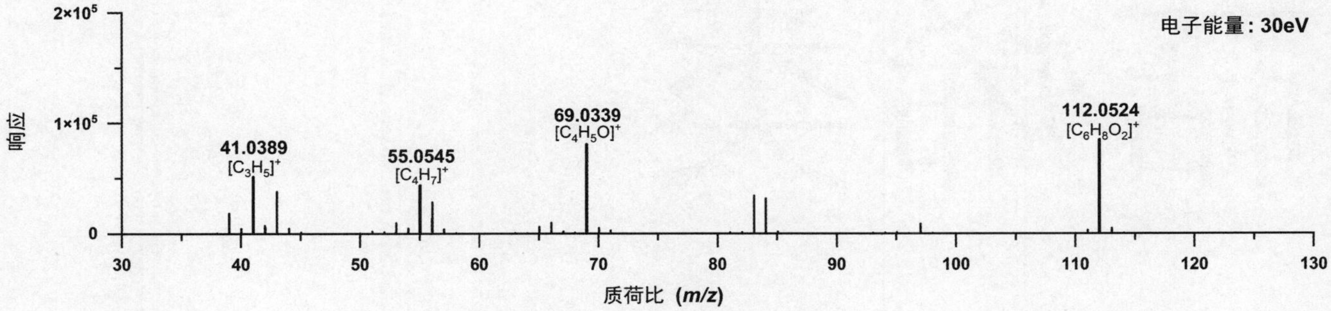

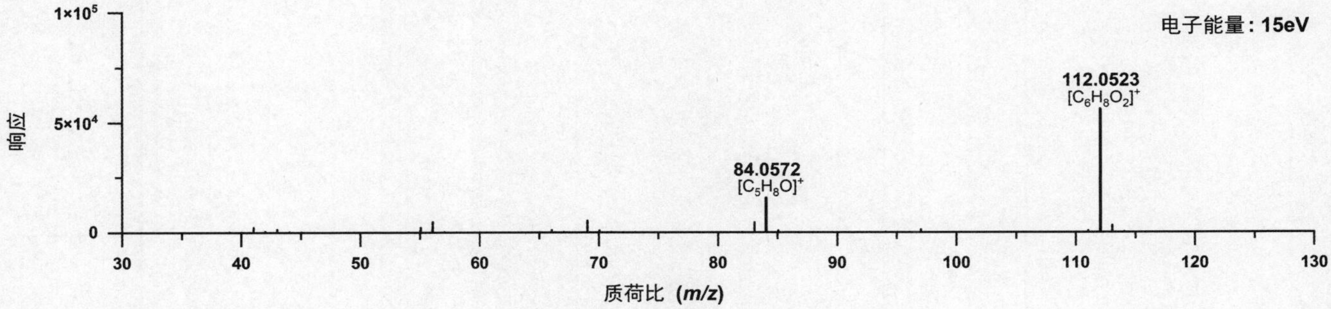

萜烯类

1 4-氧代异佛尔酮

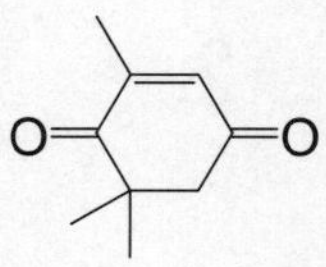

基本信息

CAS 登录号	1125-21-9	分子式	$C_9H_{12}O_2$	分子量	152.0832
保留指数（极性）	1728	保留指数（非极性）	1106	香气描述	甜香，水果香，类似油脂的气味

质谱图

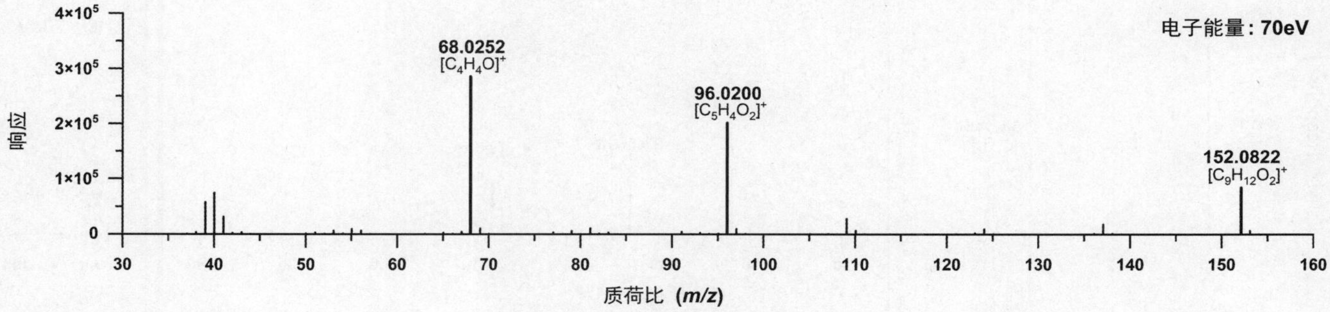

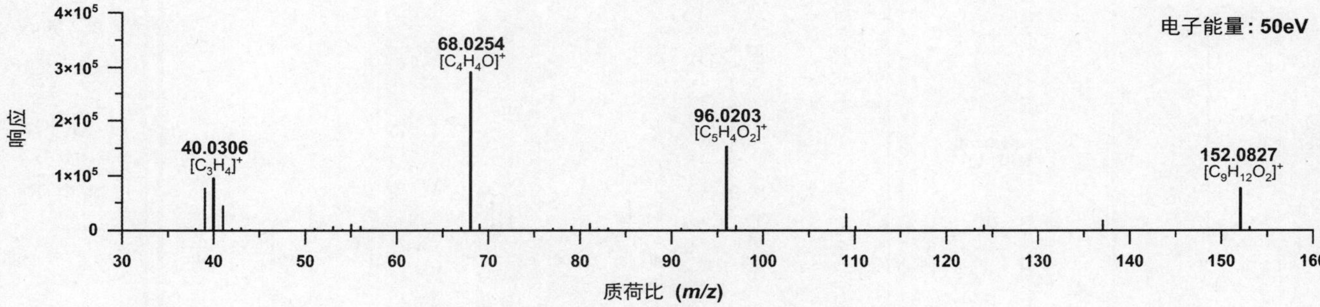

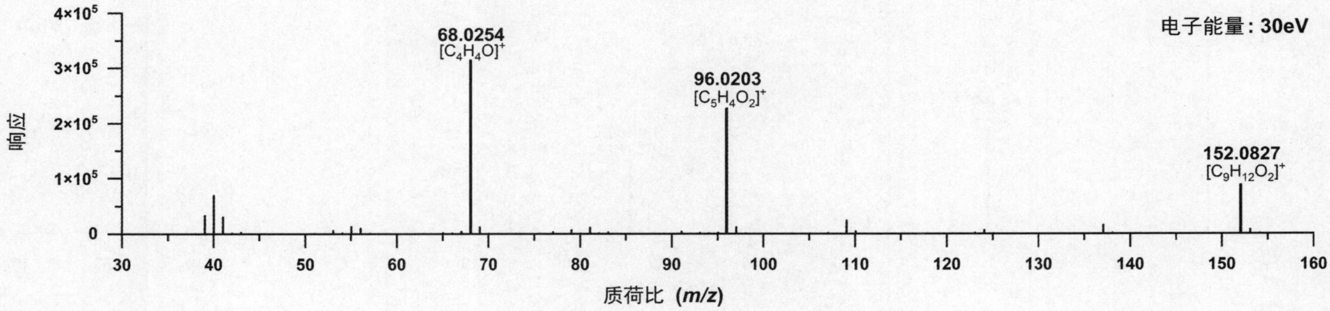

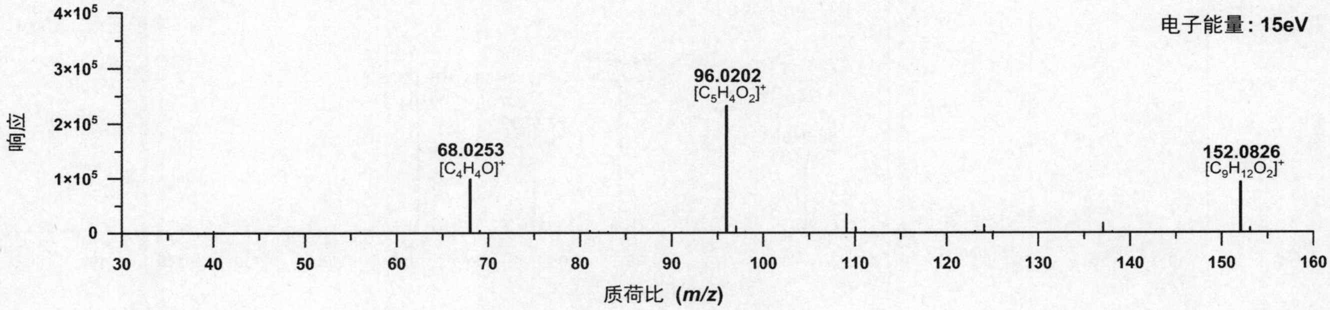

2 (–)-香芹酮

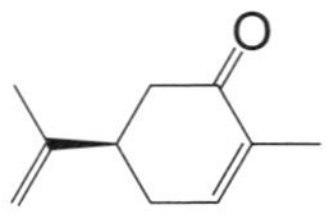

基本信息

CAS 登录号	6485-40-1	分子式	$C_{10}H_{14}O$	分子量	150.1039
保留指数（极性）	1778	保留指数（非极性）	1217	香气描述	薄荷味，树脂香，甜香

质谱图

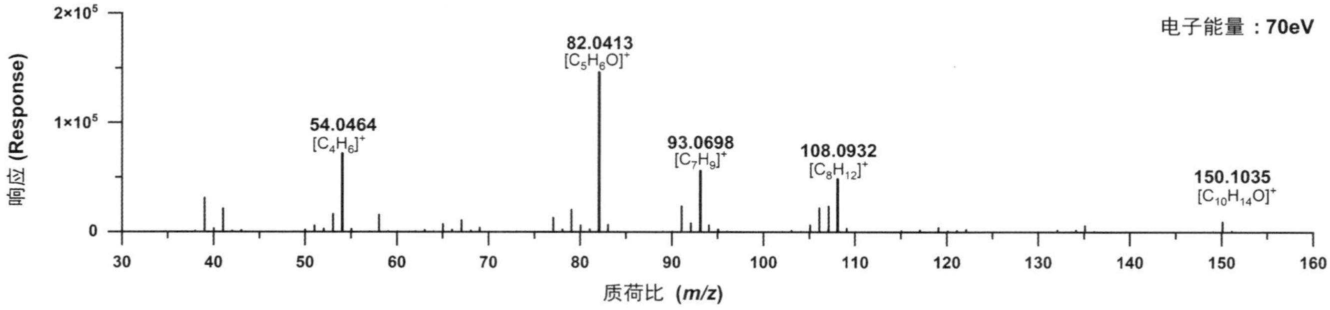

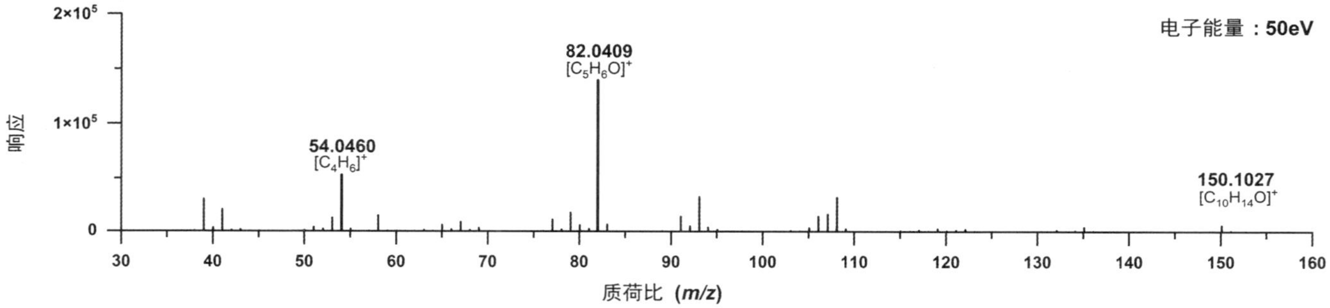

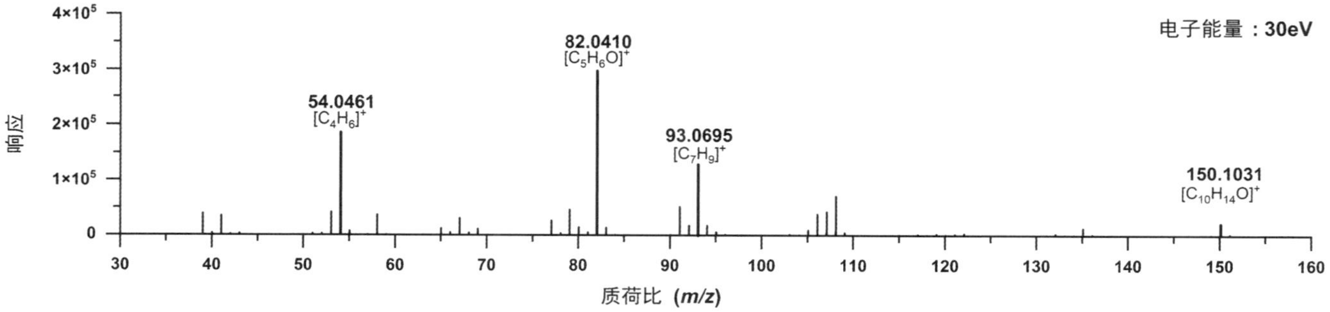

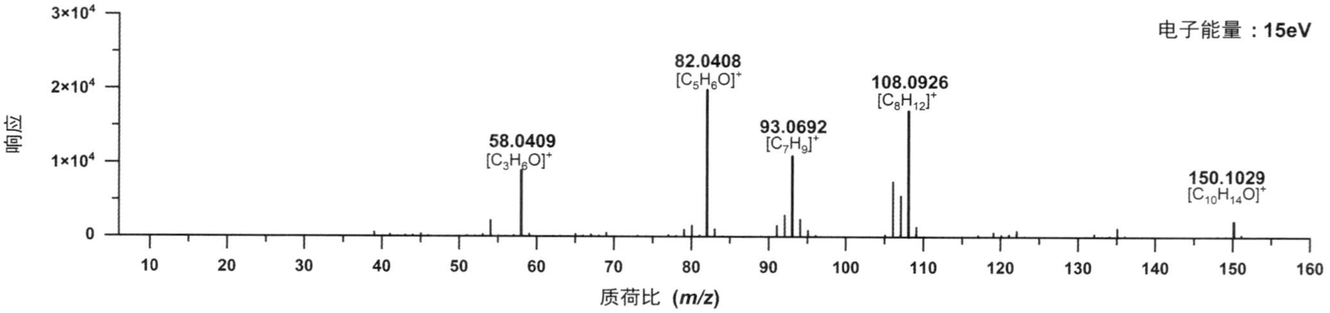

3 百里酚

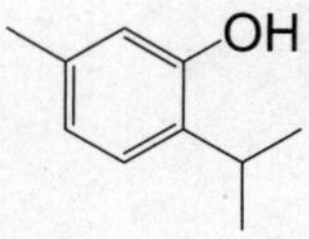

基本信息

CAS 登录号	89-83-8	分子式	$C_{10}H_{14}O$	分子量	150.1039
保留指数（极性）	2193	保留指数（非极性）	1267	香气描述	药味，酚味，草本植物的气味

质谱图

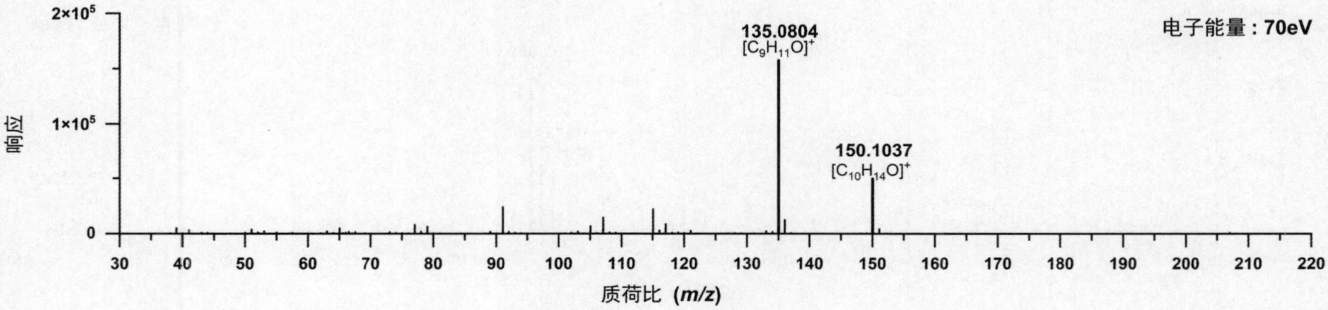

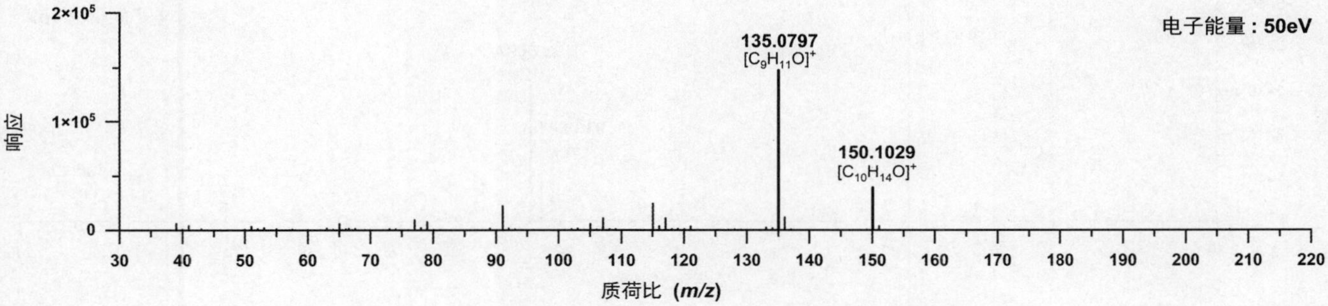

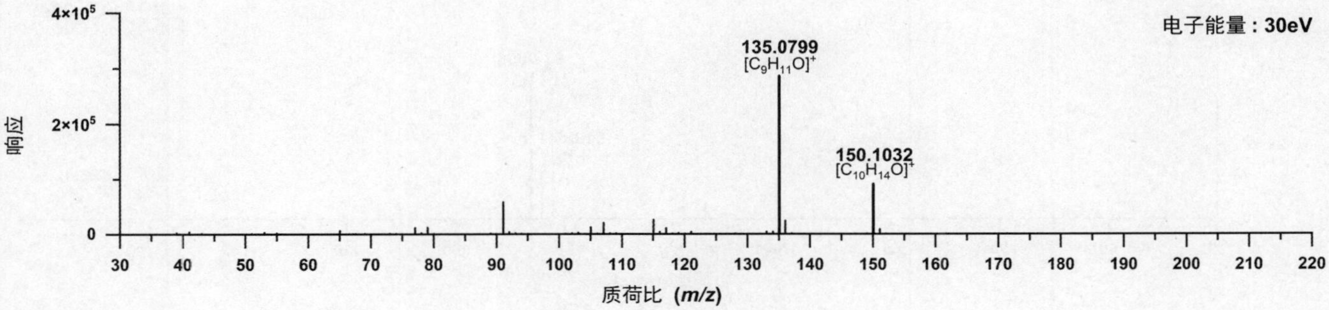

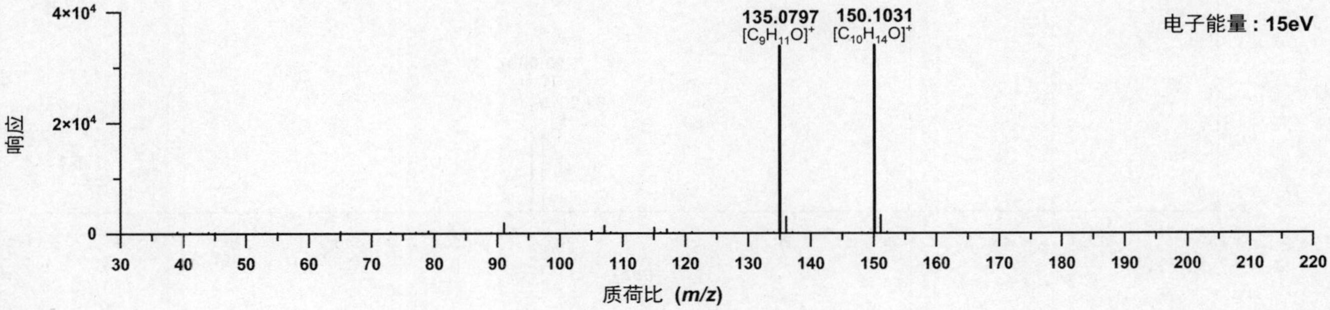

4 (+)−α−蒎烯

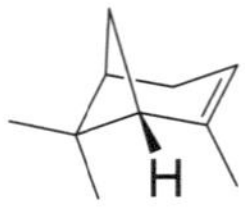

基本信息

CAS 登录号	7785-70-8	分子式	$C_{10}H_{16}$	分子量	136.1247
保留指数（极性）	1031	保留指数（非极性）	932	香气描述	松树香，木香，树脂的气味

质谱图

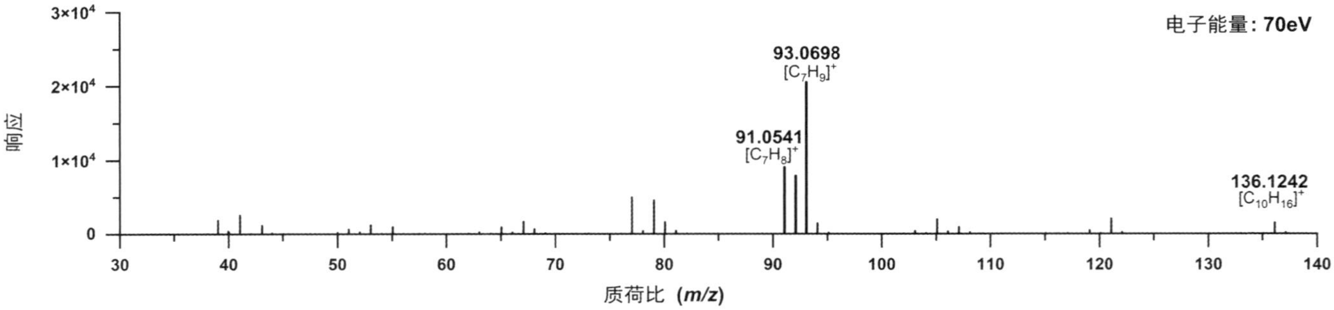

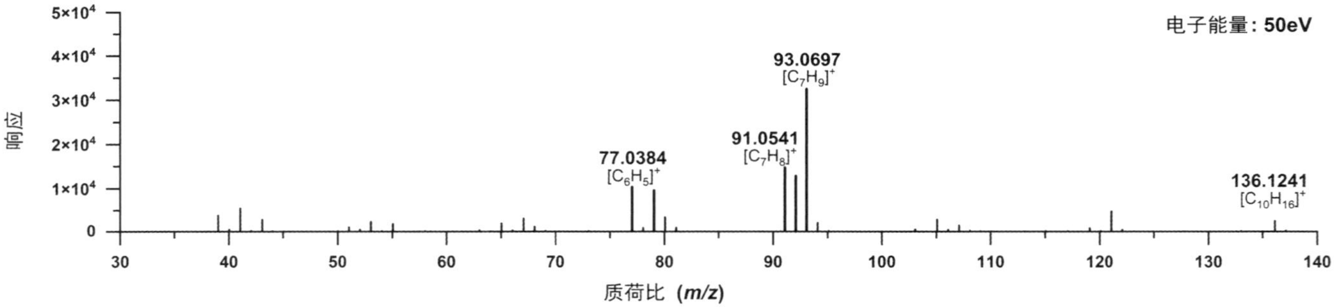

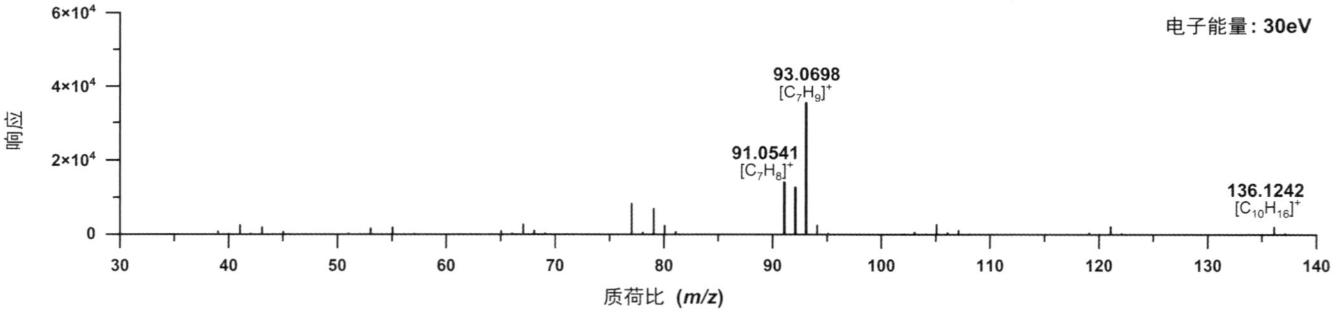

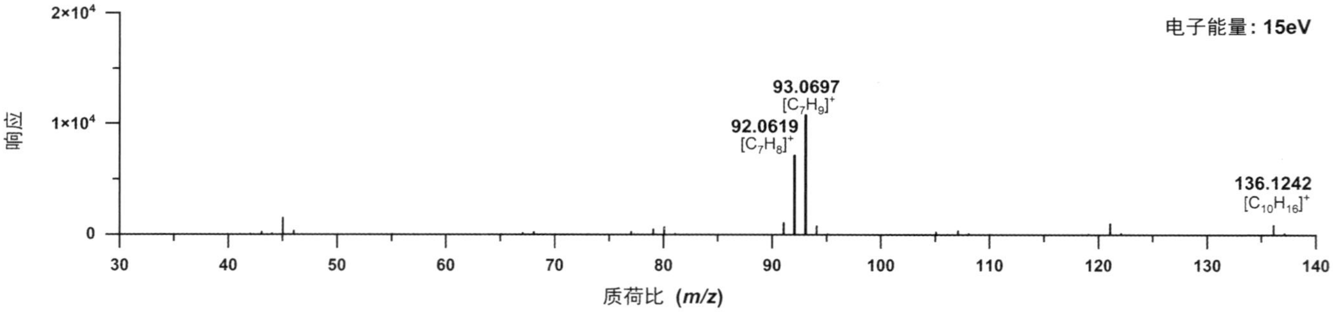

5 (−)-α-蒎烯

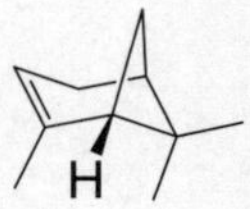

基本信息

CAS 登录号	7785-26-4	分子式	$C_{10}H_{16}$	分子量	136.1247
保留指数（极性）	1026	保留指数（非极性）	932	香气描述	松树香，木香，树脂的气味

质谱图

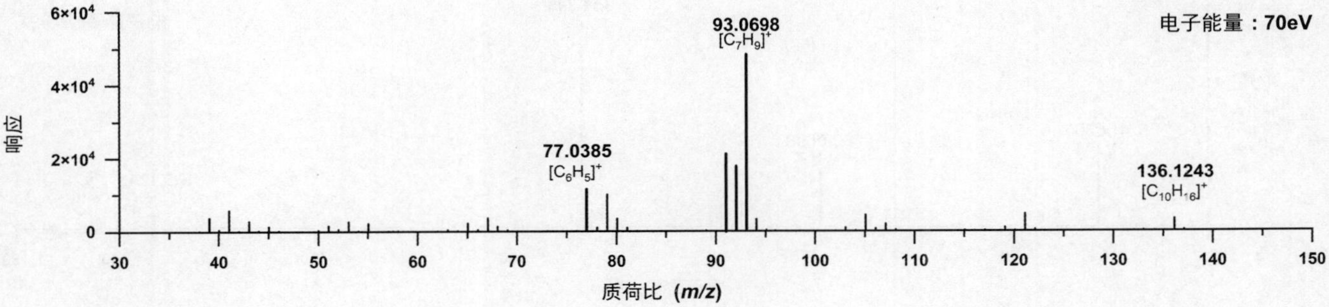

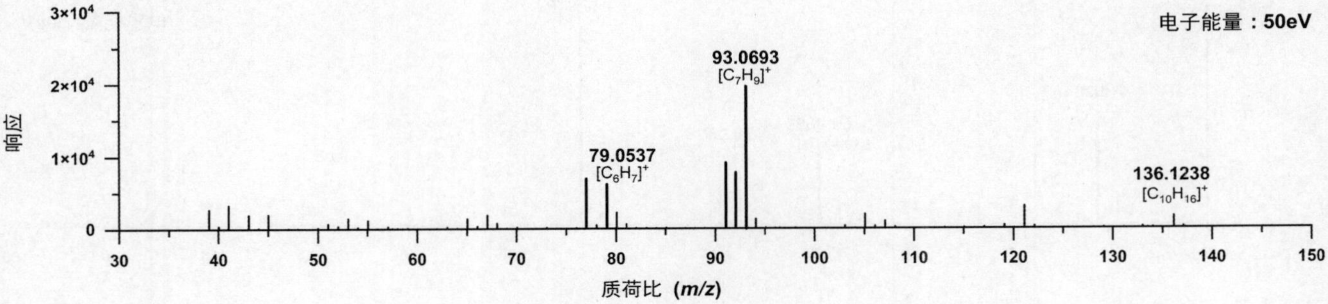

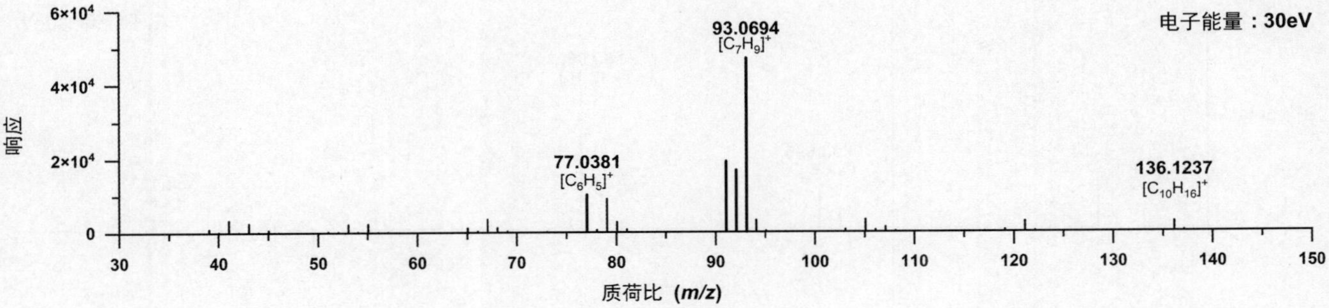

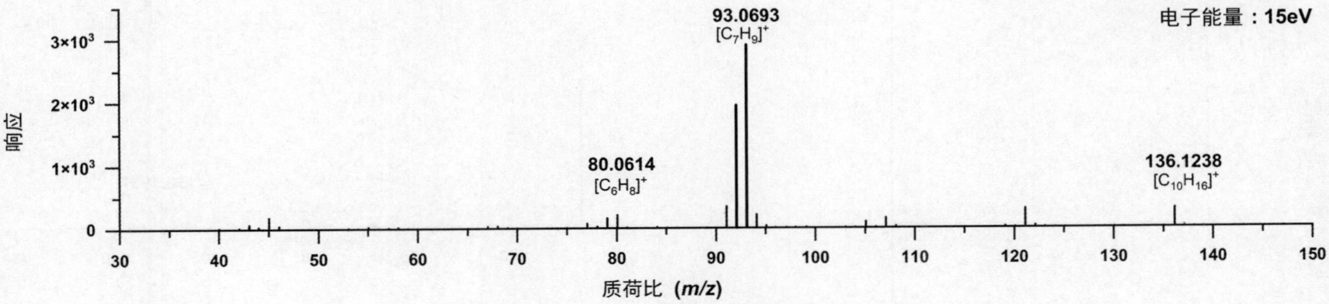

6 (−)-β-蒎烯

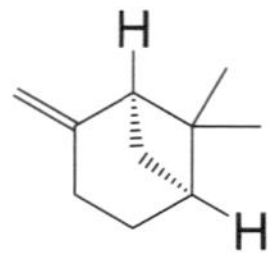

基本信息

CAS 登录号	18172-67-3	分子式	$C_{10}H_{16}$	分子量	136.1247
保留指数（极性）	1123	保留指数（非极性）	972	香气描述	松树香，木香，树脂的气味

质谱图

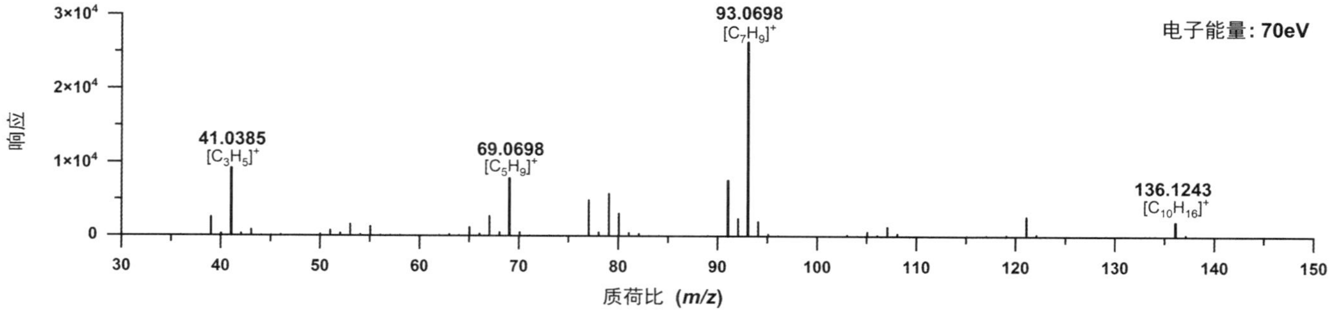

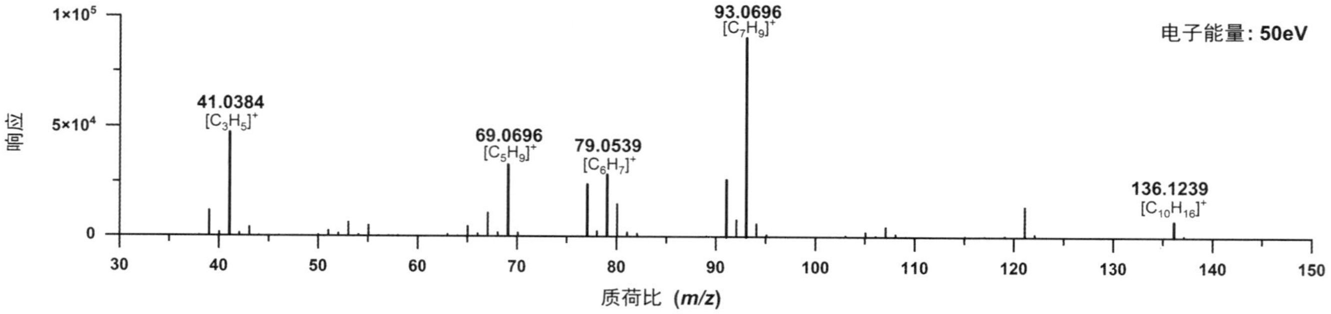

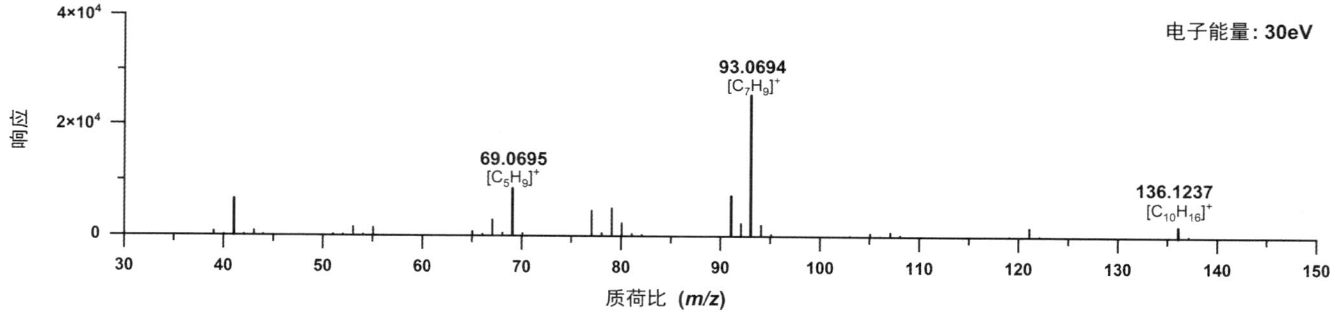

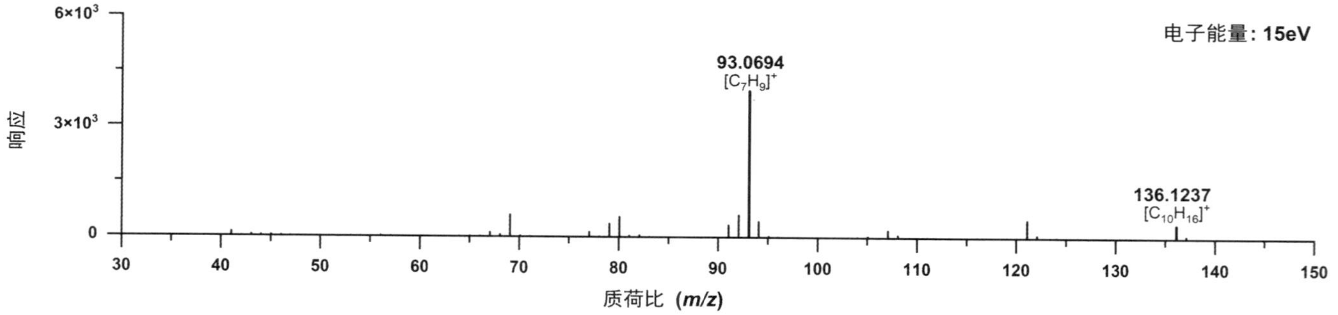

7 D-柠檬烯

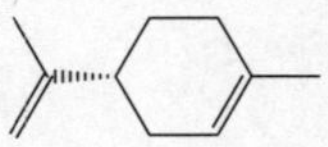

基本信息

CAS 登录号	5989-27-5	分子式	$C_{10}H_{16}$	分子量	136.1247
保留指数（极性）	1214	保留指数（非极性）	1023	香气描述	柑橘香，甜香，柠檬的香气

质谱图

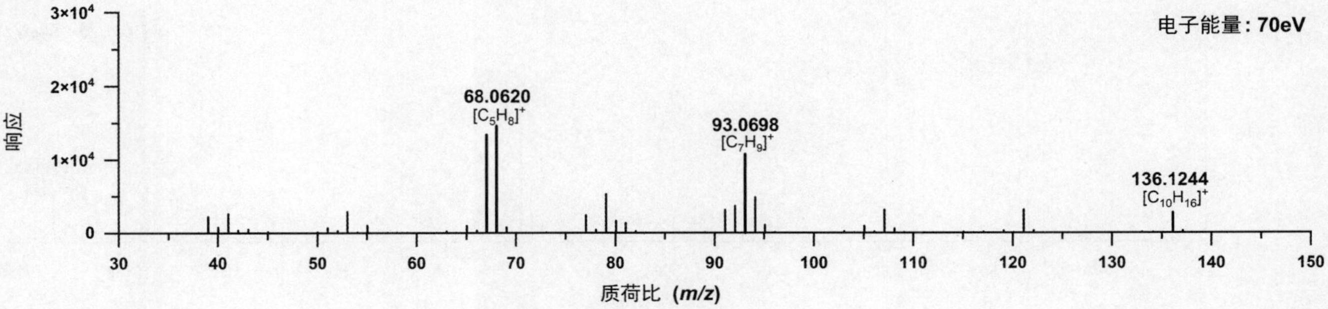

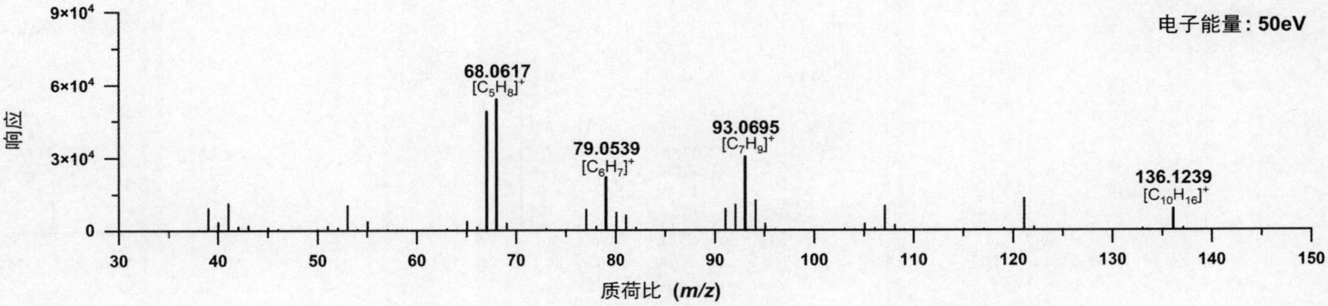

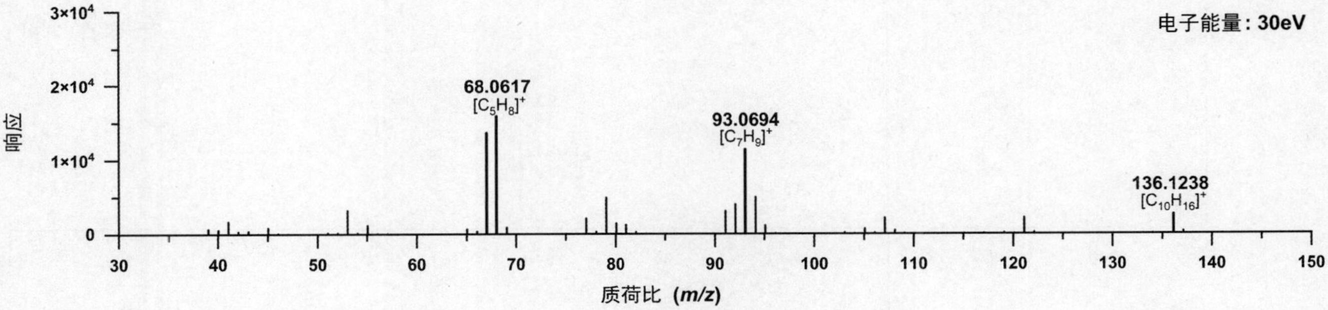

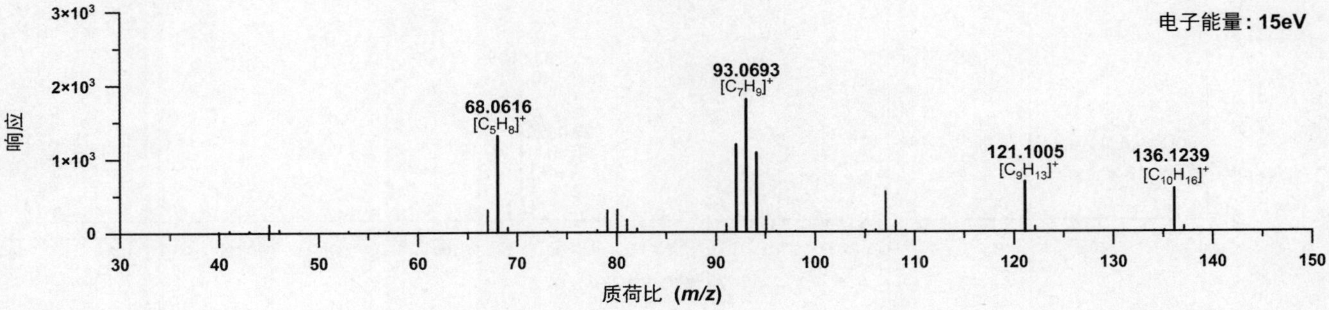

8 γ-松油烯

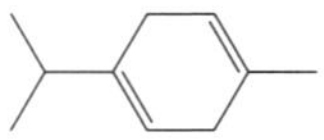

基本信息

CAS 登录号	99-85-4	分子式	$C_{10}H_{16}$	分子量	136.1247
保留指数（极性）	1261	保留指数（非极性）	1051	香气描述	松油香，甜香，草本植物的气味

质谱图

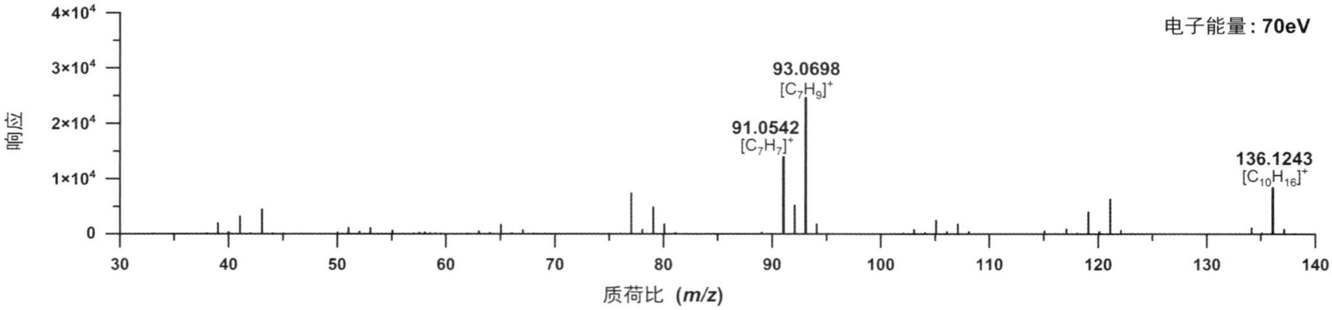

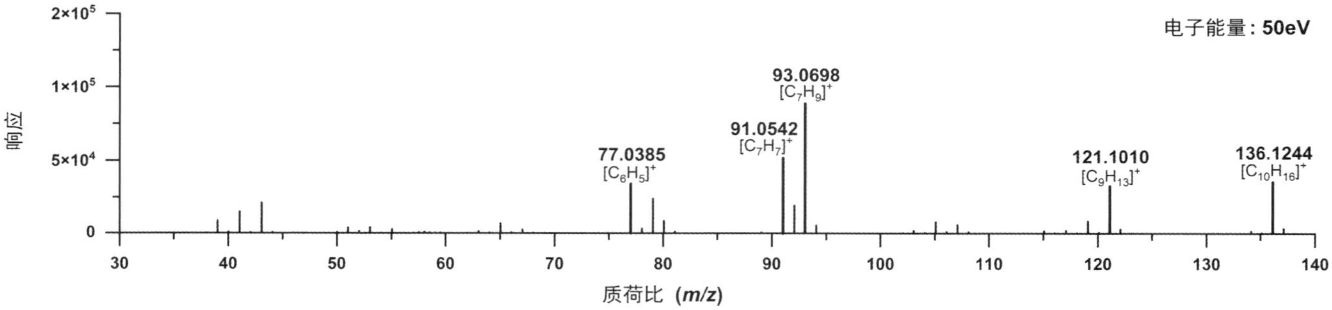

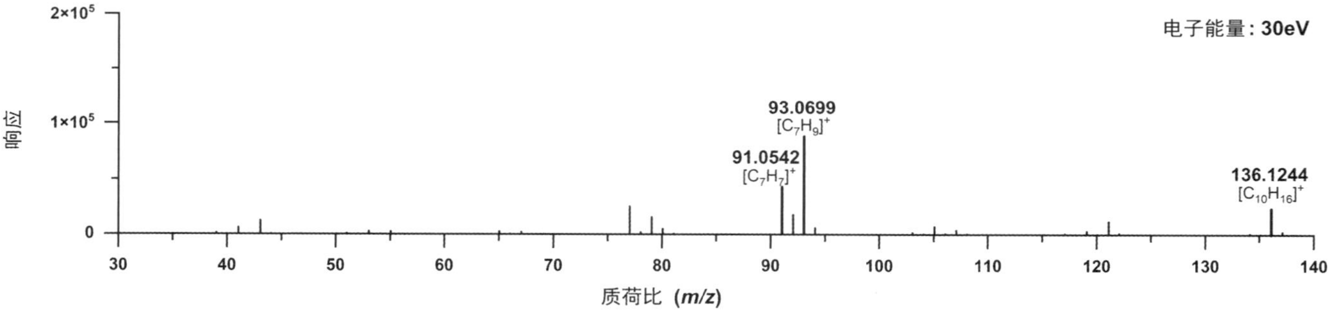

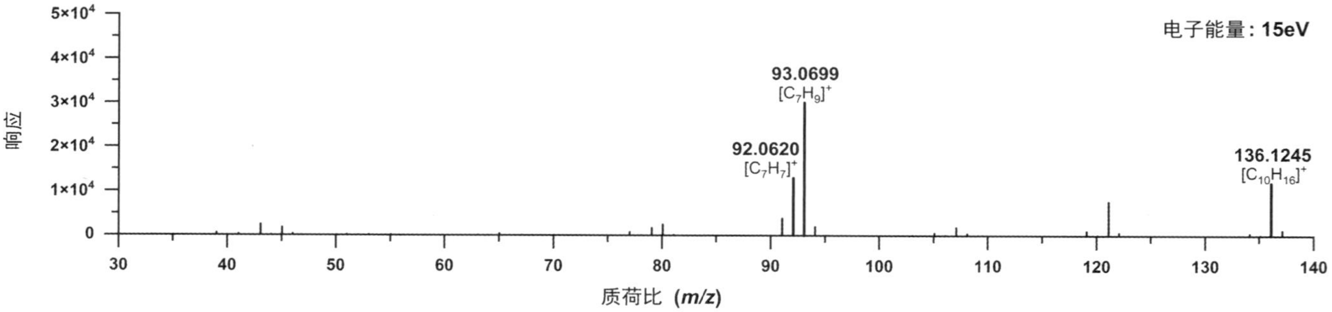

9 樟脑

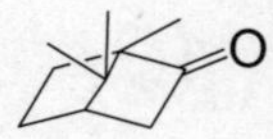

基本信息

CAS 登录号	76-22-2	分子式	$C_{10}H_{16}O$	分子量	152.1196
保留指数（极性）	1563	保留指数（非极性）	1123	香气描述	樟脑味，药味，薄荷味

质谱图

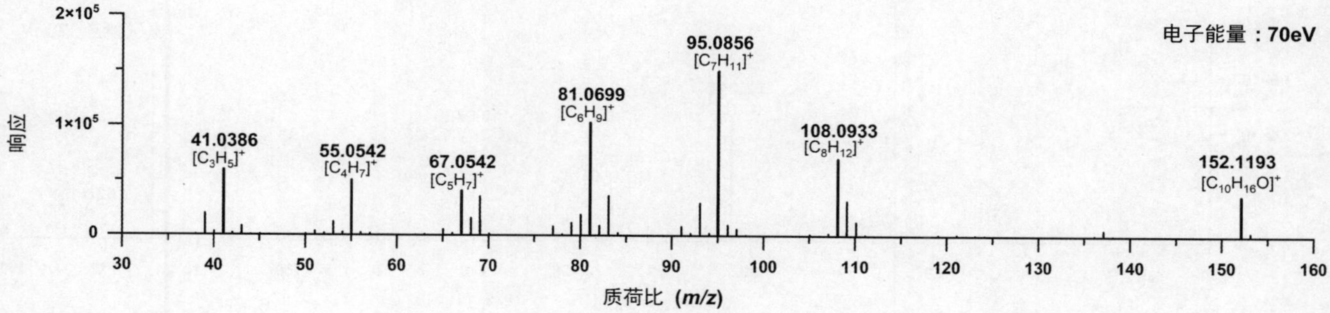

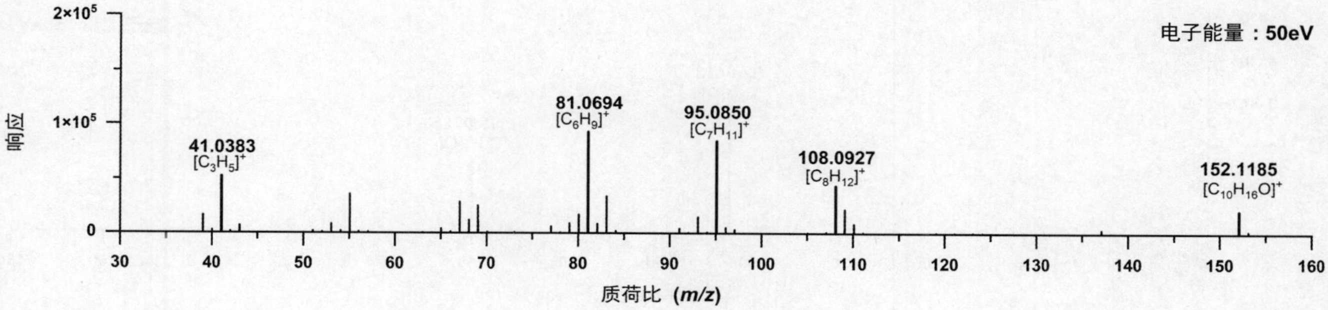

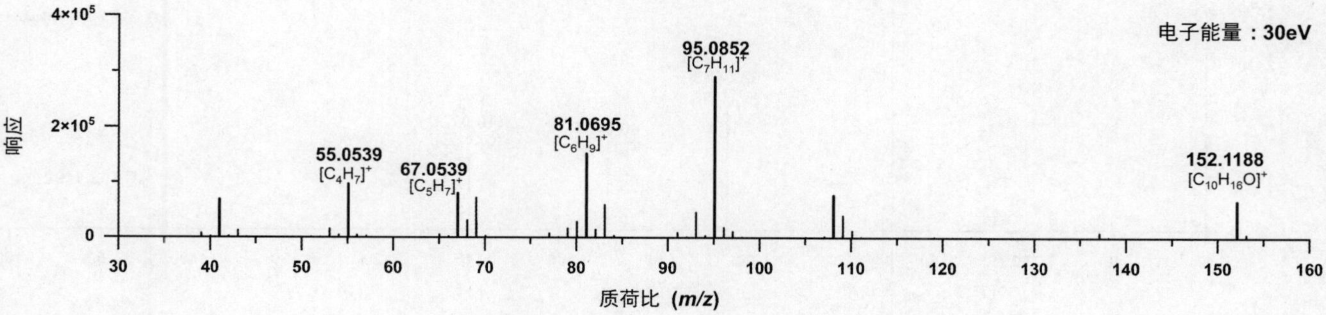

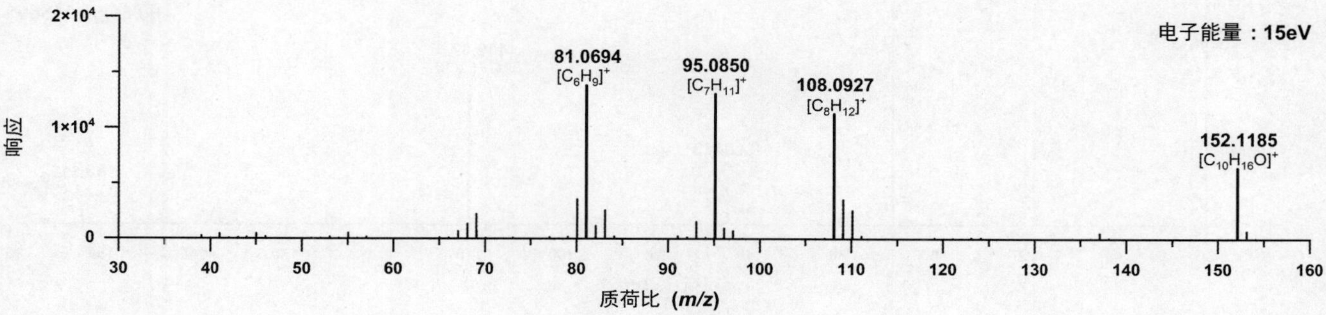

10 胡椒酮

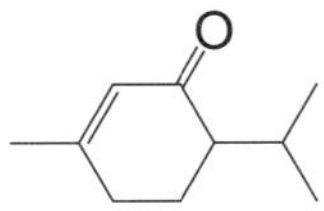

基本信息

CAS 登录号	89-81-6	分子式	$C_{10}H_{16}O$	分子量	152.1196
保留指数（极性）	1775	保留指数（非极性）	1229	香气描述	薄荷味，樟脑味，甜香

质谱图

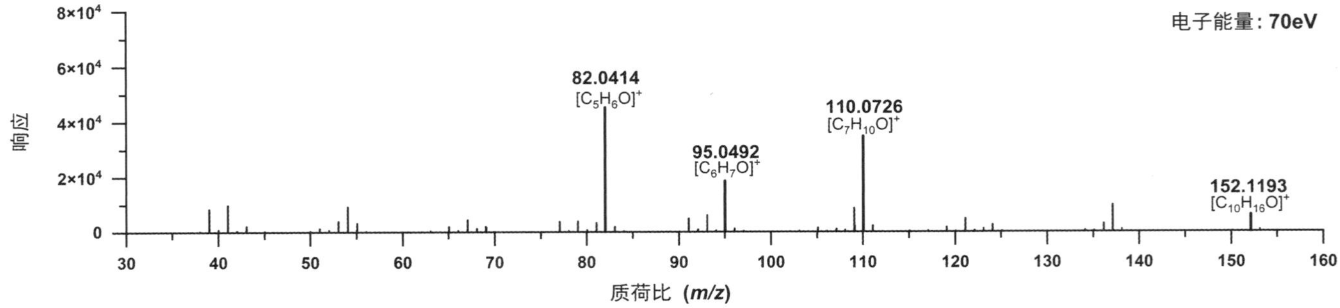

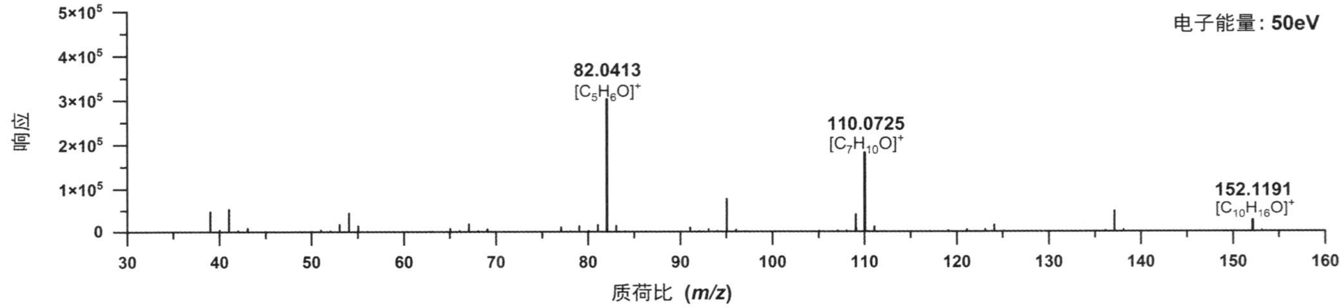

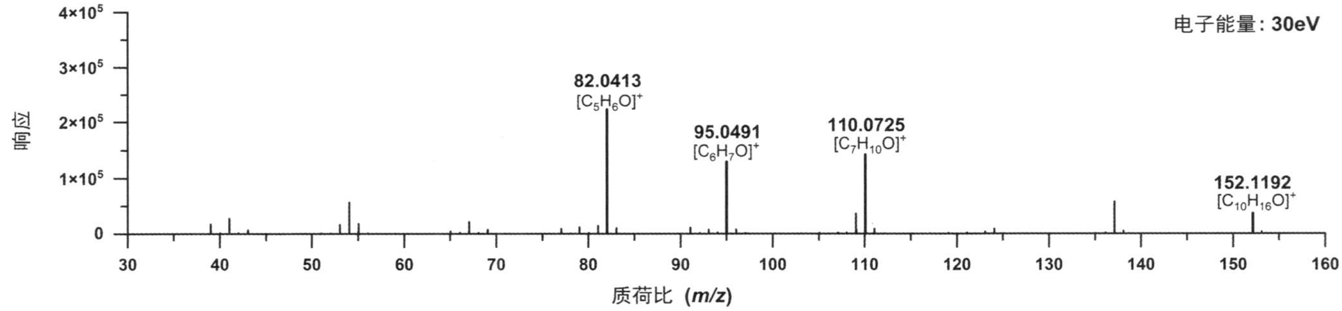

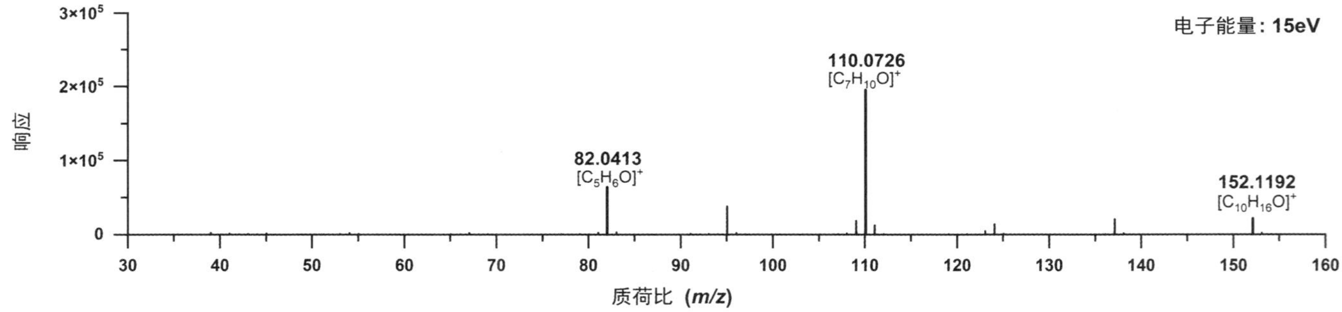

11

L-4-萜品醇

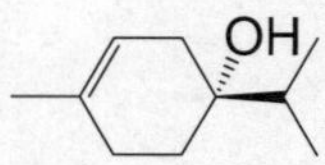

基本信息

CAS 登录号	20126-76-5	分子式	$C_{10}H_{18}O$	分子量	154.1352
保留指数（极性）	1628	保留指数（非极性）	1164	香气描述	花香，松树香，木香

质谱图

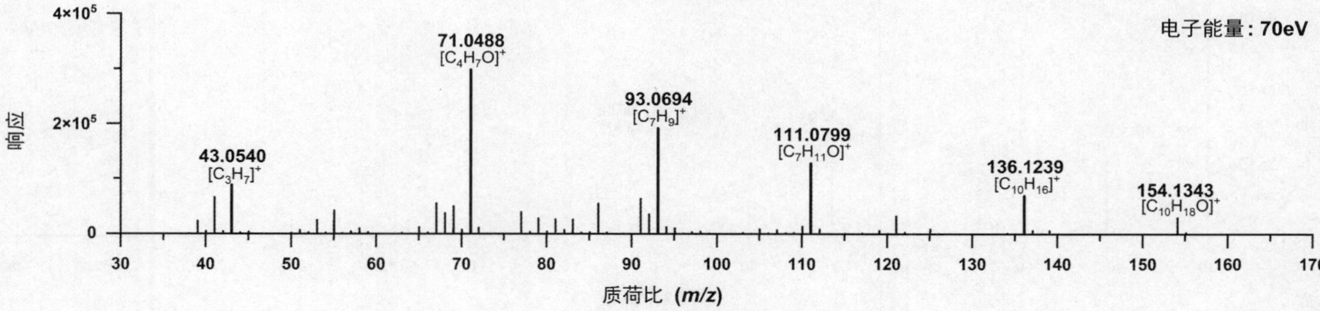

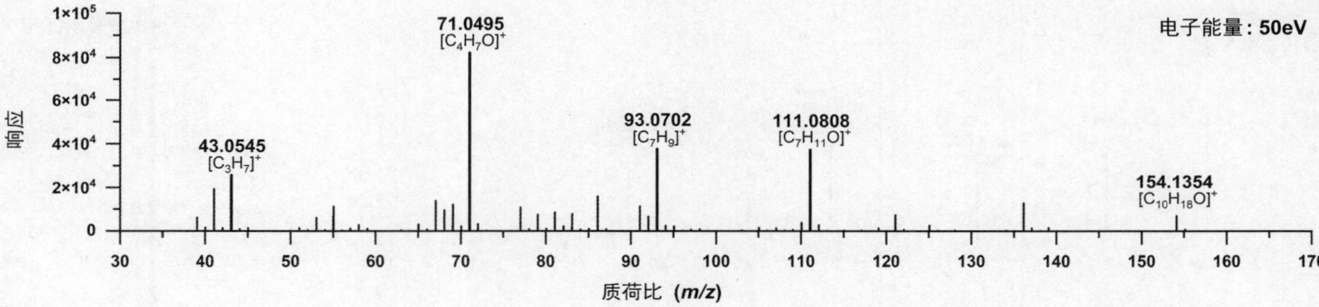

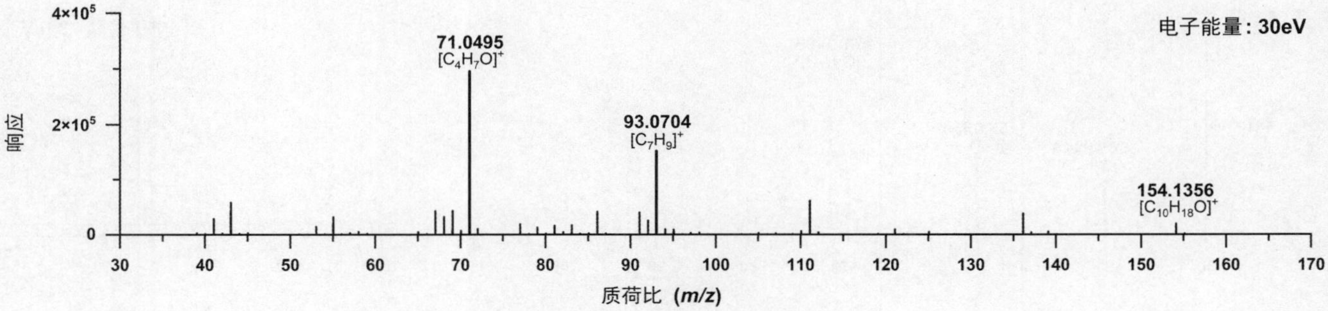

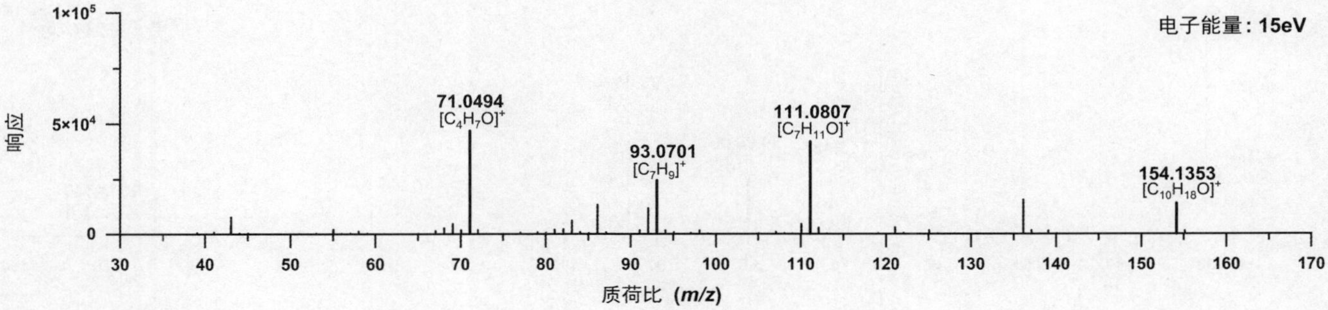

12 芳樟醇

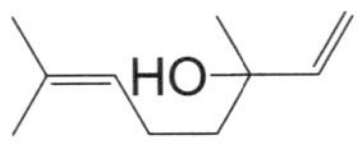

基本信息

CAS 登录号	78-70-6	分子式	$C_{10}H_{18}O$	分子量	154.1352
保留指数（极性）	1548	保留指数（非极性）	1084	香气描述	花香，甜香，橘子香

质谱图

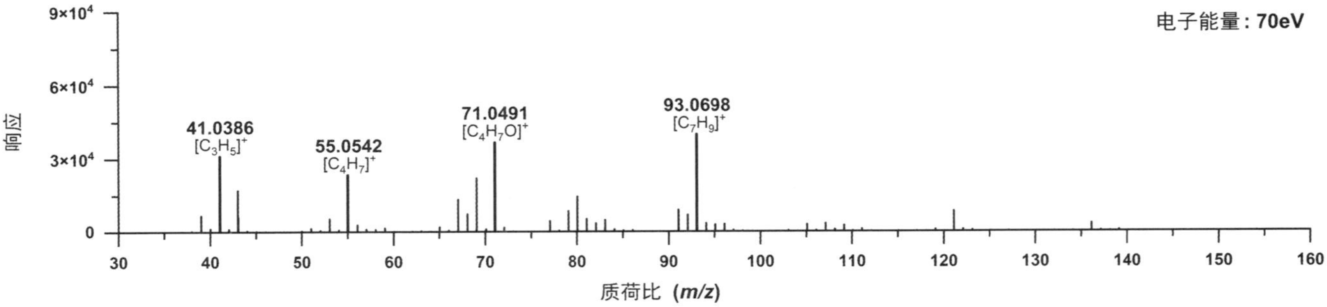

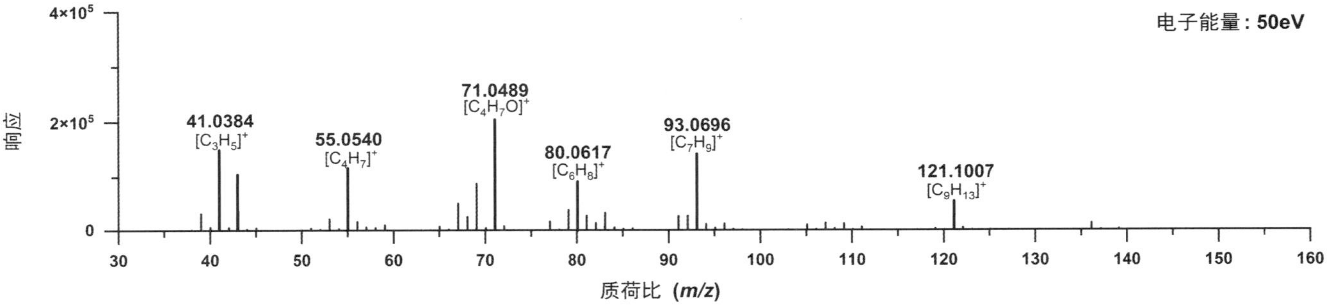

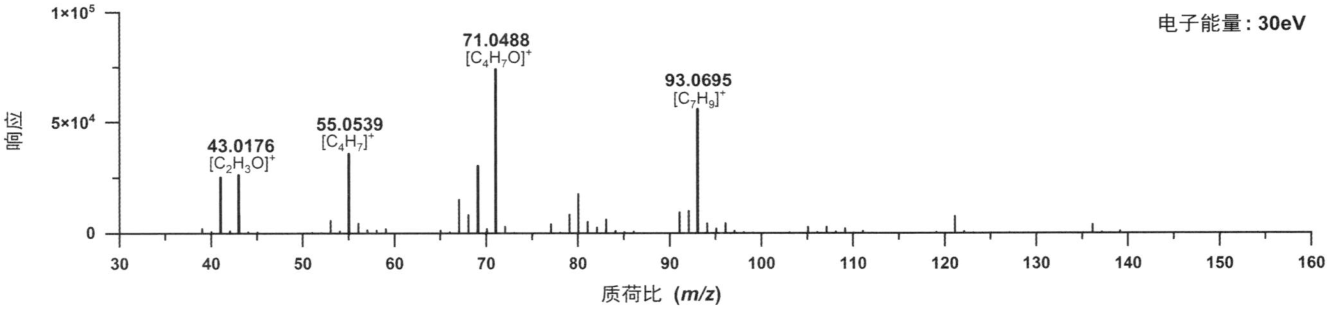

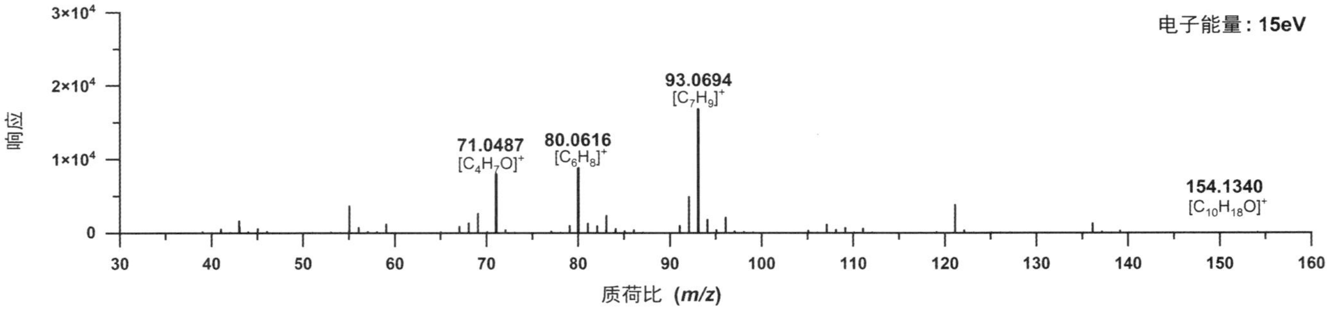

13 L-薄荷酮

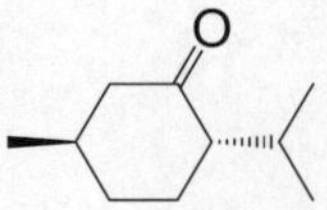

基本信息

CAS 登录号	14073-97-3	分子式	$C_{10}H_{18}O$	分子量	154.1352
保留指数（极性）	1497	保留指数（非极性）	1135	香气描述	薄荷味，清凉的香气，樟脑味

质谱图

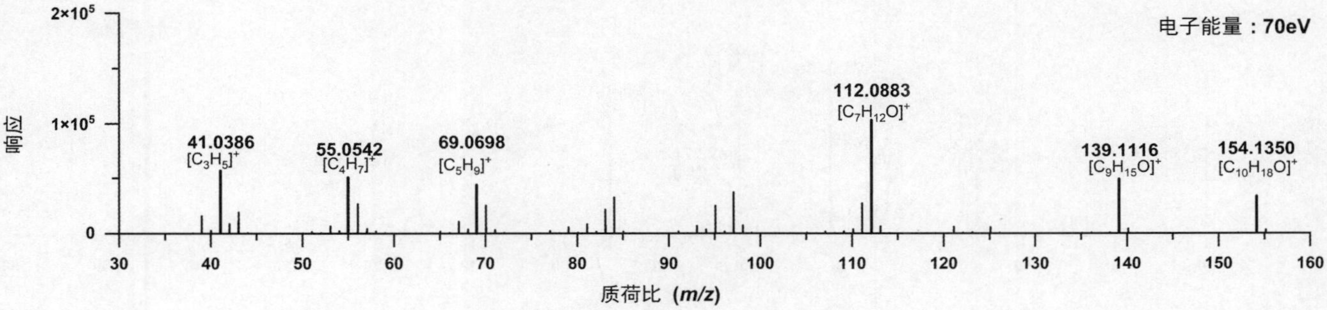

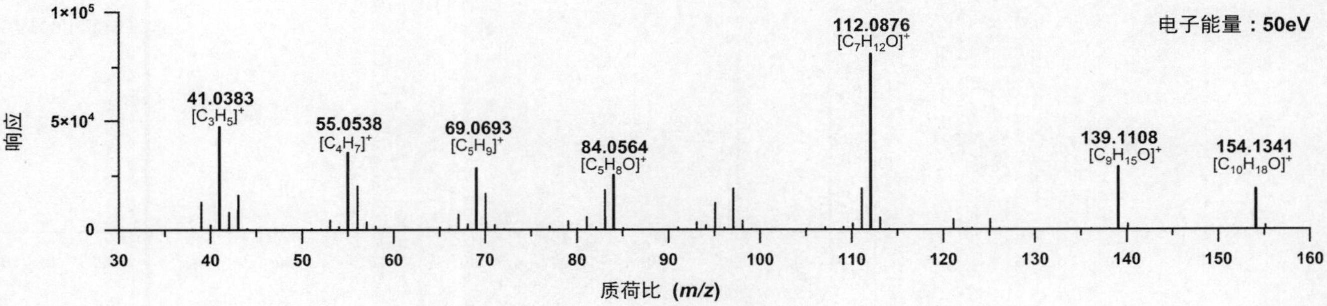

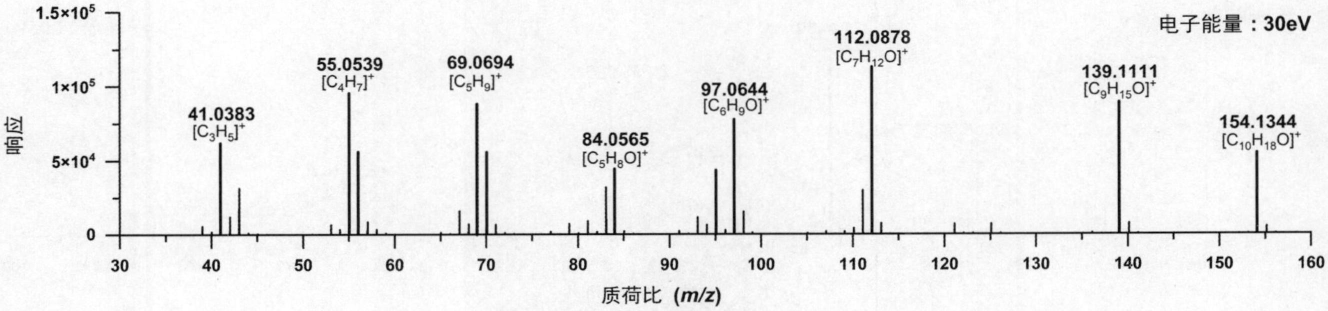

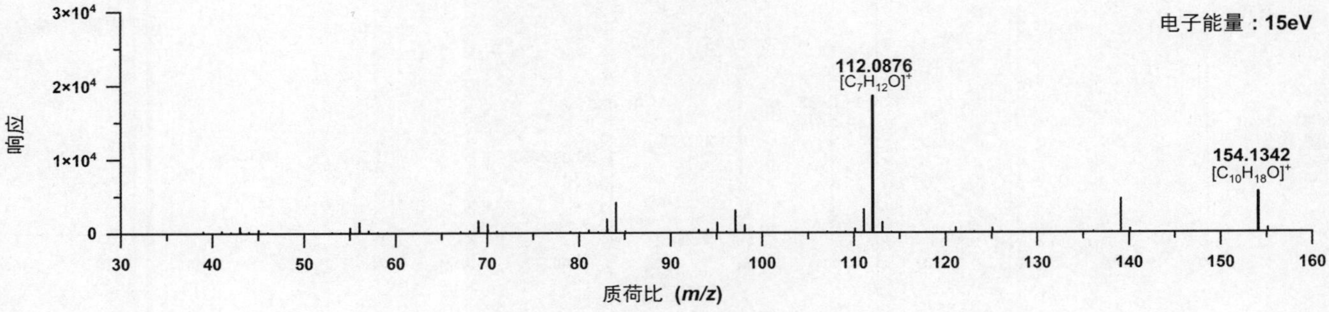

14 (+)-薄荷醇

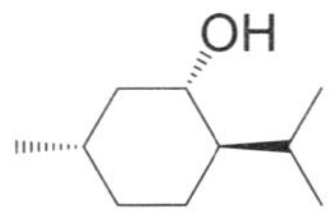

基本信息

CAS 登录号	15356-60-2	分子式	$C_{10}H_{20}O$	分子量	156.1514
保留指数（极性）	1659	保留指数（非极性）	1159	香气描述	薄荷味，清凉的香气，新鲜的气味

质谱图

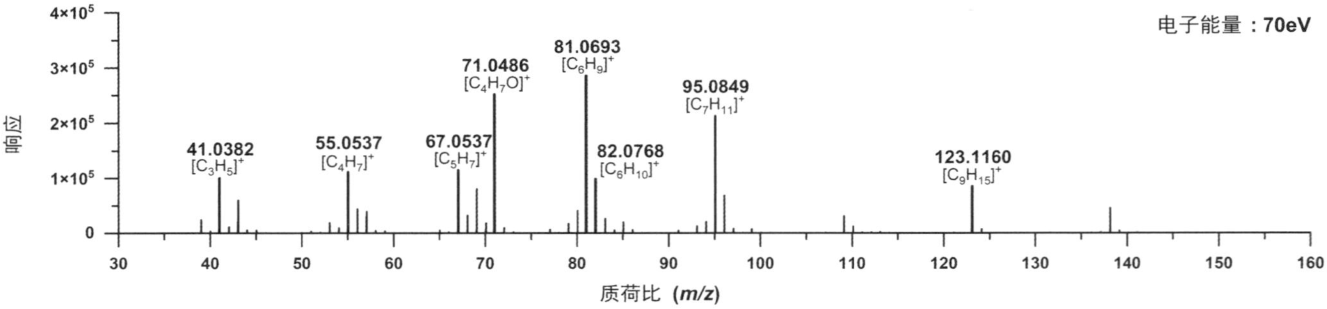

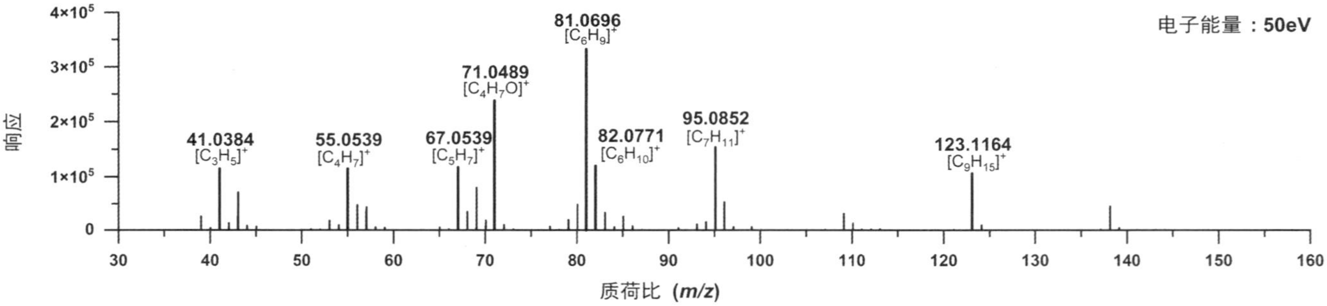

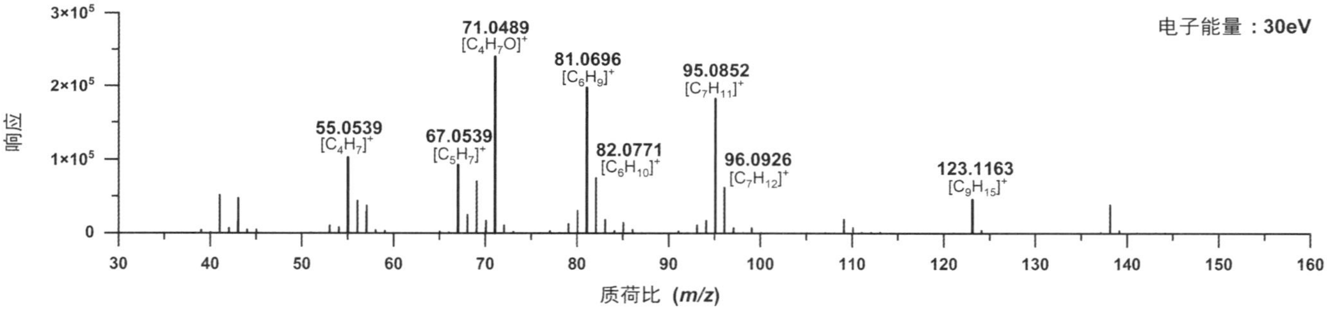

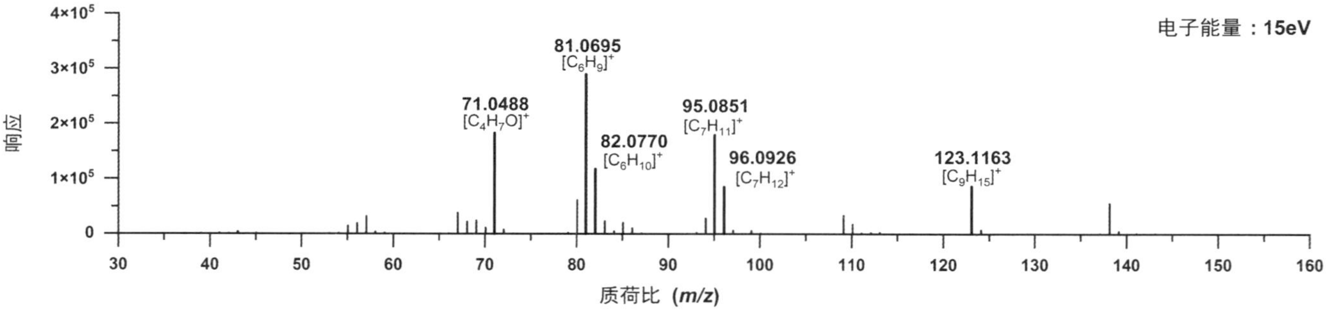

15 (−)-薄荷醇

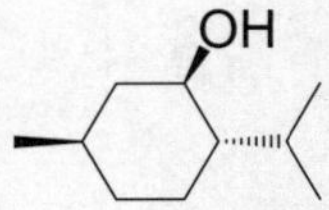

基本信息

CAS 登录号	2216-51-5	分子式	$C_{10}H_{20}O$	分子量	156.1514
保留指数（极性）	1659	保留指数（非极性）	1159	香气描述	薄荷味，清凉的香气，樟脑味

质谱图

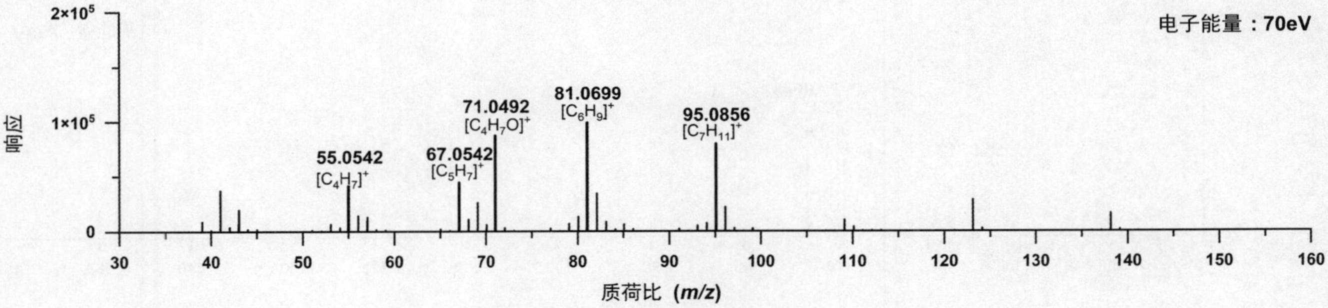

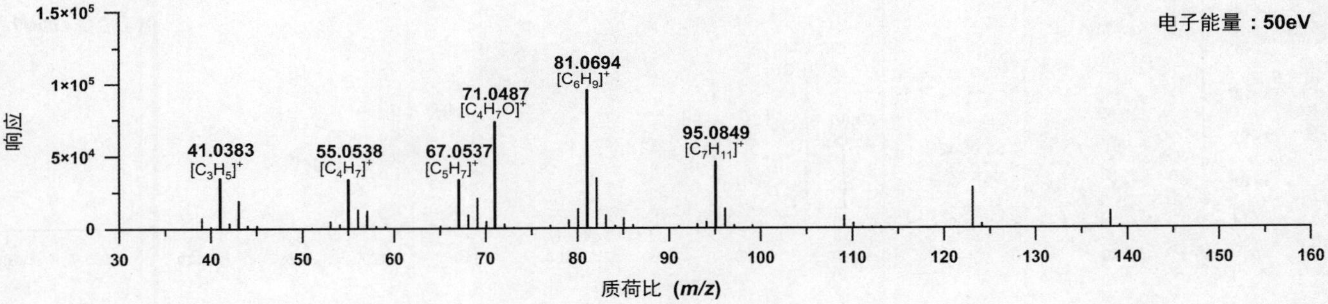

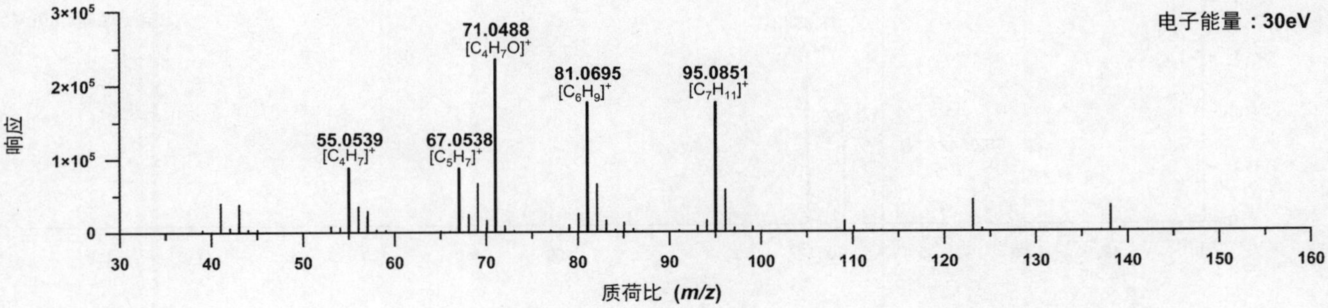

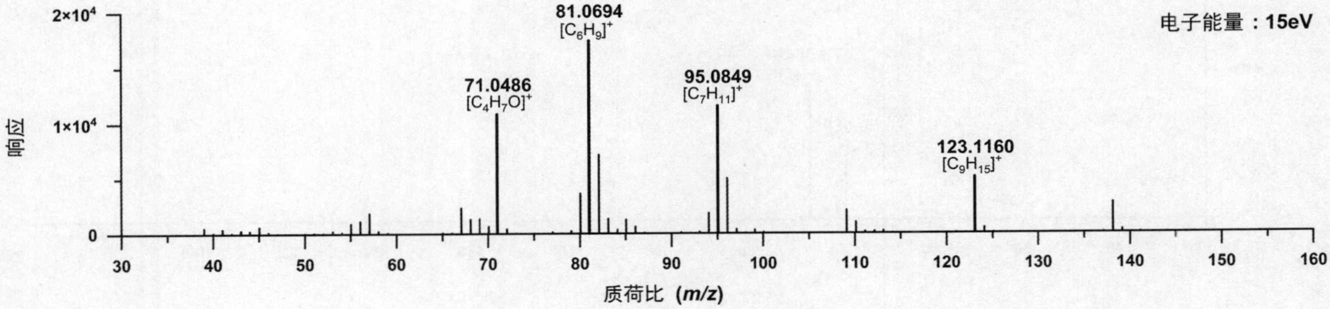

16 3,7-二甲基-3-辛醇

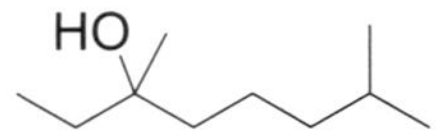

基本信息

CAS 登录号	78-69-3	分子式	$C_{10}H_{22}O$	分子量	158.1670
保留指数（极性）	1433	保留指数（非极性）	1086	香气描述	橘子味，甜香，草本植物的气味

质谱图

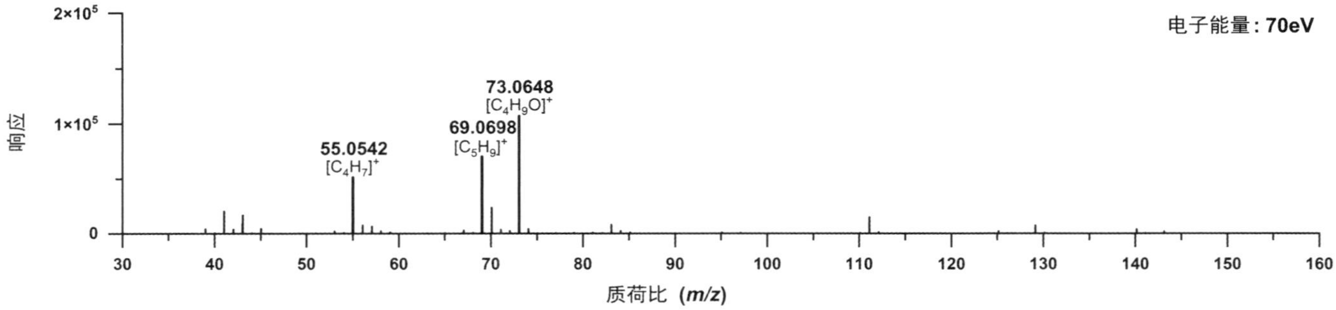

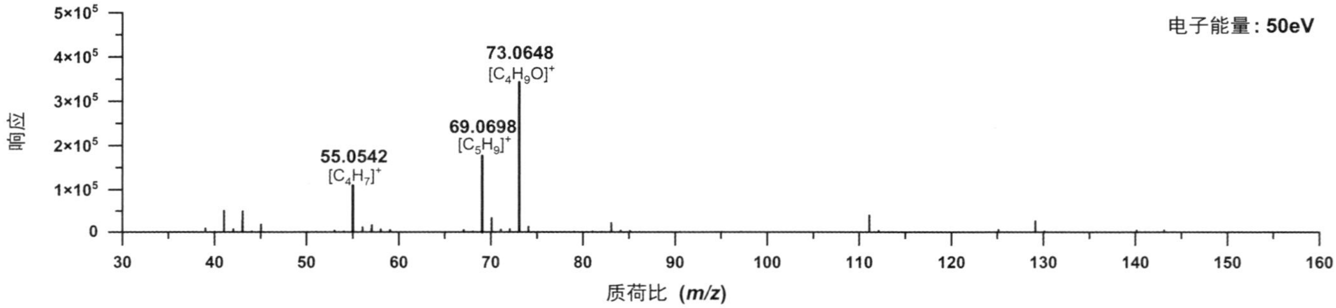

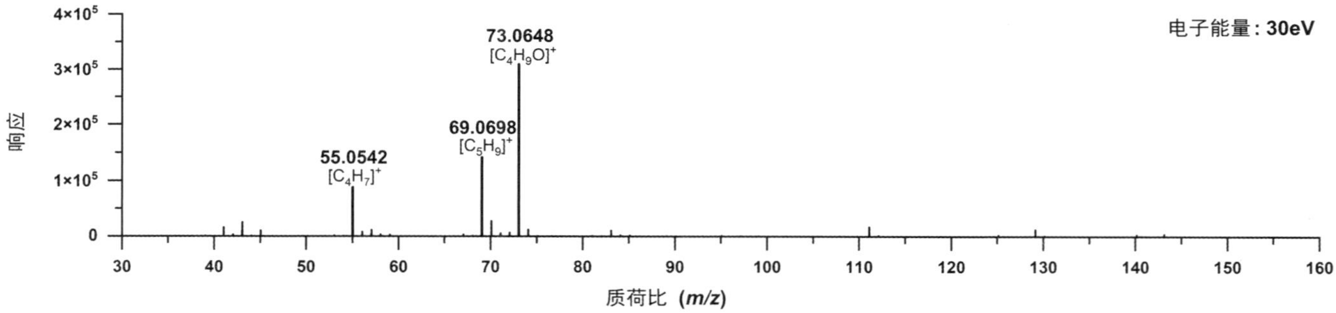

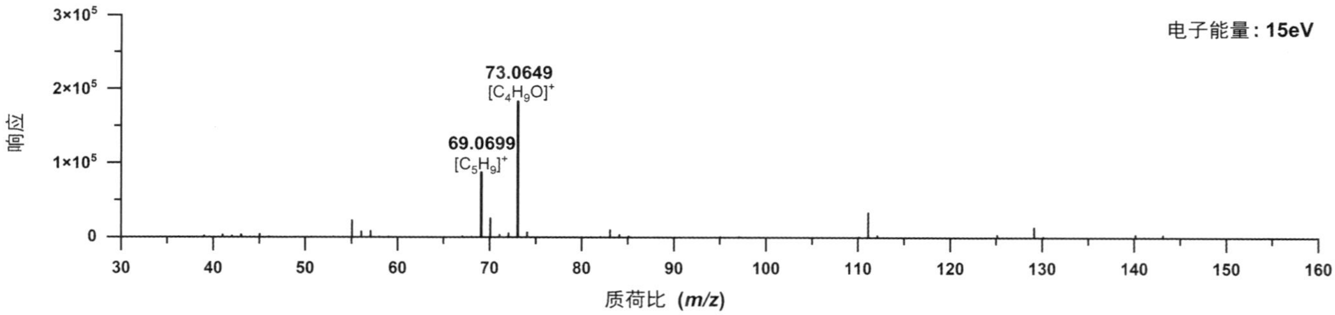

17 L-乙酸薄荷酯

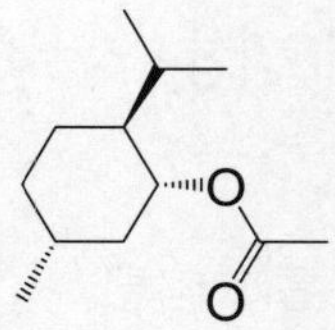

基本信息

CAS 登录号	2623-23-6	分子式	$C_{12}H_{22}O_2$	分子量	198.1620
保留指数（极性）	1586	保留指数（非极性）	1280	香气描述	薄荷味，甜香，水果香

质谱图

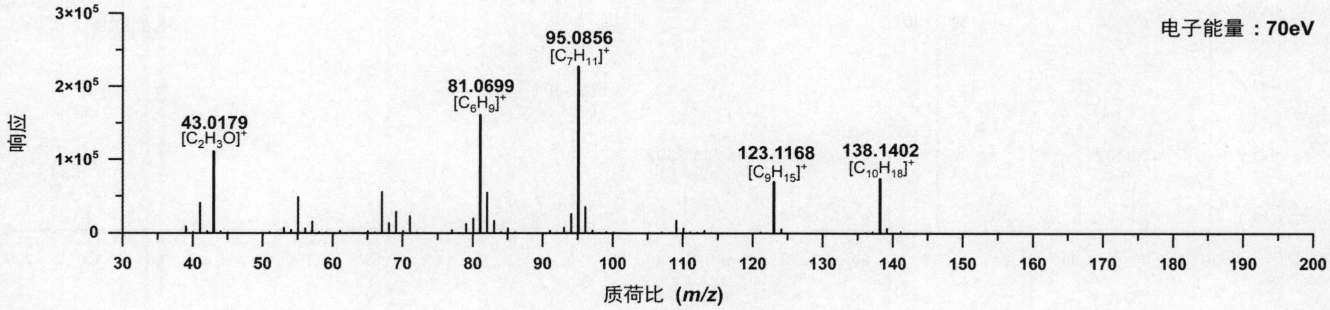

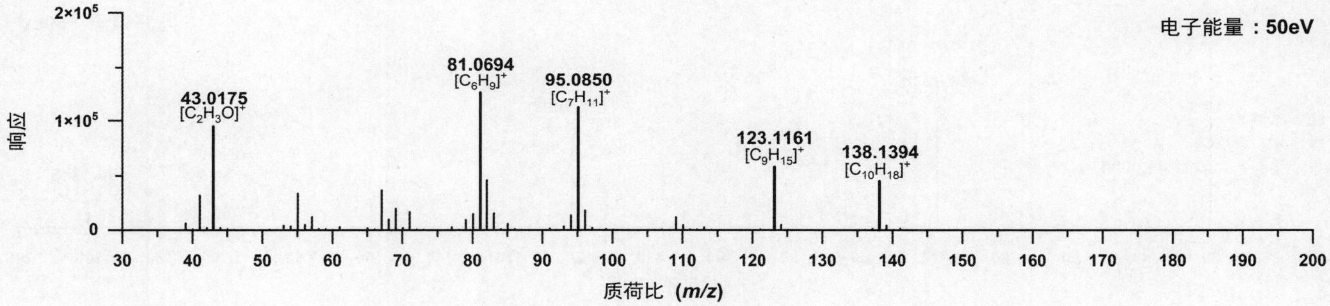

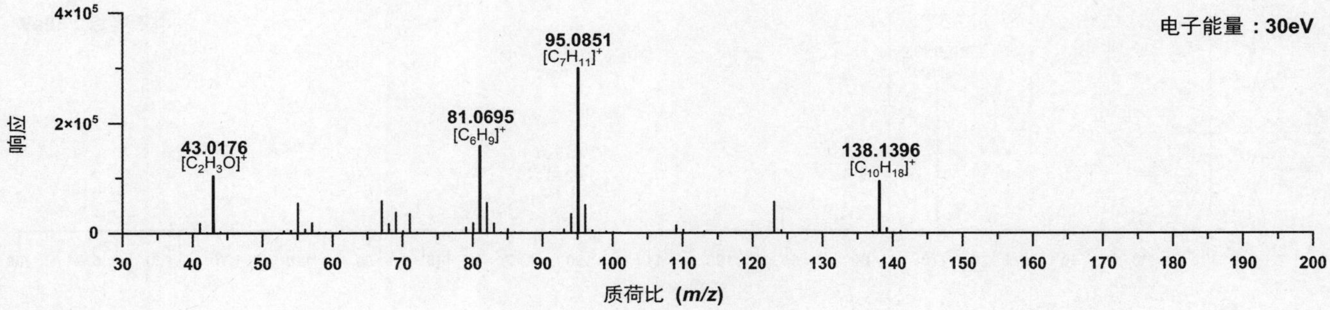

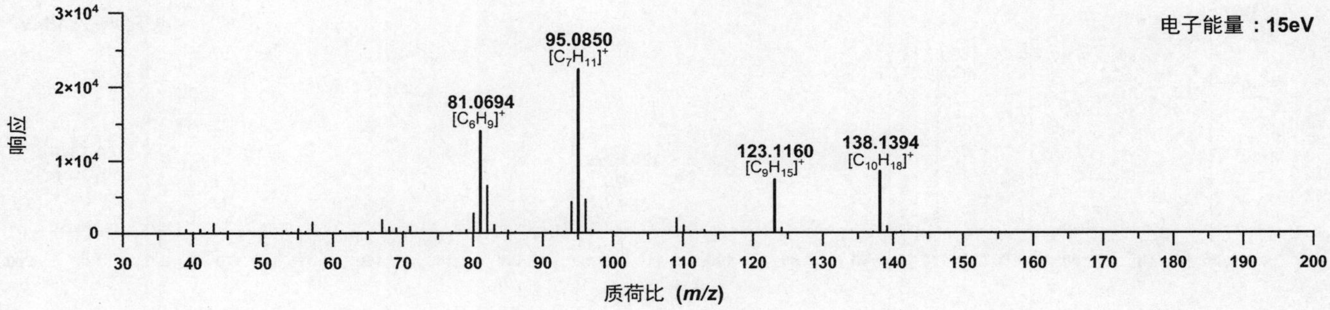

18 β-大马士酮

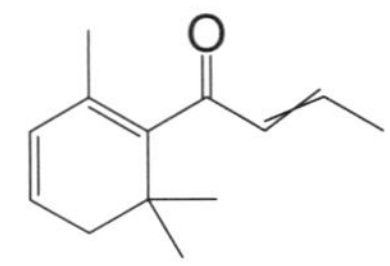

基本信息

CAS 登录号	23696-85-7	分子式	$C_{13}H_{18}O$	分子量	190.1352
保留指数（极性）	1859	保留指数（非极性）	1366	香气描述	甜香，花香，蜂蜜味

质谱图

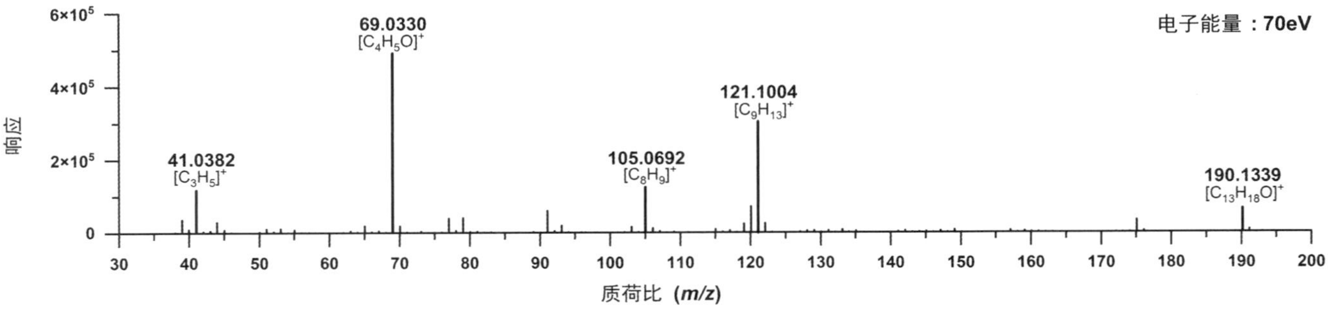

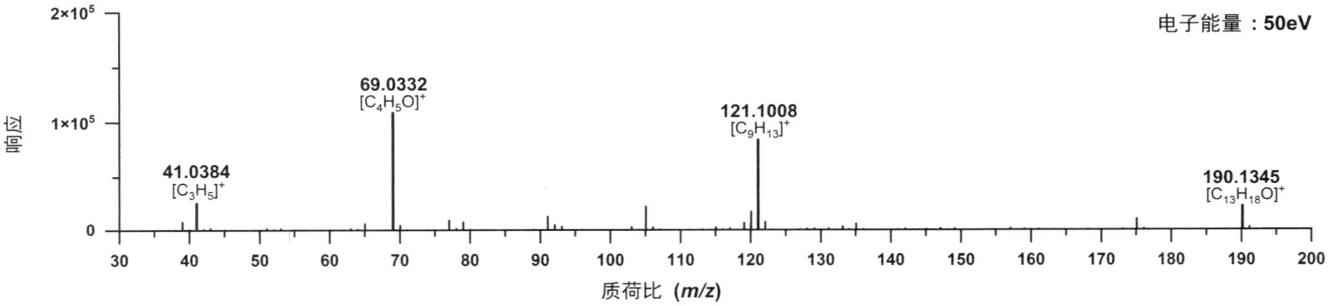

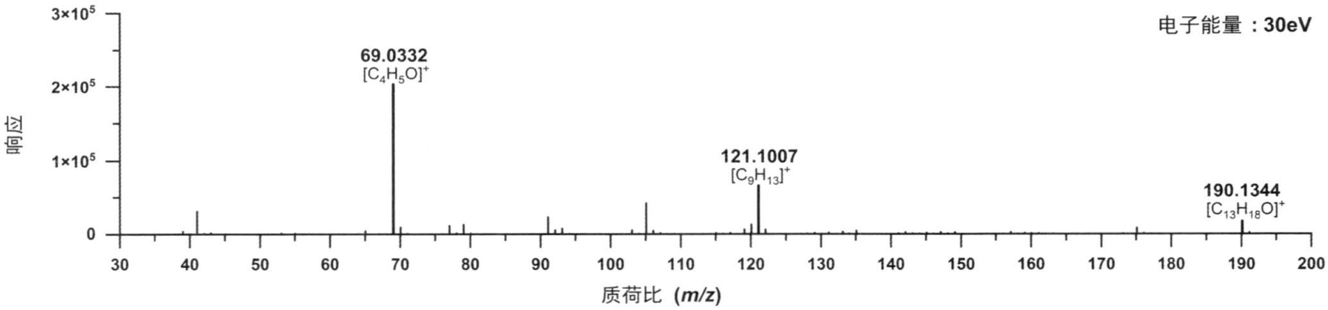

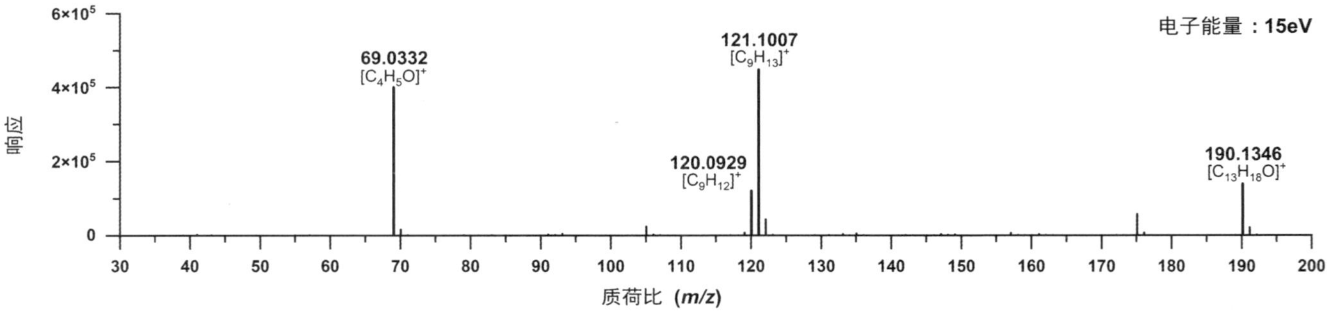

19 β-大马酮

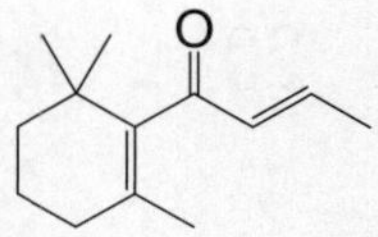

基本信息

CAS 登录号	23726-91-2	分子式	$C_{13}H_{20}O$	分子量	192.1509
保留指数（极性）	1856	保留指数（非极性）	1397	香气描述	花香，甜香，蜂蜜味

质谱图

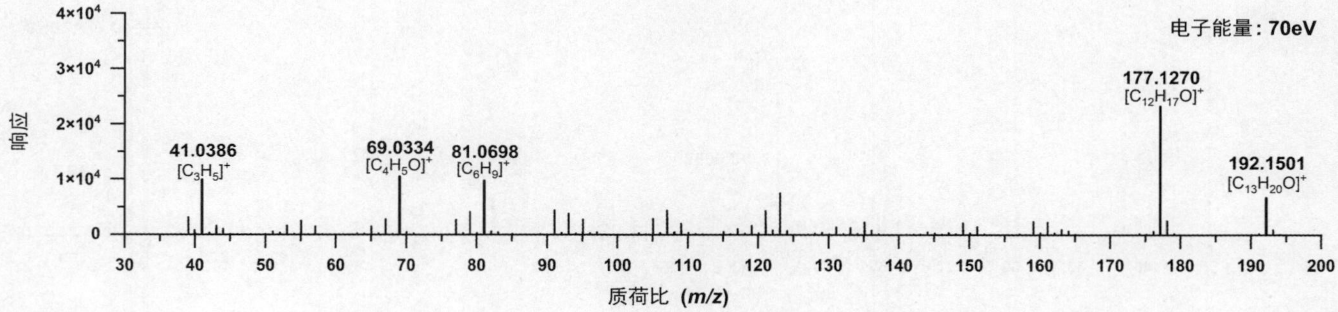

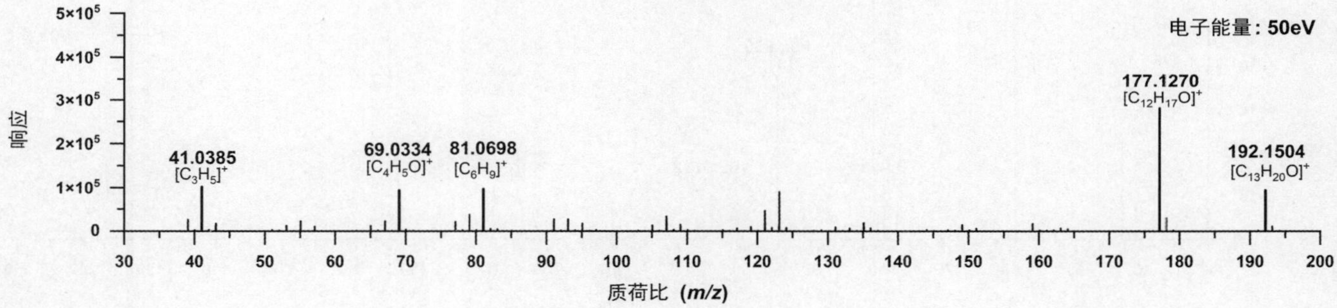

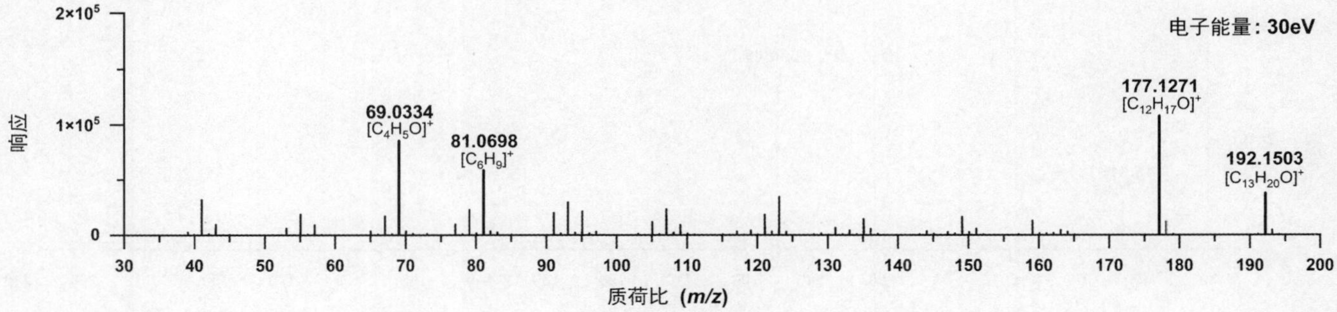

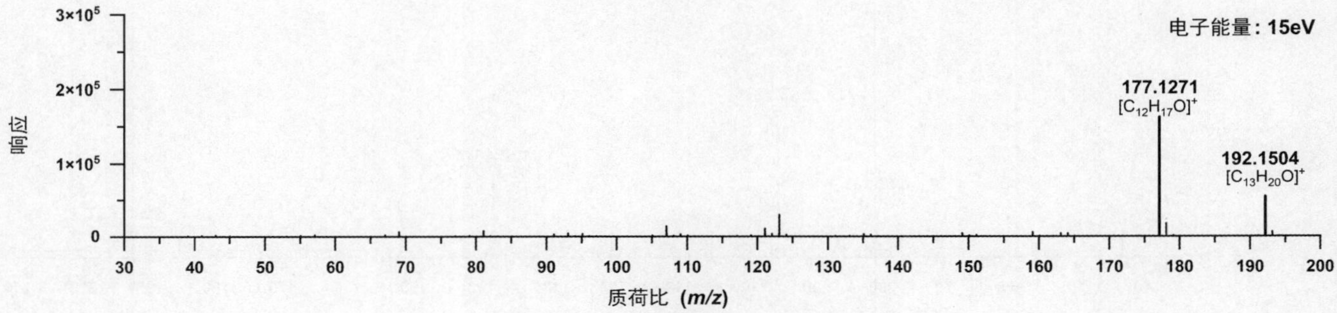

20 α-紫罗兰醇

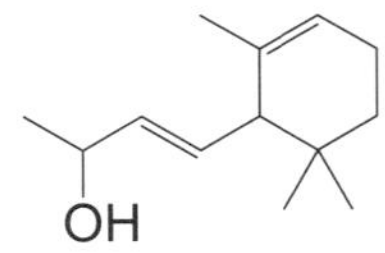

基本信息

CAS 登录号	25312-34-9	分子式	$C_{13}H_{22}O$	分子量	194.1665
保留指数（极性）	1916	保留指数（非极性）	1368	香气描述	花香，木香，紫罗兰花香

质谱图

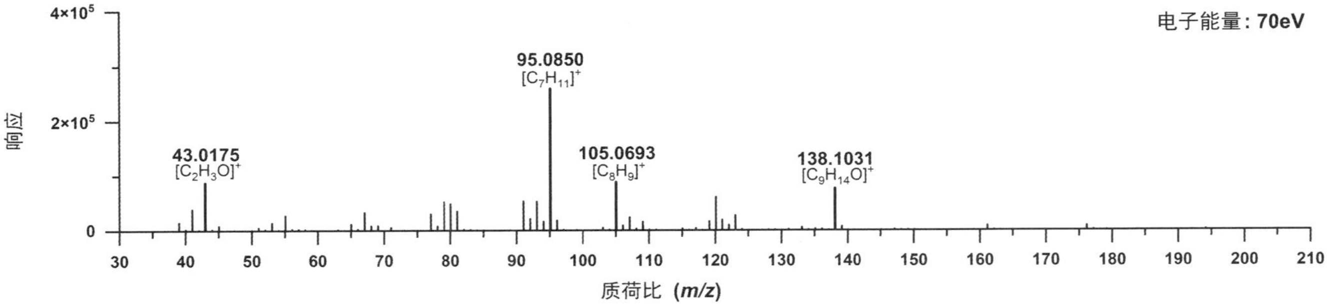

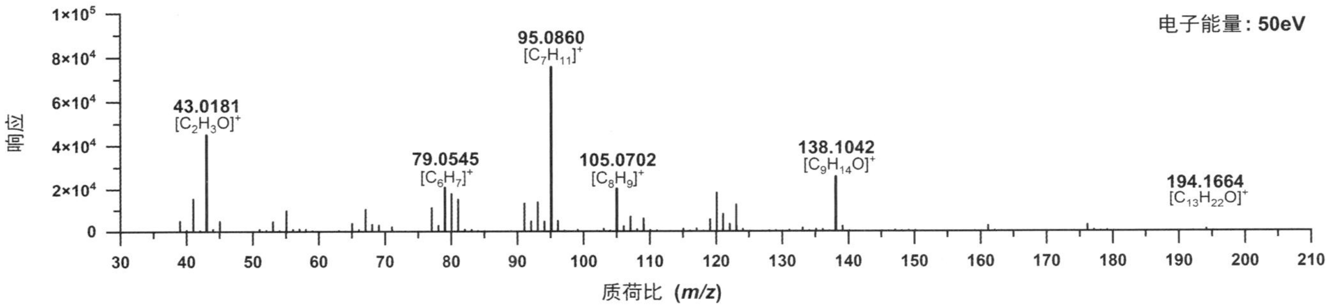

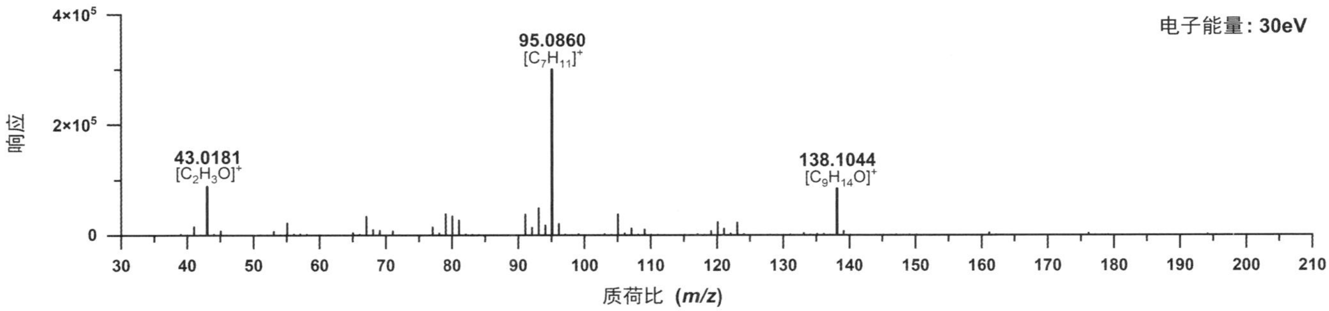

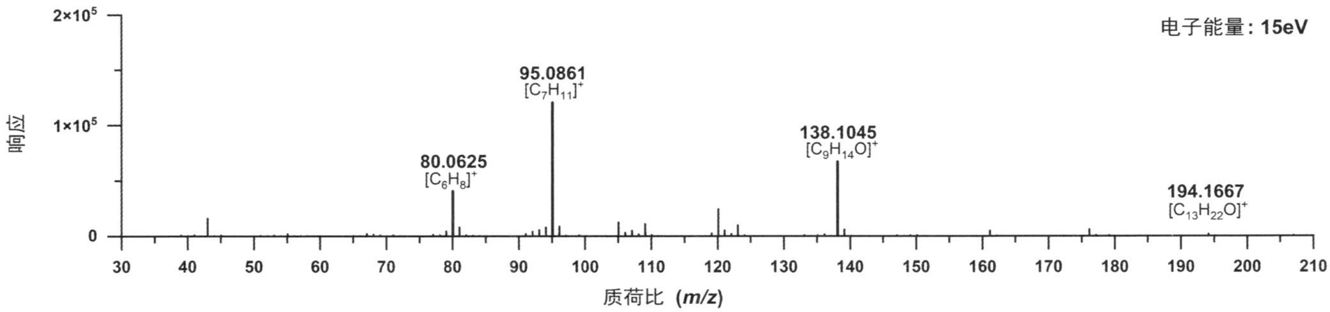

21 β-紫罗兰酮

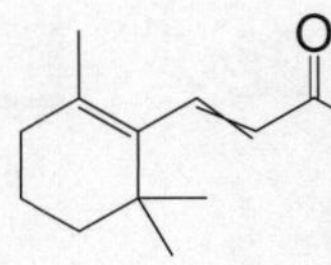

基本信息

CAS 登录号	14901-07-6	分子式	$C_{13}H_{20}O$	分子量	192.1509
保留指数（极性）	1980	保留指数（非极性）	1468	香气描述	花香，甜香，紫罗兰花香

质谱图

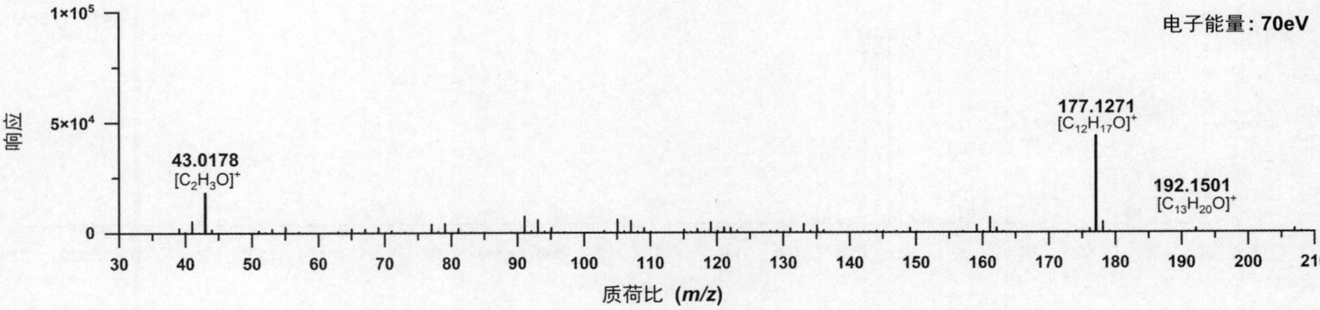

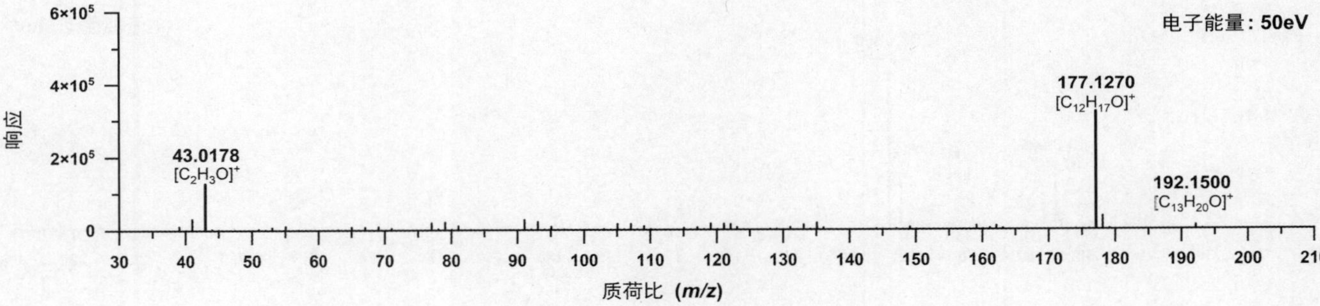

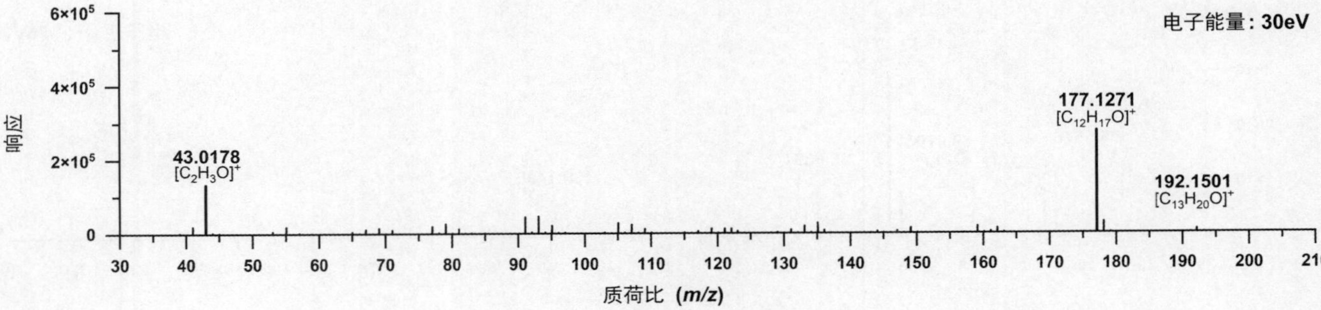

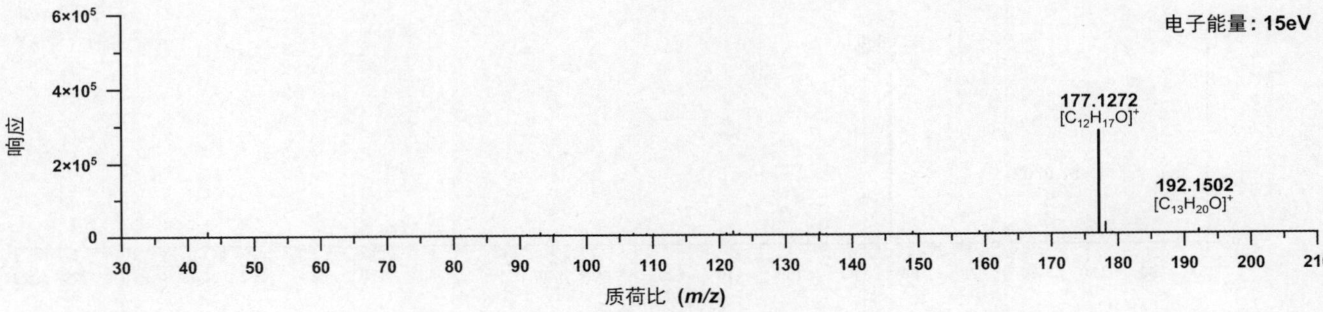

22 L-乳酸薄荷酯

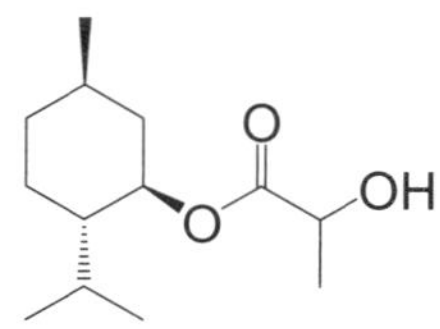

基本信息

CAS 登录号	61597-98-6	分子式	$C_{13}H_{24}O_3$	分子量	228.3300
保留指数（极性）	2029	保留指数（非极性）	1469	香气描述	薄荷味，清凉的香气，奶油香

质谱图

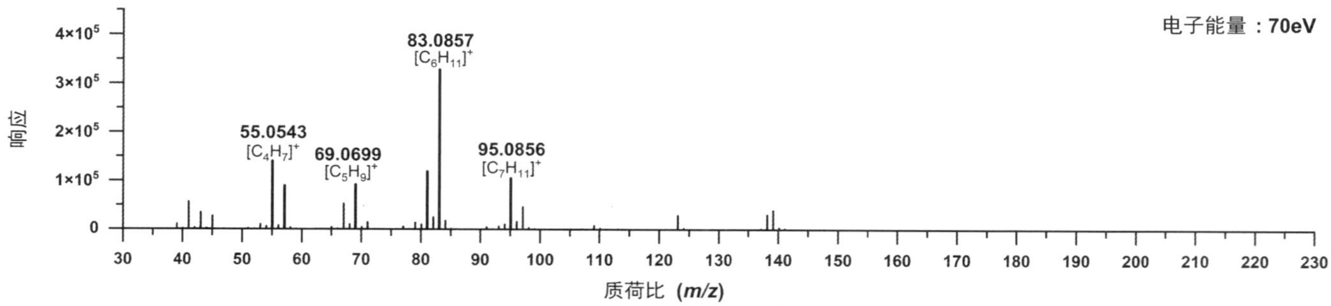

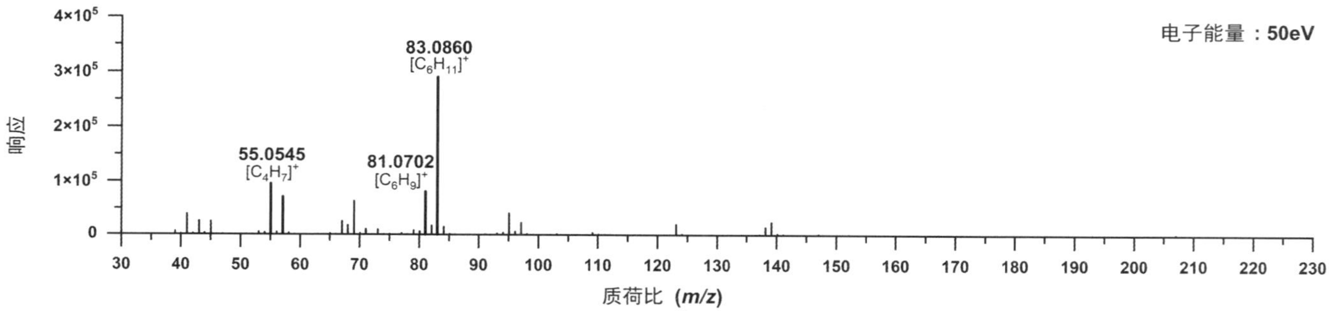

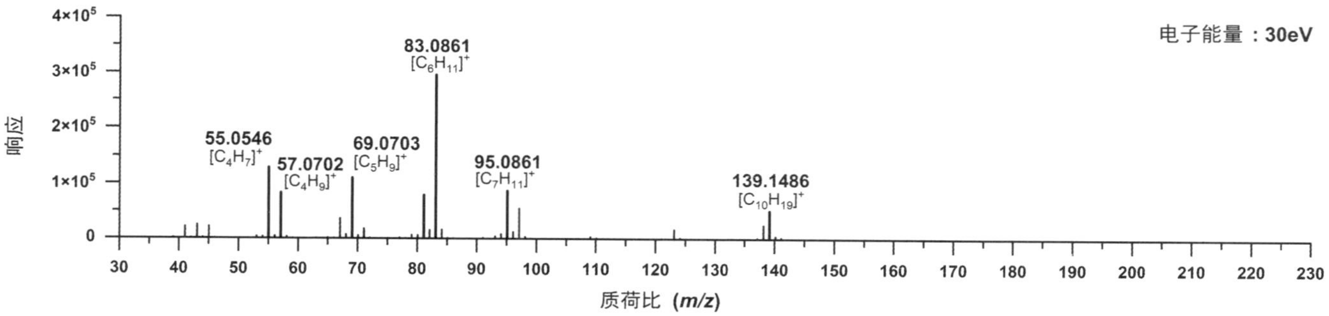

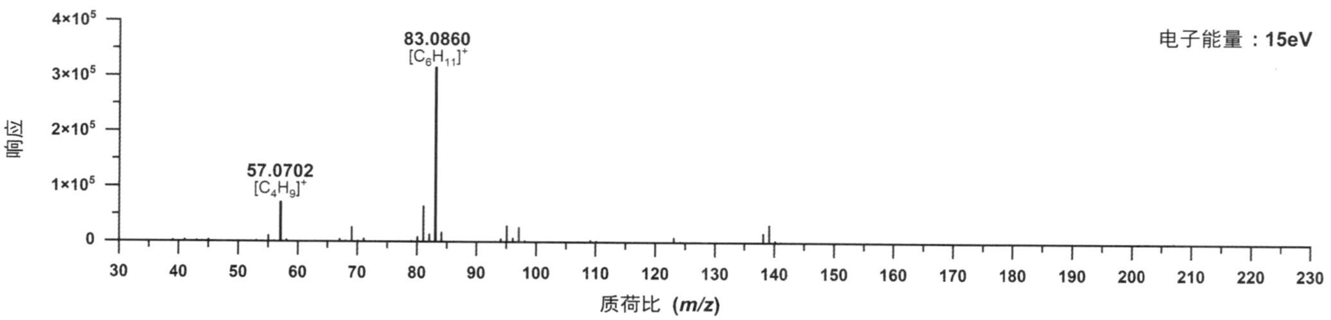

23 α-律草烯

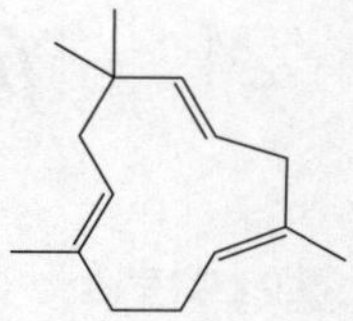

基本信息

CAS 登录号	6753-98-6	分子式	$C_{15}H_{24}$	分子量	204.1873
保留指数（极性）	1716	保留指数（非极性）	1457	香气描述	木香，辛辣气味，草本植物的气味

质谱图

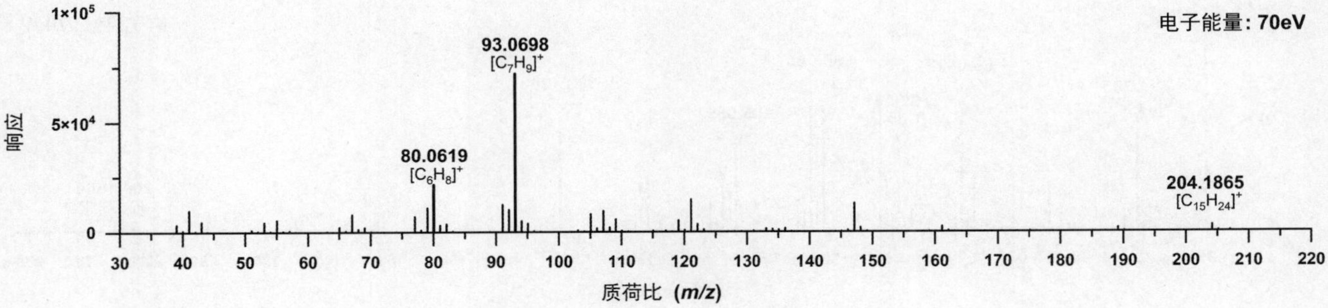

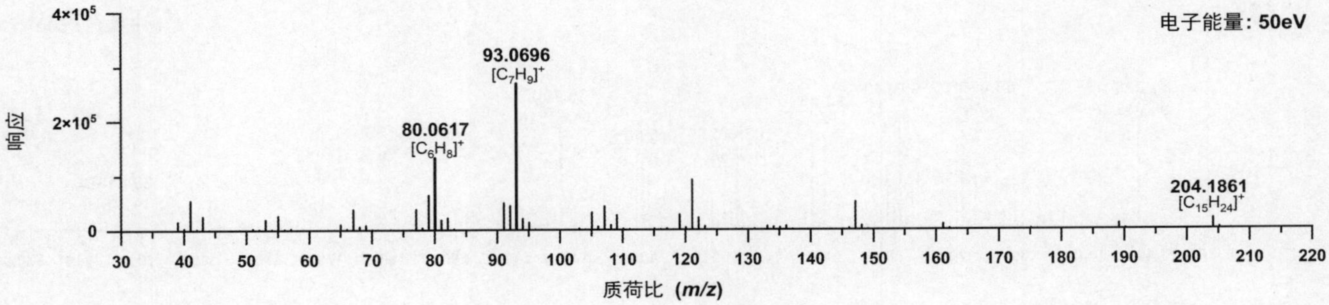

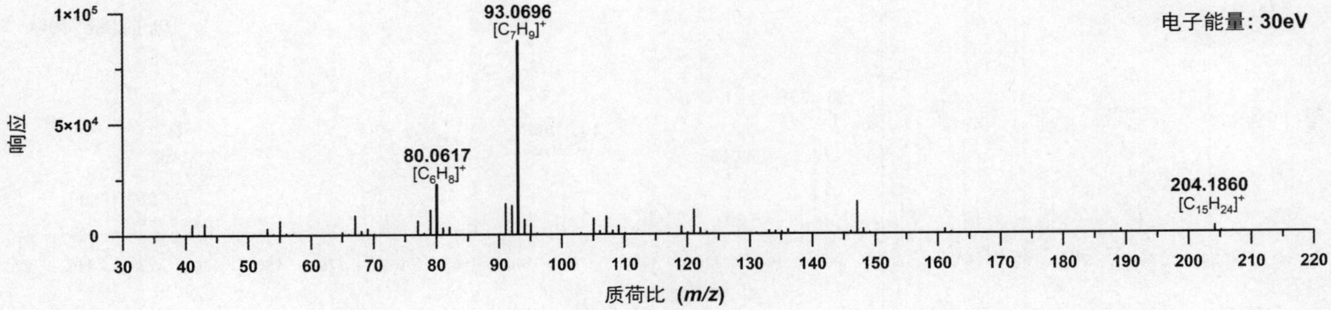

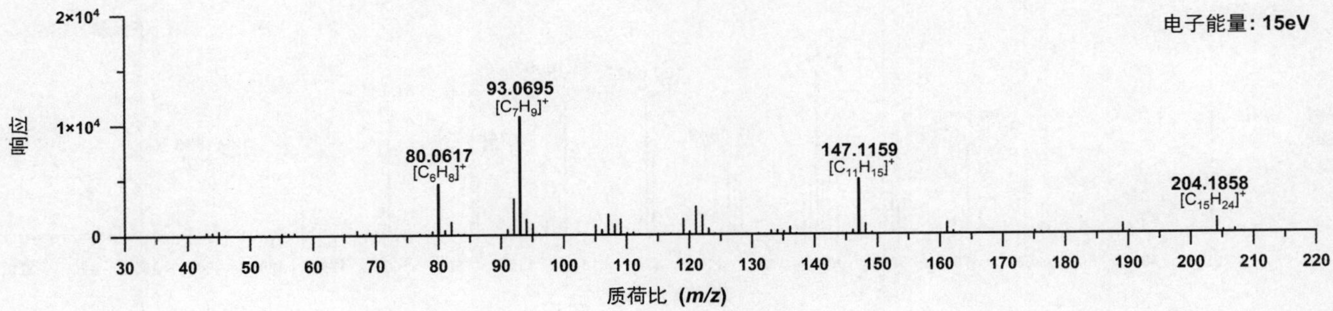

24 β-石竹烯

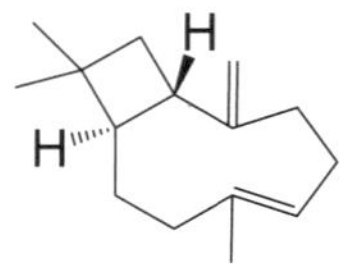

基本信息

CAS 登录号	87-44-5	分子式	$C_{15}H_{24}$	分子量	204.1873
保留指数（极性）	1641	保留指数（非极性）	1425	香气描述	木香，辛辣气味，草本植物的气味

质谱图

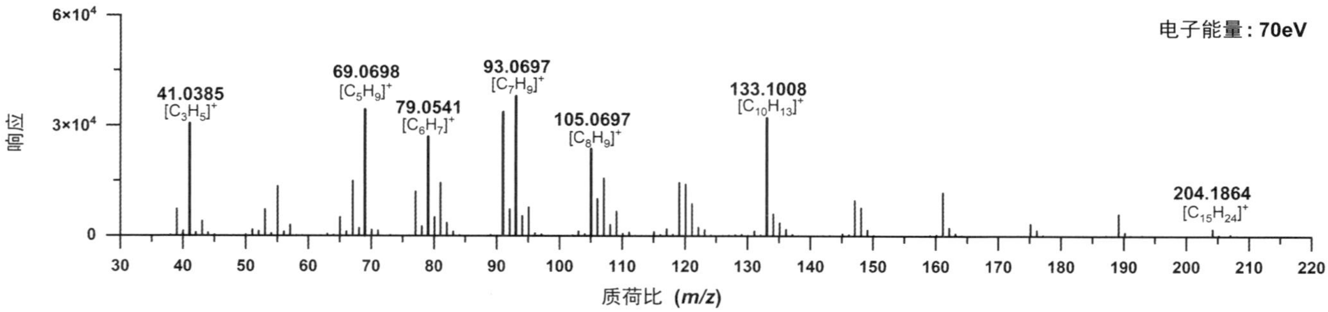

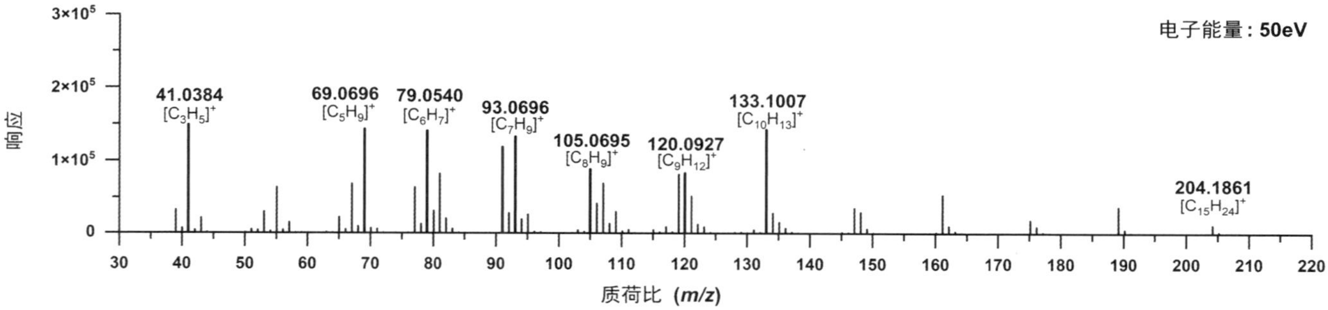

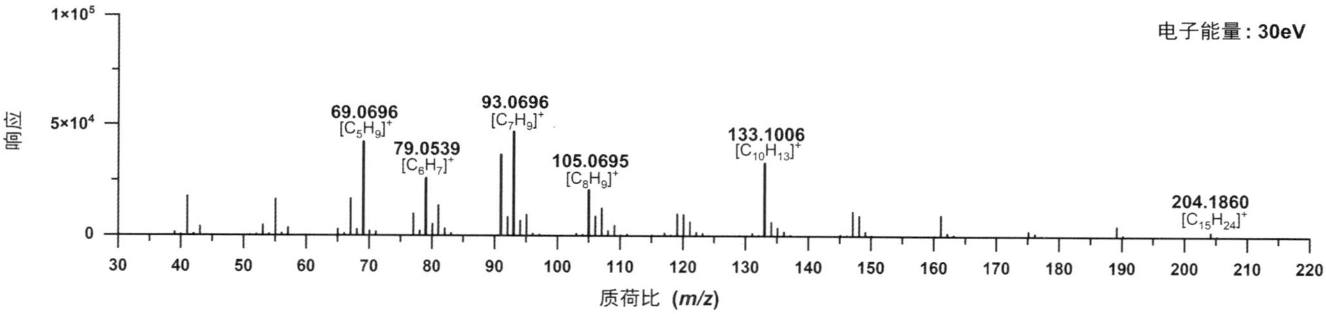

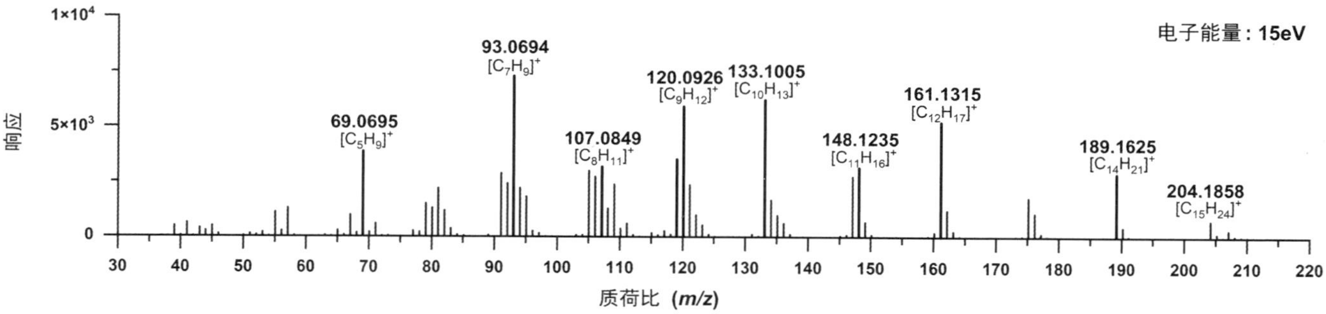

25

异戊酸香叶酯

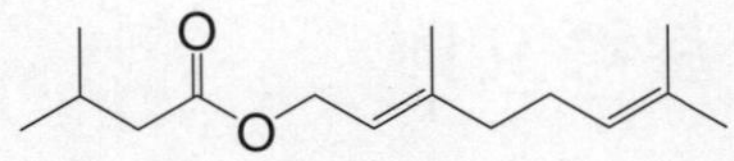

基本信息

CAS 登录号	109-20-6	分子式	$C_{15}H_{26}O_2$	分子量	238.1933
保留指数（极性）	1930	保留指数（非极性）	1588	香气描述	草本植物的气味，花香，甜香

质谱图

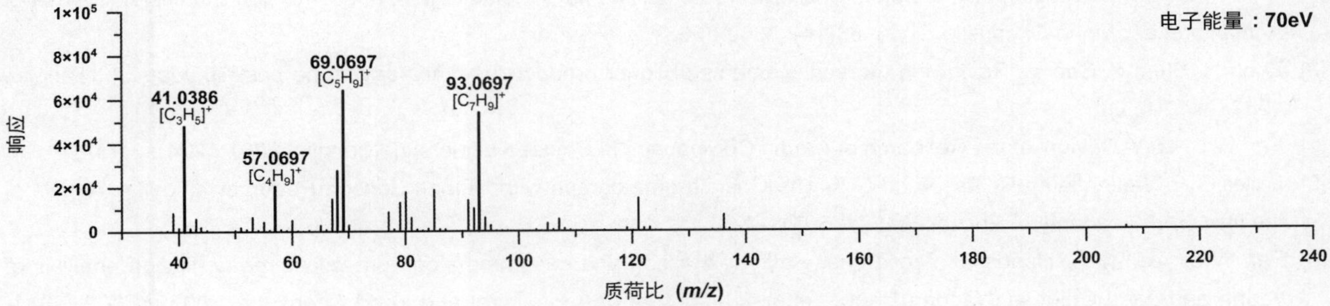

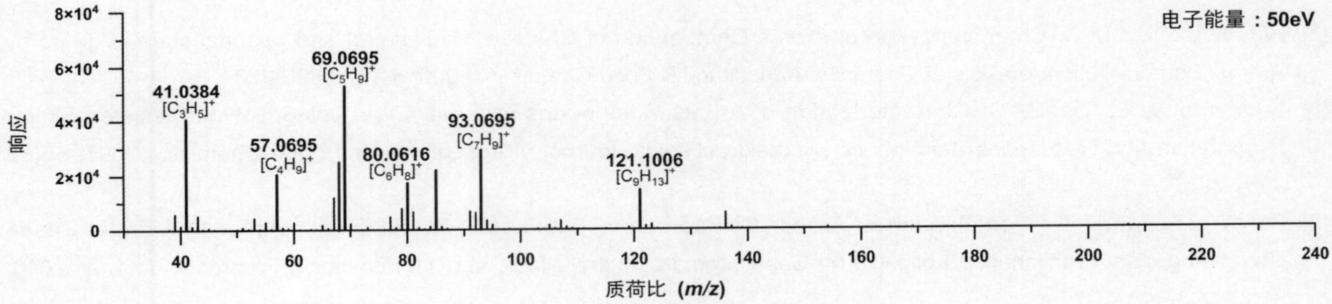

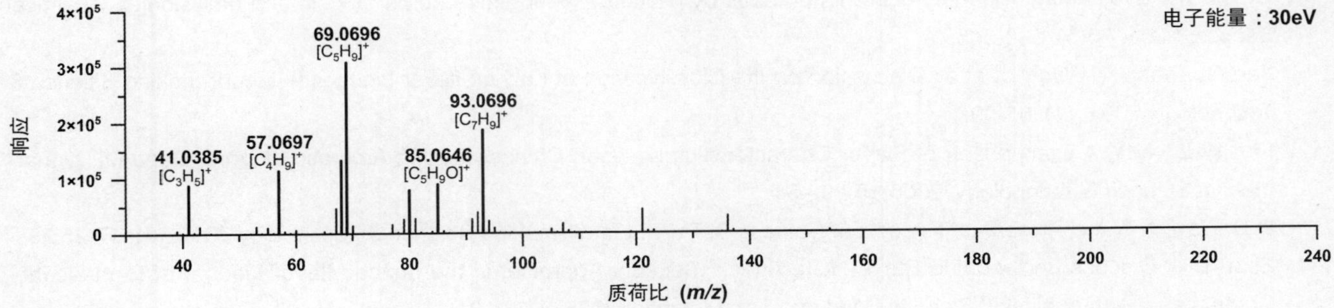

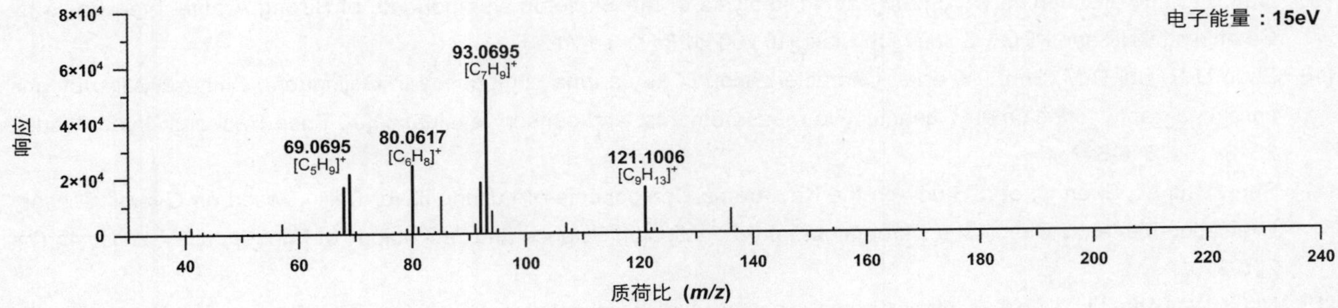

参考文献

[1] Xiao Y. The Production of Chinese Liquor in China was 7.86 million kiloliters in 2019[J]. Liquor-making Science & Technology, 2020, (5): 139.

[2] Fan H Y, Fan W L, Xu Y. Characterization of key odorants in Chinese Chixiang aroma-Type Liquor by Gas Chromatography−Olfactometry, Quantitative Measurements, Aroma Recombination, and Omission Studies[J]. Journal of Agricultural and Food Chemistry, 2015, 63(14): 3660-3668.

[3] Zhou H, Shen Y, Gao M. Reviewing the achievements of liquor production technology in the past 30 years[J]. Niangjiu, 1981, (4): 1-8.

[4] Fan W L, Xu Y. Review of the Research of Aroma Compounds in Chinese Liquors[J]. Niangjiu, 2007, 34(4): 31-37.

[5] Fuller G H, Steltenkamp R, Tisserand G A. The Gas Chromatograph with Human Sensor: Perfumer Model[J]. Annals of the New York Academy of Ences, 2010, 116: 711-724.

[6] Fan W L, Qian M C. Headspace solid phase microextraction and gas chromatography-olfactometry dilution analysis of young and aged Chinese “Yanghe Daqu” liquors[J]. Journal of Agricultural and Food Chemistry, 2005, 53(20): 7931-7938.

[7] Fan W L, Qian M C. Characterization of Aroma Compounds of Chinese “Wuliangye” and “Jiannanchun” Liquors by Aroma Extract Dilution Analysis[J]. Journal of Agricultural & Food Chemistry, 2006, 54(7): 2695-2704.

[8] Xu Y, Fan W L, Qian M C. Characterization of Aroma Compounds in Apple Cider using Solvent-assisted Flavor Evaporation and Headspace Solid-phase Microextraction[J]. Journal of Agricultural and Food Chemistry, 2007, 55(8): 3051-3057.

[9] Fan W L, Qian M C. Identification of Aroma Compounds in Chinese “Yanghe Daqu” Liquor by Normal Phase Chromatography Fractionation Followed by Gas Chromatography/Olfactometry[J]. Flavour & Fragrance Journal, 2010, 21(2): 333-342.

[10] Grosch W. Evaluation of the key odorants of foods by dilution experiments, aroma models and omission[J]. Chemical Senses, 2001, 26(5): 533-545.

[11] Fan G, Zhang A, Wang C, et al. Discussion on the Classification of Luzhou-flavor Liquors[J]. Liquor-making Science & Technology, 2004, (1): 67-69.

[12] Fan W L, Xu Y. A Comparison of Flavor Characteristics between Chinese Strong Aromatic Liquors (Daqu)[J]. Liquor-making Science & Technology, 2000, (5): 92-94.

[13] Li D. Review of the Three Pilot Projects of Chinese Baijiu[J]. Liquor-making Science & Technology 2017, (6): 17-25,28.

[14] Zhou C J. Discuss on the Little Ethyl Lacite Affects Sensory Appraisal in the Luzhou-flavor Liquors of High-alcohol Content and High quality[J]. Sichuan Food and Fermentation, 2005, 41(3): 34-36.

[15] He Q, Zhang Y, Chen X. Chromatographic Analysis of the Skeleton Components of Strong Aroma Type Baijiu by Combining DNP and PEGA Column[J]. Niangjiu, 2001, 28 (3): 70-71.

[16] Zhao D R, Shi D M, Sun J Y, et al. Characterization of key aroma compounds in Gujinggong Chinese Baijiu by gas chromatography–olfactometry, quantitative measurements, and sensory evaluation[J]. Food Research International, 2018, 105: 616-627.

[17] Shi K, Sun X, Shen C, et al.Study on the Key Aroma Components of Luzhou-flavor Baijiu Based on Overall Sensory Evaluation Model by Direct-Gas Chromatography-Olfaction[J]. Science and Technology of Food Industry, 2019, 41 (7): 208-219.

[18] Niu Y W, Kong J L, Xiao Z B, et al. Characterization of odor-active compounds of various Chinese “Wuliangye” liquors

by gas chromatography–olfactometry, gas chromatography–mass spectrometry and sensory evaluation[J]. International Journal of Food Properties, 2017, 20(sup1): S735-S745.

[19] Peng Z, Zhao D, Zheng J, et al. Comparison of Flavor Characteristics between Low-Alcohol and High-Alcohol Wuliangye by Using Modern Flavor Chemistry Technology[J]. Liquor-making Science & Technology, 2018, (12): 17-22.

[20] Wang X X, Fan W L, Xu Y. Comparison on aroma compounds in Chinese soy sauce and strong aroma type liquors by gas chromatography–olfactometry, chemical quantitative and odor activity values analysis[J]. European Food Research and Technology, 2014, 239(5): 813-825.

[21] Liu J, Fan W L, Xu Y, et al. Comparison of Aroma Compounds of Chinese "Miscellaneous Styrle" and "Strong Aroma Style" Liquors by GC-Olfactometry[J]. Niangjiu, 2008, 35 (3): 103-107.

[22] Fan W L, Xu Y, Qian M. Current practice and future trends of aroma and flavor research in Chinese Baijiu[M]//Sex, Smoke, and Spirits: The Role of Chemistry. Washington, DC: American Chemical Society, 2019: 145-175.

[23] Zhu Y, Fan W L, Xu Y. Determination of Free Volatile Phenolic Compounds in Chinese Liquors (baijiu)Using Direct Immersion-solid Phase Microextraction Coupled with Gas Chromatography-mass Spectrometry[J]. Food and Fermentation Industries 2010, 36 (10), 138-143.

[24] Nie Q, Xu Y, Fan W L. Quantification of y-lactones in Baijiu with Solid Phase Extraction (SPE)- gas Chromatography Mass Spectrometry (GC-MS)[J]. Food and Fermentation Industries 2012, 38 (4), 159-164.

[25] Niu Y W, Yu D, Xiao Z B, et al. Use of stir bar sorptive extraction and thermal desorption for gas chromatography-mass spectrometry characterization of selected volatile compounds in Chinese liquors[J]. Food Analytical Methods, 2015, 8(7): 1771-1784.

[26] He Y X, Liu Z P, Qian M, et al. Unraveling the chemosensory characteristics of strong-aroma type Baijiu from different regions using comprehensive two-dimensional gas chromatography–time-of-flight mass spectrometry and descriptive sensory analysis[J]. Food Chemistry, 2020, 331: 127335.

[27] Sun B, Wu J, Huang M, et al. Recent Advances of Flavor Chemistry in Chinese Liquor Spirits (Baijiu)[J]. Journal of Chinese Institute of Food Science and Technology, 2015, 15 (9): 1-8.

[28] Niu Y, Chen X, Xiao Z, et al. Analysis of Key Aroma Components in Three Wuliangye Liquors of Different Ages[J]. Food Science, 2017, 18: 133-137.

[29] Shen Y. Manual of Chinese Liquor Manufacturers Technology[M]. China Light Industry Press: Beijing, 1998.

[30] Fan W L, Xu Y. Identification of Volatile Compounds of Fenjiu and Langjiu by Liquid-liquid Extraction Coupled with Normal Phase Liquid Chromatography(Part One)[J]. Liquor-making Science & Technology, 2013, (2): 17-26.

[31] Fan W L, Xu Y. Identification of Volatile Compounds of Fenjiu and Langjiu by Liquid-liquid Extraction Coupled with Normal Phase Liquid Chromatography(Last Part)[J]. Liquor-making Science & Technology 2013, (3): 17-27.

[32] Gao W J, Fan W L, Xu Y. Characterization of the key odorants in light aroma type Chinese liquor by gas chromatography-olfactometry, quantitative measurements, aroma recombination, and omission studies[J]. Journal of Agricultural and Food Chemistry, 2014, 62(25): 5796-5804.

[33] Niu Y W, Yao Z M, Xiao Q, et al. Characterization of the key aroma compounds in different light aroma type Chinese liquors by GC-olfactometry, GC-FPD, quantitative measurements, and aroma recombination[J]. Food Chemistry, 2017, 233: 204-215.

[34] Qian Y L, An Y Q, Chen S, et al. Characterization of Qingke liquor aroma from Tibet[J]. Journal of Agricultural and Food Chemistry, 2019, 67(50): 13870-13881.

[35] Ji K, Guo K. Investigation on Microconstituents in Maotai Liquor[J]. Liquor-making Science & Technology, 2006, (10): 98-100.

[36] Zhu S K, Lu X, Ji K L, et al. Characterization of flavor compounds in Chinese liquor Moutai by comprehensive two-dimensional gas chromatography/time-of-flight mass spectrometry[J]. Analytica Chimica Acta, 2007, 597(2): 340-348.

[37] Fan W L, Xu Y, Qian M C. Identification of aroma compounds in Chinese "Moutai" and "Langjiu" liquors by normal phase liquid chromatography fractionation followed by gas chromatography/olfactometry[M]//Flavor Chemistry of Wine and Other Alcoholic Beverages. Washington, DC: American Chemical Society, 2012: 303-338.

[38] Wang L, Fan W L, Xu Y. Analysis of Capillary Chromatographic Skeleton Compounds in Chinese Soy Sauce Aroma

Type Liquor by Liquid-liquid Microextraction and Aroma Recombination[J]. Science and Technology of Food Industry, 2012, 33 (19): 304-308, 361.
[39] Cui L, Peng Z. What are the main aroma ingredients of Maotai-flavor liquor?Some Humble Opinions on the Main Arguments about the Main Fragrant Ingredients of Maotai-flavored Liquor[J]. Niangjiu, 1990, (3): 11-13.
[40] Xiong Z. Research on Three Flavor Type Liquors in China (Ⅱ) Introduction to Maotai-flavor Liquor[J]. Liquor-making Science & Technology, 2005, 4: 25-30.
[41] Cao S, Wang M. Pyrazine Compounds and Heating Aroma[J]. Liquor-making Science & Technology, 1981, 2: 21-25.
[42] Xiong Z. The Production of Moutai-flavor Liquor[M]. China Light Industry Press: Beijing, 1994.
[43] Cao S. Discussion on Flavor Components of Maotai-flavor Liquor[J]. Liquor-making Science & Technology, 1991, (4): 47-48.
[44] Zhou L. Discussion on the Key Aroma Compounds in Maotai-flavor Liquor[J]. Niangjiu, 1983, (1): 12-18.
[45] Fan W L, Xu Y, Zhang Y H. Characterization of pyrazines in some Chinese liquors and their approximate concentrations[J]. Journal of Agricultural and Food Chemistry, 2007, 55(24): 9956-9962.
[46] Chen S, Sha S, Qian M, et al. Characterization of volatile sulfur compounds in Moutai liquors by headspace solid-phase microextraction gas chromatography-pulsed flame photometric detection and odor activity value[J]. Journal of Food Science, 2017, 82(12): 2816-2822.
[47] Yan Y, Chen S, Nie Y, et al. Characterization of volatile sulfur compounds in soy sauce aroma type Baijiu and changes during fermentation by GC × GC-TOFMS, organoleptic impact evaluation, and multivariate data analysis[J]. Food Research International, 2020, 131: 109043.
[48] Wang L L, Fan S S, Yan Y, et al. Characterization of potent odorants causing a pickle-like off-odor in Moutai-aroma type Baijiu by comparative aroma extract dilution analysis, quantitative measurements, aroma addition, and omission studies[J]. Journal of Agricultural and Food Chemistry, 2020, 68(6): 1666-1677.
[49] Wang L, Hu G Y, Lei L B, et al. Identification and aroma impact of volatile terpenes in Moutai liquor[J]. International Journal of Food Properties, 2016, 19(6): 1335-1352.
[50] Esmaeili A, Rohany S, Safaiyan S. Biotransformation of citral by free and immobilized Saccharomyces cerevisiae[J]. Chemistry of Natural Compounds, 2012, 48(2): 322-324.
[51] Jin P, Shen Y, Chen B. Summary of Research Techniques on Characteristics of Aroma Components of YubingShao[J]. Niangjiu, 1984, (2): 31-32, 37.
[52] Feng Z, Qiu X. Study on the Aroma Types of Chixiang Liquor[J]. Niangjiu, 1995, (4): 75-84.
[53] Hu G, Lu J. Analysis and Research on the Characteristic Components of Sesame Flavor Liquor[J]. Liquor-making Science & Technology, 1994, (4): 75-77.
[54] Sun X, Zhang F, Dong, W, et al. Analysis of 3-Methylthiopropanol in Sesame Flavor Liquor by GC-MS/SIM[J]. Journal of Chinese Institute of Food Science and Technology, 2015, 15 (2): 214-222.
[55] Sun X T. GC-FPD analysis of 3-methylthiopropanol in sesame-flavor liquor[J]. Proceedings of Journal of Food Science and Technology-Mysore. 2014 32 (5): 27-34.
[56] Fan W L, Xu Y. Determination of Odor Thresholds of Volatile Aroma Compounds in Baijiu by A Forced-choice Ascending Concentration Series Method of Limits[J]. Niangjiu, 2011, 38 (4): 80-84.
[57] Zheng Y, Sun B G, Zhao M M, et al. Characterization of the key odorants in Chinese Zhima aroma-type Baijiu by gas chromatography-olfactometry, quantitative measurements, aroma recombination, and omission studies[J]. Journal of Agricultural and Food Chemistry, 2016, 64(26): 5367-5374.
[58] Sha S, Chen S, Qian M, et al. Characterization of the typical potent odorants in Chinese roasted sesame-like flavor type liquor by headspace solid phase microextraction-aroma extract dilution analysis, with special emphasis on sulfur-containing odorants[J]. Journal of Agricultural and Food Chemistry, 2017, 65(1): 123-131.
[59] Chen S, Xu Y. Characterization of volatile compounds in Chinese roasted sesame-like flavor type liquor by comprehensive two-dimensional gas chromatography/ time-of-flight mass spectrometry[J]. Food and Fermentation Industries 2017, 43 (7): 212-218.
[60] Hufnagel J C, Hofmann T. Orosensory-directed identification of astringent mouthfeel and bitter-tasting compounds in

red wine[J]. Journal of Agricultural and Food Chemistry, 2008, 56(4): 1376-1386.

[61] Hufnagel J C, Hofmann T. Quantitative reconstruction of the nonvolatile sensometabolome of a red wine[J]. Journal of Agricultural and Food Chemistry, 2008, 56(19): 9190-9199.

[62] Frank S, Wollmann N, Schieberle P, et al. Reconstitution of the flavor signature of Dornfelder red wine on the basis of the natural concentrations of its key aroma and taste compounds[J]. Journal of Agricultural and Food Chemistry, 2011, 59(16): 8866-8874.

[63] Gao W J, Fan W L, Xu Y. Characterization of the key odorants in light aroma type Chinese liquor by gas chromatography-olfactometry, quantitative measurements, aroma recombination, and omission studies[J]. Journal of Agricultural and Food Chemistry, 2014, 62(25): 5796-5804.

[64] Du H, Fan W L, Xu Y. Characterization of geosmin as source of earthy odor in different aroma type Chinese liquors[J]. Journal of Agricultural and Food Chemistry, 2011, 59(15): 8331-8337.

[65] Ferreira V. Revisiting psychophysical work on the quantitative and qualitative odour properties of simple odour mixtures: A flavour chemistry view. Part 1: Intensity and detectability. A review[J]. Flavour and Fragrance Journal, 2012, 27(2): 124-140.

[66] Ferreira V. Revisiting psychophysical work on the quantitative and qualitative odour properties of simple odour mixtures: A flavour chemistry view. Part 2: Qualitative aspects. A review[J]. Flavour and Fragrance Journal, 2012, 27(3): 201-215.

[67] Brodin M, Laska M, Olsson M J. Odor interaction between bourgeonal and its antagonist undecanal[J]. Chemical Senses, 2009, 34(7): 625-630.

[68] Cometto-Muñiz J E, Abraham M H. Dose-response functions for the olfactory, nasal trigeminal, and ocular trigeminal detectability of airborne chemicals by humans[J]. Chemical Senses, 2016, 41(1): 3-14.

[69] Tempere S, Schaaper M H, Cuzange E, et al. The olfactory masking effect of ethylphenols: Characterization and elucidation of its origin[J]. Food Quality and Preference, 2016, 50: 135-144.

[70] Culleré L, Cacho J, Ferreira V. An assessment of the role played by some oxidation-related aldehydes in wine aroma[J]. Journal of Agricultural and Food Chemistry, 2007, 55(3): 876-881.

[71] Patte F, Laffort P. An alternative model of olfactory quantitative interaction in binary mixtures[J]. Chemical Senses, 1979, 4(4): 267-274.

[72] Saison D, De Schutter D P, Uyttenhove B, et al. Contribution of staling compounds to the aged flavour of lager beer by studying their flavour thresholds[J]. Food Chemistry, 2009, 114(4): 1206-1215.

[73] Selfridge T B, Amerine M A. Odor thresholds and interactions of ethyl acetate and diacetyl in an artificial wine medium[J]. American Journal of Enology and Viticulture, 1978, 29(1): 1-6.

[74] Lytra G, Tempere S, de Revel G, et al. Impact of perceptive interactions on red wine fruity aroma[J]. Journal of Agricultural and Food Chemistry, 2012, 60(50): 12260-12269.

[75] Xiao Z B, Xiang P, Zhu J C, et al. Evaluation of the perceptual interaction among sulfur compounds in mango by feller's additive model, odor activity value, and vector model[J]. Journal of Agricultural and Food Chemistry, 2019, 67(32): 8926-8937.

[76] Guadagni D G, Miers J C, Venstrom D W. Concentration effect on odor addition or synergism in mixtures of methyl sulfide and tomato juice[J]. Journal of Food Science, 1969, 34(6): 630-632.

[77] Zhu J C, Chen F, Wang L Y, et al. Evaluation of the synergism among volatile compounds in Oolong tea infusion by odour threshold with sensory analysis and E-nose[J]. Food Chemistry, 2017, 221: 1484-1490.

[78] Niu Y W, Yao Z M, Xiao Z B, et al. Sensory evaluation of the synergism among ester odorants in light aroma-type liquor by odor threshold, aroma intensity and flash GC electronic nose[J]. Food Research International, 2018, 113: 102-114.

[79] Niu Y W, Liu Y, Xiao Z B. Evaluation of perceptual interactions between ester aroma components in Langjiu by GC-MS, GC-O, sensory analysis, and vector model[J]. Foods, 2020, 9(2): 183.

[80] Niu Y W, Zhu Q, Xiao Z B. Characterization of perceptual interactions among ester aroma compounds found in Chinese Moutai Baijiu by gas chromatography-olfactometry, odor Intensity, olfactory threshold and odor activity value[J]. Food Research International, 2020, 131: 108986.

[81] Yang J. The Instruction Function of National Liquor Tasting Conference for the Development of Liquor-making Industry[J]. Liquor-making Science & Technology 2006, (6): 109-122.

索引

分子式索引

CAS登录号索引